Prosniz, Adolf

Kompendium der Musikgeschichte

1750 - 1830

Prosniz, Adolf

Kompendium der Musikgeschichte

1750 - 1830

Inktank publishing, 2018

www.inktank-publishing.com

ISBN/EAN: 9783750105096

COMPENDIUM

DER

MUSIKGESCHICHTE

1750—1830.

(NEUE GESCHICHTE.)

FÜR SCHULEN UND KONSERVATORIEN.

VON

ADOLF PROSNIZ

PROFESSOR AM WIENER KONSERVATORIUM I. R.

<⊏>

WIEN.

ALFRED HÖLDER.

K. U. K. HOF- UND UNIVERSITÄTSBUCHHANDLER

1911.

Vorwort.

Das vorliegende Buch, welches den dritten Band des „Compendium der Musikgeschichte" bildet, soll gleich den beiden vorangegangenen dem Lehr- und Lernzweck der Schule dienen. Der erweiterte Umfang dieses Bandes erklärt sich durch seinen dem allgemeinen Interesse näherliegenden Stoff und durch die Methode seiner Bearbeitung. Statt die Darstellung durch weitverzweigte Literaturnachweise zu unterbrechen, war ich bestrebt, derselben einen zusammenhängenden Charakter bei möglichst reichhaltigem Inhalt zu verleihen. Die vornehmsten Quellenwerke und wertvollsten Spezialschriften, welche das historische Material dieser Arbeit lieferten, sind in dem Anhang verzeichnet.

Da die musikgeschichtliche Entwicklung in dieser Epoche von den großen Tonmeistern beherrscht wird, so erscheint es gerechtfertigt, daß der Lebensgeschichte derselben ein ausgedehnter Raum zugewiesen ist. Die biographische Darstellung hält sich jedoch nur an die wesentlichen Umrisse, ihr Reiz soll nicht durch romanhafte Ausschmückung, durch Anekdoten zweifelhafter Glaubwürdigkeit erhöht werden. Bedenkt man, daß sich schon um lebende Berühmtheiten ein förmlicher Legendenkreis bildet, so kann man begreifen, wie diese Legenden in späterer Zeit sich zu Glaubenssätzen verdichten.

Selbstverständlich war es meine Aufgabe, der gesamten musikalischen Produktion dieser Epoche in übersichtlicher Fassung gerecht zu werden, dabei den hervorragenderen Meistern und Werken eine eingehendere Behandlung zu widmen. Gar vieles in diesem Buche Enthaltene ist der Gegenwart fremd geworden, lebt nicht mehr in unserer Kunstübung; das Interesse, welches wir auch diesen Partien entgegenbringen, wird daher vorwiegend das historische sein.

Die geschichtliche Darstellung einer scharf umgrenzten Zeitperiode hat ihre Vorzüge und ihre Nachteile: erstere liegen in der Konzentration der Auffassung und des Gedächtnisses auf ein bestimmtes Zeitbild, letztere in der Notwendigkeit, zahlreiche verbindende Fäden zu durchschneiden. Bei allgemeiner Festhaltung der chronologischen Grundlage war es daher geboten, aus Rück-

5

sichten auf den inneren Zusammenhang die obere Zeitgrenze zuweilen zu überschreiten, anderseits noch vor derselben Halt zu machen. Der erstere Fall trat bei jenen Meistern ein, deren Hauptwerke in ihre frühere Lebensepoche fallen, beispielsweise bei Rossini (Barbier 1816, Tell 1829), Auber (Maurer und Schlosser 1825, Stumme 1828), Spontini (Vestalin 1807, Cortez 1809), Marschner (Vampyr 1828, Templer 1829, Heiling 1833); Spohr stand noch ganz unter dem Einfluß Mozarts, Loewe schuf den größten Teil seiner Meisterballaden in den Dreißigerjahren. Dagegen mußte Mendelssohn, der schon vor 1830 mehrere seiner eigenartigsten Werke geschrieben, der nächsten Epoche vorbehalten bleiben, da er aus dem Zusammenhange mit den anderen Koryphäen der „romantischen Schule" Schumann, Chopin nicht zu trennen war.

Der Tendenz der vorliegenden Arbeit entsprechend, haben darin eingehende Erörterungen über die Beziehungen der gleichzeitigen politischen und allgemein kulturellen Verhältnisse zur Tonkunst keinen Platz gefunden.

Bei allem pflichtbewußten Streben nach Objektivität wird es mir wohl verziehen werden müssen, daß ich auf das subjektive Urteil nicht ganz verzichtete.

Mag auch dieses Buch manche Wünsche unbefriedigt lassen, das ehrliche Wollen, mit demselben etwas praktisch Nützliches zu schaffen, wird man dem Autor hoffentlich zugestehen.

Wien, im August 1915.

Der Verfasser.

Inhalt.

Neue Geschichte.

1750—1830.

I.

Der neue Instrumentalstil.

Übergänge und Vorläufer.

Haydn.

Ein neuer Frühling, belebend und erwärmend, war um 1750 mit dem n e u e n I n s t r u m e n t a l s t i l der Tonkunst aufgegangen. Die I n s t r u m e n t a l m u s i k tritt damit in den Vordergrund der musikgeschichtlichen Entwicklung. *Instrumental-musik.*

Das Wesen des a l t e n von dem des n e u e n S t i l s zu unterscheiden, genügt es, die Namen B a c h und H a y d n gegenüberzustellen. Die F u g e einerseits, die S o n a t e anderseits bilden die Wahrzeichen der beiden Stile. Im allgemeinen ist es der Fortschritt von der G e b u n d e n h e i t zur F r e i h e i t, welcher sich in dem neuen Stil vollzieht. Das t h e m a t i s c h e P r i n z i p, welches aller Instrumentalmusik zu Grunde liegt, erfährt in den beiden Stilgattungen eine wesentlich verschiedene Anwendung. In dem a l t e n, vorwiegend polyphonen Stil wird ein einstimmiges Motiv oder Thema nacheinander von den einzelnen Stimmen aufgenommen und in dem Gesamtbau festgehalten; in dem n e u e n, vorherrschend homophonen Stil tritt das Thema, zugleich melodisch, harmonisch und rhythmisch ausgestattet auf und entwickelt sich in logischer Folge, gleich einer Rede. Der neue Instrumentalstil gelangt in der m o d e r n e n S o n a t e n f o r m zur Erscheinung, welche im wesentlichen auch die der S y m p h o n i e und K a m m e r m u s i k ist. Die S u i t e tritt nun in den Hintergrund. Die moderne Sonate übernimmt das Erbe der alten italienischen Sonata, erweitert ihre Form, tritt ihr aber zugleich als etwas N e u e s gegenüber. Dieses

Der neue Stil

besteht zunächst in der Einführung eines zweiten kontrastierenden Themas, in der Mannigfaltigkeit der thematischen Arbeit, dann in der biegsameren, freieren Melodieführung. Die Symphonie, deren Vorgängerin die italienische Opern-Sinfonia (Ouvertüre) ist, entwickelt sich in derselben Weise. Einen wichtigen Fortschritt bildet darin die selbständigere Führung der Blasinstrumente. In der Kammermusik spielt die Triosonate (2 Violinen und Baß) eine wichtige Rolle. Die Triosonate erweitert sich zum Streichquartett. Die Gruppenbildung der Hauptform (des ersten Satzes) in ihrer Dreiteiligkeit, dem ersten Teil, der Durchführung und Repetition, und in ihren Unterabteilungen gelangt zur Geltung. Die übrigen Sätze, welche sich an die Arien-, Lied,- Tanz- und Rondoformen lehnen, auch zuweilen Variationen in sich aufnehmen, finden die ihrer Aufgabe entsprechende Ausbildung. Der Basso continuo (fortlaufender Baß) und mit ihm das begleitende Cembalo als Stütze und Ausfüllung der Harmonie werden entbehrlich. Die fortschreitenden harmonischen, modulatorischen und koloristischen Mittel, die freie Verwendung der Polyphonie, verleihen dem Tonsatze einen reicheren wechselnden Charakter. In ästhetischer Beziehung wird ein innerer Zusammenschluß der einzelnen Sätze zu einem einheitlichen Ganzen angestrebt.

Die moderne Sonatenform mit ihren Gefährten in der Kammer- und symphonischen Musik, welche der Entfaltung der Setzkunst, wie der Aufnahme eines geistigen Inhaltes und der Aussprache subjektiven Empfindens den weitesten Spielraum gewährt, behauptet ihren Rang in der neuen Instrumentalmusik bis heute.

Der neue Stil tritt als etwas Fertiges anscheinend unvermittelt in die Erscheinung. Kann es jedoch einem Zweifel unterliegen, daß er nur in organischer Entwicklung vorbereitet sein konnte? Die neueste Forschung ist bemüht, die Übergänge zu dem neuen Instrumentalstil aufzudecken und uns mit den Vorläufern der großen Meister bekannt zu machen. Bei dem Umstande, daß die Instrumentalmusik des 17. und der ersten Hälfte des 18. Jahrhunderts nicht genügend durchforscht, vieles auch gänzlich verloren gegangen ist, sind diese Untersuchungen nicht als abgeschlossen zu betrachten. Den Weg, den die Formentwicklung zum neuen Stil genommen, einen Weg, der durch die alte Sonate, das Konzert, die italienische Opernsymphonie führt, können wir verfolgen, nicht so jenen zu dem geistigen Inhalt, dem lebendigen Wesen des Stils. Ist es nicht vielleicht die Volksmusik mit ihren Liedern und Tänzen, bis auf das Volksmusikantentum herab, welche, zum Durchbruch gelangt, die eigentliche Triebkraft des neuen Instrumentalstils bildet?

Übergänge und Vorläufer.

Als Vorläufer des neuen Stils sind jene Tonsetzer zu betrachten, deren Lebens- und Schaffenszeit jener der großen Meister

Tonsetzer.

der Instrumentalmusik vorangehend, in ihren Werken Elemente und Ansätze des neuen Stils erkennen lassen.

Man muß bis auf die Zeit Seb. Bachs zurückgreifen, zu Telemann, was die Form, zu Joh. Friedrich Fasch, was Geist und Inhalt betrifft. Georg Phil. Telemann (S. II, 144) war ungemein fruchtbar und gewandt in der Instrumentalkomposition nach französischer Art, er schrieb zahllose Orchesterstücke (Suiten) und Triosonaten, Fasch schloß sich ihm an, entfaltete aber gleichzeitig seine individuelle Eigenart. *(margin: Telemann. J. F. Fasch.)*

Joh. Friedrich Fasch (1688—1758) studierte in Leipzig, wechselte dann öfters seinen Aufenthaltsort, nahm verschiedene Stellungen ein, bis er 1722 zum Hofkapellmeister in Zerbst ernannt wurde. Seine Werke, bestehend aus Orchestersuiten, Triosonaten, Kirchenmusik usw. sind großenteils handschriftlich erhalten. Von der Wertschätzung, welche Seb. Bach diesem Meister zollte, zeugt seine eigenhändige Abschrift einiger Orchestersuiten Fasch', im Besitz der Leipziger Thomasschule. Karl Friedr. Chr. Fasch, der Sohn des Vorgenannten, ist der Begründer der Berliner Singakademie.

Ein Zeitgenosse Bachs, der geniale Domenico Scarlatti, der Pionier der neuen Sonatenform, steht vereinzelt da, durch ihn führt keine unmittelbare Linie der Entwicklung. (S. II, 211.) *(margin: Dom. Scarlatti.)*

Von den Opernsymphonien, wie die von Hasse, Graun, Galuppi und anderen, welche häufig als selbständige Symphonien erschienen, werden die Jommellis als die fortgeschrittensten erklärt. Auch Gluck hat solche Symphonien (Ouvertüren) nebst Triosonaten geschrieben. *(margin: Opernsymphonien.)*

Als Instrumentalkomponist nahm auch Joh. Gottlieb Graun (1699—1771), der Bruder des Opernkomponisten, Konzertmeister Friedrichs II., einen bedeutenden Rang ein. Unter seinen zahlreichen Werken (er hat allein gegen 100 Symphonien geschrieben) findet sich manches Interessante und Neue. *(margin: J. G. Graun.)*

Ein Tonsetzer, der seit jeher mit Nachdruck als einer der Vorbilder Haydns genannt wird, ist Sammartini. Ein nur wenig gelüfteter Schleier ruht noch über seinem Schaffen, so daß die Rechtfertigung seines Ruhmestitels noch abzuwarten ist. *(margin: Sammartini.)*

Giovanni Battista Sammartini, auch San Martino (1704—1774), wirkte in Mailand als Organist und Kapellmeister. Er war vorzüglich als Instrumentalkomponist geschätzt, schrieb zahlreiche Symphonien, Trios, Concerti grossi, Violinstücke, nebstdem auch Opern und Kirchenwerke. Seine erste Symphonie wurde 1734 in Mailand aufgeführt. In den alten Verlagskatalogen von Breitkopf sind 24 Symphonien, 36 Triosonaten und 6 Violinkonzerte angezeigt. In Druck erschienen 24 Symphonien in Paris, 6 Trios in London. Sammartini war in Italien sehr beliebt, einzelne seiner Werke drangen auch nach Wien. Haydn sprach sich abfällig über sie aus. Man will ihm schon die moderne Sonatenform zuschreiben. Sammartini wird auch als der Lehrer Glucks, während dessen Aufenthalts in Mailand, betrachtet. — Giuseppe Sammartini (ca. 1700—1770), ein Bruder desselben, war ebenfalls Instrumentalkomponist.

Sehr nahe an Haydn gerückt, zum Teil gleichzeitig mit demselben, stehen die Gruppen der Mannheimer und der

1*

Wiener Symphoniker in der zweiten Hälfte des 18. Jahrhunderts.

Mannheimer Schule. Die Mannheimer Schule genoß zu ihrer Zeit ein hohes Ansehen. Insbesondere war es das Orchester, welches als eines der vorzüglichsten Europas gerühmt wurde. Unter der Regierung des Kurfürsten Karl Theodor fand die Oper und die Instru- **Oper.** mentalmusik eifrige Pflege. An der Oper wirkten unter dem Kapellmeister Holzbauer vorzügliche Gesangskräfte. Das Repertoire von 1750 bis zur Übersiedlung des Hofes nach München 1778 war ein mannigfaltiges; man gab Opern von Hasse, Jommelli, Galuppi, Majo, Piccinni, Intermezzi, Pantomimen. Dazwischen führte man auch Oratorien auf. Später erscheinen auch deutsche Singspiele. Den größten Raum als Komponist nimmt Holzbauer mit seinen italienischen Opern, Pantomimen und deutschen Singspielen ein. 1776 kam seine deutsche Oper „Günther von Schwarzburg" in Mannheim zur Aufführung. Höher als seine Opern stehen seine Kirchenwerke, welche auch von Mozart gerühmt werden. Besonders hervorgehoben wird eine Messe in E-moll. — Unser gegenwärtiges Interesse wendet sich jedoch der Orchester- und Kammermusik zu. Die erste Stelle nimmt hier der Gründer der **Joh. Stamitz.** Mannheimer Schule, Johann Stamitz (1717—1757 od. 1758) ein. Ein Böhme von Geburt, trat er 1745 in die kurfürstliche Kapelle zu Mannheim. Stamitz war ein vorzüglicher Violinist, der als solcher Schule gemacht, ein fruchtbarer Tonsetzer, der nicht weniger als 45 Symphonien, 10 Triosonaten (Orchestertrios), Violinkonzerte, Solosonaten geschrieben hat. Viele seiner Werke wurden in Paris, London, Amsterdam gedruckt und erschienen in **Symphonien und Trios.** wiederholten Auflagen. Die Symphonien und Trios Johann Stamitz' bewegen sich schon entschieden in dem neuen Instrumentalstil. Die Form ist klar und sicher gehandhabt, die musikalische Erfindung unbedeutend. In ihrem Wesen frisch zugreifend, musikantenhaft, stehen diese Kompositionen dem Charakter von Tafelmusiken nahe. Die Themen der Hauptform entbehren der Prägnauz; Durchführung und Polyphonie sind nur angedeutet. Wärme der Empfindung ist vollends zu vermissen. Erfreulicher sind die langsamen Sätze, die sich an die Arie oder das Lied lehnen. Immerhin bildet Johann Stamitz, wenn man ihn auch als Pfadfinder des neuen Musikstils nicht ansehen kann, ein wesentliches Glied in der Kette der Entwicklung. Trotz ihrer großen Verbreitung waren die Werke von Johann Stamitz gegen Ende des Jahrhunderts fast verschollen. Als Modekomponist seiner Zeit kann er dem späteren Ignaz Pleyel verglichen werden.

Fr. X. Richter. Dem Kreise der Mannheimer gehört ferner an Franz X. Richter (1709—1789), aus Mähren gebürtig, seit 1747 in Mannheim als Violinist und Kapellmeister angestellt; 1769 übersiedelte er nach Straßburg. Nebst Kirchenwerken hat er viele Instrumentalstücke geschrieben. Seine Symphonien (von Riemann mitgeteilt) sind von geringerem Interesse und trockener als jene von Stamitz. — Auch Holzbauer, als Opernkomponist oben erwähnt, ist als fruchtbarer Instrumentalkomponist hier einzureihen. Eine (ebenfalls von Riemann mitgeteilte) Symphonie in Es erscheint etwas fortgeschrittener und anmutender als die vorgedachten. Holzbauer.

Ignaz Holzbauer (1711–1783) ist in Wien geboren, war von 1745—1747 als Musikdirektor am Wiener Hoftheater, gleichzeitig mit seiner Frau als Sängerin, angestellt, bereiste darauf Italien, kam 1750 als Hofkapellmeister nach Stuttgart, 1753 in derselben Stellung nach Mannheim. In seinem Alter ward Holzbauer vollständig taub.

Anton Filtz (ca. 1725—1760), Schüler und wahrscheinlich Landsmann von Stamitz, war als Cellist im Mannheimer Theater angestellt. Er veröffentlichte nicht weniger als 40 Symphonien, nebst vielem anderen. Nach den mitgeteilten Proben erscheint er wenig sympathisch. Filtz.

Ein anderer Schüler von Johann Stamitz, der Italiener Giuseppe Toeschi (1724—1788) war Violinist und Direktor der Ballettmusik; er komponierte zahlreiche Instrumentalstücke und Ballette, welche in Paris gedruckt wurden. Seine Kompositionen sind glatt und unbedeutend. Toeschi.

Der modernste und anmutendste der Mannheimer Meister ist unstreitig Christian Cannabich (1731—1798), Schüler von Joh. Stamitz und dessen Nachfolger als Musikdirektor. Seine Musik, ausgebildeter in der Form, lebendig im Ausdruck, klingt schon zuweilen an Mozart an. Man schreibt ihm 100 Symphonien zu, nebst vielem anderen. Ganz in die Zeit Haydns gehört auch Karl Stamitz, der Sohn (ca. 1746–1801). Er begann seine Laufbahn in Mannheim, unternahm dann ausgedehnte Kunstreisen als Virtuose auf der Viola d'amour, komponierte rastlos Symphonien, Violinsonaten und anderes, nach den von ihm bekannten Proben zu urteilen, schablonenhaft. Cannabich.
Karl Stamitz.

Mit Mannheim steht auch das Wirken Abbé Voglers in Beziehung, durch seine daselbst 1775 errichtete „Mannheimer Tonschule". In Mozarts Lebensgeschichte spielt der mehrmonatliche Aufenthalt in Mannheim 1777—1778 eine wichtige Rolle.

Gleichzeitig mit den Mannheimern steuert eine Anzahl von Wiener Tonsetzern ebenfalls in dem Fahrwasser des neuen Instrumentalstils. Manche tüchtige Arbeit ist ihnen nachzurühmen; zugleich geht ein volkstümlich heiterer Zug durch ihre Musik. Nur wenige derselben, und diese bedingt, dürfen als Vorläufer Haydns angesehen werden. Es sind: Wagenseil, Monn und Starzer. Georg Christoph Wagenseil (1715—1777), der Hofkompositor Maria Theresias, war ein fruchtbarer Tonsetzer auf den Gebieten der Oper, der Kirchenmusik; in seiner Instrumentalmusik, Symphonien, Konzerten, Klavierwerken, welche sich großer Verbreitung erfreuten. Wiener Tonsetzer.
Wagenseil.

zeigen sich die Umrisse des neuen Stils in formalistischem Sinne, bei gedankenarmem, zopfigem Inhalt.

Monn.

Weit interessanter und fortgeschrittener ist Georg Matthias Monn (1717—1750) in seinen Symphonien, Quartetten und Trios. Monn war Organist an der Wiener Karlskirche. 6 Quartette von ihm erschienen im Druck. Wohl der Bedeutendste, jedenfalls Anmutendste

Starzer.

dieser Wiener Gruppe ist Josef Starzer (1727—1787), der als Violinist und Ballettkomponist angesehen war. Seine Quartett-Divertimenti sind reife und gefällige Werke in meisterhaftem Tonsatz. Besonders hervorzuheben ist ein Divertimento in C-dur. Von den noch hier zugehörigen Zach (1699—1773) und Aspelmayer (ca. 1721—1786) können hier nur die Namen angeführt werden.

Neue Ausgaben.

In neuen Ausgaben sind von den genannten, nebst noch anderen hier bezüglichen Tonsetzern dieser Zeit vorhanden:

In „Denkmäler der Tonkunst in Bayern", 3. Jahrg., 1. Band 1902, 7 Jahrg., 2 Band 1906, 8. Jahrg.., 2. Band 1908, eine Auswahl von Werken der Mannheimer Schule, herausgegeben von Hugo Riemann. Vertreten sind: Joh. Stamitz, Fr. X. Richter, Holzbauer, Karl Stamitz, Franz Beck, Ernst Eichner.

Die „Denkmäler der Tonkunst in Österreich", 15. Jahrg., 2. Teil 1908, herausgegeben von Guido Adler, enthalten Werke von: Georg Reutter d. J., Wagenseil, Matth. Monn, Schlözer, Starzer.

Die Sammlung von Kammermusikwerken unter dem Titel: „Collegium musicum", herausgegeben von Hugo Riemann, enthält Bearbeitungen von Triosonaten usw. vieler alter Tonsetzer, wie: Telemann, J. Fr. Fasch, F. B. und Gius. Sammartini, Gluck, Joh. Stamitz, Richter, Filtz, J. G. Grann, Aspelmayer u. a.

In L. Torchis Sammlung bei Boosey in London sind Sonaten von Sammartini aufgenommen. — Die Ed. Peters bringt 5 Violinsonaten von Karl Stamitz, ein Violinkonzert desselben ist bei Breitkopf & Härtel erschienen, ebenso eine Caprice von Joh. Stamitz, bearbeitet von F. David. —Wagenseil ist mit zwei Klaviersonaten in Pauers „Alte Meister", Breitkopf & Härtel, und in Ed. Litolff vertreten. — Viele Notenbeispiele zu J. G. Grauns Symphonien finden sich in Karl Mennicke „Hasse und die Brüder Graun als Symphoniker" 1906.

Nicht der Symphonie, sondern vorwiegend der Klaviermusik gehört der bedeutendste Vorgänger Haydns an, Seb. Bachs zweiter Sohn Philipp Emanuel.

Ph.Em.Bach.

Karl Philipp Emanuel Bach, geb. am 14. März 1714 in Weimar, wurde von seinem Vater in der Musik ausgebildet. Nach einigen Jahren des Rechtsstudiums wandte er sich ganz der Kunst

Leben.

zu. In seinem Lebenslauf lassen sich zwei Perioden unterscheiden, die Berliner und die Hamburger. In Berlin wirkte er 1740—1767 als Cembalist in der Kapelle Friedrichs II., den er häufig zu seinem Flötenspiel begleitete. Von seiner Stellung unbefriedigt, übersiedelte er nach Hamburg, wo er als Musikdirektor, Klavierspieler, Lehrer und Komponist eine bedeutende Tätigkeit entfaltete. In Hamburg erreichte er den Höhepunkt seines Schaffens und seines Ansehens. Zugleich drang sein Ruf in die

Ferne. Auch H a y d n und M o z a r t schätzten ihn sehr. E m. B a c h starb in Hamburg am 14. Dezember 1788. Von den W e r k e n dieses produktiven Tonsetzers gehört die Werke. größte Zahl der K l a v i e r m u s i k an. Es lassen sich über 400 Klavierwerke nachweisen, darunter ca. 140 S o n a t e n (100 gedruckt), 170 andere Klavierstücke (120 gedruckt), mehr als 50 Konzerte mit Begleitung (nur 9 gedruckt) usw. Der Klaviermusik reiht sich das große theoretische Werk „V e r s u c h ü b e r d i e w a h r e A r t, d a s K l a v i e r z u s p i e l e n" an. Ferner schrieb Em. Bach vier O r c h e s t e r s y m p h o n i e n und eine große Zahl von Solo- und Ensemblestücken für verschiedene Instrumente. Sehr fruchtbar war E m. B a c h auch in der Gattung des Liedes; gegen 300 geistliche und weltliche Lieder stammen von ihm. Von V o k a l w e r k e n sind noch anzuführen: Choräle, Motetten, die K a n t a t e „Auferstehung und Himmelfahrt Jesu", zwei P a s s i o n s m u s i k e n, ein zweichöriges S a n c t u s („Heilig"), ein M a g n i f i c a t, andere Kirchenstücke, endlich das O r a t o r i u m „Die Israeliten in der Wüste". — Der Umfang der Gesamtproduktion Em. Bachs ist kaum vollständig zu übersehen, da vieles zerstreut oder verloren gegangen ist.

E m. B a c h, der in seinem Schaffen eine von der Kunst seines Vaters gänzlich abweichende Richtung genommen, ist eine jener isolierten Kunsterscheinungen, von denen die Musikgeschichte zu erzählen weiß.

In seinen besten K l a v i e r w e r k e n herrscht Leben und Klavierwerke. Bewegung, die Melodie ist feingezeichnet und von zarter Empfindung, die Rhythmik besitzt eine Mannigfaltigkeit, welche sich zuweilen bis zum Problem steigert, die Modulation ist ausgreifend bis zur Kühnheit, auch an äußerlichem Glanz in Figuren und Passagen fehlt es nicht. Größe und tiefere Affekte sind in E m. B a c h s Musik nicht zu finden, dagegen bietet sie sinnige Züge, geistreiche, oft überraschende Einfälle. Die moderne S o n a t e n f o r m, zu deren Begründern E m. B a c h zählt, ist bei ihm noch knapp und skizzenhaft behandelt, ein zweites Thema nur angedeutet. In seinen phantasieartigen Stücken überläßt er sich einer freien, zuweilen bizarren Improvisation. Der Tonsatz ist meist zweistimmig, doch kommen auch vollstimmigere Stellen vor. In dem Klavierstil E m. B a c h s bilden die dichtgesäeten „M a n i e r e n" Manieren. (Verzierungen) einen charakteristischen Zug. Die V e r z i e r u n g e n, ein altes Geschlecht, welches in ihren Generationen mehrmals Namen, Aussehen und Wesen gewechselt hat, sind bei Em. Bach eigenartig; sie heben sich von der Vergangenheit ab und deuten mehr auf die Zukunft hin. Wie bei den Vorgängern wurzeln aber auch s e i n e Verzierungen in der Natur des Instruments, des Clavichords, und in dem Zeitgeschmack. Dennoch dürfen sie mit Rücksicht auf den melodischen Zusammenhang und den stilistischen Charakter nicht als überflüssiger Ballast behandelt werden.

Aus der großen Zahl der Klavierwerke Em. Bachs können verhältnismäßig nur wenige mehr unsere Sympathie gewinnen. In erster Linie stehen die „Sonaten, Rondos und freie Fantasien für Kenner und Liebhaber", sechs Sammlungen 1779—1787, ein Werk, welches mit Recht seine Zeit überlebte. In großer Autorität erhielt sich der „Versuch über die wahre Art, das Klavier zu spielen", ein Lehrbuch, das nicht nur die Praxis des damaligen Klavierspiels beleuchtet, sondern auch bedeutsame Winke und treffende Bemerkungen enthält, solche, die ihre Geltung bis heute nicht verloren haben.

Hervorzuheben sind noch: Die Fantasie C-moll (ohne Takt), die Sonaten Op. I, Nr. 4 C-moll, Nr. 6 A-dur, Op. II (Württembergische) Nr. 1 A-moll, Nr. 2 As-dur (I. Satz); von kleineren Stücken Allegro F-moll, Solfeggio C-moll, Adagio As-dur, sämtlich in neueren Ausgaben verbreitet. Einzelne Sonaten- und Konzertsätze wären noch zu nennen.

Die Orchestersymphonien, 1780 veröffentlicht, sind mit den gleichzeitigen von Haydn nicht zu vergleichen. Ein pomphaftes Hauptthema ohne Ausgestaltung, die Seitenmotive unbedeutend, ansprechender die langsamen Sätze, die Schlußsätze lebhaft, aber inhaltsleer. Von den vier Symphonien macht jedoch die in D-dur als die anregendste und gefälligste eine Ausnahme. Der erste Satz ist lebendig, mannigfaltig im Rhythmus, mit kontrastierenden Partien ausgestattet. Das kurze Adagio in Es-dur leitet zu einem leichtspielerischen Finale. Die Instrumentierung umfaßt 12 obligate Stimmen, die Blasinstrumente (Flöten, Oboen, Hörner, Fagott) sind selbständig geführt; ein Cembalo mit dem B. continuo ist ihnen noch zugesellt. — Auch der langsame Satz der F-dur-Symphonie ist rühmend zu erwähnen.

In seinen Liedern erhebt sich Em. Bach nicht über den nüchternen Ton der gleichzeitigen Lieder- und Odenkomponisten. Nur seine Melodien zu Gellerts geistlichen Liedern verraten zuweilen tiefere Empfindung. Geistliches, wie Choräle und Psalmen, liegt ihm überhaupt näher als das Weltliche oder gar Volkstümliche.

Die geistliche Kantate „Auferstehung und Himmelfahrt Jesu" wurde 1788 in Wien bei Fürst Esterhazy unter der Leitung Mozarts aufgeführt.

Das zweichörige Sanctus (Heilig), in deutscher Übersetzung herausgegeben von Rochlitz in seiner „Sammlung vorzüglicher Gesangstücke" 1838—1840, und das Magnificat gehören zu den beliebtesten Kirchenwerken ihrer Zeit. Das letztere enthält dankbare Solonummern, wie das Duett „Deposuit potentes" dann eine Doppelfuge „Sicut erat".

Das Oratorium „Die Israeliten in der Wüste", 1779 veröffentlicht, schließt sich der italienischen Art an. Vorherrschend ist der weiche Gefühlsausdruck, hie und da taucht etwas Ernstes auf, das an Seb. Bach mahnt. Schön ist die Baßarie des Moses „Gott, sieh dein Volk" mit obligatem Fagott. Vor dem Schlußchor steht ein Choral, der einzige des Werkes. Das Oratorium „Die Israeliten" überlebte den Meister noch lange. Es wurde im Konzertsaale heimisch. Im Leipziger Gewandhaus wurde es noch 1798 wiederholt. In Wien kam es noch 1817 in einer Akademie zur Aufführung, welche als Ouvertüre Em. Bachs Fuge über den Namen B-a-c-h und als Schluß den imposanten Doppelchor „Heilig" enthielt.

In allen diesen Werken erweist sich Em. Bach als tüchtiger Tonsetzer. Em. Bach ist nicht bloß ein Vorläufer Haydns, er ist ein eigenartiger Meister, ein denkender Kopf.

Die **Neuausgaben** der „Sonaten für Kenner und Liebhaber", namentlich in Bearbeitungen, der Konzerte, Kammermusik- und einiger kleinerer Klavierstücke sind so zahlreich, daß wir an dieser Stelle darauf verzichten müssen, sie zu verzeichnen. Man findet die Liste derselben in des Verfassers „Handbuch der Klavierliteratur", 1. Band, 2. Auflage, Seite 73. — Von den **Symphonien** erschienen drei, herausgegeben von Espagne, 1860 bei Peters, die D-dur-Symphonie in vierhändigem Arrangement in der Ed. Peters und bei Breitkopf & Härtel, drei Symphonien in zweihändiger Bearbeitung von A. Stradal bei Jul. Schuberth. Ein Trio für 2 Violinen und Baß, herausgegeben von Alb. Fuchs, erschien bei Brockhaus, dasselbe von Riemann bearbeitet bei Breitkopf & Härtel, zwei Streichquartette von demselben herausgegeben bei Beyer in Langensalza. Von den **Liedern** sind nur wenige in historischen Spezialwerken als Beispiele aufgenommen, wie in Schneiders „Das musikalische Lied", in Friedländers „Das Deutsche Lied im 18. Jahrhundert"; Bearbeitungen (C. H. Bitter, Heinrich Reimann) bei Simrock. Das **Oratorium** „Die Israeliten" erschien 1864 im Klavierauszug von Schletterer bei Holle, ebenso 1865 der Klavierauszug der Kantate „Auferstehung und Himmelfahrt Jesu". Das **theoretische Werk** „Versuch über die wahre Art des Klavier zu spielen" wurde 1856 von G. Schilling neu herausgegeben.

Neuausgaben.

Die **Franzosen** sehen in **Gossec** den Begründer ihrer neueren Instrumentalmusik; sie stellen ihn neben Haydn, da die ersten Symphonien Gossecs schon 1752 oder 1754 in Paris aufgeführt wurden. François Joseph Gossec, 1734 in Belgien geboren, kam 1751 nach Paris, wirkte als Dirigent der Kapelle des Musikmäzens La Popelinière und des Prinzen Conti, dann von 1770 an als Gründer der „Concerts des amateurs" und später als Leiter der berühmten „Concerts spirituels". Gossec verstärkte das Orchester, schulte es bis auf jenen Grad der Präzision, welche den Stolz der französischen Musiker bildet. Die Zahl seiner Symphonien wird mit 29 angegeben. Von einer vollständigen Ausgestaltung der Form kann bei ihm nicht die Rede sein; bemerkenswert ist jedoch die Aufnahme des Menuetts in die Symphonie. Außerdem hat Gossec 18 Streichquartette, 12 Trios für 2 Violinen und Baß und noch andere Instrumentalsachen veröffentlicht. Am Leben erhalten hat sich davon nichts. Produktiv war Gossec auch auf den Gebieten der Kirchenmusik und der Oper. Eine „Messe des morts" 1760 in Paris aufgeführt, machte Aufsehen.

Gossec.

Symphonien.

Von seinen Opern werden wir an späterer Stelle sprechen. — Nachdem Gossec bis in sein hohes Alter ehrenvolle Stellungen, sowohl an der Oper als an dem Konservatorium bekleidet hatte, zog er sich 1815 nach Passy bei Paris zurück, wo er 1829 starb.

Frühmeister. Es ließen sich noch andere Frühmeister der Instrumentalmusik als „Vorläufer" namhaft machen, doch nicht immer mit Berechtigung, da bei zeitlich aneinander grenzenden Tonsetzern der Grad gegenseitiger Beeinflussung nicht nachzuweisen ist.

Ob man nun Sammartini, Stamitz oder Monn, Em. Bach oder Gossec voranstellen will, sie alle zählen zu den Frühlingsboten des neuen Instrumentalstils.

Haydn. Die volle Blüte der neuen Instrumentalmusik entfaltet sich in Josef Haydn, einem der größten Meister der Tonkunst, dessen Werke heute noch in ungeschwächter Jugendfrische prangen. Wie eine sonnenklare, heitere Landschaft breitet sich Haydns Kunst vor uns aus, wohliges Behagen durchströmt uns bei seinen Tönen.

Lebensgeschichte. Haydns Leben steigt von den gedrückten und dürftigen Verhältnissen seiner Jugendzeit allmählich zur geachteten und sicheren Stellung seines Mannesalters, bis zur europäischen Berühmtheit und Wohlhabenheit seiner Greisenjahre empor.

Familie. Josef Haydn wurde am 31. März (in der Nacht vom 31. März auf den 1. April) 1732 in Rohrau, einem kleinen Marktflecken in Niederösterreich bei Hainburg an der ungarischen Grenze, geboren. Sein Vater, Matthias Haydn, war Schmied und Wagnermeister, seine Mutter die Tochter des dortigen Marktrichters; sie lebten in ärmlichen Verhältnissen und kinderreicher Ehe. Rohrau, in der Nähe von Bruck an der Leitha, einer Besitzung des Grafen Harrach, ist in flacher, reizloser Gegend gelegen. Das von dem Ehepaar bewohnte ebenerdige Häuschen, von Matthias erbaut, ist als „Haydns Geburtshaus" durch mehrfache Abbildungen bekannt und mit einer Gedenktafel versehen. Von 12 Kindern, welche der Ehe entsprossen, waren sechs bald nach der Geburt gestorben; Josef war das zweitgeborene Kind. Frühzeitig verriet der Knabe schon einen regen Musiksinn, der sich rasch entwickelte, *Knabenjahre Hainburg.* als er mit 5 Jahren nach Hainburg an der Donau zu dem Schulrektor Joh. Matth. Frankh, einem Verwandten, in eine strenge Lehre kam. Als Sechsjähriger durfte er schon in der Kirche singen, spielte er schon Violine und Klavier. Zwei Jahre später trat für den kleinen Haydn eine folgenreiche Wendung ein. Der Domkapellmeister Georg Reutter, der auf einer Amtsreise Hainburg besuchte, wurde auf das Talent des Knaben aufmerksam *Im Kapellhause bei St. Stephan.* gemacht und nahm ihn 1740 in das Kapellhaus bei St. Stephan in Wien als Sängerknaben auf. Das Kapellhaus, auf dem Stephansplatz gelegen (heute nicht mehr vorhanden), war zur Wohnung, Verpflegung und Heranbildung der Sängerknaben bestimmt. Zurzeit stand es unter der Leitung des Kapellmeisters Georg

Reutter d. J. (II, 161). In diesem Hause verbrachte Josef Haydn fast 10 Jahre seines Lebens (1740—1749), in einer Dachkammer mit fünf Genossen wohnend, unter strenger Zucht und bei knapper Kost. Der Knabe erhielt Unterricht in den Schulgegenständen und in der Musik. Gesang, Violin- und Klavierspiel wurden ihm mehr praktisch als methodisch beigebracht, eines theoretischen Unterrichtes entbehrte er ganz. Dagegen hatte er reichliche Gelegenheit, gute Kirchenmusik zu hören und sich daran zu bilden. Einige Kompositionsversuche sollen schon in diese Zeit fallen. Fünf Jahre nach dem Eintritt Josefs fand auch sein jüngerer Bruder Michael Aufnahme in dem Kapellhause. Die Brüder lebten einträchtig zusammen. Josef, der ein gewandter Kirchensänger geworden war, verlor aber nach einigen Jahren seine schöne Stimme. Da wurde er aus dem Kapellhause rücksichtslos entlassen, hilflos in das Leben hinausgestoßen. Es war zur Winterszeit, im November 1749.

Über die zunächst folgenden Jahre in Haydns Leben sind wir zwar nicht genügend unterrichtet, doch so viel steht fest, daß es eine Zeit der drückenden Not und kleinlicher Sorgen, der Kämpfe und Entbehrungen, aber auch des rastlosen Strebens war. Die Eltern, selbst arm, waren außer stande zu helfen; ihr Wunsch, daß der Sohn Geistlicher werde, war nicht nach seinem Sinne. Mildtätige Familien nahmen sich des nun 18jährigen Jünglings an, gewährten ihm Obdach und Unterstützung. Zudem fand er Erwerb durch sein Violinspiel bei Gelegenheitsproduktionen, durch Unterrichtgeben für kargen Lohn und Anfertigung von bestellten Arrangements.

Bald darauf brachte es Haydn zu einem eigenen Heim, einer Dachkammer im alten Michaeler Hause auf dem Kohlmarkt. Trotz seiner dürftigen Lage fand er Stärke und Trost in der Kunst, und wenn er an seinem alten „wurmstichigen" Klavier saß, „beneidete er keinen König". Nun widmete sich Haydn eifrig dem Selbststudium musiktheoretischer Werke, namentlich des Lehrbuches von Fux, und ernstlicher Kompositionstätigkeit. Seine erste Messe entstand. — In demselben Hause mit Haydn wohnte Pietro Metastasio, der berühmte italienische Operndichter, und sein Schützling Marianne Martinez, ein musikalisch hochbegabtes Mädchen, welches Haydn unterrichtete; sie war Klavierspielerin, Sängerin und trat schon frühzeitig als Komponistin hervor. Auf die Empfehlung Metastasios trat Haydn zu dem damals in Wien weilenden Porpora (II, 114) in nähere Beziehung. Der alte Maestro beschäftigte Haydn als Begleiter bei seinen Gesangslektionen. Man erzählt auch, daß der geizige und mürrische Italiener von dem jungen Mann untergeordnete Dienstleistungen verlangte.

Das Verhältnis zu Porpora war für Haydn nicht ohne künstlerischen Gewinn, indem er durch ihn die italienische Gesangsmethode kennen lernte, auch einige Unterweisung in der Kompo-

(Marginalien:) Zeit der Not. — Im Michaelerhause. — Erste Messe. — Porpora

Mannersdorf. sition empfing. Den Sommer verbrachten sie in Mannersdorf bei Bruck an der Leitha, einem damals beliebten Badeorte. Dort erhielt Haydn Zutritt in das Haus des Prinzen von Hildburghausen, wo er die Bekanntschaft von Kunstgrößen, wie Bonno, Wagenseil, Gluck machte.

Herr v. Fürnberg. Ein eifriger Musikliebhaber, Herr von Fürnberg, lud Haydn öfters nach seinem Sommersitze Weinzierl bei Wieselburg in Niederösterreich ein, wo man fleißig musizierte, Trios und Quartette spielte. An diesem Orte entstand, etwa um 1755, Haydns **Erstes Streich-**erstes Streichquartett, dem schon mehrere Streichtrios voran-**quartett.** gegangen waren. Rasch wuchs die Zahl der Streichquartette auf 18 an. In den nächsten Jahren schon wurden Haydns Kompositionen nicht bloß in Abschriften verbreitet, sondern auch in Wien, Paris, London und Amsterdam gedruckt. Haydn konnte sich nun eine bessere Wohnung (auf der „Seilerstätte") gönnen. Durch Vermittlung Fürnbergs erhielt Haydn 1759 eine Berufung als **Graf Morzin.** Musikdirektor bei dem Grafen Morzin in Böhmen, mit 200 Gulden jährlichem Gehalt und freier Verpflegung. In Lukavec, dem damaligen Aufenthalte des Grafen und seiner Kapelle, schrieb **Erste Sympho-**Haydn seine erste Orchestersymphonie. Nur kurze Zeit **nie.** blieb Haydn in dieser Stellung und 1760 finden wir ihn wieder in Wien.

Haydns Ehe. In dasselbe Jahr fällt die Heirat Haydns, ein Ereignis, welches sich als kein glückliches erwies. Er verband sich mit der Tochter eines Friseurs, namens Koller. Zanksüchtigen Temperaments, verschwenderisch, dabei bigott, war sie keine angenehme Lebensgefährtin. Trotz Haydns Nachgiebigkeit herrschte in dem ehelichen Verhältnis stets Unfriede, welcher in späterer Zeit zur Trennung führte. Die Ehe blieb kinderlos.

Die Kompositionen, welche bis zu diesem Zeitpunkt entstanden, lassen sich mit Sicherheit nicht angeben. Nebst den schon erwähnten Erstlingswerken, waren es Streichtrios, Divertimenti, „Kassationen", kleinere Kirchenstücke, wohl meistens Gelegenheitsarbeiten. Es ist aber auch ein erster Versuch auf dramatischem Gebiete zu verzeichnen. Haydn schrieb die Musik **Der krumme**zu einer komischen Oper „Der neue krumme Teufel", welche **Teufel.** gegen Ende 1751 im Theater „nächst dem Kärntnerthor" zur Aufführung kam, jedoch nach der zweiten Vorstellung, angeblich wegen beleidigender Anspielungen, behördlich verboten wurde. Obwohl die Oper später wieder aufgenommen, auch an anderen Orten gegeben ward, ist die Musik als verloren zu betrachten.

Ein neuer Lebensabschnitt und eine neue Epoche in dem Schaffen Haydns eröffnet sich 1761 mit seiner Berufung in die **Fürst Esterha-**Kapelle des Fürsten Esterhazy nach Eisenstadt in Ungarn. **zy, Eisenstadt.**

Fürst Paul Anton Esterhazy (reg. 1734—1762) war ein großer Musikfreund und hielt viel auf seine kleine Kapelle. Diese bestand aus 12 Instrumentalisten (darunter 4 Waldhornisten), 4 Sängerinnen, 4 Sänger und einem Organisten. Die Sänger waren meist Italiener. Kapellmeister war schon seit 1728 Gregor Jos. Werner, ein tüchtiger Kontrapunktist und fruchtbarer Tonsetzer. Unter dem Nachfolger Paul Antons, dem Fürsten Nikolaus Esterhazy (reg. 1762—1790), einem kunstliebenden, auch musikalisch gebildeten Herrn, wurde die Kapelle vermehrt und ihr Wirkungskreis erweitert. Dieser nahm neben der Kirchenmusik, die Konzert-, Kammer- und dramatische Musik in sich auf. Der Fürst und seine Hofhaltung, zu welcher auch die Kapelle gehörte, verlebten den größten Teil des Jahres in Eisenstadt, einem Städtchen in der Nähe von Ödenburg mit der Residenz des Fürsten, einige Wintermonate in Wien. Von 1766 an ward aber das neuerbaute Schloß Esterház am Neusiedler See der Lieblingsaufenthalt des Fürsten.

Haydn wurde zuerst als Vizekapellmeister neben Werner angestellt, rückte aber rasch zum ersten Kapellmeister vor. Unter seiner Leitung erhob sich die an Zahl bescheidene Kapelle, welche über tüchtige Mitglieder verfügte, zu einer der vorzüglichsten, der an Ruf nur die des Prinzen von Hildburghausen nahekam. Haydn bezog ein Anfangsgehalt von 400, dann 600 Gulden nebst Verpflegung und Naturalien, auch erhielt er eine Uniform als fürstlicher Kapellmeister. Er stand hoch in der Gunst seines Fürsten, der ihm zeitlebens sein Wohlwollen bewahrte. Die Tätigkeit Haydns als Kapellmeister und Komponist war während seiner ganzen Dienstzeit in Eisenstadt und Esterház eine unermüdliche und mannigfaltige. Es war auch die Zeit seiner stetigen Entwicklung zur vollen Reife. Orchester und Gesangspersonal standen stets zu seiner Verfügung und so konnte er sich in allen Kompositionsgattungen versuchen und die Resultate seiner Arbeiten auf ihre Wirkung erproben. Ein großer Teil derselben entstand durch äußere Veranlassungen. An solchen fehlte es nicht. Da gab es hohe Besuche, wie jener der Kaiserin Maria Theresia in Esterház, Namenstage in der fürstlichen Familie, Vermählungsfeste, Abreise und Rückkehr und dergleichen mehr. Haydns Musik war die treue Begleiterin dieser Ereignisse. So entstanden in bunter Folge Opern und Singspiele, Kantaten, Kirchenstücke, Symphonien und Divertimenti. Daß die Muse nicht immer willig war und daß auch Flüchtiges und Schwächeres sich in diese Gelegenheitswerke mischten, ist begreiflich.

Haydns Ruf als Tonsetzer blieb nicht lange auf den Esterhazyschen Kreis beschränkt, er gewann schon in den 70er Jahren an Verbreitung. Die Verleger traten nun häufiger mit ihren Bestellungen an ihn heran, und es waren nicht einzelne Werke, sondern nach der Gepflogenheit der damaligen Zeit, ganze Serien zu 6 Symphonien oder 6 Quartetten, Divertimenti, u. a. m., die man verlangte.

Wenn auch Haydn sein Bestes in den letzten 20 Lebensjahren gegeben hat, so ist doch sein tondichterisches Schaffen in der Esterhazyzeit nicht zu unterschätzen. Vor allem imponiert der Umfang desselben. Die Zahl der Symphonien ist bis zu

Marginal notes:
Haydn als Kapellmeister.
Entwicklung.
Gelegenheitskompositionen.
Ruf
Kompositionen bis 1790.

dem Jahre 1790 auf mehr als 60 angewachsen, jene der Streich-quartette auf 62. Daran reihen sich 21 Streichtrios, einige Quin-tette, zahlreiche Konzerte für Soloinstrumente mit Begleitung. Schwer zu übersehen ist die Produktion an Ouvertüren, Diverti-menti, Serenaden, Tanzstücken, Märschen. Die Klaviermusik umfaßt bis 1790 28 Solosonaten, 6 mit Violine, 17 Trios, 3 Kon-zerte, einige kleinere Stücke. Als Kuriosa seien erwähnt: „Das Echo" für 4 Violinen und 2 Celli (in zwei benachbarten Zimmern auszuführen), ferner die „Kindersymphonie" (mit 7 Kinderinstru-menten). Nicht zu vergessen sind die Kompositionen für das Baryton, deren Zahl Haydn selbst mit 163 angibt.

Das Baryton. Das Baryton, eine Art Viola da gamba, komplizierter im Bau, mit einer großen Zahl verschiedenartiger Saiten, war in der Spielweise nicht leicht zu behandeln, in der Klangwirkung eigenartig, fesselnd. Das Instrument, damals ziemlich verbreitet, von Virtuosen und Dilettanten gern gespielt, ist heute verschollen und ein Schaustück für Museen geworden. — Für den Fürsten Esterhazy, der eine Vorliebe für das Baryton besaß, welches er auch selbst spielte, hat Haydn, wie erwähnt, viele Stücke, meist in Ver-bindung mit anderen Instrumenten geschrieben.

AndereWerke. Der Zeitepoche bis 1790 gehören ferner an: 8 Messen, von denen die letzte, die „Mariazeller Messe" die beliebteste geworden, von anderen Kirchenwerken die lateinische Kantate „Applausus", ein Te Deum, drei Salve Regina, Motetten, Offertorien usw., endlich das 1773 geschriebene Stabat mater. Zunächst folgte das italienische Oratorium „Il Ritorno di Tobia", 1775 in Wien aufgeführt, endlich 10 Jahre später die Passionsmusik „Die sieben Worte des Erlösers". Obwohl Haydn als dramatischer Komponist nicht hoch einzuschätzen ist, seine Fruchtbarkeit auch auf diesem Gebiete war keine geringe. Es lassen sich etwa 12 italienische Opern und Singspiele, nebst einigen Marionetten-opern anführen. Für festliche Gelegenheiten geschrieben, fallen sie sämtlich in die Zeit von 1762 bis 1784. Noch sind einige Solo-kantaten, Arien und zwei Hefte deutscher Lieder zu erwähnen.

Lebensgang. Der äußere Lebensgang Haydns während seiner Ester-hazyschen Epoche war wenig ereignisreich. Die Einsamkeit in Esterház in reizloser Gegend, einige Wintermonate in Eisenstadt, gelegentliche Besuche in Wien, in diesen engen Grenzen bewegte sich jahrelang Haydns Leben; weitere Reisen unternahm er nicht. Seine Welt war der Dienst seines Fürsten, der Verkehr mit seinen **Tätigkeit.** Musikern, die Beschäftigung mit seiner Kunst. Als Dirigent und Tonsetzer hatte er alle Hände voll zu tun. Orchester- und Kammermusikaufführungen wechselten mit Theatervorstellungen. In Esterház gab man zweimal wöchentlich auf der dortigen Bühne italienische komische Opern, allerlei Schauspiele, Mario-nettenopern.

Letztere Gattung bestand darin, daß große Puppen, an Drähten gezogen, scheinbar agierten, Dialog und Gesang hinter der Szene stattfanden.

Da **Haydns** Gehalt allmählich stieg, er ferner von den Ver- *Äußere Lage.*
legern im In- und Auslande ansehnliche Honorare einheimste, gestalteten sich seine finanziellen **Verhältnisse** günstig, wenn
auch nicht glänzend. Allerdings unterstützte **Haydn** seine armen
Verwandten und hatte unter der Verschwendungssucht seiner Gattin
zu leiden.

Eine interessante Episode, die sich während der Dienstzeit Haydns in
Esterház zutrug, soll hier nur kurz erzählt werden. Es ist die bekannte Entstehungsgeschichte der „Abschiedssymphonie". Es war im Jahre 1772, *Abschieds-*
als in den für die Kapellmitglieder bestimmten Wohnungen ein großer *symphonie.*
Raummangel eintrat, da jedes Mitglied seine Familie bei sich beherbergen
wollte. Der Fürst, der seiner Kapelle ein wohlwollender, aber strenger Gebieter war, befahl, daß die Angehörigen Esterház zu verlassen und nach
Eisenstadt zu übersiedeln haben. Darob großer Jammer! Haydn war es,
der durch einen originellen Einfall das Unheil abwendete. Er führte in Gegenwart des Fürsten eine neue Symphonie auf, welche in einen rührenden Schluß
ausging. Je zwei bis drei Musiker brachen unvermutet ihr Spiel ab, legten
ihre Instrumente beiseite, verlöschten ihre Pultlichter und entfernten sich.
Endlich blieben nur zwei Violinen übrig, welche in gleicher Weise die melancholische Szene beschlossen. Der Fürst verstand die Anspielung und nahm
gerührt die harte Verfügung zurück. Die Symphonie trägt, ihrer Veranlassung entsprechend, den Titel „Abschiedssymphonie".

In den 70er Jahren weilte Ignaz **Pleyel** durch längere Zeit *Pleyel.*
als Schüler und Hausgenosse bei **Haydn**, welcher ihn, **Neukomm**
und **Lessel** als seine Lieblingsschüler bezeichnete. Zu der Sängerin **Luigia Polzelli**, welche in dieser Zeit in die Kapelle auf- *Luigia Polzelli.*
genommen wurde, faßte **Haydn** eine tiefe Neigung. Das Verhältnis
zu ihr, welches jahrelang andauerte, war oft von Mißhelligkeiten
getrübt und für Haydn mit manchem Geldopfer verbunden.

Aus dem arbeitsvollen Leben in **Eisenstadt** und **Ester-** *Wiener*
ház zog es **Haydn** immer wieder nach **Wien**. Dort lebten ihm *Freunde.*
liebe Freunde, dort wirkten die Großen der Kunst. Vor allem war
es **Mozart**, den er 1781 persönlich kennen lernte, mit dem ihn
gegenseitige Wertschätzung verband. Oft verkehrte **Haydn** in dem
Hause des angesehenen Arztes von **Genzinger**, dessen Gattin
Marianne, eine bevorzugte musikalische Natur, eine große Verehrerin Haydns war. Die gegenseitige Sympathie spricht sich
in einem lange fortgesetzten Briefwechsel aus. Der Großhändler
Johann **Tost**, selbst ein guter Violinspieler, war ebenfalls ein
warmer Anhänger **Haydns**; dieser widmete ihm später jene
12 Streichquartette, welche als seine vollendetsten galten. **Haydn**
beteiligte sich selbst gern beim **Quartettspiel**, in dem er meist
die Violastimme übernahm. Interessant ist, daß er bei dem Quartett
im Hause des Engländers **Storace** (dem Gemahl der Sängerin)
als Partner **Dittersdorf**, **Mozart**, **Wanhall** vorfand. Aus
der Zahl der Freunde und Bekannten sind noch u. a. zu erwähnen
Ritter von **Kees**, in dessen Hause Orchesteraufführungen stattfanden, der englische Tenorist **Kelly**, dem wir interessante

"Erinnerungen" aus dieser Zeit verdanken, der langjährige Verleger Haydns, Artaria, der stets hilfsbereite Großhändler Puchberg. Öffentlich spielte Haydn niemals, bloß als Begleiter wirkte er in seltenen Fällen mit. Auch nach dem benachbarten

Preßburg. Preßburg lenkte Haydn zuweilen seine Schritte. Dort herrschte damals ein reges Theater- und Musikleben unter dem Schutze ungarischer Adelsfamilien. Fürst Grassalkowitsch unterhielt hier eine eigene Kapelle, ebenso Herzog Albert von Sachsen, Graf Batthiany.

Haydn als 1785 trat Haydn in den Freimaurerorden, der damals
Freimaurer. in Wien acht Logen zählte, ein. Er wurde in die Loge "Zur Eintracht" aufgenommen, während Mozart, der schon vorher Freimaurer war, der Loge "Zur gekrönten Hoffnung" angehörte.

Anträge aus Schon in den 80er Jahren erhielt Haydn mehrmals An-
London. träge aus London, welche er aber aus Rücksicht auf seine dienstlichen Verpflichtungen ablehnen mußte. Als aber am 28. September 1790 Fürst Nikolaus Esterhazy starb und sein Nachfolger Fürst Anton die Kapelle auflöste, war Haydn frei. Allerdings behielt er den Titel eines fürstlichen Kapellmeisters und bezog die ihm testamentarisch zugesicherte Rente von 1000 fl., nebst einer Zulage von 400 fl. bis an sein Lebensende. — Eines Tages erschien ein Fremder bei Haydn mit den Worten "Ich

Salomon. bin Salomon aus London und komme Sie abzuholen". (Salomon war ein bedeutender Violinspieler und Konzertunternehmer, aus Bonn gebürtig, seit 1781 in London ansässig.) Haydn willigte ein. Es wurde ein Vertrag abgeschlossen, in welchem sich Haydn verpflichtete, 6 neue Symphonien für London zu komponieren und unter seiner persönlichen Leitung aufzuführen. Dagegen wurden ihm für die Konzerte, für allfällige andere Kompositionen und das Verlagsrecht aller dieser Werke ansehnliche Honorare zugesichert.

Abreise. Am 15. Dezember 1790 reiste Haydn in Begleitung Salo-
Mozart. mons von Wien ab. Beim Abschiede war Mozart gegenwärtig; tief gerührt sagte er zu Haydn: "Ich fürchte, mein Vater, wir werden uns nicht wiedersehen." Und diese Ahnung ging in Erfüllung. Ein Jahr später erhielt Haydn in London die Nachricht von Mozarts Tode.

Haydns Per- Während der fast sechzigjährige Meister einem fernen Lande zusteuert,
sönlichkeit. finden wir Muße, uns mit seiner Persönlichkeit, wie sie sich in seinem reifen Mannesalter darstellt, zu beschäftigen.

Äußeres. Haydns äußere Erscheinung hatte auf den ersten Blick nichts Einnehmendes. Die Statur unter Mittelgröße, die Figur kräftig, etwas derb, die Gesichtszüge ausgeprägt und eher bäuerlich, mit unten aufgetriebener Nase (die Folge eines ihm angeborenen Nasenpolypen), ein stark vorspringender Unterkiefer, das Gesicht von Pockennarben gezeichnet, dazu die große, mit Ausbauchungen versehene Perücke, die er seit seinen Knabenjahren bis zu seinem Ende in derselben Form trug. Belebten sich aber seine Züge, so leuchtete aus seinen dunkelgrauen Augen wohlwollende Güte und zuweilen konnte seinen sonst ernsten Mund ein schalkhaftes Lächeln umspielen. —

Haydn war aufrichtig religiös und gab bei dem, was er schuf, Gott die Ehre. Bei allem Selbstbewußtsein in seiner Kunst war er als Mensch bescheiden und anspruchslos. Man hat ihm bedientenhafte Unterwürfigkeit in seinem Dienstverhältnis und im Verkehr mit den Großen zum Vorwurf gemacht, doch mit Unrecht. In jenen patriarchalischen Zeiten war der Fürst mit einer solchen Hoheitsgloriole umgeben, daß man nur in Demut ihm nahen durfte und vieles, was wie Schmeichelei und Servilismus aussieht, war nur der Ausdruck überkommener Förmlichkeiten. Besaß Haydn auch nicht den leichten Sinn eines Mozart oder das stolze Unabhängigkeitsgefühl eines Beethoven, so wußte er doch nötigenfalls seine Künstlerwürde geltend zu machen. Für die Gunst der Großen war er allerdings empfänglich und die von ihnen empfangenen Geschenke zeigte er im Alter gern seinen Besuchern. — Haydns Lebensweise war eine mäßige, regelmäßige, bis zur Pedanterie; er hielt auf eine sorgfältige Kleidung und würdevolle Repräsentation. Die Sauberkeit erstreckte sich auch auf seine Notenschrift, welche deutlich, fein ist und nur wenig Korrekturen aufweist. Seine allgemeine Bildung erhob sich nicht über ein bescheidenes Mittelmaß; die Handschrift war klar und energisch, Orthographie, Ausdruck und Stil mangelhaft. Von fremden Sprachen beherrschte er nur das Italienische; Französisch sprach er nicht, mit dem Englischen machte er sich während seines Londoner Aufenthaltes notdürftig vertraut. Trotz seines langjährigen Wirkens in Ungarn, war ihm die ungarische Sprache fremd geblieben, da zur damaligen Zeit nur die Bauern und die Domestiken des Hauses sich dieser Sprache bedienten. Daß Haydn nicht unempfindlich für weibliche Schönheit und Grazie war, soll nur nebenbei erwähnt werden. Daß er persönliche Verehrerinnen besaß, fand er selbst bei seiner ihm bewußten Häßlichkeit unbegreiflich.

Charakter.

Lebensweise.

Bildung.

Am Neujahrstage 1791 betrat Haydn zum erstenmal den Boden Englands. In diesem Lande war Haydn als Tonsetzer längst kein Fremdling mehr. Sein Ruf war schon seit Jahren über den Kanal gedrungen, seine Werke, wenn auch oft nur in Bruchstücken und in manchen seltsamen Verballhornungen, standen häufig auf den Konzertprogrammen. Die englischen Zeitungen kündigten nun mit Lobeshymnen Haydns Ankunft an und so konnte es nicht fehlen, daß er mit Enthusiasmus empfangen wurde und die englische Sensationssucht sich seiner bemächtigte. London war nach der glänzenden Händelepoche der große Markt geworden, wo sich alljährlich berühmte Sänger, Virtuosen und Komponisten zusammenfanden, um ihre Kunst in Gold umzusetzen. Gegen Ende des 18. Jahrhunderts war schon der Höhepunkt dieser musikalischen Invasion erreicht. Italien lieferte seine besten Gesangskräfte für die Londoner italienische Oper. War auch die Zeit einer Faustina, einer Cuzzoni, eines Senesino, Farinelli u. a. vorbei, so fehlte es auch jetzt nicht an Stimmen und Talenten voran Mad. Mara, die Crescentini, der Sopransänger Pacchierotti u. a. Von berühmten Virtuosen waren für längere oder kürzere Zeit in England anwesend: Die Violinspieler Wilh. Cramer (Vater von J. B. Cramer), Viotti, Clement (später in Wien), die Klavierspieler Häßler, Dussek, J. B. Cramer, Clementi, Hummel, die Harfenspielerin Mad. Krumpholz, die blinde Harmonikavirtuosin Marianne Kirchgeßner und viele andere. Auch Komponisten aus Italien und Deutschland kamen, um

London. Erste Reise. 1791—1792.

Musik-zustände.

Sänger und Virtuosen.

ihre Werke aufzuführen — keiner von der Bedeutung H a y d n s.
So kam es, daß der berühmte Altmeister Gegenstand mannigfacher
Ehrungen ward, es regnete Einladungen, seine Kompositionen wurden
Die Salomon- Mode. Der Unternehmer S a l o m o n kündigte 12 Abonnements-
Konzerte. konzerte mit H a y d n an. Das erste derselben fand in *Hannover
Square rooms* am 11. März statt; H a y d n saß (*presided*) am Kla-
vier, Salomon leitete das Orchester vom ersten Violinpult aus. Eine
neue Symphonie von Haydn hatte großen Erfolg, das Adagio
mußte wiederholt werden. Das zweite Konzert folgte am 15. März,
die übrigen fanden im April statt. Keineswegs waren in den
Salomonkonzerten ausschließlich H a y d n s Werke vertreten, es
wurden in denselben in bunter Reihenfolge auch Symphonien von
R o s e t t i, M o z a r t, P l e y e l, C l e m e n t i, G y r o w e t z usw. gespielt,
es wurden ferner Gesangstücke und Instrumentalkonzerte von
namhaften Künstlern geboten. Zwei Benefizkonzerte H a y d n s fanden
am 16. und 30. Mai statt; das erste erzielte eine Einnahme von
Andere Kon- 330 Pfd. St. Auch war H a y d n bei verschiedenen anderen musi-
zerte. kalischen Aufführungen als Komponist und Dirigent beteiligt. —
Der großen H ä n d e l - E r i n n e r u n g s f e i e r, welche Ende Mai in
Westminster mit 1000 Mitwirkenden stattfand, wohnte H a y d n bei
und empfing von dieser Aufführung einen mächtigen Eindruck. —
Oxford. Im Juli begab sich H a y d n nach O x f o r d, um dort die ihm ver-
Doktorswürde. liehene D o k t o r s w ü r d e entgegenzunehmen. Die mit der Univer-
sitätsfeier verbundenen drei K o n z e r t e brachten neben Werken
von H ä n d e l und neueren Komponisten, ausgeführt von den besten
Londoner Musikern, auch solche von H a y d n, unter anderen die
sogenannte O x f o r d s y m p h o n i e. — Später folgten A u s f l ü g e
Besuche auf und B e s u c h e auf dem Lande. Bei dem Herzog von Y o r k weilte
dem Lande. H a y d n mehrere Tage in O a t l a n d s, in Anwesenheit des Prinzen
von W a l e s, und wurde sehr ausgezeichnet. Längere Zeit brachte er bei
dem Bankier B r a s s e y, bei Mr. S h a w und anderen musikliebenden
Gönnern auf ihren Landsitzen zu. H a y d n führte über seine damaligen
Erlebnisse und Eindrücke ein T a g e b u c h, welches uns erhalten ist.
Schon im Sommer unterhandelte eine Konkurrenzunter-
nehmung, die „*Professional Concerts*", mit dem Komponisten Ignaz
Pleyel in Lon- P l e y e l, um ihn für die Leitung einer Konzertserie zu gewinnen.
don. P l e y e l nahm die Einladung an und traf Ende Dezember in
L o n d o n ein. H a y d n und P l e y e l, Lehrer und Schüler, hier
Rivalen, weit entfernt sich anzufeinden, verkehrten freundschaftlich
miteinander. Dieses Verhältnis trat auch in künstlerischer Kollegialität
zu Tage. In den Salomon-Haydn-Konzerten wurde so manche Symphonie von Pleyel aufgeführt und die „*Professionals*" brachten
dafür auch Orchester- und Kammermusik von Haydns Komposition. Wie überall in solchen Fällen, spaltete sich das Publikum
in P a r t e i e n, viele zogen H a y d n, andere P l e y e l vor. Die Zeit
hat darüber entschieden. Was gilt uns heute P l e y e l?

Betrachtet man die Programme aller dieser Konzerte, so muß man über die Ausdauer und Aufnahmsfähigkeit des englischen Publikums staunen; jeder Konzertabend brachte in zwei Abteilungen nebst mehreren Symphonien und Kammermusikstücken auch Gesangsvorträge und Virtuosenproduktionen. Die Einzelkonzerte waren ebenso ausgestattet wie die großen Unternehmungen. Dazu die Oratorienaufführungen, die Vorstellungen der italienischen und englischen Oper! *Konzertprogramme.*

Nach einundeinhalbjährigem Aufenthalt in England, einer Zeit der Erfolge, aber auch angestrengter Arbeit, rüstete Haydn zur Abreise. Er verließ London Ende Juni 1792. Wie auf der Hinreise mit Salomon, hielt er sich auch auf dem Rückweg in Bonn auf. In Godesberg am Rhein, wo die Bonner Kapelle Haydn zu Ehren ein Fest gab, näherte sich ihm ein junger Mann und legte dem Altmeister eine von ihm komponierte Kantate vor. Es war Beethoven. Erst Ende Juli traf Haydn in Wien ein und wurde herzlich begrüßt. Seine englischen Erfolge wirkten in der Heimat nach. Die Londoner Symphonien waren die Losung des Tages. Vom Dezember 1792 nahm der inzwischen nach Wien übersiedelte Beethoven Unterricht bei Haydn und setzte diesen bis zur neuerlichen Abreise des Meisters fort. Haydn kaufte nun ein Haus in der Vorstadt Gumpendorf, ließ einen Stock daraufsetzen, bewohnte es aber erst vom Jahre 1797 an. *Abreise von London Juni 1792. Bonn. In Wien. Beethoven als Schüler. Haus in Gumpendorf.*

Haydns Frau lebte getrennt von ihrem Gatten in Baden bei Wien, wo sie 1800 starb. *Haydns Frau.*

Nicht lange weilte Haydn in Wien, als ihn schon wieder neue Anträge nach London lockten. Dort geriet er neuerdings in das lebhafteste Musikgetriebe der Oper und des Konzertsaales, in welchem sich Sänger und Sängerinnen, Virtuosen aller Art drängten. Da waren von Sängern der englische Tenorist Braham, der berühmte Bassist Fischer, die Sängerinnen Mara, Banti, Sgra. Morichelli, von Virtuosen Viotti, der Kontrabassist Dragonetti, der junge J. B. Cramer, Dussek, der zehnjährige Field usw. Am 4. Feber 1794 in London angekommen, leitete Haydn schon am 10. Feber das erste Salomonkonzert, welchem die übrigen bis zum 12. Mai folgten. Haydn war wieder für 12 Konzerte verpflichtet und hatte 6 neue Symphonien zu liefern. Die Programme glichen jenen der früheren Saison. Der Erfolg war Haydn treu geblieben, ebenso die gesellschaftlichen Ehrungen. An Arbeit fehlte es nicht. Diesmal hatte Haydn zu seiner Erleichterung den langjährigen treuen Diener und Kopisten Elssler (den Vater der berühmten Fanny Elssler) als Begleiter mitgebracht. Nach den Mühen der Konzertsaison erholte sich Haydn im Sommer durch verschiedene Besuche bei Gönnern und Freunden auf dem Lande. Der nächste Winter und das Frühjahr 1795 waren für Haydn nicht weniger bewegt; er wirkte in vielen Konzerten als Dirigent und Komponist mit, führte seine Werke bei Hof und bei dem Prinzen von Wales vor und war *Zweite Reise nach London 1794. Musiktreiben. Neue Erfolge.*

2*

unermüdlich im Schaffen. Sein Benefizkonzert am 4. Mai ergab eine Einnahme von 400 Pfd. St. Das finanzielle Gesamtergebnis der Londoner Zeit wird als ein sehr günstiges erklärt. Haydn soll aus England die Summe von 1200 Pfd. St., nach anderen sogar 24000 fl. davongetragen haben. Dauernder war der Ruhm, den er in die Heimat mitnahm. Haydns Abreise von London erfolgte am

Rückkehr nach Wien. 15. August 1795 ; er kehrte über Hamburg und Berlin nach Wien zurück. Noch immer war er fürstl. Esterhazyscher Kapellmeister, wenn auch nur „vom Hause aus". Haydn kam nur selten mehr nach Eisenstadt, wo inzwischen durch den Nachfolger des Fürsten Anton, Fürst Nikolaus, die Kapelle wiederhergestellt war. Einige Monate nach seiner Rückkehr gab Haydn ein Konzert im kleinen Redoutensaale, in welchem er drei seiner englischen Symphonien vorführte und Beethoven ein Klavierkonzert eigener Komposition vortrug.

Fortgesetztes Schaffen. Zwei Jahre später hatte Haydn sein eigenes Haus in Gumpendorf bezogen. So manches Werk entstand in der nächsten Zeit in diesen Räumen und zeugt von dem auch im Alter nicht erlahmenden Fleiß und der frischen Schaffungskraft des Meisters. Ein großes Te Deum, Klaviertrios, Streichquartette, die große Klaviersonate in Es sind zunächst als Beweise davon anzuführen. Ein einfaches Lied aber war es, welches diese Werke

Das Kaiserlied. an Verbreitung und Volkstümlichkeit übertraf, das Kaiserlied. Zum erstenmal ward das „Gott erhalte" am 12. Feber 1797, am Geburtstage des Kaisers Franz im Hof- und Nationaltheater gesungen.

Die Schöpfung 1798. Aus London hatte Haydn den Text zu dem Oratorium die „Schöpfung" mitgebracht. Mit großem Eifer ging er an die Komposition dieses großen Werkes, welches ihn durch drei Jahre 1795—1798 in Anspruch nahm. Am 28. und 29. April 1798 wurde die „Schöpfung" auf Veranlassung einer Gesellschaft von Adeligen im Schwarzenbergpalais zur Aufführung gebracht. Der Erfolg war ein vollständiger und weitausgreifender, das weihevolle und an musikalischen Schönheiten reiche Werk fand eine rasche Verbreitung über die ganze zivilisierte Welt. — Unmittelbar nach Vollendung der „Schöpfung" unternahm der schon altersschwache Meister die Komposition eines zweiten Oratoriums (Kantate) „Die Jahres-

Die Jahreszeiten 1801. zeiten", deren Text nach Thomsons „The Seasons" bearbeitet war. Dem Farbenreichtum des Stoffes gesellte sich eine Frische und Originalität der Musik, welche überwältigend wirkten. Die ersten Aufführungen fanden im April und Mai 1801 wieder im Palais Schwarzenberg statt. Die „Jahreszeiten" teilten fortan den Ruhm und den Erfolg mit der „Schöpfung". Die beiden oratorischen Werke bilden den monumentalen Abschluß von Haydns Schaffen.

Letzte Lebensjahre. Die letzten Lebensjahre Haydns, durch Kränklichkeit getrübt, gehörten der Erinnerung. Der Nestor der Wiener Musikwelt

— 21 —

empfing die Huldigungsbesuche zahlreicher einheimischer und
fremder Künstler, denen er gern von seiner Vergangenheit erzählte.
Noch ein letztes Mal erschien Haydn vor der Öffentlichkeit.
Es war am 27. März 1808, als im Saale der Universität eine fest- **Am 27. März 1808.**
liche Aufführung der „Schöpfung" stattfand, zu welcher Haydn
eingeladen wurde. Die „Schöpfung" wurde hier zum erstenmal
mit italienischem Text, von Carpani übersetzt, gegeben. Salieri
hatte die Leitung des Ganzen, Conr. Kreutzer dirigierte am
Klavier, der Violinist Clement stand an der Spitze des Orchesters.
Die vornehmsten Kreise der Residenz waren anwesend und bereiteten dem greisen Meister einen begeisterten und herzlichen Empfang.
Haydn nahm im Lehnstuhl zwischen der Fürstin Esterhazy und
dem Fräulein Kurzbeck (einer sehr geschätzten Klavierspielerin)
Platz. Bei der Stelle „Es werde Licht", welche vom Jubel der
Anwesenden begleitet war, erhob Haydn die Hände und rief:
„Nicht von mir, von da Oben kommt alles!" Er war so ergriffen,
daß er nach dem ersten Teile aus dem Saale getragen werden
mußte. Es war eine rührende Abschiedsfeier, welche sich da vollzog.

Im nächsten Jahre verschlimmerten sich die körperlichen Leiden
des Meisters, seine Kräfte schwanden zusehends und am 31. Mai **Tod 31. Mai 1809.**
1809 verschied er, 77 Jahre alt geworden. Sein Tod fällt in die
Zeit der zweiten Besetzung Wiens durch die Franzosen. In seinem
Testament waren alle seine armen Verwandten bedacht. Haydn
wurde auf dem außerhalb der Vorstadt Wieden gelegenen „Hunds-
turmer" Friedhof begraben, seine Überreste aber 1820 nach **Grab**
Eisenstadt übertragen. Dort sind sie in der Bergkirche beigesetzt.

Als im Jahre 1820 Fürst Esterhazy die Bewilligung zur Überführung **Haydns Schä-del.**
erhielt, entdeckte man bei Eröffnung des Sarges, daß Haydns Schädel
abhanden gekommen war. Wie sich erwies, war der Schädel zwei Tage nach
der Beerdigung gestohlen worden; nach mehrfachen Wanderungen kam er
viele Jahre später in den Besitz des Anatomen Prof. Rokitansky und
endlich in jenen der Gesellschaft der Musikfreunde in Wien, in deren Museum
er sich befindet.

Original-Porträts Haydns sind in Schloß Esterház, in Hampton **Porträts und Büsten.**
Court in London, andere in zahlreichen Stichen vervielfältigt, vorhanden.
Eine Büste Haydns wurde nach seiner ersten Londoner Reise von dem
Grafen Harrach in seinem Schloßpark in Bruck an der Leitha aufgestellt.
Als die gelungenste wird die von Grassy in London (jetzt im Besitz von
Dr. Max Friedländer in Berlin) gerühmt. 1887 wurde in Wien, vor
der Mariahilfer Kirche ein Standbild Haydns, ausgeführt von dem Bild- **Denkmal. Wohnhaus.**
hauer Natter, errichtet. — Haydns Wohnhaus in dem Bezirk Gum-
pendorf, jetzt Haydngasse Nr. 19 ist im ursprünglichen Bauzustande erhalten,
mit einer Gedenktafel versehen und birgt ein kleines Haydn-Museum.

Im Mai 1909 fand in Wien eine Haydn-Zentenarfeier, ver- **Zentenarfeier 1909.**
bunden mit einem internationalen Musikerkongreß statt, welche unter großer
Teilnahme in- und ausländischer Musikgelehrten und Künstler interessante
Konzerte und Theatervorstellungen bot, auch in den Beratungen des Kongresses
manches Nützliche zu Tage förderte.

Haydn verfaßte in seiner Esterhazyzeit eine autobiographische **Biographien.**
Skizze als Beitrag für das Werk „Das gelehrte Österreich". Wertvoller sind

29

seine T a g e b ü c h e r aus der Zeit seines Londoner Aufenthalts. Zahlreiche biographische Schriften sind in älterer und neuerer Zeit über diesen Meister erschienen. Die ausführlichste B i o g r a p h i e Haydns von dem gewissenhaften Forscher C. F. P o h l (1875 und 1882) ist nicht bis zu Ende gediehen.

Haydns Werke.

Eine vollständige und authentische Liste der W e r k e H a y d n s aufzustellen ist derzeit nicht möglich. Welchen Umfang die Produktion dieses Meisters einnimmt, läßt sich schon aus dem äußerlichen Umstande ermessen, daß die geplante und zum Teil schon

Gesamtausgabe.

in Angriff genommene Gesamtausgabe der W e r k e J o s e f H a y d n s auf mehr als 80 Foliobände veranschlagt ist. Bis zum Mai 1912 sind erst 3 Bände, enthaltend 40 Symphonien, erschienen. Weiteres ist in Vorbereitung.

Die Schwierigkeiten, welche die Herausgeber dieser Gesamtausgabe zu überwinden haben, sind keine geringen. Es gilt nach verborgenen Quellen in K l ö s t e r n und A r c h i v e n, auch bei P r i v a t p e r s o n e n zu forschen; es gilt ferner E c h t e s vom U n e c h t e n zu scheiden, denn so manches Werk erschien unter Haydns Namen, um minder berühmten Komponisten, mehr noch ihren Verlegern als Aushängeschild zu dienen. Ein V e r z e i c h n i s seiner Werke, welches H a y d n s e l b s t 1805 (in seinem Alter) aus dem Gedächtnisse anfertigte, ist unvollständig und wenig verläßlich.

Übersicht.

Eine übersichtliche Z u s a m m e n s t e l l u n g der Werke Haydns muß hier genügen. Haydns I n s t r u m e n t a l m u s i k umfaßt 100 bis 120 O r c h e s t e r s y m p h o n i e n, 83 S t r e i c h q u a r t e t t e, eine unbestimmt große Zahl von Ouvertüren, Divertimenti usw., Streichtrios, Quintette, K o n z e r t e für Violine, Violoncello, Lyra, Horn und andere Blasinstrumente, mehr als 30 K l a v i e r s o n a t e n, 35 Klaviertrios, 3 Klavierkonzerte, einige kleinere Klavierstücke, Variationen, 175 Stücke für das B a r y t o n und noch vieles andere. An K i r c h e n m u s i k schrieb Haydn 14 M e s s e n (von denen zwei verloren gegangen sind), ein S t a b a t m a t e r, 2 T e D e u m, 4 S a l v e R e g i n a, Motetten, Offertorien und kleinere Kirchenstücke. Als o r a t o r i s c h e W e r k e sind anzuführen „Il Ritorno di Tobia" die „Sieben Worte des Erlösers", endlich die beiden Monumentalwerke die „Schöpfung" und die „Jahreszeiten". Zahlreich sind die anderen V o k a l k o m p o s i t i o n e n, von denen wir nur nennen: Die lateinische Kantate „Applausus", die Solokantate „Ariana a Naxos", den Chor „The storm", deutsche Lieder, Bearbeitungen schottischer Volksmelodien, viele Gelegenheitskantaten und Arien. Die d r a m a t i s c h e n Kompositionen sind schon früher erwähnt worden; sie sind nur in Bruchstücken erhalten.

An der Spitze des Gesamtschaffens H a y d n s stehen die S y m - p h o n i e n und Q u a r t e t t e.

Symphonien.

Die S y m p h o n i e n umfassen den Zeitraum von 1759 bis 1795. Die Z a h l derselben wird in dem thematischen Inhaltsverzeichnis der Gesamtausgabe mit 104, die der „Ouvertüren" mit 16 angegeben; dazu kommen 38 fälschlich Haydn zugeschriebenen und 36 zweifelhafte symphonische Werke. Der Z e i t nach lassen sich die Symphonien in die bis 1770 komponierten und die der späteren

Jahre einreihen. Die bisher in der Gesamtausgabe erschienenen 40 Symphonien gehören Haydns erster Esterhazyzeit etwa bis 1770 an. Der Umfang dieser Symphonien ist
meist ein kleiner, die Anzahl der Sätze verschieden; die meisten
sind viersätzig und nehmen an dritter Stelle das Menuetto auf,
einigen geht eine kurze, langsame Einleitung voran, wie dies in
den späteren Werken zur Regel wird, als Finale erscheint zuweilen
ein Tempo di Menuetto, auch die Variationenform kommt vor. Die
Zahl der selbständigen Instrumentalstimmen, meist 8, steigt bis auf
12. Die Instrumentation umfaßt nebst dem Streichquartett
und Baß, Oboen, Hörner, seltener Flöte, Fagott, zweimal auch
Trompeten und Pauken. Klarinetten kommen erst in den späteren
Symphonien vor. Die Blasinstrumente sind schon selbständiger
behandelt. Einzelne Instrumente treten konzertierend hervor. Der
Baß geht mit dem Violoncell unisono. — Die Themen sind deutlich
umschrieben, selten tiefer anregend, die Durchführung ist klar und
regelrecht, entbehrt aber nicht einzelner origineller, selbst überraschender Züge. Der vorherrschende Charakter dieser Gruppe von
Erstlingssymphonien, ist der wolkenloser Heiterkeit, natürlicher, hie
und da neckischer Grazie und Volkstümlichkeit. Der Ernst meldet
sich in den feierlichen Einleitungen und in der weichen Empfindung
der liedartigen langsamen Sätze. In einzelnen Symphonien begegnen wir charakterisierenden und tonmalerischen Tendenzen,
in naiven, altmodischen Zügen mehr angedeutet als durchgeführt.
Von den ersten 40 Symphonien sind sieben mit Überschriften
versehen; sie lauten: „Le Matin“, „Le Midi“, „Le Soir“ (mit la
Tempesta), der „Philosoph“, „Lamentationen“ (Weihnachtssymphonie),
„Alleluja“, „Mit dem Hornsignal“. — Faßt man diese Symphonien
auch als Produkte, der Entwicklungsperiode auf, so darf
man sie doch keineswegs als Versuche betrachten; sie stehen
auf dem sicheren Boden eines formell bereits abgeklärten Musikstils und einer schon ausgesprochenen Individualität. Auch inhaltlich sind manche derselben nicht so leichtwiegend, um an ihnen
interesselos vorüberzugehen. Von den in der Gesamtausgabe vorliegenden 40 Symphonien bis zu jenen für Paris komponierten 6
Symphonien und weiter bis zu den 12 für London geschriebenen
hat die Veröffentlichung noch manche Lücken auszufüllen.
Der Zeit bis 1790 gehören u. a. an die mit folgenden Titeln
bezeichneten: „Abschiedsymphonie“, „Merkur“, „Maria Theresia“,
„Trauersymphonie“, der „Schulmeister“, „Feuersymphonie“, „Il
Distrato“, „La Roxelane“, „Laudon“, „La Chasse“, von den Pariser
Symphonien „L' Ours“, „La Poule“, „La Reine“ (1786), die „Oxford
Symphonie“ (1788).

Der Veranlassung der „Abschiedssymphonie“ ist schon früher gedacht
worden, jene zu „Maria Theresia“ erklärt sich durch den Besuch der Kaiserin
in Esterház, die Symphonie oder Ouvertüre „Il Distrato“ wurde zu dem

(Marginalien rechts:)
1759—1770.
Beschaffenheit.

Charakter.

Überschriften.

Würdigung.

1770—1790.
Titel.

Lustspiel „Der Zerstreute" (1776 im Kärntnerthorthcater und noch 1800 im Leopoldstädter Theater) aufgeführt. Aus „Roxelane" hat Haydn die Variationen für Klavier gesetzt, ebenso die ganze Symphonie „La Chasse". Von den Pariser Symphonieu tragen drei die obenerwähnten Überschriften. Nur wenige dieser Titel stehen in engerer Beziehung zu dem Inhalt.

Die Londoner Symphonien. 1790—1795. Erheben sich schon einige der Pariser Symphonien über ihre Vorgängerinnen, so sind Haydns Londoner Symphonien als seine Meisterschöpfungen in dieser Gattung zu betrachten. Sie zeichnen sich durch ihre größere Ausdehnung, ihre bedeutendere thematische Erfindung, kunstvolle und geistreiche Arbeit, wie durch die Entfaltung einer farbenreichen Instrumentation aus. Die vorherrschende Grundstimmung in diesen Werken ist die gesunder Lebensfreude, doch ist auch tiefer Ernst nicht zu vermissen. Die

Details. erste der Londoner Symphonien Es-dur $^6/_8$ („mit dem Paukenwirbel") ist ein durch thematische Kunst glänzendes Werk, voll Energie und Lebendigkeit, in allen Sätzen originell und fesselnd, das Andante mit Variationen ergreifend, das Finale auf der Höhe der Mozartschen Meistersymphonien. Sonnige Heiterkeit atmet die zweite in D-dur; anmutige, scharfrhythmisierte Themen, meisterlich durchgeführt, im ersten Satz, sanfte Empfindung im Andante, grotesker Humor im Menuett und volkstümliche Lustigkeit im Finale. Diesen beiden Symphonien wären zunächst anzureihen: die in B-dur Nr. 12 mit dem bacchantischen ersten Satz, der langatmigen Melodik des Andante (auch in dem Klaviertrio in Fis-moll verwendet), dem witzsprühenden Finale, die pathetische in C-moll Nr. 9, die in G-dur Nr. 6 („mit dem Paukenschlag", in England „The surprise" genannt), G-dur Nr. 11 (Militärsymphonie), D-dur Nr. 5. — Bei der Würdigung dieser reifsten Symphonien Haydns ist nicht zu vergessen, daß sie in eine Zeit fallen, wo der Einfluß Mozarts das Schaffen des älteren Meisters deutlich durchdringt und veredelt.

Wird Haydn in der Symphonie von Mozart übertroffen, **Die Streichquartette.** in dem Streichquartett steht er neben ihm. Wohl gab es schon vor und zu seiner Zeit Streichquartette als Erweiterung und **Allgemeines.** im Stil der so beliebten Streichtrios, aber das Wesen und den ästhetischen Reiz dieser reinsten Instrumentalform hat erst Haydn enthüllt. Er ist der Schöpfer der Quartettmusik im neueren Sinne und sowohl Mozart als Beethoven standen unter seinem Einflusse. Von Haydns Vorliebe für diese Gattung zeugt nicht bloß seine Fruchtbarkeit in derselben, sondern die nieversagende Frische der Erfindung und die Sorgfalt der Ausführung. Wie erwünscht diese herzerfreuenden und geistvollen Viergespräche den Musikliebhabern waren, beweist die rasche Verbreitung der Quartette, welche, wie die Symphonien in Serien, auch einzeln erschienen, bis sie, zuerst in Frankreich, in Gesamtausgaben gefaßt wurden. Die Partiturausgabe von Pleyel in Paris enthält 83 Streichquartette (dem Konsul Bonaparte gewidmet). Es folgten dann in Deutschland Ausgaben bei Heckel in Mannheim, Trautwein, Br. & H. u. a. — Die Grundstimmung auch in Haydns Streichquartetten ist Frohsinn und Humor, welche verbunden mit der Leichtigkeit und Meisterschaft der thematischen Arbeit sich zu einem entzückenden und formell vollendeten Ganzen gestalten. Manchmal aber in den naiv-heiteren ersten Sätzen zieht es wie eine dunkle Wolke geheimnisvoll über uns hin, überraschend, rasch vorübergehend. Die langsamen Sätze atmen zarte, zuweilen auch tiefere Empfindung. Die Menuetts zeigen in ihrer kleinen Form große Mannigfaltigkeit der Erfindung und den echt Haydnschen Humor. Die Finales sind sprudelnd und unerschöpflich an geistreichen und witzigen Einfällen. Nirgends bei Haydn spielt das volkstümliche Element und die der Volksmusik unmittelbar abgelauschten Weisen eine solche Rolle wie in seinen Quartetten. Der Entwicklungsgang des Tonsetzers läßt sich auch in dieser Gattung von den kleinen 18 Erstlingsquartetten bis zu jenen noch vor die Londoner Zeit fallenden 12 „Tostschen" Meisterquartetten verfolgen. Die Form erweitert sich, die Gedanken werden bedeutender, der Übergang von der Unterhaltungsmusik zum durchbildeten Kunstwerk vollzieht sich. Deutlich tritt hier die gegenseitige Einwirkung der beiden Meister Haydn und Mozart zu Tage ; Mozart empfing das Modell aus der Hand Haydns, und als Mozart seine 6 Quartette geschrieben hatte, erhoben sich jene Haydns in eine höhere Sphäre. Rückständig ist nur die häufig solistische Verwendung der ersten Violine. — Der Erfolg der Haydnschen Quartette war nicht leicht errungen. Als seine ersten Quartette erschienen, sprach man von „Herabwürdigung der Kunst durch Spässe" und ähnlichem. Wie ein lange Eingeschlossener nicht so rasch sich an die freie Luft gewöhnt, so war es den Kontrapunktikern und den musikalischen Regelmenschen dieser Zeit zu Mute. Nach und nach bemächtigten sich die Dilettanten dieser willkommenen Gaben und später begann auch die ernste Musikwelt die klassische Schönheit dieser Werke zu bewundern und ihre Pflege verbreitete sich über alle Welt. Bis zum heutigen Tage bilden die Haydnschen Quartette den lebenskräftigen Stamm, der inmitten der reichen, nachfolgenden Produktion uns mit seinen Blüten erfreut.

Erfolg.

Aus der Gesamtheit der 83 Streichquartette sollen nur einige wenige hervorgehoben werden. Schon aus den ersten 18 Quartetten bieten das vierte, einzelnes aus dem 15. und 17. Anregendes ; als besonders beliebt lassen sich die von Haydn als Op. 54, 64, 74 und insbesondere Op. 76 herausgegebenen und speziell aus der Gesamtausgabe die Nummern 19 (G-dur), 20 (C-dur), 21 (E-dur), 28 (C-dur), 29 (F-dur), 30 (G-moll, 34 (G-dur, 35 (D-dur), 36 (Es-dur), 40 (G-dur), 41 (D-moll), 42 (C-dur, Kaiserquartett, 49 (B-dur), 50 (D-dur), 51 (Es-dur) bezeichnen. Bemerkenswerte Widmungen sind die an Hofsekretär Zmeskall, dem Beethoven sein Quartett Op. 95 zueignete, Großfürst Paul von Rußland („Russische Quartette"), Großhändler Tost. Einige Quartette haben populäre Beinamen erhalten, wie „Vogelquartett", „Sonnenquartette", „Rasiermesser-Quartett" usw.

Details.

Die „Schöpfung".

An Bedeutung und Berühmtheit schließen sich den Symphonien und Streichquartetten Haydns seine beiden großen oratorischen Werke „Die Schöpfung" und „Die Jahreszeiten" an. Der Plan zur Komposition der „Schöpfung" ist in London unter dem gewaltigen Eindruck der Händelschen Oratorien entstanden. Den Text des englischen Dichters Lidley, nach Miltons *Paradise lost*, nahm Haydn nach Wien mit, die Übersetzung und Bearbeitung wurden von Van Swieten, dem damaligen Direktor der Hofbibliothek und verdienstvollen Kunstkenner, ausgeführt. Der

Der Text.

Text behandelt die biblische Schöpfungsgeschichte, von den drei Erzengeln erzählt, durch Betrachtungen, Schilderungen, Aussprache von Empfindungen und der Frömmigkeit belebt. Die

Die Musik.

Musik verrät den Einfluß Händels in manchen Einzelheiten der formellen Anlage und namentlich in den Chören, doch ist es eine andere Musiksprache, jene Haydns, eine andere Musikepoche, welche uns hier entgegentritt. Die starre Form wird flüssiger, die Melodie freier, der Ausdruck natürlicher. Die liebenswürdige Grazie der Arien erinnert zuweilen an Mozart, in den Rezitativen und in einzelnen Chören erhebt sich der Ausdruck zum Dramatischen. Die Volkstümlichkeit, wie sie auch bei Händel zu finden ist, erhält den modernen Gemütston. Die Instrumentierung wird mannigfaltiger, belebt durch die fortgeschrittene Behandlung der Blasinstrumente. Die zahlreichen Tonmalereien, welche die Naturerscheinungen begleiten, sind im Orchester treffend, aber mit einfachen Mitteln und in naiver Auffassung angebracht; zuweilen, bei der Nachahmung des Tierlebens erhalten sie einen grotesken Anstrich.

Details.

Das Oratorium gliedert sich in drei Teile, welche zusammen die sechs Schöpfungstage umfassen; es enthält Orchester-Vor- und -Zwischenspiele, Rezitative, Arien, Duette, Terzette und Chöre. Aus dem Bedeutenden und Schönen, an welchem das Werk reich ist, soll hier nur weniges hervorgehoben werden. Die Orchestereinleitung, welche das Chaos mit einfachen, ausdrucksvollen Zügen „vorstellt", mit dem darauffolgenden Rezitativ und Chor, mündet in dem mächtigen „Es werde Licht!"; die folgende Arie des Uriel in A-dur ist mit dem Chor „Verzweiflung, Wut und Schrecken", welcher den Sturz der Finsternis treffend ausdrückt, verbunden; lieblich ist die Arie des Gabriel in B-dur „Nun beut die Flur das frische Grün"; der Chor „Stimmt an die Saiten" enthält eine prachtvolle Fuge; kunstvoll und zugleich populär ist der Schlußchor des ersten Teils „Die Himmel erzählen". Der zweite Teil, welcher die Schöpfung der Tierwelt, begleitet von illustrierenden Tonmalereien, zur Darstellung bringt, enthält eine Fülle des Charakteristischen, auch humoristische Einfälle; der Mensch erscheint, eingeführt durch eine naiv ansprechende Arie des Uriel in C-dur „Mit Würd' und Hoheit angetan"; meisterhaft ist der Schlußchor in B-dur „Vollendet ist das große Werk". Der dritte Teil, der im Paradiese spielt, bringt mehrere lang ausgesponnene Duette zwischen Adam und Eva, auch mit Chorbegleitung, und ist musikalisch weniger bedeutend; der Chor „Singt dem Herrn" mit einer kraftvollen Doppelfuge krönt das Werk in imposanter Art.

Die „Jahreszeiten".

Die „Jahreszeiten", kein Oratorium im eigentlichen Sinne, sondern eine große Kantate für Soli, Chor und Orchester, setzen sich aus einer Reihe von Szenen malerischen und beschreibenden Inhalts zusammen. Naturerscheinungen mit ihren sie begleitenden Eindrücken und Stimmungen, wechselnde Bilder des Lebens und Treibens in Wald und Flur ziehen an uns vorüber. Die Menschen, welche in diese Naturszenen gleichsam als Staffage gestellt sind, die drei Personen Simon, Lukas, Hanne und der Chor begleiten die äußeren Vorgänge erzählend und geben ihren Empfindungen und Betrachtungen Ausdruck.

Das Werk ist in vier Abteilungen, den Jahreszeiten entsprechend, geschieden. Eine Ouvertüre schildert den Übergang des Winters zum Frühling. Im Frühling ist der Chor der Landleute „Komm holder Lenz!" lieblich und feinempfunden; die Melodie der Arie des Simon „Schon eilet froh der Ackersmann", in C-dur, hat Haydn aus dem Andante seiner Symphonie „mit dem Paukenschlage" entlehnt. Der Chor „Sei uns gnädig", F-dur, mit dem Fugato am Schlusse ist ernst und gediegen. Nachdem der Regen gefallen, folgt die anmutige Szene, Soli, Duett und Chor „O, wie lieblich", mit eingeflochtenen Tonmalereien, welche die Tierwelt versinnlichen. Feierlich setzt der Schlußchor „Ewiger, mächtiger Gott" ein, ihm schließen sich ein Terzett, die Fuge „Ehre, Lob und Preis sei Dir" an. — Der Sommer beginnt mit einer Schilderung der Morgendämmerung, in welcher auch der Hahnenruf nicht fehlt. Die Arie Simons „Der muntre Hirt" F-dur, mit Schalmeienklang, ist populär gehalten. Feierlich ist der den Sonnenaufgang begleitende Chor „Sie steigt herauf" mit dem Lobgesang „Heil, Sonne!"; Terzette und Chöre, erstere in den Stimmen reich verziert, wechseln miteinander ab. In rührender Klage über die Mittagsglut ergeht sich die edle Kavatine des Lucas „Dem Drucke erliegt die Natur". Dem Rezitativ Hannehens mit schildernder Begleitung und ihrer Arie, B-dur, folgt der Chor „Ach, das Ungewitter naht!" Das Gewitter bricht los. Die Schilderung desselben in der charakteristischen Instrumentation, den Ausrufen und Klagen der Menge gehört zu den bedeutendsten Partien des Werkes und nimmt unter den zahlreichen Gewittern, welche die musikalische Literatur aufzuweisen hat, eine hervorragende Stelle ein. Dieser aufregenden Szene folgt nun die beruhigte Abendstimmung, Friede und Heiterkeit beschließen den Tag. — Die wirksamsten Stücke, Genrebilder, voll treffender Realistik, enthält der dritte Teil, der Herbst. Zwei Jagdszenen, die eine die Jagd auf Federvieh, in einer Baßarie mit charakteristischer, rastloser Sechzehntelfigur begleitet, die andere, die Hochwildjagd mit ihren Hörnern und Rufen schildernd, endlich der Winzerchor mit seiner unbändigen Lustigkeit gehören zu den genialsten Leistungen der darstellenden Tonkunst. Eröffnet wird der „Herbst" durch eine Lobpreisung des „Fleißes", für Soli und Chor, ein kraftvolles Musikstück. Das Duett „Ihr Schönen aus der Stadt" ist eine Art Liebesduett. — Weniger ergiebig an packenden Wirkungen ist der „Winter", doch enthält auch dieser Teil so manche tiefsinnige oder anmutige Musiknummer, wie die reizende kleine Cavatine Hannehens in F-dur, das treffend gemalte Bild des verirrten Wanderers in der Arie des Lucas, der artige Spinnerchor, das neckische Lied Hannehens mit Chor „Ein Mädchen, das auf Ehre hielt", dessen Text aus Hillers Singspiel „Die Liebe auf dem Lande" entlehnt ist, die lehrhafte, weihevolle Baßarie „Erblicke hier, betörter Mensch". Ein Doppelchor religiösen Charakters, gegen den Schluß mit opernhaftem Aufputz, beschließt effektvoll das Werk.

Mit der „Schöpfung" verglichen, sind die „Jahreszeiten" weniger edel und weniger einheitlich im Stil, aber die Mannigfaltigkeit der musikalischen Bilder, verbunden mit dem volkstümlichen Charakter, verleihen ihnen eine gesonderte Stellung unter den großen Kantatenwerken.

Details.

Il Ritorno di Tobia.

Aus einer früheren Zeit stammen zwei minder bedeutende Oratorien: „Il Ritorno di Tobia" und die Passionsmusik „Die sieben Worte des Erlösers". Das erstgenannte, 1775 in Wien von der Tonkünstlersozietät aufgeführt, ist ganz im Stil des damaligen italienischen Oratoriums gehalten, reichlich mit Koloraturarien ausgestattet; es ist mit Recht verschollen. Die „Sieben Worte", 1785 auf Bestellung des Bischofs von Cadix komponiert, bestanden ursprünglich nur aus sieben langsamen Instrumentalsätzen, jeder derselben durch ein kurzes Rezitativ eingeleitet. In dieser Gestalt wurden „Die sieben Worte" in Wien und anderen Städten aufgeführt. Auch nahm Haydn diese Instrumentalsätze als „Sonaten" unter seine Streichquartette auf. Später arbeitete er das Werk vollständig um, versah es mit Singstimmen auf den Text von Ramlers „Tod Jesu" und fügte als Finale die Schilderung eines „Erdbebens" hinzu. So kam es zuerst 1796 in Wien, dann in London und an anderen Orten zur Aufführung. Der vorherrschende Charakter der sieben Sätze ist der der milden Klage; am zartesten ist der schöne dritte Satz, trüber der vierte, erregter der fünfte, während der sechste „Es ist vollbracht" heiter ausklingt, um im letzten wieder zur Milde zurückzukehren. Durch die Form und die regelmäßig gestaltete Arbeit vermag das Werk dem Eindruck einer gewissen Einförmigkeit nicht zu entgehen.

Die „Sieben Worte".

Die Messen.

Haydn besaß ein tief religiöses Gemüt, wahre Frömmigkeit, die aber dem Asketischen und Mystischen ferne lag. Seine Andacht war die einer harmonischen, mit Gott und der Welt zufriedenen Seele und gelegentlich schlich sich auch etwas Heiteres oder etwas Weltliches ein. Bei seinen Messen darf man nicht an die erdentrückten Klänge eines Palestrina, da Vittoria, noch an die kunstvollen Gebilde eines Lotti, Caldara, Fux denken; im allgemeinen ist es gefällige, leichtfaßliche Musik, einfach melodiös, zuweilen festlich rauschend, alles mit einem heiteren Grundton. Dies erklärt auch die große Popularität und die häufigen Wiederholungen der Haydnschen Messen, welche sich nebenher durch leichtere Ausführbarkeit empfehlen. Es fehlt jedoch nicht an Einzelzügen, in denen Haydn den Meßworten einen tieferen, ja ergreifenden musikalischen Ausdruck verleiht, wie in der B-dur-Messe, oder wo er sich der Kunst des polyphonen Tonsatzes, wie in seiner späteren C-dur-Messe meisterlich bedient. Unkirchlich sind dagegen insbesondere die italienisierenden, mit Koloraturen beladenen Arien, die schnellen, lustigen Schlußsätze. Von den 12 vorhandenen Messen (zwei sind verloren gegangen) sind nebst den genannten noch hervorzuheben die in G-dur, endlich die „Mariazeller Messe" in C-dur mit ihrer ländlichen Frische und dem kirchlichen Pomp.

Von den übrigen Kirchenwerken Haydns haben das *Stabat mater*, das zweite *Te Deum* und ein *Salve Regina* in G-moll

die weiteste Verbreitung gefunden. Das *Stabat mater* v. J. 1773 Stabat mater
lehnt sich an italienische Muster, besonders an Pergolesi,
und enthält einige schöne Nummern, wie die Altarien *„O quam
tristis"* und *„Fax me vere"*, die Baßarie *„Pro peccatis"*, das Quartett
mit Chor *„Virgo virginum"*, das Baßunisono *„Flammis orci"*. Im
ganzen ist das Werk veraltet. — Bedeutender ist das *Te Deum* Te Deum.
mit deutschem Text v. J. 1800 durch seine ernste Haltung und
mehrere ausdrucksvolle Stellen. Stimmungsvoll ist auch das erwähnte *Salve Regina* bedeutend die Motette *„Insanae vanae
curam"*. Aus den zahlreichen Offertorien, Motetten, Hymnen ragen
hervor ein Offertorium a capella „Du bist's, dem Ruhm und Ehre
gebührt" und ein anderes mit Instrumentalbegleitung „Des Staubes
eitle Sorgen". Die meisten kleineren Kirchenstücke waren nur Gelegenheitskompositionen.

Kehren wir nun zu Haydns Instrumentalmusik zurück,
so ist zu erwähnen, daß Haydn zahlreiche Konzerte für Violine,
Violoncell, Flöte, Horn, veranlaßt durch die vorzüglichen ihm
zu Gebote stehenden Instrumentalisten, komponiert hat. Nur weniges
davon hat sich als lebensfähig erwiesen, wie ein Cellokonzert und
eines für Horn. Vollends die Barytonstücke, welche stets in Gesellschaft anderer Instrumente erscheinen, sind heute mit dem Instrumente selbst verschollen.

In Haydns Instrumentalwerken nimmt seine Klavier- Klaviermusik.
musik eine wichtige Stelle ein, dem Umfang und der Bedeutung
nach. Originalität und Mannigfaltigkeit der Erfindung zeichnet
sie aus, frischer und geistreicher Humor bilden ihre vorherrschenden
Züge; tiefere Empfindung tritt seltener hervor. In der Sonaten- Sonaten.
form ist Haydn nur wenig über sein Vorbild Ph. Em. Bach
hinausgegangen, dem er aber an Reichtum des musikalischen Inhalts überlegen ist. Feinheit in melodischer und rhythmischer Gestaltung, sowie manche überraschenden Einfälle sind beiden gemeinsam. An die innere Harmonie und die ausgebildete klassische Form
Mozarts in seinen Sonaten reicht Haydn nicht hinan. Von den
34 Klaviersonaten, den 31 Trios für Klavier, Violine und
Violoncell, und den kleineren Klavierstücken sind es wieder meist
die seiner letzteren Zeit angehörigen, welche die volle Entfaltung
seines Genies und seiner Eigenart offenbaren.

Hervorzuheben sind die Sonaten: Es-dur (komp. 1797, gewid-
met dem Frl. Magdalene von Kurzbeck, die bedeutendste der Sonaten), Es-dur
(Br. & H. Nr. 3, komp. 1790 für Marianne von Genzinger), Cis-moll (Br. & H.
Nr. 6), D-dur (Br. & H. Nr. 7), C-moll (Br. & H. Nr. 19, komp. 1771), H-moll
(Br. & H. Nr. 28, ersch. 1776), E-moll (Br. & H, Nr. 2, ersch. 1777). Von den
Trios: G-dur (Br. & H. Nr. 1, letzter Satz Rondo Ongarese), Fis-moll
(Br. & H. Nr. 2, das Adagio aus der B-dur-Symphonie, von F-dur nach
Fis-dur transponiert), C-moll (Br. & H. Nr. 8, komp. 1789), E-moll Br. & H.
Nr. 15), Es-dur (Br. & H. Nr. 20). Die Trios oder, wie sie genannt wurden,
Sonaten für Klavier, Violine und Violoncell, behandeln die beiden Streich-
instrumente als untergeordnet, die Violine selbständiger, das Violoncell aber

nur als Verdopplung des Klavierbasses. Dasselbe Verhältnis waltet auch in den bekannten Sonaten für Klavier und Violine ad libitum, von denen einige nur Arrangements anderer Werke sind. Von den kleineren Klavier-Solostücken verdienen das Andante varié in F-moll als eine der schönsten Gaben der Klavierliteratur bezeichnet zu werden; auch die Fantasie in C-dur ist nicht zu vergessen. In der Gattung des Klavierkonzerts hat Haydn nichts Bemerkenswertes geleistet; von den drei bekannten Konzerten ist nur das dritte in D-dur anmutender. Ein vierhändiges Stück „Il Maestro e il Scolare" ist bedeutungslos.

Die Opern.
Die Opern Haydns, sind, mit Ausnahme des deutschen Sing-spiels „Der krumme Teufel", sämtlich italienische und stammen aus seiner Esterhazyzeit.

Sie mögen hier in chronologischer Folge verzeichnet stehen: „Alcide" (Acis und Galatea) 1762, „La Cantarina" 1767, „Lo Speziale" 1768, „Le Pescatrici" 1770, „l'Infedeltà delusa" 1773, „L'Incontro improviso" 1775, „Il mondo della luna" 1777, „La vera costanza" 1779, „L'Isola disabituta" 1779, „La Fedeltà premiata" 1780, „Orlando Paladino" 1782, „Armida" 1784. Von Haydn sind diese Werke mit den Bezeichnungen: Festa teatrale, Intermezzo, die meisten mit Dramma giocoso, Dramma eroico, Burletta versehen. Nicht alles ist erhalten. (Partituren in der k. Bibl. in Berlin, Ges. d. Musikfr. in Wien, Bibl. du Conserv. in Paris.) Die Textbücher sind noch vorhanden, die meisten sind von Goldoni und schon vorher von anderen komponiert worden. Nur wenige dieser Opern haben ihren Weg in die 'Öffentlichkeit gefunden und diese nur vorüber-gehend. „Orlando Paladino" war zu seiner Zeit verbreitet.

„Lo Speziale" (der Apotheker), ein komisches Singspiel, wurde in der Bearbeitung von Dr. Robert Hirschfeld in Wien in neuester Zeit an mehreren Theatern, u. a. in Dresden, Hamburg, Wien, in letzterer Stadt bei der Zentenarfeier 1909 mit Erfolg aufgeführt. Ein Versuch bei derselben Gelegenheit mit der Aufführung der ernsten Oper „L'Isola disabituta" gelang nicht so gut. —

Eine für London bestimmte Oper, „Orfeo", wurde nicht vollendet.

Die Opern bilden nicht die wertvollste Hinterlassenschaft Haydns. Stil und äußerer Zuschnitt sind die der damaligen schablonenhaften italienischen Oper, das Secco-Rezitativ und die Da Capo-Arie herrschen vor, dazu nur Ensembles der handelnden Personen. Die Sänger sind reichlich mit virtuosen Gesangstücken bedacht. Am besten gelingt Haydn die Buffogattung.

Einzelgesänge.
Auch die Einzelgesänge, Kantaten, Arien und Lieder tragen wenig zur Charakteristik des Meisters bei. Die Solokantate mit Klavierbegleitung Ariana a Naxos, eigentlich eine Opern-szene, wurde von dem Komponisten selbst hochgehalten. (Neuestens

Lieder.
von Ernst Frank instrumentiert.) Die italienischen Arien sind Einlagen in fremde Opern. Haydns deutsche Lieder, 36 an der Zahl, meist auf unbedeutende, zum Teil frivole Texte komponiert, bewegen sich unfrei in der Melodie bei reich ausgeführter Klavier-begleitung. Als gefällig und im Ausdruck gelungen sind zu be-zeichnen: „Ein kleines Haus", „Stets sagt die Mutter", „Lob der Faulheit" (von Lessing). Anmutender sind jedenfalls die Lieder in den „Jahreszeiten", wie „Ein Mädchen, das auf Ehre hielt" usw.

Vokal-quartette.
Des Meisters würdig sind die Vokalquartette und Kanons für Singstimmen.

Autographe von Kompositionen Haydns besitzen die
fürstl. Esterhazysche Bibl. in Eisenstadt, die k. Bibl. in Berlin
(Symphonien), Ges. d. Musikfr. in Wien (einige Steichquartette, Applausus,
Tobia 2. Teil, u. noch anderes). — Wichtige Abschriften von Partituren
und Stimmen finden sich u. a. in dem Arch. d. Ges. d. Musikfr. in Wien,
in der k. Bibl. in Berlin, in der Münchener k. Hof- und Staatsbibl., in der
Gymnasialbibl. in Zittau, in den Stiftsbibl. zu S. Florian u. Kremsmünster usw.

Von Neuausgaben, die ebenso zahlreich als leicht zugänglich sind,
sollen hier nur von den letzterschienenen die des Oratoriums „Il Ritorno
di Tobia“, der Violin- und Cello-Konzerte, der Vokalquartette und Kanons erwähnt werden.

Haydn steht in der vordersten Reihe der großen Meister *Würdigung und Bedeutung.*
der Tonkunst durch die Neuheit seines Stils, wie durch die Bedeutung seiner schöpferischen Individualität. Wohl darf man
des vorangegangenen Entwicklungsprozesses, welcher ihn zu jener
Höhe der Vollendung emportrug, nicht vergessen. Seine geniale
Erfindungskraft, seine ausgeprägte und bezwingende Eigenart aber sind es, die ihn über Vorgänger und Zeitgenossen erhoben
und die selbst über seine größeren Nachfolger hinaus, ihren Zauber
bis heute nicht verloren haben.

Haydn war seinem Bildungsgang nach vorwiegend Autodidakt. Aus ärmlichen, bäuerlichen Verhältnissen hervorgegangen,
hatte er weder in der engen Einschränkung seiner Kinderzeit, noch
in der drückenden Notlage seiner Jugendjahre Muße und Gelegenheit, jenes Wissen sich anzueignen, welches einen freien Blick in
das Leben verleiht; selbst seine musikalische Erziehung ermangelte
der soliden Grundlage. Doch sein angeborenes musikalisches Naturell, unermüdlicher Fleiß, fortgesetzte Versuche, mit Hilfe
der ihm zu Gebote stehenden Kräfte, dazu ein frischer, freier Wage-
mut leiteten ihn auf seinem Wege.

Sein Verhältnis zu den großen Meistern war kein um-
fassendes. Seb. Bach war ihm fremd geblieben, dagegen läßt
sich der Einfluß des populäreren Händel, namentlich in den
Chören seiner Oratorien nicht verkennen. Deutlicher noch steht
Em. Bach als sein Vorbild in der Klaviersonate da. Wie die
Lebenszeit Haydns jene Mozarts in sich einschließt, so ist auch
in der Kunst Haydn zugleich Vorgänger und Nachfolger
Mozarts. Über diesen hinaus deutet aber mancher Zug seiner
Musiksprache auf Beethoven hin.

Zwei Momente sind es, die für das Verständnis von Haydns
Schaffen ins Gewicht fallen: Der Einfluß der gleichzeitigen italie-
nischen Oper und die Hinneigung zum Volkstümlichen.
Haydn stand mit beiden Füßen in der Blütezeit der italienischen
Oper, in der Zeit der Triumphe eines Hasse und der „welschen“
Gesangsvirtuosen, er selbst lebte in der Atmosphäre italienischen
Geschmacks und von Italienern umgeben; es konnte daher nicht
fehlen, daß die Reflexe dieser Eindrücke sich in seinen Arien mit
ihren gefallsüchtigen Koloraturen, ja sogar auch in manchen Stellen

— 32 —

der Instrumentalwerke spiegelten. Haydn war ferner ein Sohn des Volkes und ein verwandtes Gefühl zog ihn mächtig in dessen Kreise; dieses Gefühl lebt in seinen Menuetten, in den munteren Weisen, welche seine Symphonie- und Quartettsätze beleben, in den anmutigen Chören und Liedern der Jahreszeiten, wie nicht minder in den Messen. Neben den Anklängen an österreichische Volksweisen begegnet man zuweilen auch solchen ungarischer Herkunft.

Haydn war ein musikalischer Optimist. Eine heitere Lebensanschauung lacht uns aus seiner Musik zu. Grübelei und Weltschmerz lagen nicht in seinem Wesen. Die Neigung zum Scherzhaften, die seine Musik oft verrät, wurde aber zu stark betont. Wie einseitig waren einst die Urteile der Musikwelt über Haydn! Man kann es heute als überwunden betrachten, von „Papa Haydn" wie von einem komischen Alten zu sprechen. Doch die geniale Einfalt, die in seinem Schaffen liegt, ist noch nicht zum allgemeinen Bewußtsein durchgedrungen. Daß Haydn auch Größe, tiefen Ernst, ja selbst die Schauer der Tragik zum Ausdruck zu bringen vermag, das beweisen überzeugend manche Sätze und zahlreiche Stellen in seinen Werken.

Wir erinnern hier nur an das Andante C-moll in der Londoner Es-dur-Symphonie, an das Kyrie und Credo der B-dur Messe, an den kurzen Mittelsatz in D-moll der kleinen D-dur-Sonate, an die Schlußdurchführung in den F-moll-Variationen, den ersten Satz der H-moll-Sonate, das Adagio in A-dur des Tostschen D-dur-Quartetts, das Schlußadagio des C-dur-Quartetts, das Salve Regina in G-moll, manche Einleitungen der Symphonien, manche Chöre in den Oratorien u. a. m.

Was in Haydns Schaffen sterblich ist, das wird die Zeit verwehen, seine vollendetsten Symphonien und Streichquartette werden aber noch lange im rosigen Lichte des Lebens unter uns wandeln. Mit ihnen lebt auch die historische Bedeutung Haydns als eines der größten Meister der Instrumentalmusik fort.

II.

Die Oper in der zweiten Hälfte des 18. Jahrhunderts.

Italien, Frankreich, Deutschland.

Gluck.

Die um die Mitte des 18. Jahrhunderts rasch aufblühende neue Instrumentalmusik hatte die Macht und die Beliebtheit der Oper keineswegs aus dem Felde geschlagen, doch vollzieht sich gleichzeitig in dieser Kunstgattung eine Wandlung, welche als die Wirkung einer veränderten Geschmacksrichtung anzusehen ist. Während die große Oper Italiens der Verflachung und Schablone anheimfällt und immer mehr in leerem Schaugepränge und in dem Dienste der Gesangsvirtuosität aufgeht, ersteht ihr eine Rivalin, welche dem alternden Opernwesen frisches Leben und dramatische Bewegung zuführt, und indem sie natürliches Empfinden und menschliches Handeln auf die Szene stellt, eine große Volkstümlichkeit erlangt — die komische Oper.

Die komische Oper.

Nicht daß das komische Element der italienischen Bühne jemals fremd geblieben wäre, es verdichtet sich nur in dieser Zeitepoche zu einer ausgeprägten Gattung. Als Vorläufer derselben lassen sich anführen: Vor allem die venetianische *Commedia dell' arte*, die improvisierte Komödie mit ihren stehenden volkstümlichen Figuren, die sich durch Wandertruppen überallhin verbreitete, dann später die *Intermezzi*, welche in die Zwischenakte der großen Oper eingeschaltet wurden, ferner die als „*Opera comica*" bezeichnete Gattung der großen Oper, nebst den komischen Partien und Figuren, welche auch der ernsten Oper nicht fehlten, endlich die „*Commedia in musica*", welche den Namen „Opera buffa" annahm.

Opera buffa.

Die italienische Oper schied sich nunmehr in die *Opera seria* und die *Opera buffa*. Beide bestanden nebeneinander fort.

Man unterschied auch noch die *semiseria*. Die *Opera buffa* kommt noch unter verschiedenen Benennungen, wie *Dramma giocoso, burlato, farsa* vor.

Die *Opera buffa* war im Vergleiche zur *Opera seria* anspruchloser in ihren Stoffen, in ihrer Handlung und in ihrer äußeren

41

Ausstattung. Nicht aus der Götter- und Heldensphäre entnahm sie ihre Gestalten, sondern aus dem bunten Volksleben und aus bürgerlichen Verhältnissen. Die H a n d l u n g war demnach eine gemeinverständlichere. Es gab darin typische Rollen mit den ihnen zugehörigen Stimmgattungen. Die Liebenden (erster Sopran und Tenor), die Vertraute oder Zofe (zweiter Sopran), endlich die für die *Opera buffa* neue und am meisten charakteristische Baßpartie, den B a ß - b u f f o, welcher einen polternden Alten, dummen Diener, mürrischen Ehemann und ähnliches vertrat. Es kamen auch noch die herkömmlichen F i g u r e n des „Stotterers", des Kapitäns, der zänkischen Alten usw. zur Verwendung. Eine bewegliche, heitere oder leichtsentimentale M u s i k begleitet den meist platten, aber wirksamen Text. Die R e z i t a t i v e sind flüssig, im S e c c o behandelt und gehen in das P a r l a n d o über. Die A r i e n sind knapper als in der großen Oper, die Dreiteiligkeit derselben erweitert sich aber durch mehrfache Zwischensätze zur Rondoform. Was aber dieser Gattung ihren Hauptvorzug verlieh und einen wichtigen F o r t s c h r i t t bedeutet, war die Einführung dramatisch bewegter E n s e m b l e s und F i n a l e s.

Neapel.　　N e a p e l war es, von wo die *Opera buffa* ihre Laufbahn antrat. In dem sorglos heiteren Volksleben, in der heimischen Mundart und Volksweise fand die neue Gattung einen ergiebigen Boden. So knüpft sich denn Entstehung und Entwicklung der *Opera buffa*

Meister.　　an die Namen der n e a p o l i t a n i s c h e n M e i s t e r, zunächst an A l e s s a n d r o S c a r l a t t i, V i n c i, L e o, L o g r o s c i n o, denen sich der Venetianer G a l u p p i zugesellt. Alle diese Tonsetzer waren aber zugleich für die *Opera seria* tätig.

Aus der F r ü h z e i t der neapolitanischen Oper ist noch zu erwähnen F r a n c e s c o P r o v e n z a l e, der unmittelbare Vorgänger Scarlattis, dessen Komödien, wie *„Lo schiavo della sua moglie"* in Neapel 1675 gegeben, in neapolitanischem Dialekt geschrieben sind.

A l e s s a n d r o S c a r l a t t i (II, 109) hat wohl nur eine einzige durchaus k o m i s c h e O p e r (*„Il Trionfo del'Onore"*, 1717 aufgeführt) geschrieben, doch enthalten fast alle seine Opern komische Partien, *parti buffe*, in welchen ein feiner Humor herrscht. Leonardo V i n c i (II, 116) begann seine dramatische Laufbahn mit komischen Opern in neapolitanischer Mundart, welche von 1719 angefangen im *Teatro dei Fiorentini* in Neapel gegeben wurden; neben diesen machten aber auch seine ernsten Opern mit ihren zärtlichen Melodien Glück. Auch Leonardo L e o (II, 113), ein gediegener Meister, war in seinen komischen Opern erfolgreich. Der Kernpunkt aller dieser Opern lag in der A r i e, welcher ein flüchtiges Rezitativ als dramatischer Notbehelf sich zugesellt, zahlreich sind auch die Duette, seltener die Ensembles (*Concertati*) von 3—4 der handelnden Personen; diese sind ohne dramatische Bewegung, ein Miteinander und nicht ein Gegeneinander der Stimmen. Den Fortschritt

*

zur dramatischen Polyphonie des Ensembles und Finales schreibt man dem Nicolo Logroscino (II, 123) zu, einem Meister, von dem bisher nur einige Opernfragmente bekannt geworden.

Über zwei vollständige, in der ehemaligen Bibliothek Santini aufgefundene Opern Logroscinos „Il Governatore" und „Il Giunio Bruto" gibt Herrn. Kretzschmar in dem Jahrbuch Peters 1908 sehr dankenswerte Aufschlüsse.

Epochemachend für die Verbreitung der komischen Oper ward Pergolesi (II, 116), namentlich durch sein siegreiches Intermezzo „La Serva padrona", 1733 in Neapel zum erstenmal aufgeführt, aber erst in Paris 1752 von dem uns bekannten sensationellen Erfolg begleitet. (II, 183.)

Auch die zahlreichen komischen Opern des Venetianers Baldassare Galuppi (II, 132) auf Texte von Goldoni sind für die Entwicklung der Gattung von Bedeutung.

In ihrer vollendeten Form tritt uns die *Opera buffa* Italiens in den Werken des Neapolitaners Piccinni entgegen.

Piccinni, dessen Name heute nur im Zusammenhange mit den Pariser Parteikämpfen der „Gluckisten und Piccinnisten" genannt wird, war einer der begabtesten und fruchtbarsten Opernkomponisten seiner Zeit. Seine Laufbahn war reich an Erfolgen, aber auch von den Wechselfällen des Glücks nicht verschont. — Nicolo Piccinni, geboren 1728 in Bari im Neapolitanischen, fand seine musikalische Ausbildung von 1742 durch 12 Jahre am *Conservatorio San Onofrio* in Neapel unter der Leitung Leos und Durantes und trat 1754 mit seinem Erstlingswerk „Le Donne dispettose" in die Öffentlichkeit. In Rom begründete er seinen Ruf durch die Oper „L'Alessandro nelle Indie" 1758 und erreichte seinen Höhepunkt 1760 mit der *Opera buffa* „La Cecchina" oder „La buona figliuola". Dieses Werk brachte es zu einer beispiellosen Beliebtheit und Verbreitung; in ganz Italien ward die „Cecchina" die Mode des Tages und auch im Auslande fand sie sympathische Aufnahme. In dieser, wie auch in der nächstfolgenden ernsten Oper „L'Olimpiade" erwies sich Piccinni als erfinderischer und formgewandter Tonsetzer. Neu war die Einführung des in mehreren Sätzen und Szenen ausgestalteten Finales, womit er seinen Vorgänger Logroscino in den Schatten stellte. In der Olimpiade verstand er es auch, durch dramatischen Ausdruck zu wirken. Es folgen nun rasch hintereinander Opern, ernste und komische, für Modena, Bologna, Venedig, Rom, Neapel, welche Piccinnis Herrschaft über die italienische Opernbühne befestigten. Seine Beliebtheit erlitt erst 1774 in Rom durch die Rivalität Anfossis den ersten Stoß. Bald darauf eröffnete ihm seine Berufung nach Paris einen neuen Schauplatz für seine Tätigkeit. Es war ein heißer Boden, den Piccinni Ende Dezember 1776 betrat. Gluck hatte durch seine 1774 zur Aufführung ge-

Piccinni.

3*

brachte „Iphigénie" das Pariser Publikum in Aufruhr gebracht und seine Anhänger hoben ihn auf den Schild. Glucks Erfolg blieb nicht unbestritten und rief eine lebhafte Opposition zu Gunsten der italienischen Oper hervor. Es folgten jene Parteikämpfe, welche die Zeiten der Bouffonisten und Antibouffonisten zu erneuern schienen. Piccinni wurde von der Partei der Italiener dem deutschen Meister entgegengestellt, eine Gegnerschaft, welche der ehrlichen, bescheidenen Natur des Maestro selbst ferne lag. Dieser sollte nun eine Oper in französischer Sprache schreiben, einer Sprache, die ihm gänzlich fremd war. Nur die Unterweisung und die Ratschläge des Dichters Marmontel halfen ihm über die ersten Schwierigkeiten hinweg. So entstand „Roland", welcher 1776 über die Bühne der *Académie* ging, ein schwächeres Werk des Meisters. Gern kehrte Piccinni wieder in seine gewohnte Sphäre zurück, als er für mehrere Jahre die Leitung einer italienischen Operngesellschaft in Paris übernahm, trat aber wieder 1780 mit der französischen Oper „Atys" und 1781 mit der als Konkurrenzoper gegen Gluck ausersehenen *„Iphigénie en Tauride"* hervor — ein Unternehmen, welches mißlingen mußte. Echten Erfolg hatte er in Paris nur mit seiner „Didon" 1783. Piccinni hatte das Mißgeschick, zweimal in seinem Leben einem Rivalen zu unterliegen; in Rom war es Anfossi, in Paris Gluck. Bei der Königin Marie Antoinette stand Piccinni in Gunst; er erteilte ihr Gesangsunterricht. Im Jahre 1784 wurde Piccinni zum Gesangsprofessor an der Académie ernannt. Es war ein letzter Lichtblick in seinem schicksalsreichen Leben. Von da an verfolgten ihn wiederholte Mißerfolge seiner Werke und finanzielle Schwierigkeiten. Entmutigt kehrte er 1791 nach Neapel zurück, geriet dort in die revolutionäre Strömung und mußte nach erfolgter Wiederherstellung des Königtums mehrere Jahre eine Art Gefangenschaft erdulden. Noch einmal zog es ihn nach Paris. Ende 1798 dort angekommen, wurden ihm zwar Ehrungen und Unterstützungen zu teil, aber er hatte sich derselben nicht lange zu erfreuen. Seine Gesundheit war schon seit Jahren erschüttert und konnte einem heftig auftretenden Leiden, welches ihn befiel, nicht Widerstand leisten. Piccinni starb in ärmlichen Verhältnissen zu Passy bei Paris am 7. Mai 1800. — Die Opern Piccinnis, deren Zahl sich auf mehr als 100 belaufen soll, sind meist nur handschriftlich erhalten. Die erfolgreichsten derselben sind oben genannt worden.

Opern.

Von Einzelheiten lassen sich hervorheben: Das Finale (Quintett) aus „La Cecchina", die Ouvertüre und die Arie „Porre dunque mori" aus „L'Alessandro nelle Indie", die Arie „Se cerca, se dice" und das Duett „Nei giorni tuoi felice" in „L'Olimpiade", die Tanzmusik in Roland, der Chor der Träume in Atys, der 3. Akt von Didon, in welcher Oper man Glucksche Züge entdecken will.

Noch werden von ihm Oratorien und Psalmen angeführt. Piccinni galt zu seiner Zeit als ein Meister, der es mit seiner

Kunst ernst nahm, der Fleiß und Sorgfalt auf seine Arbeiten verwendete und dem auch ein tüchtiges theoretisches Wissen zu Gebote stand.

Die gerühmten Vorzüge seiner Melodie und seines dramatischen
Ausdruckes nachzuempfinden ist uns heute versagt und seine
Cecchina wird kaum mehr aus ihrem Schlaf erweckt werden.

Die Höhepunkte der italienischen *Opera buffa* im 18. Jahrhundert bilden Paisiello und Cimarosa, Paisiello mit seinen   Paisiello
kleinen zierlichen Melodien alle Welt bezaubernd, Cimarosa, der   und
genialere, durch dramatische Lebendigkeit und humoristische Laune Cimarosa.
hinreißend. Beide waren die Lieblinge des Opernpublikums. Ihr
Glanz mußte freilich vor den gleichzeitigen Meisterwerken Mozarts
bald erbleichen. Wenn man Paisiellos „Molinara" und Cimarosas
„Matrimonio segreto" nennt, so hat man den Kern ihrer künstlerischen Individualität berührt, ohne jedoch damit ihr Wirken und
ihre Leistungen zu erschöpfen.

Beide schrieben zahlreiche ernste Opern, wenn auch ihr
Schwerpunkt in der komischen Gattung liegt, beide, gute Musiker,
waren für die Kirche, Paisiello auch auf dem Gebiete der Instrumentalmusik tätig. Paisiello hat ein höheres Alter erreicht als
Cimarosa, aber ihre Fruchtbarkeit hält sich die Wage; beide
produzierten leicht und viel, Cimarosa aber origineller und mannigfaltiger. Die Werke beider Meister gehören der Geschichte an und
ruhen in den Archiven, nur Cimarosas „Heimliche Ehe" flackert
zuweilen als schwaches Flämmchen in den Repertoires der Opernbühnen auf.

Giovanni Paisiello (Paësiello), geb. zu Tarent in Sizilien   Paisiello.
am 9. Mai 1741, machte seine Studien in Neapel unter Durante
und anderen Lehrern. Durch mehrere Jahre schrieb er Kirchenmusik, bis er sich 1763 der Opernkomposition zuwendete. Seine
Laufbahn begann glücklich in Bologna mit zwei Buffoopern und
setzte sich in Modena, Parma und Venedig fort. In Rom wurde
„Il Marchese di Tulipano" populär und faßte auch im Auslande Fuß.
Ebenso erfolgreich war sein „Idole Cinese" in Neapel. Seine Fruchtbarkeit für die Bühne steigerte sich fortwährend. Dazwischen fällt
auch die Komposition eines großen Requiems mit Chor und Orchester für Neapel. 1776 begab sich Paisiello auf Einladung
der Kaiserin Katharina II. nach Petersburg, wo er durch
acht Jahre in glänzender Stellung und reich belohnt wirkte. Unter
den dort entstandenen Opern ist in erster Reihe „Il Barbiere di
Seviglia" zu nennen, eine Oper, welche sich lange großer Beliebtheit erfreute. Auf der Rückreise in sein Vaterland nahm
Paisiello auch vorübergehend Aufenthalt in Wien, wo er
12 Symphonien für Josef II., nebst der Oper „Teodora" schrieb. Darauf
wurde er zum k. Kapellmeister in Neapel ernannt und brachte
daselbst „I Zingari in fiera", „Nina" und 1788 „La Molinara" zur

Aufführung. Letzteres Werk ward namentlich in Wien seit 1790 eine Lieblingsoper des Publikums. In seinem späteren Leben bildet Paisiellos Berufung nach Paris eine interessante Episode. Der Konsul Bonaparte, der an Paisiellos Musik Gefallen gefunden, betraute ihn mit der Leitung seiner Kapelle. Nach dem Aufenthalte in Paris in den Jahren 1801—1803 kehrte Paisiello nach Neapel zurück, wo er 1815 in bescheidenen äußeren Verhältnissen starb. 1897 wurden seine Überreste nach seiner Vaterstadt Tarent überführt.

Seine Werke. Auch Paisiellos dramatische Werke werden mit mehr als 100 beziffert. Seine erstaunliche Fruchtbarkeit umfaßt aber noch viele Messen, ein Oratorium, eine Passion, Kirchenstücke (darunter ein *Te Deum* mit Militärmusik), von Instrumentalwerken die erwähnten Symphonien, Streichquartette, endlich Konzerte, Kammermusikstücke und anderes für Klavier.

Opern. Die Opern Paisiellos zeichnen sich durch graziöse melodische Erfindung und vornehm gemäßigte Komik aus. Wenn die Anmut und Einfachheit seiner Opernmelodien gerühmt werden, so vergißt man nicht hinzuzufügen, daß der Komponist durch endlose Wiederholungen ermüde und daß er ferner den Schmuck der Koloraturen verschmähe. Das Verdienst darf man ihm jedenfalls zuerkennen, durch seine Musik nicht unedel gewirkt, ferner durch häufigere Verwendung der Ensembles, auch in seinen ernsten Opern die dramatische Gestaltung gefördert zu haben. — Als Rossini, dessen Aufstieg Paisiello noch erlebte, mit seinen weit lebendigeren und mit dem Glanze virtuoser Gesangskunst ausgestatteten Opern hervortrat, verblaßte die Musik Paisiellos bis zum Schatten.

Paisiellos Opern wurden namentlich in Deutschland heimisch und ins Deutsche übertragen, als: „Der Barbier von Sevilla", „Das Mädchen von Frascati", „Die eingebildeten Philosophen", „Der betrogene Geizige" u. a. m., vor allem „Die schöne Müllerin".

"La Molinara." Die Handlung von *„La Molinara"* ist amüsant und ziemlich einfach, im naiven Lustspielcharakter gehalten. „Die schöne Müllerin" (Racchelina) wird dreifach umworben: von einem jungen Edelmann, der schon Bräutigam der Gutsbesitzerin (Eugenia) ist, von dem alternden Amtsverwalter und von dem Notar; jeder will sie heiraten, jeder glaubt der einzige zu sein. In der Mühle, wo sich nacheinander der Edelmann und der Notar eingefunden, überrascht Eugenia die Müllerin durch ihren Besuch; die beiden Verehrer werden versteckt und kommen dann unerkannt, der eine als Gärtner, der andere als Müller verkleidet zum Vorschein. Am Schlusse heiratet die schöne Müllerin den Notar, der Edelmann kehrt reuig zu seiner Braut zurück, der Amtsverwalter geht leer aus. — Die Musik ist einfach, leicht und graziös, doch arm an Erfindung, harmlos im Ausdruck. Die Buffo-Partien des Amtsverwalters und des Notars sind musikalisch treffend gezeichnet, das Ganze bühnenwirksam. Die Rezitative sind meist *secco* behandelt. Die Arien der Müllerin sind naiv, etwas hausbacken, drollig die Buffoarien der beiden Bässe. Die Ensembles ermüden durch Wiederholungen derselben Phrasen, welche eine Person der anderen abnimmt. Die Begleitung erhebt sich zuweilen zu größerer Selbständigkeit. — Im ersten Akt trifft die F-dur-Arie der Müllerin sehr gut den Ausdruck der Schüchternheit; graziös und im Komischen gelungen ist ihr Duett mit dem Notar. Im zweiten Akt sind die Arie des Amtsverwalters mit ihrem raschen Geplapper echt buffomäßig, sehr lebendig und anmutig das Duett der Müllerin und des Notars in B-dur. Im ganzen muß man sich in die naive Anspruchslosigkeit des damaligen Publikums versetzen, um den Erfolg der Oper zu begreifen.

Beethoven hat über zwei kleine, volkstümliche Motive aus „*La Molinara*" Variationen komponiert.

Domenico Cimarosa ist geboren am 17. Dezember 1749 *Cimarosa.* in Aversa bei Neapel, welches auch die Vaterstadt Jommellis war. Wie Paisiello, war auch Cimarosa von niedriger Herkunft, auch er fand seine Ausbildung in Neapel am *Conservatorio Sa. Maria di Loreto*, wo er in den Jahren 1761—1772 bei Sacchini, Fenaroli und Piccinni studierte. Als Opernkomponist debütierte Cimarosa 1772 in Neapel mit „*Le Stravaganze del Conte*", nahm dann seinen Wohnsitz abwechselnd in Rom und Neapel, deren Theater er reichlich mit Novitäten versah; auch Florenz, Venedig, Vicenza gingen nicht leer aus. Bald stellten ihn seine Erfolge neben Piccinni und Paisiello. Große Beliebtheit erlangte „*L'Italiana in Londra*" auch im Auslande. 1787 nach Petersburg als Nachfolger Paisiellos berufen, entwickelte Cimarosa dort eine fast fabelhafte Tätigkeit als Komponist, war aber nach mehrjährigem Aufenthalt genötigt, seine Stellung aufzugeben, da er das Klima nicht vertrug Auf der Rückreise nach dem Süden weilte er 1792 in Wien, wo er vorübergehend in Vertretung Salieris den Posten des Hofkapellmeisters einnahm und seine *Opera buffa* „*Il Matrimonio segreto*" zur Aufführung brachte. Es wird berichtet, Kaiser Leopold II. habe so großes Gefallen an diesem Werke gefunden, daß er es sich noch an demselben Abend wiederholen ließ. Nach dem bald darauf erfolgten Tode des Kaisers kehrte Cimarosa nach Neapel zurück und schrieb noch viele Opern, ernste und komische. Cimarosa, der sich an der Revolution beteiligt hatte, wurde verhaftet, dann des Landes verwiesen. Er starb in Venedig am 11. Jänner 1801, angeblich an Gift.

Da Cimarosa nur das 47. Lebensjahr erreicht hat, so erscheint der Umfang seiner tondichterischen Produktion um so erstaunlicher. Nach Fétis umfaßt sie 76 Opern, nebst mehreren *Opern.* Oratorien, Messen usw. Es wäre heute schwer, wenn nicht unmöglich, die gelungensten seiner Werke zu bezeichnen. Jedenfalls stehen die komischen Opern in ihrer ersten Reihe. Cimarosa besaß die Gabe der natürlichen, leichtfließenden Melodie und die echt italienische Buffolaune. Ungleich Paisiello bringt Cimarosa reichlich Koloraturen an. Als Meister erscheint er in den dramatisch belebten Finales. Auch die feinsinnige und maßvolle Instrumentation ist zu rühmen. Seinen ernsten Opern wird eine gewisse Einförmigkeit und konventionelle Haltung nachgesagt, doch wurden einige derselben bewundert, wie „*L'Olimpiade*", „*Gli Orazii e Curiazii*", „*Semiramide*", „*Artaserse*", „*Cajo Mario*", sie gingen aber selten über

Italien hinaus, während seine komischen Opern in Wien, Paris, London, auch in Übersetzungen gegeben wurden. Die erfolgreichsten dieser letzteren scheinen gewesen zu sein: *„L'Italiana in Londra"*, *„L'Impresario in angustia"*, *„Giannina e Bernardone"*, *„Le Astuzie femminile"* usw. Den dauerndsten Erfolg hatte *„Il Matrimonio segreto"* (Die heimliche Ehe).

Die Intrigue der H a n d l u n g ist ziemlich verwickelt, doch wenig geistreich. Von den beiden Töchtern des reichen Signor G e r o n i m o hat sich die jüngere, C a r o l i n a, heimlich mit P a o l i n o vermählt. Um die ältere Tochter, E l i s a, will der C o n t e Robinsone werben, verliebt sich jedoch in Carolina. Gleichzeitig hat es die reife Schwester des Geronimo auf Paolino abgesehen. Die Eifersucht der Verschmähten und ihre Verdächtigungen nötigen das Paar, ihre heimliche Ehe zu enthüllen. Das Textbuch ist von Berlatti verfaßt. Die M u s i k, welche die oben erwähnten Vorzüge in reichem Maße besitzt, ist voll Leben und Bewegung, von witziger Laune durchzogen. Am wertvollsten sind die E n s e m b l e s und F i n a l e s, doch findet sich auch in den A r i e n und D u e t t e n manches Anziehende. Heiter und leicht buffomäßig ist gleich das erste Duett zwischen Paolino und Carolina, reizend, im spöttischen Tone, das Frauenterzett Nr. 4, reicher ausgestaltet das Quartett Es-dur; das Finale des ersten Aktes ist echt lustspielmäßig, doch musikalisch wenig ergiebig. Dem Buffoduett der zwei Bässe, welches den zweiten Akt eröffnet, folgt ein Terzett in G-dur voll Geist und sprudelnder Laune; meisterlich, auch dramatisch bewegt ist das Duett zwischen dem Conte und Elisa, vortrefflich auch das Rezitativ und Quintett, B-dur, flüchtig gearbeitet dagegen das zweite Finale. Aus den A r i e n sind hervorzuheben: Die Arie Geronimos Nr. 3, die graziöse der Fidalma (Alt) Nr. 5, jene des Paolino Es-dur, eine der schönsten Nummern des Werkes, endlich die an M o z a r t mahnende Arie der Elisa in A-dur. Die leicht hingeworfene O u v e r t ü r e klingt an die zu „Figaro" an.

Mit dieser Oper tritt C i m a r o s a durch verwandte Züge seinem großen Zeitgenossen M o z a r t nahe, doch wie entfernt bleibt er ihm in der Innigkeit des Ausdrucks seiner Melodien, der genialen Charakteristik seiner Gestalten, dem Farbenreichtum und der Klangfülle seines Orchesters!

Andere italienische Opernkomponisten.

Von den übrigen zahlreichen i t a l i e n i s c h e n O p e r n k o m p o n i s t e n der zweiten Hälfte des 18. Jahrhunderts können hier nur die namhaftesten Erwähnung finden.

H a s s e und J o m m e l l i, deren Wirken und Beliebtheit noch weit in diesen Zeitraum hineinreichen, sind schon in früherem Zusammenhange (II, 118, 120, 167, 178) besprochen worden.

Die *Opera seria* der späteren N e a p o l i t a n e r kennzeichnet sich durch ihre weiche und weichliche Melodie, welche reichlich mit Koloraturen ausgestattet ist; ihre Harmonie, Modulation, wie auch die Instrumentation sind einfach, dürftig, dramatische Kraft und Wahrheit liegen ihr ferne. Doch gibt es Ausnahmen. Als eine solche wird Tomaso T r a e t t a (1727—1779) betrachtet, in dessen Werken edlere Bestrebungen auftauchen, die fast an jene G l u c k s erinnern. T r a e t t a, unter der Leitung D u r a n t e s ausgebildet, trat 1750 mit seiner Oper *„Farnace"* im *Teatro San Carlo* zu Neapel vor die Öffentlichkeit. Eine Reihe von Erfolgen verschaffte ihm eine Anstellung bei dem Herzog von P a r m a, später eine Be-

Traetta.

rufung nach Petersburg, wo er 1768—1775 wirkte. Er starb 1779 in
Venedig. Von seinen 32 Opern werden besonders „*Ippolito ed
Aricia*" 1759 in Parma, „*Armida*", „*Ifigenia*", beide 1760 in Wien
aufgeführt, endlich „*Sofonisbe*" gerühmt. Seine Melodie soll pathe-
tischer im Ausdruck, die Harmonie und Modulation mannigfaltiger
sein, als dies bei seinen Landsleuten der Fall ist, Nur wenige
Bruchstücke aus seinen Opern sind bekannt geworden und rechtfertigen das ihm gespendete Lob.

So manches aus den Opern der späteren Neapolitaner, Hasse,
Perez, Jommelli, Traetta, wäre in historischem Interesse der Wieder-
erweckung wert.

Noch weniger Bestimmtes läßt sich über Francesco di Majo   Majo.
sagen, einen Komponisten, der während seiner kurzen Lebensdauer
(er wurde kaum 30 Jahre alt) Triumphe auf den italienischen Opernbühnen feierte. 1745 in Neapel geboren, trat er schon mit
17 Jahren in Neapel, bald darauf in Rom als Opernkomponist
hervor. „*Artaserse*", dann „*Ifigenia in Aulide*" waren die Erstlinge, denen
noch ungefähr 17 Opern folgten; die Komposition seiner letzten Oper
„*Eumene*" unterbrach der Tod, der ihn in Rom um 1774 ereilte.
Hervorgehoben werden noch „*Montezuma*" 1765 für Turin, „*Alessandro
nell' Indie*" 1767 und „*Didone abbandonata*" 1769, beide für Neapel.
Auch schrieb er 8 Oratorien. Wärme des Ausdrucks in seinen
Melodien und dramatisches Feuer werden ihm zugeschrieben.
Heinses Roman „Hildegard von Hohenthal", 1795 erschienen
(II, 120), steht noch unter dem frischen Eindruck, den die Zeit-
genossen von den Werken dieses bewunderten Tonsetzers empfingen.
Bekannt ist aus ihnen fast nichts geworden.

Eine Berühmtheit seiner Zeit war Antonio Sacchini   Sacchini.
(1734—1786). Der Sohn eines Fischers in Pozzuoli bei Neapel,
wurde sein Talent durch einen Zufall von Durante entdeckt und
später von ihm am *Conserv. di S. Onofrio* ausgebildet.

Sacchini begann mit Buffokomödien in neapolitanischem
Dialekt, stieg dann zur *Opera seria* empor, ward einer der frucht-
barsten und erfolgreichsten Opernkomponisten im herrschenden
Geschmack, doch auf dem Grunde einer gediegeneren musikalischen
Bildung, bis er sich am Schlusse seiner Laufbahn fast zur Höhe des
klassischen Stils erhob.

Ein komisches Intermezzo „*Fra Donato*" war sein erstes Werk
in Neapel, mit „*Semiramide*", 1762 in Rom aufgeführt, brach er
sich Bahn und wurde durch die nächsten 7 Jahre für die römische
Opernbühne gewonnen. Ein weiterer großer Erfolg wurde ihm 1768
mit „*Alessandro nell' Indie*" in Venedig zu teil, der seine Anstellung als Direktor des Mädchenkonservatoriums „*Ospadaletto*" zur
Folge hatte. Seine Reisezeit begann 1771 mit einem vorübergehenden Aufenthalt in München und Stuttgart, worauf er sich
1772 nach London wendete und dort durch 10 Jahre ver-

weilte. In London brachte er seinen „Cid", „Tamerlan" und andere Opern auf die Bühne und wurde gefeiert. Intriguen verschiedener Art trübten seine späteren Londoner Tage, auch geriet er durch seine üppige Lebensweise und Verschwendung in Schulden, denen er sich schließlich durch die Flucht entzog. Er begab sich nach Paris, um sich nun der französischen Oper zuzuwenden. Dort, wo 1782 der Parteikampf der Gluckisten und Piccinnisten noch nicht ausgetobt hatte, fand Sacchini nicht die erwünschte Aufnahme, auch die Protektion der Königin Marie Antoinette förderte ihn wenig. Zuerst trat er mit seinen älteren Opern „Rinaldo", „Le Cid" hervor, bis 1784 die französische Oper „Dardanus" folgte. Keinem dieser Werke war ein voller Erfolg beschieden, Nun **„Oedipe."** gelangte sein Hauptwerk, die große Oper „L'Oedipe à Colon" zur Vollendung. Anfangs Jänner 1786 ging diese Oper am Hofe zu Versailles in Szene, die Aufführung derselben in der Akademie sollte er nicht mehr erleben. Sacchini, vielfach enttäuscht und körperlich gebrochen, starb in Paris am 7. Oktober 1786. Am 1. Februar 1787 fand Oedipe in der Großen Oper ein empfängliches und durch die ernste Schönheit der Musik tiefergriffenes Auditorium. Nun wurden auch seine übrigen Opern günstiger aufgenommen. Dem Hingeschiedenen huldigte man durch mannigfache Ehrungen. Seine Büste wurde im Pantheon in Rom aufgestellt.

Werke. Im ganzen hat Sacchini über 50 Opern, ernste und komische, geschrieben. Er war aber auch auf dem Gebiete des Oratoriums und der Kirchenmusik tätig. Fétis zählt 6 Oratorien und 16 Kirchenwerke auf. Endlich sind seine Instrumentalstücke zu erwähnen, von denen 6 Trios für 2 Violinen und Baß, 6 Streichquartette, 6 Sonaten für Klavier mit begl. Violine und 12 Sonaten für Klavier allein in Druck erschienen.

Sacchini, dem man die „süße" italienische Melodie nachrühmt, gilt auch als ernsterer Musiker. Aus der strengen Schule Durantes hervorgegangen, hat er mehr aus ihr davongetragen als die meisten anderen Neapolitaner. Die Bedeutung Sacchinis als Opernkomponist liegt in dem Streben nach dramatischem Ausdruck, nach Größe. Mehr noch als bei Traetta, will man in den französischen Opern Sacchinis den Einfluß Glucks erkennen. Die scharf umrissenen Rezitative, die dramatisch eingreifenden Chöre, die antike Haltung des Ganzen sind Gluck verwandte Züge. Auch waren es die Franzosen, welche seinem Oedipe, dem Meisterwerk seines Schaffens, eine dauernde Stätte bereiteten. Von 1787 bis 1830 erhielt sich Oedipe ununterbrochen in zahlreichen Aufführungen auf dem Repertoire der Académie, ja diese Oper wurde noch 1843 wieder hervorgeholt und an das Licht gezogen, — ein in der Geschichte der Oper fast beispielloser Fall!

Sarti. Zu den vielseitigsten und geschätztesten Meistern der Zeit gehörte Giuseppe Sarti. Sein künstlerisches Charakterbild schwankt zwischen dem gewandten Opernproduzenten und dem gelehrten Kontrapunktisten. Sarti wurde 1729 in Faenza im Kirchenstaat geboren, studierte den Kontrapunkt bei Pater Martini in Bologna, nach anderen bei Vallotti in Padua, und wirkte schon 1748 bis 1750 als Organist in seiner Vaterstadt. Wie alle Italiener, mußte er sich seine Sporen an der Oper verdienen, und so trat er 1752 mit seinem Erstlingswerk „Pompeo in Armenia" in Faenza hervor, worauf ihm schon im nächsten Jahre ein größerer Erfolg in Venedig mit „Il Rè pastore" zu teil ward. Nachdem sein Ruf gesichert und verbreitet war, zog seine Lebensbahn gleich jener der vorgenannten Italiener, in weitem Bogen über einen großen Teil Europas dahin. Kopenhagen, Venedig, London, Mailand, Petersburg werden nacheinander der Schauplatz seines Wirkens. Nach Kopenhagen 1753 von Frederik V. zur Leitung der italienischen Oper berufen und zum Hofkapellmeister ernannt, schrieb er dort eine Anzahl von Opern, einige auch in dänischer Sprache; sein Aufenthalt daselbst erstreckte sich mit langen Unterbrechungen, welche durch Reisen nach Italien und England ausgefüllt waren, bis 1775. Durch vier Jahre leitete er dann in Venedig, als Nachfolger Sacchinis, die Gesangschule am „Ospadeletto" und folgte darauf einem ehrenvollen Ruf nach Mailand als Domkapellmeister. In Mailand entstanden seine großen Kirchenwerke, namentlich drei sehr geschätzte Messen; in dieselbe Zeit fallen auch seine gelungensten Opern, darunter „Le Gelosie Villane" und die erfolgreiche Opera buffa „Le nozze di Dorina" (Venedig 1782). Die letzte und ausgedehnteste Lebensepoche Sartis gehört Rußland an, wohin In Rußland er sich 1784 auf Berufung der Kaiserin Katharina begab. In diesem Lande entfaltete Sarti eine vielseitige Tätigkeit als Komponist, Lehrer, Forscher, Organisator. Von seinen italienischen Opern fand besonders „Armida" 1786 Beifall. Er verstand es auch, sich dem nationalen Wesen anzupassen, schrieb Kirchenstücke in russischer Sprache und im russischen Geschmack. Auf einer Besitzung des Fürsten Potemkin in der Ukraine gründete er eine Gesangschule. Mit Vorliebe beschäftigte sich Sarti mit akustischen Experimenten und erfand einen Apparat zur Zählung der Schwingungen und Fixierung des Normaltones. Eine von der Kaiserin 1793 in Petersburg errichtete Musikakademie wurde seiner Leitung anvertraut, hatte aber nur eine kurze Lebensdauer. Sarti erhielt den russischen Adel und wurde zum Ehrenmitglied der Akademie der Wissenschaften ernannt. Nach 18jährigem Aufenthalt verließ Sarti 1801 Rußland, um in seine Heimat zurückzukehren. Doch sollte er dieselbe nicht mehr erreichen. In Berlin, wo er sich einige Zeit aufgehalten, ereilte ihn der Tod am 25. Juli 1802; dort ist er auch begraben. — Sarti hat an 40 Opern, ernste und komische, geschrieben, welche neben melodischer Erfindung auch eine solide Mache besitzen. Die Opera buffa „Le *nozze di Dorina"* wurde noch 1810 in P a r i s französisch gegeben. In Wien wurden ebenfalls einige seiner Opern, namentlich *„Le Gelosie villane"* und *„Fra i due ligitanti, il terzo gode"* (1783) aufgeführt. Weniger verschollen als die Opern sind seine Kirchenwerke, von welchen noch hie und da etwas zu hören ist, wie die Messen aus der Mailänder Zeit. Zu erwähnen ist ein Requiem, 1793 auf den Tod L u d w i g s XVI. geschrieben. Veröffentlicht wurden *„Le nozze di Dorina"* in Paris, eine achtstimmige Fuge (Kyrie), eine Hymne und ein Miserere bei Breitkopf. Die überwiegende Masse der Werke S a r t i s ist handschriftlich erhalten. — Sein berühmtester Schüler war C h e r u b i n i, der in Mailand seinen Unterricht genossen.

Der musikhistorische Roman *„L e Ch e v a l i e r d e S a r t i"* von P. S c u d o, in Paris 1857 (deutsch 1858) erschienen, ist als Roman mittelmäßig, musikgeschichtlich wertlos.

Anfossi.

Ein Modekomponist, dessen Werke eine Zeitlang überall, wo es eine italienische Oper gab, florierten, war Pasquale A n f o s s i (ca. 1730—1797). Er war ein Schüler P i c c i n n i s, dem er später in Rom als siegreicher Rivale gegenüberstand. Seine zahlreichen komischen O p e r n waren auch in Deutschland sehr beliebt, besonders in Wien. A n f o s s i war zuletzt Kapellmeister am Lateran in R o m und schrieb viel Kirchenmusik. — Bedeutender ist Pietro

Guglielmi.

G u g l i e l m i (1727—1804), den man neben P a i s i e l l o und C i m a r o s a als einen Ebenbürtigen stellte. Schüler Durantes in Neapel, entwickelte er sich zu einem der fruchtbarsten und begabtesten Opernkomponisten Italiens. Sein Wirken gehört zum Teil dem Auslande an. In D r e s d e n war er durch mehrere Jahre als kurf. Kapellmeister tätig, lebte 5 Jahre in L o n d o n und kehrte 1777 nach I t a l i e n zurück. Berüchtigt war er durch seine verschwenderische Lebensweise, welche seine reichen Einkünfte verschlang. Guglielmis Erfolge auf der Opernbühne gehören zumeist seiner späteren Zeit an. 1793 zum Kapellmeister an der Peterskirche in R o m ernannt, wandte er sich ganz der kirchlichen Komposition zu. Von seinen O p e r n, deren Zahl sich über hundert erhob, welche die ernste und komische Gattung umfaßten, scheinen die *Opere buffe „I due gemelli"* und *„La Serva innamorata"* die erfolgreichsten gewesen zu sein. G u g l i e l m i war in seiner Produktion flüchtig und ungleich. Seinem Oratorium *„Debora e Sisara"* rühmt man sogar einen erhabenen Stil nach. Neben Messen und anderen Kirchenstücken schrieb er auch Kammermusik für Klavier mit Begleitung und Klavier allein, welche in London gedruckt wurde.

Gazzaniga.

Giuseppe G a z z a n i g a (1743—1818) interessiert uns vorzüglich wegen seiner Oper *„D o n G i o v a n n i T e n o r i o"* (*„Il Convitato di pietra"*), welche 1787, in demselben Jahre mit M o z a r t s Meisterwerk, in V e n e d i g aufgeführt wurde und solchen Beifall fand, daß sie nicht bloß in Italien die Runde machte, sondern sich auch nach

Paris, Lissabon, London ihren Weg bahnte. Das Interesse, welches der Vergleich der beiden „*Don Giovanni*" erregt, veranlaßte die diesbezüglichen Arbeiten von Chrysander und neuestens von Kretzschmar. (Eine Partitur nach der englischen Aufführung besitzt die Ges. d. Musikfr. in Wien.) Gazzaniga, der seine Studien in Neapel bei Porpora und Piccinni machte, brachte 1768—1801 nicht weniger als 46 Opern auf die italienischen Bühnen. Auch in Dresden und in Wien (1786 „*Il finto Cieco*") gab man seine Opern. Gazzaniga, eine Berühmtheit seiner Zeit, war von 1791 an Domkapellmeister in Cremona und schrieb dann zumeist Kirchenmusik.

Ein überzeugendes Beispiel der Opernvergänglichkeit bietet Vincenzo Martin, ein geborener Spanier, der in Italien Glück   Martin. machte und in Wien in den Jahren 1786—1794 mit seiner populären und wertlosen „*Cosa rara*" und mit „*L'Arbore di Diana*" neben Mozart sich behaupten konnte.

Wenn man bedenkt, daß in der bisherigen Darstellung nur die   Opernflut. in erster Reihe stehenden Opernkomponisten der Zeit 1750—1800 berücksichtigt werden konnten und daß diese eine beispiellose Produktivität aufzuweisen haben, so ist wohl unser Staunen über solchen Überfluß berechtigt. Um seine Ursachen zu verstehen, muß man die damaligen Opernzustände Italiens in Erwägung ziehen. Die Oper war ein Lebenselement der Italiener geworden und bei der Beweglichkeit des Nationalcharakters mußte in dieser Gattung immer Neues geboten werden. Der Bedarf war demnach ein großer. Neapel, Venedig, Rom voran, weiter Florenz, Bologna, Mailand, Turin, Modena und viele andere Städte waren alljährlich in den Spielzeiten mit Novitäten zu versorgen. Dazu kommt, daß in der Regel die neuen Opern nur durch eine Saison gegeben wurden und eine Wiederaufnahme nur selten stattfand.

Der Komponist arbeitete auf Bestellung für bestimmte Städte   Der Komponist. und für bestimmte Sänger. Er verfügte sich in die betreffende Stadt, um an Ort und Stelle nach dem ihm zugewiesenen Libretto seine Musik zu schreiben. Es kam ihm bei dieser Arbeit nur darauf an, gefällige, glänzende oder rührende Arien zu erfinden, um den Beifall des Publikums und die Zufriedenheit der anspruchsvollen Sänger zu erringen. Er machte sich die Sache leicht, wiederholte sich wohl auch, wenn ihm nichts Neues einfiel. Harmonie und Instrumentierung waren dürftig, schablonenhaft, Charakteristik der Personen und dramatische Wahrheit in den Situationen der Handlung machten ihm keine Sorgen. Über dieses allgemeine Niveau erheben sich nur die im vorstehenden genannten Komponisten, und auch diese nur in einzelnen Werken.

Das Publikum suchte im Theater nur flüchtigen Genuß und Sinnen- Das Publikum. reiz, ideale Anforderungen waren ihm fremd. Befriedigung der Schaulust, Schwelgen in süßem Gesang und blendenden Koloraturen genügten zu seinem Glücke. Am beliebtesten war die Opera buffa, in deren Figuren und Vorgängen das Volk sich im Spiegelbilde wiederfand. Die Aufmerksamkeit des Publikums im Theater war keine musterhafte. Die vornehmen Kreise gingen darin mit schlechtem Beispiel voran. In den Logen wurde getafelt, Karten gespielt, konversiert auch zuweilen bei zugezogenen Logenvorhängen. Parterre und Galerie entschädigten sich in ihrer Weise, tobten Beifall oder zischten erbarmungslos, je nach eigener Laune oder als Werkzeug der Parteiintriguen.

Die Operndichtung jener Tage war nicht geeignet, die Komponisten   Dichtung. zu inspirieren und das Publikum zu einem edleren Geschmack zu erziehen. Man zehrte wohl noch an den klangvollen Versen Metastasios in der ernsten Oper und die *Opera buffa* besaß noch in den Komödien Goldonis eine reiche Fundgrube. Von den Librettisten dieser Opernepoche sind hervorzuheben: Federico (Serva Padrona), Trinchera, Advokat in Neapel und fruchtbarer Komödiendichter, Palomba, Cerlone, Lorenzi („*Il Socrate immaginario*", eines der besten Libretti, Musik von Paisiello). Die Libretti waren damals Gemeingut und manche derselben wurden vielfach in Musik gesetzt.

Sänger. Mehr als Dichter und Komponist galt der Sänger. Die auf der Höhe stehende Gesangskunst feierte Triumphe. Von Mitte des 18. Jahrhunderts überwuchert die Bravour, während die Beseelung schwindet. Die Zahl der berühmten Gesangsgrößen war keine geringe. Venedig mit seinen Konservatorien war die Pflanzstätte der Sängerinnen, Neapel lieferte die Kastraten; in ihrer Begleitung zog die italienische Oper in alle Welt.

Alle die genannten italienischen Tonsetzer haben, wie wir gesehen, einen Teil ihres Lebens im Auslande zugebracht, oder ihre Werke dahin verpflanzt. Nirgends fanden sie eine so willkommene Aufnahme als in Deutschland. Italiener wurden als Kapellmeister und Komponisten an die deutschen Höfe berufen, deren Vorliebe für italienische Musik von der Bevölkerung geteilt wurde.

Italienische Oper in Wien. In der Pflege und Beliebtheit der italienischen Oper stand Wien obenan. Wir haben die Anfänge und den Fortgang der italienischen Oper in Wien 1650—1750 kennen gelernt (II, 157, 162); seit der Mitte des 18. Jahrhunderts hatte sie ihren Höhepunkt erreicht. Maria Theresia und Josef II. bevorzugten die italienische Musik, und wenn sich auch unter ihren Kapellmeistern Deutsche befanden — die Musik war italienisch. So war es bei dem Nachfolger Georg Reutters d. J. (II, 161) Florian Gaßmann (1723—1774) der Fall.

Gaßmann. Gaßmann, ein Deutschböhme, war mit der Harfe auf dem Rücken nach Italien gewandert, studierte in Bologna bei P. Martini und fand 1762 seinen Weg nach Wien. Dort wurde er zuerst als Ballettkomponist angestellt, schwang sich aber durch die Gunst des Kaisers 1772 zum Hofkapellmeister auf. Gaßmann hat viele Messen, Kirchenstücke (darunter ein geschätztes Stabat mater), ein Oratorium, 23 italienische Opern, zwei deutsche Singspiele, außerdem Symphonien und Quartette komponiert. Ein großes Verdienst erwarb er sich durch die Gründung der Wiener Tonkünstlersozietät, ein anderes durch die Unterstützung und Heranbildung eines jungen, aufstrebenden Talents — Antonio Salieri.

Salieri, Lebensgeschichte. Das Leben Salieris erstreckt sich zwar weit in das nächste Jahrhundert hinein, doch fällt der Schwerpunkt seines Schaffens in die zweite Hälfte des 18. Jahrhunderts. Antonio Salieri, geb. zu Legnano bei Verona, hatte eine harte Jugend. Mit 15 Jahren in die Schule an S. Marco in Venedig aufgenommen, wurde der dort weilende Gaßmann auf ihn aufmerksam und nahm ihn 1766 mit nach Wien. Schon 1770 konnte Salieri mit einer ersten Oper

„*Le Donne letterate*" debütieren; dieser Opera buffa folgte im nächsten Jahre die Opera seria „*Armida*", eines seiner gelungensten Werke, welches sich erfolgreich auf der Bühne behauptete. Auch „*La Locandiera*" gefiel. So eingeführt, lenkte sich die Aufmerksamkeit des Hofes auf ihn. Salieri wurde 1774 zum „Hofkompositor" und zum Leiter der italienischen Oper ernannt. Bald darauf verheiratete sich Salieri mit einer Wiener Bürgerstochter. Damals begannen auch seine Beziehungen zu Gluck, dem er sich als Bewunderer, fast als Jünger anschloß. 1778 brachte Salieri in Italien mehrere Opern, darunter eine Opera seria zur Eröffnung des Scala-Theaters in Mailand zur Aufführung. Für die von Kaiser Josef gestiftete deutsche Nationalbühne schrieb Salieri 1781 das Singspiel „Der Rauchfangkehrer". Salieris Verhältnis zu Gluck, der damals im Zenith seines Ruhmes stand, nahm um diese Zeit eine interessante Wendung. Gluck hatte von Paris den Auftrag zur Komposition einer neuen Oper „*Les Danaides*" erhalten, übertrug aber die Arbeit dem jüngeren Meister, der sie unter seiner Aufsicht ausführte. Als man die Oper 1784 in Paris gab, nannte die Ankündigung Gluck und Salieri als die Komponisten, eine Täuschung, welche sich der Verleger erlaubte; erst nachdem die Oper sechsmal beifällig wiederholt ward, gab Gluck von Wien aus die Erklärung ab, daß Salieri der alleinige Urheber sei. So in den Sattel gehoben, begab sich Salieri nochmals 1787 nach Paris, um mit der tragikomischen Oper „*Tarare*" (Text von Beaumarchais) einen glänzenden Sieg zu feiern. In Wien ging dann „*Tarare*", zum „*Axur, Rè d' Ormo*" umgewandelt, unzähligemal über die Bühne und rivalisierte mit den Opern Mozarts. Im Jahre 1788 wurde Salieri nach dem Tode Bonnos zum kais. Hofkapellmeister ernannt und bekleidete diesen Posten bis 1824. Auch im Alter erlahmte seine Tätigkeit nicht. Er schrieb noch Opern, seine letzte italienische 1801, seine letzte deutsche (die „Neger") 1804. Es entstanden noch viele Kirchenwerke für die Hofkapelle. Unermüdlich war auch seine Tätigkeit als Dirigent, als Lehrer. Von der Wiener Musikwelt wie ein Patriarch verehrt, schied Salieri am 7. Mai 1825 aus dem Leben, 75 Jahre alt geworden. In seiner Stellung am kaiserlichen Hof erinnert Salieri an Joh. Jos. Fux; auch er diente an 40 Jahre als Hofkapellmeister unter drei Monarchen: Josef II., Leopold II. und Franz I. Besonderer Gunst erfreute er sich bei Josef II. Sein Nachfolger war Eybler.

Salieri hat selbst ein Verzeichnis seiner Werke angefertigt; nach diesem und anderen Quellen schrieb er über 30 italienische, 3 französische und 2 deutsche Opern, 5 Messen, 1 Requiem (bei seiner Leichenfeier aufgeführt), Te Deums und andere Kirchenstücke, 4 Oratorien, eine Passion, Kantaten, darunter „*Le dernier Jugement*" für Paris, unzählige Gesangstücke, namentlich gegen 200 Kanons für 2 bis 4 Stimmen, auch eine *Scuola di canto*, endlich

(Marginalien:) Gluck. — „Axur, Rè d'Ormo." — Hofkapellmeister. — Tod 1825. — Werke.

Opern. verschiedene Instrumentalstücke. Von den italienischen Opern wird „*Armida*" als sein Meisterstück erklärt; man rühmt insbesondere die Ouvertüre, die dramatischen Chöre der Dämonen. Der französische „*Tarare*" scheint mehr durch äußerliche Effekte gewirkt zu haben und wurde erst als „*Axur*" musikalisch reicher bedacht. Das deutsche Singspiel „Der Rauchfangkehrer", ein in der Handlung albernes Stück, scheint trotzdem sehr gefallen zu haben und wurde oft gegeben; die hübsche Musik, aus einer Ouvertüre und zahlreichen Liedern bestehend, soll stellenweise Mozartisch klingen. Während Salieris dramatische Werke der Ver-

Kirchenmusik. gessenheit anheimgefallen sind, kann man seine Messen noch zuweilen in den Wiener Kirchen, namentlich in der Hofkapelle hören. Die meisterliche Behandlung der Singstimme und große Gewandtheit im Tonsatz zeichnen Salieris Kirchenmusik aus.

Stellung und Wirken. Salieri nahm durch Jahre eine herrschende Stellung in dem Wiener Musikleben ein. Wie in der Hofkapelle, der er seine besondere Sorgfalt widmete, so war auch seine Macht über das Opernwesen eine unbeschränkte. Es ist seinem Einfluß zuzuschreiben, daß von 1783 bis 1791 das Opernrepertoire 163 Vorstellungen seiner eigenen Opern umfaßt („*Axur*" 53mal), während auf Mozarts Werke nur 63 entfallen. — Als Dirigent hat sich Salieri große Verdienste um das Konzertwesen erworben; fast alle großen Aufführungen, speziell jene der Oratorien Haydns, standen unter seiner energischen Leitung. — So groß war seine Autorität als Meister der Gesangskunst und der Komposition, daß sich bedeutende Talente um seinen Unterricht bewarben und viele seinen Rat in Anspruch nahmen. Die Sängerin Milder gehörte zu seinen Gesangschülerinnen, Hummel, Moscheles, Weigl, Anselm Hüttenbrenner u. a. werden als seine Schüler in der Komposition genannt, auch der sechsjährige Liszt ward ihm zugeführt. Keine Geringeren aber als Beethoven und Schubert waren es, die zuweilen zu Salieri kamen, um seine Lehren zu nützen. Im Verkehr mit Kunstgenossen soll Salieri stets liebenswürdig gewesen sein, armen Kunstjüngern war er ein Wohltäter.

Mozart. Gutmütige Züge werden von ihm erzählt. Nur gegen Mozart konnte er ein Gefühl der Eifersucht nicht überwinden und er trachtete, ihm bei dem Kaiser und der Öffentlichkeit zu schaden. Die nach Mozarts Tode aufgetauchten Vergiftungsgerüchte, welche Salieri einer schweren Schuld bezichtigten, gehören in das Reich der Fabel.

Musikalische Richtung. Salieri war trotz seines 60jährigen Aufenthalts in Wien in seinem persönlichen Wesen Italiener geblieben. Als Künstler und Komponist darf man ihn aber nicht ohneweiters auf dieselbe Linie mit den gleichzeitigen italienischen Modekomponisten stellen. Allerdings bevorzugte er den italienischen Gesang, war vor allem Melodiker, doch erscheint er ernster und gründlicher als

seine Landsleute, und in der Beherrschung der Kompositions-
technik verrät er die Traditionen der Fuxschen Schule, welche ihm
Gaßmann vermittelte. Ziehen wir noch den Einfluß Glucks
auf Salieris späteres Schaffen in Betracht, so genügt es, um ihn
auch von deutscher Seite als Zugehörigen zu beanspruchen.

In Dresden tauchte die italienische Oper nach Beendigung
des Siebenjährigen Krieges nur noch für kurze Zeit auf. Die
Herrlichkeit Hasses war zu Ende. Nach dem Tode Friedrich
August II., 1763, wendete sich die Neigung des Hofes ganz der
katholischen Kirchenmusik zu, welche sich von dem Stil der
damaligen Oper nicht viel unterschied. Der richtige Mann für diese
opernhafte, schwächliche Richtung war Joh. Gottlieb Naumann,
dessen Kirchenmusik nirgends so liebevolle Pflege gefunden hat
als in Dresden, wo man sie noch heutzutage oft in der katholischen Hofkirche hören kann.

Der Lebenslauf Naumanns ist nicht ohne Interesse. Als Bauernsohn
1741 in Blasewitz bei Dresden geboren, musikalisch sehr begabt, zieht den
zwölfjährigen Knaben die Sehnsucht nach Italien, welches Land er teilweise
zu Fuß durchwandert, den Hunger als Reisegefährten. In Padua nimmt sich
Tartini seiner an und erteilt ihm Unterricht, während der Knabe seinen
Lebensunterhalt durch Notenschreiben verdienen muß. Endlich in Neapel
gerät er ganz in den Bann der Oper und dieser Eindruck wird bestimmend
für seine Zukunft. Schon 1764 feiert er seinen ersten Opernerfolg in Venedig.
Von da an lächelte ihm das Glück. Die Kurprinzessin von Sachsen Maria
Antonia (II, 164), die an Naumanns Kirchenwerken großes Gefallen fand,
empfahl ihn für die Stelle eines Hofkomponisten in Dresden, später
berief ihn 'der König von Schweden nach Stockholm, wo er Opern in
schwedischer Sprache komponierte. Zweimal noch besuchte er Italien, um
eine Anzahl seiner Opern in Palermo, Rom, Venedig auf die Bühne zu
bringen. Nach Dresden zurückgekehrt, wurde Naumann 1786 zum Ober-
kapellmeister ernannt und schrieb fortan meist Kirchenmusik und
Oratorien. Mit dem „Vater unser" nach Klopstock, für 4 Solostimmen,
Chor und Orchester, hat er 1799 sein populärstes Werk geschaffen. Naumann
starb in Dresden 1801.

Die Liste von Naumanns Werken ist nicht kurz; sie enthält über 20 Opern, 10 Oratorien, mehr als 20 Messen, andere
Kirchenstücke, Symphonien, Klaviermusik, Lieder in deutscher,
französischer und italienischer Sprache. Von den Opern war die
in Stockholm 1780 geschriebene „Cora" die erfolgreichste. Das Oratorium „I Pellegrini" auf den Text von Metastasio hielt sich lange
in Beliebtheit, namentlich ein Chor „Zagt nicht auf dunklen Wegen"
mit Verwendung von Knabenstimmen. Naumanns Messen sind
weich, melodiös, dabei doch würdevoll; die bedeutendste ist wohl
jene in As-dur. Auch Psalmen und Kantaten sind von ihm vorhanden; eine seiner letzten war das „Vaterunser". Anzumerken
sind ein Klavierkonzert und 6 Sonaten für die Glasharmonika. Naumanns Lieder (u. a. der „Blumenstrauß") waren seinerzeit geschätzt.

Naumann schließt sich dem italienischen Zeitstil an, ohne
durch besondere Eigenart hervorzuragen. Er gesellt sich den Deutsch-

(margin notes:)
Dresden.

Naumann.

Lebens-
geschichte.

Werke.

Italienern **Hasse** und **Graun** als Dritter im Bunde hinzu, als der schwächste. Einen begabten Schüler besaß Naumann in Friedrich Heinr. Himmel, der eine Reihe italienischer Opern sowie mehrere deutsche Singspiele, unter welchen „*Fanchon*" (1804) das beliebteste wurde, geschrieben.

Himmel.

Fr. H. Himmel (1765—1814) wurde von seinem königlichen Protektor Friedrich Wilhelm II. von Preußen zu seiner Ausbildung nach Italien geschickt und unternahm dann Reisen nach Wien, Paris, London, Petersburg. Nach Reichardts Scheiden wurde er nach Berlin als Hofkapellmeister berufen. Er schrieb auch für die Kirche. Ein großes Tedeum, ein „Vaterunser" und eine Anzahl Klavierstücke sind von ihm bekannt geworden. Seine Erfindung ist gefällig, aber seicht. Populär blieben einige seiner Lieder, wie: „An Alexis send' ich dich", „Es kann ja nicht immer so bleiben unter dem wechselnden Mond" u. a. m.

München.

In München gewann die italienische Oper, die wir bis in die zweite Hälfte des 18. Jahrhunderts begleitet haben (II, 164), mit dem 1753 neu erbauten Theater einen glänzenden Schauplatz. Die Vorstellungen waren nun auch dem Publikum zugänglich. Jede Saison brachte eine neue Oper. Von Komponisten waren vertreten: Galuppi, Traetta, Jommelli, Sacchini, Piccinni, Guglielmi, Salieri. Auch der unermüdliche Kapellmeister Bernasconi kargte nicht mit seinen Werken. Mit der Übersiedlung des Kurfürsten Karl Theodor von seiner bisherigen Residenz Mannheim nach München tritt eine Wandlung zu Gunsten des deutschen Singspiels ein, während die italienische Oper allmählich versiegt.

Stuttgart.

Auch in Stuttgart war seit der Verabschiedung Jommellis 1769 der Stern der italienischen Oper im Erlöschen. Das Interesse des Herzogs Karl Eugen wandte sich fast ausschließlich der von ihm gegründeten „Karlsschule" zu, deren Zöglinge er auch musikalisch und dramatisch ausbilden und auf den Theatern in Ludwigsburg und Stuttgart auftreten ließ. Die Italiener wurden entlassen, die Hofmusik eingeschränkt. Jommelli hatte keinen ebenbürtigen Nachfolger. Unter den nach ihm in Stuttgart wirkenden Operndirektoren bildet Chr. Fr. Daniel Schubart (1739—1791) eine interessante Erscheinung. Vielseitig begabt als Dichter, Musiker und Ästhetiker, führte er jahrelang ein unstetes und sorgenvolles Dasein in verschiedenen süddeutschen Städten. Seine freimütige Gesinnung brachte ihn auf die Festung Hohenasperg, aus welcher er erst nach zehnjähriger Haft entlassen ward. 1787 erhielt Schubart die Stelle eines Direktors des Hoftheaters in Stuttgart, starb aber schon 1791. Sein Nachfolger war Zumsteeg.

Schubart.

Jommelli war noch unvergessen; neben seinen Werken traten aber immer mehr deutsche Opern und Singspiele in den Vordergrund. Man gab Dittersdorfs „Apotheker und Doktor", Mozarts „Entführung", „Figaro", „Don Juan", „Zauberflöte".

Berlin.

Was Jommelli für Stuttgart, war Graun für Berlin (II, 170). Seine Opern beherrschten noch 20 Jahre nach seinem

Hinscheiden, trotz des Überdrusses des Publikums, das Repertoire. Friedrich II. wollte neben Graun und Hasse keinen anderen Komponisten dulden. Nur die Opera buffa, welche auf dem Theater in Potsdam ihr Zelt aufgeschlagen, machte eine Ausnahme. Nach Beendigung des Siebenjährigen Krieges 1763 mußte die in der Zwischenzeit aufgelöste italienische Oper neu organisiert werden, aber die Sparsamkeit und die erkaltete Teilnahme des Königs verhinderten ihren Aufschwung. Joh. Friedr. Agricola, der früher J. F. Agricola. schon Hofkomponist gewesen, wurde zum Leiter und Komponisten der Oper bestellt, ohne in der einen oder anderen Eigenschaft Erfolge zu erzielen. Neues Leben und Interesse gewann die Oper durch das 1771 erfolgte Engagement der Sängerin Schmeling (Mara).

Gertrud Elisabeth Schmeling, geb. 1749 in Kassel als die Tochter eines armen Musikers, verriet schon als Kind ein außergewöhnliches Talent und konnte sich schon mit zehn Jahren in London auf der Violine hören lassen, verließ aber bald dieses Instrument, um sich dem Gesange zuzuwenden. Ihre schöne Stimme und ihre glückliche musikalische Begabung entwickelten sich so glänzend, daß sie einst als eine der ersten Sängerinnen ihrer Zeit und zugleich als die erste deutsche Sängerin von Bedeutung erklärt wurde. Sie besaß einen enormen Stimmumfang und technische Sicherheit. — Nach Leipzig unter die Obhut J. A. Hillers gebracht, trat sie 1766 im Konzertsaal, dann in Dresden in einer Oper von Hasse auf. 1771 erfolgte ihre Anstellung an der Berliner Hofoper. Zwei Jahre darauf heiratete sie den Cellisten Mara, einen unwürdigen und leichtsinnigen Menschen, der ihr eine unglückliche Ehe bereitete. Die Mara, welche eine krankhaft eigensinnige Primadonnennatur war, vermochte sich der harten Disziplin, welche damals am Theater herrschte, nicht zu fügen; es kam so weit, daß sie sich 1779 durch die Flucht ihren weiteren Verpflichtungen entzog. Paris, London (wo sie 1784 und 1785 in der großen Händel-Gedächtnisfeier in Westminster sang, dann Turin, Venedig bildeten nacheinander den Schauplatz ihres Wirkens. Nach London 1792 zurückgekehrt, brachte sie dort noch zehn Jahre zu, bis die Abnahme ihrer Stimme sie verlassen, England zu verlassen. Ihre Tätigkeit daselbst war größtenteils dem Oratorium zugewendet, welche Gattung ihrer Individualität mehr zusagte als die Bühne, auf welcher ihre unvorteilhafte Gestalt störend wirkte. Sie zog sich dann nach Rußland zurück und ließ sich vorerst in Moskau nieder. Nachdem ihr Vermögen durch die Verschwendung ihres Mannes, von dem sie sich inzwischen geschieden hatte, und durch ihre eigene Lebensführung nahezu verloren gegangen, mußte sie in Moskau und dann in Reval durch Unterricht ihre Existenz fristen. In letzterer Stadt starb sie in dürftigen Umständen 1883, 84 Jahre alt.

Die Sängerin Mara. Lebensgeschichte.

In den letzten Regierungsjahren Friedrichs II. dringen schon Deutsche in das Personal der großen Oper ein, auch tritt das neu aufgetauchte deutsche Singspiel in den Wettbewerb. Wir werden uns mit dieser nationalen Schöpfung später beschäftigen. Große Oper, Opera buffa und deutsches Theater teilten sich nun in das Interesse, welches der Hof und das Publikum ihnen entgegenbrachte. In der großen Oper wurde das Ballett vorwiegend durch französische Tanzkünstler gepflegt und gelangte zu einer Beliebtheit, welche sich auch später in Berlin forterhielt. Nach dem Ableben Agricolas berief der König den vielseitigen Joh.

4*

Friedr. Reichardt als Kapellmeister, welcher als Komponist italienischer und deutscher Bühnenwerke, mehr noch als Liederkomponist und geistreicher Schriftsteller eine wichtige historische Stellung einnimmt.

Unter Friedrich Wilhelm II. (1786—1797) ging die italienische Oper ihrer Auflösung entgegen; seine Teilnahme wendete sich vorzugsweise dem deutschen Theater zu, für welches er ein eigenes Haus einrichten ließ. Doch waren der großen Oper noch einige Jahre des Glanzes beschieden; es kamen italienische Opern von Reichardt (u. a. „Brenno" mit der berühmten Arie „Roma tu superba"), Naumann, Bertoni („Orfeo" von Calsabigi), Cimarosa („Matrimonio segreto") usw. zur Aufführung. Die Nachfolger Reichardts in Berlin waren Himmel und seit 1793 Righini.

Vincenzo Righini (1756—1812), in Bologna geboren und von P. Martini ausgebildet, hatte schon eine reiche Vergangenheit, als er nach Berlin kam. Von Kaiser Josef II. wurde er 1780 nach Wien als Leiter der Opera buffa berufen, wirkte 1788—1792 als kurfürstl. Kapellmeister in Mainz und hatte schon vorher Opern in Prag und Wien auf die Bühne gebracht. Zur Krönung des Kaisers in Frankfurt 1790 hatte Righini die Messe geschrieben, welche als „Krönungsmesse" berühmt ward. In Berlin entstanden seine besten Opern: „Enea", „Tigrane", „Gerusalemme liberata", „La selva incantata": am meisten gerühmt wird „Atalanta", 1797. Auch dürfen seine Kirchen-, Kammermusik- und Gesangstücke, namentlich seine geschätzten Solfeggien nicht unerwähnt bleiben.

Righini setzte sich für die Werke Glucks, Mozarts und Salieris ein und brachte von ersterem „Iphigenia auf Tauris", von Mozart „Titus" und „Cosi fan tutte" auf die Bühne. Von dem Opernpersonal treten neben der Italienerin Todi die Sängerinnen Koch und Niclas und der Bassist Fischer hervor.

Die Kunstpflege unter Friedr. Wilhelm II. ist jener der ersten Regierungszeit Friedrichs d. Gr. an die Seite zu stellen. Auch dieser König übte die Musik selbst aus; er spielte das Violoncell und es kam vor, daß er bei den Proben neben seinem Lehrer Duport mitwirkte. — Unter seinem Nachfolger Friedr. Wilhelm III. ging die italienische Oper ein, während die deutsche aufblühte.

Das Wirken der italienischen Komponisten in Paris, London, Petersburg usw. ist der vorangegangenen Darstellung einbezogen worden.

In Paris, wo es, von einzelnen vorübergehenden Erscheinungen abgesehen, keine italienische Oper gab, haben in der zweiten Hälfte des 18. Jahrhunderts Piccinni, Sacchini, Salieri große Opern in französischer Sprache zur Aufführung gebracht.

London beherbergte seit Händels Zeiten stets eine italienische Oper; neben ihr führte eine englische Nationaloper ein bescheidenes Dasein und das englische Singspiel sorgte für die Bedürfnisse der Massen. Wer von den italienischen

Opernkomponisten einen Namen hatte, wollte dem Lorbeer auch das englische Gold zugesellen, noch mehr zog diese Lockspeise die Sänger an. Wir haben auf diesem Boden die Komponisten Traetta, Sacchini, Sarti, Guglielmi begegnet, auch wurden Werke von Paisiello, Cimarosa, Gazzaniga, endlich Glucks „Alceste" und „Iphigenia auf Tauris" aufgeführt.

Nur flüchtig wollen wir an dieser Stelle des jüngsten Sohnes von Seb. Bach, Joh. Christian Bach gedenken, der, nachdem er schon in Italien, namentlich in Neapel, Opern mit Glück zur Aufführung gebracht, auch in England für die italienische Oper tätig war.

In Rußland, wo die italienische Oper 1735 eingeführt wurde, nahm die Pflege dieser Gattung in der zweiten Hälfte des 18. Jahrhunderts durch die Liebhaberei des Hofes und des Adels einen glänzenden Aufschwung. Die kunst- und prachtliebende Kaiserin Katharina II. berief nacheinander Galuppi, Traetta, Paisiello, Sarti, Cimarosa, Martin als Kapellmeister und Komponisten. Alle die Genannten nahmen einen mehrjährigen Aufenthalt in Petersburg, den längsten Sarti. Des Kampfes mit dem ungewohnten nordischen Klima müde, kehrten alle in die Heimat zurück. Viele ihrer besten Werke sind in Rußland entstanden und machten dann die Runde durch Europa. Daß die Komponisten auch die Berühmtheiten der italienischen Gesangskunst nach sich zogen, ist selbstverständlich. *(Margin: Petersburg.)*

Schon damals regten sich nationalrussische Bestrebungen auf dramatischem Gebiete, welche später die russische Oper ins Leben riefen.

Noch andere europäische Hauptstädte, wie Madrid, Lissabon, Kopenhagen, Stockholm, erfreuten sich einer italienischen Oper, welche sich in nichts von ihren wandernden Schwestern unterschied.

Die italienischen Opern der zweiten Hälfte des 18. Jahrhunderts sind in überwiegender Zahl Manuskript geblieben. Ein kleiner Teil derselben wurde gedruckt, meist im Klavierauszuge, Partituren nur selten. Immerhin ist darin ein Fortschritt gegen die Zeit von 1650—1750 zu beobachten. Viele Opern sind verloren gegangen, namentlich die erfolglosen. Dasselbe gilt von Oratorien und Kirchenwerken. Von Instrumentalmusik dagegen erschien sehr viel in Druck. Sowohl was Manuskripte als Originaldrucke betrifft, ist man zumeist auf Bibliotheken angewiesen.

Opern, Oratorien, Kirchenwerke der vorstehend genannten italienischen Tonsetzer besitzen fast alle größeren Bibliotheken Europas, in erster Linie die Bibl. S. Pietro di Majella (*Archivio musicale*) in Neapel, die Bibl. du Conservatoire in Paris, dann Rom (S. Cecilia), Bologna (*Liceo musicale*), Wien (Hofbibl., Ges. d. Musikfr.), Berlin, Brüssel, Mailand, Münster (Bibl. Santini) usw. *(Margin: Bibliotheken.)*

Eine vollständige Anführung der Originalausgaben (Drucke, Stiche) wäre von geringem praktischen Wert, da die meisten derselben im Handel vergriffen und nur in Bibliotheken anzutreffen sind. Es genügt zu wissen, daß die berühmtesten Werke von Piccinni („*Buona figliuola*", „*Didon*"), Paisiello („*Barbiere*", „*Nina*", „*Molinara*" etc.), Cimarosa („*Matrimonio segreto*", „*L'Impresario in angustie*"), Sacchini („*Oedipe*", „*Le Cid*"), Sarti („*Les noces de Dorina*". *(Margin: Originalausgaben.)*

russisches Te Deum), Guglielmi („*Ezio*"), Martin („*Cosa rara*" u. a.), Salieri („*Armida*", „*Les Danaides*"), Naumann („*Cora*", „Vater unser"), Righini („*Aeneas*", „*Armida*", „Der Zauberwald", Krönungsmesse, Bruchstücke aus „*Atalante*"), teils in Partitur, teils im Klavierauszug, innerhalb des Zeitraums von 1770 bis etwa 1810 in Paris, London, Leipzig, Wien u. a. O. veröffentlicht wurden. Den Originalausgaben schließen sich zahlreiche ältere Nachdrucke an. Hinzuzufügen wären noch als von spezziellem Interesse: Streichquartette und Klaviersonaten von Paisiello, Streichquartette und Violinsonaten von Sacchini, Violin- und Klaviersonaten von Sarti, Klavierstücke von Guglielmi, Vokalwerke von Martin, Streichquartette von Gaßmann, Kanons für 3 Stimmen von Salieri, Kirchenstücke, ein Oratorium, Lieder, Klavierkonzert, Klavierquartett, Sonaten für die Glasharmonika von Naumann, Lieder, Klaviervariationen von Schubart, Gesangs- und Instrumentalstücke von Righini usw.

Neuere Ausgaben.

Neuere Ausgaben von Werken der angeführten Tonsetzer sind spärlich vorhanden, zum Teil auch nur annäherungsweise als solche zu bezeichnen.

In den Sammlungen von Choron (1827—1830), Ricordi (*Antologia classica* von 1844 an), Gevaert (*Les Gloires de l' Italie* 1868) sind einzelne Nummern aus den Opern von Piccinni, Paisiello, Cimarosa, Sacchini, Traetta, Salieri enthalten. Wichtiger sind die vollständigen Klavierauszüge mit Text:

In *Chefs-d'Oeuvres class. de l'Opéra français*: Piccinni („*Didon*", „*Roland*"), Sacchini(„*Le Cid*", „*Renaud*"), Salieri(„*Les Danaides*", „*Tarare*", „*Axur*"), Br. & H.

Von Paisiello: „*La Molinara*" bei mehreren Verlegern, deutsch „Die schöne Müllerin", bearb. v. R. Kleinmichel, Senff (jetzt Univ.-Ed.); Cimarosa: „*Matrimonio segreto*", deutsch „Die heiml. Ehe", bearb. von J. N. Fuchs, Schlesinger, Reclam (Opernbibliothek), Ed. Peters, Ricordi (kleine Ausg.), „Die Heirat durch List", Br. & H., „*Giannina e Bernardone*", Ricordi (kl. Ausg.), „*Le Astuzie femminili*", Sonzogno; Traetta: „*Ifigenia*", Damköhler(jetzt Leuckart); Sacchini: „*Oedipus*", deutsch, Schlesinger; Sarti: Achtst. Fuge für Gesang und Orgel, sechsst. Hymnen, Miserere für Soli und Chor (Partitur), herausg. von C. Braune, Br. & H.; Guglielmi: „*Ernesto e Palmira*", Ricordi, „*La moglie capricciosa*", Hamburg, Böhme, „*I due prigioneri*", München, Falter; Martin: „*Cosa rara*", bei vielen Verlegern; Salieri: „*Axur*", „*Falstaff*" und andere Opern, Wien, Diabelli; Naumann: „*Orpheus*" (dänisch), „Die Dame und der Soldat", Br. & H., Pilgerchor aus dem Oratorium „Die Pilgrime", herausg. von E. Naumann, Br. & H., sämtliche Lieder, Br. & H.; Righini: Mehrere Opern, Br. & H. — In Pauers „Alte Meister" bei Br. & H., sind eine Sonate von Sacchini und ein Allegro von Sarti aufgenommen. (Manche der oben angegebenen Verlagsfirmen sind in andere übergegangen, auch dürften nicht alle der hier verzeichneten Ausgaben im Musikhandel zu beschaffen sein.)

Frankreich.
Opéra
comique.

Der Opera buffa der Italiener folgte die Opéra comique der Franzosen auf dem Fuße nach. Vorbereitet war sie schon durch die Vaudevilles, die man seit Anfang des 18. Jahrhunderts während der Marktzeit auf kleinen Bühnen, den „*Théatres de la foire*" gab und die schon damals den Namen Opéra comique führten (II, 179). Die Privilegien der Académie (Großen Oper) hinderten lange die Entwicklung dieser Gattung. Ähnlich wie in Italien trat auch in Frankreich eine Wandlung in der öffentlichen Geschmacksrichtung ein. Man war der höfischen, steif-pathetischen Oper Lullys und Rameaus müde geworden und verlangte nach natürlichen, heiteren Bühnenstücken, nach leichtfaßlicher, volkstümlicher Musik. Da kam 1752 eine italienische Buffotruppe nach Paris, welche wie eine Erlösung wirkte; auf der Bühne der Académie entzückte sie die Pariser fast durch zwei Jahre mit ihren lustigen Intermezzi. Nebst ihrer Glanzleistung der *„Serva Padrona"* gaben die Italiener andere Intermezzi von Pergolesi (*„Il maestro de musica"*), Orlandini, Latilla, Rinaldo di Capua (*„La Zingara"*), Cocchi, Seletti, Jommelli, Ciampi, Leo (*„Li Viaggiatori"*), im ganzen 13 verschiedene Stücke. Wir haben des leidenschaftlichen Parteistreits, welchen die Erfolge der Italiener entfesselten, schon früher gedacht (II, 183). Die Nachwirkung des italienischen Gastspiels war eine bleibende. Der nationale Ehrgeiz war rege geworden. Anfangs eine direkte Nachahmung der Opera buffa gewann die französische Opéra comique bald ihr selbständiges Gepräge. Handlung und Text treten in den Vordergrund des Interesses. Die Musik, anfangs nur als Einlage des Stücks betrachtet (*Pièce à ariettes*), gewinnt erst allmählich an Bedeutung. Ein wesentliches Merkmal der Opéra comique ist der gesprochene Dialog an Stelle des Rezitativs der Italiener; dieser blieb für die Gattung typisch, auch wenn die Werke nicht komischen, sondern lyrischen oder ernsten Inhalts waren. Die Musik der Opéra comique der zweiten Hälfte des 18. Jahrhunderts hat etwas Naives, Primitives, auch Ungeschicktes. Die Gesänge tragen die Züge der französischen Chansonette, der Ausdruck ist zierlich; leicht sentimental oder neckisch, der Rhythmus scharf ausgeprägt, mit Vorliebe marschartig. Harmonie und Instrumentation sind in den Erstlingswerken ebenso dürftig als in der italienischen Opera buffa. An komischer Kraft ist die Opera buffa mit ihrem parodistischen Charakter, ihren karikierten Figuren und drastischen Situationen der Opéra comique überlegen, auch ist sie reicher mit Musik ausgestattet, dagegen erscheint ihre französische Rivalin vornehmer, feiner in ihrem graziösen Humor und ihre knappen Melodien sind nicht ohne Anmut.

Nachdem die Italiener Paris verlassen hatten, schritt die Opéra comique vorerst an eine gründliche Ausbeutung des von ihnen gespielten Repertoires. Man gab die italienischen Intermezzi in Übersetzungen und Bearbeitungen; den Löwenanteil des Erfolges trug die „Serrante maitresse" davon, welche 190 Wiederholungen erlebte.

Als erstes Originalwerk der Opéra comique gilt das komische Intermezzo „Les Troqueurs" (die Tauscher) von Antoine Dauvergne (1713—1797), welches am 30. Juli 1753 mit Beifall aufgeführt wurde. Das Textbuch ist nach Lafontaine von Vadé verfaßt, die Musik benützt auch einige ältere Vaudevilles. Einige Monate später folgte „La Coquette trompée", Text von Favart mit der Musik desselben Komponisten.

Marginal notes:
Buffotruppe 1752.
Beschaffenheit der Opéra comique.
Dauvergne.

Die Frühzeit der französischen komischen Oper wird durch
Duni, Philidor, Monsigny vertreten.

Duni.

Der Neapolitaner Egidio Duni (II, 123), der schon in Parma
einige französische Singspiele geschrieben, wurde 1757 nach
Paris berufen, um für die Opéra comique neue Werke zu schaffen.
Er debütierte mit „*Le peintre amoureux de son modèle*“, es folgten
„*Ninette à la cour*“, „*Le docteur Sagrada*“ 1758, dann noch bis 1770 die
komischen Opern „*La fille mal gardée*“, „*Le Retour au village*“, „*La
Laitière*“, „*La fée Urgèle*“, „*Les Moissoneurs*“ u. a. Alle diese Stücke
haben gesprochenen Dialog. Die Musik ist einfach, naiv, heiteren Charakters; von einer Ausgestaltung der musikalischen Formen ist keine
Rede. So wenig bedeutend auch alle diese Singspiele Dunis gewesen sein mögen, so besaßen sie doch Reiz genug, um auch in
das Ausland zu dringen.

Philidor
und
Monsigny.

Philidor und Monsigny betraten fast gleichzeitig den
Schauplatz der Opéra comique; es war im Februar und März
1759, als ihre ersten Singspiele auf der Bühne erschienen,
Philidors „*Le Savetier*“ und Monsignys „*Les Aveux indiscrets*“.
Beide Tonsetzer hatten Erfolg und erlangten eine Beliebtheit, die
sich durch mehrere Jahrzehnte erhielt. Philidor war der fruchtbarere, männlichere, zugleich der musikalisch Gebildetere, während
Monsigny, der mit seinen Werken nur zögernd hervortrat, zarter
besaitet, als begabter Naturalist zu betrachten ist. Von beiden
wurden viele Werke auch in Deutschland aufgenommen. Beide
erreichten ein hohes Alter.

Philidor.

François André Danican Philidor entstammte einer berühmten Musikerfamilie, deren Wirken man bis auf die Zeiten
Louis XIII. zurück verfolgen kann (II, 230). Geboren 1726 in
Dreux, erhielt er seine musikalische Erziehung als Sängerknabe der
kön. Kapelle in Versailles, welche unter der Direktion Campras
(II, 178) stand. Schon damals soll Philidor begonnen haben, Motetten zu komponieren.

Viel früher als sein Talent zur Komposition, entwickelte sich seine Ge-
schicklichkeit im Schachspiel. Er gewann als einer der größten Meister des
Schachspiels europäischen Ruf. Namentlich London war wiederholt der
Schauplatz seiner Schachtriumphe. Er galt nicht bloß als unbesiegbar, verblüffte durch sein „Blindlingsspiel“ oder durch „Simultanpartien“, sondern
trat auch als theoretische Autorität in seinem 1749 in London herausgegebenen
Werk „*Analyse du jeu d'echecs*“ hervor. Ohne seiner Leidenschaft für das
Schachspiel zu entsagen, widmete sich Philidor im reifen Alter der Opern-
komposition.

Eine starke Begabung zog ihn zur Bühne. Er begann mit
einaktigen Singspielen, ging dann zu zweiaktigen über, auch
die große Oper blieb ihm nicht fremd. Seine bleibenden Erfolge
errang er auf dem Gebiete der Opéra comique. Ein wesent-
licher Anteil an diesen Erfolgen fällt aber den Textdichtern
Favart und Sedaine zu, welche unerschöpflich an origineller

Erfindung waren. P h i l i d o r s Musik enthielt neben ansprechenden Melodien auch manches Neue in der Form; man fand seine Opern gearbeiteter in der Stimmführung, reicher in der Harmonie und der Instrumentation. Aus Philidors komischen O p e r n, deren Zahl zwanzig übersteigt, sind zu nennen: *„Blaise, le Savetier"* (der Schuhflicker), sein Erstlingswerk, *„Le Maréchal ferrant"* (der Hufschmied) 1761, *„Le Bûcheron"* (der Holzhauer) 1763, *„Tom Jones"* 1764, *„Le Jardinier de Sidon"* 1768. In *„Le Bûcheron"* und *„Tom Jones"* sind mehrere Ensembles bemerkenswert. Am meisten Glück machte *„Le Maréchal ferrant"*, welche Oper über zweihundertmal aufgeführt wurde.

„Le Maréchal ferrant", ein zweiaktiges Singspiel, hat eine amüsante Handlung und eine leichte, gefällige Musik, welche komische und sentimentale Nummern enthält. Vorherrschend ist die kurzgeschürzte C h a n s o n, es kommen aber auch A r i e n, drei T e r z e t t e und zum Schluß ein S e p t e t t vor. Die Begleitung, welche zuweilen selbständig eingreift, beschränkt sich auf Violine, Viola und Baß. Die E n s e m b l e s sind voll Laune. Drollig ist das Trinkduett zwischen M a r c e l (Schmied und Wunderdoktor, Baß) und L a B r i d e (herrschaftl. Kutscher, Tenor). Bemerkenswert sind die kleinen T o n m a l e r e i e n. In einem Couplet Marcels ahmt die Begleitung das Hämmern nach, in der Ariette La Brides deutet die Violinfigur das Glockengeläute an.

Diese und die meisten seiner anderen Opern wurden in Paris in Partitur gestochen. P h i l i d o r starb in London 1795.

Pierre Alexandre M o n s i g n y, geboren 1729 in Fauquembergues, einem Städtchen bei St. Omer, von armen Eltern, hütete als Kind die Herde und spielte ohne Unterricht auf seiner Kindergeige. Im Jesuitenstift zu St. O m e r, wohin er gebracht wurde, lernte er auch die Violine spielen, welche sein einziges Instrument blieb. Nach dem Tode seines Vaters, der ihm die Sorge für Mutter und Geschwister hinterließ, wendete er sich, ungefähr 20 Jahre alt, nach Paris, trat zuerst in die Bureaux der geistlichen Finanzverwaltung ein, welche Stellung er aber nach einem Jahre mit jener eines Maitre d'hôtel bei dem Herzog von Orleans vertauschte. In den Diensten des Herzogs, der ein leidenschaftlicher Freund des Theaters war, empfing M o n s i g n y die ersten Anregungen zu seinem künftigen Beruf. Da hörte er 1754 die *„Serva padrona"* von Pergolesi und sein Entschluß war gefaßt. Er wollte Opern schreiben, obwohl seine musikalischen Kenntnisse sehr mangelhaft waren. Das blieben sie auch später, doch ein glücklicher Instinkt und ein warm pulsierendes Innenleben leiteten ihn und führten ihn zur Höhe. Monsigny stand im 30. Lebensjahre, als er im März 1759 im Theater de la foire St. Laurent sein erstes Debut als Opernkomponist und zugleich seinen ersten Erfolg feierte. Dieser Erstlingsoper *„Les Aveux indiscrets"*, Text von La Ribordière nach Lafontaine, folgten rasch *„Le Maitre en droit"*, *„Le Cadi dupé"*, ein besonders gelungenes Singspiel. Von da an wurde der gewandte S e d a i n e der Librettist M o n s i g n y s für die nächsten Werke

Le Maréchal ferrant.

Monsigny.

„*On ne s'arise jamais de tout*", „*Le Roi et le fermier*", „*Rose et Colas*", „*Le Déserteur*", „*Felix*". Die letztgenannten Stücke wurden in der Comédie italienne, welche schon längst französische Stücke gab, aufgeführt. Gleichzeitig gab die große Oper ein bedeutenderes Werk von Monsigny, „*Aline, Reine de Golconde*".

Als das Meisterstück Monsignys ist seine dreiaktige komische Le Déserteur. Oper „*Le Déserteur*" zu betrachten.

Das Libretto von Sedaine zeichnet sich durch eine dramatische Handlung aus, welche besonders gegen das Ende spannend wirkt. Alexis, ein Soldat, der sich von seiner geliebten Louise verraten glaubt, ist im Begriffe aus Verzweiflung zu desertieren, wird ergriffen und zum Tode verurteilt; durch die Entschlossenheit seiner treuen Geliebten erlangt er aber seine Begnadigung und Freiheit. Die Musik besitzt einen tieferen Empfindungsgehalt, als den durchschnittlichen der komischen Oper, auch ist in der Technik des Satzes ein Fortschritt des Komponisten bemerkbar, wenn auch die Instrumentierung mager bleibt und einzelne harmonische Ungeschicklichkeiten unterlaufen. Der Hauptvorzug der Musik ist der natürliche, ungekünstelte Ausdruck, welcher sowohl für das Komische als auch das Ernste Gelungenes aufweist; für das erstere ist als Beispiel die Szene Bertrands und Montauciels im 2. Akt, für letzteres das Terzett „*O ciel! quoi, tu vas mourir?*", die Arie des Alexis „*Mes yeux vont se fermer*" in demselben Akt anzuführen. Auch die übrigen Akte enthalten manches dramatisch Interessante, melodisch Anmutende und gelungene komische Züge. Der nationale Charakter der Musik, die Sentimentalität in den Chansons, die marschartigen Rhythmen erklären die große Beliebtheit dieses Werkes. Die Oper, welche 1769 zum erstenmal über die Bühne der Comédie italienne ging, wo sie eine vortreffliche Darstellung fand, wurde 1788 von der großen Oper aufgenommen und mit Balletteinlagen versehen und erlebte daselbst 180 Wiederholungen; sie erhielt sich über ein Jahrhundert auf den Pariser Theatern, wo man ihr noch 1893 begegnet. Die Instrumentation wurde von Ad. Adam verstärkt und modernisiert.

Als ein ebenbürtiges Werk wurde seinerzeit „*Felix, ou l'Enfant trouvé*" betrachtet, welche Oper 1777 in der Comédie italienne zur Aufführung kam und den Schlußstein von Monsignys dramatischer Laufbahn bildet. Gerühmt werden ein Terzett und ein Quartett im 3. Akt. Die Oper wurde in zahlreichen Wiederholungen bis 1824, dann wieder 1847 gegeben. Anspruchsloser, doch ausgezeichnet durch natürliche Grazie und Frische der Musik ist das einaktige ländliche Singspiel „*Rose et Colas*", Text ebenfalls von Sedaine, 1763 aufgeführt und von nachhaltigem Erfolg begleitet. In Paris wurde es noch 1862 gegeben.

Nicht zu vergessen sind das beliebte Singspiel „*On ne s'arise jamais de tout*", nach einem Lafontaineschen Stoff und die ernstere dreiaktige Oper „*Le Roi et le fermier*", beide auch im Ausland gegeben. Die in der großen Oper 1766 aufgeführte „*Aline*" entfernt sich, trotz der aufgewendeten Mittel, den Tänzen und der reichen Ausstattung, nicht von der gewohnten Art des Tonsetzers. Die Oper erlebte 50 Aufführungen; in derselben trat die berühmte Sängerin Sophie Arnould, welche später in Glucks Opern glänzte, nebst dem Sänger Larivée auf.

Nach achtzehnjähriger Tätigkeit für die Bühne schrieb Monsigny während der letzten 30 Jahre seines Lebens nichts mehr;

er ist darin Rossini zu vergleichen. Auch in seiner Untätigkeit blieb er hochgeehrt, doch seine äußeren Verhältnisse gestalteten sich unglücklich. Die Revolution beraubte ihn seiner Stelle bei dem Herzog von Orleans und verschlang seine Ersparnisse. Wohl wurde ihm durch Pensionen einige Hilfe geboten, wohl erhielt er 1800 nach Piccinni die Stelle eines Inspektors am Konservatorium, wo er jedoch nur zwei Jahre wirkte, endlich wurde ihm noch 1813 als Greis die Ehre zu teil, zum Mitglied des Institut des beaux arts (nach Grétry) ernannt zu werden, doch war sein Alter durch Krankheit und Mißgeschick getrübt. Monsigny starb 1817 in Paris, 88 Jahre alt. Sein Ruhm überlebte ihn noch lange, sowohl in seinem Vaterlande als auch in Deutschland.

Eine Statue soll ihm in St. Omer errichtet werden. Erwähnt sei auch, daß sein Dichter Sedaine ein Standbild in Paris auf dem *Square d'Anvers* besitzt.

Monsigny war Autodidakt und erhob sich nicht zum bedeutenden Tonsetzer; seine Werke sind verschollen, doch seine geschichtliche Stellung als eines der Mitbegründer der französischen komischen Oper und sein Verdienst als Komponist graziöser und fein empfundener Singspiele bleiben unvergessen.

Ein Dezennium später als Philidor und Monsigny erschien Grétry, der weitaus Bedeutendste dieser Gruppe, mit seinem Erstlingswerk auf der Bühne. Grétry war nicht bloß ein fruchtbarer Melodiker, er übertraf seine Vorgänger an Wärme und Wahrheit des Ausdrucks, sprach- und sinngemäßer Deklamation, Charakteristik der dramatischen Personen. Sein Schaffen war von hoher Intelligenz geleitet, ohne darum an Natürlichkeit und Einfachheit zu verlieren. In der Kunst des Tonsatzes nur mangelhaft unterrichtet, stand er darin Philidor nach und erhob sich kaum über Monsigny; sein Talent und dramatischer Instinkt, wenn sie auch diesen Mangel nicht vergessen ließen, führten ihn doch zur Originalität und zu lebendigem Gestalten in seinen Bühnenwerken.

Über Grétrys Lebenslauf bis zu seinem 50. Jahre belehren uns seine Memoiren und wir folgen daher seiner Erzählung in flüchtigem Umriß. — André Erneste Modeste Grétry, geb. 1741 in Lüttich, der Sohn eines armen Musikers, war mit sechs Jahren Chorknabe, genoß nur wenigen Unterricht, und zwar zumeist bei dem Organisten Renkin, fühlte sich aber schon frühzeitig zur Komposition hingezogen. In Lüttich entstanden eine Messe und sechs Symphonien, welche letztere 1758 aufgeführt wurden. Sein Sinn stand ihm nach Italien und mit einiger Unterstützung wanderte der Achtzehnjährige in Begleitung eines Genossen zu Fuß nach Rom, wo er im Lütticher geistlichen Kolleg Aufnahme fand. Sein Aufenthalt daselbst währte bis zum Jahre 1766. Nur durch zwei Jahre genoß er eine theoretische Unterweisung bei Casali, aber es zeigte sich, daß er für regelmäßige und gründ-

Grétry.

Lebenslauf und Werke.

liche Studien keine Neigung besaß, dafür hörte er reichlich Musik in Kirche und Theater. Von italienischer Musik war es besonders jene Pergolesis, die ihn anzog, eines Meisters, dem er zeitlebens eine große Verehrung bewahrte. Aber auch sein eigener Schaffungstrieb betätigte sich in der Komposition eines Intermezzos „Le Vindimiatrice" (die Winzerinnen), welches 1765 im Theater d'Aliberti aufgeführt, beifällig aufgenommen wurde und selbst das Lob Piccinnis erntete. Von Rom begab sich Grétry 1767 nach Genf, besuchte Voltaire in Ferney und, angeregt durch die französischen Singspiele Philidors und Monsignys, welche er in Genf zu hören Gelegenheit hatte, versuchte er sich auf diesem Gebiete. Seine Operette „Isabelle et Gertrude" (Text von Favart) brachte es zu sechs Aufführungen. Nach sechsmonatlichem Aufenthalt wendete sich Grétry nach Paris, wo er nach einem mißglückten Versuch in der großen Oper mit „Les Mariages des Samnites", 1768 mit dem komischen Singspiel „Le Huron" (von Marmontel) einen für seine Zukunft entscheidenden Erfolg davontrug. Grétry hatte damit das Gebiet betreten, auf welchem er fortan Triumphe feierte, die komische Oper, als deren Vollender er gelten kann. Rasch folgten das naiv-gemütliche Familienstück „Lucile" von Marmontel (das Quartett „Où peut-on être mieux, qu'au sein de sa famille" wurde populär), das noch erfolgreichere kleine heitere Singspiel „Le Tableau parlant"; dem Jahre 1770 gehören an: „Les deux Avares" (dessen Janitscharenchor noch heute beliebt ist) und „L'amitié en épreuve". Mittlerweile hatte sich Grétry, der Belgier, den Geist und die richtige Deklamation der französischen Sprache angeeignet; seine reiche melodische Erfindung, verbunden mit dem musikalisch wiedergegebenen Wortausdruck, siegten über die ungenügende Entwicklung der Form, der Harmonie und Instrumentation, in welcher Hinsicht er hinter den italienischen Zeitgenossen zurückblieb. Ein großer Fortschritt zeigt sich aber in der 1771 aufgeführten vieraktigen komischen Oper „Zemire et Azor", Libretto von Marmontel, der damit sein Bestes geleistet. Die Musik ist reich an graziösen Melodien, entbehrt auch nicht des tieferen Ausdrucks und der Charakteristik, welche durch eine wirksame Instrumentation unterstützt wird. Die Oper machte ihren Weg und galt als Meisterstück. Weniger glücklich war Grétry mit seinen Werken für die große Oper; hier war ihm neben seiner geringen Eignung auch die gleichzeitige Nachbarschaft Glucks gefährlich. Gehen wir an dem langen Zuge mehr oder minder gelungener oder erfolgreicher Werke vorüber, von denen wir nur „La Rosière de Salency" 1775, „La Caravane de Caïre" 1783 (sehr verbreitet), „Aucassin et Nicolette" (4 Akte, von Sedaine, beliebtes Stück) ins Auge fassen, so gelangen wir zu der berühmtesten Oper Grétrys,

Richard coeur de lion. (Richard Löwenherz.) „Richard coeur de lion" (Richard Löwenherz), am 21. Oktober 1784 im Theatre Favart (Opéra comique) zum erstenmal aufgeführt.

Das Libretto von Sedaine ist eines der gelungensten des begabten Dichters, in welchem die sagenhafte Handlung geschickt gestaltet ist. Der englische König Richard wird auf der Rückreise vom Kreuzzuge gefangen genommen und in einer Burg festgehalten. Sein Kriegsgefährte Blondel, der den gefangenen König sucht, kommt durch Zufall in die Nähe des Schlosses. Als Troubadour verkleidet, stimmt er ein provenzalisches Lieblingslied seines Königs an. Da ertönt aus dem Innern des Gefängnisses als Echo dasselbe Lied. König Richard ist entdeckt und es gelingt dem treuen Blondel, ihn durch List zu befreien. Alles löst sich in Jubel auf.

Die Komposition läßt die Vorzüge Grétrys deutlich hervortreten. Es vereinen sich in ihr treuherziger Ausdruck, anmutige, oft sprechende Melodik mit treffender Deklamation und dramatischen Zügen. Harmonie und Instrumentierung bewegen sich in beschränktem Kreise, der Tonsatz ist kunstlos. Der nationalfranzösische Charakter verleugnet sich nirgends.

Die kurze Ouvertüre mit ihrem Musettenbaß ist ganz bedeutungslos. Im ersten Akt ist die Arie Blondels „O Richard, o mon roi" C-dur ritterlichen Charakters, dabei gemütvoll ansprechend; sinnig ist die kleine Arie der Laurette in F-moll, naiv ihr folgendes Duett mit Blondel; ein Trinklied mit Chor, türkischer Färbung, beschließt den Akt. Der zweite Akt bringt die berühmte Romanze „Une fièvre brûlante", abwechselnd von Blondel und Richard gesungen, mit ihrem altfranzösischen Zuschnitt, dann den Soldatenchor mit eingeflochtenen Soli, der stellenweise an Gluck erinnert. Den dritten Akt eröffnet ein zierliches Terzett, A-dur, in echtem Lustspielton. Im Finale kehrt die Melodie der Romanze wieder; drollige Couplets, festlicher Chor, Tanz und Marsch, alles musikalisch matt und äußerlich, bilden den Schluß der Oper.

Nach diesem Höhepunkt erlahmt die Schaffenskraft des Tonsetzers und nur noch „Raoul, Barbe bleue" (der Blaubart) 1789 kann sich an Bedeutung mit Richard messen. — Die Revolution drängte auch Grétry auf die Bahn des Tendenzstückes; er brachte der herrschenden Tagesströmung seinen Tribut durch die Opern „Pierre le Grand" 1790, „Guillaume Tell" 1791, „La fête de la Raison" und „Denys le tyran". Die Schreckenszeit mit ihren finanziellen Erschütterungen hatte auch Grétrys Besitz und Einkommen empfindlich getroffen, doch konnte er sich von der ihm drohenden Verarmung bald durch Pensionen und Einnahmen zu neuem Wohlstande erheben. In seiner Familie erfuhr er aber das herbe Mißgeschick, alle seine Kinder durch den Tod zu verlieren. Nach den Stürmen der Revolution wurden Grétrys ältere Opern in ungeschwächter Beliebtheit wiederholt, wenn auch die höhere Kunst eines Méhul und Cherubini sie bei den Kennern in den Schatten stellte. Nachdem noch Grétry vorübergehend den Posten eines der Direktoren des Konservatoriums bekleidet hatte, zog er sich 1799 von der Öffentlichkeit zurück. Die letzten Lebensjahre brachte Grétry zu Montmorency in der einst von Rousseau bewohnten „Eremitage" zu, wo er am 21. Sept. 1813 starb.

Letzte Jahre

Schon bei seinen Lebzeiten wurden Grétry mannigfache Ehrungen zu teil; schon 1785 gab es in Paris eine Rue Grétry, 1809 wurde seine Statue im Foyer der Opéra comique aufgestellt. Seine Vaterstadt Lüttich errichtete ihm 1842 ein Standbild.

Ehrungen.

Nachruhm. In seinen O p e r n lebte Grétry noch lange fort; als die lebenskräftigsten derselben erwiesen sich: „*Le tableau parlant*", „*Zemire et Azor*", „*Richard*", „*Barbe bleue*", nächst diesen „*La Caravane*", „*l'Epreuve villageoise*". In Paris gab man noch 1893 „*Les deux Avares*", 1897 „*Richard coeur de lion*". Die Instrumentierung dieser Opern, welche man als zu dürftig empfand, wurde bei der späteren Wiederaufnahme von Adolphe A d a m, eine auch von A u b e r verstärkt. Alle diese Opern fanden rasch den Weg nach Deutschland, Italien, England, Schweden, wo sie überall in Übersetzungen gegeben wurden. In Berlin erlebte „Richard Löwenherz" 1853 seine 100. Aufführung.

Die Anzahl der O p e r n G r é t r y s wird mit 50 angegeben. Seine sonstigen Werke bestehen in einem Requiem, anderen Kirchenstücken, Streichquartetten und Klaviersonaten.

Mémoires. 1789 erschien Grétrys Werk „*Mémoires ou Essais sur la musique*". Es enthält die Beschreibung seiner Lebensschicksale und Erläuterungen zu seinen Opern. Das Buch erhielt noch einen Zuwachs von zwei weiteren Bänden, in welchem Umfang es 1796 *Prinzipien.* veröffentlicht wurde. Der Komponist geht in den Denker über. Die letzten zwei Bände sind kunstphilosophischen Inhalts. Die Ideen, welche Grétry mit dem ihm eigenen Selbstbewußtsein vorträgt, sind teils anerkannte Grundsätze der dramatischen Komposition, teils stellen sie übermäßige oder unmögliche Forderungen für diese Kunstgattung auf und versteigen sich zu Paradoxen. Sein Ideal ist „W a h r h e i t", Wahrheit in der musikalischen Deklamation, welche er bis zur Pedanterie beobachtet wissen will, Wahrheit der Empfindung. Die Melodie ist ihm Hauptsache, das Orchester soll sich dem Gesang unterordnen. In seinen Prinzipien berührt er sich mit G l u c k, in ihrer Anwendung aber fehlt es ihm an Kraft und Kunst, es ihm gleichzutun.

Manches liest sich wie eine Vorahnung Richard W a g n e r s, so z. B., daß die einzelnen Personen ihre Leitmotive haben sollen, daß der Bau des Theaters ohne Logen und Galerien jedermann den Ausblick auf die Bühne gestatte, daß das Orchester nicht sichtbar sein soll.

Sind Grétrys Theorien zunächst unfruchtbar geblieben, so spricht sich in seiner Schrift jedenfalls eine achtungswerte starke Überzeugung aus.

Dalayrac. Ein Hauptvertreter der leichtesten Abzweigung des französischen Singspiels ist Nicolas D a l a y r a c (d'Alayrac), geb. 1753 in Languedoc, gest. 1809 in Paris, dessen flüchtiger Bühnenruhm in die Zeit der Revolution und des Konsulats fällt. Von 1782 an schrieb er über 50 Werke für die Opéra comique und seine anmutigen und volkstümlichen Chansons ertönten in ganz Paris. Zu den beliebtesten Singspielen, welche sein graziöses, aber leichtfertiges Talent hervorbrachte, zählen : „*Nina*" 1786, „*Raoul de Crequi*" 1789, „*Les deux Savoyards*" 1789, „*Adolphe et Clara*" 1799, Lehmann 1801. Diese Singspiele fanden auch in Deutschland ein dankbares Echo. Das Libretto von „*Nina*" oder „Wahnsinn aus Liebe" diente *Die beiden* auch Paisiello zu einer dem französischen Komponisten überlegenen *Savoyarden.* Musik. Am meisten verbreitet waren „D i e b e i d e n S a v o y a r d e n".

Das rührselige und unwahrscheinliche S u j e t erinnert etwas an „*Mignon*".
Zwei arme, wandernde Savoyardenknaben werden aus Mitleid in ein Schloß
aufgenommen und entpuppen sich schließlich als die verloren geglaubten Neffen
des Gutsherrn. Bei vorherrschender Sentimentalität kommen doch auch
drollige Situationen vor. Harmlos wie das Textbuch ist auch die M u s i k,
welche natürlich und gefällig, nicht ohne dramatisches Geschick erfunden
ist. Die Introduktion mit dem Chor der Landleute und den komischen Figuren
des Amtmanns und des Dorfrichters hat den echten Vaudevillecharakter; eigentümlich ist die Einschaltung von Richards Romanze „*Une fièvre brûlante*". Graziös
ist das melancholische Strophenlied des Savoyardenknaben in A-moll mit
Triangelbegleitung, anziehend das darauffolgende Duett der beiden Knaben
(Soprane) in seiner gemütvollen, dann kindisch lustigen Stimmung. Hervorzuheben sind noch die hübschen Chanson Josephs in Es-dur und das
dramatisch lebendige Ensemble vor dem banalen Schlußchor. Das artige Singspiel erfreute sich großer Popularität.

Gossec, den wir schon als Instrumentalmeister kennen
gelernt (S. 9), war auch ein fruchtbarer und beliebter O p e r n -
k o m p o n i s t. Mit „*Le faux Lord*" und „*Les Pecheurs*" machte er
in der Opéra comique 1764 und 1766 Glück, er war aber auch
für die Académie (Große Oper) tätig, schrieb einen „*Thesée*" (auf
den Text von Quinault), Ballette (eines zu Glucks „*Iphigenie en
Tauride*") und anderes. Bemerkenswert sind die Chöre zu Racines
„*Athalie*". G o s s e c warf sich dann der Revolution in die Arme und
trat mit einer Reihe von republikanischen Festhymnen und dramatischen Tendenzstücken hervor.

Noch ist eines in P a r i s wirkenden Deutschen, des talentvollen Joh. Christoph V o g e l zu erwähnen, der 1756 in N ü r n -
b e r g geboren, mit 20 Jahren nach P a r i s kam und sich G l u c k
als begeisterter Anhänger und Nachahmer anschloß. „*La toison d'or*",
1786 in der Großen Oper aufgeführt, machte Aufsehen, ein zweites
Werk „*Démophon*" erschien erst nach seinem frühzeitigen Tode auf
derselben Bühne. V o g e l starb 1788 in Paris. Eine Anzahl von
Instrumentalstücken seiner Komposition erschien in Druck.

Die R e v o l u t i o n mit ihren Erschütterungen und wechselnden
Volksstimmungen konnte nicht ohne Einfluß auf das Pariser Theater-
wesen bleiben. Zwar war die Vergnügungssucht der Pariser während
der Revolutionszeit nicht erstorben, doch dringt die P o l i t i k in
das Theater ein und in ihrem Gefolge erscheinen die T e n d e n z -
und S e n s a t i o n s s t ü c k e. Auch gab es oft Störungen im
Theaterbetriebe, welche die Ereignisse des Tages verursachten. Das
Theater wurde häufig der Schauplatz aufgeregter Parteileidenschaft,
groteske Szenen spielten sich in seinen Räumen ab, die Revolutions-
lieder ertönten Abend für Abend als ständige Zugaben. Dieselben
Zustände herrschten auch in der Provinz.

Auf dem Gebiete der O p e r entfaltete sich trotz der ungünstigen Verhältnisse reges Leben. Die großen Theater, die A c a d é m i e
(Opéra), das Th. F a v a r t (Opéra comique), das neuentstandene Th. F e y d e a u, sorgten neben der Comédie française für

Gossec.

Vogel.

Die
Revolutions-
zeit.

Sensations-
stücke.

Abwechslung. Das Privilegium der Académie wurde aufgehoben.
Zu den altbewährten Theaterdichtern Favart, Sedaine, Marmontel, Beaumarchais, Hoffmann gesellten sich die minder-
wertigen Bouilly (der Novellist), Rouget de l'Isle (der Verfasser und Komponist der „Marseillaise" und viele andere. In
dem Opernrepertoire behauptete Grétry seinen Platz und suchte
seine Beliebtheit durch politische Opern noch zu mehren, Dalayracs
harmlose Stücke, wie die „Savoyardes", „Adolphe et Clara" fallen,
ein seltsamer Kontrast, in diese aufgeregte Zeit. Es gab auch neu
auftauchende Operngrößen mit ihren politischen Gelegenheitswerken,
welche mit der Revolution wieder verschwanden. Ein Sensations-
stück ersten Ranges war „Les Visitandines", eine Kloster-
geschichte, Musik von Devienne, in den Jahren 1792—1794 fast
täglich im Th. Feydeau gegeben; derselben Gattung gehören „La
Prise de la Bastille" von Abel, „Le Congrès des Rois", mit Musik von
12 Komponisten an. Die dreiaktige Oper „La Caverne", ein Schauerdrama mit großer Ausstattung und Massenwirkung, 1793 bald
nach der Hinrichtung Ludwigs XVI. aufgeführt, hatte eine nicht
unbedeutende Musik von der Komposition Lesueurs. Dieses
Stück fand seinen Weg auch nach Wien, wo es 1803 im Theater
an der Wien und im Kärntnerthortheater als „Die Räuberhöhle"
gegeben wurde; Berlin folgte 1807 nach. Noch einige Komponisten-
namen aus dieser bewegten Zeit seien erwähnt. Den ernsteren, wie
Berton, Lesueur werden wir noch später begegnen, neben
diesen erscheinen mit ihren Opern Jadin, Rud. Kreutzer (der Violinist), Lemoyne, Trial, Steibelt (der Klaviervirtuose). Etwas später

Nachfolge.

tritt Nicolo Isouard auf. Allen voran sind es aber drei Namen,
welche um 1790 aufleuchten: Méhul, Cherubini, Boieldieu,
Meister, welche die französische Oper auf ein höheres Niveau erheben und ihr eine internationale Bedeutung verleihen sollten.

Bibliotheken.

Von den vorstehend angeführten französischen Komponisten sind
viele Opernpartituren in Paris im Stich veröffentlicht worden; sie sind nebst
Manuskripten, zum Teil originalen, in den Bibliotheken zu Paris, Brüssel.
Berlin, Wien usw. zu finden.

Neuere
Ausgaben.

Von Neueren Ausgaben der hieher gehörigen französischen
Opern ist die bedeutendste die Große Gesamtausgabe von Grétrys
Werken, im Auftrage der belgischen Regierung seit 1884 unter der Redaktion
von Gevaert, Burbure, Samuel, Radoux, Ed. Fétis, Wotquenne
und Wouters herausgegeben. Bis 1911 sind 39 Bände erschienen, ent-
haltend die Opernpartituren von: „Richard", „Lucile". „Le Huron",
„Le tableau parlant", „L'Epreuve villageoise", „Les deux Avares", „La Caravane
de Caire", „Zemire et Azor", „Barbe bleue", „Guillaume Tell", „La fête de la
Raison" etc., Leipzig, Br. & H.
    In Klavierauszügen älteren und neueren Datums sind vertreten:
Philidor: „Ernelinde", Br. & H.
    Monsigny: „Le Déserteur" (deutsch), Pacz, Litolff. — Bearb. von
R. Kleinmichel, Senff (jetzt Univ.-Ed.). „Rose et Colas", herausg. von
Gevaert.
    Grétry: „Richard Löwenherz", Schlesinger, Litolff, Schott, Br. & H. —
Bearb. von R. Kleinmichel, Senff (Univ.-Ed.); „Blaubart", Simrock;

„Zemire et Azor", Leipzig, Schwickert; „La Caravane", Br. & II.; „Céphale et Procris", Br. & II.; „Die beiden Geizigen", bearb. von R. Kleinmichel, Senff (Univ.-Ed.).

Dalayrac: „Die beiden Savoyarden", Schott, Senff (R. Kleinmichel); „Adolphe et Clara", Paris, Durand; „Camille", Durand; „Nina", Schott, Prag, Berra; „Gullistan", Simrock; „Lehmann, oder der Turm von Neustadt", Cranz; „Picaros et Diego", Cranz; „Maison à rendre", Schott; „Der kleine Matrose", Schles.; „Die Wilden", Schott; „Le Prisonnier", Schott, Berra; „Die Nacht im Walde", Berra. (Die Titeln der Opern erscheinen in den deutschen Übersetzungen oft bis zur Unkenntlichkeit verändert.)

Einzelne Gesangstücke in den Sammlungen von Delsarte und Choron (Grétry), „Echos de France", 2 Bd., Durand (Duni, Philidor, Monsigny, Grétry), dann bei mehreren franz. und deutschen Verlegern. — Chor aus Grétrys „Die beiden Geizigen", für Männerchor und Orchester, Part. Peters.

Während **Italien**, dann **Frankreich** schon im 17. Jahr- **Deutschland.** hundert ihre nationale Oper besaßen, war um die Mitte des 18. Jahrhunderts eine nationale **deutsche** Oper erst in ferner Sicht. Die **Hamburger** deutsche Oper, welche zu Anfang des 18. Jahrhunderts in Reinhard **Keiser** ihre Blütezeit erlebte und bald darauf einen unrühmlichen Ausgang nahm, war eine vorübergehende Erscheinung geblieben (II, S. 146). Die musikalische Schaubühne Deutschlands an den Höfen, in den Städten stand unter der Alleinherrschaft der **italienischen Oper.** Zwar gab es deutsche Übertragungen der fremdländischen Werke in Fülle, doch die heimische Produktion schlummerte. Da besannen sich die Deutschen ihrer Liedernatur, und angeregt durch die *Pièces à ariettes* der Franzosen und die englischen Gesangspossen entstand eine anspruchslose volkstümliche Gattung: das **deutsche Lieder-** oder **Singspiel.** **Das deutsche Singspiel.** Es war in **Leipzig,** wo Christian Felix **Weiße,** ein vielseitiger Schriftsteller, der Herausgeber des „Kinderfreund", es unternahm, für die Kochsche Schauspielergesellschaft kleine Lustspiele zu verfassen, welche mit Liedern auszustatten waren. **Koch** ergriff diese Idee und machte mit ihrer Ausführung Glück. Zuerst war es ein englisches Volksstück *„The devil to pay",* welches schon 1743 in Berlin gegeben, nun in der Bearbeitung von Weiße als „Der Teufel ist los" oder „Die verwandelten Weiber" 1752 über die Leipziger Bühne ging; die eingeflochtenen Lieder waren von dem Geiger der Kochschen Truppe **Standfuß** komponiert. Es folgten noch **Standfuß.** „Der stolze Bauer" und „Der lustige Schuster" (nach dem Englischen *„The merry cobbler"*), beide mit Liedern von Standfuß. Bald darauf verband sich **Weiße** mit einem tüchtigeren Musiker zur Herstellung einer Reihe von Singspielen, mit Joh. Ad. **Hiller.**

Johann Adam **Hiller** ist 1728 in Pr.-Schlesien als der Sohn **J. A. Hiller. Leben.** eines armen Schullehrers geboren. Schon im sechsten Lebensjahre verwaist, war der Knabe auf die Wohltätigkeit guter Menschen angewiesen. Die Jahre 1740 bis 1745 brachte er auf dem Gymnasium des benachbarten **Görlitz** zu. Bald darauf gelang es

Prosniz, Compendium der Musikgeschichte. 5

ihm, durch Vermittlung seiner Gönner Aufnahme in der Dresdener Kreuzschule zu finden, wo er mehrere Jahre gründlichen
Musikunterricht durch den angesehenen Tonsetzer Homilius
(einen Schüler Seb. Bachs) erhielt. Mit dem Eintritt in die Uni-

Leipzig.
versität Leipzig 1751, an welcher er durch drei Jahre juridische
Studien betrieb, beginnt auch gleichzeitig seine musikalische Laufbahn; er hatte Gelegenheit gute Musik zu hören, wirkte im Orchester als Flötist mit, versuchte sich in kleinen Kompositionen,
veröffentlichte auch eine musikästhetische Schrift. Zu Gellert
trat er schon damals in Beziehung und versah später dessen geistliche Lieder mit Melodien. Seine Mittellosigkeit nötigte ihn, 1754
eine Hofmeisterstelle bei dem Grafen Brühl in Dresden anzunehmen,
eine Stellung, die ihn auch musikalisch förderte und ihn 1758
wieder nach Leipzig führte. Hier entfaltete Hiller seine viel-

Vielseitige
Tätigkeit.
seitigen Fähigkeiten als ausübender Musiker, Komponist, Dirigent,
Lehrer und Schriftsteller. — Hiller beteiligte sich an der Leipziger
Musikgesellschaft „Das große Konzert", die 1781 in die „Gewandhauskonzerte" überging, deren erster Dirigent Hiller ward.
Historisch wichtig ist die Gründung einer Musikzeitung (der
ältesten in Deutschland) unter dem Titel „Wöchentliche Nach-
richten und Anmerkungen, die Musik betreffend", welche Hiller
1766—1770 herausgab. In die Zeit von 1765 bis gegen Ende der
Siebzigerjahre fällt Hillers Tätigkeit für das deutsche Singspiel. 1771 errichtete er eine Singschule, welche nebst einer
gründlichen Ausbildung im Gesange auch eine Reihe von Neben-
fächern umfaßte. Er hatte das Glück, zu seinen Schülerinnen die
nachmaligen Gesangsgrößen Corona Schröter und Elisabeth
Schmeling (Mara) zu zählen. War Hiller auch zum Mittelpunkt des Leipziger Musiklebens geworden, so konnte er es dennoch
nicht zu einer einträglichen Stellung bringen. Einen kunstsinnigen
Beschützer fand er in dem Herzog von Kurland, bei dem er
1785 in Mitau als Kapellmeister weilte, bis politische Verhältnisse
ihn zwangen, sich nach Berlin zu wenden. Nachdem er daselbst
Händels Messias in seiner eigenen Bearbeitung mit großer Wirkung zu Gehör gebracht, kehrte er nach Leipzig zurück. In
rastloser Tätigkeit, im Kampfe um die Existenz seiner Familie,
vergingen mehrere Jahre, bis er 1789, nach dem Abgang von

Thomasschule. Doles, als Kantor der Thomasschule und Musikdirektor in dem
Hafen einer festen Anstellung landete. Doch gab es da noch manche
Stürme, Mißhelligkeiten mit der vorgesetzten Behörde, welche zumeist durch Hillers Übereifer im Musikunterricht hervorgerufen
wurden. Hiller, schon lange kränklich und hypochondrisch, nahm

Ende.
1801 seinen Abschied und zog sich mit seiner Familie in ein bescheidenes, fast dürftiges Privatleben zurück. Er starb am
16. Juni 1804 und wurde auf dem Johannes-Friedhofe in Leipzig
begraben, von seinen Freunden und Schülern, unter welchen in

erster Reihe J. F. Reichardt und L. N. Gerber zu nennen sind,
betrauert. Fügen wir noch hinzu, daß Hiller, ein lauterer Charakter, ein wahrer Menschenfreund, sich der Verehrung seiner Zeitgenossen erfreute, welche ihm ein treues Gedenken widmeten.

Zählt Hiller auch nicht zu den Großen, so war doch sein Sein Wirken.
Wirken in hohem Grade ersprießlich und fördernd für die
Kunst, und zwar in mehrfacher Richtung. Er brachte Leben und
Bewegung in die musikliebenden Kreise Leipzigs und mittelbar
Deutschlands, zog Dilettanten, Studenten und Stadtmusikanten zum
Ensemblespiel heran, gesellte ihnen einen kleinen Gesangschor bei
und mit diesem bescheidenen Personal, welches sich nur langsam
auf 30 erhob, brachte er bedeutende Werke seiner Zeitgenossen zu Gehör. Diesen zur Verbreitung und Würdigung
zu verhelfen war sein unausgesetztes Streben, durch Wort und
Schrift, wie durch die Tat. Sein Geschmack war allerdings überwiegend von den Italienern beeinflußt, namentlich war es Hasse, der
zeitlebens sein Ideal blieb, von dem er Oratorien (besonders oft
S. Elena) und Opernfragmente, neben diesen auch Grauns und
Jommellis Werke zur Aufführung brachte. Man hörte ferner
unter seiner Leitung Händels Messias, Judas Maccabäus, Utrechter Tedeum, Werke, welche damals in Deutschland fast unbekannt waren, Oratorien von Ph. Em. Bach, Naumann, Schicht u. a.,
Symphonien und Konzerte von Joh. Christ. Bach, Haydn, Dittersdorf, Stamitz u. v. a., endlich auch Mozarts Requiem. Von
Seb. Bach ist nur wenig in seinen Programmen zu finden; diesem
Meister scheint er nicht das richtige Verständnis entgegengebracht
zu haben. — Hiller war der geborene Lehrmeister. Seine
Vorliebe für diesen Beruf äußerte sich nicht nur in der großen
Sorgfalt, gepaart mit Uneigennützigkeit, die er im persönlichen Unterricht übte und in der Organisation seiner Singschule, sondern
auch in seinen pädagogischen Schriften, seiner „Anweisung Schriften.
zur Singekunst" 1773 und vielen anderen ähnlichen Arbeiten. —
Von seinen schriftstellerischen Werken sind mehrere in historischer Beziehung wertvoll. Abgesehen von seiner Musikzeitung sind die 1784 erschienenen „Lebensbeschreibun-
gen berühmter Musikgelehrter und Tonkünstler neuerer Zeit" ein
Werk, dessen Interesse sich dadurch erhöht, daß Hiller darin
auch seine eigene Lebensgeschichte in schmuckloser, vertrauen-
erweckender Darstellung erzählt. Wichtig ist auch Hillers Neuausgabe von Adlungs „Anweisung zur musikalischen Gelahrtheit".
Dagegen können seine ästhetischen Schriften heute kein Interesse
mehr beanspruchen. Als Komponist war Hiller am frucht- Lieder und
barsten im Liede. Die in den zahlreichen Sammlungen enthal- andere Kom-
tenen Lieder erheben sich selten über den hausbackenen oder positionen.
modisch gezierten Stil der Zeit, wenn sie auch stets den soliden
Musiker verraten; an die frischen, natürlichen Melodien seiner

5*

Singspiele reichen sie nicht hinan. Auch die Lieder für Kinder machen davon keine Ausnahme. Unbedeutend sind die Klavierstücke im „Mus. Zeitvertreib" 1760—1761 und „Loisir musical" 1762. Von dauerndem Wert ist das Choralmelodienbuch zu vier Stimmen, welches 1793 und 1794 erschien. Von größeren Vokalwerken wurden zu seiner Zeit gerühmt die Motette „Alles Fleisch ist wie Gras" und der 100. Psalm. Genannt werden auch Instrumentalwerke, Symphonien und Streichquartette. Verdienstvoll ist Hiller als Sammler, Bearbeiter und Herausgeber. Von seinen Ausgaben sind zu erwähnen: die Motettensammlung verschiedener Tonsetzer in 6 Bänden, Mozarts Requiem mit deutschem Text, Händels Utrechter Tedeum, Klavierauszüge von Pergolesi und Haydns Stabat mater, Hasses Oratorium „Die Pilgrime", Grauns „Tod Jesu", Grétrys „Zemire und Azor" usw.

So achtungswert und einflußreich das Wirken Hillers in allen diesen Richtungen war, seine eigentliche Bedeutung liegt in einer kleinen Gattung, gleichsam auf einem Seitenpfade seiner Bahn, dem deutschen Singspiel.

Hillers Singspiele. Die Reihe der Hillerschen Singspiele wird 1765 durch die „Verwandelten Weiber" („Der Teufel ist los") 1. Teil und den „Lustigen Schuster" (2. Teil) in neuer Bearbeitung eröffnet. Es folgen: „Lisuart und Dariolette", „Die Muse" (ein Nachspiel), „Die Liebe auf dem Lande", „Lottchen am Hofe", „Die Jagd", „Der Dorfbarbier", „Der Ärntekranz", „Der Krieger", „Die Jubelhochzeit"; den Beschluß machen bis 1777 die Kinderoperette „Die kleine Ährenleserin", „Das Grab des Mufti" oder „Die beiden Geizigen", „Das gerettete Troja".

Die Texte sind meist nach französischen Stoffen bearbeitet, zugleich vergröbert, wie „Lottchen am Hofe" nach „Ninette à la Cour", „Das Grab des Mufti" nach „Les deux Avares", beide von Sedaine. Hillers Musik besteht in einer dreiteiligen Symphonie (Ouvertüre), den eingeflochtenen Liedern und Arien, Duetten, Terzetten, dem Finale (Quodlibet). Die Singspiele teilen sich in der Regel in drei Akte. Den Kernpunkt derselben bilden die Lieder; ihre natürliche Einfachheit, ihr heiterer, naiver Ausdruck machten sie volkstümlich und erklären die Anziehungskraft, welche die neue Gattung auf das deutsche Publikum übte. Einfachheit und Leichtfaßlichkeit waren schon darum geboten, als die Darsteller nicht Berufssänger, sondern Schauspieler waren. Besaßen Hillers Melodien auch nicht die Feinheit der Franzosen, so waren sie doch von eigentlicher Trivialität entfernt. Manche dieser Lieder gingen in den Volksmund über, wie: „Ohne Lieb' und ohne Wein" (aus „Die verwandelten Weiber"), „Als ich auf meiner Bleiche" und „Schön sind Rosen und Jasmin" (beide aus „Die Jagd"). Nicht alle Gesänge tragen diesen populären Charakter, es kommen auch Lieder in der konventionell gespreizten Art der Zeitmode vor, die Bauern und Handwerker singen ihre Strophenlieder, die Vornehmen Arien nach italienischer Manier. Die Duette und Terzette unterscheiden sich nicht von dem Stil der Einzelgesänge. In das Quodlibet am Schlusse konnte auch zuweilen das Publikum mit einstimmen. Hiller gelang nicht bloß das Volkstümliche, er erhob sich auch manchmal zur Charakteristik und zum dramatischen Ausdruck. Harmonische Überraschungen und instrumentale Effekte bieten diese Singspiele nicht. Die Ouvertüre bildet ein selbständiges Musikstück. Die Begleitung beschränkt sich auf das Streichquartett, zu welchem hie und da einige Blasinstrumente hinzutreten. Wohl das gelungenste dieser Singspiele ist „Die Jagd". Die „Die Jagd." Personen der Handlung sind musikalisch treffend charakterisiert, teils heiter und derb, teils sentimental, die Melodien graziös und gefällig, das Jagdkolorit ist lebhaft aufgetragen, auch an komischen Zügen fehlt es nicht; die Symphonie an der Spitze ist ein anmutendes Tonstück. „Die Jagd" hatte einen beispiellosen Erfolg, der sich in zahlreichen Wiederholungen in Leipzig, Berlin, Weimar usw. aussprach.

Zwei ländliche Liebespaare, Röschen und Töffel, Hannchen und Christel, ihre Zärtlichkeit und Eifersüchtelei stehen im Mittelpunkt der armseligen Handlung. Der biedere Dorfrichter Michel und sein Weib Martha sind bedeutungslose Figuren. Die vorüberziehende königliche Jagd bringt etwas Leben in die Szene. Der nun auftretende König ist voll patriarchalischer Güte; seine gemütliche Herablassung geht so weit, daß er mit dem Dorfrichter zecht und Couplets singt. Mit einer wohldienerischen Anspielung auf den Kurfürsten schließt das Singspiel. Der naiv-harmlose Text ist durch kleine Frivolitäten gewürzt. Die Musik besteht aus einer Ouvertüre (Sinfonia) und 38 Nummern. Es sind Lieder, Arien, Duette, Terzette, Quartette und ein Chor. Vorherrschend sind die Lieder, meist in Couplet-, manche in Arienform. Gesprochener Dialog verbindet die einzelnen Musiknummern. — Die Sinfonia, A-dur, ist heiter und gefällig, auch gut gearbeitet, gelungen ist besonders der jagdartige Schlußsatz. Im ersten Akt sind hervorzuheben das Lied Töffels, F-dur, mit seinem einfältigen Ausdruck, das graziöse Lied Röschens in C-dur, ein gewandt gestaltetes Terzett, das drollige Strophenlied Töffels, in dem er abwechselnd eine Frauenstimme im Falsett nachahmt, die sentimentale Arie Hannchens, fast Mozartisch anmutend; ein unbedeutender, altmodischer Unisonochor mit Hörnerklang schließt den Akt. Der musikalisch ergiebigste ist der zweite Akt. Er wird durch das charakteristische Lied Töffels in B-dur eröffnet, hübsch und humoristisch ist die Arie Röschens, G-moll, nett und lustig Hannchens Lied in G-dur: ihr anmutiges Strophenlied „Als ich auf meiner Bleiche", A-dur, ist heute noch populär. Ein arienhaftes Duett zwischen Hannchen und Christel, D-moll, hat einen ernsten, fast dramatischen Zug. Der König singt nach einem gravitätischen Andante ein heiteres Couplet im Polaccarhythmus und mit dem Zechduett schließt der Akt. Viel schwächer ist der dritte Akt, in dem nur Marthas trübes F-moll-Lied bemerkenswert ist. Gegen den Schluß, wo die Handlung in das Mythologische übergeht, folgen einander die moralisierende Rede des Königs, ein Quartett der beiden Liebespaare, endlich ein Schlußcouplet mit dem Chorrefrain: „Es lebe der König!".

Hillers Singspiele fanden in den nächsten Dezennien häufige Nachahmung, namentlich in Mitteldeutschland. Es waren meist herumziehende Schauspielergesellschaften, welche das deutsche

Singspiel pflegten. Leipzig und Dresden, auch Gotha, Frankfurt, Bonn, Mannheim waren ihre bevorzugten Stapelplätze. An Hiller schloß sich unmittelbar sein Schüler Neefe an, dessen Singspiele von 1772 an in Leipzig, Dresden, Bonn von ihm selbst zur Aufführung gebracht wurden.

Neefe.

Christian Gottlob Neefe, geb. in Chemnitz 1748 als der Sohn eines Schneiders, kam mit 21 Jahren nach Leipzig an die Universität. Seit seiner Kindheit musikalisch, nahm er nun Unterricht bei Hiller. Neefe schloß sich der Seylerschen Schauspieltruppe als Musikdirektor an, besuchte mit derselben Dresden, Frankfurt, endlich Bonn, wo er sich 1779 niederließ. Er wurde nach van Eeden zum kurf. Hoforganisten ernannt und wirkte auch für das Theater. Der neunjährige Beethoven genoß damals seinen gründlichen und gewissenhaften Unterricht. Durch die Auflösung der Kapelle in Not geraten, fand er endlich eine Stellung in Dessau, wo er 1798 starb. Neefe war ein wohlgeschulter Tonsetzer, der auch Lieder, Kirchen- und Instrumentalstücke (darunter ein Klavierkonzert) geschrieben hat. Von historischem Interesse ist die von ihm verfaßte Selbstbiographie (veröffentlicht in der Leipziger Allgem. Musikz.). Seine namhaftesten Singspiele sind: *„Die Apotheke"* (Leipzig 1772), *„Amors Guckkasten"*, *„Der Einspruch"*, *„Die neuen Gutsherren"*, *„Zemire und Azor"*. Auch die Komposition der Klopstockschen Ode „Dem Unendlichen" ist zu erwähnen.

Georg Benda.

Gleichzeitig mit den Singspielen Neefes erschienen jene von Georg Benda auf der Bühne. Zu nennen sind *„Der Dorfjahrmarkt"* 1776, *„Romeo und Julie"*, *„Walder"*, *„der Holzhauer"* usw. Es war aber ein anderes dramatisches Gebiet, auf welchem Benda durch den Reiz der Neuheit wie durch seine spezielle Begabung ein Aufsehen erregte, welches selbst über die Grenzen Deutschlands hinausdrang — das Melodram.

Das Melodram.

Bendas Melodramen.

Das Melodram ist eine Kunstform, in welcher das gesprochene Wort mit begleitender Instrumentalmusik in Verbindung tritt. Die Musik stellt sich hier die Aufgabe, Sinn und Ausdruck der Worte entsprechend wiederzugeben. Die Berechtigung dieser Zwittergattung wurde oft vom ästhetischen Standpunkte bestritten. — In Bendas Melodramen wird meist nur in den Pausen der Musik oder auf einen gehaltenen Akkord gesprochen. Die Musik illustriert den Ausdruck teils vor, teils nach dem gesprochenen Wort. Nur bei Naturschilderungen geht die Musik mit der Deklamation gleichzeitig einher. Die mosaikartige Zusammensetzung der Musik wird nur durch festgehaltene Motive verbunden. Die dramatische Kraft und Charakteristik in Bendas Melodramen wurde von den Zeitgenossen sehr bewundert. Es fanden sich auch zahlreiche Nachahmer Bendas, wie zunächst Neefe in einer „Sofonisbe", doch blieb das Melodram eine vorübergehende Erscheinung, bis es später in einzelnen Ausnahmsfällen wieder auflebt. Georg Benda, dessen älteren Bruder (oder Vetter), den Violinisten Franz Benda wir schon früher erwähnten (II, 225), geb. 1722 in Benatek in Böhmen, wirkte in Berlin, dann in Gotha seit 1750 als Hofkapellmeister. Von 1778 lebte er abwechselnd in Hamburg, Wien und anderen Orten. Er starb 1795 in Köstritz.

Benda trat zuerst 1775 mit dem Melodram „Ariadne auf Naxos" hervor, welches als eine direkte Nachahmung von Rousseaus „Pygmalion" zu betrachten ist. Es folgten darauf „Medea" und andere Melodramen. Aber auch sonst war Benda als Komponist produktiv. Veröffentlicht wurden von ihm Kantaten,

sechs Hefte Klavier- und Gesangstücke, drei Klavierkonzerte, Sonaten. Außerdem wurden Klavierauszüge seiner Singspiele und
Melodramen gedruckt. Vieles andere blieb Manuskript.

Nicht unbedeutend ist Anton S c h w e i t z e r (1737--1787), der
als Musikdirektor in Hannover, Weimar, endlich in G o t h a, als
Nachfolger Bendas wirkte. Mehr noch als mit seinen S i n g -
s p i e l e n *„Erwin und Elmire"*, *„Die Dorfgala"*, *„Der lustige Schuster"*
machte S c h w e i t z e r mit seiner großen O p e r in deutscher Sprache
„A l c e s t e" nach Wieland, zuerst in Weimar 1773 gegeben, Aufsehen;
dann folgte noch „R o s a m u n d e" von demselben Dichter, 1780 in
Mannheim aufgeführt. Auch ist das Melodram „Polyxena" zu erwähnen.

H o l z b a u e r s „Günther von Schwarzburg", in Mannheim
1776 aufgeführt, ein „Singspiel" in drei Aufzügen, unterscheidet
sich von den italienischen Opern desselben Tonsetzers nur durch
die Sprache und den deutsch-patriotischen Stoff.

Sehr beliebt waren die Singspiele und Opern des volkstümlichen Liederkomponisten J. A. P. S c h u l z (1747—1800), namentlich *„Klarissa"*, *„La fée Urgèle"*, die Opern *„Aline"*, *„Der Einzug"*
(dänisch), *„Das Erntefest"*, das Melodram *„Minona"* usw. Wir werden
auf diesen vielseitigen Tonsetzer noch zurückkommen.

Wir werden auch den beiden Liedmeistern A n d r é und
R e i c h a r d t mit ihren Singspielen noch später begegnen.

Überblickt man die Gesamtproduktion deutscher Singspiele,
so gewahrt man, daß sie vorwiegend f r a n z ö s i s c h e n Mustern
nachgebildet, und oft nur Bearbeitungen derselben sind. Nur in
den L i e d e r n macht sich zuweilen das nationale Element geltend.
Ebensowenig kann man in S c h w e i t z e r s und H o l z b a u e r s Opern
die Vorläufer einer deutschen Nationaloper erblicken.

Fast gleichzeitig mit dem Aufblühen des deutschen Singspiels
in Mittel- und Norddeutschland, aber unabhängig von demselben,
regt sich in W i e n das nationale Kunstgewissen. Kaiser J o s e f II.,
dessen Reformideen nach allen Richtungen ausstrahlten, wollte eine
d e u t s c h e N a t i o n a l o p e r ins Leben rufen, teils um der Alleinherrschaft der italienischen Oper ein Gegengewicht zu schaffen,
teils aus Ersparungsgründen. Zur Ausführung wurden die heimischen Tonsetzer aufgeboten. Da waren G a s s m a n n, S a l i e r i („Der
Rauchfangkehrer"), G l u c k („Die Pilgrime von Mekka"), M o z a r t
(„Die Entführung aus dem Serail"), neben ihnen Komponisten
zweiten und dritten Rangs. Die Vorstellungen der „Deutschen Sing-
bühne" im Burgtheater begannen 1778 mit U m l a u f s „Bergknappen" und wurden bis 1783 mit Singspielen von Ordonez,
Aspelmayer, Bartha, Ulbrich, Benda (der Jahrmarkt, die Melodramen „Ariadne und Medea") nebst den früher genannten fortgesetzt. Dazwischen wurden aber französische und italienische
Stücke von M o n s i g n y, G r é t r y, S a c c h i n i, P a i s i e l l o usw.

Schweitzer.

Holzbauer.

*Das deutsche
Singspiel in
Wien.*

in deutscher Bearbeitung gegeben. Nach einer Unterbrechung bis 1785 taucht das deutsche Singspiel noch einmal für kurze Zeit im Kärntnerthortheater auf und bringt 1786 als wichtigste Erscheinung das Singspiel „Der Apotheker und der Doktor" von Dittersdorf.

Dittersdorf. Mit Dittersdorf haben wir den, nach dem Begründer des deutschen Singspiels J. A. Hiller, historisch wichtigsten Vertreter dieser Gattung genannt. In seinen Werken erweitert sich das Singspiel zur deutschen komischen Oper.

Leben. Carl Ditters, später von Dittersdorf, ist am 2. November 1739 in Wien geboren. Er zeigte schon frühzeitig musikalische Anlagen, erhielt Violinunterricht und machte so rasche Fortschritte, daß er schon als Knabe in der Kirche mitspielen durfte. **Prinz von Hildburghausen.** Dem in Wien residierenden Prinzen von Hildburghausen, der eine vorzügliche Musikkapelle unterhielt, empfohlen, wurde er als „Kammerknabe" in das Haus dieses kunstfreundlichen und humanen Fürsten aufgenommen, wo ihm nebst dem Lebensunterhalt eine wohldisziplinierte Erziehung, allgemeine Bildung und hauptsächlich Musikunterricht zu teil ward. Rasch entwickelte sich der Knabe zu einem vorzüglichen Violinspieler und machte auch unter der Anleitung des Hofkapellmeisters Bonno seine ersten Kompositionsversuche, Violin-Sonaten und -Konzerte. Locatelli und Tartini waren seine Muster in Violinspiel, der Gradus von Fux sein Führer in der Theorie. Studien in Sprachen und anderen Gegenständen, Leibesübungen, nebenbei auch „Aufwarten" bei der Tafel vervollständigten das Tagewerk. In den regelmäßigen Freitagskonzerten in dem Hause des Prinzen (jetzt Palais Auersperg in der Josefstadt) wirkte der junge Ditters im Orchester mit, oder produzierte sich selbständig auf der Violine. Einige Sommermonate brachte der Prinz und sein Hofhalt alljährlich auf seinem Gute Schloßhof an der ungarischen Grenze zu, wo es an Zerstreuungen jeder Art, Festlichkeiten, auch Theatervorstellungen nicht fehlte. Hier zeigte sich schon Dittersdorfs vorherrschende Neigung für das Theater. So vergingen zehn Jahre von 1751 bis 1761, die Dittersdorf im Dienste des Prinzen zubrachte. In diese Zeit fällt auch der Besuch des Kaiser Franz und der Kaiserin in Schloßhof und die Anwesenheit Glucks bei den Festlichkeiten, zu welchen dieser ein italienisches Singspiel lieferte. Dittersdorf schloß sich seit dieser Zeit an Gluck an, doch waren es nur persönliche Beziehungen, die zwischen dem jüngeren und älteren Meister bestanden. — Nach der Auflösung der Hildburghausenschen Kapelle trat Dittersdorf als Violinist in das Wiener Opernorchester ein, wo es ihn aber nicht lange duldete. 1762 begleitete er Gluck nach Italien; sie hielten sich in Venedig, dann in Bologna auf, Gluck brachte daselbst eine Oper zur Aufführung, während Dittersdorf als Violinspieler in den Kirchen bewundert

wurde. Mit der Rückberufung Glucks nach Wien fand die
italienische Reise ihren Abschluß. Der berühmte Geiger Lolli, der
inzwischen in Wien sehr gefeiert wurde, fand in Dittersdorf
einen erfolgreichen Rivalen. Bei der Kaiserkrönung Josefs II. in
Frankfurt ließ sich auch Dittersdorf mit Violinkonzerten hören.
Als Violinvirtuose schon anerkannt, sollte nun bald auch der
Komponist hervortreten, nachdem er schon vorher mit sechs
Symphonien, die in Wien und Prag aufgeführt wurden,
debütiert hatte. Im Jahre 1765 wurde Dittersdorf von dem
Bischof von Großwardein, der sich damals in Wien aufhielt, Großwardein.
zur Leitung seiner Kapelle, als Nachfolger Michael Haydns,
der sich nach Salzburg gewendet, berufen. Dittersdorf vervollständigte die Kapelle durch die Anwerbung vorzüglicher Kräfte
und wirkte durch fünf Jahre in Großwardein (in Ungarn).
Diese Zeit war für seine fernere Entwicklung als Komponist
entscheidend. Nicht bloß, daß er dort Gelegenheit hatte, seine Arbeiten sofort mit dem Personal der Kapelle zu probieren, die beste
Schule für den Tonsetzer, wie sie es auch für Haydn in seiner
Esterhazyzeit war, er konnte auch seine natürliche Begabung für
die dramatische Musik weiter ausbilden. In Großwardein entstanden
nebst Symphonien und Kammermusikwerken, darunter ein Konzert
für elf Instrumente, das Oratorium „Isacco", verschiedene Kantaten, endlich einige komische Singspiele. „Isacco", nach einem
Text von Metastasio ins Lateinische übersetzt, wurde szenisch
aufgeführt; im Jahre 1776 gelangte das Oratorium in Wien an die
Öffentlichkeit. Ein kleines Theater, welches in Großwardein eingerichtet wurde, gab Dittersdorf Gelegenheit, die Erstlinge seiner
dramatischen Muse zur Darstellung zu bringen und den Grund zu
seiner späteren Gewandtheit in dieser Gattung zu legen. Damals
schon trat der vorherrschende Zug in Dittersdorfs Schaffen,
der Reichtum an drolligen Einfällen, der Hang zum Burlesken und
Karrikierten hervor. Er schrieb einige komische Gelegenheitsstücke
und ein aus dem Italienischen übersetztes Singspiel „Amore in
musica". Ein dreimonatlicher Urlaub, den er in Wien zubrachte,
präludierte seinem Abschied vom Bischof, der im Jahre 1769 seine
Kapelle auflöste. Es währte nicht lange, so bot sich Dittersdorf
eine neue Stellung. Diesmal war es Schlesien, wohin ihn das
Schicksal verschlug. Bei einem Besuche in Troppau wurde ihm
von dem eben anwesenden Fürstbischof von Breslau, Grafen
Schaffgotsche, eine Einladung nach seiner Residenz Johannes- Johannesberg
berg zu teil, welcher bald ein bestimmter Antrag folgte. Dittersdorf sollte dem Bischof eine Musikkapelle zusammenstellen und
dieselbe leiten. Um ihn an Johannesberg zu fesseln, verlieh ihm der
Bischof die Stelle eines Forstmeisters, zugleich die Anwart-
schaft auf die eines Amtshauptmanns in Freiwaldau. Da Dittersdorf in Schloßhof, dann in Großwardein genug Gelegenheit hatte,

sich mit dem Jagd- und Forstwesen vertraut zu machen, so fiel es
ihm nicht schwer, den ihm neuen Posten auszufüllen, doch war die
Wandlung des Tonkünstlers in den Forstmann keine vollständige.
Er leitete auch fortan die kleine Hauskapelle des Bischofs, die er
auf 17 Mitglieder, darunter sechs Bedienstete, vermehrte und zugleich eifrig heranbildete, veranstaltete Konzerte, beschäftigte sich
angelegentlich mit dem dortigen Haustheater, für welches einige
brauchbare Gesangskräfte zur Hand waren. Es entstanden in
Johannesberg mehrere komische Singspiele, namentlich „Il
riaggiatore americano", außerdem viele andere Kompositionen. 1770
erhielt Dittersdorf auf Verwendung des Bischofs den päpstlichen Orden des „goldenen Sporns", legte sich aber niemals den
Titel „Ritter" bei, wie es Gluck, der den Orden schon vorher
besaß, stets hielt. Als er 1773 den Posten des Amtshaupt-
mannes in Freiwaldau antreten sollte, bewarb sich Dittersdorf um den Adelstand. Nach langen Erhebungen wurde ihm
von Maria Theresia der Adel mit dem Prädikat von Dittersdorf verliehen. Vorläufig blieb Dittersdorf in Johannesberg,
wo er schon 1771 durch seine Heirat mit der Sängerin Nicolini
einen Hausstand gegründet, später sich ein eigenes Haus erbaut
hatte, welches noch heute erhalten ist. Sein Aufenthalt in Schlesien,
welcher sich auf 26 Jahre ausdehnte, ward durch mehrmalige
Reisen nach Wien und Berlin unterbrochen.

Wien 1773 und   In Wien brachte er 1773 das Oratorium „Esther" zum
1786.
Besten der Witwensozietät zur Aufführung; die bedeutendste und
entscheidendste Zeit seines Wirkens knüpft sich aber an seinen
Wiener Aufenthalt im Jahre 1786. Dittersdorf hatte eine Serie
von zwölf Symphonien über Ovids „Metamorphosen" geschrieben, von denen er die ersten sechs in einem Konzert im
Wiener Augartensaale zu Gehör brachte, während die übrigen später
im Theater nachfolgten. Ferner kam in demselben Jahre eine
komische Oper „Der Apotheker und der Doktor" zur Aufführung. Es war der glänzendste Erfolg seines Lebens; nicht bloß
in Wien, wo das Werk rasch populär wurde, auch in ganz Deutschland, namentlich in Berlin (100 Aufführungen), endlich in Frankreich und England. Noch in demselben Jahre folgten in Wien
die beiden komischen Singspiele „Betrug durch Aberglauben"
und „Die Liebe im Narrenhause". Das Oratorium Hiob,
das beste und dauerndste unter Dittersdorfs Werken dieser
Gattung, kam ebenfalls für die Witwensozietät zur Aufführung.
Nicht zu übersehen ist das Interesse und Wohlwollen, welche
Kaiser Josef II. dem Komponisten entgegenbrachte. — An diese
Erfolge schließt sich sein Berliner Aufenthalt im Jahre 1789.
Berlin.   Von dem kunstsinnigen König Friedr. Wilhelm II. ausgezeichnet,
gab er daselbst seinen „Hiob" und produzierte sich bei Hofe. Von
komischen Opern treten noch hervor „Das Rotkäppchen" und

„Hieronymus Knicker", die letztere (1789 im Wiener Leopoldstädter Theater gegeben) besonders erfolgreich. — Nun aber stiegen trübe Wolken am Lebenshorizonte des Meisters auf. Ein schmerzhaftes Podagraleiden ergriff ihn und fesselte ihn oft an das Bett. Zudem hatte es Dittersdorf, trotz der in der letzten Zeit ergiebigen Einnahmen, nicht zu einem geordneten Vermögensstand gebracht. Schulden blieben seine steten Begleiter durchs Leben. In Johannesberg wurden die Verhältnisse immer trostloser; die politischen und kriegerischen Bewegungen erschütterten auch hier den Boden. Der Bischof in seinen Einkünften eingeschränkt, einige Zeit auch sequestriert, mußte Ersparnisse in seinem Haushalt einführen, unter welchen auch Dittersdorf litt. Noch fristete die kleine Kapelle ihr bescheidenes Dasein einige Zeit fort, bis ihr die schwere Erkrankung des Bischofs ein Ziel setzte. Dittersdorf zog sich 1794 auf seinen Amtssitz in Freiwaldau zurück. Nach dem Tode des Bischofs 1795 wurde Dittersdorf pensioniert, mit einem Ruhegehalt von 500 fl. — nach 26jähriger Dienstzeit. Sein geringes Einkommen, Schulden und Krankheit, zwangen ihn, seine kleine Habe aufzuzehren und die wertvolleren Andenken, Zeugen seiner Glanzzeit, zu veräußern, so daß er sich 1796 in der größten Notlage befand. Da bot ihm sein Gönner Baron Stillfried ein Asyl in seinem Schlosse Rothlhotta in Böhmen an und dorthin zog sich Dittersdorf mit Frau und drei Kindern zurück. Trotz seiner Gebrechlichkeit, welche ihm nur die Bewegung zwischen Bett und Lehnstuhl gestattete, erlahmte sein Fleiß nicht; er arbeitete fieberhaft an neuen Werken, arrangierte Klavierauszüge, bot alles dies in öffentlichen Anzeigen zum Kaufe an, doch vergebens, es fanden sich keine Käufer. Auch sein trauriges Schicksal rührte niemand. Während in Frankreich ein Monsigny, ein Grétry in ihrer Bedrängnis tätige Hilfe fanden, ließ die deutsche Nation einen ihrer verdientesten Tonsetzer ohne Unterstützung, ohne Mitgefühl. Sein Ende erfolgte am 24. Oktober 1799.

Von den erhaltenen Porträts Dittersdorfs ist ein in der k. k. Fideikommißbibliothek in Wien befindlicher Kupferstich besonders zu erwähnen.

Dittersdorf, der einer der besten Violinspieler seiner Zeit war, nahm auch seinen Ausgangspunkt als Komponist von diesem Instrument. Von seinen Knabenjahren an in Berührung mit dem Orchester, machte sich sein Schaffungstrieb in Symphonien und Kammermusikwerken reichlich Luft. Die Zahl seiner Symphonien wird mit mehr als 100, allerdings in den knappen Formen der Zeit, veranschlagt, dazu eine Reihe von Serenaden, Divertimenti, Kassationen; von Konzerten mit Begleitung sind etwa 20 für Violine, andere für Viola, Kontrabaß, Oboe, drei für Klavier, endlich das Konzert für elf Instrumente anzuführen. Die Kammermusik ist durch zwölf Streichquintette (mit zwei Celli), sechs Streichquartette, eine Anzahl Trios (zwei Violinen und

Krankheit und Ende.

Werke.

Baß) und Duos vertreten, denen sich etwa 20 Violinsoli mit Generalbaß anschließen. Für das Klavier hat Dittersdorf zwölf Sonaten, nebst acht zu vier Händen (meist Arrangements anderer Werke) geschrieben. Ein großer Teil der Symphonien und einzelne der anderen Instrumentalwerke erschienen in Druck, das übrige blieb Manuskript. Die große Produktivität der damaligen Tonsetzer erklärt sich einerseits durch die Leichtigkeit des Schaffens, erworben in gründlicher Schulung und Praxis, anderseits durch die geringen Ansprüche, welche die Musikfreunde und mit ihnen der Komponist an Tiefe des Inhalts und Neuheit der Gedanken stellten. Der Instrumentalstil Dittersdorfs ist jener der Übergangsepoche und von der Vollendung bei seinen großen Zeitgenossen Haydn und Mozart weit entfernt. Wohl besitzt er mit Haydn verwandte Züge, auch seinen heiteren, dem Neckischen zuneigenden Sinn. In manchen seiner Werke strebt Dittersdorf eine

Die „Metamorphosen". malende Darstellung an. Diese tritt in seinen „Metamorphosen" offen hervor. Sie sind Programmusik der naivsten Art, wie wir ihr in der Instrumentalmusik des 17. und 18. Jahrhunderts nicht selten begegnen.

Jeder der zwölf Symphonien ist ein lateinisches Motto, nach Ovid, und eine Titelüberschrift in französischer Sprache vorangesetzt. Die der ersten sechs lauten: *„Les quatre ayes du monde"*, *„La Chûte de Phaëton"*, *„Actéon changé en cerf"*, *„Andromède sauvée par Persée"*, *„Phinée avec ses amis changés en rochers*, *„Les Paysans,' changés en grenouilles"*. Nur diese haben sich in Partitur, oder Stimmen erhalten. Die Charakteristik ist schwach und die Programmüberschriften beziehen sich nur auf den ersten Satz. Es fehlt nicht an realistisch malerischen Spielereien, wie Donner und Blitz, Jagdgetümmel, Froschgequack usw. Das instrumentale Kolorit ist, den einfachen Mitteln der damaligen Instrumentation entsprechend, mit dem modernen Raffinement nicht entfernt zu vergleichen. Melodiöse Partien und graziöse Gedanken finden sich in diesen und manchen der anderen Symphonien genügend vor, doch lassen sie den altmodischen Charakter nicht vergessen. Eine Analyse der „Metamorphosen", verfaßt von dem Propst Hermés in französischer Sprache, erschien 1786.

Von der Kammermusik sind die sechs Streichquartette am bekanntesten geworden; das anmutendste derselben, in Es-dur, ist noch manchmal zu hören. Alles andere ist verklungen. Durch eine an anderer Stelle zu erwähnende Neuausgabe eines Teils von Dittersdorfs Instrumentalmusik ist ein Versuch zur Wiederbelebung gemacht worden.

Komische Opern. Individueller als seine Instrumentalwerke und geschichtlich wichtiger sind die komischen Opern und Operetten Dittersdorfs. Ihre Zahl kann mit etwa 20 angegeben werden. Als die gelungensten und erfolgreichsten derselben sind hervorzuheben: „Der Apotheker und der Doktor", „Der Betrug durch Aberglauben", „Die Liebe im Narrenhaus", „Hieronymus Knicker", „Das rote Käppchen", „Der Schiffspatron oder der neue Gutsherr". Alle diese sind zwischen 1786 und 1789, Dittersdorfs Glanzzeit, aufgeführt worden. Erwähnenswert sind noch

„*Amor in musica*", ein komisches Singspiel aus der Großwardeiner Zeit, „*Der gefoppte Bräutigam*", „*Democritto coreetto*", italienisch, 1787 in Wien ohne Beifall gegeben, „*Das Gespenst mit der Trommel*" (nach Goldoni) 1794, „*Die lustigen Weiber von Windsor*" (nach Shakespeare) 1796.

Das beste und bekannteste Werk Dittersdorfs ist „Der Apotheker und Doktor" (auch „Doktor und Apotheker" genannt), Komische Oper in zwei Akten. Das Libretto ist nach einem französischen Stoff von dem Schauspieler des Nationaltheaters Stephanie d. J. verfaßt. Die Handlung bietet die damals beliebten Verwicklungen, drollige Situationen mit den obligaten Verkleidungen. Doktor und Apotheker stehen sich feindlich gegenüber, ihre Kinder dagegen lieben sich. Der durch das intrigierende Liebespaar gefoppte Alte ist der Doktor. Die Sprache ist mehr derb und einfältig als witzig, häufig unanständig. Die ausgebildete Form der deutschen komischen Oper tritt hier zum erstenmal in die Erscheinung. Der italienischen Buffooper nachgebildet, enthält sie ihre raschen Parlandos, Koloraturarien und ausgeführten, dramatisch belebten Finales; sie enthält aber auch einfache, ansprechende, deutsch empfundene Gesänge und solche voll deutschen Humors. Das Burleske und Karikierte ist trefflich wiedergegeben, an charakteristischen Zügen fehlt es nicht. Dabei ist die musikalische Arbeit gediegener, als es in dem vorangegangenen deutschen Singspiel der Fall war. Lehnt sich auch Dittersdorf an italienische und französische Vorbilder, so ist doch ein volkstümlich deutscher Einschlag nicht zu verkennen.

Die dem „Apotheker" folgenden komischen Opern Dittersdorfs sind ihrer Beschaffenheit nach ähnlich. Handlung und Text sind ebenso derb, mehr oder weniger albern, aber die Musik entschädigt durch manche populäre Weise, durch charakteristische Züge in der Zeichnung komischer Figuren und Situationen, wie auch im Orchester. Getadelt wurden mit Recht die häufigen Wiederholungen aus früheren Werken und die sich festsetzende Manier.

Sowohl „Doktor und Apotheker" als der an äußerem Erfolg nächststehende „Hieronymus Knicker" sind in Text und Musik altmodisch und als Ganzes heute unmöglich. Doch verdienen so manche schöne und charakteristische Einzelheiten nicht übersehen zu werden. Den Buffonummern, welche leicht hingeworfen, treffend, derb, zuweilen auch platt sind, stehen zahlreiche Feinheiten der melodischen Erfindung und des graziösen Ausdrucks gegenüber. Einzelne Arien könnten geradezu von Mozart sein. Die Ensembles und Finales sind zwar lebendig und situationstreu, doch musikalisch wenig ergiebig. In „Doktor und Apotheker" sind hervorzuheben: Das anmutige Quintett zu Anfang mit seinem sentimental-ländlichen Grundton, die hübsche Arie der Leonore in Es-dur, echt italienischer Form und mit Koloraturen versehen, die Tenorarie (Gotthold) in F-dur, wie die vorhergehende Mozartisch, das Terzett (Sichel, Gotthold, Stössel), eine köstliche Buffoszene. Im zweiten Akt ist das Duett (Gallus, Krautmann) in B-dur ein Meisterstück des Buffostils, hochkomisch die mit unzähligen „Esel!" gewürzte Zornarie der Claudia, das charakteristische Baßduett, die edel gehaltene Arie

Der „Doktor und der Apotheker".

der Rosalia in G-dur. — In „Hieronymus Knicker", wo der taube Geizhals, der von den Liebenden gefoppte Alte ist, erscheint die Handlung noch alberner. Die Musik, obwohl schwächer als im „Apotheker", enthält doch mehrere wirksame Nummern, namentlich im zweiten Akt, wie die Baßarie Knickers D-dur, das Rezitativ und die dramatische Bravourarie Röschens, das türkische Lied des verkleideten Ferdinand.

Oratorien. In seinen Oratorien hat sich Dittersdorf an den Stil Hasses und Grauns gehalten. Bedeutend sind „Esther" 1773 und „Hiob" 1786. Beide wurden in Wien und Berlin mit Erfolg aufgeführt. In „Esther" wird der Furienchor gerühmt, in „Hiob", dem polyphoneren Werk, besonders eine Chorfuge.

Schriften. Dittersdorf hat sich auch schriftstellerisch betätigt. Er schrieb die Aufsätze „Über die Grenzen des Komischen und Heroischen in der Musik", „Über die Behandlung italienischer Texte" usw. An der Neige seines Lebens angelangt, verfaßte er eine **Selbst-biographie.** Selbstbiographie, die er seinem Sohne „in die Feder diktierte" und welche 1801 in Druck (von Karl Spazier herausgegeben) erschien. Das Buch fesselt durch die Unmittelbarkeit der Erzählung, die unverkünstelte Darstellung und manchen interessanten Einblick in vergangene Kulturzustände, ist aber von geringem historischen Wert. Es gibt uns weder über zeitgenössische Kunsterscheinungen, noch selbst über das eigene Schaffen nennenswerte Aufschlüsse. Wir erfahren das Persönliche, Äußerliche seines Lebensganges, ohne seine innere Triebkraft kennen zu lernen. Kleinliche Geldangelegenheiten, zahlreiche Anekdoten und Schilderungen naiver Art, Gespräche mit hohen Personen u. dgl. füllen das Buch. Es wirft aber auch deutliche Streiflichter auf seine intimen Eigenschaften. Dittersdorf wird von den Zeitgenossen als ein rechtschaffener und wohlwollender Charakter, als ein Mann unermüdlichen Fleißes, dabei heiterer Lebensanschauung geschildert, und diese Lichtseiten finden wir in der Selbstbiographie wieder — doch auch manche Schatten. Eine leichtsinnige Geldgebarung, Unstätigkeit und Hang zu Abenteuern mögen die traurigen Verhältnisse seines Alters mitverschuldet haben. Im Gegensatze zu der Bescheidenheit, mit welcher er über sein eigenes Schaffen spricht oder vielmehr hinweggeht, macht sich in diesen Blättern eine große persönliche Eitelkeit bemerkbar. Dittersdorf hat eine Vorliebe für prächtige, kostbare Kleider, er äußert sich ganz beseligt über seine Adelserhebung, als des „größten Ereignisses seines Lebens", ist sehr redselig über seine Begegnungen und Gespräche mit hohen Personen. Dagegen gedenkt er seiner Beziehungen zu den großen Meistern der Zeit ohne besonderen Nachdruck. Mit Haydn verbindet ihn herzliche Freundschaft, seine Bewunderung für Mozart ist keine unbedingte. Für die Bedeutung Glucks scheint er ebensowenig Verständnis besessen zu haben, als Hiller für jene seines Amtsvorgängers an der Thomasschule, Seb. Bach. Dittersdorf ist keine große Künstlergestalt, aber ein tüchtiger, in seiner

eigenen Sphäre geschichtlich hervortretender Meister, er ist für uns
eine sympathische, patriarchalisch anmutende Persönlichkeit.
Gegen Ende des Jahrhunderts begann die Herrschaft des
Wiener Volksstückes, der Posse mit Gesang, welche weil in **Das Wiener Volksstück.**
das nächste Jahrhundert hineinreicht. Eine Mischung von drolliger
Albernheit, bodenständiger Gemütlichkeit, naivem Märchen- und
Zauberspiel, dazu leichtlebige und eingängliche Weisen, eroberte
es das empfängliche Wiener Publikum aller Stände und fand auch
auswärts freundliche Aufnahme. Waren auch die Lieder und
Couplets dieser Stücke dem Bänkelgesange nahe verwandt, die
musikalischen Mittel einfach und kunstlos, die Komponisten
selbst gehörten doch nicht alle zu den schlechtesten im Lande.

Als die namhaftesten Vertreter dieser Gattung lassen sich anführen: Ferdinand Kauer, Johann Schenk, Wenzel Müller.
Auf einem höheren Niveau des Wiener Singspiels stehen Wranitzky, Winter, Weigl.

Ferd. Kauer (1751—1831), Kapellmeister an mehreren Vorstadttheatern, **Kauer.**
soll gegen 200 Singspiele komponiert haben, von welchen das „Donauweibchen" (1795) und die „Sternenkönigin" sich einer dauernden Beliebtheit
erfreuten. Außerdem werden aber auch ernste Werke, Kirchenmusik, darunter
drei Requiems, Oratorien, Symphonien und Kammermusikstücke von ihm
genannt.

Joh. Schenk (1753—1836), Schüler Wagenseils, ein gründlicher Musiker, **Schenk.**
versuchte sich in der Kirchen- und Instrumentalmusik, bis er im Singspiel
seine eigentliche Sphäre fand. Nebst dem volkstümlichsten „Dorfbarbier"
sind noch anzuführen „Die Weinlese" 1785, „Das Singspiel ohne Titel" 1789,
„Der Erntekranz" 1790, „Der Bettelstudent" 1796, „Der Faßbinder" 1802. Es
spricht für die Achtung, welche Schenk auch als Theoretiker genoß, daß
Beethoven 1792—1794, gleichzeitig mit seinen Studien bei Haydn, Unterricht bei ihm nahm.

Wenzel Müller (1767—1835), der durch viele Jahre Kapellmeister **Wenzel Müller.**
am Leopoldstädter Theater war, hatte mit seinen Liedern und Couplets den
Geschmack des großen Publikums so glücklich getroffen, daß seine Musik zu
dem blühenden Unsinn, der damals, wie heute das Privilegium der Operette
bildet, eine beispiellose Beliebtheit erlangte. Die Zahl der Volksstücke,
Singspiele, Possen, Zauberopern, Pantomimen, zu welchen Wenzel Müller
die Musik schrieb, wird mit 225 angegeben. Die erfolgreichsten derselben gehören der Jahrhundertwende an, sie erstrecken sich aber bis 1828 und weiter.
Den meisten Beifall fanden „Das Sonnenfest der Brahminen" 1790, „Das neue
Sonntagskind" 1793, „Die Schwestern von Prag" 1794, „Die Teufelsmühle
auf dem Wienerberg" 1799. Zu erwähnen sind noch „Die Zauberzither" 1791
(vor Mozarts „Zauberflöte" gegeben), später „Aline" 1822, endlich die Musik
zu Raimunds „Der Alpenkönig und der Menschenfeind" 1828. Manche dieser
Stücke haben sich durch Dezennien erhalten, auch ihren Weg in das Ausland
gefunden. Einzelne der heiteren, auch trivialen Lieder sind volkstümlich
geblieben, wie z. B. „Ich bin der Schneider Kakadu" aus „Die Schwestern von
Prag" (von Beethoven in einem Klaviertrio variiert), „Wer niemals einen
Rausch gehabt" aus „Das neue Sonntagskind", „Es kommt ein Vogel geflogen"
(Aline), „So leb' denn wohl du stilles Haus" (Alpenkönig und Menschenfeind).

Von Paul Wranitzky (1756—1808), der von 1785 bis zu seinem Ende **Wranitzky.**
Kapellmeister des Wiener Operntheaters war, einem ungemein gewandten und
vielseitigen, wenn auch nicht tiefer veranlagten Komponisten, rührt eine Anzahl von Singspielen her, von welchen „Oberon", zuerst in Frankfurt

bei der Kaiserkrönung 1790, dann 1791 in W i e n aufgeführt, großes Aufsehen erregte. Kleinere Singspiele, wie „Der Liebhaber der drei Mädchen", „Die Poststation" u. a. m., Ballette und Schauspielmusiken von ihm wurden in Wien gegeben. Zahlreich sind seine S y m p h o n i e n und Kammermusikstücke, die zu ihrer Zeit so beliebt waren, daß man sie mit Haydn zusammen nannte.

Winter.
Peter von W i n t e r (1754—1825), ein später Nachzügler des Mannheimer Kreises des Kurfürsten C a r l T h e o d o r, mit dem er 1778 nach M ü n c h e n übersiedelte, war von 1788 bis zu seinem Ende Hofkapellmeister daselbst. Als Komponist schwankt er in seiner Richtung zwischen I t a l i e n und D e u t s c h - l a n d. Zahlreiche italienische Opern schrieb er, nicht bloß für Italien, sondern auch für Paris und London. Berühmt gemacht hat ihn aber ein deutsches S i n g s p i e l „Das unterbrochene Opferfest" 1796 in W i e n aufgeführt. W i n t e r, der trotz seiner Münchener Anstellung ein wahres Nomadenleben führte, be- suchte öfters Wien, wo er schon 1794 mit einer Fortsetzung der „Zauberflöte" unter dem Titel „Die Pyramiden von Babylon", dann mit einem zweiten Teil „Das Labyrinth" hervortrat. Winter war einer der fruchtbarsten und viel- seitigsten Komponisten, dem es an edleren Absichten nicht fehlte, wohl aber an Tiefe der Erfindung und einheitlichem Stil. Fast unübersehbar ist die Liste seiner W e r k e, welche 26 Messen, 2 Requiems, 3 Stabat mater, 50 Psal- men, viele andere Kirchenstücke, zwei Oratorien, große Kantaten, ferner Sym- phonien (eine Chorsymphonie „Die Schlacht"), Konzerte, Kammermusikstücke, endlich zahlreiche italienische Opern und deutsche Singspiele umfaßt. Mit Ausnahme einiger Kirchenwerke, Bruchstücken aus dem „Unterbrochenen Opfer- fest" und seiner noch immer geschätzten Gesangschule ist W i n t e r vergessen.

Weigl.
Josef W e i g l (1766—1846) wollen wir hier nur als Komponisten der „Schweizerfamilie", welches Singspiel 1809 in Wien aufgeführt wurde und alle Herzen gewann, erwähnen.

Von den Singspielen der vorstehenden d e u t s c h e n K o m p o n i s t e n wurden zu ihrer Zeit viele gedruckt, meist in K l a v i e r a u s z ü g e n, selten in Partitur. Die O r i g i n a l a u s g a b e n sind im Musikhandel nur mehr spärlich vorhanden, dagegen zahlreich, nebst Handschriften, in den B i b l i o t h e k e n zu Wien, Berlin, München usw.

Neueste Ausgaben.
Wir beschränken uns daher auf die n e u e s t e n A u s g a b e n.

H i l l e r „Die Jagd", D i t t e r s d o r f, „Der Apotheker und der Doktor" „Hieronymus Knicker", S c h e n k, „Der Dorfbarbier", W e n z e l M ü l l e r, „Die Schwestern von Prag", W i n t e r, „Das unterbrochene Opferfest", W e i g l, „Die Schweizerfamilie", sämtlich K l a v i e r a u s z ü g e, bearbeitet und herausgegeben von R. K l e i n m i c h e l, bei S e n f f (jetzt Univ.-Ed. in Wien).

D i t t e r s d o r f „Apotheker und Doktor", N. Ausg. von Ed. M a r x s e n bei Schuberth.

D i t t e r s d o r f, Ausgew. Werke, herausg. von J. L i e b e s k i n d bei Gebr. R e i n e c k e in Leipzig 1899 (zur Zentenarfeier). Enth. Orchesterwerke, dar. sechs Metamorphosen-Symphonien. 10 Bände.

D i t t e r s d o r f, drei Streichquartette in P a y n e s kl. Partiturausgabe.

H o l z b a u e r, „Günther v. Schwarzburg", in D e n k m. der d e u t s c h e n T o n k u n s t. Partitur. Herausg. von Herm. K r e t z s c h m a r, 1903.

U m l a u f, „Die Bergknappen", in D e n k m. der T o n k u n s t in Öster- r e i c h. 18. Band. Herausg. von Rob. Haas, 1911.

In R e c l a m s Univ.-Bibl.: K a u e r, „Das Donauweibchen", S c h e n k, „Der Dorfbarbier", W i n t e r, „Das unterbrochene Opferfest", W e i g l, „Die Schweizerfamilie".

W i n t e r, Singübungen, Senff (herausg. v. Götze); Univ.-Ed. (Haböck).

Das englische Singspiel.
Werfen wir noch einen Blick auf das e n g l i s c h e S i n g - s p i e l, welches schon an der Wiege des deutschen gestanden ist. Das englische Publikum des 18. Jahrhunderts schwärmte für die italienische Oper. Es fehlte jedoch nicht an Versuchen, eine e n g -

lische Oper mit durchaus gesungenem Text einzuführen.
Namentlich war es Thomas Aug. Arne (II, 188), der 1760 mit
„Thomas and Dally" und 1762 mit *„Artaxerxes"* auf dieser Bahn
voranschritt. Doch die gesungenen Rezitative konnten sich mit der
englischen Sprache nicht recht vertragen. Den Sieg trug der gesprochene Dialog mit eingeflochtenen Gesangstücken nach der
Art der französischen „Pièces à ariettes" und des deutschen Singspiels davon. Noch war die alte Ballad-Opera nicht verklungen,
noch fand die 1727 mit beispiellosem Erfolg aufgetauchte Beggars
Opera (II, 186) ihr dankbares Publikum. Diese, wie die ihr zahlreich nachfolgenden Ballad-Operas, deren Musik aus Volksweisen
zusammengestellt war (wie *„The devil to pay"* 1728, *„Love in a riddle"*,
„The beggars wedding", *„Robin Hood"*, *„The merry cobbler"* usw.) machten
um die Mitte des Jahrhunderts dem komischen Singspiel,
der englischen Farce, Platz. Hier entfaltete sich das nationale
Wesen uneingeschränkt. Derbe Komik in populären Figuren und Situationen und Satire waren vorherrschend, auch die Musik entsprach dem nationalen Geschmack. Die schreckliche Sitte von
Mischopern, aus in- und ausländischen Werken zusammen-
gestoppelt, nahm überhand, die letzteren mußten sich oft eine grau-
same Verstümmelung gefallen lassen. Als bessere Komponisten von Komponisten.
Singspielen sind anzuführen: Arnold, Dibdin, Linley,
Storace, Attwood, Braham. Gegen Ende des Jahrhunderts
waren besonders erfolgreiche Stücke: *„The siege of Belgrad"*, ein
Pasticcio, *„No song, no supper"*, beide von Storace, *„The children
of the wood"* und *„The maid of the mill"* von Arnold, *„The travellers
in Switzerland"* von Shield, *„Love in a village"* von Arne usw.
Berühmt waren die englischen Sängerinnen Mrs. Billington,
Miss Storace, die Sänger Incledon, Kelly.

Inmitten dieser Opernwelt, die wir in Italien, Frank- Gluck
reich, Deutschland und England erstehen und gedeihen und Mozart.
sahen, erhoben sich überragend zwei Gestalten, die eine energisch und kühn dem Ideal des Musikdramas zustrebend, eine
Denkernatur, die andere ein Krösus an musikalischer Erfindung, ein Dramatiker von Gottes Gnaden — Gluck und
Mozart. Beide sind von internationaler Bedeutung; ihre
Opern gehören nicht einer Nation an, sie sind Weltopern.
Gluck ging von der italienischen Oper aus, wendete sich von ihr
ab und erreichte auf dem Grunde der französischen Oper seinen
eigenen Stil. Mozart steht innerhalb der italienischen Oper, welche
er mit deutscher Innerlichkeit vermählte und durch deutsche Kunst
veredelte. Während die überreiche Opernproduktion der zweiten
Hälfte des 18. Jahrhunderts ein Bild der Vergänglichkeit
bietet und nur selten in einzelnen Erscheinungen auftaucht, um

bald wieder zu verschwinden, haben sich aus dieser Zeit nur die dramatischen Werke Glucks und Mozarts lebendig erhalten. In imponierender Größe, doch der Gegenwart schon ferner gerückt, erscheint uns die Gestalt des älteren Meisters — Gluck. Die Lebensgeschichte Glucks ist uns nur in ihren markantesten Zügen überliefert.

Gluck. Leben und Wirken. Geb. 1714.

Christoph Willibald Gluck ist zu Weidenwang in der Oberpfalz (Bayern) am 2. Juli 1714 geboren. Sein Vater war damals Förster in dem genannten nahe an der böhmischen Grenze gelegenen Orte, übersiedelte aber schon 1717 nach Böhmen, zuerst als Waldbereiter des Grafen Kaunitz in der Nähe von Böhmisch-Leipa, dann nacheinander in Diensten des Grafen Kinsky, des Fürsten Lobkowitz, endlich der Großherzogin von Toskana in Reichstadt, wo er vor 1750 gestorben ist. In beschränkten Verhältnissen wuchs der Knabe, der Erstgeborene von sechs Kindern, auf, in stetem Verkehr mit der Natur, in den Landschulen den ersten Unterricht empfangend; er lernte auch frühzeitig singen, Violine und Violoncell spielen. Der Vater, welcher den lebhaften Geist des Knaben erkennen mochte, brachte ihn nach Komotau in das Jesuitengymnasium. Dort verbrachte er sechs Jahre von 1726 bis 1732 in den vorgeschriebenen Klassen, zugleich eifrig mit Musik beschäftigt. Im Seminar erhielt er auch Unterricht im Klavier- und Orgelspiel, doch scheint sein Hauptinstrument damals das Violoncell gewesen zu sein. Mit der geringen Unterstützung, die er vom Hause erhalten konnte, wanderte Gluck im Jahre 1732 nach Prag, um weitere wissenschaftliche Studien zu betreiben, mehr noch um einen Erwerb durch seine musikalischen Fertigkeiten zu finden. Er wirkte in den Kirchen gegen geringes Entgelt mit, namentlich in der Teinkirche, deren Chor unter der Leitung des tüchtigen Kirchenkomponisten Czernohorsky stand. Mitwirkung in verschiedenen Orchestern und Stundengeben verschafften ihm seinen kümmerlichen Lebensunterhalt. Im Sommer durchzog er mit einigen Kameraden das Land, überall musizierend, mußte oft für seine Bemühungen mit Eßwaren vorlieb nehmen, produzierte sich auch in den Landstädten auf dem Violoncell. Nach vierjährigem Aufenthalt in Böhmen zog es ihn 1736 nach Wien, in welcher Stadt er seine dauernde Heimat finden sollte. In dem fürstlich Lobkowitzschen Hause fand er gastliche Aufnahme und Förderung; gehörte er doch durch die dienstliche Stellung seines Vaters gewissermaßen zu dem Hausstande der Herrschaft. Die Familie Lobkowitz, welche in dem Musikleben dieser Epoche eine rühmliche Rolle spielt, war für Glucks Zukunft von entscheidendem Einfluß. Gluck, der damals 22 Jahre zählte, hatte nun erst reichliche Gelegenheit, sich in seiner Kunst auszubilden und sich für seine dramatische Laufbahn vorzubereiten, um so mehr, als in dieser Zeit die italienische Oper in Wien unter Karl VI. in voller

Jugendzeit.

Komotau.

Prag.

Wien 1736.

Lobkowitz.

Blüte stand und er die Werke der damals gefeierten Opernkomponisten hören konnte. Nicht lange weilte G l u c k in Wien, als ihn Fürst M e l z i, der den jungen Musiker im Hause Lobkowitz kennen lernte und sich für sein Talent interessierte, nach M a i l a n d mitnahm und ihn dort zu weiteren musikalischen Studien dem berühmten S a m m a r t i n i (s. S. 3) übergab. Welcher Art dieser Unterricht gewesen und auf welchen Zeitraum er sich ausdehnte (man behauptet von 1737 bis 1741), läßt sich schwer bestimmen. Nach vierjährigem Aufenthalt in Italien debütierte G l u c k 1741 mit seiner ersten Oper „Artaserse" (Text von Metastasio) in M a i l a n d. Der günstige Erfolg dieses Erstlingswerkes verschaffte ihm sofort Bestellungen für andere Theater Italiens. Bis 1745 lassen sich die folgenden Opern feststellen: „Demetrio" (Venedig 1742), „Demofonte" (Mailand), „Tigrane" (Crema 1743), „Sofonisba" oder „Siface" (Mailand), „La finta schiava" (Venedig 1844), „Ipermestra" (Venedig), „Poro" oder „Alessandro nell'Indie" (Turin), „Ippolito" (Mailand 1745). Sein Ruf drang nun auch in die Ferne. Auf Einladung der Direktion des Haymarket-Theaters begab sich Gluck 1745 nach L o n d o n, wo er 1746 die Opern „La Caduta dei Giganti" und „Artamene" auf die Bühne brachte. Beide Werke erhielten nur geringen Beifall, auch H ä n d e l soll sich nicht günstig über dieselben ausgesprochen haben. Ein kurzer Aufenthalt in P a r i s bot Gluck Gelegenheit, R a m e a u s dramatische Werke kennen zu lernen. Damals schon soll in Gluck, der bis dahin ganz im italienischen Fahrwasser segelte, die Überzeugung von der i n n e r e n U n w a h r h e i t der herrschenden Oper erwacht sein. An den Aufenthalt in England schlossen sich in raschem Wechsel R e i s e n nach Hamburg, Dresden, Wien, Kopenhagen, Prag, als Kapellmeister der M i n g o t t i schen Operntruppe. Überall war Gluck als Opernkomponist tätig. Seine Musik gewann immer mehr an dramatischem Leben und harmonischem Reichtum. Die Hauptwerke dieser Zeit sind: „Le Nozze d'Ercole e d'Ebe", Dresden 1747, „La Semiramide riconosciuta", Wien 1748, „La Contesa dei Numi", Kopenhagen 1749, „Ezio", Prag 1750. Im Jahre 1750 verheiratete sich Gluck mit Marianna P e r g i n, Tochter eines Großhändlers in Wien. Die Ehe, aus gegenseitiger Zuneigung geschlossen, war eine glückliche, doch kinderlose. Später nahm G l u c k eine N i c h t e an Kindesstatt zu sich, welche aber schon im 16. Lebensjahre starb. Von neuem setzte die Tätigkeit des unermüdlichen Meisters 1752 ein, in welchem Jahre er in Prag „Issipile" und in Neapel „La Clemenza di Tito" auf die Bühne brachte. Eine Arie dieser letzteren Oper („Se mai senti spirarti sul volto") erlangte eine weit verbreitete Berühmtheit. Nach W i e n zurückgekehrt, fand Gluck in der Kapelle des Prinzen von H i l d b u r g h a u s e n, wo der junge D i t t e r s d o r f seine Schwingen versuchte (s. S. 72), ein dankbares Feld der Tätigkeit als Leiter, Komponist von Symphonien und Kammermusik. In S c h l o ß h o f

Marginal notes (right column):

Mailand.

Sammartini.

Erste Oper „Artaserse" 1741.

Andere Opern.

London.

Reisen.

Heirat.

Prinz von Hildburghausen Schloßhof.

6*

führte er zur Feier des kaiserlichen Besuches 1754 ein italienisches Singspiel „*Le Cinesi*" auf, welches bald darauf auch in der Residenz gegeben wurde. In demselben Jahre erfolgte Glucks Ernennung *Kapellmeister.* zum **Kapellmeister** der Hofoper, welche Stellung er durch 10 Jahre bis 1764 einnahm. In diesen Zeitraum fallen zahlreiche dramatische Werke des Meisters. Eröffnet werden dieselben durch kleinere Opern, wie die einaktige „*L' Innocenza giustificata*", 1755. *Rom.* 1756 wurde Gluck wieder nach **Rom** berufen und führte in dem T. Argentina „*Antigono*" mit großem Beifall auf. Während seines Aufenthalts wurde Gluck vom Papst zum **Ritter** des **goldenen** *Ritter des* **Sporns** ernannt. Fortan legte sich **Gluck** den Titel **Ritter** *„goldenen* *„Sporns".* („Cavaliere") bei, eine kleine Eitelkeit, welcher weder **Ditters**-**dorf**, noch **Mozart**, in dem gleichen Falle huldigten. Zu erwähnen sind ferner die Gelegenheitsoper „*Il Rè Pastore*" für den Geburtstag *Französische* des Kaisers 1756 und eine Reihe von **französischen Sing**-*Singspiele.* **spielen**, welche Gluck vollständig oder teilweise mit **neuen Arien** versah. Diese „Pièces à ariettes", durch Vermittlung **Favarts** direkt aus Paris bezogen, bildeten eine Lieblingsunterhaltung des Hofes; sie wurden in Schönbrunn und Laxenburg aufgeführt. Von 1758 bis 1764 schrieb Gluck in dieser Gattung: „*La fausse esclave*", „*L'Ile de Merlin*", „*L'Arbre enchanté*" und „*Cythère assiégée*", bis 1759, „*L'Ivrogne corrigé*" 1760, „*Le Cadi dupe*" 1761, „*La Rencontre imprevue*" ou „*Les Pélérins de la Mecque*" 1764. Dazwischen fällt auch *Ballett* das Ballett „**Don Juan**", 1761 im Kärntnerthortheater mit großem *Don Juan.* Erfolg aufgeführt. Die Handlung ist jener der Mozartschen Oper ähnlich. — Während Gluck, durch äußere Umstände veranlaßt, der leichteren Muse huldigte, vollzog sich in ihm die entscheidende *Wendung.* **Wendung** in seiner dramatischen Laufbahn. Es war für ihn die Zeit der Sammlung, der **Studien**, der Vorbereitung zu höherem Schaffen. Man ist bezüglich der inneren Motive dieser Wandlung auf Vermutungen angewiesen. Vielleicht genügten die Erfolge auf der ausgefahrenen Bahn der italienischen Oper seinem Ehrgeize nicht, ebensowenig mag sein bisheriges Schaffen dem in ihm aufdämmernden Ideal des Musikdramas entsprochen haben. Zwar kann man schon in manchen seiner früheren Werke Vorzeichen eines selbständigen Stils und Stellen echt dramatischen Ausdrucks gewahren, doch haben nicht auch seine Zeitgenossen, wie **Traetta**, **Jommelli** u. a. eigenartige Züge und dramatisch bedeutende Momente aufzuweisen? Gleichzeitig sehen wir Gluck eifrig beflissen, die Lücken seiner Erziehung und bisherigen Bildung durch Literatur- und Sprachstudien, wie durch tieferes Eindringen in das Wesen der Musikästhetik auszufüllen. Auch der Verkehr mit gesellschaftlich und geistig bevorzugten Menschen wirkte fördernd *Calsabigi.* auf ihn ein. In dem italienischen Dichter Raniero di **Calsabigi** fand er einen Mann, der auf seine Ideen einging und zu diesen vielleicht auch eigene beisteuerte. So leiteten Gluck auf dem Wege zu seiner Opernreform angeborene dramatische Begabung, tiefes Nachdenken über seine Kunst, endlich auch Anregungen von Außen. Die Summe dieser Faktoren war das Erstlingswerk in seinem eigenen Stil, die erste eigentlich Gluckschc Oper „Orfeo ed Euridice". Der Text war von Calsabigi verfaßt. Die Aufführung fand am 5. Oktober 1762 im Burgtheater in Gegenwart des Hofes statt. Die Besetzung der Hauptpartien war die folgende: Orfeo — Signor Guadagni („Musico", Alt), Euridice — Signora Bianchi, Amor — Mad. Glebero-Clavereau. Die Aufführung leitete Gluck selbst. Die Oper fand großen Beifall und wurde mehrmals wiederholt. In den späteren Aufführungen in deutscher Sprache sang die Adamberger den Orfeo, Mad. Bernasconi (eine geborene Wienerin) die Euridice. Die Oper machte allmählich ihren Weg durch ganz Europa; ihre Hauptsensation bildeten überall die Szenen in der Unterwelt im zweiten Akt. Im nächsten Jahre wurde Gluck nach Bologna berufen, um für die Eröffnung des neuen Theaters die Oper „Il Trionfo di Clelia" zu schreiben. Die Reise dahin machte Gluck, wie wir gesehen haben (S. 72), in Gesellschaft Dittersdorfs. Die Aufführung fand im Mai 1763 statt. Bedeutender ist „Telemacco", 1765 in Wien aufgeführt, ein Werk, welches in dramatischer Hinsicht echt Glucksche Züge verrät und den großen, berühmteren Opern Glucks zunächst steht. Mit seiner „Alceste" (das Libretto wieder von Calsabigi), welche am 16. Dezember 1767 über die Bühne des Burgtheaters schritt, hat Gluck viel entschiedener als in „Orfeo" seine Reformideen zur Geltung gebracht. Der Erfolg war kein unbestrittener. Die tragische Größe und feierliche Stimmung des Werkes lagen dem Verständnis und dem Geschmack des damaligen Wiener Publikums zu ferne; nur einzelne, gewichtige Stimmen erhoben sich zur Ehrung des Tondichters. Bei der ersten Aufführung sangen Mad. Bernasconi die Alceste, Sign. Tibaldi den Admet. Die Oper wurde noch wiederholt durch zwei Jahre gegeben. Die Partitur, 1769 gedruckt, ist von einer Dedikationsschrift an den Großherzog von Toskana begleitet, in welcher Gluck seine dramatischen Prinzipien ausführlich darlegt. „Alceste", welche Gluck in seinem 53. Lebensjahre schrieb, bedeutet den Reifepunkt seiner Kunst. Doch sollte sie noch herrlichere Früchte tragen.

Eine schwächlichere Nachfolge fand „Alceste" in der am 30. November 1770 aufgeführten fünfaktigen Oper „Paride ed Elena", der dritten in der Reihe seiner Reformopern, seiner letzten in italienischer Sprache. Das Werk fand keinen Anklang, was vornehmlich durch die Einförmigkeit des Stoffes bedingt war. Der in demselben Jahre in Stich erschienenen Partitur, dem Herzog von Braganza gewidmet, geht neuerdings eine Widmungsschrift des Tonsetzers voran, die noch entschiedener und schärfer als die vorangegangene gefaßt ist.

(Marginalien:)
Orfeo ed Euridice. 5. Okt. 1762.
Bologna.
Alceste. 16. Dez. 1767.
Paride ed Elena. 1770.

Die zurückhaltende Aufnahme, selbst manche herbe Kritik, die seine neuen Werke erfuhren, mochten Gluck überzeugt haben, daß er in Wien keine Aussicht habe, mit seinen Reformbestrebungen durchzudringen. In dieser Überzeugung wurde er durch den Umgang mit einem literarisch gebildeten Franzosen, dem Attaché der Gesandtschaft „le Bailli" du Rollet bestärkt. Dieser legte ihm nahe, daß der richtige Ort für seine Bestrebungen in Paris zu suchen sei. In der Tat war in Frankreich der Boden für das Musikdrama durch die Werke Lullys und Rameaus, wie auch durch den auf das deklamatorische gestimmten nationalen Geschmack vorbereitet. Lully war allerdings schon stark verblaßt, Rameaus Werke aber standen noch hoch in der Wertschätzung der Nation. Auf Vorschlag du Rollets wurde als Opernsujet für Glucks Debüt in Paris „Iphigénie en Aulide" (Iphigenia in Aulis) in der Fassung Racines gewählt. Du Rollet bearbeitete den Text und Gluck ging mit Feuereifer an die Komposition.

du Rollet.

Gluck verlebte damals einige Jahre der Zurückgezogenheit, der Studien und der Arbeit. Ein schwaches, doch dankenswertes Licht wirft der englische Musikhistoriker Burney, der ganz Europa bereiste und auch in Wien weilte, um die Musikzustände und Musiker kennen zu lernen, auf die Lebensverhältnisse des Meisters in dieser Zeit. Burney besuchte Gluck 1772 in seinem Hause auf dem Rennweg, wo er mit Frau und Nichte wohnte. Gluck sprach viel über seine Kunstansichten und Werke. Die Nichte Marianne, welche eine vorzügliche Sängerin war, ließ dem Gaste einiges aus der Alceste hören, Gluck selbst sang mit wenig Stimme, aber hinreißendem Vortrag Szenen aus der neuerstehenden „Iphigénie". Burney spricht sich begeistert über Gluck und seine Kunst aus.

Burney.

„Iphigénie en Aulide" war 1772 vollendet. Nun galt es, die Annahme des Werkes in Paris zu erlangen. Doch die Bühne der Académie royale (große Oper) war für Gluck nicht leicht zu erobern. Es erhoben sich allerlei Bedenken und die Direktion der Oper verhielt sich lange ablehnend. Da überwand endlich der Einfluß der Dauphine Marie Antoinette, welche trotz ihrer Vorliebe für die italienische Oper dem Landsmann ihren Schutz nicht versagte, alle Schwierigkeiten und Gluck wurde eingeladen, nach Paris zu kommen. Er begab sich Ende des Jahres 1773 in Begleitung seiner Frau und Nichte dahin und wurde vom Hof und den Künstlern gut aufgenommen.

Iphigénie en Aulide. (Iphigenia in Aulis.)

Die Vorbereitungen für die Aufführung der „Iphigenia" nahmen Monate in Anspruch. Die Sänger der Hauptpartien mußten geschult und in den Stil Glucks eingeführt werden, das Orchester war verwahrlost, die szenische Darstellung sollte den Absichten des Tondichters entsprechend gestaltet werden. Manche Widerstände waren zu überwinden, durch Festigkeit oder durch Nachgiebigkeit. Insbesondere war das Ballett mit seinen Anforderungen zu be-

Vorbereitungen.

friedigen. Die geheiligte Sitte der französischen Oper, daß jeder
Akt mit Tanz zu schließen habe und das unersättliche Begehren
des Ballettmeisters Vestris nötigten Gluck zu immer sich mehren-
den Zugaben. Daß dem Fremden auch Vorurteile entgegentraten,
daß die Intrigue und kleinliche Eitelkeit, die unzertrennlichen Be-
gleiterinnen des Theaterlebens, auch hier nicht fehlten, ist selbstverständlich. Bei den Proben war Gluck bewunderungswürdig
durch seine Energie und Umsicht, er war Dirigent, Regisseur,
Lehrer in einer Person. Die vornehme Welt drängte sich zu diesen
merkwürdigen Proben, in welchen sich Gluck seinem Feuereifer und
seiner Grobheit hingab. Endlich fand die Aufführung der Oper
am 19. April 1774 statt. Sofie Arnould als Iphigénie, Larrivée
als Agamemnon zeichneten sich aus, Mlle. Duval gab die Klytemnestra, Legros den Achilles. Die Aufnahme war nur teilweise eine
warme. Das Publikum stand der Gluckschen Musik noch fremd
gegenüber. Bei der zweiten Aufführung war die Arie des Achill
„Calchas, d'un trait mortel" mit ihrem kriegerischen Charakter aus-
schlaggebend für den Erfolg. Von da an lebte sich das Werk allmählich ein, ohne jedoch die Gegner Glucks ganz zu entwaffnen.
Am 2. August 1774 folgte „Orphée" in der französischen Bearbeitung von Molines. Die Partie des Orpheus mußte für einen
hohen Tenor umgeschrieben werden. Legros und die Arnould
sangen die Hauptrollen. Die Oper wurde mit Enthusiasmus aufgenommen und entschied den Sieg des Meisters. Gluck hatte nun
festen Boden in Paris gefaßt, erfreute sich nicht nur der Gunst
des Hofes, sondern auch der Freundschaft und Wertschätzung hervorragender Geister, unter denen Voltaire, die Schriftstellerin
Mad. de Genlis, der Abbé Arnaud in erster Linie zu nennen
sind. Nachdem noch Anfang Jänner 1775 „Iphigénie" wieder aufgenommen wurde und im Februar eine Aufführung der einaktigen
Operette „L'Arbre enchanté" vor dem Hofe in Versailles stattgefunden,
traten Gluck und die Seinen Anfang März die Heimreise an. In
Straßburg verlebten sie einige angenehme Tage mit dem Dichter
Klopstock, den Gluck besonders verehrte und von dem er schon
früher einige Lieder und Szenen aus der „Hermannsschlacht" in
Musik gesetzt hatte. Der freundschaftliche Verkehr der beiden
Männer setzte sich auch in der Folge fort.

Von dem französischen Glorienschein umgeben und mit dem
reichlichen Ertrag seiner Pariser Tätigkeit heimgekehrt, ging Gluck
unverzüglich wieder an die Arbeit, um einen neuen Feldzug nach
der französischen Hauptstadt vorzubereiten. Den in Paris zur Komposition übernommenen „Roland" von Quinault ließ er fallen und
schrieb dafür die Musik zu desselben Dichters „Armide"; außerdem
beschäftigte er sich mit der französischen Bearbeitung der „Alceste".
Mittlerweile war Gluck zum kais. Hofkompositor mit einem
Einkommen von 2000 Gulden ernannt worden. In Abwesenheit des

Aufführung
19. April 1774.

Orphée.

Straßburg.
Klopstock.

Rückkehr
nach Wien.

Tonsetzers ward in Paris dessen großes Opernballett „*La Cythère assiégée*" in der Académie aufgeführt und wurde lau aufgenommen; man fand, daß sich Gluck hier in einer ihm fremden Sphäre bewege.

<table>
<tr><td>

Zweite Reise nach Paris. 1776. Alceste. Literarische Fehde.

</td><td>

In den ersten Monaten des Jahres 1776 begab sich Gluck, diesmal allein, nach P a r i s, um die von du Rollet in das Französische übertragene und von Gluck umgearbeitete „A l c e s t e" vorzubereiten. Die Aufführung fand am 23. April 1776 statt. Die Hauptrolle gab Mlle. L e v a s s e u r. Die Oper wurde von dem Publikum ausgezischt, erholte sich aber in den späteren Vorstellungen von ihrem Mißerfolg. Schon damals begann die l i t e r a r i s c h e F e h d e zwischen den Anhängern und Gegnern Glucks. An der Spitze der ersteren standen A b b é A r n a u d und M. S u a r d. Die Gegner waren zahlreicher. Diese setzten sich aus zwei verschiedengearteten Elementen zusammen, den Verehrern der altfranzösischen Oper des L u l l y und R a m e a u und den nur für i t a l i e n i s c h e Musik und ihre Tonsetzer schwärmenden Opernfreunden. L a h a r p e und M a r m o n t e l waren ihre Führer. Dagegen hatte sich R o u s s e a u (II, 184) zu Gluck bekehrt. Bald nach der Aufführung der „Alceste" erhielt Gluck die Nachricht von dem frühzeitigen Hinscheiden seiner Nichte und Pflegetochter, ein schwerer Verlust für den alten Meister. Seine Frau kam nach Paris, um ihn zu trösten, und beide kehrten vermutlich schon im Mai nach W i e n zurück. Die Erfolge, welche Gluck in Paris errungen, und die beherrschende Stellung, die er in dem dortigen Musikleben einnahm, ließen seine Gegner nicht ruhen; ihr Streben ging dahin, Gluck einen nach ihrer Ansicht ebenbürtigen Rivalen gegenüberzustellen und auf Betreiben

</td></tr>
<tr><td>

Berufung Piccinnis.

</td><td>

der D u b a r r y, der Freundin des Dauphins, wurde P i c c i n n i aus Neapel berufen. Wir haben diesen begabten und für die Entwicklung der Opera buffa wichtigen Tonsetzer schon kennen gelernt (s. S. 35) und begegnen ihm jetzt auf dem Boden der Pariser Opernbühne. Piccinni war Ende Dezember 1776 in Paris eingetroffen, enthusiastisch begrüßt von der italienischen Partei. M a r m o n t e l, der schon mehrere Quinaultsche Dichtungen für ihn bearbeitet hatte, nahm sich seiner auf das wärmste an. Da Piccinni der französischen Sprache nicht entfernt mächtig war, hatte ihn Marmontel über den Sinn, die Betonung und Deklamation jeder einzelnen Phrase seines Textes zu belehren und arbeitete unermüdlich mit ihm. Das Erscheinen des Komponisten der berühmten „*Cecchina*" in Paris, des keineswegs kriegslustigen, bescheidenen P i c c i n n i, entfesselte nun einen hitzigen P a r t e i k a m p f, der sich im Theater, in der Gesellschaft und in der Presse abspielte.

</td></tr>
<tr><td>

„Gluckisten und Piccinnisten".

</td><td>

Die Parteien des neuen Musikstreits wurden G l u c k i s t e n und P i c c i n n i s t e n genannt. Noch vor dem Ton kam das W o r t.

</td></tr>
<tr><td>

Federkrieg.

</td><td>

Noch bevor der eine wie der andere Meister einen Takt von ihrer neuen Musik hatten hören lassen, entbrannte der F e d e r k r i e g.

</td></tr>
</table>

Angriffe und Verteidigungen, Briefe, Journalartikel, Flugschriften und Pamphlete flogen hinüber und herüber. Nicht Fachmusiker, sondern mehr oder minder bedeutende Literaten und Schöngeister ließen ihre Weisheit vernehmen, ihre Witze und Bonmots, ihre Sarkasmen und Grobheiten über die Köpfe der Pariser hinprasseln.

Eröffnet wird der Federkrieg durch Gluck selbst in einem Brief an du Rollet in Paris zu Anfang 1776. Es folgen dann Arnauds „La Soirée perdue à l'Opéra" und „Le Souper des Enthousiastes", beides Flugschriften zu Gunsten Glucks, Framérys Brief an den „Mercure" und die Antwort Glucks in demselben Journal, ein Brief von Rousseau an Burney, Marmontels „Essai sur les Révolutions de la musique en France" 1777 und „De la musique in Italie" 1778. Den Höhepunkt erreichte der Streit in dem Briefduell des „Anonyme de Vaugirard" (Suard) mit dem Kritiker La Harpe, dem Gegner Glucks. Die Partei Piccinni vertrat nächst Marmontel noch besonders eifrig Ginguené. Grimm, im Innern ein Verehrer der italienischen Musik, hüllte sich in Sarkasmen, nach beiden Seiten hin Lob und Tadel austeilend. Verzichten wollen wir auf die Wiedergabe der zahlreichen Epigramme, Witzworte und Anekdoten (wahren und erfundenen), welche zu dieser Zeit in Paris die Runde machten.

Im Juli 1777 kam Gluck abermals nach Paris, diesmal mit der Partitur der „Armide". Das Libretto war nach der alten Operndichtung Quinaults eingerichtet. Die Proben begannen sofort und die erste Aufführung fand am 23. September statt. Die Aufnahme von seiten des Publikums war, Einzelheiten ausgenommen, eine kühle. Trotz der häufigen Wiederholungen machte die Oper kein Glück in Paris und wurde scharf bekrittelt. Bald darauf kehrte Gluck nach Wien zurück. *(Dritte Pariser Reise. 1777. Armide 23. Sept.)*

Nun kam Piccinni an die Reihe. Sein „Roland", die Frucht mühsamer Arbeit eines ganzen Jahres, in welchem der italienische Maestro in Paris große Enttäuschungen zu erfahren hatte, kam 1778 zur Aufführung. Trotz des äußeren Erfolges der Oper war es jedem Unparteiischen klar geworden, daß diese schwächliche Musik mit den gewaltigen Schöpfungen eines Gluck keinen Vergleich aushalten könne.

Es war im November 1778, als Gluck wieder in Paris eintraf, diesmal um sein Meisterwerk „Iphigénie en Tauride" (Iphigenia auf Tauris) in der Großen Oper aufzuführen. Die Dichtung war von Guillard verfaßt. Nach sorgfältigen Proben ging die Oper am 18. Mai 1779 in Szene. Diesmal war der Erfolg ein unbestrittener, die Wirkung eine mächtige. Die Darstellung durch Mlle. Levasseur als Iphigenia, Larrivée — Orest, Legros — Pylades, Moreau — Thoas wird sehr gerühmt. Die in die Handlung eingreifenden Chöre machten einen ergreifenden Eindruck. Glucks definitiver Sieg entwaffnete die Gegner noch immer nicht, der Federkrieg war noch nicht beendet. Inzwischen verkehrten aber der selbstbewußte Gluck und der schüchterne Piccinni in freundschaftlicher Weise. Einige Monate nach „Iphigenia auf Tauris" gab die Académie noch eine Oper von Gluck (es war seine letzte) „Echo et Narcisse". Der *(Vierte Pariser Reise. 1778. Iphigénie en Tauride (Iphigenia auf Tauris) 18. Mai 1779.)* *(Echo et Narcisse.)*

geringe Beifall, den dieses Werk erhielt, bildete einen starken Kontrast zu dem Erfolg der „Iphigenia". Trotzdem wurden manche schöne und poetische Einzelheiten, welche die Oper auszeichnen, anerkannt.

Mit Lorbeeren und Gold als Lohn, mit dem stolzen Bewußtsein, eine Kunstmission erfüllt zu haben und eine große Gemeinde von Anhängern zurückzulassen, verließ Gluck im Oktober 1779 Paris, welche Stadt er nicht wieder betrat.

Letzte Lebensjahre. Seine letzten Lebensjahre in Wien waren der Ruhe und den Erinnerungen geweiht. Seine treue Lebensgefährtin umgab ihn mit jener Pflege und Sorgfalt, welche sein Alter und seine schon erschütterte Gesundheit erforderten. Gluck hatte schon in Paris Krankheit. einen Schlaganfall erlitten, der sich später in Wien wiederholte und eine teilweise Lähmung zur Folge hatte. War auch sein Feuereifer für die Kunst nicht erloschen, so war es doch seine Schaffungskraft und Schaffenslust. Einer 1783 aus Paris an ihn Les Danaides. ergangenen Einladung, die Oper „Les Danaides", Dichtung von Moline, zu komponieren, konnte er nicht mehr entsprechen, sondern trat die Arbeit an seinen Freund Salieri ab. Über die 1784 erfolgte Aufführung in Paris und die sich daran knüpfenden Vorgänge haben wir schon berichtet (s. S. 47). 1781 wurde „Iphigenia" auf Tauris", in deutscher Übersetzung, in Wien mit entschiedenem Erfolg gegeben. In derselben Zeit befreundete sich Gluck Mozart. mit Mozart und es fand ein intimer Verkehr zwischen ihnen statt.

Wohnungen. Das Ehepaar Gluck wohnte seit der Rückkehr aus Paris in der Kärntnerstraße (Loprestisches Haus), dann auf dem Michaelerplatz; 1784 übersiedelten sie in ihr eigenes Haus, Wiedener Hauptstraße, jetzt Nr. 32. Schon vorher hatte Gluck ein Landhaus in Perchtoldsdorf, nahe bei Wien, erworben. Dort besuchte ihn Reichardt. 1783 J. Fr. Reichardt, der ausführlich diesen Besuch beschreibt. Der damals siebzigjährige Meister war voll Lebhaftigkeit in seinen Äußerungen über Kunst und sang dem Gaste einiges aus Klopstocks Hermannsschlacht (Fragmente, welche Gluck niemals niedergeschrieben hatte) mit zitternder Stimme, aber großem Affekt vor. Reichardt nahm sich in der Folge der Gluckschen Sache voll Eifer an und förderte die Aufnahme seiner Opern in Berlin. Noch lebte Gluck vier Jahre. Am 14. November 1787 unternahm er nach Tisch mit seiner Frau die gewohnte Spazierfahrt; während Glucks Tod. derselben erlitt der Meister einen erneuten Schlaganfall, der ihn nieder-
15. Nov. 1787. warf. Am nächsten Tage starb Gluck im 73. Jahre seines Lebens.

Begraben wurde Gluck am 17. November auf dem Matzleinsdorfer Friedhofe, wo ihm ein einfacher Denkstein mit Inschrift gesetzt ward. Ein größeres Denkmal mit dem eingefügten ursprünglichen Stein wurde an derselben Stelle 1846 errichtet. In neuester Zeit wurden die sterblichen Überreste Glucks auf den großen Wiener Zentralfriedhof übertragen. Gluck hinterließ seiner Witwe ein ansehnliches Vermögen, dessen Höhe von den Biographen wohl überschätzt wird.

Glucks äußere Erscheinung war eine imposante, an jene Hän- Persönlichkeit.
dels mahnende. Er war groß und stark gebaut, seine Haltung würdevoll, stolz; das Gesicht trug die Spuren der Blattern (wie schon Burney in
seiner Reiseschilderung bemerkt). Die dunkelgrauen Augen blickten voll
Feuer. Sein Temperament war ungemein erregbar und leicht zum Zorn ge-
reizt. — Gluck war nicht ohne persönliche Eitelkeit, auch in seiner Kleidung;
mit Vorliebe trug er das silbergestickte Staatskleid, dazu einen kostbaren Stock.
Das dunkelbraune Haar war meist gepudert, oder von einer Perücke bedeckt.
Gluck sprach gern und viel über seine Kunst. Seine Handschrift hat etwas
Derbes, die Orthographie ist nicht tadellos.

Als das gelungenste Porträt des Meisters wird das von Duplessis   Porträt.
in Paris nach der Natur gemalte betrachtet; Gluck, am Klavier sitzend, ist
etwas idealisiert dargestellt. (Eine Kopie besitzt die Ges. d. Musikfr. in Wien.)
Eine Kolossalbüste Glucks ist im Pariser Opernhaus aufgestellt. In   Denkmale.
München ließ Ludwig I. ein Standbild Glucks auf dem Odeonplatz neben
dem Orlando Lassos errichten. — Glucks Wohnhaus auf der Wiedner Hauptstraße, dessen Hauptfront noch erhalten ist, trägt eine Gedenktafel. Das
Landhaus in Perchtoldsdorf ist nicht mehr vorhanden.

Die Witwe Glucks starb im Jahre 1800; ihr Erbe war ein Neffe, Carl
Gluck.

Die Anzahl der von Gluck komponierten dramatischen   Werke.
Werke, und zwar italienischen und französischen Opern, Singspielen, Balletten und Gelegenheitsstücken beträgt (nach Alfred
Wotquennes thematischem Katalog) insgesamt 50. Nebst diesen
sind noch einige Triosonaten, Ouvertüren („Symphonien"),
ein De profundis, endlich Oden von Klopstock anzuführen. An
der geistlichen Kantate „Das jüngste Gericht" von Salieri soll
Gluck in seinen letzten Lebenstagen mitgearbeitet haben.

Von den Opern stehen in erster Reihe: Orpheus, Alceste, Iphigenia in Aulis, Armida, Iphigenia auf Tauris, welche als die Reformopern das Lebenswerk Glucks   Die fünf
bilden. Paris und Helena, obwohl demselben Stil des Ton-   Reformopern
setzers angehörig, ist als das schwächere Werk auszuschalten. Aus
den italienischen Opern ist noch Telemacco hervorzuheben.
Von den französischen Singspielen oder komischen Opern   Singspiele.
sind nur einige von Gluck vollständig in Musik gesetzt, während
andere nur teilweise mit neuen Arien (Airs nouveaux) ausgestattet AndereWerke.
wurden. Die gelungensten derselben sind „Le Cadi dupé" (Der betrogene Kadi), schon vorher in Paris mit der Musik von Monsigny
gegeben, und „La Rencontre imprévue" (deutsch als „Die Pilgrime
von Mekka" aufgeführt). Die Musik zu dem großen Ballett
Don Juan wird den besten Kompositionen des Meisters zu-
gezählt. Die sechs Sonaten für zwei Violinen und Baß, in London
1746 gedruckt und eine ungedruckte sind nicht ohne Interesse;
neun Ouvertüren oder „Symphonien" für Streichquartett und
zwei Hörner, welche handschriftlich erhalten sind, waren vermutlich als Einleitungen zu verschiedenen Werken bestimmt. Der Psalm
„De profundis", ein nachgelassenes Werk, welches aus Glucks
früherer Zeit stammt, ist einfach, kunstlos aber würdevoll. Klop-

stocks Oden oder Lieder (7) mit Klavierbegleitung, im Stil der Zeit gehalten, erschienen 1787.

Wenden wir uns zu den an die Spitze gestellten Meisterwerken, den eigentlichen Gluckschen Opern, um ihnen eine kurze Betrachtung zu widmen.

Orfeo ed Euridice. **Handlung.** „Orfeo ed Euridice" hat die bekannte griechische Mythe zur stofflichen Unterlage. Orpheus, der wunderbegabte hellenische Sänger und Lyraspieler verliert seine geliebte Gattin, die Nymphe Eurydike, welche an seiner Seite von einer giftigen Schlange gebissen wird, durch den Tod. Er ergeht sich in Klagen und will in seiner Verzweiflung die Pforten des Hades sprengen, um seine Gattin wiederzuerlangen. Da erscheint Amor mit der Botschaft, daß ihm die Götter erlauben, in die Unterwelt hinabzusteigen. Orpheus erscheint vor dem Eingang, die Geister der Unterwelt verwehren ihm drohend den Einlaß, bis er sie durch sein rührendes Lied und Saitenspiel erweicht. Im Elysium sieht er Eurydike wieder, er darf mit ihr auf die Oberwelt zurückkehren unter der Bedingung, daß er sich auf dem Wege dahin nicht nach ihr umsieht. Doch die Unruhe, welche die Gattin über seine anscheinende Gleichgültigkeit empfindet und ihre Vorwürfe verleiten Orpheus das Gebot zu übertreten und Eurydike stirbt zum zweitenmal in seinen Armen. Die Götter verzeihen, Amor erscheint und vereint Orpheus mit der wiedererweckten Gattin. Der versöhnende Schluß, den der Dichter der Mythe angehängt, war in Übereinstimmung mit der Gepflogenheit der älteren italienischen Oper, daß die Handlung einen guten Ausgang nehmen müsse.

Der Stoff war vor Calsabigi-Gluck schon unzähligemal für das musikalische Drama verwendet worden. Da ist die älteste Oper vom Jahre 1600, „Euridice" von Rinuccini-Peri, welcher 1607 der „Orfeo" von Monteverdi folgt, da erscheint in Frankreich die italienische Oper mit „Orfeo und Euridice" von Luigi Rossi, 1647 aufgeführt; unermüdlich sind auch in der Folge Italiener und Deutsche in der Ausbeutung des musikalisch dankbaren Stoffes. Calsabigis Dichtung war für die Zwecke Glucks geschickt gearbeitet, wenn auch dramatisch nicht einwandfrei.

Komposition. Der Kompositionsstil Glucks in diesem Werke ist im wesentlichen jener der neapolitanischen Oper in einer knapperen Fassung, wie sie die Einfachheit der Handlung ermöglichte. Der Fortschritt sich in der häufigen Anwendung des begleiteten Rezitativs, in den dramatischen Chören, endlich in der charakterisierenden Instrumentation dar. Die Rezitative sind ausdrucksvoll, die Arien einfach und edel, die Dreiteiligkeit derselben beibehalten, doch verkürzt, Koloraturen vermieden. Ein wahrhaft antiker Geist weht in den feierlichen, wie in den leidenschaftlich bewegten Chören, welche durchaus homophon geführt sind. Das Orchester begleitet sinngemäß die Handlung. Mit den einfachsten Mitteln erzielt Gluck tiefgehende und die Situation durchleuchtende Wirkungen. In der charakteristischen Verwendung der Blasinstrumente ist eine Bereicherung der Instrumentation zu erblicken.

Details. Die Ouvertüre C-dur trägt festlichen Charakter und zeigt keine Beziehungen zu dem Drama. Der erste Akt wird durch einen würdevoll-einfachen Trauerchor C-moll eröffnet, ein kurzes Seccorezitativ und eine darauf folgende Pantomime führen zu ihm zurück. Die Arie des Orpheus in F-dur, welche dann noch zweimal wiederkehrt, ist sanft klagend und angenehm melodisch, ein Echo macht sich stellenweise vernehmbar, begleitete Rezitative verbinden die Wiederholungen. Die Arie Amors ist unbedeutend. Mit dieser schließt der erste Akt. — Der zweite Akt führt uns in die Unterwelt. Nach einer kurzen Einleitung erscheint Orpheus vor der Pforte, auf der Lyra (Harfe) präludierend. Der Chor der Geister erhebt sich gegen ihn: „Chi mai dell'Erebo" (Wer ist der Sterbliche?). Der kurze, aber ergreifende Chorsatz C-moll wird von einem Furientanz unterbrochen, worauf der Chor in erweiterter Gestalt wiederkehrt. Es folgt die große Arie des Orpheus „*Deh, placatevi con me!*" in Es-dur, ein rührender Gesang, der die Geister der Unterwelt um Mitleid anfleht, von diesen aber wiederholt mit einem abweisenden, mächtigen „*No*" beantwortet wird. Es wechseln dann noch Chor- und Solosätze bis zum versöhnenden Abschluß durch den Chor. Orpheus erhält Einlaß in die Unterwelt. Diese Szene ist der Gipfelpunkt der Oper. Mit wenigen, einfachen aber treffsicheren Zügen hat Gluck hier ein Bild von dramatischer Wahrheit geschaffen. Der festgehaltene Rhythmus der Chöre verbindet das Ganze einheitlich. Die Instrumentation erhöht durch malerische Färbung, wie die Posaunenstöße des „No", wie die das Bellen des Cerberus darstellende Figur, die Wirkung. Die Szene verwandelt sich in das Gefilde der Seligen. Ein schönerer Kontrast ist auch in der Musik nicht denkbar. Lieblicher Gesang und Naturlaute machen sich vernehmbar, graziöse Tänze sind eingeschaltet. Dieser Akt bildet eine Meisterleistung, welche Gluck selbst in seinen späteren, reiferen Werken nicht überboten hat, zugleich einen der Höhepunkte der dramatisch-musikalischen Literatur überhaupt. — Im dritten Akt sinkt das Interesse, die Handlung wird einförmig, die Musik erhebt sich, einige charakteristische Momente ausgenommen, nicht mehr zu bedeutender Kraft, nur die schöne Arie des Orpheus „*Che farò senza Euridice*" mit ihrem innigsüßen Ausdruck verbreitet ihren Glanz über die matte Umgebung. Mit fünf Ballettstücken (in der französischen Bearbeitung), von denen eines in D-dur $^3/_4$ das graziöseste ist, und einem Solo des Orfeo mit Chor schließt die Oper.

Die französische Bearbeitung, in welcher „Orphée et Eurydice", Französische
1774 in Paris aufgeführt wurde, unterscheidet sich wesentlich von der italieni- Bearbeitung.
schen. Die eingreifendste Änderung ist die Umwandlung der Altpartie des Orfeo,· welche Gluck in Wien für den Kastraten Guadagni geschrieben, in eine Tenorpartie, da sich in Paris keine geeignete Altistin fand. Diese Umschreibung hatte nebst der Versetzung in andere Tonarten, auch manche Anpassungen des Gesanges im Gefolge. Mehrere Nummern sind neu, darunter die idyllisch schöne Arie der Euridice mit Chor F-dur im dritten Akt und einige Ballette. Trotz einzelner Vorzüge der französischen Bearbeitung wird man der ursprünglichen Fassung, schon wegen der Partie des Orfeo, welche heutzutage einer Altistin zugeteilt wird, den Vorrang einräumen müssen.

Entschiedener in der Durchführung der Reformidee und einheitlicher im Stil ist Alceste. Ein Werk von durchaus ernst- Alceste.
feierlicher Haltung und hochstrebender Dramatik! Wieder ist es ein mythischer Stoff, welcher der Handlung zu Grunde liegt, wieder ist aufopfernde Gattenliebe das Motiv des tragischen Konflikts.

Admet, König von Thessalien, ist seinem Ende nahe, die Götter be- Handlung.
willigen ihm aber das Leben, wenn jemand für ihn zu sterben bereit ist. Seine Gattin Alceste bietet sich als Opfer dar, wird aber durch den Schutz Apolls gerettet. Das Libretto ist nach Euripides von Calsabigi verfaßt, bietet wirksame Szenen, aber nur einen schwachen dramatischen Aufbau. Die Musik ist von tiefer Empfindung und Leidenschaft durchglüht, ohne die Die Musik.
klassische Mäßigung zu überschreiten, ohne je in hellen Flammen aufzulodern. Eine tragisch gestimmte Ouvertüre D-moll (deren Anfang an jene von Details.
Mozarts „Don Juan" anklingt) führt in die Oper ein. Nach einer Trompetenfanfare in D-dur erhebt der Herold seine Stimme, den drohenden Tod Admets zu verkünden, worauf das verzweifelnde Volk mit dem Chor „*Ah di questo afflitto regno*" einsetzt. Es folgt eine Pantomime, dann der Chor „*Misero Admeto*". Alceste erscheint mit ihren zwei Kindern, ein Doppelchor begrüßt sie, daran schließen sich Rezitative und Arien der Alceste, beide von Chören durchflochten. Die Musik folgt dem Drama in meisterhaft deklamierten Rezitativen, in der einfach schmucklosen Arie der Alceste, dem feierlichen Ernst der eingreifenden Chöre.

Die Szene im Tempel Apolls ist von gewaltiger dramatischer Wirkung. Der Priestermarsch G-dur eröffnet dieselbe; die Rezitative des Oberpriesters, die tiefbewegten leidenschaftlichen Chöre, die Orakelstimme (von Mozart in der Kirchhofszene des „Don Juan" nachgebildet), der darauffolgende Schreckensruf und die Flucht des Volkes, dazu ein charakteristisch malendes Orchester, geben ein ergreifendes Gesamtbild. Die Arie der Alceste „Ombre, larve, compagne di morte" in B-dur ist in ihrem schmerzdurchbebten Pathos eine Glanznummer der Oper. Der zweite Akt wird mit Alcestes innerem Kampf und Anrufung der Höllengeister eröffnet, deren einförmiger Gesang mit den Volkschören dialogisiert. Es folgen Chöre, ausdrucksvolle Arien, wie Admets „No, crudel, non posso vivere". Die Höhepunkte des dritten Aktes bilden die Trennungsszene, das Duett zwischen Alceste und Admeto, das Rezitativ und die Arie der Alceste mit dem Chor der Höllengeister. Zuletzt erscheint Apoll in einer Wolke mit der zum Leben wiedererweckten treuen Alceste und führt sie ihrem Gatten zu. — Die Gesamtwirkung der Oper ist eine tief ergreifende, doch durch das unausgesetzte Pathos ermüdende.

Die französische Alceste. Die französische Alceste, von du Rollet bearbeitet, entfernt sich von dem italienischen Original in einem Maße, daß sie fast wie eine neue Oper erscheint. Die einzelnen Szenen und Nummern sind häufig an eine andere Stelle gerückt, einzelne derselben unterdrückt, andere hinzugefügt, Divertissements (Ballette) hinzugefügt. Die große Arie der Alceste „Divinités du Styx" („Ihr Götter ewiger Nacht") B-dur steht hier am Schlusse des ersten Aktes. Den zweiten Akt eröffnen freundliche Tonbilder, ein Chor in G-dur, eine Reihe von graziösen, musikalisch reizvollen Tänzen. Am Schluß des dritten Aktes greift Herkules als Retter Alcestes in die Handlung ein. Noch viele andere Abweichungen von der ursprünglichen Fassung ließen sich anführen. In dramatischer Beziehung kann man der italienischen Alceste den Vorzug geben, bühnenwirksamer ist die französische.

Den beiden italienischen Opern, welche Gluck der französischen Bühne zuführte, stehen drei originalfranzösische gegenüber.

Iphigénie en Aulide. (Iphigenia in Aulis.) Handlung. Iphigénie en Aulide (Iphigenia in Aulis) spielt in der Zeit des Trojanerkrieges. Die Griechen, welche bereit sind, nach Troja zu schiffen, werden durch anhaltende Windstille zurückgehalten. Das Orakel, welches befragt wird, verkündet, daß die Griechen nur dann günstigen Wind zur Überfahrt erlangen können, wenn König Agamemnon seine Tochter Iphigenia der Göttin Artemis zum Opfer bringe. Iphigenia ist bereit. Die inneren Kämpfe der Vater- und Mutterliebe, Agamemnons und Klytemnestras, verzögern die Ausführung des Spruches, während der Oberpriester Kalchas und das Volk der Griechen immer mehr zum Opfer drängen. Endlich wird Iphigenia durch die Dazwischenkunft der Göttin selbst gerettet. Der Opferaltar stürzt zusammen, es erhebt sich ein günstiger Wind, das Meer rauscht auf, die Fahrt ist frei. Die Bearbeitung dieser griechischen Mythe nach dem Drama des Euripides von Racine hat der Iphigenia einen Verlobten, den tapferen Achill, zugesellt und überhaupt eine reichere Handlung geschaffen, welche dem Textdichter du Rollet zur Grundlage diente.

Die Komposition. Gluck schreitet in der Komposition zu einer dramatischen Lebendigkeit und zu einer Charakteristik der einzelnen Personen vor, welche seine früheren Opern nicht kannten. War dem Chor in „Orpheus" und „Alceste" schon eine wichtige Rolle zugedacht, in der Iphigenia greift er selbständig in die Handlung ein; war der Gesang der handelnden Personen der früheren Opern der Situation angemessen, jetzt erhob er sich zu individueller Charakterzeichnung. Jede Gestalt trägt ihre persönlichen dramatisch-musikalischen Züge: Agamemnon kraftvoll, doch tief bewegt, Klytemnestra leidenschaftlich bis zur Wildheit oder schmerzbewegt, Iphigenia lieblich, rührend und unschuldsvoll, Achill, antik-ritterlich, zornentflammt oder warm und zärtlich, Kalchas würde- und salbungsvoll. Auch die Chöre unterscheiden sich durch ihre Charakteristik voneinander: die ungestüm-fanatischen Chöre des Volkes, welche in ihrer Kürze und in ihrem strammen Rhythmus zuweilen an die „Turbae" der alten Passionen mahnen, die energischen der Krieger, dagegen die graziösen und milden bei der Begrüßung der Fürstinnen, die feierlichen bei der Anrufung der Gottheit. Alles dies wird von einer Harmonie getragen, welche an Kraft und Bedeutung die bisherige Opernpraxis weit überragt, und von einem Orchester, welches mit den bescheidenen Mitteln der Zeit ergreifende Wirkungen hervorbringt.

Iphigenia in Aulis ist die ausgedehnteste und an musikalischem Inhalt reichste der Glueckschen Opern, doch nicht die einheitlichste im Stil. Neben den nur der dramatischen Wahrheit dienenden Partien, findet sich auch Opernhaftes, zuweilen eine deutliche Anlehnung an den französischen Geschmack. Dieser tritt nicht bloß in den reichlich eingeflochtenen Tänzen, sondern auch in manchen Gesangsweisen zu Tage. Von Einzelheiten der Oper seien hier nur die hervorragendsten erwähnt.

Die Ouvertüre gehört zu den monumentalen Meisterstücken ihrer Gattung; sie bereitet in ihren motivischen Elementen, wie in ihrer tragischen Haltung auf den Inhalt der Oper vor. Die Ouvertüre, welche unmittelbar in den ersten Akt überleitet, ist zum Zwecke der selbständigen Aufführung mit einem abschließenden Anhang versehen worden; einen solchen hat J. P. Schmidt in Berlin in äußerlich wirkungsvoller Weise geliefert (fälschlich Mozart zugeschrieben). Stilvoll und ergreifend in seinem tragischen Ausklang ist der Abschluß von Richard Wagner. Der erste Akt beginnt mit Agamemnons Anrufung der Diana anklingend an den Anfang der Ouvertüre. Der darauffolgende Chor der Griechen in seiner scharfen Rhythmik, mit der eingeflochtenen Verkündigung des Willens der Göttin durch den Oberpriester Kalchas, ist von hochdramatischer Wirkung. Einen großen Kontrast bilden nun die Chöre, Arien und Ballette, welche die Ankunft der Königin und ihrer Tochter begleiten, Lieblichkeit und Grazie treten an die Stelle des vorhergehenden tragischen Ernstes. Der Chor „Que d'attraits!" C-dur, ein anderer in D-dur, beide idyllischen Charakters, die kurzen, liedartigen Arien Klytemnestras und Iphigenias, endlich die eingeflochtenen Ballette, welche den altfranzösischen, gravitätischen Typus tragen (teilweise aus früheren Werken Glucks entnommen), atmen Ruhe und Glück. Da tritt mit der Arie der Klytemnestra „Armez-vous d'un noble courage" F-dur ein Wechsel der Stimmung ein. Die Arie zeichnet sich durch energischen Rhythmus und kampflustigen Charakter aus. Iphigenias ausdrucksvolle Arie und die leidenschaftliche Liebesszene zwischen Achill und Iphigenia füllen den Rest des ersten Aktes aus. — Der zweite Akt setzt mit

Details.

einem zweistimmigen Frauenchor C-dur ein, von einem kleinen Sopransolo in G-dur „*l'indomptable lion*" anmutig unterbrochen, worauf Rezitativ und Arie der Iphigenia folgen. Der antik-einfache Marsch der T h e s s a l i e r führt zu der Arie A c h i l l s „*Chantez, célébrez votre Reine!*", welche bei den ersten Vorstellungen zu einer Huldigung für die Königin Gelegenheit gab, in späterer Zeit aber eine traurige Berühmtheit erlangen sollte. Zahlreiche „Ballette", unter welchen sich namentlich die glänzende P a s s a c a i l l e D-dur und eine reizende G a v o t t e in A-dur auszeichnen, wechselnd mit Chören und Soli, münden in ein feierliches Quartett mit Chor. Plötzlich wird die Hochzeitsfreude durch die Schreckenskunde unterbrochen, daß Iphigenia geopfert werden soll; es folgen die aufgeregten Szenen, welche den dramatischen H ö h e p u n k t der Oper bilden. Hier zeigt sich auch die Kunst Glucks in ihrer Größe und Eigenart. Der energische Chor der T h e s s a l i e r „*Nous ne souffrirons point*" in seinem scharfen Rhythmus, die schmerzvolle Arie K l y t e m n e s t r a s „*Par son père cruel*", das dramatisch bewegte Terzett, das Streitduett zwischen A c h i l l und A g a m e m n o n, ziehen in leidenschaftlicher Bewegung an uns vorüber. Im d r i t t e n A k t sind die dramatisch in die Handlung eingreifenden Chöre vor allem hervorzuheben. Bemerkenswert ist die Zornarie des A c h i l l „*Calchas, d'un trait mortel blessé*" mit ihrem militärischen Charakter, hervorragend das gewaltige Rezitativ K l y t e m n e s t r a s „*Dieux puissants*" und die darauffolgende Arie; die Oper schließt mit feierlichen Chören, einer Reihe von Tänzen, unter denen nebst der unvermeidlichen Chaconne ein origineller „*Danse des Esclaves*" sich befindet und endlich mit dem Ruf „*Partons, volons à la victoire!*".

Armide. Drei Jahre nach der „Iphigenia", und nachdem „Orphée" und „Alceste" über die Bühne der Académie gegangen, erschien Gluck mit einer neuen Oper in Paris, mit A r m i d e. Die Textdichtung, deren Stoff aus Tassos „Befreiten Jerusalem" seit dem 17. Jahrhundert zahlreiche Librettisten angezogen, ist jene Q u i n a u l t s, welche schon von L u l l y benützt wurde.

Handlung. Das Heer der Kreuzfahrer unter Gottfried von Bouillon lagert vor Jerusalem. Ihr tapferster Ritter R i n a l d (Renaud) gerät in die Gewalt der schönen Zauberin A r m i d a, welche ihn auf einer mit herrlichen Gärten ausgestatteten Insel in ihrem Banne hält. Endlich ermannt sich der Held und kehrt zum Heere zurück. Armidas Zauberreich versinkt, sie selbst fährt in einem Drachenwagen in die Lüfte.

Charakter. Die Oper, eine Mischung von Liebesgetändel und Zauberwesen, von Ritterlichkeit und Schwärmerei, von lieblicher Naturromantik und unheimlichem Spuk, bot vor allem der Schaulust reichliche Befriedigung. Die Poesie wies die Musik mehr auf den Ausdruck zarter Empfindungen, als die Entfaltung gewaltiger Affekte hin. Dem Genie G l u c k s gelang es aber in seiner Musik das Weiche wie das Heroische zur überzeugend wahren Darstellung zu bringen, er schuf ein Meisterwerk. Für die Glucksche Kunst bedeutet A r m i d a keinen Fortschritt auf der Bahn der Reform, sondern eine Erscheinung von besonderer Eigenart. Tatsache ist, daß der Komponist mit großer Vorliebe gerade an diesem Werke hing, daß aber die Nachwelt in ihrer Schätzung die beiden Iphigenien voranstellte.

Details. Die Oper teilt sich in fünf Akte, denen eine festlich feurige O u v e r t ü r e vorangeht. (Es ist dieselbe, wie jene zu T e l e m a c c o.) Als die dramatisch und musikalisch interessantesten Szenen lassen sich die folgenden bezeichnen: Im e r s t e n A k t die Szene, wo Aronte die Nachricht bringt, daß ein einziger Krieger die gefangenen Ritter befreit hat; der staunende Ruf „*Ciel!* *Un seul guerrier*" gebt von Mund zu Mund, darauf der Chor „*Poursuivons jusqu'au trépas*" (ein Chor, der später in der Revolutionszeit seine Rolle gespielt hat). Eine wirkungsvolle Rhythmik begleitet diese hochdramatische Szene. Der zweite Akt, der uns in die Zaubergärten Armidas versetzt, bringt die gemütsinnige Arie Rinalds „*Plus j'observe ces lieux*" mit ihrer reizvollen naturschildernden Instrumentation. Darauf folgt ein graziöses Solo einer Najade mit Echo, Chor und Tanz. Hochdramatisch ist in dem Monolog der Armida vor dem schlafenden Rinald der Widerstreit ihrer Gefühle geschildert. Den dritten Akt eröffnet wieder Armida mit dem würdevoll gehaltenen Gesang „*Ah, si la liberté me doit être ravie*". Auf die Beschwörung Armidas erscheinen die Furie des Hasses und ihr Gefolge, es ist eine Szene voll trotziger Kraft in dem Ausdruck der Rezitative und der Chöre; sie singen „*Plus on connait l'amour, plus on la déteste*". Tänze sind dazwischen eingeschaltet. Mit dem Chor „*Suis l'amour, puisque tu le veux*" und dem kurzen zärtlichen Gesang Armidas „*Amour puissant*" schließt der dritte Akt. Matter beginnt der vierte, der durch die Nebenpersonen ausgefüllt wird und einen vorwiegend ruhig pastoralen Charakter hat. Berühmt wurde die in diesem Akt eingeschaltete Gavotte in F-dur. Im Schlußakt steigert sich das dramatische Interesse erst gegen das Ende hin. Einem ziemlich opernhaften Duett zwischen Rinald und Armida folgen langgestreckte Ballotte, dann Geisterchöre mit Soli, alles zart und lieblich gestimmt. Erst die Erscheinung der Ritter mit der Aufforderung an Rinald, zum Heere zurückzukehren, bringt wieder Energie in die Handlung und Musik. Ubalds Arie „*Notre général vous appelle*" mit Trompeten und Pauken ist kriegerisch. Von ergreifender Wirkung sind die Schlußszenen mit den leidenschaftlichen Ausbrüchen Armidas, ihren gewaltigen Rezitativen, der aufgeregten Orchesterbegleitung, bis zur Katastrophe, der Trennung. Armidas „*Le perfide Renaud me fuit*" schließt in tragischer Haltung die Oper.

Die Oper Armida hat ihre Längen, sowohl in der Handlung als in der Musik. So trefflich die Rezitative gezeichnet sind, so kann doch die überwiegende Deklamation einer gewissen Monotonie nicht entgehen. In der Charakterzeichnung ist Armida in echt Gluckschem Geiste mehr heroisch als zärtlich gehalten, während Rinald zu weich geraten ist. Einen zum Teil überflüssigen Ballast schleppt die Handlung an den Nebenpersonen mit, obwohl sie manche hübsche Episode zu dem Ganzen beitragen. Die zahlreichen Tänze gehören dem gemessen zierlichen Stil des 18. Jahrhunderts an. Der Hauptvorzug des Werkes und seine spezielle Eigentümlichkeit liegen aber in der meisterhaften Instrumentation, welche die szenischen Vorgänge stimmungsvoll und farbenreich begleitet.

Iphigénie en Tauride (Iphigenia auf Tauris) ist die letzte der Meisteropern Glucks, zugleich sein vollendetstes Werk. Mit Iphigenia in Aulis verglichen, ist diese Oper kürzer, gedrungener, einheitlicher. Der antike Stoff ist von dem Tondichter Guillard in einfachen und großangelegten Zügen behandelt.

Iphigenia wird nach ihrer Rettung von dem Opfertode, der sie in Aulis bedrohte, von der Göttin Diana nach der Insel Tauris versetzt, um dort als Oberpriesterin ihres Tempels den Dienst zu versehen. Auf diese wüste Insel, wo die Szythen herrschen, werden ihr Bruder Orestes und sein treuer Freund Pylades durch einen Sturm verschlagen; sie sollen der Diana geopfert werden und Iphigenia selbst hat die Opferhandlung zu vollziehen. Von einer geheimen Ahnung ergriffen, will sie Orestes retten. Die beiden Freunde erbieten sich in edlem Weltstreite einer für den anderen zu sterben. Da sendet Iphigenia, welche von Orestes das tragische Geschick ihrer Familie erfahren, durch Pylades eine hilfesuchende Botschaft nach Griechenland. Bald kehrt Pylades wieder an der Spitze von streitbaren Griechen. Die Szythen werden überwunden. Zuletzt erscheint Diana in einer Wolke und kündet Friede und Versöhnung an. Iphigenia, Orest und Pylades schiffen sich nach Griechenland ein, das Standbild der Diana mit sich führend.

Die Musik. Der Schönheiten der Musik sind so viele, daß es schwer fällt, einzelne derselben hervorzuheben. Eröffnet wird die Oper durch einen Meeressturm, während dessen Iphigenia und die Priesterinnen auf der Szene sind; Rezitative und Chöre, dazu ein aufgeregtes Orchester drücken die Angst aus. Iphigenia erzählt in einem begleiteten Rezitativ ihren Traum. Darauf folgt der schöne Chor „O songe affreux". Der erste Akt enthält noch nebst den feierlichen Chören der Priesterinnen die schöne Arie der Iphigenia „O toi, qui prolongea mes jours" (O du, die mir einst Hilfe gabst) in A-dur, die kraftvolle Arie des Thoas, König der Szythen „De noirs pressentiments", den fanatischen, originell rhythmisierten Szytenchor „Il nous fallait du sang" mit eingeschalteten Tänzen. Von den zahlreichen Arien nennen wir noch die innige des Pylades „Unis de la plus tendre enfance" A-dur, im zweiten Akt die berühmte Schlummerarie des Orest „Le calme rentre dans mon coeur", mit dem unheimlichen Eumenidenchor, in welchem das „Il a tué sa mère" imitatorisch wiederholt wird, die schwungvolle Arie der Iphigenia „O malheureuse Iphigénie" G-dur mit dem einfallenden Chor der Priesterinnen „Mêlons nos cris plaintifs" und dem sich anschließenden „Contemplez ces tristes apprêts", womit der zweite Akt schließt, im dritten Akt die schöne Arie „D'une image, hélas!" G-moll der Iphigenia, das prachtvolle Duett von Orest und Pylades in C-moll, die liebliche Arie des Pylades „Ah, mon ami" B-dur. Der Schlußakt bringt die Chöre der Priesterinnen, den rührend einfachen „O Diane, sois nous propice" A-moll und die Hymne „Chaste fille de Latone" G-dur, endlich die hochdramatischen Szenen, jene vor dem Opferaltar, des Wiedererkennens der Geschwister, die Ankunft der griechischen Krieger, die triumphierende Abfahrt.

Der Gesamtcharakter der Oper ist ein tragisch-düsterer, antikisierender; die wenigen Personen, welche die Handlung tragen sind mit sicherer Hand gezeichnet, Iphigenia, schmerzerfüllt, doch hoheitsvoll, Orestes heldenhaft, tragisch, Pylades weich und hingebend, Thoas trotzig wild. Die Chöre in ihrer Mannigfaltigkeit sind treffend charakterisiert. Das Orchester folgt den dramatischen Situationen in treuer Anpassung, die begleitenden Tonfiguren sind sinnvoll gewählt, das Kolorit durch eine reiche Verwendung der Blasinstrumente gehoben. Die wenigen Ballette entfernen sich nicht von dem in der französischen Oper üblichen Stil.

Veröffentlichungen. Originaldrucke. Von den Werken Glucks wurden zu seinen Lebzeiten veröffentlicht: die Opernpartituren von Orfeo ed Euridice (Stich bei Duchesne in Paris 1764), Alceste, Wien bei Trattnern 1769 (mit der Dedikation an den Großherzog von Toskana), Paride ed Elena, Wien, Trattnern, 1770 (mit der Dedikation an den Herzog von Braganza), Iphigenie en Aulide, Paris, Huguet, 1774, Orphée, Paris 1774, Cythère assiégée, Paris 1775, Alceste (französisch), Paris 1776, Armide, Paris 1777, Iphigénie en Tauride, Paris 1779, Echo et Narcisse, Paris 1779. Von anderen Kompositionen wurden veröffentlicht: Sechs Sonaten für zwei Violinen und Baß, London, Simpson, 1746 (in Stimmheften); Klopstocks Oden und Lieder (7) Wien, Artaria, 1787 (in 2. Ausg. [fünf Lieder], Dresden bei Hilscher, 1790, 3. Ausg., Berlin, Trautwein, 1850); der Psalm „De profundis", Part. und Klavierausz., Paris etwa 1804, Bonn, Simrock. Manuskripte dramatischer Werke Glucks befinden sich in Wien, k. Hofbibliothek (die Partituren von Le Nozze d'Ercole ed'Ebe, Semiramide, Le Cinesi, La Danza, L'Innocenza giustificata, Il Rè pastore, La fausse Esclave, L'Arbre enchanté (1. Bearb.), Tetide, Le Cadi dupé, La Rencontre imprévue, in deutscher Bearbeitung „Die Pilgrime von Mekka", Telemacco, La Corona (Prolog), Orfano della China (Pantomime), Don Juan (Ballett), viele Einzelnummern aus den französischen Singspielen, außerdem die Orchesterstimmen zu neun Ouvertüren (Symphonien); in Berlin, k. Bibliothek (mit Ausschluß der in Wien vorhandenen): „Ezio", Il parnasso confuso, La Clemenza di Tito, Alessandro (Pantomime); in Paris, Bibl du Conserv. (außer den schon angeführten : Partitur von Antigono, Fragmente aus Demofonte, Artamene, Sofonisbe; in Brüssel (ebenso): Le feste d'Apollo, die franz. Singspiele L'Ile de Merlin, L'Arbre enchanté, L'Ivrogne corrige. Noch besitzen handschr. Partituren die Bibl. in London (Brit. Museum), Dresden, Mailand, Darmstadt. — Autographe sind sehr selten. Bruchstücke und einzelne Nummern aus Opern finden sich in den Bibl. von Berlin, Wien, Paris (Conserv., Opéra).

Manuskripte.

Eine vollständige Gesamtausgabe der Werke Glucks fehlt bis jetzt. Einen bedeutenden Ansatz zu einer solchen bildet die Partiturausgabe der Hauptopern Glucks, welche von Berlioz angeregt, von Mlle. Fanny Pelletan in Paris unter Mitwirkung von B. Damcke. dann von Saint-Saëns, Tiersot u. a. unternommen wurde und in Leipzig bei Breitk. & Härtel erschienen ist. In dieser Prachtausgabe (mit französischem, deutschem und italienischem Text) liegen bis 1896 vor: Alceste, Iphigenia in Aulis, Iphigenia auf Tauris, Armide, Orphée, Echo et Narcisse. Eine deutsche Gesamtausgabe ist erst in Aussicht gestellt.

Gesamtausgabe.

Von Neuausgaben einzelner Opern sind anzuführen: die Partituren von Orphée (franz. Text), herausg. von Alfr. Dörffel, 1866 bei Gust. Heinze in Leipzig (Peters); Iphigenia in Aulis und Iphigenia auf Tauris (beide deutsch und franz.), Ed. Peters; Ouvertüre zu „Iphigenia in Aulis" mit dem Schluß von Rich. Wagner, Br. & H.; Prologo für Sopransolo, Chor und Orchester (aufgef. in Florenz 1767) herausg. von Graf Paul Waldersee, 1891, Br. & H.; „Die Pilgrime von Mekka" autographierte Partitur (von der ehemaligen Gluckgesellschaft herausgegeben), Br. & H., 1911. Die Klavierausgabe (mit Text) von Orpheus, Br. & H., Ed. Peters (ital. und franz.), Schlesinger, Challier, Bote & Bock; Alceste, Br. & H., Ed. Peters (franz.), Simrock, Challier, Bote & B.; Iphigenia in Aulis, Simr., Schles., Challier, Bote & B.. Br. & H. (nach Rich. Wagners Bearbeitung, herausg. von Bülow), Ed. Peters (franz.); Armide, Bote & B., Schles., Ed. Peters (franz.), Challier; Iphigenia auf Tauris, Schles., Bote & B., Ed. Peters (franz.), Challier, Universal-Edition (herausg. von Rich. Strauß); Paris und Helena (Ed. Peters [ital.]). Die französischen Opern hat Gevaert unter dem Titel „Collection des Opéras français de Gluck, 6 partitions pour Piano et chant" bearbeitet und mit Vorreden versehen herausg., Paris, H. Lemoine etwa 1900; „Die Pilgrime von Mekka", Schles., Heinrichshofen: „Der betrogene Kadi" (bearb. von Fritz Krasel und J. N. Fuchs), Leipzig, Senff; Don Juan (Ballett, Trautwein, etwa 1850 außerdem vier Sätze aus dem Ballett Don Juan in Partitur herausg. von Kretzschmar, Br. & H., Glucks Trio-Sonaten, herausg. von Riemann in dem „Collegium musicum" sind schon erwähnt worden.

Neuausgaben.

Klavierauszüge.

In der Geschichte der Oper bildet das Auftreten Glucks einen hochragenden Markstein. Die Reform Glucks war eine Rückkehr zur Wahrheit, Einfachheit, zur Natur; sie war zugleich eine

Schlußbetrachtungen.
Reform.

7*

Rückkehr zur Antike, eine neue Renaissance. Der Tonsetzer, welcher sich durch mehr als zwei Dezennien dem Gefolge der damaligen italienischen Oper anschloß, wendete sich in seinem späten Lebensalter einem Ideale, dem echten Musikdrama zu. Über seine Prinzipien und Absichten spricht er sich selbst in den Zu-

Zueignungs-schriften.

eignungsschriften, welche den Partituren von „Alceste" und „Paride ed Elena" vorgedruckt sind, aus. Die erstere ist vorwiegend gegen die Mißbräuche der italienischen Oper gerichtet, während die letztere der Verstimmung über die geringen Erfolge seiner Be-strebungen und die Angriffe, welche seine Werke erfahren, bitteren Ausdruck verleiht. Beide Schriften sind vielfach überschätzt worden. Sie geben kein Gesamtbild der Reform, beschäftigen sich viel mit Nebendingen und Aussprüchen, die nicht immer unanfechtbar sind. Halten wir uns nicht an die Worte, sondern an die Taten.

Gluck als Dramatiker.

Als Dramatiker betrachtet, steht Gluck in treuer Hin-gebung seiner Aufgabe gegenüber. Mit glühender Empfindung, zu-gleich mit scharfem Kunstverstand durchdringt er die Situationen und Gestalten der Handlung. In seinem Streben nach Wahrheit weiß er Leidenschaft mit schönem Maß zu vereinen. Auch wurde Gluck durch Dichtungen, die seinem dramatischen Naturell entgegen-kamen, gefördert. In Calsabigi fand er einen poetisch emp-findenden Textdichter und wahlverwandten Geist, in du Rollet einen geschickten Bearbeiter, Quinaults „Armide" gab nach einer hundertjährigen Vergangenheit noch immer eine dankbare Unter-lage ab und der jungaufstrebende Guillard hatte sich mit Er-folg in den Geist der Antike eingelebt. Gluck schritt aber oft über seine Dichter hinweg, füllte die Lücken ihres dramatischen Gefüges aus und gab manchen stockenden Situationen lebhaftere Bewegung.

Als Musiker.

— Gluck als Musiker ist nur im Zusammenhange mit dem Dramatiker Gluck zu würdigen. Aus dem Zusammenhange ge-löst, erscheint der musikalische Anteil schwächer. An melodi-scher Erfindung und Beweglichkeit wird Gluck von den besseren Italienern der Zeit übertroffen. Seine Stärke ist die musikalische Deklamation; seine ausdrucksvollen, gewaltigen Rezitative, welche die Stufenleiter von dem Zarten bis zum unheimlich Schrecklichen beherrschen, sind nur von wenigen Tonsetzern vor und nach ihm erreicht worden. Die Arien Glucks dagegen haben in ihrer Me-lodieführung meist etwas akademisch Gemessenes und Knappes. Auf Gesangsvirtuosität verzichten sie vollständig. Die Harmonie ist kraftvoll, kühn, in charakteristischer Führung die Situation unter-streichend. Die Kunst der Polyphonie kommt nur selten zur An-wendung. Der Chor, den Gluck in seinen Opern zu so großer Bedeutung erhoben, ist im antiken Geiste homophon gehalten. Ein wesentliches Element der dramatischen Wirkung bei Gluck ist seine Rhythmik; sie ist energisch und originell. Die Instru-mentation ist eine vorgeschrittene, und wenn wir von einem

Vergleiche mit unserem modernen Orchester absehen, eine glänzende.
Die Mannigfaltigkeit der Figurationen in der Begleitung, die häufige
und effektvolle Verwendung der Blasinstrumente, von der Flöte bis
zur Posaune, dienen dem Drama als wirksamen, oft malerischen
Hintergrund. In dem begleiteten Rezitativ erreicht die Behandlung
des Orchesters eine bis dahin ungeahnte Bedeutung. Die Ouvertüre wird durch ihren Stimmungsgehalt wie durch einzelne Leitmotive in Beziehung zu der Oper gebracht. Auch die Tänze
geben dem Komponisten Gelegenheit zu lokalem Kolorit. So deutet
Glucks Musik stets auf das Drama hin. Gluck selbst lehnt es
ab, als absoluter Musiker gelten zu wollen. „Bevor ich arbeite,
trachte ich zu vergessen, daß ich Musiker bin", soll er gesagt haben.
Manche, und gewichtige Musikhistoriker meinen, daß er aus der Not
eine Tugend gemacht habe. Daß aber diese Zumutung eine unbegrün-
dete ist und daß Gluck nicht immer den Musiker vergessen, beweisen
zahlreiche Stellen seiner Opern, welche schöne Musik enthalten.
Auch geht die Reform Glucks keineswegs bis zur Abschaffung der
geschlossenen musikalischen Formen; die alte Arienform, wenn auch
verkürzt und der Koloraturen entkleidet, ist nicht aufgegeben, sie
kehrt sogar am häufigsten in seinen letzten Reformopern wieder.
Die Musik Glucks ist nicht reich, besitzt aber in dem keu-
schen Ausdruck einer natürlichen Empfindung, in der einfach und
vornehm gehaltenen Melodie ihre Eigenart, die sich allerdings
nur dem entgegenkommenden Verständnis erschließt.

Auffallend sind bei Gluck die zahlreichen Verpflanzungen ganzer
Sätze aus seinen früheren Werken in spätere. Insbesondere ist es „Telemacco",
der von seinem musikalischen Inhalt manches an „Armide" und die beiden
„Iphigenien" abgeben muß, auderer Beispiele nicht zu gedenken.

Die Kunst Glucks gehört keiner bestimmten Nation an, sie *Nationalität.*
ist eine universelle. Von der italienischen Oper entfernt sie
sich schon in „Orfeo" und „Alceste", wie sie anderseits mit den
„Iphigenien" und „Armida" nicht vollständig in der französischen Oper aufgeht. Wenn auch die Sprache dieser Opern nicht
die deutsche ist, wenn sie auch des nationalen Hintergrunds
entbehren, so ist es doch deutscher Geist, der sie durchdringt,
deutscher Tiefsinn, der sich in die Antike versenkt.

Folgt man dem Bildungsgang des Tonsetzers Gluck, den Ein- *Einflüsse.*
flüssen, die ihn umgaben, so darf man der Natureindrücke seiner
Jugendzeit und des ernsten Prag mit seiner Musikpflege nicht vergessen. Seine Laufbahn als Opernkomponist führte ihn an den
Meistern der Neapolitaner, an Jomelli, Traetta u. a. vorüber,
denen er tiefere Anregungen verdankte. London, wo ihn die
Atmosphäre Händels umgab, Paris, wo er von Rameaus
„Castor und Pollux" einen für seine Richtung entscheidenden Eindruck empfing, endlich Wien, wo seine Pläne zur Reife gediehen,
waren die Stationen auf seinem Wege. Wien ward seine geistige

Werkstätte, zugleich seine Heimat. Mehr als 40 Jahre brachte Gluck, mit Unterbrechungen, in dieser Stadt zu, hier lebte und kämpfte er, hier schuf er seine Meisterwerke, hier endete er seine

Wiener Ton-meister. Lebensbahn. Mit Recht ist daher Gluck den großen Wiener Tonmeistern beizuzählen, deren chronologische Reihenfolge er eröffnet.

Erfolge. Gleich Haydn hat auch Gluck seine größten Erfolge in der Fremde errungen. In Paris siegte er nach harten Kämpfen, nachdem seine Sache lange die erlesensten Geister und die seichtesten Schwätzer in Atem hielt, bis endlich die Franzosen den ausländischen Meister als einen der Ihrigen, als den Fortsetzer ihrer großen Oper anerkannten. Anders war es in Wien. Nur eine kleine Schar von Anhängern umgab den Meister. Die Menge verehrte ihn, ohne ihn zu verstehen; die Wiener betrachteten ihn mit einer Art scheuer Ehrfurcht, in ihre Herzen zog er nicht ein. So war es zu Glucks Zeit. Und die Nachwelt? Sie hielt Glucks Werke in Ehren und — vernachlässigte sie. Doch gab es auch Ausnahmen. „Iphigenia auf Tauris" erlebte in Paris bis 1829 im ganzen 408 Wiederholungen, in Berlin waren den Anstoß, den schon Reichardt gegeben, um die Mitte des vorigen Jahrhunderts sämtliche Glucksche Opern ständig auf dem Repertoire, in Prag besaß Gluck von jeher eine treue Gemeinde. In neuester Zeit werden in allen Musikstädten einzelne Opern Glucks pietätvoll wieder ans Licht gezogen. Der vollen Popularität Glucks stehen die veralteten, griechischen Opernstoffe, sowie der strenge Ernst seiner Kunst entgegen.

Nachfolge. Eine Nachfolge im eigentlichen Sinne hat Gluck nicht gefunden. Seine Opernreform in ihrer Strenge durchzuführen, hat kein Tonsetzer seiner Zeit unternommen. Doch weckten seine Ideen und sein Stil ein vielfaches Echo in der Opernwelt und wir begegnen Gluckschen Zügen bei zahlreichen Tondichtern von Salieri und Méhul bis auf Spontini. Auch Mozart steht in dieser Reihe. Es ist ein Ruhmestitel mehr für den älteren Meister, daß Mozart in manchen Szenen seiner Opern, so in „Idomeneo", „Don Juan", direkt an die Musiksprache Glucks erinnert.

III.

Mozart.

Zum Preise Mozarts etwas zu sagen, was nicht schon vorher beredteren und schwungvolleren Ausdruck gefunden, wäre ein fruchtloses und undankbares Beginnen. Diesem Meister gegenüber gerät die historische und ästhetische Kritik unvermerkt in den Ton staunender Bewunderung. Mozarts angeborene Begabung, seine Frühreife, seine Produktivität, der unerschöpfliche Reichtum seiner Erfindung, welcher sich die mühelose Formbeherrschung zugesellt, erheben ihn zu einer unvergleichlichen Erscheinung der Kunstgeschichte.

Der Weltruf und die Volkstümlichkeit, welche dem genialen Tondichter schon bei Lebzeiten zu teil wurden, weckten schon frühzeitig das allgemeine Interesse an seinen Lebensschicksalen und steigerte sich bei der Nachwelt. Es fehlte daher nicht an biographischen Schriften, welche mehr oder weniger verläßlich, mit manchen romanhaften und anekdotischen Ausschmückungen versehen, ans Licht traten. Der gründlichen Forschung und dem geläuterten Urteil eines Otto Jahn war es vorbehalten, eine Musterbiographie Mozarts zu schaffen, welche zugleich das Muster einer Biographie an sich darstellt.

Otto Jahns Mozart-Biographie erschien 1856—1859 in vier Bänden, dann von H. Deiters auf zwei Bände zusammengezogen 1889—1891.

Die Lebensgeschichte Mozarts läßt sich in drei Abschnitte teilen: 1. Die Kinder- und Knabenjahre. 2. Von der italienischen Reise 1769 bis zur Oper „Idomeneo" 1781. 3. Die letzten zehn Jahre 1781—1791. Lebensgeschichte. Drei Abschnitte

Wolfgang Amadeus Mozart wurde am 27. Jänner 1756 in Salzburg als Sohn des erzbischöflichen Hofmusikus Leopold Mozart und der Anna Maria geb. Pertl aus St. Gilgen geboren. Geb. 27. Jänner 1756.

Das Geburtshaus Mozarts in der Getreidegasse, damals dem Kaufmann Hagenauer gehörig, ist im ursprünglichen Zustande erhalten.

Leopold Mozart hat nicht nur unschätzbare Verdienste um die Erziehung seines Sohnes, er war auch ein tüchtiger Musiker, Komponist und Lehrer. Aus seiner Vaterstadt Augsburg, wo er

111

1719 geboren, wandte er sich 1737 nach S a l z b u r g, um seine Studien daselbst fortzusetzen, gab sie aber bald auf, um ganz der Musik zu leben. Er fand durch Unterrichtgeben, namentlich im Violinspiel seinen Unterhalt. 1743 trat er als H o f m u s i k u s in die Dienste des E r z b i s c h o f s F i r m i a n und brachte es 1762 unter seinem Nachfolger S i g i s m u n d zum V i z e k a p e l l m e i s t e r. Leopold Mozart hatte nicht bloß die Kapelle zu leiten, sondern auch für ihren musikalischen Bedarf durch fleißiges Komponieren zu sorgen. So entstanden zahlreiche Messen und andere Kirchenwerke, deren solide Mache und gewandter Kontrapunkt allgemeine Anerkennung fanden, wenn sie sich auch nicht über den Stil der Zeit und zur Originalität erhoben. Nicht gering ist die Zahl seiner Instrumentalkompositionen, namentlich der Symphonien, Serenaden, Konzerte für einzelne Instrumente, von der Flöte bis zur Trompete, Trios, endlich Klaviersonaten. Sein Instrumentalstil neigt schon der neueren Art zu, in seinen Klaviersonaten kann man sogar Anklänge an die Musik seines Sohnes finden.

Der erste Tonsetzer ließ sich auch zu musikalischem Scherz herbei; ein solcher, die „Schlittenfahrt" betitelt, ist allgemein bekannt geworden. Das harmlose Stück wird mit Schellengeklingel u. dgl. begleitet. Zu erwähnen sind auch die kleinen Stückchen für ein Hornwerk, welche morgens und abends von der Höhe der Festung über die Stadt erklangen.

Als Komponist verschollen, hat L e o p o l d M o z a r t durch seinen „Versuch einer gründlichen V i o l i n s c h u l e", 1756 in Augsburg erschienen, eine dauernde Berühmtheit erlangt. Der pädagogisch gediegene Inhalt, die praktischen Übungen, dazu die allgemeinen Gesichtspunkte und Grundsätze, etwas derb aber ehrlich und verständig vorgetragen, stehen zum Teil noch heute aufrecht. Leopold Mozarts Violinschule hatte zu ihrer Zeit nur eine Rivalin, jene G e m i n i a n i s. Das Werk erlebte viele Auflagen und wurde mehrfach übersetzt. In seiner späteren Zeit komponierte Leop. Mozart nichts mehr.

Die K o m p o s i t i o n e n Leop. Mozarts sind größtenteils Manuskript geblieben. Ein thematisches Verzeichnis seiner handschriftlichen Symphonien ist in den Katalogen von B r e i t k o p f 1762—1775 enthalten. Von Messen und Kirchenstücken sind einige in den Bibliotheken zu München und Salzburg bewahrt. In Druck erschienen zu ihrer Zeit: drei Klaviersonaten in H a f f n e r s Oeuvres meléns; „Mus. Schlittenfahrt" arr. f. Klavier, Peters; „Der Morgen und der Abend", 12 Musikstücke für das Klavier, Augsburg 1759.

Daß L e o p o l d M o z a r t s Intelligenz und Charakter keine alltäglichen gewesen, kann man schon aus der Klugheit und Energie in der Leitung und Erziehung seiner Kinder ersehen. Obwohl strenggläubiger Katholik, war er doch auch weltgewandt und praktisch in der Verfolgung seiner und der Kinder Interessen. Seine Persönlichkeit verschwindet auch nicht in der Glanzzeit seines Sohnes, dem er ein treuer und verständiger Ratgeber blieb, bis ihn der Tod 1787, vier Jahre vor dem des Sohnes abrief. Leopold Mozart

(Marginalien links:)
Leopold Mozart.

Seine Kompositionen.

Violinschule.

Persönlichkeit.

durfte sich zwar in dem Ruhme seines Sohnes sonnen, konnte aber
von diesem nicht der Enge seines Daseins entrissen und von materiellen Sorgen befreit werden. Was die Mutter Mozarts betrifft,
so wird sie als gutmütig, heiter, dabei geistig unbedeutend geschildert.

Von den sieben Kindern, die der 1747 geschlossenen Ehe ent- *Wolfgangs Kinderjahre.*
stammten, blieben nur zwei am Leben: Maria Anna (genannt
„Nannerl"), geb. 30. Juli 1751, und Wolfgang. Als mit der
5½ Jahre älteren Schwester der Klavierunterricht begonnen wurde,
war der kleine Bruder nicht mehr zu halten. Es zeigten sich bei
ihm jene unerklärlichen Erscheinungen eines angeborenen musikalischen Gehörs und Auffassungsvermögens, welche bei Wunder-
kindern zuweilen vorkommen, ohne aber zu einer stetigen Entwicklung zu führen. Wie anders bei dem kleinen Wolfgang!
Im vierten Lebensjahre konnte er schon kleine Stückchen fehler-
frei auf dem Klavier spielen, im fünften offenbarte sich schon sein
Schaffungstrieb in kleinen Menuetts und ähnlichen Versuchen, welche
sein Vater zu Papier brachte. Diese Erstlingsprodukte sind
teilweise erhalten. Wolfgang überraschte auch durch seine fast selbst-
erworbene Geschicklichkeit auf der Violine und der Orgel. Daß
der bewundernde und zugleich sorgliche Vater das kostbare Talent
seiner Kinder nicht in Salzburg vergraben wollte und daß seine
Blicke sich in die Ferne richteten, ist begreiflich. Das erste Ziel war
das nahe München und sein Hof. Im Jänner 1762 trat die *Erste Kunst-reise 1762—1766.*
Familie die Reise dahin an. Die Geschwister ließen sich vor dem
Kurfürsten hören und ernteten die ihnen gebührende Bewunderung.
Nach dreiwöchentlichem Aufenthalt kehrten sie nach Salzburg zurück.
Eine zweite Unternehmung galt Wien. Es war eine Donaufahrt, *Wien.*
welche die Familie im September 1762 von Passau nach der Resi-
denz brachte. In Passau verweilte sie fünf Tage, auf Wunsch
des Bischofs, der den Wunderknaben mit einem Dukaten entlohnte;
eine weitere Station wurde in Linz gemacht, in welcher Stadt ein
Konzert der Geschwister stattfand, eine letzte noch in Ybbs, wo
Wolfgang sich auf der Orgel erging. In Wien wurden die Kinder
förmlich gefeiert; sie mußten wiederholt in Schönbrunn vor
Maria Theresia, ihrem Gemahl Franz I. und dem versammelten
Hofe spielen und erhielten zahlreiche Beweise der Huld und herzlicher Zuneigung. Schon damals trat von dem Geschwisterpaar der
Knabe in den Vordergrund. Seine verblüffende musikalische Begabung, wie sein herzgewinnendes, lebhaftes Wesen und seine drolligen kindlichen Einfälle entzückten die Hofkreise. Ein Kranz von
niedlichen Anekdoten schlingt sich um diese Schönbrunner Produktionen. Ihnen folgten zahlreiche Einladungen in die Familien
des Adels, welche Ehrungen und auch klingenden Lohn brachten.
Eine unliebsame Unterbrechung erfuhr der Wiener Aufenthalt im
Oktober durch die Scharlacherkrankung Wolfgangs, der sich aber

rasch erholte und im Dezember einer Einladung nach Preßburg folgen konnte. Nach den Wiener Erfolgen kehrte die Familie anfangs Jänner 1763 nach Salzburg zurück. Bald darauf trug sich der Vater mit größeren Entwürfen; nach Paris strebte sein Sinn. Schon am 9. Juni desselben Jahres traten der Vater mit beiden Kindern in damaliger Weise mit Kutsche und Postpferden die Reise an. Der Weg durch die deutschen Lande sollte nicht ungenützt bleiben; die Residenzen der verschiedenen Fürsten, oder vielmehr ihre Sommerschlösser wurden besucht. Damals, mehr noch als heutzutage, waren die Blicke des Musikers stets gegen oben gerichtet, Hof und Adel bildeten die Zielpunkte seiner Sehnsucht. Wenn sich vor ihm die Flügeltüren öffneten und er den Herrschaften mit seiner Kunst „aufwarten" durfte, dann mit Lob und einem angemessenen Geschenk entlassen wurde, machte er sich um seine soziale Stellung keine Sorgen. Besser standen die Verhältnisse bei der Familie Mozart. Hier wirkten die erstaunlichen Leistungen und die rührende Kindlichkeit zusammen, um ihnen eine außergewöhnliche Aufnahme zu bereiten. Zudem war der spekulative Vater unermüdlich auf der Suche nach vornehmen Gönnern und in der Einsammlung von Rekommandationsschreiben. So brachten sie vier Monate auf der Reise zu, die sie durch den ganzen Westen Deutschlands führte. Wolfgang suchte an den Orten, wo sie sich aufhielten, mit Vorliebe die Orgeln auf. In Schloß Nymphenburg bei München spielten die Geschwister vor dem Kurfürsten, Wolfgang produzierte sich auch auf der Violine. In Augsburg, der Vaterstadt Leopold Mozarts, gaben sie drei Konzerte. Wenig Glück hatten sie in Ludwigsburg bei Stuttgart, wo es ihnen nicht gelang, vor dem Herzog Karl sich hören zu lassen. Dagegen machten sie in Schwetzingen am Hofe des Kurfürsten Carl Theodor großes Aufsehen. Hierauf folgten drei Konzerte in Mainz und ein längerer Aufenthalt in Frankfurt, während dessen sie vier Konzerte gaben. Der Ankündigung eines derselben entnehmen wir, daß beide Kinder sich auf dem Klavier produzieren werden, Wolfgang auch ein Konzert auf der Violine spielen, daß er Töne in der Entfernung nach dem Gehör erraten, daß er auf der verdeckten Klaviatur spielen, zuletzt auf der Orgel improvisieren werde. In einem dieser Konzerte war es auch, wo der damals vierzehnjährige Goethe, wie er in einem Gespräche mit Eckermann erwähnt, den Wunderknaben hörte. Das Erträgnis aller dieser Konzerte darf man sich nicht als zu glänzend denken. Nun ging es über Koblenz, Bonn, Köln, Aachen, Brüssel nach Paris, wo sie am 18. November ankamen. Bei dem bayrischen Gesandten fanden sie gastliche Aufnahme, ein Empfehlungsbrief an den berühmten Schriftsteller Grimm bahnte ihnen die Wege in die hohen Kreise. Sie wurden in Versailles der Mad. de Pompadour und den Töchtern des Königs vorgestellt, spielten dann bei Hofe und in vielen vornehmen Häusern. Einige Monate später veranstaltete die Familie zwei öffentliche Konzerte, welche am 10. März und 9. April 1764 mit großem Erfolg stattfanden. In Paris gab der Vater als Erstlingswerke des siebenjährigen Wolfgang vier Sonaten für Klavier und Violine in Stich heraus; sie erschienen zu zwei Sonaten als Opus 1 und 2, das erste der Prinzessin Victoire, das zweite der Gräfin Tessé gewidmet. Mit Ehren und Geschenken überhäuft verließ die Familie am 10. April 1764 Paris, um sich über Calais—Dover nach London zu begeben. Schon am 27. April konnten sich die Geschwister vor dem König und der Königin hören lassen und fanden eine herzliche Aufnahme. Ein zweiter Empfang im intimen Hofkreise ließ Wolfgangs Genie in noch hellerem Lichte erglänzen. Der König, der sehr musikliebend war, legte ihm eine Anzahl Stücke vor, die der Knabe tadellos vom Blatte las, er überraschte ferner durch sein Orgelspiel, begleitete die Königin zu einer Arie am Klavier und improvisierte auch. Einen wohlwollenden Gönner fand Wolfgang in Christian Bach, dem Musikmeister der Königin, welcher den Knaben sehr liebgewann. Ein öffentliches Konzert der Familie Mozart am 5. Juni hatte einen glänzenden Erfolg und erzielte eine Einnahme von 100 Guineen. Bald darauf trat eine Unterbrechung in der Ausführung weiterer Pläne durch die Erkrankung des Vaters ein. Zu seiner Erholung zog er mit der Familie nach Chelsea an der Themse, unweit London. Während eines mehrwöchentlichen Aufenthaltes daselbst schrieb Wolfgang seine ersten vier Symphonien; so unbedeutend sie ihrem Inhalt nach sind, zeigen sie doch schon Sinn für abgerundete Form und instrumentales Kolorit. Im Herbst kehrte die Familie nach London zurück. Noch einmal wurden die Geschwister am 25. Oktober zu Hof geladen. Wolfgang hatte inzwischen sechs neue Sonaten mit Violine komponiert, die er der Königin widmete und dafür 50 Guineen als Geschenk erhielt. Den bleibendsten Gewinn des Londoner Aufenthaltes, vielleicht entscheidend für Wolfgangs Zukunft, zog er aus der Bekanntschaft mit der italienischen Oper, welche im November ihre Saison eröffnete. Zum erstenmal hört er große Gesangskünstler, wie den Sopranisten Manzuoli, den Sänger Tenducci und die Scotti, und indem er ihre Kunst in sich aufnimmt, bildet er sich selbst zum Sänger aus. Ob er sich zu Händel, dessen Oratorien häufig zu hören waren, schon damals hingezogen fühlte, ist nicht bekannt geworden. Mit dem Beginn des folgenden Jahres 1765 setzen neue Unternehmungen des Vaters ein. Doch die Teilnahme des Londoner Publikums war erkaltet. Es werden Konzerte mit bombastischen Anpreisungen angekündigt, verschoben, endlich mit bescheidenem finanziellen Resultat abgehalten. Der teure, lang ausgedehnte Aufenthalt in England hatte die früheren glänzenden Einnahmen fast gänzlich auf-

Marginal notes:
- Konzerte.
- Opus 1 und 2.
- London.
- Konzert.
- Chelsea.
- Italienische Oper.
- Weitere Unternehmungen.

gezehrt. Da griff der Vater zu fast marktschreierischen Mitteln; er kündigte an, daß die Kinder („Wunder der Natur") sich täglich in ihrer Wohnung, später in einem Gasthause der City von 12 bis 2 Uhr vor Besuchern, gegen ein Eintrittsgeld von 5 Schilling hören lassen werden. Alle möglichen Dinge, selbst Kunststücke, darunter, daß beide Kinder vierhändig „auf einem und demselben Klavier" spielen, werden versprochen. Vor der Abreise schrieb Wolfgang noch ein vierstimmiges englisches Madrigal, welches er dem British Museum als Erinnerung überreichte. Am 1. August verließ die

Holland. Familie Mozart England, um sich auf Einladung des holländischen Gesandten nach dem Haag zu begeben, wo die Prinzessin von Nassau-Weilburg die Kinder zu hören wünschte. Die Reise dahin ging nicht ohne störende Zwischenfälle, namentlich Unwohlsein der Familienglieder, vor sich; endlich konnten die Geschwister sich in Amsterdam und im Haag hören lassen.

In dieser Zeit entstanden eine neue Symphonie in B-dur, sechs Violinsonaten, der Prinzessin gewidmet und im Haag veröffentlicht, unter anderen „Kleinigkeiten" auch Klaviervariationen über das Nationallied „Wilhelm von Nassau", endlich ein Konzert für mehrere Instrumente unter dem Titel „Galimathias musicum", sämtlich von dem neunjährigen Wolfgang in rascher Folge geschrieben.

Rückreise. Auf der nun folgenden in weitem Bogen gestreckten Rückreise wurde wieder in Paris Aufenthalt genommen, wo Wolfgang sich einigemal in Versailles produzierte, aber eine Teilnahme des Publikums nicht zu erzielen war. Dann ging es über Dijon, Lyon, Genf, Lausanne, Bern, Zürich, Donaueschingen (woselbst der Fürst von Fürstenberg besonderes Interesse an Wolfgang nahm), dann Augsburg, München (Produktion beim Kurfürsten) der Heimat

Salzburg 1766. zu. Gegen Ende November 1766 traf die Familie in Salzburg ein. — Die Kunstreise der Wunderkinder, welche sich über die Jahre 1762—1766 erstreckte, hatte somit ihren Abschluß gefunden; ihr Resultat war vor allem Ruhm und Ehre, dann ein anständiges Sümmchen Geld, ein ganzes Museum von Geschenken und endlich trotz aller Mühseligkeiten und Krankheitsfälle eine frohe, gesunde Rückkehr. Wolfgang war aber auch in dieser Zeit in seiner Kunst erstaunlich fortgeschritten; sein musikalischer Gesichtskreis hatte sich erweitert, sein Schaffen hatte an Sicherheit gewonnen.

Studien. Ein Jahr der Ruhe in der Heimat. Der Ruhe? Für den genialen Knaben war es ein Jahr der Studien, der schaffenden Arbeit. Welcher Art die Studien waren, davon zeugen die Beispiele im strengen Kontrapunkt, die sich aus dieser Zeit von ihm erhalten haben. Seine Leistungen als Komponist, wenn auch von wenig positivem Wert, verraten eine merkwürdige Anpassung an die ge-

Kompositionen. stellte oder gewählte Aufgabe. Es entstanden der erste Teil eines Oratoriums (die beiden übrigen Teile von Mich. Haydn und dem Organisten Adlgasser komponiert) im italienischen Stil, eine zweistimmige Kantate, „Grabmusik", „Gespräch zwischen der Seele und

einem Engel" für Baß und Sopran mit Orchesterbegleitung, zwei
Gelegenheits-Offertorien für das Kloster Seeon, die Musik zu einem
lateinischen Drama „Apollo et Hyacinthus", welches die Stu- Apollo und
denten der Universität am Schlusse des Schuljahres 1767 auf- Hyacinthus.
führten, endlich vier Klavierkonzerte, welche aber nur als seine
Erstlingsversuche in dieser Gattung interessieren.

Im September 1767 reiste Leopold Mozart mit seiner ganzen Wien 1767.
Familie über Lambach und Melk, mit kurzem Aufenthalt in den
Klöstern, nach Wien. Es war kein Glücksstern, der dieser Reise
leuchtete. In Wien herrschte eine Blatternepidemie und die Familie Krankheit.
flüchtete sich nach Olmütz, was jedoch nicht hinderte, daß die
Kinder von der Krankheit ergriffen wurden, während welcher sie
von dem dortigen Domdechanten mitleidsvoll in sein Haus aufgenommen wurden. Wiedergenesen, konnten die Kinder mit ihren
Eltern im Dezember die Reise über Brünn nach Wien antreten.
Es wurde ihnen ein liebreicher Empfang bei Hofe durch die
Kaiserin und den Mitregenten Kaiser Josef zu teil, doch der materielle Lohn blieb aus. Leopold Mozart klagt sehr über die Sparsamkeit, welche an dem Hofe Kaiser Josefs herrschte und in den
hohen Gesellschaftskreisen nachgeahmt wurde. Zudem war die
Geschmacksrichtung der großen Mehrheit der damaligen Wiener
eine vollständig seichte, nur dem albernen Spaß und dem frivolen
Zeitvertreib zugewendet. Empfänglichkeit und Aufmunterung für
die Kunst Wolfgangs war unter diesen Umständen nicht zu er-
warten. Da kam die überraschende Aufforderung des Kaisers Josef
an den zwölfjährigen Wolfgang, eine Oper zu schreiben und auch
selbst zu dirigieren. Die erste Oper Mozarts! Das Libretto, Erste Oper.
welches man ihm übergab, führte den Titel: „La finta semplice"; La finta sem-
es war eine Opera buffa in drei Akten, Text von dem Theater- plice.
dichter Coltellini. So rasch gedieh die Arbeit, daß sie schon vor
Ostern vollendet vorlag. Der Aufführung jedoch stellten sich immer
neue Hindernisse entgegen. Die günstige Stimmung, welche anfangs
dem jugendlichen Meister entgegenkam, schlug plötzlich um. Der
Direktor und Pächter des Hoftheaters, der intrigante Abenteurer
Affligio, ließ den Schützling des Kaisers fallen, die Sänger wurden
abtrünnig, das Orchester weigerte sich unter der Leitung eines Knaben
zu spielen — die Oper kam nicht zur Aufführung. Einen bescheidenen Ersatz für diesen Mißerfolg bot bald darauf die Aufführung eines deutschen Singspiels von Wolfgang in dem
Hause eines wohlhabenden Musikfreundes, des Doktor Meßmer in
der Vorstadt Landstraße. Auf Meßmers Haustheater wurde „Bastien Bastien und
und Bastienne" von Dilettanten aufgeführt und zeigte die Be- Bastienne.
gabung des jungen Meisters in einem neuen Lichte. Der Text ist
eine Bearbeitung von Rousseaus „Devin de village", die Musik dem
Stile der Hillerschen Liederspiele verwandt.   Von anderen Kompositionen aus dieser Zeit ist Wolfgangs erste Messe in G-dur, Erste Messe

welche er zur Einweihung der Waisenhauskirche auf dem Rennweg schrieb und selbst dirigierte, hervorzuheben. Nach fünfvierteljährigem Aufenthalt in Wien, der von manchen Enttäuschungen begleitet war, über welche sich Leopold Mozart bitter beklagt, kehrte die Familie Anfang Jänner 1769 nach Salzburg zurück. Kurze Zeit darauf bereitete der Erzbischof dem in Wien Gescheiterten eine Genugtuung, indem er „La finta semplice" in seinem Palais aufführen ließ. Die Sänger waren sämtlich Deutsche, meist Eingeborene. Daß Wolfgang in diesem Jahre eifrig im Studium war, davon zeugen manche Beweise, unter anderen zwei neuentstandene Messen.

Italienische Reise. 1769—1771.

Ende des Jahres 1769 schritt Leopold Mozart an die Ausführung eines lange gehegten Planes, einer Reise nach Italien. Italien hatte noch nicht aufgehört als das gelobte Land der Musik zu gelten, als das Ziel aller Musiker, um dort zu hören und gehört zu werden. Leopold Mozart hatte beides im Sinne. Den Hauptakzent legte er aber offenbar auf die staunenswerten Leistungen des Sohnes, man möchte fast sagen auf die Kunststücke. Das beweisen die Programme der „Akademien", in welchen das Stegreifkomponieren, Primavista-Spiel, Transponieren, Improvisieren über gegebene Themen in den Vordergrund treten. Wolfgang produzierte sich auf dem Klavier, der Violine und trat auch als Sänger auf; überall ließ er sich überdies in den Kirchen auf der Orgel hören. Leopold Mozart, der größte Bewunderer seines Sohnes, wollte, daß ihn auch andere bewundern; die bekannten Züge des „Wunderkindervaters", die wir an ihm entdecken, dürfen wir in seinem Falle als wohlberechtigte anerkennen.

Abreise.

Vor der Abreise erhielt der vierzehnjährige Wolfgang vom Erzbischof die Ernennung zum Konzertmeister. Am 12. Dezember 1769 erfolgte die Abreise. Mit Empfehlungsbriefen ausgestattet, wurden Vater und Sohn überall gut aufgenommen. Die

Innsbruck, Roveredo, Verona, Mantua.

Reise ging über Innsbruck, Roveredo nach Verona, wo Wolfgang großes Aufsehen erregte, dann nach Mantua, in welcher Stadt seine Akademie mit dem früher beschriebenen Programm am 16. Jänner 1770 stattfand. Anzumerken ist, daß die Höhe der Einnahmen nicht entfernt an jene des Enthusiasmus reichte. Wichtiger

Mailand.

in seinen Folgen war der Aufenthalt in Mailand. Der Generalgouverneur Graf Firmian nahm sich des jungen Genies an. Wolfgang, der den Beweis seiner Eignung für die Opera seria durch die Komposition von drei Arien des Metastasio erbracht hatte, wurde mit der Komposition der Oper für das nächste Jahr betraut. Im März 1770 verließen die Reisenden Mailand und erreichten über Lodi, wo Wolfgang sein erstes Streichquartett

Bologna.

schrieb, und Parma die altberühmte Gelehrtenstadt Bologna. Von Bologna ist die Persönlichkeit des Padre Martini nicht zu trennen. Er galt noch zu Mozarts Zeit als die größte Musikautorität

— 111 —

Italiens und die Anerkennung, die er Wolfgang zollte, war eine
weithin tönende Empfehlung. In Florenz ließ sich Wolfgang vor
dem Großherzog hören und erregte wieder durch seine Improvisationen Staunen. Auch eine Reihe von Canonstudien entstanden
hier. In der Karwoche langten L. Mozart und sein Sohn in Rom
an und verfügten sich ungesäumt in die Sixtinische Kapelle,
wo das Miserere von Allegri gesungen wurde. Daß Wolfgang im
stande war, dieses Kirchenstück nach ein- bis zweimaligem Hören
niederzuschreiben, ist bei seinem ungewöhnlich entwickelten Gehör
und Gedächtnis, dann bei der großen Einfachheit dieser Komposition kaum merkwürdig. Das päpstliche Verbot, das Miserere von
Allegri zu kopieren und zu verbreiten, gehört wohl in das Reich
der Sage. Die weitere Teilnahme an den kirchlichen Funktionen,
vielfache Einladungen bei den berühmten Adelsfamilien, auch neue
Kompositionen füllten den Aufenthalt in Rom aus. Von Mitte Mai
bis Mitte Juni weilten sie in Neapel, schwelgten in den Naturschönheiten, wurden gefeiert, machten interessante Bekanntschaften,
hörten die Opern, welche in S. Carlo aufgeführt wurden und
gaben endlich ein Konzert mit glänzendem Erfolg. Auf der Rückreise wurde Wolfgang in Rom die Auszeichnung zu teil, vom Papst
zum „Ritter des goldenen Sporns" ernannt zu werden, von
welchem Titel Mozart bekanntlich keinen praktischen Gebrauch
machte. Nun ging es nach Bologna, wo sie in dem Landhause
des Grafen Pallavicini gastliche Aufnahme fanden. Auch diesmal
war es Padre Martini, aus dessen Umgang Wolfgang Belehrung
und Anregungen schöpfte; mehrere Kirchenstücke entstanden unter
den Augen desselben. Eine besondere Ehre ward dem vierzehnjährigen Meister zu teil, indem er nach vorangegangener
Prüfung unter die Mitglieder der Accademia filarmonica
aufgenommen wurde. Die Prüfung bestand in der vierstimmigen
Bearbeitung einer Antiphone, welche Aufgabe Wolfgang bei geschlossenen Türen in einer halben Stunde zur Zufriedenheit löste.
Einige Tage darauf, am 18. Oktober 1770, kamen die Reisenden
in Mailand an, um die für die Stagione bestellte Oper vorzubereiten. Unermüdliche Arbeit, Überwindung der Schwierigkeiten,
welche namentlich die Launen der Sänger und Sängerinnen bereiteten, machten es möglich, daß die Oper „Mitridate, Re di
Ponto", Opera seria in drei Akten schon am 26. Dezember 1770
in Szene gehen konnte. Die Aufführung, welche unter der Leitung
Wolfgangs stand, hatte einen starken Erfolg, der sich auch in der
Reihenfolge von 20 Wiederholungen äußerte. Glücklich und mit
einem neuen Auftrag für die Mailänder Stagione 1772 versehen,
verbrachten Wolfgang und sein Vater die lustige Karnevalszeit in
Venedig, verweilten auf der Rückreise in die Heimat einige
Tage in Padua (Wolfgang erhielt dort einen Auftrag zur Komposition eines Oratoriums), Vicenza und Verona und trafen im März
1771 in Salzburg ein.

Florenz.

Rom.

Neapel.

„Ritter des goldenen Sporns".

Bologna.

P. Martini.

Mailand.

Mitridate Dez. 1770.

Rückreise.

Zweite italie-
uische Reise.

Ascanio in
Alba.

Salzburg.

Sogno di
Seipione.
Dritte italie-
nische Reise.
Lucio Silla
1772.

Dieser ersten italienischen Reise folgten noch zwei andere. Für die Vermählung des Erzherzogs Ferdinand mit der Prinzessin von Modena hatte Mozart eine „Serenata" zu schreiben. Es war ein allegorisches Schäferspiel in zwei Akten mit Chören und Tänzen unter dem Titel „Ascanio in Alba". Nachdem sich Vater und Sohn schon im August nach Mailand verfügt hatten, fand die Aufführung am 17. Oktober unter großem Beifall statt. Der Tenorist Tibaldi und der berühmte Sopranist Manzuoli waren die Sterne unter den Mitwirkenden. Zu derselben festlichen Gelegenheit war auch Hasse erschienen, um seinen „Ruggiero" aufzuführen; er trat zu Wolfgang in ein herzliches und neidloses Verhältnis. Im Dezember nach Salzburg zurückgekehrt, erfolgte bald darauf der Tod des Erzbischofs Sigismund, der erst im März 1772 einen Nachfolger in Hieronymus Grafen Colloredo erhielt. Zu der Installationsfeier komponierte Mozart die allegorische Azione teatrale „Sogno di Scipione", welche etwa im Mai aufgeführt wurde. Im November trafen Mozart und sein Vater wieder in Mailand ein, diesmal um die bestellte Oper „Lucio Silla" zu vollenden und aufzuführen. Von hervorragenden Gesangskräften standen zur Verfügung die Primadonna de Amicis, der Sopranist Rauzzini. Die Oper lief am 26. Dezember glücklich von Stapel und wurde mit steigendem Beifall wiederholt. Damals war Leopold Mozart, in steter Sorge für die Zukunft seines Sohnes, eifrig bemüht ihm eine feste Stellung zu verschaffen, doch gelang es nicht. Auf die engen Verhältnisse und das klägliche Einkommen in Salzburg angewiesen, kehrten sie im März 1773 dahin zurück. Auf die zahlreichen Kompositionen, welche Wolfgang während dieses Zeitraumes in Italien und in Salzburg geschrieben, können wir an dieser Stelle nicht näher eingehen; es befinden sich unter ihnen eine Anzahl von Symphonien, Quartette, Arien, Kirchenstücke, von denen ein dreistimmiges Miserere und eine Litanei hervorzuheben sind; ein Konzert für zwei Violinen und eine Messe entstanden bald nach der Rückkehr in Salzburg.

Hier ist auch des Oratoriums La Betulia liberata zu gedenken, welches vermutlich 1772 in Padua aufgeführt wurde.

Wien 1773.

Im Sommer kamen Vater und Sohn wieder nach Wien zu einem mehrwöchentlichen Aufenthalt, dessen Zweck zwar nicht bekannt ist, sich jedoch erraten läßt. Es ist anzunehmen, daß Leopold Mozart unausgesetzt bemüht war, für seinen Sohn eine bessere Stellung als die eines erzbischöflichen Konzertmeisters mit dem kläglichen Gehalt von 150 Gulden jährlich zu erlangen. Vom Herbst 1773 bis gegen Ende 1774 weilten sie wieder in Salzburg, Wolfgang nicht müßig, sondern vielseitig produktiv. Da kam von

München.
La finta giar-
diniera 1775.

München der Auftrag, die Opera buffa „La finta giardiniera" zu komponieren. Wolfgang entledigte sich dieser Aufgabe in ehrenvoller Weise. Sowohl der Kurfürst Maximilian III., der sehr musikliebend und selbst ein guter Gambenspieler war, als das Publikum zollten der Oper, welche am 13. Jänner 1775 zum erstenmal, dann wiederholt gegeben wurde, großen Beifall. Kaum aus München zurückgekehrt, hatte Wolfgang eine Gelegenheitsoper „Il Rè Pastore" für den Salzburger Erzbischof zu schreiben, welche schon im April 1775 zur Aufführung kam. *Il Rè Pastore.*

So verflossen die Jahre 1775—1777 für Wolfgang in unermüdlicher Tätigkeit. Die Werke, welche in dieser Zeit entstanden, gehören schon zum Teil der vollreifen Meisterschaft Mozarts an. Vorherrschend sind die Kirchenwerke, darunter mehrere Messen, *Kirchenwerke.* Litaneien, Psalmen, Offertorien, Orgelsonaten, zahlreich ferner die Instrumentalkompositionen, und zwar Quartette, ein Quintett, mehrere Symphonien und Divertimenti (auch für Blasinstrumente allein). *Instrumentalkompositionen.* Von den Klavierkonzerten zählen schon einige zu den vollwertigen, wie die in D-dur, C-dur (für Gräfin Lützow), Es-dur, das dreiklavierige in F-dur (für die Gräfinnen Lodron); ihnen reihen sich fünf Violinkonzerte an. Auch Klaviersonaten, darunter vierhändige, stammen aus derselben Zeit. Endlich ist die damals so beliebte Gattung der Serenaden zu erwähnen, mehrsätzige suitenartige Instrumentalkompositionen, welche zu besonderen Gelegenheiten, wie Namenstagen, Hochzeiten usw. vor dem Hause der Gefeierten im Freien exekutiert wurden. *Serenaden.* Mozart schrieb in Salzburg mehrere solcher Serenaden, denen man die Lust und Liebe zur Sache anmerkt, namentlich 1776 die sogenannte „Haffner-Serenade" (zur Hochzeit der Bürgermeisterstochter Elise Haffner), dann die „Lodronschen" Nachtmusiken.

Im ganzen zählt man 300 Werke, welche Mozart bis zu diesem Zeitpunkte, seinem 21. Lebensjahre, ununterbrochen in organischem Fortschritt begriffen, geschrieben hatte. *300 Werke.* Als ausübender Künstler hatte er sich zum virtuosen Klavierspieler, zum tüchtigen Violin- und Orgelspieler herangebildet.

Im Bewußtsein solchen Könnens und solcher Leistungen ist es wohl verzeihlich, daß dem zum Manne herangereiften Wolfgang die heimatliche Luft zu enge wurde, daß er ins Weite strebte, um seine Kräfte freier zu betätigen. Der Vater hoffte, daß eine Kunstreise dem jungen Meister zu einer passenden Stellung verhelfen könnte. *Neue Kunstreise 1777—1779.* Da der angesuchte Urlaub vom Erzbischof verweigert wurde, nahm Wolfgang seine Entlassung. Die Abreise von Salzburg, diesmal in Begleitung der Mutter, erfolgte im September 1777. In München stellte sich Wolfgang persönlich dem Kurfürsten vor und bat um eine Anstellung — ein vergeblicher Schritt. *München.* Nach einem kurzen Aufenthalt, während welchem Wolfgang in musikalischen Kreisen gefeiert, aber in seinen Plänen nicht gefördert wurde, begaben sich Mutter und Sohn nach Augsburg. *Augsburg. Stein.* Dort waren es vor allem die Klaviere (Pianoforte) von Andreas Stein, welche Wolfgangs Interesse erregten und deren Vorzüge er rühmend

Prosniz, Compendium der Musikgeschichte. 8

anerkannte. Die kleine Tochter Steins, die achtjährige Nanette, welche in Augsburg als klavierspielendes Wunderkind galt, kritisiert er in einem sehr witzigen Briefe an seinen Vater. Wolfgang, als Klavier-, Orgel- und Violinspieler bewundert, gab endlich auch ein öffentliches Konzert, welches ihm großen Beifall, aber eine sehr mäßige Einnahme brachte.

Das „Bäsle". Einen angenehmen, halb kindischen, halb zärtlichen, durch mutwillige Scherze gewürzten Umgang unterhielt er mit seiner Cousine, dem „Bäsle", mit der er auch später in Korrespondenz blieb.

Mannheim. Interessanter, künstlerisch und persönlich folgenreicher gestaltete sich der mehrmonatliche Aufenthalt in Mannheim. Wir haben bereits in den früheren Blättern (S. 4) der musikalischen Bedeutung Mannheims gedacht, insbesondere der Oper und des Orchesters. An der Oper wirkten die vorzüglichen Sängerinnen Dorothea Wendling und Franziska Danzi, der berühmte, nun schon alternde Tenor Raaff. Das Orchester durfte sich tüchtiger Virtuosen rühmen, wie der Violinisten Johann und Carl Stamitz, Cannabich, Cramer, Fränzel, der vorzüglichen Bläser Wendling (Flöte), Le Brun und Ramm (Oboe) usw. In diesen Kreis trat nun der junge Mozart voll Empfänglichkeit für die neuen Eindrücke, zugleich als fertiger und sich seiner Kraft bewußter Künstler. Ein angenehmer geselliger Verkehr, zu welchem Mozarts Talente wie auch seine liebenswürdige Laune beitrugen, entwickelte sich, insbesondere in den Familien Cannabich und Wendling. Mit dem in Mannheim einflußreichen Musikgelehrten, Komponisten und *Abbé Vogler.* Orgelspieler Abbé Vogler trat auch Mozart in Beziehung, welche sich aber nicht freundschaftlich gestaltete. So fehlte es nicht an geselligem Verkehr, an Einladungen und musikalischen Produktionen, aber an praktischen Resultaten, vor allem an Geldverdienst. Diesen lieferten nur einige Klavierscholarinnen, spärlich genug: Eine Produktion bei dem Kurfürsten, vor dem er einst als siebenjähriges Wunderkind gespielt, brachte ihm ein Geschenk, doch wurde sein Ansuchen um eine feste Stellung in Mannheim abschlägig beschieden. Die Anwesenheit des aus Weimar gekommenen Wieland und des Komponisten Schweitzer war für Mannheim und Mozart ein Ereignis. Das deutsche Singspiel „Rosamunde", welches Dichter und Komponist zusammenführte, kam aber daselbst nicht zur Aufführung. Anfang 1778 erfolgte nach dem Tode des Kurfürsten von Bayern die Übersiedlung des pfälzischen Hofes nach München. *Pläne.* Was Mozart betrifft, so kämpften in ihm verschiedene Pläne und Aussichten, die aber keine feste Gestalt annahmen: Eine Reise nach Paris, eine Oper für das neuerrichtete deutsche Singspiel in Wien, eine Organistenstelle in Salzburg. Dabei arbeitete Mozart auch in Mannheim unermüdlich; es entstanden Arien, Flötenkompositionen, Violin- und Klaviersonaten. Alle Pläne und Arbeiten traten aber in den Hintergrund, als ihm auf seinem

Lebenswege ein Wesen begegnete, welches all sein Sinnen gefangen-
nahm; dieses Wesen hieß Aloysia Weber. Wolfgang, der schon
vorher für holde Weiblichheit nicht unempfänglich war, faßte eine
tiefe Neigung zu dem damals 15jährigen Mädchen. Die Familie
Weber (mit den Voreltern C. M. von Webers verwandt) lebte in
kümmerlichen Verhältnissen; der Vater war Kopist und Souffleur
beim Theater und hatte für eine zahlreiche Familie zu sorgen,
Aloysia, die zweite Tochter, war musikalisch begabt und bildete
sich zu einer vortrefflichen Sängerin heran. Mozart bemühte sich
um ihre künstlerische Entwicklung und gedachte durch ihre künftige Bühnenlaufbahn auch das Los der ehrenwerten Familie zu
bessern. Fast wäre Wolfgang durch das schwärmerische Verhältnis
zu dem Mädchen von seinen ernsten Zielen abgelenkt worden, den
warnenden Mahnungen des verständigen Vaters und seiner eigenen
erwachenden Besonnenheit gelangen es jedoch, die Fesseln zugleich
mit der Trennung von Mannheim zu lösen. Wolfgang reiste in
Begleitung der Mutter am 14. März 1778 ab, um sich nach Paris
zu begeben.

Der nun folgende sechsmonatliche Aufenthalt in Paris brachte
dem jungen Meister nur wenige Lichtblicke, dagegen eine Reihe
von Enttäuschungen und den herbsten Schicksalsschlag, den Verlust
seiner Mutter. In Paris waren die Parteikämpfe der Gluckisten
und Piccinisten mit ihrem Literatengeschwätz eben auf dem
Höhepunkt angelangt; was nicht zu ihnen in Beziehung stand, fand
kein Interesse bei dem großen Publikum. Mozarts Verbindungen
waren nicht zahlreich und einflußreich genug, um ihn kräftig zu
fördern. Er, der als Komponist Ehre und Geld zu ernten hoffte,
der vor Begierde brannte, eine Oper für Paris zu schreiben, mußte
durch Lektionen sein kärgliches Brot verdienen. Selbst Grimm,
der alte Freund des Vaters, welcher auch dem Sohne zugetan war,
konnte an den ungünstigen Verhältnissen nur wenig ändern. Inmitten des lärmenden Getriebes der Weltstadt führte Mozart ein
fast einsames Leben. Von Kunstgenossen traf er seine alten Mannheimer Freunde, die Virtuosen Wendling, Ramm, zu denen sich der
Hornist Punto (Stich) und der Fagottist Ritter gesellten. Für sie
schrieb er eine Sinfonie concertante mit Orchesterbegleitung, deren
Aufführung in den *Concerts spirituels* stattfinden sollte, aber unter-
blieb. Es entstand ferner ein Konzert für Flöte und Harfe, eine
Gelegenheitskomposition für den Duc de Guines und seine Tochter.
Die Aussichten auf eine Oper verflüchtigten sich nach langem, ver-
geblichem Harren immer mehr. Dagegen durfte Mozart aus Gefälligkeit für den Ballettmeister der großen Oper, Noverre, zu
einem pantomimischen Ballett „Les petits Riens", welches
als Beigabe zu Piccinnis „Finte gemelle" gegeben wurde die
Ouvertüre und zwölf kleine Tanzstücke schreiben, eine Arbeit, welche
nicht bloß unentlohnt, sondern auch anonym blieb. (Diese kleinen

Aloysia Weber.

Reise nach Paris 1778.

Ungünstige Verhältnisse.

Kompo- sitionen.

Les petits Riens.

8*

reizend erfundenen und geschmackvoll instrumentierten Tanzstücke sind nebst der bedeutenderen Ouvertüre erst in neuester Zeit aufgefunden worden.) Einen echten Erfolg hatte Mozart mit einer für das Concert spirituel geschriebenen Symphonie, welche als die „Pariser" Symphonie bekannt ist; eine zweite, von welcher noch berichtet wird, ist nicht nachweisbar. Zu erwähnen sind noch sechs Violinsonaten reiferer Art, welche in Paris gestochen wurden.

„Pariser Symphonie."*

Der Einfluß, den die Instrumentalkompositionen des Straßburgers Jean Schobert, welche Mozart in Paris kennen lernte, auf ihn übten, ist neuestens nachgewiesen worden.

Diese spärlichen Erfolge konnten Mozarts Ehrgeiz ebensowenig befriedigen, als seine äußere Lage verbessern. Auch sein gesellschaftlicher Verkehr war ein beschränkter geblieben. Den damaligen Pariser Musikgrößen stand er ferne; Gluck weilte in dieser Zeit nicht in Paris, mit Piccinni trat er flüchtig, mit Grétry wahrscheinlich gar nicht in Berührung. Mozart fühlte sich immer unbehaglicher in Paris; die französische Musik, die Musiker, wie das Publikum waren ihm unsympathisch, die Gesellschaft mit ihrer Oberflächlichkeit stieß ihn ab. Dazu kam der harte Schicksalsschlag, der ihn persönlich traf. Im Juni erkrankte seine Mutter, am 3. Juli starb sie. Sie ruht auf dem Friedhof „Père la Chaise". Grimm nahm sich des verlassenen jungen Mannes an, indem er ihn in seinem Hause beherbergte und ihm mit seinem Rat beistand. Der Besuch des alten Londoner Gönners Christian Bach in Paris warf noch einen freundlichen Schimmer auf die letzten Tage des Pariser Aufenthalts.

Tod der Mutter.

So arm diese Reise an positiven Resultaten war, so war sie doch reich an künstlerischen Eindrücken, welche in der weiteren Entwicklung Mozarts ihre Früchte trugen. Nicht vergebens lauschte er den Wirkungen des Mannheimer Orchesters, nicht vergebens wohnte er in Paris einer Reihe von französischen und italienischen Opernvorstellungen bei. Am 26. September 1778 reiste er nach der Heimat ab. Die Heimreise war die denkbar schleppendste und, abgesehen von Wolfgangs kindlicher Anhänglichkeit an seine Familie, eine widerwillige. Es lag zum Teil an der damaligen Art des Reisens, daß er erst nach drei Wochen Straßburg erreichte. Zwei Konzerte daselbst erzielten eine Gesamteinnahme von vier Louisdors. Zur Weiterreise mußten Schulden gemacht werden. Der Postwagen brachte ihn nach Mannheim. Dort hatte sich vieles verändert. Aloysia Weber war mittlerweile als Sängerin an der Münchener Oper vorteilhaft angestellt worden. Dennoch verweilte Mozart gern in Mannheim. Er sollte zu einer Dichtung des Herrn von Gemmingen, „Semiramis", ein Melodram (Duodram) komponieren, eine Gattung, welche eben Benda mit Erfolg eingeführt hatte. Ob Mozart diese Komposition ganz oder teilweise ausgeführt und welches Schicksal das Werk hatte, ist nicht

Rückkehr.

Straßburg.

Mannheim.

- 117 -

mehr festzustellen. Daß es Mozart auch nach München zog, ist *München.* leicht erklärlich; er hatte seine Hoffnungen auf eine Anstellung und im Zusammenhange damit auf eine Verbindung mit Aloysia noch nicht aufgegeben; beide wurden getäuscht. Die Aussichten auf eine Anstellung am kurfürstlichen Hofe verflüchtigten sich, Aloysia wandte sich kühl von ihm ab, nachdem er ihr noch eine schöne Arie als letzte Huldigung dargebracht hatte. Nun kehrte Wolfgang auf die dringenden Mahnungen des Vaters im Jänner 1779 nach fast anderthalbjähriger Abwesenheit ohne seine Mutter und ohne nennenswerte äußere Resultate nach Salzburg zurück. *Salzburg 1779—1780.*

Obwohl Mozart nun wohlbestallter fürstlicher Konzertmeister, auch Hof- und Domorganist war, fühlte er sich nach wie vor unbehaglich in Salzburg. Nur die Anhänglichkeit an Vater und Schwester, wie der gemütliche Umgang mit einigen Freunden machten ihm seine Lage erträglicher. Der Dienst war streng, veranlaßte aber eine Reihe von Kirchenkompositionen, welche zum Teil *Kirchen-kompositionen.* ein tieferes Interesse beanspruchen. Es sind zwei Messen, von denen jene in C-dur vom Jahre 1779 seither die verbreitetste und beliebteste des Meisters geblieben ist, ferner zwei Vespern, umfangreiche Werke, bestehend aus fünf Psalmen und dem Magnificat zum Schlusse, welche den früher komponierten Litaneien würdig zur Seite stehen. Aus derselben Zeit stammen die Musik zum Schauspiel „König Thamos" und eine deutsche Operette „Zaide". *König Thamos.* Das Schauspiel „Thamos, König von Ägypten" ist eine Dichtung von Freih., von Gebler, welche schon 1774 im Wiener Burgtheater aufgeführt wurde. Die Musik, welche Mozart zu diesem Drama 1779—1780 geschrieben, besteht aus drei Entreactes und einem Schlußsatz, denen sich zwei Chöre zu Anfang des ersten und fünften Aktes zugesellen. Diese beiden Chöre („Hymnen an die Gottheit"), auch mit lateinischem Text für die Kirchenmusik verwendet, bilden den Gipfelpunkt des Werkes; großartig im Chorsatz und mit einer wirksamen Instrumentation versehen, erinnern sie in ihrer mystischen Färbung an die Chöre der „Zauberflöte". Die deutsche Operette, deren Text von dem Salzburger Schachtner herrührt, ist ernsthaften Charakters; sie wurde in ihrer unvollendeten Gestalt später unter dem Titel „Zaide" veröffentlicht. Die Operette, *Zaide.* welche einige gelungene Nummern enthält, wurde von Mozart selbst später aufgegeben. Merkwürdig ist die Anwendung des melodramatischen Stils in zwei Szenen, in welchen die gesprochenen Monologe mit einem instrumentalen Hintergrund, ähnlich dem begleiteten Rezitativ versehen sind.

Das Werk wurde durch Joh. André in Offenbach 1838 ans Licht gezogen und von Karl Gollmik mit einem neuen Text versehen. Ouvertüre und Finale, welche der Partitur fehlten, wurden aus anderen Mozartschen Werken zusammengestellt. In neuester Zeit ward „Zaide" in einer Bearbeitung von Rob. Hirschfeld in der Wiener Hofoper aufgeführt, verschwand aber rasch vom Repertoire.

Auch an bedeutenden Instrumentalkompositionen fehlte es in dieser Zeit nicht. Zwei Symphonien in B-dur und C-dur, eine Serenade in D-dur mit einer eingelegten Concertante für Blasinstrumente zeugen von Mozarts Meisterschaft im Tonsatz und seiner unvergleichlichen Kunst der Instrumentation. Namentlich in der selbständigen Behandlung der Blasinstrumente, der ihm eigentümlichen Verwendung des Fagotts und der Hörner, dann in den Steigerungen und dem dynamischen Wechselspiel des Orchesters steht Mozart schon damals unerreicht da. — Als ausübender Künstler wendet sich Mozart nun ganz dem Klavier zu. Das Konzert für zwei Klaviere in Es-dur, 1780 komponiert, spielte er in Salzburg mit seiner Schwester und im nächsten Jahre in Wien mit Fräulein Auernbrugger öffentlich.

Eine größere Aufgabe trat an Mozart heran mit der Einladung, für München eine Opera seria zu schreiben. Es wurde

ein mythischer Stoff, „Idomeneo, König von Kreta" gewählt und der in Salzburg lebende Abbate Varesco mit der Verfassung des italienischen Textes betraut. Mozart begab sich im November 1780 nach München, um an Ort und Stelle die bereits begonnene Komposition zu vollenden und einzustudieren. Der Kurfürst interessierte sich für den Komponisten und sein Werk, der Intendant Graf Seeau fügte sich seinen Wünschen, der größte Teil der Sänger und das Orchester waren aus der Mannheimer Zeit wohlwollende Freunde. Zu diesen gehörte der Tenorist Raaff, die Schwestern Wendling, der Konzertmeister Cannabich. Aloysia Weber war inzwischen nach Wien übersiedelt. Nach vielen und sorgfältigen

Proben konnte die Oper am 29. Jänner 1781 in Szene gehen, wie es scheint mit bedeutendem Erfolg. Die Darsteller waren: der Kastrat del Prato (Idamante), Raaff (Idomeneo), Dorothea Wendling (Ilia), Elisabeth Wendling (Elektra), Panzachi (Arbace), Valesi (Gran Sacerdote). — Vater und Schwester waren aus Salzburg zu der Erstaufführung gekommen. Dauernd hat sich diese Oper Mozarts, weder in München, noch in Wien, wo sie 1806 in deutscher Übersetzung gegeben wurde, auf dem Repertoire gehalten.

Nach längerem Verweilen in München erhielt Mozart die Weisung, sich nach Wien zu begeben, wo der Salzburger Erzbischof sich eben aufhielt und in seinem Gefolge auch einige seiner

besten Musiker mitführte. Am 16. März 1781 kam Mozart in Wien an. Der Erzbischof, der seine Musiker wie Bediente behandelte, liebte es nichtsdestoweniger mit ihnen zu prunken und führte sie bei Besuchen und Gesellschaften gerne vor. Es ist begreiflich, daß Mozart dabei nicht fehlen durfte, aber sein Gebieter legte auf seine Leistungen förmlich Beschlag und verbot ihm jede selb-

ständige Produktion. Mozart bewohnte ein Zimmer im „Deutschen Hause" in der Singerstraße, wo der Erzbischof abgestiegen war, und speiste zusammen mit dem Gesinde. Nur unwillig und in

seinem Selbstbewußtsein gekränkt fügte sich Mozart in diese Verhältnisse, doch gelang es ihm, abseits vom Erzbischof ehrenvolle
Verbindungen in Musikerkreisen und in adeligen Familien anzu-
knüpfen, wodurch ihm aber sein Joch noch drückender erschien.
Eine ehrenvolle Gelegenheit sich vor dem Wiener Publikum hören
zu lassen, bot ihm seine Mitwirkung in einem Konzert der
„Witwen- und Waisensozietät" am 3. April 1781, in welchem
er ein Klavierkonzert vortrug und großen Beifall erntete. Doch
blieb dieser Erfolg und die Gunst, welche die vornehme Gesellschaft dem jungen Meister erwies, ohne Einfluß auf sein Verhältnis zu dem Erzbischof, welcher fortfuhr, ihn mit Härte und
Geringschätzung zu behandeln. Endlich führten wiederholte unerquickliche Szenen, in welchen der Kirchenfürst seinen Musiker
in der rohesten Weise beschimpfte, zur Katastrophe. Mozart, in
seiner Ehre tief verletzt, nahm seine Entlassung und wurde Entlassung.
von da an ein freier Mann. Dies geschah im Juni 1781 und Mozart
blieb nun in Wien. Er nahm seine Wohnung bei der Familie
Weber auf dem Petersplatz, wo die Witwe mit ihren drei
unverheirateten Töchtern lebte. Im Sommer mußte er sich allerdings notdürftig fortbringen, aber es eröffneten sich für ihn günstige Aussichten, eine Oper für Wien zu schreiben.

In Wien war einige Jahre vorher von Kaiser Josef II.,
wie wir gesehen haben (S. 71), der Versuch gemacht worden, eine
deutsche Nationaloper zu begründen. Nach einigen voran- Deutsche Oper
gegangenen deutschen Singspielen erhielt im Sommer 1781 Mozart in Wien.
die Einladung, eine deutsche komische Oper zu schreiben. Als Opernauftrag.
Libretto wurde ihm „Belmonte und Constanze, oder die Entführung aus dem Serail", Text von Bretzner, übergeben. Das
Personal der Oper war zu dieser Zeit ein vorzügliches: Die Personal.
Sängerinnen Cavalieri, Aloysia Weber (welche in Wien den
Schauspieler Lange geheiratet hatte), Therese Teyber, die Gluck-
sängerin Bernasconi, der vortreffliche Tenorist Adamberger,
der berühmte Bassist Fischer. Mit diesen Kräften wurden auch
die Erstlingswerke des neugegründeten Wiener deutschen Singspiels, wie die von Umlauf, Salieri usw., ferner, und zwar überwiegend Übersetzungen fremder Stücke aufgeführt. Die norddeutschen Tonsetzer, wie Benda, Schweitzer, Reichardt wurden
auffallend vernachlässigt. Der Text der „Entführung" war schon
1781, von André in Musik gesetzt, in Frankfurt gegeben
worden. Mozart ging mit Lust und Liebe an die Komposition,
deren Stoff und exotischer Charakter ihm sehr zusagten, aber es
verging ein Jahr, während dessen viele Hindernisse und Intriguen zu besiegen waren, bis die Oper in Szene gehen konnte.
Inzwischen hatte Mozart durch Lektionen sein Brot zu ver- Lektionen.
dienen; er unterrichtete namentlich vornehme Damen, wie die
Gräfinnen Rumbeck, Zichy, die Frau von Trattner und andere, und

— 120 —

bezog für 12 Stunden sechs Dukaten. Doch war Mozart in uneigennütziger Weise gern bereit, mit seiner Kunst zu dienen. Ein Fräulein Auernhammer, eine damals geschätzte und tüchtige Klavierspielerin, förderte er durch Unterweisung und Mitwirkung in ihren Konzerten. Produktionen in adeligen Kreisen und Gelegenheitskompositionen brachten wenig ein.

Wettstreit mit Clementi. Eine interessante Episode bildet die Einladung zu Hofe für den 14. Dezember 1781, um mit Clementi eine Art Wettstreit auf dem Klavier zu bestehen. Kaiser Josef, welcher Mozart vorzugsweise als Klavierspieler schätzte, während ihm als Komponist Salieri viel mehr galt, erlustigte sich daran, den heimischen Künstler dem berühmten italienischen Virtuosen gegenüberzustellen und war von dem Siege des ersteren im voraus überzeugt. Clementi spielte eine Sonate in B-dur, in welcher er eine brillante Kadenz anbrachte, Mozart trug darauf Variationen vor, zuletzt improvisierten beide auf zwei Klavieren über ein Thema von Paisiello. Das Thema von Clementis B-dur-Sonate ist den ersten Takten der Ouvertüre zur Zauberflöte auffallend ähnlich. Clementi äußerte sich später begeistert über Mozart, dagegen hatte dieser von Clementis Spiel und seinen Werken keine günstige Meinung, nennt ihn einen bloßen „Mechanikus", ein scharfes Urteil, welches vielleicht damals richtig war, aber auf den späteren Clementi gewiß nicht zutrifft. Mozart erhielt für diese Produktion das Lob des Kaisers und überdies 50 Dukaten.

Salieri und Mozart. Von musikalischen Beziehungen erregt das Verhältnis Salieris zu Mozart die meiste Aufmerksamkeit. Salieri erkannte gewiß die Bedeutung des jüngeren Meisters, war auch im allgemeinen eine wohlwollende und ehrliche Natur, doch mag der erklärte Liebling des Kaisers von einer gewissen Eifersucht und innerer Besorgnis nicht ganz freizusprechen sein. Zu einer offenen Feindseligkeit kam es jedoch nicht. — Am 3. März 1782 veranstaltete Mozart eine „Akademie", in welcher er mehrere Stücke aus Idomeneo vorführte, außerdem ein Klavierkonzert in D-dur spielte und mit einer freien Phantasie schloß.

Die Entführung aus dem Serail. 16. Juli 1782. Endlich am 16. Juli 1782 ging die „Entführung aus dem Serail" im Burgtheater in Szene. Es war ein entschiedener und nachhaltiger Erfolg, der sich in dem stürmischen Beifall des Publikums und in zahlreichen Wiederholungen aussprach. Mozart soll 50 Dukaten für die Komposition erhalten haben. In Wien wurde die Oper 16mal in demselben Jahre gegeben. Am 7. August hörte sie auch Gluck, damals die höchste musikalische Autorität Wiens; er sprach sich sehr lobend aus, verkehrte wohlwollend mit dem Komponisten, den er auch zum Speisen einlud. Die „Entführung" machte bald ihren Weg über die deutschen Bühnen; 1783 erschien sie in Prag, darauf in Leipzig, Mannheim, 1784 in Salzburg, Kassel usw., 1788 in Berlin.

Verlobung und Vermählung mit Constanze Weber. In die Zeit der Vorbereitungen zur „Entführung" fällt das Liebesverhältnis und die Verlobung Mozarts. Es war Constanze Weber, seine Hausgenossin am Petersplatz, die jüngere Schwester seiner einst angebeteten Aloysia, die er sich erkoren. Da Mozart ohne jedes feste Einkommen war, auch die Familie Weber manches zu bedenken gab, widersetzte sich der Vater lange dieser Verbindung, welche jedoch trotz aller Schwierigkeiten am 4. August 1782 zu stande kam. Mozart fühlte sich damals sehr glücklich und war auch später ein liebender Gatte. Ob jedoch diese Ehe ein Segen für ihn geworden, ist zu bezweifeln. Jedenfalls folgten der frohbeschwingten Zeit bald die Sorgen des Alltags und die Störungen einer ungeregelten Häuslichkeit. Der Ehe entstammten zwei Söhne: Carl, geb. 1784, und Wolfgang, geb. 1791; ein drittes Kind starb bald nach der Geburt. Constanze war musikalisch und eine gute Sopransängerin; die Bedeutung ihres Mannes scheint sie kaum begriffen zu haben. Bei der Salzburger Familie war sie nicht sehr beliebt, ein Verhältnis, welches sich später besserte. Erwähnen wir an dieser Stelle, daß Leopold Mozart, trotz mehrfacher Einladungen des ihm unveränderlich treu ergebenen Sohnes, sein Salzburg, in dem er stets mit Arbeit überhäuft und mit Not und Schulden zu kämpfen hatte, nicht verlassen wollte. Marianne heiratete 1784 den Salzburgischen Hofrat von Sonnenburg, der seinen Wohnsitz in St. Gilgen hatte, einen schon älteren Mann, der fünf Kinder in die Ehe mitbrachte. Was die Schwestern Constanzens betrifft, so war die älteste, Josefa, an den Violinisten Hofer verheiratet, Aloysia lebte mit dem Schauspieler Lange in nicht ungetrübter Ehe, die jüngste, Sofie, die gutmütigste der Schwestern, vermählte sich mit dem Maler Haibl.

Die Jahre 1782—1786, zwischen der „Entführung" und „Figaro", verbrachte Mozart, mit Ausnahme eines vorübergehenden Besuches in Salzburg, ausschließlich in Wien. Diese Wiener Zeit bedeutet für Mozart eine ansteigende Linie in seiner Kunst, deren Gipfelpunkt die letzten Meisteropern bilden. Der glänzenden Entfaltung seines Genies entsprach aber keineswegs der äußere Erfolg und die allgemeine Anerkennung. Merkwürdig ist es, daß Mozart auch nach der „Entführung" vorzugsweise als Klavierspieler galt. Seinen Lebensunterhalt mußte er sich größtenteils durch Klavierunterricht verdienen, die Konzerte warfen nur einen unsicheren und oft spärlich fließenden Ertrag ab, Verlegerhonorare gab es damals selten. Trotzdem waren zeitweilig die Einnahmen nicht so gering, um die bald nach seiner Heirat beginnenden Geldverlegenheiten und in ihrem unvermeidlichen Gefolge das Schuldenmachen genügend zu erklären. Da von einer Verschwendung Mozarts nichts bekannt ist, so muß man die Ursache seiner mißlichen Lage in einem Mangel an wirtschaftlichem Sinn erblicken. So begleiteten Geldnot und Schulden Mozart bis an sein Ende.

Von den nicht allzu zahlreichen Schülern und Schülerinnen Mozarts aus dieser Zeit sind hervorzuheben: Der Engländer Attwood, Franziska v. Jacquin (eine seiner besten Schülerinnen), Frau von Trattner, Barbara Ployer. Der siebenjährige Hummel kam 1785 nach Wien, wurde Mozarts Schüler, und später durch

Marginal notes:
Sorgen.
Kinder.
Constanze.
Marianne Mozart.
Die Schwestern Weber.
Wiener Zeit 1782—1786.
Erwerb.
Geldverlegenheiten.
Schüler und Schülerinnen.
Hummel.

— 122 —

Gönner und Freunde. zwei Jahre sein Hausgenosse. — An vornehmen **Gönnern** und **Freunden** fehlte es Mozart nicht. Zu nennen sind in erster Reihe die Gräfin Wilhelmine Thun, Fürst Carl Lichnowsky, Graf Hatzfeld (auch sein Schüler), die Familie Jacquin, die musikalischen Häuser des Hofrats Greiner und des Baron v. Keess, die Baronin Waldstätten, die Geschwister Storace (der Komponist und die Sängerin), der Tenorist Kelly usw. Mit den **Kunstgenossen** pflegte

Kunstgenossen. Mozart wenig Umgang und selten einen freundlichen. Die Berührungen mit Gluck und Salieri, den beiden musikalischen Größen Wiens, auch mit Dittersdorf waren nur vorübergehend, dagegen

Haydn. war das Verhältnis zu **Haydn**, der zeitweise in Wien weilte, ein freundschaftliches. Haydn und Mozart duzten sich. Unter den übrigen Wiener Musikern hatte Mozart viele Neider seines Talents und manche Tadler, darunter den damals in Mode stehenden

van Swieten. **Kozeluch**. Wichtig ist die Bekanntschaft mit **van Swieten**, welche von 1782 datiert. In dem Hause dieses Kenners und Förderers ernster Musik (den wir schon in Verbindung mit Haydn kennen gelernt haben) wurden jeden Sonntag vormittag Werke alter Meister, namentlich Händels und Bachs aufgeführt. Mozart beteiligte sich bei den Aufführungen und lernte hier die alte Musik kennen und schätzen.

Geselligkeit. Mozart umgab stets ein Kreis von Freunden und Bekannten, denen er durch seine immer bereite Gefälligkeit und seine heitere Laune ein willkommener Genosse war. So fleißig, hochstrebend und gewissenhaft er in seiner Kunst war, so liebte er doch zugleich die Vergnügungen des geselligen Lebens, er tanzte leidenschaftlich gern, spielte Billard, verschmähte nicht die Tafelfreuden. Mozart war leichtlebig, ohne daß man ihm, wenigstens damals, Exzesse nachsagen konnte. Sein Humor, der witzig und auch spottlustig sein konnte, spielte oft in das Kindische, zuweilen in das Alberne hinüber.

Puchberg. Von Mozarts Bekannten darf der stets hilfsbereite **Puchberg** nicht vergessen werden. Puchberg, der ein wohlhabender Kaufmann und großer Musikfreund war, unterstützte jahrelang Mozart durch kleine und große Darlehen. Eine lange Reihe von Briefen Mozarts an Puchberg, voll dringenden Bitten und Hilferufen hat sich erhalten und enthüllt uns ein unerfreuliches Bild. Der „gute" Puchberg mit seinen, gewiß unverzinslichen, vielleicht auch unrückzahlbaren Darlehen spielt darin eine rührende, fast komische Rolle. Da Puchberg nicht alles tun konnte, so verschmähte Mozart auch die Hilfe von Wucherern nicht.

Mozart als Freimaurer. 1785 trat **Mozart** in den **Freimaurerorden** ein, der unter Kaiser Josefs II. Regierung in Wien ungehindert seine Versammlungen abhalten durfte. Mozart schloß sich der Loge „Zur gekrönten Hoffnung" an und ward ein überzeugtes und eifriges Mitglied dieser Gesellschaft. Er überredete auch seinen Vater, dem Orden beizutreten. Eine Anzahl seiner besten Freunde waren Freimaurer. Bei verschiedenen Gelegenheiten verlieh er durch Gaben seiner Kunst den Versammlungen auch eine musikalische Weihe. In seiner letzten Oper „Die Zauberflöte" bilden Sinn und Symbolik des Freimaurertums den deutlich durchschimmernden Hintergrund.

130

Werfen wir jetzt einen Blick auf die Konzerte, welche Mozart Konzerte und Privat- in dieser Zeit veranstaltete, so muß bemerkt werden, daß die Vir- produktionen. tuosenkonzerte damals nicht allzu häufig waren und daß diese meist auf dem Wege der Subskription zu stande kamen. Auch Mozart gab in den Jahren 1782—1786 Subskriptionskonzerte, namentlich während der Fastenzeit. In dem ersten Augarten-Konzerte, im Mai 1782, führte Mozart eine Symphonie und ein Klavierkonzert vor. Am 22. März 1783 gab er ein Konzert im Theater, in welchem die „Hafner-Serenade", eine Arie aus Idomeneo und ein Klavierkonzert zur Aufführung kamen und Mozart überdies improvisierte; das Konzert, dem auch der Kaiser beiwohnte, war stark besucht und ergab eine reiche Einnahme. Von anderen Konzerten Mozarts sind zu verzeichnen die auf der Mehlgrube (jetzt Hotel Munsch), wo Mozart 1785 sein D-moll-Konzert spielte, dann die Mitwirkung in dem Konzert seiner Schwägerin Aloysia Lange (bei welchem Gluck anwesend war), in jenem der Sängerin Caroline Teyber usw. Von 1787 an trat Mozart als Klavierspieler nicht mehr öffentlich auf, mit Ausnahme der Mitwirkung in einem Konzerte des Klarinettisten Beer im März 1791, in welchem Mozart sein Klavierkonzert in B-dur vortrug. — Den öffentlichen Konzerten schlossen sich zahlreiche Privatproduktionen in den Häusern der Fürsten Gallizin, Esterhazy, des Grafen Zichy und vieler anderer an.

Auch in seiner eigenen Wohnung ließ sich Mozart zeitweise gegen Entgelt hören. Mozart wohnte in diesen Jahren nacheinander auf der „Hohen Brücke" Nr. 25 und 17 neu, am Judenplatz Nr. 3 n., im Camesina'schen Hause in der Schulerstraße Nr. 8 n.

Der Ertrag dieser öffentlichen und privaten Produktionen war nur in seltenen Fällen lohnend, und auch sonst fühlte sich Mozart in Wien nicht nach Verdienst anerkannt. So mußte in ihm wohl öfters der Gedanke auftauchen, sein Glück anderwärts zu versuchen. Seine englischen Freunde Attwood, Storace, Kelly rieten ihm dringend, nach London zu gehen, und boten ihm ihre Vermittlung an, doch konnte sich Mozart aus der Enge und dem Wirrsal seiner Lage nicht zu diesem Entschlusse aufschwingen. Zudem widerriet der Vater das Wagnis.

Über die Kompositionen Mozarts in diesem Zeitabschnitt Kompositions-Verzeichnis. sind wir bis zum Jahre 1784 durch das von ihm selbst angelegte Verzeichnis (herausgegeben von André 1805, dann 1828) teilweise unterrichtet. Von 1782 bis 1786 lassen sich als die namhaftesten Instrumentalwerke anführen: 4 Symphonien, 6 Streichquartette (Haydn gewidmet), 2 Serenaden für Blasinstrumente, von Klavierwerken 15 Konzerte (darunter die in D-moll, A-dur, C-moll), das Quintett Es-dur mit Blasinstrumenten, die Klavierquartette G-moll und Es-dur, die Violinsonaten B-dur (für die Violinspielerin Strinasacchi) und Es-dur, die Phantasie und Sonate C-moll, die vierhändige Sonate in F-dur, die für zwei Klaviere in D-dur, die Suite (Ouvertüre im Stil von Händel) C-dur—C-moll, die Variationen über „Unser dummer Pöbel meint" usw. — Von Vokalwerken stammen aus dieser Zeit die C-moll-Messe, dann eine Anzahl von einzelnen Arien und einige Lieder.

Es ist schon vorher gesagt worden, daß Mozart für seine tondichterischen Arbeiten nur spärlichen Lohn erntete. Es bestand damals weder ein Antorrecht, noch ein Aufführungsrecht auf fremden Bühnen. Veröffentlicht hat Mozart nur 18 Werke mit fortlaufenden Opuszahlen, von denen nur die sechs Haydn gewidmeten Quartette ein namhaftes Verlegerhonorar erzielten. Alles andere wurde nur in Abschriften vom Komponisten, zuweilen auch vom Kopisten verkauft.

Nach dem Erfolge der „Entführung" war es Mozarts lebhaftester Wunsch, wieder ein deutsches Singspiel zu schreiben. Aber es kamen für diese Gattung schlimme Zeiten. Die deutsche Oper in Wien ging 1783 ihrem Verlöschen entgegen und mußte dem aufgehenden Gestirn der Opera buffa weichen. Mozart drängte es auch, auf diesem Gebiete in die Schranken zu treten Er verband sich in Salzburg mit dem Textdichter Varesco, der ihm L'Oca di Cairo. ein Libretto „L'Oca di Cairo" (die Gans von Cairo) lieferte, die Komposition gedieh aber nicht über den ersten Akt und Skizzen zu den beiden anderen. Die Oper blieb unvollendet. Auch ein zweiter Anlauf zur Komposition einer Opera buffa auf einen älteren, Lo sposo deluso. schon benützten Text „Lo sposo deluso" führte nicht über die Anfänge hinaus. Nur ein einziges Musikstück daraus, ein Terzett, ist vollständig ausgearbeitet, sonst sind nur Skizzen vorhanden. Beide Versuche sind in die Jahre 1783—1784 zu setzen.

Das Jahr 1786 brachte zwei Opernaufträge. Der erste war, für eine Festlichkeit in Schönbrunn die Musik zu einer Der Schauspiel- komischen Komödie „Der Schauspieldirektor" zu schreiben. direktor. Das Singspiel kam am 7. Februar, zusammen mit einer kleinen Opera buffa von Salieri „Prima la musica e poi le parole" zur Aufführung. Mozarts Musik besteht aus der Ouvertüre und vier Nummern, von denen nur das komische Terzett wirksam ist. Das Singspiel wurde dann noch dreimal im Opentheater gegeben. Später tauchte es vorübergehend an verschiedenen Orten in mehr oder weniger veränderter Gestalt auf: In Weimar 1791 auf den Text von Cimarosas „L' Impresario in angustie", in Wien 1797, dann 1814, in Paris 1856, in London 1877.

Eine possenhafte Verballhornung unter dem Titel „Mozart und Schikaneder", in welcher Mozart persönlich auf die Bühne gebracht wird und eine Anzahl Lieder von ihm eingeflochten sind, gehört der späteren Zeit an.

Der zweite Auftrag war der, eine italienische Opera buffa zu schreiben. Damals beherrschten Salieri, Sarti, Paisiello Le Nozze di die Opernbühne. Der Dichter Da Ponte hatte für Mozart ein Figaro Libretto „Le Nozze di Figaro" verfaßt, welches sich an Beau-(Figaros Hoch- marchais' „Le mariage de Figaro" anlehnt. Mozart begann schon zeit).

im Herbst 1785 die Arbeit und beendigte sie am 29. April 1786. Daß er, wie Da Ponte behauptet, die Oper in sechs Wochen geschrieben, ist mindestens sehr unwahrscheinlich. Es bedurfte nicht geringer Bemühungen, um die Annahme der Oper durchzusetzen. Der Kaiser, der den Stoff bedenklich fand, überdies von Mozart keine große Meinung besaß, gab endlich den Befehl zur Aufführung. Diese erfolgte am 1. Mai 1786 und erfuhr eine günstige Aufnahme bei dem Publikum. Die Darsteller waren: Sgn. Mandini (Almaviva), Sgra. Laschi (Gräfin), Mrs. Storace (Susanne), Benucci (Figaro), Sgra. Bussani (Cherubin), Sga. Mandini (Marcellina), Kelly (Basilio und Don Curzio), Frl. Gottlieb (Barbarina). Mozart erhielt 100 Dukaten für die Komposition. Die Oper wurde im Mai noch dreimal, dann noch einigemal im Laufe des Jahres wiederholt und ruhte dann bis 1789, während sie bald nach der Wiener Aufführung in Prag gegeben wurde und große Beliebtheit gewann. Berlin folgte 1790. In Wien waren die Kenner von Mozarts Figaromusik entzückt, während die Masse des Publikums die „Cosa rara" von Martin vorzog.

Erste Aufführung 1. Mai 1786.

„Figaro" drang rasch in die Ferne. In Paris wurde diese Oper zuerst mit dem Originaltext von Beaumarchais, dann 1802 deutsch, 1807 italienisch gegeben, in London zuerst 1812 (mit der Catalani als Susanne). Italien bereitete weder dem Figaro noch den anderen Opern Mozarts eine günstige Aufnahme.

Nirgends kam Mozart so viel Verständnis entgegen als in dem musikalischen Prag, nirgends weilte er auch so gerne. Im Jänner 1787 langte er daselbst mit seiner Frau an und wurde von seinen Verehrern freudig begrüßt. Er war durch seinen Figaro bei den Pragern schon populär geworden. Von dem Adel erfuhr er gastliche Aufnahme, speziell in dem Hause des Grafen Thun. Er zählte auch aufrichtige Freunde unter den Musikern, allen voran das Ehepaar Duschek, das er schon vor Jahren in Salzburg kennen gelernt hatte, der Mann ein vorzüglicher Klavierspieler und Lehrer, die Frau Sängerin; die letztere war ein besonderer Liebling Mozarts. Bald nach seiner Ankunft in Prag wurde Figaro gegeben und Mozart, welcher selbst dirigierte, enthusiastisch gefeiert. Auch gab er zwei Konzerte mit eigenen Kompositionen und Improvisationen, von denen das erste eine Einnahme von 1000 Gulden ergeben haben soll. Von dem Impresario der italienischen Oper Bondini erhielt er nun den Auftrag, eine Oper für Prag zu schreiben. Das Honorar wurde mit den üblichen 100 Dukaten festgesetzt. Wieder war es Da Ponte, welcher den Stoff wählte und das Libretto lieferte, das zu „Don Giovanni". Nach Wien zurückgekehrt, arbeitete er an der Musik, vollendete sie aber erst in Prag. In der Zwischenzeit hatte Mozart den Tod seines Vaters zu beklagen, der im Mai 1787 in Salzburg erfolgte. In diese Zeit fällt auch der Besuch des 17jährigen Beethoven in Wien; dieser

Mozart in Prag. 1787.

Tod des Vaters.

stellte sich Mozart vor und soll durch sein Klavierspiel dessen Bewunderung erregt haben. Verbürgtes ist über dieses Zusammentreffen nicht bekannt.

Mozart verfügte sich im September nach Prag, um mit dem Opernpersonal in persönliche Beziehung zu treten und die fehlenden Nummern zu komponieren.

Am liebsten hielt er sich bei dem Ehepaar Duschek auf, in deren Landhaus und Weingarten bei Prag er an einem Gartentisch während des Kegelspiels arbeitete. (Das Haus in Smichow Nr. 169, genannt „Bertranka", ist in neuester Zeit mit einer Büste Mozarts geschmückt worden.)

Die Aufführung verzögerte sich. Auch Mozart war säumig; die

Don Giovanni (Don Juan). Erste Aufführung 29. Oktob. 1787.

Ouvertüre zu Don Giovanni soll er erst in der Nacht vor der ersten Aufführung geschrieben haben. Diese fand am 29. Oktober 1787 statt. Mozart leitete die Oper am Klavier. Der Erfolg war ein vollständiger. Die Sänger und Sängerinnen, sämtlich Italiener und das Orchester boten vorzügliche Leistungen. Die Prager durften stolz darauf sein, dieses Meisterwerk zuerst gehört zu haben.

Am 15. November desselben Jahres war Gluck gestorben. Mozart konnte sich nun Hoffnung auf dessen Nachfolge machen, um endlich zu einer festen Stellung zu gelangen. In der Tat er-

Kammerkomponist.

nannte ihn der Kaiser am 7. Dezember zum Kammerkomponistor mit einem Gehalt von 800 fl., während Gluck 2000 fl. bezogen hatte. (Nach Mozart erhielt Kozeluch in derselben Stellung 1500 fl.)

Don Giovanni in Wien.

In Wien kam Don Giovanni erst am 7. Mai 1788 im Burgtheater zur Aufführung. Dichter und Komponist erhielten Honorare, Mozart 225 fl. Die Darsteller waren: Albertarelli (Don Giovanni), Aloysia Lange (Donna Anna), Sgra. Cavalieri (Elvira), Morella (Ottavio), Benucci (Leporello), Bussani (Don Pedro und Masetto), Sgra. Mombelli (Zerlina). Das Publikum nahm die Oper anfangs kühl auf, bei den Wiederholungen steigerte sich aber das Interesse. Nachdem das Werk einige Jahre geruht hatte, wurde es im Burgtheater in deutscher Sprache wieder aufgenommen, und ward in der Folge eine der ständigen Repertoireopern der Wiener Opernbühne.

Bis zum Jahre 1890 erlebte Don Juan nicht weniger als 478 Aufführungen in Wien. In Prag stiegen sie bis zu demselben Jahre auf 556. Von 1788 an machte schon die Oper ihren Weg durch ganz Deutschland, drang auch nach Paris, London, Amerika vor. Bald wurde „Don Giovanni" als das Meisterwerk Mozarts anerkannt. Nur in Italien wurde die Oper nicht recht heimisch.

Privatverhältnisse.

Betrachten wir Mozarts Privatverhältnisse nach der Aufführung des „Don Giovanni", so bietet sich uns ein trostloses Bild. Der Erwerb wurde geringer, die Ausgaben größer. Die Schülerzahl schwand bis auf zwei zusammen. Die öffentlichen Konzerte hatte Mozart seit 1787 aufgegeben, da das Interesse des Publikums

erkaltet war. Das Elend steigerte sich durch die Kränklichkeit
Constanzens, welche die Lähmung eines Fußes zur Folge hatte. Sie
mußte einige Sommer in Baden bei Wien zubringen, wo dann
auch ihr Mann öfters zu Besuch weilte. Die Schulden mehrten sich,
und sowohl Puchberg als auch andere mußten oft um Hilfe angerufen
werden. Wie schon in früheren Zeiten, richtete Mozart seine Blicke
nach auswärts. Da geschah es, daß ihn Fürst Lichnowsky einlud,
mit ihm nach Berlin zu reisen und dort sein Glück zu versuchen. *Nach Berlin 1789.*
Am 8. April 1789 verließen sie Wien. Die Reise ging über Prag
und Dresden, wo Mozart einen mehrtägigen Aufenthalt nahm.
Er spielte bei Hofe, bestand bei dem russischen Gesandten rühm-
lich einen Wettkampf mit dem angesehenen Pianisten Hässler und
ließ sich auch sonst in Privatkreisen hören. In Leipzig ver- *Leipzig.*
kehrte er mit Rochlitz und dem Kantor Doles, der ihm ein
lebhaftes Interesse für Bachs Motetten einflößte, spielte auf der
Orgel der Thomaskirche und nahm an den Kammermusiken in
musikalischen Zirkeln teil. In Berlin angekommen, wurde Mozart
durch den Fürsten Lichnowsky dem König vorgestellt. Dieser
zeichnete den Meister in herzlicher Weise aus, machte ihm ein
ansehnliches Geschenk und bestellte bei ihm drei Streichquartette.
Daß der König ihm die Stelle eines Kapellmeisters mit 3000
Taler Gehalt angetragen und daß Mozart aus Anhänglichkeit an
sein Vaterland den Antrag ablehnte, ist eine wenig verbürgte Tatsache. Nachdem Mozart noch vor der Königin gespielt hatte und
Zeuge der Triumphe Dittersdorfs gewesen, kehrte er über Dresden
und Prag nach Wien zurück.

Gegen Ende des Jahres erhielt Mozart den Auftrag, die Oper
„Cosi fan tutte" auf das ihm übergebene Libretto von Da Ponte *Cosi fan tutte.*
zu schreiben. Die Komposition gedieh sehr rasch und die Aufführung konnte schon am 26. Jänner 1790 im Burgtheater statt- *26. Jänner 1790.*
finden. Es wirkten mit: Sgna. del Bene (Fiordiligi), Sgna. Ville-
neuve (Dorabella), Benucci (Guillelmo), Calvesi (Ferrando), Sga.
Bussoni (Despina), Sgr. Bussoni (Don Alfonso). Die Oper gefiel
trotz des abgeschmackten Librettos, wurde aber nur einigemal gegeben,
da der Tod Kaiser Josefs am 20. Februar eine Unterbrechung
der Theatervorstellungen zur Folge hatte. Im Juni wieder aufgenommen, erhielt sich „Cosi fan tutte" nicht dauernd auf dem
Repertoire. In deutscher Bearbeitung als „Die Schule der Liebe"
kam die Oper 1794 im Theater an der Wien, als „Mädchentreue"
im Hoftheater zur Aufführung. Von Zeit zu Zeit tauchte „Cosi fan
tutte" im Wiener Opernhause auf, um bald wieder zu verschwinden.
In allen Städten Deutschlands, in Paris, London, überall entzückte
die schöne Musik, doch konnte die Oper, der albernen und einförmigen Handlung wegen, nirgends festen Fuß fassen.

Unter Kaiser Leopold II., der viel weniger musikliebend war *Unter Kaiser Leopold II.*
als sein Vorgänger, verbesserte sich das Los Mozarts keineswegs.

Dieser bewarb sich vergebens um die Kapellmeisterstelle nach Salieris Rücktritt, es wurde ihm Weigl vorgezogen. Im Oktober

Frankfurt. begab sich Mozart nach Frankfurt, wo die Kaiserkrönung Leopolds stattfand. Nur mit Opfern konnte er die Reise unternehmen, doch hoffte er durch den Ertrag von Konzerten aus seiner bedrängten Lage herauszukommen. Obwohl Mozarts Name in der musikalischen Welt schon hoch stand, obwohl seine Leistungen überall Bewunderung erregten, wollte sich der Erfolg auch diesmal nicht voll einstellen. Er gab in Frankfurt ein Konzert im Stadttheater, in welchem er zwei Klavierkonzerte, darunter das in D-dur („Krönungskonzert") spielte und erntete großen Beifall bei schwacher Einnahme. Gesellschaftlich wurde Mozart sehr gefeiert und verkehrte mit interessanten Persönlichkeiten, u. a. mit dem bekannten Verleger André in Offenbach. In Mainz spielte er vor dem Kurfürsten, in Mannheim hörte er seinen Figaro, in München spielte er bei Hofe. Mit geringer finanzieller Ausbeute kehrte er endlich nach Wien zu seiner Frau und zu seinen Gläubigern zurück. Ende Dezember nahm Mozart von seinem nach London

Abschied von reisenden Freunde Haydn herzlichen und rührenden Abschied.
Haydn. Der Unternehmer dieser Reise, Salomon, machte Mozart den Antrag, ihn nach Haydns Rückkehr für England zu engagieren. Es war Mozart nicht mehr bestimmt, dieses Land zu betreten.

Unausgesetzt blieb sein Schaffen bis ans Ende und nicht gering an Zahl und Bedeutung sind die Werke, die er noch der Welt als reiche Hinterlassenschaft zu bieten hatte. Von den Kom-

Kompositionen positionen, welche der Zeit von 1787 bis 1791 angehören, sind
1787—1791. hervorzuheben: die drei Meistersymphonien in Es-dur, G-moll, C-dur („Jupiter"), vier Streichquintette (darunter das in G-moll und und das Klarinett-Quintett), das Klavierkonzert in D-dur, andere Konzerte für Horn, für Klarinette; von Klavierstücken die Sonate in F-dur (als Allegro und Andante erschienen), Adagio H-moll, die Gigue G-dur (1789 in ein Stammbuch in Leipzig geschrieben) usw. Für ein „Orgelwerk" und eine „Uhr" (in dem Kunstkabinett des Grafen Deym) schrieb Mozart zwei größere Stücke, welhce in der Bearbeitung zu vier Händen bekannt geworden. Von deutschen Liedern sind „Das Veilchen", „An Chloe", „Abendempfindung" zu nennen. Eine Anzahl von komischen Vokalstücken, Kanons, dann das „Bandl"-Terzett sind nicht zu übergehen. — Auf Veranlassung van Swietens bearbeitete Mozart in den Jahren 1788 bis 1790 Händels Werke: „Acis und Galatea", „Messias", die „Cäcilienode" und das „Alexanderfest"; sie wurden sämtlich unter Mozarts Leitung zur Aufführung gebracht. Für die Kirche in Baden schrieb er eine Messe und das „Ave verum".

Schikaneder. Das Frühjahr 1791 brachte Mozart mit Schikaneder zusammen, dessen Bekanntschaft er schon flüchtig 1780 in Salzburg gemacht hatte.

Schikaneder, der Sänger, Theaterdichter und Direktor in einer Person war, hatte ein bewegtes Vorleben. Mit einer Schauspieltruppe durchzog er eine Anzahl deutscher Städte und ließ sich 1784 in Wien nieder, wo er mit seiner Gesellschaft im Kärntnerthortheater Vorstellungen gab. Nach mehrjähriger Abwesenheit übernahm er 1789 die Direktion des 1786 erbauten Theaters im Starhembergschen Freihause auf der Wieden. Das „Schikaneder-Theater", welches mehr einer Holzbude glich, wurde sehr populär. Schikaneder gab volkstümliche komische Opern und hatte einen großen Zulauf, doch konnten seiner leichtsinnigen Lebensweise und Verschwendung selbst die guten Einnahmen nicht genügen. Er sann auf etwas Aufsehen erregendes, zugkräftiges; es sollte ein Zauberstück sein, eine Gattung, welche dem Geschmack des damaligen Publikums zusagte. Er verfaßte ein Textbuch, welches eine wunderliche Mischung von Weisheit und Albernheit, mystischem Ernst und kindischen Spässen bildete und in einer Sprache vorgetragen wurde, die keineswegs gewählt, zwischen Naivität und Unsinn sich bewegte — das Textbuch zur „Zauberflöte". In Mozart hatte er den Mann gefunden, der ihm Die Zauberflöte. mit Recht als der fähigste erschien, der auf seine Ideen einging, mit ihm arbeitete, auch an seinen Gelagen teilnahm. Um ihn in der Nähe zu haben, ihn gleichsam zu überwachen, räumte ihm Schikaneder ein kleines Gartenhaus neben dem Theater zur Arbeit ein. Hier und in einem Zimmer des Kasinos auf dem Kahlenberg ist ein großer Teil der Musik entstanden. (Das Gartenhäuschen wurde aus dem Freihause im Jahre 1881 auf den Kapuzinerberg in Salzburg versetzt.)

Im Juli war die Musik zur Zauberflöte vollendet, doch vergingen noch mehrere Monate bis zur Aufführung. In der Zwischenzeit traten aber an Mozart zwei Aufträge ganz verschiedener Natur heran. Eines Tages, so lautet die romanhafte Legende, erschien bei dem Meister eine lange, hagere Gestalt, düster in den Mienen, dunkel im Anzug und bestellte bei ihm die Komposition eines Requiems, in kurzer Zeit zu liefern, ließ auch als Teilzahlung Requiem. die Summe von 50 Dukaten zurück. Mozart, der in trüber Stimmung war, wurde durch die unheimliche Erscheinung in Verbindung mit dem Gegenstande der Bestellung tief ergriffen. Es war ihm, als wäre der Tod in Person vor ihn getreten und als hätte er das Requiem für sich selbst zu schreiben.

Die Aufklärung dieser geheimnisvollen Geschichte ließ nicht lange auf sich warten. Die dunkle Gestalt war der Verwalter des Grafen Walsegg, Gutsbesitzer zu Stuppach bei Gloggnitz in Niederösterreich. Dieser war ein Musikliebhaber eigener Sorte. Er wollte in seinen Kreisen gern als Komponist gelten und ließ sich von angesehenen Meistern Streichquartette und andere Werke liefern, die er dann verblümt oder offen als seine eigenen Produkte ausgab. Jetzt beabsichtigte er für seine kurz vorher verstorbene Gemahlin eine musikalische Seelenmesse zu erwerben und so wendete er sich anonym an Mozart mit der Bestellung, um das Werk dann als sein eigenes aufführen zu lassen.

Mozart ging mit Hingebung an die Komposition, da ihn der Stoff mächtig anzog. Die Arbeit war schon weit gediehen, als ihn eine dringliche, unaufschiebbare Bestellung von derselben abzog. Er hatte für die Krönung Leopolds in Prag eine Festoper zu komponieren. Es war für diese Gelegenheit Metastasios „La Cle- La Cl menza di Tito (Titus). menza di Tito" gewählt worden und Mozart hatte nur 18 Tage Zeit, die Oper in Musik zu setzen. Mit staunenswerter Leichtigkeit entledigte er sich dieser Aufgabe. Schon im Reisewagen begann er die Arbeit, die er dann in Prag fortsetzte und vollendete. Sein Schüler Süßmayr, der ihn, nebst seiner Frau, nach Prag begleitete, stand ihm in der Anfertigung der Seccorezitative zur Seite. Gleichzeitig wurde die Oper einstudiert, so daß die erste Aufführung am festgesetzten Tage, dem 6. September stattfinden konnte. Das Werk, eine Opera seria im herkömmlichen Stile, wurde ziemlich kühl aufgenommen. Titus wurde noch mehrmals in Prag, dann 1795 in Wien, 1806 in London, 1816 in Paris gegeben, blieb aber immer ein seltener Gast auf der Opernbühne. Mozart, der für die Komposition 200 Dukaten erhalten hatte, kehrte nach Wien zurück, um noch die letzte Hand an die Zauberflöte anzulegen, deren erste Aufführung am 30. September 1791 auf dem Theater im Freihause stattfand. Der Erfolg war ein ehrenvoller für Mozart, der die Oper dirigierte, steigerte sich täglich, denn sie wurde täglich gegeben und erreichte eine beispiellose Beliebtheit. Die Besetzung war: Sarastro (Herr Gerl), Tamino (Schaek), Königin der Nacht (Frau Hofer), Pamina (Frl. Gottlieb), Papageno (Schikaneder d. J.) usw. Die „Zauberflöte“ erlebte im Oktober 1795 die 200. Vorstellung. Im Jahre 1802 wurde sie zum erstenmal in dem neuerbauten Theater an der Wien gegeben. Auch die anderen Wiener Theater bemächtigten sich des dankbaren Stückes. Nach Wien nahmen in rascher Folge Frankfurt, Berlin, Dresden die Oper auf. Bald erscheint sie auf allen Bühnen Europas in deutscher, italienischer, französischer, englischer Sprache. Es ist die erste deutsche Oper, welche zur Weltoper wird. Der glänzende Erfolg der Zauberflöte war der letzte Lichtblick in dem Dasein Mozarts. Er schöpfte neuen Lebensmut und gab sich rosigen Hoffnungen für die Zukunft hin. Es war ihm nicht beschieden, ihre Erfüllung zu erleben. Mozart, der schon während seines Aufenthalts in Prag leidend war, kränkelte fortan, wenn auch sein Zustand sich zeitweise derart besserte, daß er sich künstlerisch und gesellschaftlich ungehindert betätigen konnte. Auch seine gute Laune und seine harmlosen Spässe kehrten in günstigen Momenten wieder. Nun widmete er sich ganz der Komposition des Requiems, seinem letzten großen Werke. Er arbeitete daran unausgesetzt, auch des Nachts, in fast fieberhafter Hast, bis ihm die Feder entglitt. Die Krankheit steigerte sich, seine Stimmung wurde trüber, gefährliche Anzeichen stellten sich ein. Gegen Ende November mußte er sich zu Bette legen und in ärztlicher Behandlung bleiben. Auch da noch beschäftigte ihn das Requiem auf das lebhafteste; er schrieb im Bette und sein treuer Jünger und Mitarbeiter Süßmayr, der häufig um ihn war, wurde von dem Meister in seine Absichten eingeweiht; er selbst konnte sein Werk nicht mehr vollenden. Erst am Abend vor seinem Tode verlor Mozart das Bewußtsein. Er starb in der Nacht zum 5. Dezember 1791.

Das Leichenbegängnis fand am 6. Dezember, 3 Uhr nachmittags von der Rauhensteingasse, der letzten Wohnung Mozarts aus, statt, die Einsegnung erfolgte in der Stephanskirche. Die näheren Umstände der Beerdigung, wie sie uns überliefert sind, erscheinen so unglaublich, daß man sie für ein Produkt erfinderischer Phantasie halten müßte, wären sie nicht zweifellos erwiesen. Bei dem Trauerakt in der Kirche waren nur wenige Freunde zugegen, darunter Salieri, van Swieten, Süßmayr. Die Witwe befand sich in leidendem Zustande bei einer befreundeten Familie. Es war ein regnerischer und stürmischer Dezembertag; die Anwesenden, welche den ärmlichen Leichenwagen dritter Klasse durch die Schulerstraße zum Stubentor begleiteten, kehrten daher dort wieder um. Auf dem Marxerfriedhof wurde der Meister in ein allgemeines Grab versenkt, einsam, ohne Zeugen. Da weder die Witwe, noch sonst jemand sich durch geraume Zeit um das denkmallose Grab kümmerten, der Totengräber mittlerweile verschollen war, so konnte es geschehen, daß die Stelle, wo die sterblichen Überreste des unsterblichen Meisters ruhen, für immer unauffindbar blieb. Auf den Beteiligten lastet dieses Versäumnis als ein untilgbarer Vorwurf, uns aber erscheint es unverständlich, daß solches zu irgend einer Zeit möglich war. — Die Hinterlassenschaft Mozarts betrug 60 Gulden in Barem, die Effekten wurden auf 500 Gulden geschätzt. Die Manuskripte und Briefe, insofern sie nicht ohnehin im Besitze von Verlegern und Privatpersonen waren, fielen der Witwe zu.

Leichenbegängnis. Grab. Hinterlassenschaft.

Mozarts äußere Erscheinung wird übereinstimmend als unansehnlich geschildert. Nichts verriet in dieser den bedeutenden Mann. Eher klein von Statur, besaß er einen großen Kopf, aus dem die Augen meist unstät und zerstreut blickten. Ein charakteristisches Detail seines Gesichts bildete die stark ausladende Nase. In seiner Jugend war Mozart mager, später nahm er an Umfang zu. Die wenig vorteilhafte Erscheinung gewann sofort an Interesse, wenn Mozart in der Ausübung seiner Kunst begriffen war. Mozart war nicht frei von Eitelkeit. Daß seine Erscheinung niemandem imponierte, verstimmte ihn oft, er liebte prachtvolle Kleider und konnte in solchen wohl für einen Höfling angesehen werden. So ernst er auch seine Kunst nahm, so unermüdlich er schöpferisch tätig war, blieb er doch selbst in seiner späteren Zeit ein großes Kind. Er war fast immer guten Humors, zu Scherzen aufgelegt, die mitunter etwas derb ausfielen, wie sie vielleicht im Geschmacke der damaligen Salzburger lagen. Daß das Billardspiel und der Tanz seine Lieblingszerstreuungen waren, ist schon erwähnt worden. Mozarts allgemeine Bildung reichte nicht tief, doch hatte er sich auf Reisen manches Nützliche angeeignet. Sein Stil ermangelte nicht des vernünftigen Inhalts, eines treffenden oft scharfen Urteils, wohl aber ließ die Sprachrichtigkeit manches zu wünschen übrig. Zu Zeiten, wo ihn Pläne für Auslandsreisen beschäftigten, trieb er eifrig Sprachstudien, namentlich französische und englische, des Italienischen war er am meisten mächtig.

Mozarts Persönlichkeit. Äußeres. Humor. Bildung.

Was seine Art zu komponieren betrifft, so ist man darauf angewiesen, aus vereinzelten Beobachtungen Schlüsse zu ziehen. Es ist schwer, in die Werkstätte des Dichters oder des Tonsetzers zu blicken, weit schwerer als in jene des Malers und des Bildhauers. Mozart komponierte nicht geradezu am Klavier, doch ist es anzunehmen, daß viele seiner Melodien ihm beim Improvisieren zuströmten. Die Ausarbeitung, mit jener Sorgfalt und jenem Kunstverstand, die ihm eigen waren, erfolgte dann am Schreibtisch. Daß so manches Werk in seinem Kopfe vollendet dastand, bevor er an die Niederschrift ging, ist nicht zu bezweifeln. Er schrieb rasch, „wie gewöhnliche Schrift“, in kleinen Noten, mit wenig Korrekturen. Mozart arbeitete meist des Morgens, der Abend gehörte der Unterhaltung, der Geselligkeit.

Art zu komponieren.

In den letzten Jahren waren die Freunde Mozarts meist Freimaurer. Es ist dieser Gesellschaft gewiß nicht anzurechnen, daß nicht alle diese Freunde tadellose und uneigennützige Charaktere waren, wie Schikaneder,

Umgang.

der den Komponisten der Zauberflöte in den Strudel seiner zügellosen Lebensführung zog, wie der Klarinettist Stadler, der Mozarts Herzensgüte mißbrauchte. Man ist Mozart selbst in seinem Lebenswandel vielfach nahegetreten, man hat ihn als unmäßig, leichtfertig geschildert, man hat seine Schuldenlast auf das Zehnfache ihrer wahren Höhe veranschlagt, man hat auch sonst an Verleumdungen nicht gespart. Daß Mozart in seiner Lebenslust zuweilen überschäumte, daß ihm haushälterischer Sinn mangelte, daß er, in steter Berührung mit der Theaterwelt, zu Unregelmäßigkeiten verleitet wurde, daß er in seiner permanenten Geldnot manchmal seinen Mannesstolz verleugnete, kann immerhin zugestanden werden. Doch der Kern war edel und gut. Ist es auch denkbar, daß ein Mann, der ein harmloses, herzensgutes Gemüt besaß, der ein guter Sohn, ein treuer, stets dienstbereiter Freund war, moralisch minderwertig gewesen sein soll, daß er, der in rastlosem Fleiß in kurzer Lebensfrist der Welt so viele, darunter hochbedeutende Werke geschenkt, zugleich ein Schlemmer war? Darf ein Künstler dieses Ranges mit dem bürgerlichen Maßstab gemessen werden? — So soll uns denn nichts das Andenken des großen Tondichters trüben.

Verleumdungen.

Porträts.

Von Mozart sind zahlreiche Porträts vorhanden, welche sich teils in öffentlichen Sammlungen, wie in der Gallerie zu Versailles, im Mozarteum in Salzburg, teils im Privatbesitz befinden. Diese Bildnisse, welche aus der Zeit von 1762 bis 1790 stammen, sind meist idealisiert, einige als Genrebilder aufgefaßt. Mozart wird in denselben auch mit seinen Angehörigen, mit Vater und Schwester, oder umgeben von einem vornehmen Auditorium dargestellt. Das ähnlichste Porträt soll das von seinem Schwager Lange gemalte (im Mozarteum) sein, das letzte, das in Mainz von dem Maler Tischbein herrührende. Ein kleines Relief aus Buchsbaum (ebenfalls im Salzburger Mozarteum) von Posch gilt als typisch für Mozarts Profil. Die meisten dieser Porträts sind durch zahlreiche Stiche bekannt.

Denkmale.

Die ältesten Denkmale Mozarts wurden von Privatpersonen errichtet, von dem Kaufmann Theuerkauf in Graz in seinem Garten, von der Herzogin Amalie von Weimar in ihrem Schloßpark, von dem großen Kunstfreunde Bridi in Roveredo in einem Gartentempel. 1842 wurde in Salzburg auf dem Platze nächst dem Dome das Erzdenkmal Mozarts von Schwanthaler enthüllt. Ein Denkmal, das Werk des Bildhauers Hans Gasser wurde 1859 auf dem Marxer Friedhof in Wien aufgestellt. Als in neuester Zeit die sterblichen Überreste Beethovens und Schuberts auf den Zentralfriedhof übertragen wurden, ehrte man, so wie Gluck und Haydn, auch Mozart durch einen Denkstein. Im Jahre 1896 wurde in Wien auf dem Albrechtsplatz nahe dem Opernhause ein großes Monument Mozarts von Carl Tilgner errichtet.

Musikfeste.

Zu Ehren Mozarts fanden an seinem 100jährigen Geburtstage 1856 Musikfeste statt, das bedeutungsvollste in seiner Vaterstadt Salzburg, wo bei dieser Gelegenheit festliche Veranstaltungen in Anwesenheit zahlreicher Fremden stattfanden, deren musikalischen Teil von Franz Lachner geleitet wurde. Ebenso wurde Mozarts Todestag 1891 überall durch Musikfeste gefeiert. Eine bleibende Huldigung für den großen Meister bilden die Stiftungen und Vereine, die seinen Namen tragen. Der Vortritt gebührt dem 1841 in Salzburg gestifteten Mozarteum, verbunden mit einem Museum, welches viele Porträts, Manuskripte und Reliquien Mozarts bewahrt, und mit einer Musikschule. Dieser lokalen Institution folgte 1771 die Gründung einer Internationalen Mozartstiftung. Im August 1914 sollte in Salzburg die Eröffnung des neuerbauten „Mozarthauses", welches die Sammlungen und die Schule des „Mozarteums" aufzunehmen bestimmt ist, mit einem glänzenden Musikfeste verbunden stattfinden. Der gleichzeitig ausgebrochene Krieg vereitelte das Unternehmen.

Stiftungen.

Die Witwe Mozarts.

Die Witwe Mozarts fand nach dem Tode ihres Mannes allseitige Unterstützung. Der Kaiser bewilligte ihr eine Pension, Freunde nahmen sich der

Ordnung ihrer Angelegenheiten an. Sie selbst erwies sich als sehr unternehmend und verstand es, den berühmten Namen ihres Mannes zu ihrem Vorteil auszunützen, gab Konzerte in Wien und in anderen Städten, in welchen sie große Werke Mozarts zur Aufführung brachte und selbst als Sängerin auftrat. Aus den in ihrem Besitz befindlichen M a n u s k r i p t e n ihres Mannes suchte sie so viel als möglich herauszuschlagen und verriet in diesem Geschäft einen kleinlichen Krämergeist. Einiges kaufte ihr Breitkopf ab, den gesamten Rest erwarb A n d r é in Frankfurt um die Summe von 1000 Dukaten. Im Jahre 1809 heiratete Constanze den dänischen Staatsrat N i s s e n, einen Mann von gediegenem Charakter, denselben, der später eine Biographie Mozarts herausgab. Nachdem er den Staatsdienst verlassen, übersiedelte er mit seiner Frau 1820 nach Salzburg, wo er 1826 starb, C o n s t a n z e, nun zum zweitenmal Witwe, in gesicherten Verhältnissen zurücklassend. Die „Frau Staatsrätin", wie sie sich fortan nennen ließ, lebte noch bis 1842.

Was die hinterlassenen beiden S ö h n e Mozarts betrifft, so kam der ältere Carl, geb. 1784, bald nach dem Tode seines Vaters nach P r a g zur Erziehung, widmete sich anfangs dem Kaufmannsstande, ergriff aber später die Beamtenlaufbahn, auf der er es aber nicht weit brachte. Er starb 1858 in M a i l a n d. Bei der Centennarfeier seines Vaters in Salzburg 1856 war er noch anwesend. *(Die Söhne. Carl.)*

Der jüngere Sohn W o l f g a n g A m a d e u s, geb. 1791, war musikalisch sehr begabt, nahm in W i e n bei Albrechtsberger und Andreas Streicher Unterricht, lebte durch lange Zeit in L e m b e r g als Klavierlehrer und Chordirigent, übersiedelte aber 1838 wieder nach W i e n. Im Jahre 1842 konnte er noch der Enthüllung des Denkmals in Salzburg beiwohnen und fand dort einen ehrenvollen Empfang. Schwächlicher Konstitution, war ihm kein langes Leben beschieden. Er starb schon 1844 in Karlsbad. Eine Anzahl von K l a v i e r k o m p o s i t i o n e n, die er in Leipzig und Wien herausgab, verraten Talent, ohne auf Bedeutung Anspruch zu machen. *(Wolfgang Amadeus.)*

Die W e r k e Mozarts umfassen alle Gattungen der musikalischen Kunst: Oper, Kirchenmusik, Instrumental- und Vokalmusik mannigfaltigster Art. Wir können uns eines treuen, unvergleichlichen Führers durch dieses ausgedehnte Gebiet rühmen in dem „Chronologisch-thematischen V e r z e i c h n i s sämtlicher Tonwerke W. A. M o z a r t s" von Ludwig von K ö c h e l, einem Werke, dem man kein ehrenderes Lob spenden kann, als daß es in seiner speziellen Sphäre der Biographie Otto J a h n s würdig zur Seite steht. *(Werke. Verzeichnis von Köchel.)*

K ö c h e l s „Verzeichnis", 1862 erschienen, wurde später von dem Verfasser ergänzt und liegt jetzt in neuester Auflage v. J. 1905, herausgegeben von Graf W a l d e r s e e, vor.

In der G e s a m t a u s g a b e der W e r k e W. A. M o z a r t s, redigiert von hervorragenden Musikern, welche 1876—1886 bei B r e i t k o p f und H ä r t e l in Leipzig erschien, besitzen wir das wertvollste Denkmal des Meisters; sie enthält in 23 S e r i e n und einem Supplement eingeteilt, die sämtlichen bekannten und beglaubigten Werke Mozarts. *(Gesamtausgabe.)*

Eine Ü b e r s i c h t, vornehmlich auf Grund der Gesamtausgabe, stellt sich in folgendem dar: Die Zahl der d r a m a t i s c h e n W e r k e (Opern, Singspiele, Ballette, sonstige Bühnenstücke) beträgt *(Übersicht.)*

24, von Kirchenmusik sind 15 Messen, das Requiem, 7 Litaneien und Vespern, etwa 30 andere Kirchenstücke anzuführen. An diese schließen sich die beiden Oratorien „Betulia liberata" und „Davidde penitente" an. Auf dem Gebiete der Instrumentalmusik: 41 (47) Symphonien, 31 (33) Divertimenti, Serenaden, Kassationen, die „Maurerische Trauermusik", eine Anzahl Märsche, Tänze und andere Stücke für Orchester, 20 Konzerte für verschiedene Soloinstrumente mit Orchesterbegleitung (5 für Violine, 3 andere Stücke für Violine, 1 Konzert für zwei Violinen, eines für Violine und Viola, 1 für Fagott, 2 für Flöte, 1 für Flöte und Harfe, ein Andante für Flöte, 1 Konzert für Klarinette, 4 für Horn); 9 Streichquintette (darunter eines mit Klarinette), 30 Streichquartette (darunter zwei mit Flöte und eines mit Oboe), 3 Streichduos, 1 Streichtrio; von Klaviermusik: 28 Konzerte (ein Rondo) mit Orch. (je eines für 2 u. 3 Klav.), 1 Quintett mit Blasinstrumenten, 2 Quartette, 8 Trios, 45 Sonaten und Variationen mit Violine, 17 Solosonaten und 4 Phantasien, 15 Partien Variationen, 17 kleinere Stücke, ein Heft Kadenzen, ferner 5 Sonaten und ein Heft Variationen zu vier Händen, 1 Sonate und 1 Fuge für zwei Klaviere; 15 Sonaten für Orgel mit anderen Instrumenten. Endlich wäre noch eine große Anzahl von Arien, Duetten, Terzetten usw. mit Orchesterbegleitung, Liedern mit Klavierbegleitung und Vokalkanons zu verzeichnen. Dazu kommt eine lange Reihe nur angefangener, nebst mehr oder weniger vollendeter Werke aller Gattungen.

Diese Werke erstrecken sich über einen Zeitraum von 30 Jahren von 1761 bis 1791. Köchels Verzeichnis zählt 626 Nummern, welche ohne Rücksicht auf ihren Umfang chronologisch angeordnet sind.

Produktivität.

Die Produktivität Mozarts, welche nur von wenigen Tonsetzern erreicht wurde, erscheint um so erstaunlicher, als sie einer so kurzen Lebenszeit entstammt. Es ist begreiflich, daß bei der Schnelligkeit des Schaffens und den vielen aus äußerlichen Veranlassungen entstandenen Kompositionen Mozarts auch Flüchtiges und Geringhaltiges darunter vorkommt. Wir haben aus der Darstellung des Lebensganges Mozarts erfahren, wie frühzeitig sein Schaffenstrieb erwachte und wie er sofort nach allen Richtungen ausgriff. Rasch und stetig folgt dann die Entwicklung zur Meisterschaft und der Aufstieg zur Höhe seiner letzten zehn Lebensjahre.

In dem Gesamtschaffen Mozarts nimmt unser Interesse zunächst jene Gattung in Anspruch, in welcher er die größte historische Bedeutung und die weiteste Popularität erlangt hat — der

Oper.

Oper.

Verzeichnis.

Das Verzeichnis der Opern und übrigen dramatischen Werke Mozarts in ihrer chronologischen Reihenfolge lautet: 1. Die Schuldigkeit des ersten

Gebots, ein deutsches geistliches Singspiel in 3 Teilen (der erste Teil von Mozart in seinem 10. Lebensjahre geschrieben), Salzburg 1766. 2. Apollo et Hyacinthus, eine lateinische Komödie, Salzburg 1767. 3. La finta semplice, Opera buffa in 3 Akten, Wien 1768 (nicht aufgeführt). 4. Bastien und Bastienne, deutsches Singspiel in einem Akt, Wien 1768. 5. Mitridate, Rè di Ponto, Op. seria in 3 Akten, Mailand 1770. 6. Ascanio in Alba, Serenata in 2 Akten, Mailand 1771. 7. Il sogno di Scipione, Azione teatrale, 1 Akt, Salzburg 1772. 8. Lucio Silla, Op. seria in 3 Akten, Mailand 1772. 9. La finta giardiniera, Op. buffa in 3 Akten, München 1775. 10. Il Rè pastore, Festspiel in 2 Akten, Salzburg 1775. 11. Les petits Riens, Pantomime, Paris 1778. 12. Zaide, deutsche Operette in 2 Akten etwa 1779—1780 (nicht aufgeführt). 13. Musik zu König Thamos, Drama von Gebler, etwa 1779—1780. 14. Idomeneo, Op. seria in 3 Akten, München 1781. 15. Ballettmusik zu Idomeneo. 16. Die Entführung aus dem Serail, deutsche komische Oper in 3 Akten, Wien 1782. 17. L'oca di Cairo, Op. buffa (unvollendet) etwa 1783—1784. 18. Lo sposo deluso, Op. buffa (unvollendet) etwa 1783—1784. 19. Der Schauspieldirektor, deutsches Singspiel, 1 Akt, Wien 1786. 20. Le Nozze di Figaro, Op. buffa in 4 Akten, Wien 1786. 21. Don Giovanni („Il dissoluto punito"), Op. buffa in 2 Akten, Prag 1787. 22. Cosi fan tutte, Op. buffa in 2 Akten, Wien 1790. 23. Tito, Op. seria in 2 Akten, Prag 1791. 24. Die Zauberflöte, deutsches Singspiel in 2 Akten, Wien 1791.

Aus dieser Reihe dramatischer Werke ragen die als die **sieben Hauptopern** Mozarts anerkannten hervor. Es sind: Idomeneo, die Entführung, Figaro, Don Juan, Cosi fan tutte, Titus, Zauberflöte, sämtlich aus der Zeit von 1781 bis 1791.   *Die sieben Hauptopern.*

Idomeneo, Rè di Creta, eine italienische Opera seria, hat einen mythischen Stoff zur Grundlage. Der Verfasser des Textbuches ist Varesco.   *Idomeneo.*

Die Handlung spielt auf der Insel Kreta. Der König Idomeneo wird auf der Rückfahrt aus dem trojanischen Krieg in sein Heimatsland von einem Meeressturm überrascht. In seiner Todesangst gelobt er im Falle seiner Rettung den ersten Menschen, den er bei seiner Landung begegnet, dem Neptun zu opfern. Er landet glücklich und der Erste, der ihm entgegentritt ist — sein Sohn Idamantus. Um ihn zu retten, soll Idamantus mit Electra, der Tochter des Agamemnon, in ihre Heimat flüchten, um ihr das verlorene Reich wiederzugewinnen und an ihrer Seite zu herrschen. Er zögert, denn seine Neigung gehört der kriegsgefangenen Tochter des Trojanerkönigs, Ilia. Neptun in seinem Zorn über das unerfüllte Gelöbnis sendet ein Meerungeheuer, welches die Insel verwüstet, aber endlich von Idamantus erlegt wird. Nun will Idomeneo, seinen Schmerz überwindend, seinen Sohn zum Opfer bringen, wird aber durch einen feierlichen Orakelspruch des versöhnten Gottes davon enthoben. Idamantus wird der Ilia vermählt, die in ihrer Eifersucht verzweifelnde Electra ersticht sich. — Die Handlung entbehrt nicht der dramatisch wirksamen Situationen, folgt aber im Ganzen der altgewohnten Manier der mythologischen Opera seria mit ihrem Pathos, ihren Liebesintriguen, dem Orakel, der unvermeidlichen Rettung durch die betreffende Gottheit.   *Handlung.*

Auch Mozarts **Musik** bewegt sich in dem herkömmlichen Geleise der Opera seria, auch sie muß für die Gefallsucht der Sänger sorgen, ihnen eine genügende Zahl von Arien samt eitlem Koloraturtand bieten, auch sie durfte nicht auf den Kastraten (Ida-   *Die Musik.*

mante) verzichten. Doch wie ho h erhebt sich die Kunst des erst 25jährigen Meisters über diese Fesseln! Er verleiht seinen Hauptpersonen charakteristische Züge, er ergreift in den großen Szenen durch dramatische Kraft, er schafft ein Orchester, welches in seinem Reichtum und malenden Ausdruck neu war. An melodischer Erfindung in den Arien, an tiefem Ausdruck in den Rezitativen übertrifft Mozart damals sicher nicht die besseren Italiener, wie Hasse, Jomelli, Perez, wohl aber an „Wissenschaft", wie es die Italiener nannten, in der bedeutenderen Harmonie und Polyphonie, in der kunstreichen Instrumentation. Die begleiteten Rezitative wie die Arien halten an der überlieferten Form und dem Stil der Italiener fest, die Chöre aber sind es, die sich an dramatischer Kraft über die Italiener erheben. An nicht wenigen Stellen des Idomeneo läßt sich der Einfluß Glucks und seiner Alceste deutlich wahrnehmen.

Details.
Von Einzelheiten ist schon der Ouvertüre mehr Größe und innere Bewegung, als den feierlichen Symphonien der ernsten italienischen Oper nachzurühmen. Die beiden weiblichen Partien der Ilia und Electra sind charakteristisch auseinandergehalten, Ilia zart und elegisch klagend, Electra leidenschaftlich in ihrer Eifersucht. Hervorzuheben sind von den Arien die der Electra in D-moll im ersten, und jene der Ilia in E-dur zu Beginn des dritten Aktes. Die Glanzpunkte der Oper bilden aber das Quartett für drei Soprane und einen Tenor im dritten Akt und die Chöre. Das Quartett, von der sicheren Hand des Meisters hingestellt, trägt echt Mozartsche Züge. Von den Chören ist der Doppelchor für Männerstimmen, mit der Nachahmung aus der Ferne, welcher den Meeressturm im ersten Akt begleitet „Pietà, Numi", charakteristisch und voll Bewegung im Orchester; lieblich ist der Chor „Placide e il mare" E-dur, mit dem strophenmäßigen Refrain, gewaltig jener bei der Erscheinung des Meerungeheuers. Angst und Entsetzen sind trefflich gemalt in dem Fluchtchor, welcher den zweiten Akt beschließt. Der dritte bringt in der Szene mit dem Oberpriester einen kraftvollen Chor, ergreifend in den Unisono-Stellen. Die Orakelstimme, welche aus dem Innern der Neptunsstatue ertönt (nur aus wenigen Takten bestehend), ist in ihrer schaurigen Eintönigkeit Gluck nachgebildet. Hier verwendet Mozart ausnahmsweise Posaunen. Ein heiterer Chor beschließt die Oper. Die eingeflochtenen Ballette und drei Märsche sind wenig bedeutend.

Die Oper Idomeneo gehört einer veralteten Gattung an, aber innerhalb derselben nimmt sie einen hervorragenden Rang ein. Einzelne Szenen dieser Oper schließen sich den Meisterschöpfungen Mozarts an und verfehlen auch heute ihre tiefe Wirkung nicht.

Die Entführung aus dem Serail.
Die Entführung aus dem Serail, oder „Belmonte und Constanze" ist ein deutsches komisches Singspiel in drei Akten. Das Textbuch ist von Bretzner verfaßt.

Handlung.
Die Handlung ist einfach und nicht neu. Constanze, die Geliebte Belmontes wird nebst ihrer Zofe Blonde und Belmontes Diener Pedrillo von dem „Bassa" Selim in seinem Landhause gefangen gehalten. Dieser bewirbt sich vergebens um die Gunst Constanzens, während Pedrillo, der zum Obergärtner des Landhauses vorgerückt ist, seinen Herrn von dem Aufenthaltsort der Geliebten benachrichtigt hat. Nebenbei verfolgt Osmin, der Aufseher des Hauses, die Zofe mit plumpen Liebesanträgen. Es gelingt Pedrillo, seinen Herrn als vermeintlichen Baumeister einzuschmuggeln. So der Inhalt

des ersten Aktes. Der zweite bringt drollige Szenen zwischen Osmin und Blonde, Constanzens Ausbrüche der Verzweiflung, die Intrigue des vertrauten Paares Pedrillo und Blonde, die Überlistung Osmins durch Weingenuß, endlich die Zusammenkunft Belmontes mit Constanze. Im dritten Akt findet die Entführung statt, die Liebenden werden ereilt, von dem großmütigen Selim aber begnadigt und der Freiheit wiedergegeben. Der banalen Handlung entspricht auch die populär-banale Sprache.

Mozarts „Entführung" unterscheidet sich schon dadurch von den vorangegangenen Singspielen Hillers, Neefes, Andrés und anderer, daß es sich hier nicht um eingeflochtene Lieder handelt, sondern daß der Musik ein viel weiterer Spielraum zugewiesen ist. Es treten uns ausgebildete Formen entgegen, in den Arien, in den Ensembles. Mozarts Musik atmet Humor und Witz, aber auch innige Empfindung, stellt die einzelnen Gestalten in treffender Charakteristik hin, läßt auch das Lokalkolorit nicht vermissen. Die Arien, in der italienischen Form gehalten, tragen in ihrer leichtflüssigen Melodie echt Mozartische Züge. In den Ensembles erhebt sich das Singspiel zur Oper. Die Instrumentation ist eine reiche und geistvolle. Was der „Entführung" eine besondere Bedeutung verleiht, ist der durchaus deutsche Charakter, der ihr aufgeprägt ist; dieser spricht sich in der volkstümlichen Haltung, in der Wärme des Ausdrucks, in der gediegenen Arbeit aus. Schöpferisch zeigt sich Mozart in der gelungenen Charakterfigur des Osmin, mit seinem grotesken Wesen, seiner unbändigen Wildheit und dem plumpen Humor. Edel ist die Tenorpartie des Belmonte gezeichnet. Die anderen Personen zeigen keine hervorragenden Züge, doch haben sie auch dankbare Arien zu singen. Musik.

Nach einer heiter dahineilenden Ouvertüre C-dur, unterbrochen durch einen kurzen Moll-Zwischensatz, sind besonders bemerkenswert im ersten Akt: Die erste kleine naiv-innige Romanze Belmontes C-dur, in welcher im Hauptmotiv der Mittelsatz der Ouvertüre wiederkehrt, die derb-zornige Arie des Osmin (Baß) „Solche hergelaufene Laffen", mit den türkischen Anklängen in der Begleitung, die darauffolgende echt Mozartsche Arie des Belmonte in A-dur, der charakteristische Janitscharenchor C-dur, die sonst unbedeutende, aber glänzend mit Koloraturen ausgestattete Arie der Constanze in B-dur, das Schlußterzett. Im zweiten Akt: Ein gefühlvolles Rezitativ samt Arie Constanzens G-moll, ihre große Bravourarie „Martern aller Art"; graziös ist die niedliche Ariette der Blonde „Welche Wonne" in G-dur, von drastischem Komik das Trinkduett Pedrillos und Osmins; das ausgedehnte Quartett als Finale des Aktes ist in seiner musikalischen und dramatischen Gestaltung ein Meisterstück. Im dritten Akt singt Belmonte die gemütvolle Arie in Es „Ich baue ganz auf deine Stärke", es folgen eine Art „maurisches Ständchen" des Pedrillo mit Zitherbegleitung, dann die charakteristische Arie Osmins „O! wie will ich triumphieren" mit der höchst originellen Tonfolge bei „Schleicht nur säuberlich und leise, ihr verdammten Haremsmäuse", das gemütvolle Duett zwischen Belmonte und Constanze. Das kurze Finale beginnt mit einem strophenartigen Gesang, in welchem die einzelnen Stimmen mit dem Chorrefrain abwechseln. Den Schluß bildet der türkisch gefärbte Chor „Bassa Selim lebe lange". Details.

Le Nozze di Figaro (Figaros Hochzeit) ist eine Opera buffa in vier Akten. Das Textbuch ist von dem italienischen Le Nozze di Figaro (Die Hochzeit des Figaro).

Dichter da Ponte nach Beaumarchais' Lustspiel „*La folle
journée, ou le mariage de Figaro*" zusammengestellt. Da die politische
Tendenz, welche den Hintergrund des französischen Lustspiels
bildet, entfällt, so bleibt nur eine Kette von Liebesintriguen übrig.

Handlung. Die Handlung ist so verwickelt, daß sie, kurz zusammengefaßt,
unklar erscheinen muß.

Der Graf Almaviva stellt der Kammerzofe Susanne, der Braut des
ehemaligen Barbiers Figaro, nach. Die Gräfin ist eifersüchtig, gibt aber
selbst Grund zur Eifersucht durch ihre anscheinende Begünstigung des zierlichen und unternehmenden Pagen Cherubin. Die Pläne des Grafen werden
durchkreuzt An der Intrigue nehmen Doktor Bartolo und seine Wirt-
schafterin Marcelline teil, welche sich schließlich als die Eltern Figaros
entpuppen. Komische Nebenfiguren sind der Musikmeister Basilio und der
Gärtner Antonio. Ein nächtliches Stelldichein des Grafen und Figaros
mit Susanne und der Gräfin, welche beide verkleidet erscheinen, bringt
die Lösung der Verwicklung. Der Graf erhält seine Verzeihung, Figaro seine
Susanne. — Das mit großem Geschick verfaßte Textbuch bietet dem Komponisten reichlich Gelegenheit zur Entfaltung seiner Kunst.

Die Musik. Mozart schuf in der Musik zu diesem Libretto ein vollendetes Meisterwerk. Eine Fülle reizender Melodien, sprudelnde
Laune und innige Empfindung, wechselnde Stimmungen, treffende
musikalische Charakterbilder ziehen an uns in dramatischer Bewegung vorüber. Das Ganze wird von einem reich ausgestatteten, selbständigen und durchgeistigten Orchester getragen. Vor allem ist es aber Mozarts eigenste menschliche und
künstlerische Individualität, welche sich in diesem, wie vielleicht in keinem anderen Werke offenbart. Den Figaro schrieb
Mozart aus seiner Natur heraus.

Mit genialem künstlerischen Instinkt hat Mozart seine dramatischen Gestalten musikalisch individualisiert: Figaro munter
und treuherzig, Susanne lebenslustig und schlau, Cherubin
schwärmerisch-schmachtend, der Graf stolz und leidenschaftlich,
die Gräfin sanft und duldend, Bartolo aufgeblasen, Marcellina boshaft, Basilio intrigant. Es sind keine Karikaturen, wie
bei den Italienern, sondern aus dem Leben hervorgeholte Gestalten,
auch die komischen in vornehmer Haltung und schönem Maß
hingestellt. — Selbst die leichtfertige Handlung wird durch die
schöne Musik in eine edlere Sphäre erhoben.

Details. Die Einzelgesänge sind meist in knappere Formen gefaßt, rondoartig oder
als Cavatinen, seltener in ausgeführter Arienform. Der Gesang ist einfach und
verzichtet auf den äußerlichen Schmuck der Koloraturen. Von den Arien
hat Figaros „*Non andrai*" eine beispiellose Popularität erlangt (Mozart selbst
zitiert sie in dem zweiten Finale seines „Don Juan"); seine Arie „*Aprite un
po' quegli occhi*" im vierten Akt drückt den Zorn gegen die Weiber in komischer
Weise aus. Susannens beide Arien, die erste in G-dur im zweiten Akt, die
andere, die sogenannte „Gartenarie" in C-dur im vierten Akt sind voll
schalkhafter Grazie, die Orchesterbegleitung reich ausgestattet in der G-dur-
Arie, ständchenartig (pizzicato) in der Gartenarie. Schwärmerei und Sehnsucht drücken sich in den Arien Cherubins in Es-dur (erster Akt) und
B-dur (zweiter Akt) aus, deren warm empfundene Melodien durch feine Züge

der Instrumentation gehoben werden. Die Cavatine der Gräfin zu Beginn des zweiten Aktes in Es-dur hat einen edlen, schönen Gesang und eine würdevolle Haltung, während die Arie C-dur des dritten Aktes, ebenso schön, einen sanft klagenden Ausdruck besitzt. Bedeutend ist die Arie Almavivas im dritten Akt, von einem dramatisch gestalteten Rezitativ eingeleitet, in ihrem leidenschaftlich heftigen Ton. Von den übrigen Arien ist jene der Marcellina im vierten Akt menuettartig und altmodisch, zugleich die einzige durch Koloraturen aufgeputzte, die kleine Cavatine der Barberina F-moll im vierten Akt naiv-wehmütig, die Arien Bartolos (erster Akt) und Basilios (vierter Akt) charakteristisch gefärbt. — Die Ensemblenummern in „Figaro", die Duette, deren Zahl sich auf sechs beläuft, die beiden Terzette, das Sextett, der Chor zum Schlusse des dritten Aktes, die großen Finales des zweiten und vierten Aktes übertreffen in ihrer Gesamtheit alles, was bis dahin in der Opera buffa geleistet wurde. Meisterhaft im Tonsatz, ist hier neben der Gesamtwirkung auch die Individualisierung der Einzelstimmen trefflich gelungen. Hervorragend sind das Duett zwischen Susanne und Cherubin im zweiten Akt und das vorangehende Terzett, das tiefempfundene Duett zwischen dem Grafen und Susanne zu Beginn des dritten Aktes, das wundervolle Sextett, eines der erfolgreichsten Stücke der Oper, das reizende „Schreibduett" zwischen Susanne und der Gräfin. Weniger bedeutend sind die Chöre, ein allmählich sich nähernder Chor, ein getanzter Fandango. Das große Meisterstück der Oper ist das Finale des zweiten Aktes. Die dramatische Bewegung hat hier ihren Höhepunkt erreicht, die Situationen wechseln rasch, jede einzelne Person macht sich geltend und greift selbständig in das Ensemble ein; und dieses scheinbare Durcheinander beherrscht der Tonsetzer mit seiner überlegenen Kunst und verwandelt es in ein einheitliches, feingegliedertes, in Wohlklang getauchtes musikalisches Gebilde! Das zweite Finale, die Verkleidungsszene, hat ein durchaus heiteres Gepräge, eine leicht gefügte, anmutige Musik voll reizender Einzelheiten. Eingeleitet wird die Oper durch eine Ouvertüre, welche in genialer Leichtigkeit hingeworfen, in ihrer sprudelnden Heiterkeit auch des Gefühlsmoments nicht entbehrt.

Figaros Hochzeit, ein echtes, unvergleichliches musikalisches Lustspiel, erfreut und entzückt noch heute zahllose Hörer. Ist auch die Form der Oper veraltet, der Inhalt lebt noch in ungetrübter Frische fort.

Don Giovanni, ossia il „Dissoluto punito" (Don Juan) ist eine Opera buffa in italienischer Sprache in zwei Akten. Das Textbuch ist von Lorenzo da Ponte nach einer schon mehrfach dramatisierten spanischen Sage verfaßt. Auch wurde der Stoff schon vor Mozart von einigen Opernkomponisten benützt, wie Righini („Il convitato di pietra"), Gazzaniga („Don Giovanni Tenorio") (s. S. 44) u. a. Die Gattung der italienischen Opera buffa ist hier nur der Form nach vorhanden, im Wesen jedoch weit überschritten. Ernste und tragische Elemente bilden einen scharfen Gegensatz zu den heiteren und komischen der Oper. Die Gestalten gruppieren sich nach beiden Richtungen hin. Im Mittelpunkt steht Don Juan, der vornehme Wüstling, ein Held in seiner Art, dessen galante Abenteuer die Handlung durchziehen, dessen Ende wir mitansehen. Donna Anna, die edle Frauengestalt, Donna Elvira in ihrer leidenschaftlichen Rachsucht, Zerline das naive Bauernmädchen, stellen uns charakteristische Bilder aus

(Randbemerkungen:) Don Giovanni (Don Juan). Stoff und Handlung. Die Gestalten.

dem Leben Don Juans in lose aneinander gereihten Szenen vor Augen. Zu Donna Anna gesellt sich ihr Bräutigam Don Ottavio, zu Zerline der Bauer Masetto, das eine Paar gefühlvoll, elegisch, das andere munter und naiv. Die komische Person der Oper ist durch Leporello, den dummschlauen und feigen Diener Don Juans vertreten. Die tragische Verwicklung und Lösung der Handlung vollzieht sich in der Gestalt des Komthurs, des von Don Juan im Zweikampf getöteten Vaters Donna Annas. In übermütiger Laune ladet Don Juan das Standbild des Komthurs zum Nachtmahl ein. Die Tafelfreuden Don Juans und Leporellos werden durch die Erscheinung des „steinernen Gastes" unterbrochen. Nach fruchtlosen Ermahnungen zur Umkehr erfolgt die Schlußkatastrophe: Von Dämonen (Teufeln) ergriffen, versinkt Don Juan.

Das Textbuch. Das Textbuch Da Pontes ist trotz einzelner Mängel als ein geschickt erfundenes und dem Komponisten entgegenkommendes zu bezeichnen. — Die Schwierigkeiten der deutschen Übertragung aber waren so mannigfaltig, daß sie eine ganze Reihe von Lösungen hervorriefen, deren keine bis heute zur allgemeinen Geltung gelangte. Auch in der Szenierung stimmten die Bühnen nicht überein. Wesentlich verschieden war der Schluß der Oper gestaltet; während diesen hier die Höllenfahrt Don Juans bildet, folgt dort (in Übereinstimmung mit dem Original) noch eine Szene, in welcher alle Personen der Handlung, mit Ausnahme des Helden, wiedererscheinen und einen moralisierenden Epilog singen.

Die Musik. Die Musik zu Don Juan gehört zu den größten Meisterwerken aller Zeiten. Figaro und Don Juan sind die Höhepunkte der Mozartschen Opern. An Größe des Stils, Vielseitigkeit des Ausdrucks und kontrastierenden Charakterbildern ist Don Juan, dessen Stoff auch ein reicherer ist, dem Figaro überlegen, letztere Oper steht ihrerseits durch die geniale Leichtigkeit der dramatischen Bewegung unvergleichlich da. Reiche melodische Erfindung, originelle Behandlung der Harmonie und ein fein koloriertes Orchester sind beiden eigen.

Details. Sollte man den dramatischen und musikalischen Schönheiten des Don Juan im einzelnen gerecht werden, so dürfte man kaum einer Nummer der Oper vergessen. Erwähnen wir nur flüchtig einige Details. Vor allem ist es die Ouvertüre, die uns durch ihre spannende Einleitung mit den tragischen Anfangsakkorden, den dämonisch auf- und absteigenden Skalen ergreift, uns dann mit dem feurigen, dramatisch belebten Allegro hinreißt. Zum Beginn des ersten Aktes ist die Szene Donna Annas mit Don Juan, dessen Zweikampf mit dem Komthur, dem Hohn des herzlosen Verführers, zugleich der Angst des zitternden Leporello von höchster dramatischer Wirkung. Mächtig ist das darauffolgende begleitete Rezitativ Donna Annas. Der Tröster Don Ottavio erscheint. Ein neues Bild entrollt sich mit dem Auftreten Donna Elviras; ihre Arie in dem Terzett ist energisch, charakteristisch in ihren weiten Tonschritten. Die „Registerarie" Leporellos hat den echten italienischen Buffostil. Die Partie des Leporello, der einzigen echt komischen Figur der Oper, durchzieht fast alle bedeutenden Szenen der Oper und verleiht ihnen eine parodistische Beimischung. Voll naiver Heiterkeit ist das Duett Zerline-Masetto mit Chor G-dur $^6/_8$, zart und gefühlsinnig das Duett zwischen Don Juan und Zerline „La ci darem la mano" („Reich' mir die Hand, mein Leben") in A-dur, welche Melodie eine Welt entzückt hat. Meisterlich ist die Charakteristik der einzelnen Personen in dem Quartett durchgeführt. Matter und rührselig ist die nächste Arie Ottavios, wie auch seine folgende, dagegen perlt und schäumt es in dem übermütigen „Champagnerlied" Don Juans. Einfach und rührend ist die Arie Zerlines „Batti, batti" in F-dur. Das Finale des ersten Aktes ist bunt gestaltet und schließt neben dem dramatischen Ineinandergreifen der handelnden Personen manches volkstümliche Stück ein, wie das Menuett, den „Freiheitschor". Ein Strom von Musik durchflutet dieses Finale. Im zweiten Akt sind hervorzuheben: Das fein empfundene Terzett A-dur zwischen Elvira, Don Juan, Leporello, das Ständchen mit Mandolinenbegleitung, die graziöse kleine Arie Zerlinens in C-dur, das herrliche Sextett, das Rezitativ und die Arie der Elvira in Es-dur, die Szene auf dem Kirchhof. Das Finale beginnt mit der Tafelmusik. Die Musikanten auf der Bühne spielen nacheinander Stücke aus „Cosa rara", Sartis „Come un agnello", endlich „Non più andrai" aus Figaro. Mit dem Auftreten Donna Elviras weicht der heitere Ton der Szene und macht dem ernsten Pathos Platz. Die Tragik der Geisterszene ist dramatisch und musikalisch ergreifend dargestellt. Von dem unheimlichen Klopfen bis zum Versinken Don Juans ist eine Stimmung des Grauens über dieselbe gebreitet. Aus dem düsteren, monotonen Gesang des Komthurs vernehmen wir deutlich die Stimme Glucks in seiner Alceste. Auch die angehängte Szene mit dem Wiedererscheinen der Zurückbleibenden enthält einen würdevoll schönen Schlußsatz.

Cosi fan tutte, eine italienische Opera buffa in zwei Akten. Der Untertitel lautet „La scuola degli amanti". In deutschen Bearbeitungen hieß die Oper „Die Schule der Liebe", oder „Mädchentreue", oder „Eine macht's wie die anderen".

Cosi fan tutte („So machen es alle").

Das Textbuch von da Ponte, obwohl wortgewandt, steht an Erfindung weit hinter den Libretti zu „Figaro" und „Don Juan" zurück. Die Handlung ist läppisch, in hohem Grade unwahrscheinlich und überdies anstößig. Zwei spanische Offiziere Don Fernando und Don Guillelmo sind in Neapel mit den beiden Schwestern Fiordiligi und Dorabella verlobt. Auf die Einflüsterung des Hagestolzes Don Alfonso beschließen die Offiziere ihre Bräute auf die Probe zu stellen. Sie ziehen angeblich in den Krieg, kommen aber als Fremde verkleidet wieder und bewerben sich um die Gunst der Schwestern, und zwar jeder um die Braut des anderen. Zurückgewiesen, nehmen sie zum Scheine Gift, genesen aber rasch durch die Hilfe des als Arzt verkleideten Kammermädchens Despina und werden nun günstig aufgenommen. Die Männer sind zwar über die Untreue der beiden Mädchen empört, versöhnen sich aber bald und trösten sich mit dem Spruch „So machen es alle"! Endlich erscheint der Notar (die wieder verkleidete Despina) und die wirkliche Verlobung findet statt. — Verschiedene Versuche, die Handlung zu ändern und dem Moralischen näher zu bringen, haben sich als unpraktisch erwiesen. Die Einförmigkeit, welche die unwandelbare Gruppierung in zwei Liebespaare, nur durchbrochen durch den zuerst hetzenden, dann vermittelnden Hagestolz und das listige Kammermädchen, zur Folge hatte, war nur geeignet, lähmend auf den Komponisten zu wirken. Auch die Verkleidungen waren einer ausgesprochenen Charakterzeichnung nicht günstig. Dennoch hat Mozart zu diesem Libretto eine zwar nicht tiefgehende, doch an Schönheiten reiche, anmutige Musik geschrieben. Vor allem sind es die Ensembles, welche durch ihre meisterliche Stimmführung und durch ihren Wohlklang bezaubern. Zu erinnern ist an das berühmt gewordene Abschiedsquintett im ersten Akt. Der erste Akt ist überhaupt durch die größere Zahl der Ensemblenummern, wie auch durch die interessantere Handlung anmutender, während der zweite merklich abfällt. Zu erwähnen sind aus dem ersten Akt vier Männerterzette launiger Art, ein durch schönes Ebenmaß ausgezeichnetes Sextett, die gefühlvolle Arie der Dorabella, die

Handlung.

Die Musik.

virtuose der Fiordiligi, endlich das lebensvolle, humoristische Finale mit
der drolligen Figur der Despina als Arzt. Im zweiten Akt zeichnen sich
einige Arien durch Empfindung und komische Charakteristik aus, wie die Arie
Guillelmos, die der Despina, die große Arie der Fiordiligi mit reich
kolorierter Orchesterbegleitung, die komische Arie Don Alfonsos mit dem
Motto „Cosi fan tutte", in welchem die Anderen einstimmen. Das zweite Finale
ist nicht bedeutend, doch durch Laune und komische Situationen belebt.

Keine der komischen Opern Mozarts steht der italienischen
Opera buffa so nahe als Cosi fan tutte. Die Form ist die übliche,
der Ausdruck lieblich, doch konventionell, der Gesangskunst wird
durch dankbare Arien gehuldigt. Trotz dieser Anlehnung und den
Hemmnissen der einförmigen Handlung, trägt vielleicht keine der
vorangegangenen Opern so deutlich die Mozartsche Physiognomie. —
Es ist eine Oper für musikalische Feinschmecker. Man kann sich
hier dem wohligen Genuß reiner Musik in ihrer formalen Schönheit, ihrem Klangzauber, ihrer leichtfließenden Melodie völlig überlassen. Das harmonische Zusammenwirken der Singstimmen, die
feine und charakteristische Instrumentation, namentlich in der Behandlung der Holzblasinstrumente bilden die Hauptvorzüge der Oper.

La Clemenza di Tito (Titus) ist eine italienische Opera
seria in zwei Akten. Der Text von Metastasio wurde seit
einem halben Jahrhundert von vielen Komponisten benützt, so zuerst von Caldara, Leo, dann von Hasse, Jomelli, Gluck u. a.
Wie in allen Dichtungen Metastasios ist auch hier die Sprache edel
und wohlklingend, es fehlt nicht an großen Gesten des Gefühls-
ausdrucks, an schönen Sentenzen. Die Handlung ist aber ohne
dramatische Wahrheit, die Gestalten hohl, ohne innere Kraft. La
Clemenza di Tito ist eine Heldenoper alten Schlags, in welchen
das Historische schablonenhaft aufgefaßt ist, dagegen Intrigen und
Liebesaffären in den Vordergrund treten.

Gegenstand der Handlung ist eine Verschwörung gegen das Leben des
Kaisers Titus, angezettelt von Vitellia, der nach dem Throne strebenden
Tochter des früheren Kaisers. Ihr Geliebter Sextus, der vertraute Freund des
Titus, soll die verräterische Tat vollbringen. Das Kapitol soll in Brand gesteckt und während desselben Titus ermordet werden. Das Kapitol brennt,
doch statt des Kaisers wird irrtümlich ein Anderer erstochen. Die Verschwörung wird entdeckt, Sextus zum Tode verurteilt, Titus aber verzeiht ihm, er
verzeiht auch der Vitellia und aller Welt. Die einzigen dramatisch aktiven
Personen sind Vitellia und Sextus, beide sind unsympathisch. Titus in
seiner unwandelbaren Güte und Langmut ist eine kraftlose Gestalt. Servilia,
die Schwester des Sextus und Annius, welche ein zweites Liebespaar bilden,
sind indifferent.

Diese dichterische Unterlage, welche den Zwecken der alten
Opera seria genügte, konnte einen Mozart nicht begeistern. Dazu
kommt, daß es eine bestellte, kurz befristete Arbeit war, daß ferner
große Rücksicht auf die Fähigkeit und Eitelkeit der vorhandenen
Darsteller genommen werden mußte.

Die Musik zu Titus hält sich weit mehr an die alte Opera
seria der Italiener, als die zu Idomeneo. An dramatischer Kraft

La Clemenza
di Tito
(Titus).

Die Handlung.

Die Musik.

und musikalischer Erfindung, wie an Glanz des Orchesters reicht das jüngere Werk nicht an das ältere heran. Doch verleugnet sich in einzelnen Nummern der Oper das Genie Mozarts nicht.

Diesen gehört vor allem die prachtvolle, festlich gestimmte Ouvertüre an. Bedeutend sind der imposante Marsch mit dem folgenden Chor „Schützet o Götter" und das Quintett-Finale des ersten Aktes. Die Arien sind vorwiegend formalistisch, nach altem Zuschnitt, und auf die Kunst der Sänger berechnet, doch finden sich auch unter ihnen einige Perlen. Die Arie der Vitellia „Duftende Rosen werden verblühen" im zweiten Akt, mit dem vorangehenden großartigen Rezitativ ist ein Meisterstück ersten Ranges. Originell wirkt darin das obligate, alternierende Bassethorn. Die erste Arie der Vitellia „Schlägt dieses Herz voll Liebe" ist dagegen eine Bravourparade. Schön ist die Arie des Sextus „Teure, o du mein Leben" (mit obligater Klarinette) und sein mächtiges Rezitativ „O Götter"! im ersten Akt. Die Partie des Sextus, ursprünglich einer Kastratenstimme zugedacht, wurde von einer Sängerin (Mezzosopran) ausgeführt. Anmutend sind noch die drei Terzette.

Der Gesamteindruck der Oper bleibt trotz dieser schönen Einzelheiten ein achtungsvoll kühler. In dem Siebengestirn der Mozartschen Opern bildet Titus nur einen matter glänzenden Stern.

Die Zauberflöte, das letztaufgeführte dramatische Werk Mozarts, ist ein deutsches Singspiel in zwei Akten. Der Umfang und die Bedeutung desselben erhebt es zur Oper, ja zur ersten nationalen deutschen Oper. Wir haben schon im Vorhergehenden des Textbuches von Schikaneder gedacht. *Die Zauberflöte.*

Der Stoff ist aus Wielands „Dschinnistan" geschöpft. Prinz Tamino wird auf der Jagd von einer großen Schlange verfolgt, es erscheinen drei Damen der Sternenkönigin und töten die Schlange. Von diesen erhält Tamino das Bildnis eines schönen Mädchens, in welches er sich sofort verliebt. Es ist Pamina, die Tochter der Sternenkönigin, welche der Zauberer Sarastro in seiner Burg gefangen hält. Wenn es Tamino gelingt, sie zu befreien, soll ihm ihre Hand zu teil werden. Um ihm die Wege bei dieser Unternehmung zu ebnen, wird er mit einer Zauberflöte versehen, während sein Begleiter, der Vogelfänger Papageno ein Glockenspiel als ebenso wundertätiges Instrument erhält. Sie wandeln nun, von drei Genien (Knaben) geführt, zu Sarastros Burg. Hier tritt uns zuerst die groteske Gestalt des Mohren Monostatos, des Peinigers Paminas entgegen. Es beginnt der mystisch-allegorische Teil der Handlung: Der ägyptische Priesterdienst in dem „Tempel der Weisheit". In diesem Reich herrscht Sarastro streng und weise. Das Liebespaar wird nach bestandenen Prüfungen in den Bund aufgenommen und vermählt, Papageno erhält als Gefährtin seine Papagena. Zauberflöte und Glockenspiel haben ihre Schuldigkeit getan. — Die so skizzierte Handlung entbehrt jeder gesunden Logik, doch erhält sie durch das durchscheinende Freimaurertum einen tieferen, verborgenen Sinn. Die Personen, welche teils dem Leben, teils der Phantasie angehören, sind bunt aneinandergereiht, gleich den Figuren eines Bilderbuches. Tamino und Pamina sind edel und ihrer Liebe jeder hingegeben, Papageno, die „lustige Person" der Oper, ist voll Gutmütigkeit und albernen Spässen, die Sternenkönigin (Königin der Nacht) erscheint zuerst als klagende Mutter, dann in ihrem leidenschaftlichen Rachegefühl, Sarastro weihevoll, tugendstreng, doch gütig und verzeihend. Der Mohr Monostatos wirkt in seiner Wildheit komisch, endlich entbehren auch die drei Damen, wie die drei Knaben nicht einer besonderen Charakteristik. *Handlung.* *Die Personen.*

Die Musik. Alles dies spiegelt sich in der Musik Mozarts. Für das Empfindsame, das Komische, das Feierliche findet sie den richtigen musikalischen Ausdruck. Natürlich und reichlich strömt die melodische Erfindung durch das Werk, stark und wahr sind die dramatischen Affekte, Tiefsinniges und Volkstümliches, Ernstes und Komisches sind im bunten Wechsel treffend wiedergegeben.

Details. Eine fast ununterbrochene Kette von schönen, ansprechenden oder bedeutenden Musikstücken durchzieht die Oper. Vor allem ist es die meisterhafte Ouvertüre mit ihrer feierlichen Einleitung, dem fugierten Allegro und dem leichten kontrapunktischen Spiel, welche eines der glänzendsten Instrumentalwerke aller Zeiten bildet. Charakteristisch ist zu Anfang der Oper die Verfolgung durch die Schlange gemalt, das folgende Terzett der drei Damen ist in der Stimmführung interessant und von reizendem Wohlklang. Nun erscheint Papageno in seinem Federnkleide mit dem munteren Liedchen „Ein Vogelfänger bin ich ja", zu welchem er sich auf der Panspfeife (Papagenopfeife) begleitet. Die Arie des Tamino in Es-dur „Dies Bildnis ist bezaubernd schön" ist edel und ansprechend. Die Königin der Nacht tritt mit einem kurzen Rezitativ auf, dem eine ausgeführte Arie in zwei Teilen folgt, der erste voll schmerzlichen Ausdrucks, der zweite bewegt und mit glänzenden Koloraturen, die bis in das dreigestrichene F reichen. In dem Quintett mit der komischen Szene des stummen Papageno ist der Gesang der drei wiedererscheinenden Damen von schönster Klangwirkung, Tamino erhält die Flöte, Papageno, dem das Schloß vor dem Munde abgenommen wurde, das Glockenspiel. Ergötzlich ist das folgende Terzett mit dem Mohren, innig das Duett Paminas und Papagenos in Es-dur „Bei Männern, welche Liebe fühlen". Das sehr ausgedehnte Finale des ersten Aktes besteht aus einer Szenenreihe, welche sich vor dem Tempel der Weisheit abspielt. Der Gesang der drei Knaben ist rührend in seiner Einfachheit, zauberhaft in der Instrumentation. Es folgen Taminos Rezitativ, das bedeutendste der Oper, der Dialog mit den Priestern, welche ihre Stimme aus dem Innern des Tempels ertönen lassen, einzeln und im Chor, feierlich und gemessen, die Rezitative des aus dem Tempel hervorgetretenen Priesters und Taminos, darauf dessen liebliche, etwas altväterische Arie in C-dur mit dem Flöten-Zwischenspiel. Drollig ist die Szene, in der Papageno durch sein Glockenspiel die Sklaven zum Tanzen zwingt. Festlich und heiter erklingt der Marsch und Chor, welcher das Erscheinen Sarastros und Gefolge begleitet. Das Duett zwischen Sarastro und Pamina ist dramatisch von großer Wirkung. Der einfallende Chor beschließt den Akt. Der zweite Akt führt uns in das Reich der Mysterien und der Symbolik. Ein von sanfter Empfindung getragener Marsch in F-dur mit edel geschwungener Melodie und prachtvoll instrumentiert eröffnet den zweiten Akt. (Zu bemerken ist die Ähnlichkeit mit dem Marsch im Idomenco in derselben Tonart.) Es folgt der dreimalige Aufruf der Hörner, wie am Beginn der Ouvertüre, darauf das gemütvolle Gebet „O Isis und Osiris" Sarastros und des Chors. Ein harmloses Duett zweier Priester belehrt uns „Bewahret euch vor Weibertücken"; wohltuend wirkt wieder in dem folgenden Quintett der schöne Zusammenklang der Stimmen der drei Damen; grotesk ist das Liedchen des Monostatos mit der türkisch anklingenden Begleitung. Die Königin der Nacht singt ihre zweite, leidenschaftliche Arie, D-moll, welche an Gesangsbravour, an Staccati, Rouladen, alles in hoher Stimmlage, noch die erste überbietet. Die Arie Sarastros „In diesen heiligen Hallen" ist gemütvoll weich und melodisch ansprechend, dankbar für eine tiefe Baßstimme. Die drei Knaben erscheinen wieder mit einem feierlichen Gesang. Warm ist die Arie Paminas „Ach ich fühl's", G-moll, zu dramatischer Höhe erhebt sie sich in dem schönen Terzett in B-dur. Papagenos Strophenlied „Ein Mädchen oder Weibchen" mit dem begleitenden Glockenspiel ist wieder lustig, ohne der Grazie zu entbehren. Das Finale ist reich ausgestattet: Der dreistimmige Gesang der Knaben, die Rezitative Paminas bei ihrem Selbstmord-versuch, die Szene der Prüfungen, eingeleitet durch den Gesang der zwei geharnischten Männer, welche die Choralmelodie „Ach Gott vom Himmel, sich darein" intonieren, während die Instrumente dazu kontrapunktieren, das Duett der Liebenden, welche zusammen unter den Klängen eines Marsches Feuer und Wasser durchschreiten. Ein kurzer Chor beschließt die Szene. Die darauffolgende, in welcher Papageno seine Papagena findet, ist kindisch, in der stetigen Wiederholung des Pa—pa—pa—ge—no und Papagena fast trivial. Eine Reihe dramatisch bewegter Ensembles, glänzend an Stimm-fülle und Pracht der Instrumentation und allerlei Schaugepränge beschließt die Oper.

Keine von Mozarts Opern ist so sehr ins Volk gedrungen, als die Zauber-flöte. Viele ihrer Melodien sind populär geworden, wie Papagenos „Der Vogelfänger bin ich ja" und „Ein Mädchen oder Weibchen", Taminos „Dies Bildnis ist bezaubernd schön", das Duett „Bei Männern, welche Liebe fühlen", Sarastros „In diesen heiligen Hallen".

Die Zauberflöte steht mit Figaro und Don Juan in der Bedeutung. vordersten Reihe der Mozartschen Opern, sie nimmt aber darin einen gesonderten Platz ein. Von der Opera buffa der Italiener erscheint sie ganz losgelöst. Anderseits erhebt sie sich von dem Boden des deutschen Singspiels, dem sie entstammt, zu größerer Mannigfaltigkeit des Ausdruckvermögens, zu bedeutenderer musi-kalischer Gestaltung. Was aber der Zauberflöte ihre besondere Eigenart und ihre historische Stellung verleiht, ist das nationale Element der deutschen Romantik, welche sich in der Idealität der Liebe, dem Dämmerlicht der Märchenwelt, dem sittlichen Hinter-grund, dem urwüchsigen Humor offenbart. Die Zauberflöte bedeutet die Morgenröte der deutschen romantischen Oper, deren heller Tag in den dramatischen Werken Beethovens, Webers, Spohrs, Marschners, Wagners anbricht.

Halten wir noch eine flüchtige Umschau über die anderen Die anderen Opern und Bühnenwerke Mozarts, welche den betrachteten Haupt-opern vorangehen, oder zwischen ihnen eingeschaltet sind.

La finta semplice (die verstellte Einfalt), eine italienische Opera La finta buffa in drei Akten und das einaktige deutsche Singspiel Bastien semplice 176s. und Bastienne hat Mozart mit zwölf Jahren geschrieben. La finta sem-plice ist keineswegs ein knapp gehaltener Versuch, sondern ein 25 Nummern umfassendes Werk. Die Zahl der Arien beläuft sich auf 20 (jede Person der Handlung hat deren zwei bis drei zu singen), dazu kommen ein Duett, drei En-sembles und die Ouvertüre. Der Text von dem Theaterdichter Coltellini ist voll burlesker Spässe, die Handlung bedeutungslos; diese dreht sich um banale Liebesgeschichten und ein plump angelegtes Intriguenspiel. Die Kom-position erhebt sich zwar nicht über die damals übliche Schablone, ist aber mit erstaunlicher Sicherheit ausgeführt. Unter den Arien werden die erste des Polidoro und die beiden Arien der Rosine besonders gerühmt. Der Gesang ist einfach, Koloraturen nur spärlich angebracht. Die Ensembles, eines zu Anfang der Oper und die beiden Finales sind musikalisch gut ge-arbeitet, jedoch ohne dramatische Bewegung. Das Orchester ist schon sorg-fältig behandelt. Die Ouvertüre (Sinfonia in drei Sätzen) ist seinen frühesten Symphonien entnommen und unbedeutend.

Das Sujet von Bastien und Bastienne ist nach Rousseaus „Le Bastien und devin de village" (Der Dorfwahrsager) bearbeitet. Es ist ein ländliches Stück Bastienne.

mit drei Personen, dem Liebespaar und dem Wahrsager C o l a s. Die Komposition, in der Art der Hillerschen Singspiele gehalten, enthält zwischen dem fortlaufenden Dialog 11 A r i e n, 3 D u e t t e, 1 T e r z e t t. Der Gesang ist einfach, natürlich, die Formen, teils liedartig, teils der italienischen Arie verwandt, der pastorale Charakter festgehalten. Die musikalische Zeichnung der Personen ist gelungen, besonders die des C o l a s mit seinem Dudelsack. Es gibt recht anmutige, naiv-heitere Stücke in diesem anspruchlosen Singspiel, welche sogar in neuester Zeit bei einer gelegenheitlichen Wiederaufführung ihre Wirkung nicht verfehlten. Eine Arie des B a s t i e n hat Mozart zu dem Liede „Daphne, deine Rosenwangen" umgewandelt.

Mitridate 1770. M i t r i d a t e, Ré di Ponto, die erste 1770 in M a i l a n d aufgeführte O p e r a s e r i a von dem 14jährigen Mozart, gehört vollständig dem Stil der damaligen italienischen Gesangsoper an. Kaum deuten einzelne Spuren auf den künftigen Meister. Alles ist auf Glanzleistungen der Sänger und Sängerinnen berechnet, von denen das Schicksal der Oper abhängt. Das Libretto, von P a r i n i verfaßt, hat zwar einen historischen Hintergrund, aber die handelnden Personen beschränken sich darauf, sich in verwickelte und nicht unbedenkliche Liebesintriguen einzulassen. Die Musik besteht, wie üblich, fast aus lauter A r i e n; nur ein D u e t t, ein Q u i n t e t t zum Schlusse und die O u v e r t ü r e schließen sich ihnen an. Die Arien sind meist Bravourarien, denn es galt einer berühmte Primadonna (Mad. Bernasconi) und einen berühmten Primo uomo (den Kastraten Benedetti) zufriedenzustellen. Dramatischer Ausdruck findet sich nur selten, wie in einer Arie der A s p a s i a im ersten Akt.

Ascanio in Alba 1771. A s c a n i o i n A l b a, eine „S e r e n a t a", oder Festoper, in M a i l a n d aufgeführt, ist eine Gelegenheitsarbeit und trägt alle Merkmale einer solchen. Lose Szenen mit Göttern, Helden, Schäfern sind aneinandergereiht und gipfeln in der üblichen Huldigung. Die Musik bietet nichts Erhebliches, mit Ausnahme der in die Handlung verflochtenen Chöre.

Sogno di Scipione. Noch schwächer ist „Il s o g n o d i S c i p i o n e", eine allegorische „Azione teatrale", 1772 für Salzburg geschrieben, eine flüchtige Arbeit mit einer Anzahl von langatmigen undramatischen Arien und zwei Chören.

Lucio Silla 1772. L u c i o S i l l a, die zweite große Opera seria, 1772 in M a i l a n d aufgeführt, ist ähnlich der ersten geartet. Auch hier ein historischer Stoff, eine sinnlose Handlung, auch hier die Musik als Unterlage der Gesangsvirtuosität. Doch vereinigen die Arien der G i u n i a mit ausgedehnten Bravourpassagen auch dramatischen Ausdruck. Ein Chor am Schlusse des ersten Aktes und die originelle Behandlung der Blasinstrumente sind noch hervorzuheben.

La finta giardiniera (,,Die verstellte Gärtnerin") 1775. Weit sympathischer ist die 1775 für M ü n c h e n komponierte „L a f i n t a g i a r d i n i e r a", O p e r a b u f f a in drei Akten. Die heiteren, wie die ernsteren Partien, der ungezwungene, feine Humor, die treffende Charakteristik; endlich die Melodieerfindung sind schon ganz Mozartisch. Man fühlt, daß der Komponist seinen heimischen Boden gefunden. Der Text, schon vorher von A n f o s s i, P i c c i n n i und anderen Italienern in Musik gesetzt, ist banal, die Handlung undeutend und in ihrem Hauptmotiv abgebraucht. Die vorkommenden sieben Personen gruppieren sich in drei Liebespaare und dem Podestà. Schöne Arien haben Ramiro und Sandrina. Die Musik in den Ensembles, besonders in den Finales des ersten und zweiten Aktes ist charakteristisch bewegt, das Orchester wird selbständiger. Ein gefälliges Stück ist auch die Ouvertüre. Die Oper wurde in d e u t s c h e r B e a r b e i t u n g als „Das verstellte Gärtnermädchen", auch als „Die Gärtnerin aus Liebe" zuerst 1789 in F r a n k f u r t gegeben. Neuere Versuche haben wegen der albernen Handlung und der großen Länge der Arien keinen dauernden Erfolg gehabt, wenn auch Grazie und Frische der Musik anerkannt wurden.

Il Rè pastore. Der „Finta giardiniera" folgt auf dem Fuße die Gelegenheitsoper „I l R è p a s t o r e" für S a l z b u r g geschrieben. Das Libretto von M e t a s t a s i o hatte sich schon längst unter der Feder der namhaftesten Komponisten, von B o n n o bis auf G l u c k bewährt; es war die übliche Festoper. M o z a r t s

Musik bewegt sich in den altgewohnten Bahnen. Daß Alexander d. Gr. (Tenor) Bravourarien singt, genügt, um die Gattung zu kennzeichnen. Eine sichere Mache und ein gut entwickeltes Orchester wird der Oper nachgerühmt. Die Ballettmusik zu **Les petits Riens**, 1778 in Paris geschrieben, eine flüchtige Gelegenheitskomposition, enthält außer der frischen, echt Mozartschen Ouvertüre, zwölf graziöse kleine **Tanzstücke**, aus denen Nr. 3 in A-moll, 4 C-dur, 5 F-dur, 6 Gavotte F-dur besonders hervorzuheben sind.

Der unvollendeten und unaufgeführten deutschen Operette „Z a i d e", dann der Musik zu dem Schauspiel „K ö n i g T h a m o s" ist schon Erwähnung geschehen. Von den beiden italienischen Buffoopern „L'O c a d i C a i r o" und „L o s p o s o d e l u s o" sind nur Bruchstücke und Entwürfe vorhanden, die ein abschließendes Urteil über diese Werke nicht gestatten.

Der **S c h a u s p i e l d i r e k t o r** (s. S. 124), ein d e u t s c h e s S i n g s p i e l in einem Akt, verfaßt von Stephanie d. J., hat eine dürftige Handlung und einen banalen Text. Ein Schauspieldirektor will rasch für eine neuzuerrichtende Bühne ein Personal zusammenbringen. Es melden sich Schauspieler und Sänger. Zwei Sängerinnen tragen Probestücke vor, es sind vorbereitete Arien; sie wetteifern miteinander und geraten in Streit. Der Tenorist begütigt. Es folgt ein komisches, sehr gelungenes Terzett. Ein Strophenlied, im Wechselgesang der Stimmen, beschließt das anspruchslose Stück. Über die weiteren Schicksale dieses kleinen Singspiels, namentlich über die fast sträfliche Verballhornung, welche Mozart in anekdotenhafter Beleuchtung auf die Bühne stellt, haben wir schon früher berichtet.

Les petits Riens.

Der Schauspieldirektor 1786.

Die **K i r c h e n w e r k e** Mozarts, so zahlreich sie sind, können nicht die hohe Bedeutung beanspruchen, welche seiner dramatischen Musik zukommt. Mozart stand mit seiner Kirchenmusik vollständig in seiner Zeit. Die Neapolitaner beherrschten damals dieses Gebiet, ebenso wie die Oper. Hatte die ältere neapolitanische Schule noch manches ernste, ja großartige Werk für die Kirche geschaffen, so verflachte und verweichlichte ihr Stil in der zweiten Hälfte des 18. Jahrhunderts und näherte sich immer mehr jenem der Oper. So manche Opernarie konnte ohneweiters als Solo in einer Messe dienen, was auch nicht selten geschah. Anstandswegen gab es auch hie und da eine Fuge. Die leitenden Meister der Kirchenmusik dieser Zeit waren H a s s e und N a u m a n n. Ihr Formalismus, ihre musikalische Richtung, mit etwas Pedanterie versetzt, herrschten im ganzen katholischen Deutschland, also auch in S a l z b u r g. Bei M o z a r t wirkten außer diesen Vorbildern noch andere Faktoren mit: Die kontrapunktische Zucht seines Vaters, der selbst ein tüchtiger Kirchenkomponist war, neben ihm der bedeutendere M i c h e l H a y d n, endlich die Anforderungen und der Geschmack des erzbischöflichen Hofes, nebst den gegebenen Verhältnissen der Kapelle. Daß in den späteren Kirchenwerken Mozarts auch individuelle Züge sich einstellen, ist selbstverständlich.

Die größere Zahl der Mozartschen **M e s s e n** gehört der Gattung der sogenannten „kurzen Messen" (Missae breves) an. Nicht nur die liturgische Anordnung, sondern auch die musikalische Behandlung der einzelnen Messensätze, ihre Stimmungsbilder, die Verteilung von Soli und Chor, der Eintritt von Fugen an den vor-

Kirchenwerke.

Messen.

10*

geschriebenen Stellen, zeigen den allgemein angenommenen Typus. Der homophon-melodische Stil ist der vorherrschende. Fast sämtliche Messen haben eine mehr oder minder reiche Instrumentalbegleitung. Der Ausdruck ist überwiegend ein heiterer, dem Text wenig entsprechender. Tiefe und Innerlichkeit treten nur stellenweise zu Tage.

Von den 15 Messen, welche Mozart in seiner Jugendzeit schrieb, sind die um 1774 entstandenen die bedeutenderen. Die Messe in F-dur besitzt einen edlen Stil, ist kontrapunktisch gearbeitet, dabei in den Formen knapp; sie besteht aus Soli und Chor, die Begleitung beschränkt sich auf die Orgel nebst zwei Violinen und Baß. Die um dieselbe Zeit komponierte Messe in D-dur, ebenfalls eine Missa brevis, ist ihrer strengeren Vorgängerin gegenüber weicher und gefälliger. Diesen zunächst sind anzuführen: Die in Italien 1773 komponierte „Missa Trinitatis", bloß aus Chören bestehend und kräftigen Ausdrucks, als Gegenstück zu dieser eine spätere Messe in B-dur, vorwiegend solistisch, welche einen durchaus heiteren Charakter aufweist, eine groß angelegte, jedoch an Wert sehr ungleichmäßige Messe in C-dur, die sogenannte „Krönungsmesse", welche die meistbekannte der Mozartschen Messen ist. Ferner die Credo-Messe, in welcher das Motiv des Credo bei jedem Glaubenssatze wiederholt wird. Das späteste Werk dieser Gattung, 1782 begonnen, die C-moll-Messe ist unvollendet geblieben, was um so mehr zu beklagen ist, als mehrere Sätze dieser großangelegten Komposition, namentlich die Chöre, durch Ernst und Tiefe hervorragen.

Mozart hat die Musik dieser Messe größtenteils für seine Kantate „Davidde penitente" benützt. Diese größere geistliche Kantate wird nebst dem Jugendwerk „La Betulia liberata" als „Oratorium" bezeichnet. Auch einer „Passionskantate" aus Mozarts früherer Zeit ist zu gedenken.

Litaneien und Vespern.

Von umfangreicheren Kirchenwerken schließen sich zunächst die Litaneien und Vespern an. Von ersteren hat Mozart in dem Zeitraum 1771—1776 vier geschrieben, und zwar zwei Marienlitaneien (L. Lauretanae) und zwei vom hochw. Gut (L. de venerabili altaris), sämtlich für vier Singstimmen und Instrumentalbegleitung. Sie bestehen aus mehreren Sätzen, deren erster das Kyrie, und deren Schluß das Agnus Dei bildet. Die Marienlitanei in D ist die bedeutendste unter ihnen. Höher stehen die beiden Vespern, 1779 und 1780 entstanden. Die Darstellungsmittel sind dieselben, wie bei den Litaneien. Die Vesper setzt sich aus fünf Psalmen und dem Lobgesang Mariens (dem Magnificat) zusammen. Jedes Stück bildet ein abgeschlossenes Ganze. Besonderen Ernst und religiöse Weihe besitzen weder die Litaneien noch die Vespern, auch findet sich viel Opernhaftes darin. Doch sind die Vespern gediegener in der Arbeit und bedeutender in der Auffassung, insbesondere die zweite derselben mit dem prächtigen Magnificat. Ein Bruchstück zu einer Vesper (Dixit und Magnificat) stammt aus früherer Zeit.

Kleinere Kirchenstücke.

Zahlreiche kleinere Kirchenstücke können hier nur summarisch angeführt werden. Es sind mehrere Kyrie mit und ohne Begleitung, Offertorien, Graduale, Regina Coeli, Motetten usw., meist aus der Salzburger Zeit. Alle verraten Sicherheit im Tonsatz, ohne sich durch tieferen Gehalt auszuzeichnen. Doch eines

dieser kleineren Kirchenwerke, und zwar aus seinem letzten Lebensjahre stammend, die im Juni 1791 in Baden geschriebene Motette „Ave verum corpus" für vier Singstimmen mit Begleitung, Ave verum.
gehört zu dem Reinsten und Schönsten, das die Kirchenmusik aufzuweisen hat. Eine rührende Stimmung, vereint mit vollendeter
Klangschönheit, ist über dieses ideale Tonstück gebreitet.

Das bedeutendste und berühmteste Kirchenwerk Mozarts ist
sein Requiem. Wir wissen, unter welchen Umständen die Kom- Das Requiem.
position entstanden und daß sie von dem Meister unvollendet hinterlassen wurde. Süßmayr, sein Schüler, in der letzten Zeit sein
Gehilfe war es, der die Ergänzung des Requiems übernahm. In
der handschriftlichen Partitur Mozarts ist kein einziger Satz fertiggestellt, die drei letzten Sätze fehlen gänzlich. Das Vorhandene
konnte Süßmayr, der in den Stil und in die Absichten des Meisters
eingeweiht war, tadellos vollenden, das Fehlende hat er in einer
Weise hinzukomponiert, die Bewunderung verdient. Es hat nicht
an Stimmen gefehlt, welche auch für diese letzten Sätze das Vor-
handensein von Skizzen Mozarts vermuteten. Eines ist gewiß: Das
ganze Werk trägt durchaus Mozartsches Gepräge und ist Mozarts würdig.

Franz X. Süßmayr (1766—1803), von 1794 Kapellmeister am Opern- Süßmayr.
theater, war ein sehr begabter Tonsetzer, der mehrere Opern zur Aufführung
gebracht, von denen namentlich „Soliman II." und „Der Wildfang" Erfolg
hatten. Für seinen Anteil an dem Requiem ist es von Interesse, daß er nicht
bloß den Stil Mozarts in sich aufgenommen, sondern auch eine der Mozartschen täuschend ähnliche Handschrift besessen hat.

Mozart hat sein Werk in zwölf Abschnitte gegliedert, und Details.
zwar: Introitus (Requiem und Kyrie), Dies irae, Tuba mirum, Rex tremendae, Recordare, Confutatis, Lacrimosa, Domine Jesu, Hostias, Sanctus,
Benedictus, Agnus Dei. Der zweite bis siebente Abschnitt bilden zusammen die Sequenz des „Dies irae", die nächsten zwei sind Offertorien. In Mozarts Handschrift waren Introitus und die Offertorien der Vollendung am nächsten, dann folgen fünf Teile des
Dies irae; im neunten Takt des Lacrimosa bricht die Handschrift ab. Der Komposition merkt man es an, daß sich ihr Mozart
mit voller Hingebung gewidmet hat. Die sorgfältige, kunstreiche
Arbeit mit ihren zahlreichen interessanten Details, der tiefe Ernst,
der das Ganze durchdringt, der elegische Ausdruck, der sich zuweilen zum Tragischen erhebt, ohne jemals die Schönheitsgrenze
zu überschreiten, die melodische Erfindung und nicht zuletzt die
charakteristische Instrumentation vereinen sich zu einer Gesamtwirkung, die den Zuhörer nicht aus ihrem Banne läßt.

Das Requiem ist für vier Solo-Singstimmen und Chor, 2 Violinen, Viola,
2 Bassethörner, 2 Fagotte, 2 Trompeten, 3 Posaunen, Panken, Baß und Orgel
geschrieben.

Nach einer sanften Instrumentaleinleitung, der vier Posaunenstöße folgen,
treten die Singstimmen nacheinander mit dem „Requiem aeternam" ein, der

Solosopran intoniert eine alte Choralmelodie. Das Kyrie eleison ist gleichzeitig mit dem Christe eleison als Doppelfuge behandelt. Das erste Thema mit seinen scharf rhythmisierten weiten Tonschritten wurde seit Bach bis auf die Neuzeit als „Gemeingut" benützt. Das zweite Thema ist bloß figurierend. Das Ganze macht einen altertümlichen, streng kirchlichen Eindruck.

Das „Dies irae", eine uralte Sequenz, ist hier in sechs Nummern zerlegt, welche wechselnd im Chorsatz oder im Sologesang ausgeführt sind. Das Dies irae setzt mit einem Chor in hoher Stimmlage und kraftvollen Akkorden ein. Das „Tuba mirum", mit Posaunenschall eröffnet, verläuft in Sologesängen. Erschütternd wirkt das „Rex tremendae" mit seinem schlagfertigen, kanonisch geführten Tonsatz und dem besänftigenden Abschluß. Eine der schönsten Nummern des ganzen Werkes ist das „Recordare", in den vier Solostimmen meisterhaft entwickelt und voll Anmut, zugleich tiefen Ernst im Ausdruck. Dann folgen die ergreifenden Klänge des „Confutatis", Schrecken und Zerknirschung schildernd, mit dem mild verklärten „Oro supplex et acclinis". Eine rührende Klage ist das „Lacrimosa", dessen schluchzende Begleitungsfigur und Choranfang noch von dem scheidenden Meister herrühren; es ist in der Ausführung durchaus der Anlage würdig.

Die Offertorien „Domine Jesu Christi" und das „Hostias" sind in bestimmten Formen an den Ritus gebunden. Das erste zerfällt in kurze Sätze, denen ein Fugato eingefügt ist, die Solostimmen führen eine gefühlvolle Melodie zu „Sed sanctus signifer Michael" in imitierender Form aus, eine kunstvolle Fuge „Quam olim Abraham" beschließt den Satz. Das „Hostias", das Opfer, drückt eine ruhige Stimmung aus und ist in der harmonischen Führung von eigentümlichem Reiz.

Mit dem Sanctus setzt die Arbeit Süßmayrs ein. Es ist, wie das Osanna, kurz gehalten. Eine durchaus edle Komposition, auch mit großen Momenten, wie bei „Pleni sunt coeli" und mit einer prächtigen Fuge bei dem „Osanna" ausgestattet. Die anmutende und gefühlsinnige Melodie im Benedictus hat diesem Stück einen hervorragenden Anteil an dem Ruhm des Requiems verschafft; es besitzt echt Mozartschen Stil. Am bedeutendsten erscheint aber das Agnus Dei, welches durch Schwung und Empfindung imponiert und rührt. Bei dem „Cum sanctis tuis" setzt die Kyrie-Fuge wieder ein und bringt den Abschluß des Werkes.

Seitdem das Requiem als teueres Vermächtnis Mozarts an das Licht der Öffentlichkeit getreten, hat es sich stetig nach allen Richtungen verbreitet und zum Ruhme des Meisters in der ganzen zivilisierten Welt beigetragen. Wo es galt, einen berühmten oder einen allgemein geliebten Toten zu feiern, immer und überall wurde das Mozartsche Requiem hervorgeholt, um die Gemüter zu erheben, die Herzen zu trösten. Und diese Wirkung ist ihm bis heute ungeschwächt treu geblieben.

Lieder.

An dem deutschen Liede, welches in der zweiten Hälfte des 18. Jahrhunderts seine Schwingen entfaltete, ist Mozart nicht vorbeigegangen, ohne die Gattung durch einige anmutige Gaben zu bereichern. „Das Veilchen" auf Goethes Worte, einfach und fein empfunden, gehört zu den beliebtesten Liedern der Vor-Schubertschen Zeit. An dieses schließen sich „Abendempfindung", „An Chloe", „Wiegenlied", „Die Zufriedenheit", „Daphne". Nicht bei allen diesen ist der Text geschmackvoll gewählt. Die Lieder sind naiv und sanglich gehalten, auch empfindungsvolle sind darunter, die Klavierbegleitung anspruchslos; die meisten derselben sind Strophenlieder

Neben den Liedern sind noch zu erwähnen: Das komische Terzett „Liebes Mandel, wo is' Bandel", die zwei- bis vierstimmigen Vokal-Kanons, welche einen Schatz kunstvoller Arbeit bergen und oft von übermütigem

Humor erfüllt sind. Endlich schrieb Mozart zwei K a n t a t e n für seine Frei-maurer-Loge.

In dem Schaffen M o z a r t s nimmt die I n s t r u m e n t a l - Instrumen-talmusik. m u s i k einen ausgedehnten Raum ein. Auf den Gebieten der S y m p h o n i e, der K a m m e r m u s i k und K l a v i e r m u s i k hat er durch zahlreiche und hervorragende Leistungen die Kunst be-reichert und dauernd gefördert.

Die S y m p h o n i e, welche H a y d n mit genialer Erfindungs- Symphonien. gabe und Leichtigkeit in verschwenderischer Zahl geschaffen, hat M o z a r t mit bedeutenderem Inhalt erfüllt, mit farbenreicherer In-strumentation ausgestattet.

Wenn man von Mozartschen S y m p h o n i e n spricht, so denkt man fast ausschließlich an die d r e i M e i s t e r s y m p h o n i e n in Es-dur, G-moll, C-dur, sämtlich 1788 komponiert. Ihnen stellt sich nur die kurz vorher entstandene dreisätzige in D-dur an die Seite. Die drei erstgenannten Symphonien, grundverschieden in ihrem Bau und Charakter, bilden jede in ihrer Art ein logisch ent-wickeltes, formgewandtes, von Geist und Empfindung, Energie und Grazie durchleuchtetes Ganze. Das Vorbild H a y d n ist nicht bloß in der Form, sondern auch in Einzelzügen unverkennbar, doch unterscheiden sich die M o z a r t schen Symphonien durch das Her-vortreten des gesanglichen Elements in den Hauptthemen, wie durch die reiche melodische Erfindung überhaupt, größere Wärme und Leidenschaft, das edle Maß auch im Humor.

Die E s - d u r - S y m p h o n i e hat eine majestätische Einleitung in der Es-dur- Art Haydns, der ein erster Satz voll sonniger Heiterkeit folgt, biegsame, gra-ziöse Melodik mit kraftvoller Energie in schöner Mischung. Eine friedliche Stimmung ist über das Andante in As-dur gebreitet, ein Stück, welches durch seine zauberhafte Instrumentation, wie auch durch überraschende Wendungen fesselt. Das Menuett besitzt in seinem Hauptsatz etwas festlich Stolzes, im Trio einen lieblich einschmeichelnden Ausdruck. Ein sprudelnd übermütiges Finale voll humoristisch kecken Einfällen, welches an Haydn, von fern auch an Beethoven erinnert, bildet den glänzenden Abschluß.

Ganz anders ist die G - m o l l - S y m p h o n i e geartet. Hier ist alles in G-moll- Wehmut getaucht; eine leidenschaftliche Unruhe durchzieht das ganze Werk. Hie und da tritt ein unter Tränen lächelnder Gedanke auf. Und darüber schwebt das echt Mozartsche schöne Maß, die Noblesse der Empfindung. Der hervorragendste und originellste Satz ist der erste, mit seiner kunstvollen Durchführung und dem überraschenden Rückgang zum Hauptthema, schwer-mütig und sehnsuchtsvoll das Andante, scharf und entschieden das Menuett, dessen Herbigkeit durch das naive G-dur-Trio gemildert wird; das Finale stürmt aufgeregt und hastig in schmerzlichen Akzenten dahin und scheidet un-versöhnt.

Die C - d u r - S y m p h o n i e, die großartigste der Trias, hat den Beinamen C-dur- „J u p i t e r s y m p h o n i e" bekommen, eine Bezeichnung, die durch die impo- (Jupiter-)Sym-phonie. nierende Hoheit und Pracht dieses Tonwerkes gerechtfertigt erscheint Ein pomphafter erster Satz, dessen rollende Figuren von seelenvollen Motiven und naiv heiteren Zwischensätzen abgelöst werden, rauscht sieghaft an uns vorüber. Tief und pathetisch setzt das Andante mit einem langatmigen Thema ein, dem sich ein zweiter inniger Gesang und ein kunstvoll verschlungenes Figurenspiel zugesellen. Stolz und graziös zugleich ist das Menuett in seinem scharf ausgeprägten Rhythmus. Das Finale, die Krönung dieser majestätischen Symphonie, ist ein Wunderwerk der thematischen Durchführung. Dem energischen kurzen Hauptmotiv, welches sofort fugiert wird, stellen sich im Verlaufe des Satzes zwei weitere Motive kontrastierend gegenüber, welche drei Themen nun in einem kunstreichen dreifachen Kontrapunkt miteinander kämpfen. Die Kühnheit der Anlage wird nur von dem natürlichen Zusammenhang der musikalischen Gedanken und der Einheit der Gesamtstimmung überboten. Die künstliche Arbeit ist unter blühenden Rosen verborgen.

D-dur-Symphonie. Die Symphonie in D-dur (Nr. 1 der Ausgabe von Breitkopf & Härtel) in drei Sätzen, eine Vorgängerin der drei eben betrachteten, steht an Schönheit und Abwechslung der melodischen Gedanken, wie an instrumentaler Farbenpracht ihren berühmteren Schwestern nicht nach. Wenn auch bescheidener in der Gesamtanlage, zeichnet sie sich durch viele feine Züge aus, ermangelt auch nicht der tiefen Empfindung und stellenweise der kontrapunktischen Arbeit. Die Symphonie hat eine bedeutsame Einleitung, ein dramatisch gefärbtes Hauptthema des ersten Satzes, dem ein sehr warmes zweites Thema folgt, zwischen welchen energische Motive auftauchen ; eine interessante Durchführung zeichnet diesen Satz aus. Ein echt Mozartsches Andante in G-dur, dessen seelenvoller Gesang uns in die Atmosphäre der Oper versetzt, bildet den zweiten Satz. Das Finale ist voll Bewegung und neckischem Humor und erinnert in seinen witzigen Einfällen an Haydn.

Die übrigen Symphonien. Die übrigen zahlreichen Symphonien, welche meist der Jugendzeit Mozarts angehören, stehen an Wert und Eigentümlichkeit diesen Meisterwerken weit nach. Sie wurzeln vorzugsweise in der Form der Opernsinfonia (Ouvertüre), seltener in jener der Serenade. Nur wenige besitzen den echt symphonischen Charakter und die ausgebildete Form ; auch macht sich der individuelle Stil Mozarts noch wenig bemerkbar.

Die sogenannte „Pariser" Symphonie in D-dur (Ausg. Br. & H. Nr. 9) hat nur biographisches Interesse (s. S. 116). Erwähnenswert sind die Symphonien in B-dur (Br. & H. Nr. 11) aus dem Jahre 1779, wegen der ausgeprägteren Form und mancher eigenartigen Züge, die in C-dur (Br. & H. Nr. 10) von 1780, ebenfalls dem fortgeschrittenen symphonischen Stil zugehörig; frisch und gefällig sind die Symphonien D-dur (Br. & H. Nr. 5) und C-dur, die sogenannte „Linzer" (Br. & H. Nr. 6) aus den Jahren 1782 und 1783, die erstere ursprünglich eine Gelegenheitsmusik (für Haffner in Salzburg), letztere deutlich unter Einfluß Haydns geschrieben.

Serenaden, Divertimenti, Cassationen. Zunächst den Symphonien sind die Serenaden, Divertimenti, Cassationen zu nennen, in welcher Gattung Mozart sehr fruchtbar war. Es sind suitenartige Kompositionen für mehrere Streich- und Blasinstrumente, aus drei bis acht Sätzen bestehend, leichteren Charakters, schwächer in der Instrumentation. Die bunte Reihe setzt sich aus ernsten und heiteren Stücken zusammen, gravitätischen Einleitungen, langsamen und raschen Sätzen, Menuetts und Märschen. Konzertierende Soli sind häufig. Die ganze Gattung war vorherrschend Gelegenheits- und Unterhaltungsmusik, bestimmt, im Freien aufgeführt zu werden. Im Gesamtcharakter steht die damalige „Symphonie" den Serenaden und Divertimenti nicht allzu fern. Mozart schrieb derartiges, wie schon erwähnt, mit Lust und Liebe, und so mancher Satz dieser Serenaden erhebt sich über das

Niveau einer Gelegenheitsarbeit. Zu den besten Kompositionen dieser Art gehören die 1774 und 1775 in Salzburg entstandenen, besonders die „Haffner-Serenade" in D-dur. Ihnen schließen sich die zwischen 1776 und 1780 komponierten anmutigen „Lodronschen" Divertimenti an. Eine große Beliebtheit genoß in jener Zeit die „Harmoniemusik", das Ensemble von verschiedenen Blasinstrumenten bis zu zehn Stimmen. Der Adel wetteiferte in der Unterhaltung solcher Bläserkapellen. Mozart schrieb 1782 und 1783 auf Bestellung zwei Serenaden für Blasinstrumente, Es-dur und C-moll, beide gelungen, letztere auch tüchtig gearbeitet.

Als Kuriosum ist ein Notturno, ausgeführt von vier Gruppen, jede aus einem Quartett mit zwei Hörnern bestehend, mit dreifachem Echo, zu erwähnen. Ein drolliger „Musikalischer Spaß" ist die Bauernsymphonie „Die Dorfmusikanten".

Von Orchesterkompositionen ist noch auf die kurze, tiefergreifende „Maurerische Trauermusik" aufmerksam zu machen. — Nicht zu vergessen sind auch die zahlreichen Tänze für Orchester, auf Bestellung des Hofs geschrieben, und zwar Menuette, deutsche Tänze, Contretänze.

Mozarts Violinkonzerte sind erst in neuester Zeit zur Geltung gekommen und werden von Künstlern, deren Geschmack geläutert und deren Vortrag auf edle Einfachheit gerichtet ist, mit Erfolg wiedergegeben. Besonders bevorzugt werden die Konzerte in G-dur, D-dur (Nr. 4) und vor allem das in A-dur. Ein 1907 entdecktes siebentes Konzert, D-dur, kann man als zweifelhaft bezeichnen. Das sechste in Es ist unvollendet. — Ein bedeutendes Werk ist die Konzertante für Violine und Bratsche mit Orchester, welche symphonischen Charakter besitzt. Den Violinkonzerten kommen an Beliebtheit noch die Hornkonzerte nahe.

Violinkonzerte.

Von der Kammermusik Mozarts stehen die sechs Haydn gewidmeten Streichquartette und die Streichquintette in G-moll, D-dur, Es-dur, A-dur (mit Klarinette) obenan. Die Quartette sind im allgemeinen bedeutender im Tonsatz und tiefer im Ausdruck als die vorangegangenen Haydns; sie umfassen Ernst und Pathos, harmlose Heiterkeit, Anmut und Humor. Die Meisterschaft in den Durchführungen, namentlich die kontrapunktische Arbeit ist vollendet. Nicht bloß die ersten Sätze, auch die Finales sind in dieser Beziehung mit gleicher Sorgfalt behandelt. Unter den Andantes finden sich Stücke von gewinnendem Ausdruck. Die Menuetts sind energischer und ernster als jene Haydns, die Trios zuweilen spielerisch oder populär gehalten.

Streichquartette.

Das gewichtigste und ernsteste der sechs Quartette ist das in D-moll, dessen letzter Satz ein Thema mit Variationen bildet. Ihm reiht sich gleichwertig das durchaus meisterliche Quartett in A-dur an, dessen dritter Satz wieder die Variationenform hat. Das erste Quartett in G-dur zeichnet sich durch ein Menuett von originellem Rhythmus aus; das dritte Es-dur ist bis auf den letzten Satz trockener und minder anmutend; das vierte in B-dur mit dem jagdartigen Thema des ersten harmlosen Satzes besitzt ein tiefernstes und klangschönes Adagio und ein prickelndes, leichtgeschürztes Finale. Das sechste Quartett in C-dur wird durch einen langsamen Satz eingeleitet, in welchem eine harmonische Fortschreitung Anlaß zu einem kritischen Federstreit gab; am hervorragendsten sind die beiden letzten Sätze. Zu den bedeutendsten Quartetten ist noch eines in B-dur (Peters Nr. 8) hinzuzufügen.

Streichquintette. Die Streichquintette (mit zwei Bratschen) gehören zu dem edelsten Besitzstand der Kammermusik. Tonstücke von so durchsichtigem seelischen Ausdruck, wie es der erste Satz des G-moll-Quintetts ist, hat selbst Mozart nicht viele geschaffen. Die schwärmerisch erregte Stimmung ist jener der G-moll-Symphonie verwandt. Elegisch ist auch das Menuett, andachtsvoll das Adagio, einen überraschenden Gegensatz bildet das hell jauchzende Finale, G-dur.

Zunächst dem G-moll-Quintett steht jenes in D-dur mit einer kurzen Einleitung, einem gediegenen ersten Satz, dem gesangvollen Andante mit der originellen Cellofigur, dem genialen Menuett in kanonischer Stimmführung nebst dem volkstümlichen Trio, dem humoristischen Finale.

Das Quintett mit Klarinette in A-dur ist idyllisch anmutend und enthüllt den üppigen Klangzauber dieses Instruments, wie wir ihn nirgends vollendeter als bei Mozart und etwa noch bei Weber und Brahms finden.

So Bedeutendes und Schönes wir von Mozart in den Symphonien und der Kammermusik besitzen, historisch wichtiger **Klaviermusik.** ist er in seiner Klaviermusik. In dieser hat er einen Fortschritt über Ph. Em. Bach und Haydn bewirkt, welcher bahnbrechend für die Zukunft dieses Instruments geworden. Mozart **Mozart als Klavierspieler.** wird als einer der besten Klavierspieler seiner Zeit gerühmt; besonders werden der gesangvolle Anschlag, die Rundung und Deutlichkeit seiner Passagen und Verzierungen hervorgehoben. Einen treuen Spiegel seiner Technik und Vortragsweise halten uns seine Klavierwerke vor.

Heutzutage begegnet man oft der Meinung, Mozart zu spielen sei „leicht". Nichts ist irriger. Abgesehen von der natürlichen Begabung, der schönen Tonbildung, richtigen Phrasierung, der Grazie des Einfachen, bedingt die Durchsichtigkeit der zumeist aus Skalen und Akkordzerlegungen gebildeten oft verschlungenen Figuren, dann die reichlich angebrachten Triller und sonstigen Verzierungen eine tadellose und klare Ausführung, welche die leiseste Trübung durch willkürliche Änderungen, oder unziemlichen Pedalgebrauch ausschließt. Ist im Vortrag selten Gelegenheit, Größe und Leidenschaft zu entfalten, so darf es doch nicht an Lebhaftigkeit und Feuer fehlen.

Konzerte. Die Krone der Mozartschen Klaviermusik bilden die Konzerte. In ihrer vollendeten Form, in der engen Verbindung des Klaviers mit dem Orchester hat Mozart etwas Neues geschaffen. Der Reichtum der Erfindung und die Vielseitigkeit, welche in diesen Konzerten herrschen, verleihen ihnen jenen lebendigen Reiz, der ihnen ungeschwächt erhalten geblieben. Erscheinen uns auch manche Themen allzunaiv und kindlich, sind auch hie und da die Klavierpassagen altmodisch, so entschädigt die symphonische Behandlung und der zauberhafte Wohlklang des Orchesters auf das reichlichste.

In der vordersten Reihe stehen die Konzerte in D-moll (Nr. 20 der Ausg. Br. & H.) und C-moll (Nr. 24), das erstere in seinem Hauptsatz dramatisch bewegt, an Gluck mahnend, mit einem friedseligen, doch leidenschaftlich unterbrochenen Andante und einem feurig dahineilenden Finale, das zweite heroisch in dem Thema des ersten Satzes, lieblich naiv im Andante und im letzten Satz ein feinsinniges Thema mit geistvollen Variationen. Sind diese beiden Konzerte ernst und hochgestimmt, so entzückt uns das A-dur-Konzert (Nr. 23) durch höchste Anmut und Grazie in der Erfindung, jenes in D-dur („Krönungskonzert" Nr. 26) durch Glanz und sprudelnde Lebendigkeit, wie durch das innige Andante in A-dur. Hervorzuheben sind noch die Konzerte in B-dur (Nr. 15), G-dur (Nr. 17), die beiden in C-dur (Nr. 21 und 25), Es-dur (Nr. 22) Das Konzert für zwei Klaviere in Es-dur und eines für drei Klaviere in F-dur sind Gelegenheitskompositionen. — Die von Mozart niedergeschriebenen Kadenzen zu seinen Klavierkonzerten sind unbedeutend und haben ihm schwerlich bei seinen öffentlichen Vorträgen gedient; man kann annehmen, daß solche von ihm improvisiert wurden.

Nicht so schöpferisch neu wie im Klavierkonzert, doch wichtig in der Kette der Entwicklung war Mozart in der Klaviersonate. Die Sonatenform, wie sie durch Ph. Em. Bach und Haydn gegeben war, erhielt durch ihn ihre bleibende Ausgestaltung. Dem ersten Thema tritt stets eine ausgesprochene Mittelsatzgruppe gegenüber. Die Durchführung nimmt einen neuen Gedanken auf und bringt die modulatorische Verarbeitung von Motiven und Gängen des ersten Teils. Die Themen erhalten einen mehr kantablen Charakter. Die langsamen Sätze in Lied- oder Rondoform sind breiter ausgeführt. Die Technik ist handlich und bietet nur in einzelnen Sätzen Schwierigkeiten. Daran und an dem größtenteils harmlosen Gedankengehalt kann man erkennen, daß die Sonaten meist für Schüler und mehr noch für Schülerinnen geschrieben sind. Überraschende Einfälle und Exzentrisches wie bei Ph. Em. Bach findet sich da nirgends, ebensowenig der frische Humor Haydns. In Mozarts Sonaten ist alles maßvoll abgetönt, melodisch und harmonisch abgerundet. Auch ist ihr Wert für den Lehrzweck nicht hoch genug zu schätzen.

Sonaten.

Aus der nicht zu großen Zahl der Mozartschen Klaviersonaten ragt der erste Satz der F-dur-Sonate (Nr. 14 der Ausg. Br. & H., deren beide Anfangssätze als „Allegro und Andante" erschienen sind) als eine Meisterleistung der thematisch-kontrapunktischen Kunst hervor. Weiter sind hervorzuheben: Die Sonate C-moll (Nr. 17, zusammen mit der Phantasie erschienen), A-moll (Nr. 6), D-dur *, (Nr. 15). Die Sonate A-dur (Nr. 2) beginnt mit Variationen und bringt das charakteristische, wirksame „Alla turca".

Bedeutender als die Sonaten sind die Phantasien, an ihrer Spitze die große C-moll-Phantasie, unstreitig das inhaltsreichste und merkwürdigste Stück der Solo-Klaviermusik Mozarts. Auch die kleinere C-moll-Phantasie, aus einem zweiteiligen Satz bestehend, ist in ihrem Pathos und in ihrer Tonfülle hochinteressant.

Phantasien.

Variationen. Schwächer sind die Variationen über damals beliebte Motive, meist Gelegenheitsarbeiten, äußerlich, ohne tieferes Erfassen der in dem Thema liegenden Entwicklungskeime. Eine glänzende Ausnahme bilden die geistvollen Variationen über „Unser dummer Pöbel meint", aus Glucks „Pilgrime von Mekka".

Kleine Stücke. Die kleinen Klavierstücke Mozarts schließen wahre Perlen in sich ein. Wir erinnern an das zartempfundene, fein ziselierte Rondo in A-moll, das tiefsinnige Adagio in H-moll, die genial hingeworfene Gigue in G-dur, die charakteristische Ouvertüre und Fuge im Stil von Händel.

Vierhändiges. In der vierhändigen Klaviermusik war Mozart, wenn auch nicht der erste (er hatte Vorgänger in Christian Bach u.a.), doch jedenfalls der erste von Bedeutung. Seine Sonaten in F-dur und C-dur treffen den angemessenen Tonsatz für das Zusammenspiel mit unfehlbarer Sicherheit und sind von reizender Klangwirkung. Gehaltvoller sind die vierhändig gesetzten Stücke für ein Orgelwerk, das Adagio und Allegro F-moll—F-dur, und noch viel mehr die Phantasie in F-moll, ein meisterlich aufgebautes, tief ergreifendes Musikstück. — Für zwei Klaviere hat Mozart eine in ihrer Anmut und ihrem reizenden Figurenspiel unvergleichliche Sonate in D-dur und eine etwas herbe, doch interessante Fuge in C-moll geschrieben.

Kammermusik. Werfen wir noch einen Blick auf die Kammermusik mit Klavier, so erscheint uns an erster Stelle das Quintett mit Blasinstrumenten in Es-dur, ein Werk, welches Beethoven zu seinem Quintett Op. 16 als Muster gedient hat. Ihm schließen sich an Schönheit und Bedeutung das Klavierquartett in G-moll, das Trio E-dur an. Von den Sonaten mit Violine können heute nur wenige tieferes Interesse erwecken, wie die in F-dur $^4/_4$ (Nr. 7 der Ed. Peters), B-dur $^4/_4$ (Nr. 10), Es-dur $^4/_4$ (Nr. 12), A-dur $^6/_8$ (Nr. 17) usw.

Würdigung Mozarts. Über die Kunst und ihre Werke spricht erst eine ferne Zeit ihr sicheres und gerechtes Urteil. So auch bei Mozart. Mozarts wahre Bedeutung ward nicht immer und nicht von Allen klar erkannt. Obwohl schon bei Lebzeiten eine Berühmtheit, war er doch nicht völlig verstanden. Uns, die wir in Mozart die reinste Schönheit, die Vollendung der Form, das keusche Maßhalten bewundern, erscheint es unbegreiflich, daß es zu seiner Zeit Musiker und Laien gab, und ihre Zahl war nicht gering, die Mozarts Musik überladen und schwer, wohl auch fehlerhaft oder gar exzentrisch fanden. In Wien verdrängten Jahre hindurch seichte Machwerke seine Meisteropern. Die Italiener konnten sich mit seinen Opern nicht befreunden. Die echten Kenner standen jedoch an seiner Seite. Nach Mozarts Tode erwachte die Musikwelt zum vollen Verständnis seines Wirkens und sein Ruhm konnte sich neben der überragenden Größe eines Beethoven behaupten. Es kam die Zeit der musikalischen Romantik, und vor ihrer schwärmerischen, subjektiven Tonsprache, ihrem leidenschaftlichen Stimmungsleben zog sich die Kunst Mozarts, die nun als altmodisch und harmlos galt, zurück. In unseren Tagen, in denen eine gärende Bewegung die Musikwelt durchwühlt, das Poetisierende, das Malerische an die Oberfläche drängt, selbst die Unnatur wahre Orgien feiert, macht sich, der nervösen Überreizung müde, in den Kreisen der Musikfreunde eine Gegenströmung bemerkbar. Es ist die Sehnsucht nach dem erhebenden, beglückenden Genuß reiner und schöner Musik, nach der klassischen Ruhe des Kunstwerkes, und so lassen sich zahlreiche Stimmen vernehmen mit dem Rufe: Zurück zu Mozart!

IV.

Beethoven.

Die Instrumentalmusik der Haydn-Mozartschen Epoche besaß einen gemeinsamen Stil. Die Formen waren gegeben, der Ausdruck begrenzt. In Haydns Werken ist der Stil voll ausgeprägt, die Form meisterlich gehandhabt, die musikalische Erfindung geistreich und mannigfaltig. Mozart veredelte den Stil, erweiterte die Form und erfüllte sie durch sein großes Können, seine blühenden Tongedanken und die Wärme seines Gesanges mit einem reicheren Inhalt. Noch hatte die Instrumentalmusik nicht die in ihr schlummernde unbegrenzte Ausdrucksfähigkeit errungen, noch hatte sie nicht jene Sprache gefunden, welche den mannigfaltigsten und tiefsten Seelenbewegungen zu folgen vermag, die Phantasie mit Natur- und Lebensbildern bevölkert, welche den Hörer über das Irdische erhebt, mit der Ahnung des Unendlichen durchzieht. Diese Sprache zu finden war Beethoven vorbehalten. An Haydn und Mozart emporgewachsen, erklimmt er den Höhepunkt der klassischen Instrumentalmusik.

In Beethoven vereinigen sich der große Musiker und der mächtige Geist zu einer überragenden Persönlichkeit. Seine Werke rufen die tiefste und nachhaltigste Wirkung hervor, welcher die musikalische Kunst überhaupt fähig ist. Die Griechen schrieben der Tonkunst eine sittlich läuternde Kraft zu, — in der Musik Beethovens lebt diese Kraft vor uns auf.

Der Schöpfer so vieler, die ganze Menschheit erhebender und beglückender Kunstwerke ging auf einsamen Wegen und „wenig froh" durchs Leben. Harte Kämpfe um Verständnis und Anerkennung, seelische Leiden, ein tragisches Mißgeschick und kleinliche Sorgen waren seine Begleiter. Ist auch seine Lebensgeschichte nicht reich an äußeren Begebenheiten, so ist es doch die eines Beethoven, deren Darstellung wir mit inniger Teilnahme und mit einem Interesse folgen, welches selbst das geringfügigste Detail sich nicht entgehen läßt. Ansehnlich ist die Zahl der biographischen Schriften, welche dieser Aufgabe gewidmet sind.

Die Beethoven-Literatur, die biographische, analytische, ästhetische, ist seit des Meisters Tode bis auf unsere Tage zu einer stattlichen Bibliothek angewachsen. Den Zug eröffnen Wegeler und Ries mit ihren schätzenswerten „Biographischen Notizen", denen sich sofort die ausführliche Biographie von Anton Schindler anschließt. Diese bildete für lange Zeit die reichhaltigste, wenn auch nicht durchaus zuverlässige Quelle für die Lebensgeschichte Beethovens. Bald nachher traten noch die Werke von Lenz, Oulibicheff und A. B. Marx vor die Öffentlichkeit. Die umfangreichste und treueste Biographie Beethovens verdanken wir dem Amerikaner Alex. Wheelock Thayer, dem es jedoch nicht beschieden war, das Werk selbst zu vollenden. Die von ihm herausgegebenen drei Bände zeugen von einer Hingebung für diese von ihm erwählte Lebensaufgabe, von einer Gründlichkeit der Arbeit, einer fast fanatischen Wahrheitsliebe, die uns Bewunderung und Hochachtung einflößen. Leider steht der fachmusikalische Inhalt dieser Arbeit nicht auf gleicher Höhe mit dem biographischen. Das Werk wurde von dem deutschen Übersetzer und Bearbeiter Hermann Deiters, nach hinterlassenen Materialien des Autors, durch einen vierten Band bereichert, dem noch unter der Redaktion Hugo Riemanns ein abschließender fünfter Band folgte. Sind durch Thayer und andere fleißige Forscher die Hauptdaten und Begebenheiten der Lebensgeschichte Beethovens festgestellt worden, so fehlt es anderseits auch nicht an einem zahlreichen Gefolge von Fabeln, Legenden und Anekdoten zweifelhafter Beglaubigung. In mancher Darstellung nähert sich die Biographie dem Roman.

Einen großen Teil der Beethoven-Literatur nimmt die technische und ästhetische Analyse ein; sie kommt entweder gesondert oder mit dem Biographischen verflochten vor. Die technische Analyse, welche die Form, die thematische Arbeit, Harmonie und Modulation, wie die rhythmischen Gestaltungen ins Auge faßt, weckt ebenso das Interesse des denkenden Musikers, als sie der Belehrung des Kunstjüngers dient. Zweifelhafter ist der Wert der ästhetischen Analyse. Wohl ist es erklärlich, daß gerade diese Richtung der Beethoven-Literatur so zahlreiche Vertreter gefunden. Wie bei Shakespeare die Tiefe und Universalität der Gedanken viele Federn in Bewegung setzte, so auch bei Beethoven. Gewiß kann auch in der Musik die ästhetische Analyse, in gewissen Grenzen gehalten, das Verständnis eines Kunstwerkes vermitteln, Geist und Phantasie anregen. Der schrankenlosen Subjektivität überlassen und in das Gebiet der Programm-Musik übergreifend, verliert sie jedoch jede Berechtigung, wird zum müßigen Spiel des Geistes und ist zahlreichen Fehlgriffen und Widersprüchen ausgesetzt. Diese Gattung von Beschreibungen und Auslegungen steht mehr dem Laien als dem Fachmusiker an. Der Laie fragt: Was bedeutet diese Musik, was hat sich der Komponist dabei gedacht? Der Musiker enthält sich dieser Frage und läßt das Kunstwerk unmittelbar auf sich wirken.

Von namhaften Literaturerscheinungen, welche sich speziell mit der technisch-ästhetischen Analyse beschäftigen, sind unter anderem anzuführen: Richard Wagners „Beethoven" 1876, Elterlein (Beethovens Symphonien 1858 und Beethovens Klaviersonaten 1866), Bagge (Streichquartette), Th. Helm (Streichquartette), Reinecke (Sonaten 1-96), Nagel (Sonaten 1905), Niecks (Sonatas and the three styles).

Nach dieser flüchtigen Überschau der Beethoven-Literatur wenden wir uns dem Meister und seiner Lebensgeschichte zu. Ludwig van Beethoven ist in Bonn am Rhein am 16. Dezember 1770 geboren.

(Dieses Datum wird als das wahrscheinliche angenommen, die Taufe erfolgte sicher am 17. Dezember.)

Das Geburtshaus Beethovens in der Bonngasse ist seit 1870 mit einer Gedenktafel versehen und in demselben 1889 ein Beethoven-Museum untergebracht worden.

Marginal notes: Biographie. — Thayer. — Analyse. — Lebensgeschichte. — Geb. 16. Dez. 1770.

Eltern.

Die Eltern Ludwig van Beethovens waren **Johann van Beethoven**, Tenorist in der kurfürstlichen Kapelle, und **Maria Magdalena**, geb. **Kewerich**, verwitwete **Laym**, die Tochter eines herrschaftlichen Kochs in Ehrenbreitenstein.

Vorfahren.

Die Familie **van Beethoven** (**van** bedeutet kein Adelsprädikat) stammte aus Belgien, und zwar aus der Umgegend von Löwen, von wo ein Zweig derselben sich nach Antwerpen verpflanzte. Ein **Ludwig van Beethoven**, der ein tüchtiger Musiker war und namentlich eine gute Baßstimme besaß, verließ die Heimat und wandte sich 1733 nach Bonn, wo er eine Anstellung in der Kapelle des Kurfürsten von Köln fand, später auch den Titel „Kapellmeister" führte. Der Ehe, welche er dort schloß, entstammte als drittes Kind **Johann**, der Vater unseres Beethoven.

Johann van Beethoven.

Johann van Beethoven (geb. um 1740) wurde schon mit 16 Jahren als Tenorsänger in die kurfürstliche Hofkapelle aufgenommen. Eine kärgliche Besoldung von 100 Reichstaler jährlich und der Nebenverdienst durch Unterrichtgeben, nebst einem kleinen Weinhandel reichten gerade hin, ihm eine bescheidene Existenz zu ermöglichen. Er wird als ein Mann von geringer Bildung und rauher Gemütsart geschildert, der einen unordentlichen Lebenswandel führte und dem Trunke ergeben war. Die Frau, welche er 1769 heimführte, soll eine stille, sanfte Natur gewesen sein, kränklich, so daß sie schon 1787 in ihrem 40. Lebensjahre an der Schwindsucht starb. Ihrem ersten Kinde, welches nur sechs Tage lebte, folgten 1770 **Ludwig**, dann 1774 **Kaspar Carl** und 1776 **Nikolaus Johann**. Der Vater wurde wohl frühzeitig auf das

Erster Unterricht.

musikalische Talent Ludwigs aufmerksam, erteilte ihm auch Unterricht im Klavier- und Violinspiel, aber seine Methode war keineswegs geeignet in dem Knaben Lust und Liebe zur Musik zu wecken. Es klingt kaum glaublich, daß der etwa sechsjährige Ludwig nur gezwungen und oft unter Tränen an das Klavier ging, um die von dem strengen Vater vorgeschriebenen Übungen auszuführen. Wie weit entfernt war dieser Lehrmeister von der musikalischen Tüchtigkeit, dem sittlichen Ernst und der Intelligenz eines Leopold Mozart! Man kann auch sonst von einer vernachlässigten Er-

Erziehung.

ziehung sprechen. Ludwig besuchte bloß die niederen Schulen und kam über diese nicht hinaus, da der Vater ihn nur zur Musik anhielt, um ihn als Wunderkind zum Gelderwerb auszunützen. Doch lebte ein gewisser Bildungstrieb schon damals in dem Knaben, den er aber nur in beschränktem Maße befriedigen konnte. Selbst seine Orthographie war mangelhaft; sie blieb es auch sein lebelang. In späteren Jahren erst, im Umgang mit vornehmeren Kreisen suchte Beethoven die Lücken seiner Bildung auszufüllen. Zwei Charakterzüge, die ihn durch das Leben begleiteten, verrieten sich schon in dem Knaben: Die Neigung zur Melancholie und die Liebe zur Natur. Er wird als nachdenklich und schweigsam geschildert und soll an den Spielen seiner Altersgenossen nicht teilgenommen haben. Gern durchstreifte er die Umgegend von Bonn und der Rhein sah

161 -

ihn oft an seinen Ufern wandeln. Für den Musikunterricht des kleinen Ludwig fand sich bald eine bessere Kraft. 1779 kam der Tenorist Tobias Pfeiffer mit einer Theatergesellschaft nach Bonn, ein guter Musiker, zugleich Klavierspieler und Oboist. Pfeiffer wohnte während seines einjährigen Aufenthalts bei der Familie Beethoven. Er nahm sich der Unterweisung des talentvollen Knaben eifrig an, nur soll sein pädagogisches Verfahren etwas gewaltsam gewesen sein. Oft, wenn der Vater mit seinem Haus- und Zechgenossen Pfeiffer spät nachts nach Hause kam, wurde Ludwig aus dem Schlafe geweckt, um zu dieser ungewöhnlichen Zeit seine Lektion zu nehmen. Doch bewahrte Beethoven noch in seinen Mannesjahren diesem gründlichen Lehrer eine dankbare Erinnerung. Frühzeitig zog es den Knaben zur Orgel hin. Nachdem er schon 1778 durch kurze Zeit bei dem alten Organisten van Eeden gelernt hatte, holte er sich weitere Belehrung und Übung auf den Kirchenchören Bonns. In dem damals als Hoforganist in Bonn wirkenden Komponisten Christian Gottl. Neefe (s. S. 70) gewann Ludwig seinen ersten bedeutenderen Lehrer, der die große Begabung seines Schülers erkannte und dessen Ausbildung gewissenhaft förderte. Der Unterricht umfaßte außer der Orgel auch das Klavierspiel und den Generalbaß, nach damaliger Methode. Wir erfahren durch Neefe (in seiner Selbstbiographie), daß der elfjährige Knabe bereits eine Anzahl von Stücken aus dem wohltemperierten Klavier von Bach fertig zu spielen im stande war. Ludwig hatte überdies reichlich Gelegenheit, Musik zu hören. Im Hause verkehrten viele Mitglieder der Kapelle, auch gab es damals in Bonn Dilettantenkreise, in welchen viel und gut musiziert wurde, wie bei der Gräfin Hatzfeld, in der Familie Mastiaux u. a.

Mittlerweile hatte der Vater schon längst begonnen, seinen Wunderknaben in die Öffentlichkeit einzuführen, von dessen Alter er ein bis zwei Jahre in Abzug brachte. Mit sieben Jahren spielte Ludwig vor dem Hofe und produzierte sich, zusammen mit einer anderen Schülerin in einem Konzerte in Köln, dessen Programm unbekannt geblieben. In seinem elften Lebensjahre unternahm die Mutter mit ihm eine Reise nach Holland, die sich bis nach Rotterdam erstreckte und auf welcher der Knabe sich in vornehmen Häusern hören ließ.

Die ersten, 1783 veröffentlichten Kompositionen Beethovens sind: Neun Variationen über einen Marsch von Dreßler (,,composées par un jeune amateur, L. v. Beethoven, âgé de dix ans") und drei Sonaten, angeblich im elften Lebensjahre komponiert und dem Kirchenfürsten Max Franz von Köln gewidmet. Diese Erstlingswerke lassen das Genie der Zukunft kaum ahnen.

Max Franz, der jüngere Bruder Kaiser Josef II., übernahm 1784 die Regierung des Kurfürstentums. Er war musikliebend, förderte Theater und Musik in Bonn und brachte Bewegung in das gesellschaftliche Leben dieser

Tob. Pfeiffer.

van Eeden.

Neefe.

Produktionen.

Erste Kompositionen. 1783.

Der Kurfürst Max Franz.

Prosniz, Compendium der Musikgeschichte. 11

Stadt. Seiner Hofkapelle war der neue Erzbischof und Kurfürst ein gerechter, doch sparsamer Herr. Johann van Beethoven brachte es bis auf 300 Gulden jährlichen Gehalts, sein Sohn Ludwig, der schon 1784 als zweiter Hoforganist angestellt wurde, mußte nach längerer unentgeltlicher Dienstzeit mit 150 Gulden vorlieb nehmen. Ähnlich war es mit den übrigen Gehalten bestellt. Es waren keine unbedeutenden Künstler, aus welchen die damalige Bonner Hofmusik bestand. Da waren der Kapellmeister Andrea Luchesi, ein geschätzter, vielseitiger Tonsetzer, Anton Reicha (der nachmals angesehene Theoretiker), Neefe als Organist und Operndirektor, der Violinist Franz Ries, die beiden Romberg (Andreas der Violinist, Bernhard Cellist), der Hornist Simrock (der Begründer der Verlagsfirma) u. a. m. Theatergesellschaften, welche der Kurfürst nach Bonn zog, führten die bedeutendsten und beliebtesten Schauspiele und Opern vor. Ihr Repertoire umfaßte italienische, französische und deutsche Werke von Gluck (Orpheus, Alceste), Paisiello, Cimarosa, Salieri, Sarti, Gretry, Philidor, Monsigny, Benda, Dittersdorf, später auch Mozarts Entführung, Figaro, Don Giovanni. In den Konzerten bei Hofe waren häufig Haydns und Mozarts Symphonien zu hören. Daß sich somit dem jungen Beethoven, der noch überdies selbst im Orchester als Bratschist mitwirkte, reichliche Gelegenheit bot, die dramatische und symphonische Musik seiner Zeit kennen zu lernen, konnte seiner Entwicklung nur förderlich sein.

Nach mehreren kleineren Versuchen kam es 1785 zur Komposition von drei Klavierquartetten, welche einen Fortschritt bilden; sie stehen deutlich unter dem Einfluß Mozarts. Zu diesem Meister zog es den jungen Künstler mächtig hin und dies scheint auch der Beweggrund einer Reise nach Wien gewesen zu sein, die er im Frühjahr 1787 unternahm. Verlauf und nähere Umstände dieser Reise sind nicht vollständig klargestellt. Welche Geldunterstützung ihm das Unternehmen ermöglichte, ob er mit oder ohne Empfehlungen nach Wien kam und anderes ist unbekannt. Sicher scheint nur, daß der Aufenthalt des 16jährigen Beethoven in Wien sich auf wenige Monate vom März, vielleicht erst vom Mai bis Juli 1787 beschränkte, daß er sich Mozart vorstellte, ihm auf dem Klavier vorspielte, namentlich zu dessen Bewunderung frei phantasierte, und daß er einige Unterrichtsstunden, vermutlich in der Komposition, von Mozart erhielt. Zu einem näheren Verhältnis scheint es nicht gekommen zu sein, für welches auch der Zeitpunkt ungünstig gewählt war. Mozart war durch den Tod seines Vaters am 28. Mai in gedrückter Stimmung und außerdem durch die Komposition seines Don Giovanni ganz in Anspruch genommen. Als Beethoven im Juli die Nachricht erhielt, daß es mit seiner Mutter zu Ende gehe, brach er den Wiener Aufenthalt rasch ab und traf in Bonn seine Mutter noch lebend an. Daß es mit den Reisekosten sehr knapp aussah, kann man daraus schließen, daß Beethoven auf der Rückreise in Augsburg genötigt war, einen kleinen Geldbetrag zu entlehnen.

Heimgekehrt, widmete er sich wieder seinen gewohnten Berufspflichten. Es warteten aber seiner auch Familiensorgen, welche durch den Tod der Mutter und die zunehmende Unfähigkeit des Vaters ihm zufielen. Schon seit seinem 15. Lebensjahre gab Ludwig

(Marginalien:) Hofmusik. — Theater. — Reise nach Wien 1787. — Mozart.

Klavierunterricht, um durch seinen Erwerb zu dem Lebensunterhalt der Familie beizutragen, jetzt setzte er diese Tätigkeit in erhöhtem Maße fort. Von jenen Familien, in denen Beethoven Unterricht gab, ist die der Hofratswitwe v. Breuning an erster Stelle zu nennen. Die Tochter Eleonore ward eine Lieblingsschülerin des jungen Meisters, der Sohn Stephan, der gemeinschaftlich mit ihm bei Franz Ries Violinunterricht nahm, wurde sein Freund. Die Mutter Breuning, eine gemütvolle und hochgebildete Frau, behandelte Ludwig wie ein Kind des Hauses, leitete ihn auf einen guten Weg, so daß sich Beethoven in dieser Familie heimischer fühlte als in dem Wirrsal seiner eigenen. Das Beispiel guter Sitte und die Erweiterung seines geistigen Horizonts, welche er dieser Familie verdankte, wirkten für sein Leben nach. Gleichzeitig gewann Beethoven in dem vor kurzem nach Bonn übersiedelten Grafen Ferdinand Waldstein einen Gönner und Freund. Ein passionierter Musikliebhaber, faßte er bald ein lebhaftes Interesse für den jungen Künstler. Als deutscher Ordensritter unterhielt er zu dem Kurfürsten, welcher Großmeister des Ordens war, nahe Beziehungen und benützte dieselben mehrmals zu Gunsten Beethovens; auch dessen zweite Reise nach Wien wurde durch seine Vermittlung ermöglicht. Beethovens Dankbarkeit sprach sich auch noch in seiner späteren Widmung der Klaviersonate Op. 53 aus. Ende des Jahres 1790 hielt sich Haydn in Begleitung Salomons auf seiner Reise nach London kurze Zeit in Bonn auf. Ob schon damals eine persönliche Berührung Beethovens mit dem alten Meister stattgefunden, ist fraglich, wohl aber ist eine solche bei dem zweiten Aufenthalt Haydns in Bonn auf der Rückreise von London im Sommer 1792 nachweisbar. Es war bei Gelegenheit eines zu Ehren Haydns in dem nahen Godesberg am Rhein veranstalteten Festes, wo ihm Beethoven eine Kantate seiner Komposition vorlegte. Vielleicht wurde es schon damals beschlossen, daß Beethoven seine weitere Ausbildung bei Haydn in Wien finden solle.

Die letzten Jahre in Bonn waren für den jungen Beethoven gesellig belebt und künstlerisch angeregt. Die gemütlichen Zusammenkünfte in dem Wirtshause „Zum Zehrgarten“ spielten eine große Rolle in der Bonner Geselligkeit, der sich auch Beethoven hingab.

Ein Bild seines damaligen Freundeskreises, in welchem auch die schöne Wirtstochter Babette nicht fehlt, spiegelt sich in seinem Bonner Stammbuch (jetzt im Besitz der Wiener Hofbibliothek).

Was die der Bonner Zeit angehörigen Kompositionen betrifft, so läßt sich eine Anzahl derselben mit Bestimmtheit anführen. Man kann ihnen weder Bedeutung noch Eigenart zuerkennen. Wohl aber ist es wahrscheinlich, teilweise erwiesen, daß in Bonn Entwürfe entstanden, welche Beethoven später zu reifen und bedeutenden Werken ausgestaltete.

Klavierunterricht.

Familie Breuning.

Graf Waldstein.

Haydn in Bonn.

Die letzten Bonner Jahre.

Kompositionen.

11*

Veröffentlicht wurden von den Bonner Kompositionen zu ihrer Zeit nebst den erwähnten beiden Erstlingswerken nur in der Boßlerschen „Blumenlese" 1783 ein Lied „Schilderung eines Mädchens" und ein Rondo in C-dur, in derselben Sammlung 1784 ein Rondo in A-dur und ein Strophenlied „An einen Säugling", endlich erschienen 1791 in Mannheim Variationen über Righinis „Venni, Amore" (der Gräfin Hatzfeld gewidmet). Außerdem sind mehr oder minder sicher nachzuweisen: Die obgenannten drei Klavierquartette, ein Klavierkonzert in Es (angeblich aus seinem 12. Lebensjahre), eine zweistimmige Fuge und drei Präludien für Orgel (zwei davon später als Op. 39 gedruckt), ein Klaviertrio in Es, eine große Kantate auf den Tod Kaiser Josefs, eine andere auf die Thronbesteigung Leopold II., die Musik zu einem Ritterballett, der erste Satz eines Klavierkonzerts in D-dur, das Fragment eines Violinkonzerts in C-dur, Variationen über ein Thema von Dittersdorf, vierhändige über ein Thema von Graf Waldstein usw. Spätere Verwendung fanden ein Oktett für Blasinstrumente (als Streichquintett Op. 4 bearbeitet), das Streichtrio in Es (als Op. 3 erschienen), Variationen über ein Thema aus „Figaro" (für Klavier, Violine und Cello als Op. 44 erschienen), einige Lieder (in Op. 52 aufgenommen).

Jenaer Symphonie. In neuester Zeit hat die Entdeckung einer angeblichen Jugend-symphonie Beethovens viel von sich reden gemacht. Der Univ.-Professor Fritz Stein in Jena fand unter den Musikalien des „akademischen Konzerts" eine vollständige viersätzige Symphonie in Stimmen, von denen einige mit dem Namen „Beethoven" bezeichnet sind. Ob daraufhin die Echtheit des Werkes erwiesen erscheint, ist mindestens zweifelhaft. Innere Gründe sprechen nicht dafür. Die „Jenaer Symphonie" ist klar geformt, gefällig, harmlos in der Erfindung und lehnt sich an Haydn, vielleicht mehr noch an die Mannheimer Meister, von denen ein tüchtiger Vertreter, Carl Stamitz, um diese Zeit Musikdirektor in Jena war.

Wien 1792. **Das Jahr 1792 brachte für Beethoven die große Wendung seines Lebens, die Übersiedlung nach Wien. Der Kurfürst gewährte dem jungen Hofmusikus eine Subvention von 100 Dukaten (600 Gulden) zur Vollendung seiner Ausbildung in Wien. Es sollte nur ein Urlaub sein, keine Lösung des Dienstverhältnisses. Das Schicksal hatte es anders bestimmt. Am 2. oder 3. November verließ Beethoven Bonn, um diese seine Vaterstadt nie wiederzusehen. Die Reise ging über Frankfurt, Nürnberg, Passau, Linz, die Ankunft in Wien erfolgte am 10. November.**

Bald darauf erhielt Beethoven die Nachricht von dem Tode seines Vaters. Von den Brüdern sollte der ältere, Karl, Musiker werden, der jüngere, Johann, kam zu einem Apotheker in die Lehre.

Erste Wiener Zeit. Arm und unbekannt zog der junge Musiker in die Stadt ein, welche der Schauplatz seiner Größe und seines Ruhmes werden sollte. Seine erste Wohnung war eine Dachstube, bald darauf bezog er ein ebenerdiges Zimmer. Wie beschränkt damals seine Verhältnisse, wie kleinlich seine Sorgen waren, ersehen wir aus dem von ihm in jener Zeit geführten Tagebuche, welches sich erhalten hat.

Äußere Erscheinung. Beethovens äußere Erscheinung, wie sie uns von Zeitgenossen geschildert wird, bietet schon damals in ihren Hauptzügen jenes charakteristische Bild, welches wir von ihm kennen. Die Statur war nur mittelgroß, damals noch schmächtig, die Gesichtsfarbe dunkel (schon als Knabe hatte man ihn den kleinen „Spanier" genannt), die Stirne rund, die Nase breit und platt, die

Lippen vorgedrängt; er besaß dunkle Augen und schwarzes Haar. Der Ausdruck seiner Züge war meist ernst, fast trotzig, der Gang schon damals etwas vorgebeugt. — Ungeachtet des so wenig vorteilhaften Äußeren fand man Beethovens Persönlichkeit interessant und sie machte selbst auf Damen der höheren Gesellschaft Eindruck.

Vor allem galt es dem Zweck des Wiener Aufenthalts, den **Studien** nachzugehen.

Studien.

Der Anordnung des Kurfürsten entsprechend, wandte sich Beethoven bald nach seiner Ankunft an **Haydn**. Dieser begann mit ihm den **Unterricht** im einfachen Kontrapunkt auf Grundlage von **Fux'** Gradus ad Parnassum und ließ ihn zahlreiche **Aufgaben** ausarbeiten, die er teilweise korrigierte. Sehr systematisch und eifrig scheint der Unterricht nicht gewesen zu sein, indem Haydn zu sehr mit eigenen Arbeiten beschäftigt war, auch wenig Lehrberuf besaß.

Bei Haydn.

Für die **persönlichen Beziehungen** sind verschiedene Eintragungen in dem erwähnten Tagebuch bezeichnend, wie „8 Groschen an Haydn" (vielleicht für eine Unterrichtsstunde), „Chokolade oder Kaffee für Haydn"; es fand also auch ein privater Verkehr statt.

Beethoven, der es mit seinen Studien ernst nahm, konnte von der nachlässigen Art, mit der Haydn den Unterricht betrieb, nicht befriedigt werden, und so geschah es, daß er hinter dem Rücken des alten Meisters bei **Joh. Schenk**, der nicht bloß der Komponist des „Dorfbarbier", sondern auch ein ernster Musiker war, einen Kursus des Kontrapunkts durchmachte. **Schenk**, der das Genie Beethovens bewunderte, entledigte sich dieser Aufgabe gern und uneigennützig. Als **Haydn** im Sommer 1794 seine zweite Reise nach England antrat, löste sich das Verhältnis vollends, und Beethoven setzte seine Studien nun bei dem angesehenen Theoretiker **Albrechtsberger** fort und wir können ihre Spuren bis 1795 verfolgen. Welches der Studiengang Beethovens bei **Haydn** und **Albrechtsberger** gewesen, läßt sich aus den großenteils erhaltenen **Übungsaufgaben** des Schülers entnehmen. Diese „Studien im Generalbaß, Kontrapunkt und in der Kompositionslehre" wurden aus dem Nachlaß zuerst von Ignaz von **Seyfried** (Kapellmeister, Komponist und Schriftsteller) 1832 veröffentlicht, jedoch in unsystematischer, leichtfertiger und ungenauer Wiedergabe. In neuerer Zeit hat der verdienstvolle Beethovenforscher Gustav **Nottebohm** „Beethovens Studien" in treuer Bearbeitung des Originals 1873 herausgegeben. Es ist zweifellos, daß diese und ähnliche Arbeiten im strengen Satz für die Entwicklung Beethovens, seine Erziehung zur Polyphonie, zur Sicherheit und Gewandtheit in der Form von großer Wichtigkeit waren. Noch einen dritten Lehrer, oder vielmehr Berater und Freund hatte der junge Beethoven schon in der ersten Zeit seines Wiener Aufenthaltes gewonnen, den Hofkapellmeister **Salieri**. Dieser konnte den „Schüler" über Gesangskomposition, Behandlung des Textes und dramatischen Stil

Joh. Schenk.

Albrechtsberger.

Salieri

aufklären. Es gab da keine Unterrichtsstunden, doch verkehrte Beethoven oft und gern bei dem wohlwollenden italienischen Maestro und setzte das freundliche Verhältnis noch jahrelang fort. Von diesem zeugt auch die Widmung der 1799 erschienenen drei Violinsonaten Op. 12. Wenn auch Beethoven seine theoretischen Studien mit Ernst und Eifer betrieb, so geschah dies nicht kritiklos, auch nicht seinen Lehrern gegenüber, welche sich oft über den Eigensinn des Schülers zu beklagen hatten. Daß die strenge Schulung in der Kunst, weit entfernt das Talent zu hemmen, dieses erst zur vollen Schaffungskraft befähigt, zeigte sich auch bei Beethoven, dessen kontrapunktische Studien keine Schranke für den genialen Geistesflug des Tondichters bildeten.

Beethoven kam in Wien verhältnismäßig rasch in die Höhe. Als Kammermusikus des Kurfürsten von Köln, der er immer noch war, als „Schüler von Haydn" erweckte er schon eine günstige Meinung für sich. Durch das Zusammentreffen glücklicher Umstände und die verbindenden Fäden, die von Bonn nach Wien leiteten, war Beethoven bald in die aristokratischen Kreise eingeführt. In demselben Hause der Alserstraße (jetzt Nr. 30), in welchem der neue Ankömmling eine bescheidene ebenerdige Stube für den Monatszins von 7 Gulden bezog, wohnte Fürst Lichnowsky, ein Musikfreund im besten Sinne und eine vornehme Natur. Dieser nahm den jungen Künstler in seine Wohnung auf und umgab ihn mit allen Annehmlichkeiten einer verfeinerten Häuslichkeit. Die Fürstin, eine geborene Gräfin Thun, nahm sich des Hausgenossen edelmütig und mit zarter Rücksicht auf seine Eigenart an. In diesem Hause, wo stets die angesehensten Künstler der Residenz verkehrten, wo Beethoven Verständnis für seine Kunst fand, brachte er mehrere Jahre, etwa bis 1796 zu. In andere adelige Kreise konnte ihn der inzwischen nach Wien gekommene Graf Waldstein einführen. Überall wurde der junge Künstler, trotz seiner nicht weltläufigen Manieren, seines Bonner Dialekts, seiner etwas hochmütigen Art, um seiner Kunst willen gefeiert. Zunächst war es sein Klavierspiel, welches durch Feuer und Innerlichkeit, namentlich in der freien Phantasie, mehr als durch Weichheit des Anschlages und elegante Technik, alles bezauberte. Seit 1794 hörten die Zuflüsse aus der Bonner kurfürstlichen Kasse auf und Beethoven war ganz auf sich selbst angewiesen. Damals fing er an, den Damen der Aristokratie Klavierunterricht zu geben, so wenig zusagend ihm diese Beschäftigung und der damit verbundene Zwang war. Bald fand sich Gelegenheit, auch vor der Öffentlichkeit mit seinem eigenartigen Klavierspiel und vor allem mit seinen bedeutenden Kompositionen hervorzutreten und den großen Ruf, den er schon damals genoß, zu rechtfertigen. Es war am 29. März 1795, wo Beethoven in einer Akademie der „Witwen- und Waisensozietät" im Burgtheater zwischen den beiden

Teilen eines neuen Oratoriums von Cartellieri ein Klavierkonzert seiner Komposition (wahrscheinlich das in B-dur) vortrug. Schon in den nächstfolgenden Tagen erschien Beethoven wieder vor dem Publikum, und zwar am 30. März, in der zweiten Akademie der genannten Gesellschaft mit einer freien Phantasie auf dem Pianoforte und am 31. in einer von der Witwe Mozarts veranstalteten Vorstellung der Oper Titus, wo er nach dem ersten Akt ein Klavierkonzert von Mozart (vermutlich jenes in D-moll) vortrug. In dem Konzerte, welches Haydn nach seiner Rückkehr aus England am 18. Dezember 1795 im Redoutensaale veranstaltete, wirkte auch Beethoven mit dem Vortrag eines Klavierkonzertes (vielleicht eine Wiederholung des B-dur-Konzerts) mit. Dasselbe Jahr brachte die Veröffentlichung der drei Klaviertrios in Es, G und C-moll, welche der Komponist als Opus I herausgab, ein beredtes Zeichen, daß er dieses Werk als sein erstes vollwertiges betrachtete, und auch wir begrüßen in demselben den ersten echten Beethoven. Die Trios sind vielleicht teilweise schon in Bonn skizziert worden und wurden in Wien schon 1794 bei Lichnowsky in Gegenwart Haydns gespielt; sie kamen, nachdem sie Beethoven einer Umarbeitung unterzogen, im nächsten Jahre auf Subskription bei Artaria (mit der Widmung an den Fürsten Lichnowsky) heraus. Im März 1796 erschien Beethovens Op. II, drei Sonaten in F-moll, A-dur und C-dur, Jos. Haydn gewidmet. Mit diesen beiden Werken hatte sich Beethoven in die vorderste Reihe der Tonsetzer seiner Zeit gestellt. Einige Hefte Variationen über damals beliebte Themen, dann die Tänze für Orchester, für die Bälle im Redoutensaal, kommen kaum in Betracht. Mit der Anerkennung des ausübenden und schaffenden Künstlers stieg auch seine soziale Stellung und sein Einkommen. Beethoven besaß schon damals zahlreiche Gönner und Freunde in den besten Gesellschaftskreisen, er durfte die Huldigungen vornehmer Damen entgegennehmen, sich in den Strahlen einer aufsteigenden Berühmtheit sonnen. Er, der eine so harte Jugend durchlebt, konnte sich nun manchen Luxus erlauben, sogar einen Bedienten und ein eigenes Reitpferd.

Doch vergaß er die Heimat nicht ganz. Er stand mit einigen ihm liebgewordenen Personen in Bonn in fortgesetzter Korrespondenz, so mit dem Violinisten Franz Ries, dem Prof. Wegeler, Eleonore Breuning, Babette Koch (die Wirtstochter im „Zehrgarten") u. a. m. Seine jüngeren Brüder unterstützte er nach Kräften, als sie 1795 nach Wien kamen. Caspar Karl war ein kleiner rothaariger junger Mensch, Johann eine stattliche Gestalt mit eleganteren Lebensformen. Den ersteren versorgte Ludwig mit Lektionen, so daß er sein genügendes Auskommen fand, der andere kam in die Apotheke „Zum heiligen Geist" im alten „Bürgerspital", bis er im stande war, ein selbständiges Geschäft zu gründen.

Ende 1795 oder Anfang 1796 weilte Beethoven vorübergehend in Prag, über welchen Aufenthalt nichts Verläßliches bekannt ist.

Opus I.

Opus II.

Stellung und Einkommen.

Die Brüder.

Mehr erfahren wir über den mehrwöchentlichen Aufenthalt im

Berlin. 1796. Sommer 1796 in B e r l i n, in welcher Stadt Beethoven mehrmals bei Hofe spielte und mit den namhaftesten musikalischen Persönlichkeiten in Berührung kam. Dem kunstsinnigen König F r i e d r i c h

Friedrich Wilhelm II. W i l h e l m II., dem wir schon wiederholt begegnet, huldigte er durch die Komposition von zwei C e l l o s o n a t e n (F-dur und G-moll), welche er mit dem Hofcellisten D u p o r t vortrug. In der Berliner Singakademie erschien Beethoven mehrmals als Gast bei den Proben und improvisierte auf dem Pianoforte. Erwähnenswert ist auch der Verkehr mit dem musikalisch begabten Prinzen L o u i s F e r d i n a n d. — Wenn wir noch einzelner Ausflüge, wie nach

Reisen. P r e ß b u r g, B u d a p e s t, dann eines zweiten Aufenthalts in P r a g 1798, während dessen er zwei erfolgreiche Konzerte gab, endlich seiner Badeaufenthalte in K a r l s b a d und T e p l i t z gedenken, so haben wir fast alles, was über Beethovens Reisen bekannt ist, erschöpft. Wohl fehlte es bei ihm niemals an Reiseprojekten, und die Sehnsucht nach der Ferne verließ ihn nicht bis zu seinem Ende.

Beethoven als Klavierspieler. B e e t h o v e n s künstlerische Tätigkeit in den Jahren bis 1800 war eine ungemein rege und fruchtbare. Noch immer galt Beethoven den Wienern mehr als K l a v i e r s p i e l e r, denn als Komponist. Zumeist waren es seine Kraft und Fertigkeit, welche angestaunt wurden und ihn zum „Heros" des Klavierspiels erhoben. Die Musikverständigen wurden aber mehr von dem tiefen Ausdruck und der geistigen Energie seines Spiels, von seiner unvergleichlichen Kunst der Improvisation gefesselt. Kritisch betrachtet war Beethovens Klavierspiel nicht immer tadellos an Reinheit und Deutlichkeit, auch war er in seinen Vorträgen ungleich. Ein Rivale erstand ihm in

Wölffl. dem Klaviervirtuosen Josef W ö l f f l, der durch seine eigenartige Technik, in der die Spannung seiner Hände eine Hauptrolle spielte, wie durch die Klarheit und Eleganz seines Spiels Aufsehen erregte

J. B. Cramer. und von Manchen Beethoven vorgezogen wurde. Auch J. B. C r a m e r, der damals als junger Mann in Wien weilte, übertraf Beethoven an Gediegenheit der Technik und zeichnete sich außerdem durch seinen musikalich geschmackvollen Vortrag aus. Beethoven, der mit ihm freundschaftlich verkehrte, schätzte ihn sehr und stand vielleicht unter seinem Einfluß, als er daran ging, sein technisches Können durch Übungen zu vervollkommnen. In diesen Jahren wirkte Beethoven mehrmals in K o n z e r t e n mit, in denen er jedesmal eigene Kompositionen zum Vortrag brachte. Weit häufiger waren seine Produktionen in aristokratischen Familien, in denen er ungezwungen verkehrte.

Aristokratische und andere Freunde. Beethoven fühlte sich diesen Kreisen gegenüber als gleichberechtigt und ließ es sogar oft an der gewöhnlichen Rücksicht fehlen. Bei Fürst K a r l L i c h n o w s k y, seinem frühesten Gönner in Wien, schaltete er manchmal wie der Herr des Hauses. Intime Freundschaft verband ihn mit dem Bruder des Fürsten, Grafen M o r i z L i c h n o w s k y, mit dem Fürsten Max L o b k o w i t z, dem Grafen Ferdinand W a l d s t e i n. Von anderen aristokratischen Bekanntsebaften nennen wir nur die Gräfinnen Th un, Keglevich, Erdödy, Fürst Nicolaus Esterhazy, die Grafen Fries, Browne usw. Von anderen Freunden Beethovens steht obenan Nicolaus Zmeskall, Beamter der ungarischen Hofkanzlei und guter Musikdilettant (Widmung von Op. 95), an zweiter Stelle Karl Amenda, ein junger Theologe aus Kurland, auch gebildeter Musiker, der 1798 nach Wien kam, sich Beethoven treu anschloß und auch später brieflich mit ihm verkehrte. Selbstverständlich fehlte Beethoven auch nicht bei den Aufführungen im Hause van Swieten, wo er auch wiederholt sich zu einer Improvisation herbeiließ. In dem Landhause des Baron Wetzlar (nahe dem Schönbrunner Schlosse), in welchem Künstler und Kunstfreunde stets gastliche Aufnahme fanden, trafen auch mehrmals Beethoven und Wölffl zusammen und maßen sich auf den Tasten.

Mit seinen Kunstgenossen stand Beethoven im allgemeinen auf nichts weniger als freundlichem Fuße. Ein Teil derselben beneidete ihn seiner raschen Erfolge wegen, oder fühlte widerwillig seine Überlegenheit, die er auch rücksichtslos gegen sie hervorkehrte. Gnädiger behandelte er jene Musiker, deren Dienste er für seine öffentlichen oder Privatproduktionen in Anspruch nahm, wie den damals besten Quartettprimarius Schuppanzigh und andere vorzügliche Kammermusikspieler. Zu erwähnen ist auch sein wohlwollender Umgang mit dem jungen Hummel. Was die damaligen Wiener Musikkoryphäen betrifft, so beobachtete Beethoven ihnen gegenüber eine kühle Zurückhaltung. Das Verhältnis zu Haydn ward nach dessen Rückkehr aus England ein gespanntes; Beethoven besuchte Haydn nur selten, dieser pflegte seinen ehemaligen Schüler ironisch den „Großmogul" zu nennen. Freundlicher scheinen die Beziehungen zu Salieri gewesen zu sein, achtungsvoll jene zu Gyrowetz, Eybler, Weigl.

Kunstgenossen.

Die Kompositionen, welche Beethoven seit seinem Opus I bis zum Jahre 1800 veröffentlichte, stehen auf der Höhe seiner Meisterschaft und tragen deutlich seine individuellen Züge. Die Kenner begannen ihn als den legitimen Nachfolger Mozarts zu betrachten. 1797—1799 erschienen bei Artaria die Werke Op. 3—8 und Op. 12, bei anderen Wiener Verlegern Op. 9, 10, 11, 13, 14. Das Streichtrio für Violine, Bratsche und Violoncell in Es Op. 3 stammt wahrscheinlich aus der Bonner Zeit. Höher stehen die drei Streichtrios Op. 9, welche Beethoven selbst damals als sein bestes Werk erklärte. Auch die Serenade Op. 8 ist ein Streichtrio. Das Streichquintett in Es Op. 4 ist die Umarbeitung eines in Bonn geschriebenen Bläseroktetts (später als Op. 103 erschienen). Die Kammermusik mit Klavier vertreten die Cellosonaten Op. 5, das Trio mit Klarinette in B-dur Op. 11, die Violinsonaten Op. 12. Die Opuszahlen 7, 10, 13, 14 gehören den Klaviersonaten an. Aus derselben Zeit stammen die beiden Klavierkonzerte in B und C, dann das Quintett für Klavier mit Blasinstrumenten in Es-dur Op. 16. Das letztere Werk führte der Komponist selbst in einem Konzert Schuppanzighs am 6. April 1797 vor.

Kompositionen bis 1800.

Gegen das Jahr 1800 trat eine verhängnisvolle Wendung in dem Geschick Beethovens ein, die ersten Anzeichen der Schwerhörigkeit. Wie ein unheimliches Gespenst schlich das Übel an ihn heran, um ihn allmählich fest zu umklammern. Man kann sich leicht vorstellen, welchen mächtigen Eindruck dieser Schicksalsschlag auf seinen Gemütszustand, welchen Einfluß auf seine so-

Schwerhörigkeit.

zialen Verhältnisse, seine Zukunftspläne ausübte. Doch seine energische, stolze Natur beugte sich nicht. In seinem Innern lebte eine Welt von Ideen und Entwürfen und er verfolgte zielbewußt seinen Weg.

Am 2. April 1800 veranstaltete Beethoven ein eigenes *Konzert am* Konzert (sein erstes in Wien) im „k. k. Nationaltheater" (Burg- *2. April 1800.* *Septett. Erste* theater), in welchem sein Septett und die erste Symphonie *Symphonie.* in C-dur zur Aufführung kamen. Das Programm weist noch ein Klavierkonzert (welches, ist nicht bekannt) und eine freie Phantasie, beide von dem Konzertgeber vorgetragen, dann eine Symphonie von Mozart und Gesangstücke von Haydn auf. Von dem Erfolge wissen wir nichts, doch wurde das Septett sehr bald der Liebling aller musikalischen Kreise. In demselben Monate spielte Beethoven in einem Konzerte des Waldhornisten Punto (Stich) mit diesem eine Sonate (F-dur, Op. 17), welche Beethoven angeblich erst am vorhergehenden Tage komponiert hatte.

Materielle Konzerte und Privatproduktionen, zahlreiche einträgliche Unter- *Lage.* richtsstunden, Dedikationsgeschenke, endlich auch die reichlicher fließenden Verlegerhonorare konnten Beethoven nicht nur über die materiellen Sorgen des Tages erheben, sondern auch seine Zukunft sichern, wenn nicht die unpraktische Geldgebarung, luxuriöse Ausgaben, eine ungeordnete Häuslichkeit, verbunden mit dem häufigen Wohnungswechsel, die Erreichung dieses Zieles vereitelt hätten. Seine Brüder hatte er nicht mehr zu unterstützen; Karl war wohlbestallter Beamter der Staatsschuldenkassa geworden und hatte durch seine Nebenbeschäftigung als Klavierlehrer ein reichliches Einkommen, Johann, dem Apotheker, ging es vortrefflich.

Land- Mit dem Jahre 1800 beginnt die Serie der alljährlichen *wohnungen.* Landwohnungen Beethovens mit einem Aufenthalt in Döbling. Zunächst folgten Hetzendorf, Heiligenstadt, Mödling, Baden. Diese Monate des Landlebens spielen eine große Rolle in der Entstehungsgeschichte der Beethovenschen Werke. In der freien Natur, fern von Berufspflichten und gesellschaftlichem Zwang, strömten ihm jene Ideen zu, jene ernst-düsteren oder sonnig-heiteren Tonbilder, welche er in die Stadt mitnahm, um sie zu meisterlichen Kunstwerken auszugestalten. Sinnend und brütend durchwanderte oder durchstürmte er die lieblichen Hügel und Täler des Wienerwaldes, das Skizzenbuch in der Tasche, vor sich hinsummend, gestikulierend.

Herzens- Nun setzen auch die Legenden über Beethovens Herzens- *beziehungen.* beziehungen ein. Wenn sein langjähriger Freund Wegeler sagt: „Beethoven war nie ohne eine Liebe, und meistens von ihr in hohem Grade ergriffen", so wollen wir ihm ohneweiters Glauben schenken. Auch die beredte Sprache in den Adagios des Meisters straft ihn nicht Lügen. Die Nachwelt in ihrer Neugier und Sensationssucht konnte es sich nicht versagen, diese zarten Verhält-

— 171 —

nisse ans Licht zu ziehen und romantisch auszuschmücken. Sicher
ist, daß Beethovens Neigungen stets Damen vornehmeren Standes
galten, daß er sogar vorübergehend an die Ehe dachte. Über die
Persönlichkeiten, welche da in Frage kommen, sind nur mehr oder
minder begründete Vermutungen aufgestellt worden. Man nennt
eine ganze Reihe von Damen, welchen Beethoven seine Neigung
zuwendete. Im Mittelpunkt derselben steht die „unsterbliche Die „unsterb
Geliebte". Es fand sich nämlich in dem Nachlasse Beethovens licheGeliebte".
ein Brief von seiner Hand, ein Liebesbrief, in welchem sich glühende
Leidenschaft ausspricht. Das Schreiben entbehrt der Adresse und
der Jahreszahl.

Ungeachtet der scharfsinnigsten Untersuchungen der Biographen ist es
nicht gelungen, das Geheimnis zu lüften. In Frage kommen in erster Linie
die Gräfin Julia Guicciardi (nachmals Gräfin Gallenberg) und die Gräfin
Therese Brunswick, die Schwester des Grafen Franz Brunswick: noch
werden genannt ein Fräulein von Malfatti, Madame Bigot, Bettina Brentano, Fräulein Anna Sebald. Was die angenommene Jahreszahl betrifft,
so schwankt sie zwischen 1801, 1806, 1807, sogar 1812. Ob dieser (nicht ab-
gesendete) Brief mit seinem überspannten und sprunghaften Inhalt, die ihm
beigelegte Bedeutung rechtfertigt, ob nicht der Schreiber selbst, der in seinen
Neigungen rasch wechselte und überdies in dieser Zeit von großen Arbeiten
in Anspruch genommen war, bald seinen Sinn änderte, ob endlich die dieser
Angelegenheit gewidmete Zeit und Mühe im Verhältnis zu ihrer Wichtigkeit
steht, mag hier unerörtert bleiben.

Ein anderes schriftliches Dokument, welches sich nach dem
Tode Beethovens vorfand, ist sein aus Heiligenstadt bei Wien Das Heiligen-
vom Herbst 1802 datiertes „Testament". Das Schriftstück zeugt städter Testa-
von der tief gedrückten Stimmung, welche den Meister infolge ment
seines fortschreitenden Gehörleidens beherrschte. Man kann sich
der tiefsten Rührung nicht erwehren, liest man diese Herzens-
ergießungen, diese Ausdrücke der Hoffnungslosigkeit und Verzweiflung, anderseits jene Äußerungen der Menschenliebe, welche
einen großen Geist und ein edles Herz verraten.

Daß Beethoven sich nicht lange unfruchtbarem Schmerz hingegeben, beweisen die zahlreichen Entwürfe und die Vollendung
mehrerer seiner vornehmsten Meisterwerke in den nächstfolgenden
Jahren.

In die Öffentlichkeit trat Beethoven zunächst mit der Aufführung des Balletts „Die Geschöpfe des Prometheus" Das Ballett
am 26. März 1801 im Burgtheater. Das „heroisch-allegorische" Prometheus.
Ballett war von der Erfindung des Ballettmeisters Vigano.
Beethovens Musik gehört nicht zu seinen hervorragenden Werken,
erfuhr auch manche abfällige Kritik, doch wurde das Ballett noch
wiederholt gegeben.

Das Jahr 1801 brachte auch als bemerkenswerte Vorkommnisse die
Übersiedlung Stephan von Breunings nach Wien, ferner das Auftauchen Stephan von
seiner Schüler Ferdinand Ries und Karl Czerny. Breuning, um Breuning.
einige Jahre jünger als Beethoven, war von Bonn her einer seiner intimsten
Freunde. Er kam nach Wien als Beamter des Deutschen Ordens und schloß

179

sich nach langer Trennung so enge Beethoven an, daß die beiden Jugend-
freunde eine gemeinschaftliche Wohnung (im „roten Hause", Schwarzspanierstraße) bezogen. Das Verhältnis blieb nicht ungetrübt und es trat später eine
Ferd. Ries. mehrjährige Entfremdung ein. Der 16jährige Ferdinand Ries, der Sohn des
Bonner Violinisten Franz Ries, der in seiner Jugend schon die Not des Lebens
kennen gelernt hatte, wandte sich nach Wien, um bei dem Freunde seines
Vaters Unterricht und Beistand zu finden. Beethoven nahm ihn wohlwollend
auf und Ries wurde von da an sein Schüler und Schützling. Der Unterricht
beschränkte sich auf das Klavierspiel, während Ries eine Anzahl Theorie-
stunden bei Albrechtsberger nahm. Beethoven führte Ries auch in die Gesellschaft ein und gewann an ihm einen treuen Anhänger und, soweit es Beethovens Natur zuließ, einen Vertrauten. Ungefähr um dieselbe Zeit, als Ries in
Karl Czerny. Wien erschien, wurde der kleine Karl Czerny Beethoven zugeführt. Der
talentierte neunjährige Knabe war bereits vorher im Leopoldstädter Theater
mit einem Mozartschen Konzert vor die Öffentlichkeit getreten. Beethoven, der
damals im „Tiefen Graben" wohnte, ließ den Knaben vorspielen und nahm
ihn dann als Schüler an. Czerny verkehrte später durch viele Jahre mit dem
Meister.

Lichnowsky. Immer noch blieb Fürst Lichnowsky der Hauptbeschützer
Beethovens, der Kenner und Förderer seiner Kunst, der ihm
seine Freundschaft auch durch Freigebigkeit bewies. Er setzte
Beethoven eine jährliche Rente von 600 Gulden aus und
machte ihm ein Geschenk mit einem vollständigen Quartett
italienischer Streichinstrumente. (Diese Instrumente befinden
sich gegenwärtig im Besitze der k. Bibliothek in Berlin). An Lichnowsky schließt sich als werktätiger Freund Beethovens Fürst
Lobkowitz. Ferdinand Lobkowitz an, der bis zu Ende ein warmes Interesse
für den Meister bewahrte. Bei Fürst Lobkowitz, der sich eine
eigene Musikkapelle hielt, wurden in der Regel die neukomponierten
Werke Beethovens zum erstenmal probiert.

Akademie 1803. Am 5. April 1803 gab Beethoven im Theater an der Wien
Christus am eine Akademie, in welcher er seine zweite Symphonie, das
Ölberge. Konzert in C-moll und das Oratorium „Christus am Ölberge" zur ersten Aufführung brachte. Der materielle Erfolg war
ein glänzender, nicht so der künstlerische. Namentlich das Oratorium fand eine nur kühle Aufnahme. Doch erlebte das Werk
noch einige Aufführungen in den Jahren 1803 und 1804.

Anstellung am Gleichzeitig wurde Beethoven für das Theater an der
Theater an der Wien, welches damals unter der Direktion von Baron Braun
Wien. stand, als Opernkomponist angestellt, erhielt auch eine freie
Wohnung im Theatergebäude. Für die Oper in Wien war ein neuer
Cherubini. Stern in Cherubini aufgegangen, dessen Werke die Hofbühne
und das Theater Baron Brauns wetteifernd zur Aufführung brachten.
Zuerst kam das Theater an der Wien mit „Lodoiska" am 23. März
1803, dann folgte der „Wasserträger", gleichzeitig auf beiden
Bühnen. Später kam Cherubini selbst nach Wien, um „Faniska"
einzustudieren. Auch Abbé Vogler, der sich damals in Wien
aufhielt, wurde als Opernkomponist angestellt. Nun sollte auch
Beethoven sein Glück auf der Opernbühne versuchen.

180

Bald nach seiner Akademie im Theater an der Wien wirkte
Beethoven in dem Konzert des englischen Violinspielers Bridge-
tower mit; er hatte eigens für dieses Konzert eine neue Violinsonate geschrieben, welche, später dem Pariser Violinmeister Rud.
Kreutzer gewidmet, unter der Bezeichnung „Kreutzer-Sonate" Die „Kreutzer-
bekannt ist. Das Publikum fand das Werk exzentrisch. Sonate".

Im Sommer 1803, während seines Landaufenthaltes in
Döbling, beschäftigte sich Beethoven mit der Komposition einer
neuen Symphonie, der Sinfonia eroica. Die Veranlassung und Sinfonia
die innere Tendenz dieser Symphonie umgibt eine Legende, welche eroica.
einen Kern von Wahrheit, umgeben von romanhaften Ausschmückungen enthält. Beethoven war, wie so viele Zeitgenossen,
ein Bewunderer und Verehrer Bonapartes. Ein Tonwerk zu seinen
Ehren und im heldenhaften Charakter zu schaffen lag ihm im
Sinn. Die erste Anregung zu dieser Komposition soll ihm der Entstehung.
General Bernadotte, der als französischer Gesandter 1798 in
Wien weilte und ein Schätzer von Beethovens Kunst war, gegeben
haben. Etwa 1801 nahm Beethoven die Arbeit in Angriff. Zuerst
entstanden der Trauermarsch und das Finale, der erste Satz
und das Scherzo wurden in jenem Sommer 1803 vollendet. Im
Mai 1804 lag die vollständige Partitur in Reinschrift vor. Auf dem Die Partitur.
Titelblatt stand oben der Name „Buonaparte", am unteren Ende der
Name des Komponisten. Als Ries in Gegenwart des Grafen Lichnowsky zu Beethoven kam, um ihm die eben eingetroffene Nachricht mitzuteilen, daß Napoleon sich zum Kaiser erklärt habe,
soll der demokratisch gesinnte Beethoven, tief empört, die Partitur
ergriffen, das Titelblatt zerrissen und auf den Boden geworfen
haben. Die spätere Veröffentlichung trägt die Aufschrift „Sinfonia
eroica, composta per festeggiare il sovvenire d' un gran uomo".

Die im Nachlaß Beethovens gefundene abschriftliche Partitur ist mit
„Sinfonia grande" bezeichnet; unter dem Namen „Louis van Beethoven"
kann man noch jetzt in des Meisters Handschrift die mit Bleistift hinzu-
gefügten Worte „Geschrieben auf Bonaparte", wenn auch stark verwischt,
lesen. (Im Besitz der Ges. d. Musikfr. in Wien.)

Die Sinfonia eroica wurde schon 1804 bei dem Fürsten
Lobkowitz, in Gegenwart des Prinzen Louis Ferdinand von
Preußen, gespielt. Die öffentliche Aufführung verzögerte sich Aufführung.
bis zum 7. April 1805, an welchem Tage sie in einem Konzert des
Violinspielers Franz Clement im Theater an der Wien stattfand.
Beethoven dirigierte. Es ist fast überflüssig zu sagen, daß das
ausgedehnte und für die damalige Zeit schwerverständliche Werk
nur eine zurückhaltende Aufnahme fand. In den damaligen Berichten spiegeln sich die widerstreitenden Meinungen über die neue
Symphonie, welche sich so weit von ihren bereits eingebürgerten
beiden Vorgängerinnen entfernte.

Ein anderes bedeutendes Ereignis in Beethovens Laufbahn Die Oper
gehört demselben Jahre an: die Aufführung seiner Oper Leo- Leonore
(Fidelio).

n o r e. Eine bewegte und schwere Zeit war für Österreich ange-
brochen. Die französische Armee unter Bernadotte wälzte sich gegen
Wien heran. Der Hof und die besitzenden Klassen verließen flucht-
artig die Hauptstadt. Am 13. November erfolgte der Einzug der
französischen Truppen in Wien, während Napoleon sein Hauptquartier
in Schönbrunn aufschlug. Unter solchen Umständen war die Einführung einer neuen Oper kein dankbares Unternehmen. Bald nach der
Rückkunft Beethovens von seinem Landaufenthalt in Hetzendorf,
wo er die Oper ausgearbeitet hatte, begannen die P r o b e n. Das
Theater an der Wien war damals im Besitz des Hofbankiers Baron
B r a u n. Als Theaterdichter und Regisseur wirkte T r e i t s c h k e,
als Kapellmeister S e y f r i e d, als erster Violinspieler und Konzertmeister C l e m e n t. Die Proben waren mit großen Schwierigkeiten
für die Mitwirkenden, namentlich die Sänger, mit Aufregungen und
Ärgernissen für den Komponisten verbunden. Beethovens Freunde
und namentlich seine ausdauernden Gönner Lichnowsky und Lob-
kowitz wußten alle Hindernisse zu beseitigen. Endlich ging die
Oper am 20. November 1805 im Theater an der Wien in Szene.
Der Titel der Oper lautete: „F i d e l i o oder die eheliche Liebe",
Oper in drei Akten, nach dem Französischen bearbeitet von Josef
S o n n l e i t h n e r. Die Hauptpartien waren durch Fräulein M i l d e r
(Leonore-Fidelio), den Tenoristen D e m m e r (Florestan), R o t h e
(Rocco), M e i e r (Pizarro), Fräulein M ü l l e r (Marzellina) besetzt.
S e y f r i e d, der die Oper einstudiert hatte, leitete auch die Auf-
führung. Das Theater war zum großen Teil von französischen
Offizieren und Soldaten gefüllt, das einheimische Publikum war
nicht sehr zahlreich, die Anhänger Beethovens fehlten fast gänzlich.
Die Aufnahme war eine kühle, nur einzelne Nummern gefielen. Bei
der Wiederholung der Oper war das Theater leer, nach d r e i
V o r s t e l l u n g e n wurde das Werk aufgegeben. Die Kritik lautete
überwiegend abfällig, sie fand die Musik nicht bedeutend und eigentümlich genug, auch die Darstellung wird getadelt. Die Ouvertüre
erfährt die schärfste Verurteilung.

Beethoven hatte ursprünglich eine andere O u v e r t ü r e für die Oper
geschrieben, die er aber auf den Rat seiner Freunde, welche sie als zu einfach
erklärten, fallen ließ; die bei den Aufführungen 1805 gespielte war die als
„z w e i t e Leonorenouvertüre" bekannte.

Nun ruhte die Oper, bis man sie 1806 wieder in das Repertoire aufnahm. Es waren manche Änderungen in der Partitur vorgenommen, das ganze in zwei Akte zusammengezogen worden; auch
eine neue Ouvertüre, die Erweiterung der zweiten, eröffnete die
Oper. Diesmal wurde sie zwar besser aufgenommen, brachte es
jedoch nur auf z w e i V o r s t e l l u n g e n, am 29. März und 2. April.
Erst 1814 erwachte die Oper mit ihrer Übersiedlung in das
Kärntnerthortheater zu neuem und dauerndem Leben.

Man würde fehlgehen, wenn man die kühle, verständnislose
Aufnahme der E r o i c a und des F i d e l i o von seiten des großen

---

(Marginal notes, left column:)

Französische Invasion.

Proben.

Aufführung 20. Nov. 1805.

Besetzung.

Drei Vorstellungen.

Wiederaufnahme 1806.

Zwei Vorstellungen.

Würdigung Beethovens.

Publikums für mehr als eine vorübergehende Erscheinung halten wollte. Tatsache ist, daß die Größe Beethovens als Instrumentalkomponist bald allgemein anerkannt wurde, und es währte nicht lange, so folgten ihm die Zeitgenossen auch auf seinen neuen, ungewohnten Wegen und reichten ihm auch hier den Lorbeer. Beethoven wurde nur mit Mozart und Haydn verglichen. Trotz der kleinlichen Bedenken engherziger Musiker und Kritiker, begeisterte sich das Publikum für die neuerscheinenden Werke des Meisters und die Verleger bewarben sich wetteifernd um seine Manuskripte. Sein Ansehen als Vokalkomponist war nicht so hoch gestiegen und erst spät erlangte sein dramatisches Meisterwerk die verdiente Würdigung.

Nebst den angeführten großen Werken stammen noch aus den Jahren 1800—1805 die sechs Streichquartette („Lobkowitzsche") **Kompositionen** *1800—1805.* Op. 18, das Streichquintett in C-dur Op. 29, die Violinsonaten Op. 23, 24, 30, die beiden Romanzen für Violine mit Orchester, die Klaviersonaten Op. 22, 26, 27 Nr. 1 und 2 („Mondscheinsonate"), 28, 31, 53 (Waldsteinsonate), 57 („appassionata"), die Variationen Op. 34 und 35 (Eroica), endlich das Tripelkonzert Op. 56. Die Mehrzahl der genannten Werke wurde auch in dieser Zeit veröffentlicht.

Bei keinem Tonsetzer treten die Spuren seiner Kompositionsmethode so sichtbar vor Augen, als bei Beethoven. Skizzenbücher belehren uns über die Entstehungsgeschichte vieler Werke und gewähren einen Blick in die Werkstätte seines Schaffens. **Die Skizzenbücher.**

Eine große Anzahl aus Notenblättern zusammengehefteter Skizzenbücher nebst einzelnen Skizzenblättern aus den Jahren 1803—1826 hat sich in Beethovens Nachlaß vorgefunden. Wir ersehen aus ihnen, daß der Meister seine thematischen Einfälle sofort auf das Papier warf, sie aber dann wiederholt umgestaltete, ausfeilte, ferner daß er stets an mehreren Kompositionen gleichzeitig arbeitete, endlich, daß der Weg bis zu ihrer Vollendung ein langsamer, mühevoller war. Beethovens Kunstverstand und Selbstkritik konnten sich nur mit der Erreichung des ihm vorschwebenden Ideals zufrieden geben. Nicht leicht gelingt es, sich in diesem Gewirr von Notenköpfen, Hieroglyphen und Andeutungen zurechtzufinden und die Züge der uns vertrauten Themen zu erkennen.

Um die kritische Durchforschung dieser Skizzen hat sich der Musikgelehrte Gustav Nottebohm ein bleibendes Verdienst erworben. Er hat die **Nottebohm.** Resultate seiner Untersuchungen in zwei Bänden „Beethoveniana" zusammengestellt. (Der 2. Band wurde von E. Mandyczewski herausgegeben.) Die Skizzenbücher Beethovens befinden sich zumeist in der k. Bibliothek in Berlin, eine Anzahl in dem Museum der Ges. d Musikfr. in Wien, im Brit. Museum in London, im Besitz von Ernst Mendelssohn in Berlin und anderer Sammler.

Gegenüber den hochbedeutenden Leistungen des Tonsetzers ist es peinlich, seine häuslichen Verhältnisse zu betrachten. Kleinliche Sorgen des Alltags verbitterten sein Dasein, der stete Kampf **Häusliche Verhältnisse.** mit der Dienerschaft und die Wohnungsmisere wollten nicht enden. Im Jahre 1804 hatte Beethoven nicht weniger als vier Wohnungen gleichzeitig, von denen jene in der Schwarzspanierstraße die

bleibende im Wechsel, auch die letzte seiner Lebenstage bildete.
Die Hauptursache dieser Widerwärtigkeiten lag aber in dem reizbaren Temperament des Meisters, seinem Mißtrauen, in der zudem
durch sein Leiden verdüsterten Stimmung. Er besaß einen eisernen
Willen in großen Dingen, gegen die Nadelstiche des Schicksals
fehlte ihm die Widerstandskraft. So kam es, daß sich der Verkehr
mit ihm immer schwieriger gestaltete. Die Freunde waren vor den
Ausbrüchen seiner Laune nie sicher, wenn er auch bald sein Unrecht einsah und bemüht war, sich mit ihnen zu versöhnen. In den
Beziehungen zu den Verlegern gab es manchen Mißklang. Eine
reichhaltige Korrespondenz mit den Verlegern Hoffmeister, Breitkopf & Härtel in Leipzig, Nägeli in Zürich, Thomson in Edinburg,
nebst den Verhandlungen mit den Wienern Artaria, Steiner u. a.
geben Zeugnis davon.

Die Brüder.   Was die beiden B r ü d e r Beethovens betrifft, so hat T h a y e r
die „Rettung" derselben unternommen, gegenüber den anderen
Biographen, welche sie als das „böse Prinzip" des Meisters dar-
stellten, als Menschen, welche ihn bevormundeten, ihn mit seinen
Freunden entzweiten, seine Manuskripte entwendeten. Diese Vorwürfe sind bei genauer Prüfung teils als übertrieben, teils als un-
begründet abzuweisen. K a r l (Kaspar), der als Kassenbeamter ein
zwar bescheidenes, doch nach damaligen Verhältnissen ausreichendes
Einkommen hatte, stand durch mehrere Jahre seinem Bruder dienst-
fertig zur Seite, wohnte auch eine Zeitlang bei ihm in dem Theatergebäude an der Wien. Er besorgte großenteils die Korrespondenz
mit den Verlegern und da er gut musikalisch war, machte er sich
auch als verständiger Kopist und durch Anfertigung von Arrangements nützlich. Im Jahre 1806 heiratete Karl Kaspar die Tochter
eines wohlhabenden Tapezierers und dieser Ehe entstammte ein
einziger Sohn, der die Sorge und den Kummer der letzten
Lebensjahre Beethovens bildete. Bald nach dieser Heirat trat eine
Entfremdung der Brüder ein. Was J o h a n n, den Apotheker und
„Gutsbesitzer", wie er sich gern nannte, betrifft, so war er etwas
beschränkt und geckenhaft, Böses kann man ihm aber nicht nachsagen. Johann etablierte sich in L i n z und kaufte sich später ein
Gut in der Nähe von K r e m s. Zu den frühzeitigen und dauernden
Musiker.   M u s i k e r b e k a n n t s c h a f t e n zählten E. A. F ö r s t e r, D o l e ž a l e k,
H o f f m e i s t e r. Der erstere, ein ungewöhnlich begabter Komponist
von Kammermusik, soll Beethoven als Vorbild im Quartettsatz gedient haben, als er die Quartette Op. 18 schrieb. Der Böhme
Johann Doležalek, der als junger Mann nach Wien kam und ein
vielseitig tüchtiger Musiker war, schloß sich in treuer vieljähriger
Freundschaft Beethoven an. Der weit ältere F. A. Hoffmeister,
damals ein sehr fruchtbarer Komponist populärer Musik, zugleich
Verleger und Begründer der Leipziger Verlagsfirma, stand ebenfalls
in vertrauten Beziehungen zu dem Meister. Flüchtiger waren die

persönlichen Beziehungen Beethovens zu fremden Künstlern, zu dem 1803—1804 als Schüler Abbé Voglers in Wien weilenden 18jährigen C. M. v. Weber, zu Vogler selbst, zu Cherubini, der 1805 nach Wien kam.

Cherubini tadelte Beethovens Behandlung der Singstimme in der Oper Fidelio und fühlte sich sogar bewogen, dem Komponisten zu seiner Belehrung die Gesangschule des Pariser Konservatoriums zum Geschenk zu machen.

Das Jahr 1807 war eines der fruchtbarsten in Beethovens Schaffen. Bei Lobkowitz wurden als neue Werke die vierte Symphonie in B-dur, das G-dur-Konzert, die Ouvertüre zu Coriolan vorgeführt. Fürst Esterhazy bestellte bei Beethoven eine Messe; sie wurde am 13. September 1807 in Eisenstadt aufgeführt. Es ist die in C-dur. Der anwesende Komponist erntete wenig Anerkennung für sein Werk. Noch entstanden in demselben Jahre die drei Streichquartette Op. 59 (die Rasumowskyschen), die Arie „In questa tomba" und anderes. Das Violinkonzert war schon 1806 geschrieben und von Clement zum erstenmal öffentlich gespielt worden. Immer wieder erfaßt den Meister die Sehnsucht nach einer neuen Oper, welche nach mancherlei Anläufen ungestillt bleibt.

Hervorragende Werke waren es auch, welche im Jahre 1808 ihre Vollendung fanden: die Symphonie in C-moll, die Pastoralsymphonie, die beiden Klaviertrios Op. 70, die Chorphantasie, die Cellosonate in A-dur.

Denkwürdig ist die große Akademie, welche Beethoven am 22. Dezember 1808 im Theater an der Wien veranstaltete. Das Programm dieser Akademie ist merkwürdig genug, um die wörtliche Wiedergabe desselben zu rechtfertigen. Es lautet:

Margin notes: 1807. C-dur-Messe. 1808. Akademie am 22. Dezember.

Erste Abteilung: 1. Eine Symphonie unter dem Titel „Erinnerung an das Landleben" in F-dur Nr. 5. 2. Arie. 3. Hymne, mit lateinischem Text, im Kirchenstil geschrieben, mit Chor und Solos. 4. Klavierkonzert von ihm selbst gespielt. Zweite Abteilung: 1. Große Symphonie in C-moll Nr. 6. 2. Heilig, mit lateinischem Text. 3. Phantasie auf dem Klavier allein. 4. Phantasie auf dem Klavier, welche sich nach und nach mit Eintreten des ganzen Orchesters und zuletzt mit Einfallen von Chören als Finale endet.

Ein Riesenprogramm! Ein gewichtiger Inhalt! Die Symphonien Nr. 5 und 6 haben später ihre Reihenfolge gewechselt. Die Arie „Ah! perfido" für Sopran mit Orchester wurde von Fräulein Kilitzky, einer jungen Anfängerin, vorgetragen. Die „Hymne" und das „Heilig" waren Teile der C-dur-Messe, welche nur unter dieser maskierten Bezeichnung von der Polizei zugelassen wurden. Das von Beethoven gespielte Konzert war das in G-dur. Den Schluß des Konzertes bildete die Chorphantasie Op. 80. Ein so überreicher Stoff von so ungewohnter Natur konnte von mittelmäßigen Kräften mit wenigen unzulänglichen Proben nicht bewältigt werden. Überdies war Beethoven durch sein schroffes Benehmen mit dem Orchester in eine feindselige Stellung gekommen. So war denn der Verlauf der Akademie ein kläglicher. Es mangelte an Präzision und Sicherheit des Zusammenspiels, mehr noch an Eifer und Verständnis der Mitwirkenden. In der Chorphantasie mußte sogar das Spiel unterbrochen und von vorn angefangen werden. Der Komponist geriet in eine grenzenlose Aufregung, das Publikum war mehr betroffen, als von der Musik ergriffen. Zudem herrschte im Theater eine empfindliche Kälte, man fror und hüllte sich in die Mäntel. — Nur wenige verläßliche Berichte, und diese nur lückenhaft, sind über diese merkwürdige Produktion erhalten; am interessantesten ist jener von dem zu dieser Zeit in Wien anwesenden J. F. Reichardt. Er erwähnt die vierstündige Dauer der Akademie, tadelt die mangelhafte Aufführung; von dem G-dur-Konzert weiß er nichts anderes zu sagen, als daß Beethoven „ein Konzert von ungeheurer Schwierigkeit zum Erstaunen brav und in den allerschnellsten Tempi" ausführte, erklärt aber, daß er von dem Adagio des Konzertes tief ergriffen gewesen. Die C-moll-Symphonie findet er zu lange, dagegen die freie Phantasie Beethovens meisterhaft.

Rasumowsky.

Um diese Zeit begann der Verkehr Beethovens in dem Hause des Grafen Rasumowsky, des damaligen russischen Gesandten in Wien. Rasumowsky, ein großer Musikfreund, unterhielt in seinem Palais auf der Landstraße ein regelmäßiges Quartett, in welchem als Primgeiger Schuppanzigh, Weiß bei der Bratsche und der Cellist Linke wirkten und der Graf selbst die zweite Violine übernahm. Beethovens Kammermusik fand dort eifrige Pflege. Die Widmung der drei Quartette Op. 59 ist ein bleibendes Denkmal dieses Verhältnisses. Der Umgang mit dem gelehrten Bibliothekar Bigot und seiner sympathischen Frau, einer sehr begabten Pianistin, fesselte Beethoven noch mehr an das Haus Rasumowsky.

Mad. Bigot, eine Französin von Geburt, kam 1802 nach Wien; sie kehrte später nach Paris zurück und starb, noch jung, an der Schwindsucht.

Eine Persönlichkeit, welche eine große Rolle in Beethovens fernerer Lebensgeschichte spielt, tritt 1808 in seinen Gesichtskreis.

Erzherzog Rudolph.

Der damals etwa 20jährige Erzherzog Rudolph, der jüngste Sohn Leopolds II., ward sein Schüler; in ihm gewann Beethoven einen Freund und Beschützer für das Leben. Wir werden ihm in der weiteren Darstellung noch oft begegnen.

Erzherzog Rudolph, später Erzbischof von Olmütz, besaß ein ernstes Interesse für Musik, unterstützt von einer nicht gewöhnlichen Begabung. Beethovens Schaffen verfolgte er mit Teilnahme und Verständnis. Daß er auch ein strebsamer Schüler war, ersehen wir aus einem von ihm 1819 herausgegebenen Werk: „Aufgabe von Ludw. van Beethoven gedichtet, 40mal verändert". Erzherzog Rudolph starb 1831. Seine reichhaltige Musiksammlung, darunter Beethovens Werke, sowie sein Porträt befinden sich im Besitz der Ges. d. Musikfreunde in Wien, deren Protektor er jahrelang gewesen.

Antrag nach Kassel 1809.

Trotz seiner anerkannten künstlerischen Bedeutung, trotz seiner hohen sozialen Verbindungen hatte es Beethoven in Wien zu keiner festen Stellung gebracht. Im Jahre 1807 bewarb er sich vergeblich um eine Anstellung an der Hofoper. Da kam 1809 ein unerwarteter Antrag von außen. König Jerome von Westfalen, der in Kassel seine Residenz aufgeschlagen, ließ an Beethoven den Ruf ergehen, als erster Kapellmeister in seine Dienste zu treten. Die Bedingnisse waren vorteilhaft, doch konnte sich Beethoven nicht leicht entschließen und seine hohen Gönner wollten ihn nicht

Subventions-vertrag.

ziehen lassen. Es wurde ein Vertrag abgeschlossen, in welchem dem Meister eine jährliche Subvention von 4000 Gulden zugesichert wird, wogegen er sich verpflichtete, auch ferner in Wien zu bleiben und seiner Kunst durch neue Werke zu dienen. Zu der angegebenen Summe steuerten bei: Erzherzog Rudolph 1500 fl., Fürst Ferdinand Kinsky 1800 fl., Fürst Lobkowitz 700 fl. Doch dauerte dieser reichliche Geldzufluß nur von 1809 bis 1811, in welchem Jahre der Staatsbankerott den Wert der Subvention auf 600 fl. herabsetzte. So empfindlich dies Beethoven traf, kann doch von einer Notlage desselben nicht die Rede sein, da es ihm damals an guten Verlegerhonoraren nicht fehlte.

Die verhältnismäßig gesicherte Lage, welche Beethoven durch das Übereinkommen mit den Kavalieren gewann, rief in ihm Heiratsgedanken Heiratsantrag. wach, welche sich 1810 zu einem Entschluß verdichteten. Fräulein Therese von Malfatti, die Nichte des angesehenen Arztes Dr. Malfatti, war schon lange der Gegenstand von Beethovens Neigung: nun schritt er zu einem förmlichen Antrag, der aber, wenn auch in schonender Weise, abgelehnt wurde. Sein Freund Baron Gleichenstein, der Hofkonzipist, war darin glücklicher; er war der Verlobte von Theresens Schwester. Beethoven mußte sich aber auch weiter mit seiner Wohnungs- und Haushaltungsmisere abfinden; Krugerstraße, Wallfischgasse, Mölkerbastei, folgen als neue Wandel- und Wanderbilder ihren zahlreichen Vorgängerinnen; ein neuer Bedienter samt Frau als Köchin tauchen auf und steigern nur das Wirrsal der Häuslichkeit und Beethovens üble Stimmung. Lichtblicke sind aber die Landaufenthalte dieser Jahre, Baden und Heiligenstadt, an welchen Orten Beethoven gern und wiederholt weilte.

Eine wohltuende Stütze fand auch der Meister in der uneigennützigen Freundschaft edler Damen, in deren Gefühl Verehrung und Mitleid sich die Wage hielten. Vor allem war Gräfin Maria Erdödy, bei welcher Beethoven auch einige Zeit wohnte, seine langjährige Freundin und Ratgeberin. Später nennt man noch insbesondere Frau Streicher, die Gattin des Klaviermachers, welche sich der häuslichen Angelegenheiten des der Familie befreundeten Komponisten annahm.

Im Jahre 1810 war Beethoven mit der Komposition der Musik zu Goethes Egmont beschäftigt, mit welcher das Drama am 24. Mai 1810 im Hoftheater zur Aufführung kam. Das Klärchen gab Antonie Adamberger, die nachmalige Braut Theodor Körners, und 1817 die Frau Josef von Arneths. Sonderbar ist es, daß sich Beethoven zu dieser Zeit auch mit theoretischen Studien befaßte, nämlich mit Auszügen aus den Werken von Em. Bach, Fux, Albrechtsberger u. a. m.; sie waren wahrscheinlich als Leitfaden für den Unterricht des Erzherzogs Rudolph bestimmt. Der Abwesenheit desselben, welcher bei der zweiten französischen Invasion 1809 mit dem Hofe Wien verließ, verdankt die Welt die Sonate „Les Adieux". War die Egmontmusik eine Huldigung für Goethe, so trat der Komponist dem Dichter nun auch persönlich mittelbar näher durch die Bekanntschaft mit Bettina Brentano, nachmaliger von Arnim.

Egmont. 1810.

Die Sonate „Les Adieux".

Die Familie Brentano war 1809 aus Frankfurt a. M. nach Wien Bettina übersiedelt und bewohnte ein Haus nahe dem Rasumowskyschen Palais und Brentano. dem Prater. Beethoven ging 1810 in diesem Hause aus und ein und fand in Bettina, dem schönen und geistvollen Mädchen, eine enthusiastische Verehrerin, der er sich in herzlicher Neigung zuwandte. Bettinas Briefe an Goethe

12*

berichten über diesen idealen Verkehr und geben Beethovens Ansichten über die Kunst in phantastisch ausgeschmückter Darstellung wieder. Anderseits zeugen drei Briefe des Meisters an seine Freundin (ihre Echtheit vorausgesetzt) von der schwärmerischen Gemütsverfassung des Schreibers und enthalten auch kernige Aussprüche über Musik. Im nächsten Jahre 1811 heiratete Bettina Herrn von Arnim in Berlin.

Werke 1805—1810. Der reichen Ausbeute von herrlichen Werken des Meisters, welche, wie wir gesehen, die Jahre 1805—1810 brachten, sind noch hinzuzufügen die Streichquartette Es-dur Op. 74 (Harfenquartett) und F-moll Op. 95, die Sonate Op. 78 und andere Klavierstücke, das große B-dur-Trio Op. 97, ein Teil der „schottischen" Lieder, endlich das Es-dur-Konzert.

Dieses Meisterwerk, im Laufe des Jahres 1809 entstanden, ist das einzige seiner Klavierkonzerte, welches der Komponist nicht selbst öffentlich gespielt hat. Es wurde zuerst im Leipziger Gewandhaus zu Ende 1810 von Johann Schneider mit großem Beifall vorgetragen. In Wien fand es im Feber 1812, von Karl Czerny gespielt, kein Verständnis bei dem Publikum.

Auftrag für Pest. Im Sommer 1811 erhielt Beethoven den Auftrag, für die Festvorstellung zu der Eröffnung des neuerbauten Theaters in Pest die Musik zu schreiben. Es war für diese Gelegenheit ein Schauspiel von Kotzebue gewählt worden, dessen Prolog „König Stephan" und Epilog „Die Ruinen von Athen" mit Musik zu versehen waren. Obwohl die Arbeit bald vollendet war, verzog sich die Aufführung bis zum 8. Februar 1812, erhielt allgemeinen Beifall und wurde noch zweimal wiederholt. Im August 1811 weilte Beethoven *Teplitz.* zum Kurgebrauche in Teplitz in Gesellschaft seines jungen Freundes Franz Oliva, im Verkehr mit dem damals 25jährigen Varnhagen von Ense und dem Dichter Tiedge. Wieder taucht eine weibliche Erscheinung auf, welche Beethoven unwiderstehlich fesselte, Amalie Sebald aus Berlin. Auch im nächsten Jahre 1812 besuchte Beethoven zur Herstellung seiner schwankenden Gesundheit *Karlsbad 1812.* Teplitz, darauf Karlsbad, Franzensbad und endlich wieder Teplitz. Der Aufenthalt in diesen Badeorten erstreckte sich vom Juli bis in den *Goethe.* September. In Teplitz war es, wo Beethoven mit Goethe zusammentraf und freundschaftlich verkehrte. Nicht viel mehr als Äußerliches ist über diese Begegnung bekannt geworden, Anekdotisches, welches aber der Charakteristik nicht entbehrt. Das Benehmen der Beiden gegenüber den anwesenden hohen Persönlichkeiten zeigt den Gegensatz zwischen dem Hofmann Goethe und dem selbstbewußten Beethoven. In Karlsbad fand noch eine mehrtägige Fortsetzung des Verkehrs der berühmten Zeitgenossen statt. Gemeinschaftlich mit dem Violinvirtuosen Polledro gab Beethoven in Karlsbad ein Konzert zum Besten der durch eine große Feuersbrunst heimgesuchten Stadt Baden.

In dieselbe Zeit fällt auch Beethovens Verbindung mit dem *Mälzel.* Mechanikus Mälzel, dem Erfinder des „Metronom" und Verfertiger großer mechanischer Musikwerke. Mälzel konstruierte für Beethoven

Hörrohre, deren tauglichstes der Meister Jahre hindurch benützte. Dem Einflusse Mälzels ist es auch zuzuschreiben, daß sich Beethoven herbeiließ, eine derb realistische Symphonie „Wellingtons Sieg, **„Wellingtons Sieg."** oder die Schlacht bei Vittoria" zu komponieren, ein Werk, welches des genialen, ernsten Meisters kaum würdig ist. Mit seinem Schlachtgetümmel, den Märschen, Kanonenschlägen, Kriegsliedern entsprach es dem Geschmack einer ungebildeten Menge und der Erfolg blieb nicht aus. Das Werk erlangte eine unglaubliche Popularität, zu der allerdings die damalige Siegesstimmung nicht wenig beitrug. Die erste A u f f ü h r u n g fand am 8. Dezember 1813 **Akademie 8. Dez. 1813.** im Universitätssaale zum Besten der Verwundeten in der Schlacht von Hanau auf Veranlassung Mälzels und unter der Leitung B e e t h o v e n s statt, und zwar mit folgendem Programm : A-dur-(siebente) Symphonie, zwei Märsche, gespielt von Mälzels mechanischem Trompeter mit Orchesterbegleitung, die „Schlachtsymphonie".

Eine Merkwürdigkeit seltener Art bildet die Liste der in dieser Aufführung Mitwirkenden. Aus Begeisterung für den patriotischen Zweck nahmen die bedeutendsten in Wien anwesenden Künstler ihren, meist untergeordneten Platz im Orchester ein. An der Spitze der Violinen stand S c h u p p a n z i g h, in ihren Reihen spielten S p o h r und M a y s e d e r mit, R o m b e r g machte sich als Cellist, D r a g o n e t t i als Kontrabassist nützlich, H u m m e l schlug die Trommel, S a l i e r i gab den Takt zu den Kanonaden; noch wirkten mit M e y e r b e e r, M o s c h e l e s, P i x i s und viele andere einheimische und fremde Musiker. Das Konzert wurde am 12. Dezember wiederholt. Das Erträgnis war ein sehr namhaftes.

Von Aufführungen großer Werke Beethovens in dieser Zeit sind auch jene in G r a z, wo man „Christus am Ölberg" und anderes dem Publikum bekannt machte, zu erwähnen.

Beethoven, dessen wirtschaftliche Verhältnisse durch die Unregelmäßigkeit und das teilweise Versiegen der Subventionsbeiträge seiner hohen Gönner zurückgegangen waren, machte sich die überschwengliche Aufnahme seiner „Schlachtsymphonie" zu nutze, indem er sie noch in zwei zu seinem Benefiz veranstalteten K o n z e r t e n **Konzerte.** am 2. Jänner und 27. Februar 1814 im k. k. Redoutensaale zu Gehör brachte. In das erste wurden außerdem einige Nummern aus den „Ruinen von Athen" aufgenommen. Diesmal war es nicht ein wohltätiger Zweck, sondern die Verehrung für den großen Meister, welche wieder eine auserwählte Schar von Künstlern zur uneigennützigen Mitwirkung um Beethoven versammelte. Das zweite Konzert umfaßte ein überreiches Programm: die A-dur-Symphonie, ein italienisches Terzett „Tremate empi", die neue, achte Symphonie in F-dur, endlich „Wellingtons Sieg". Die F-dur-Symphonie traf ein bereits ermüdetes Publikum und scheint bei diesem kein Verständnis gefunden zu haben.

Die Art, wie Beethoven d i r i g i e r t e, erregte schon damals Befremden, **Beethoven als Dirigent.** vermischt mit schmerzlichem Bedauern und war nicht ohne komischen Beigeschmack. Seine Bewegungen, welche den Ausdruck der Musik lebhaft wiederzugeben sich bemühten, sein Niederducken und Aufschnellen, den dynamischen Strömungen folgend, wirkten um so peinlicher, als der halbtaube Dirigent oft den Zusammenhang mit seinen Musikern verlor. In solchen Momenten rettete der stets wachsame Violindirigent die gefährdete Situation.

In einem Wohltätigkeitskonzerte, welches am 17. April im Saale zum „Römischen Kaiser" auf der „Freyung" stattfand, spielte Beethoven mit Schuppanzigh und Linke sein großes Trio in B-dur Op. 97 zum erstenmale; bald darauf wiederholte er dasselbe in einem Morgenkonzerte Schuppanzighs im Prater. Es war das letzte öffentliche Auftreten Beethovens als Klavierspieler.

Letztes Auftreten Beethovens als Klavierspieler.

Sein einst so bewundertes, großzügiges Klavierspiel bot nur mehr ein Bild des Verfalls, eine verwahrloste Technik, einen Anschlag, in welchem (infolge der Schwerhörigkeit) gewaltsame Kraftentfaltung und tonloses Säuseln wechselten.

Das Jahr 1814 brachte die Wiederaufnahme des Fidelio. Es war die dritte Phase dieser Oper. Szenisches und Musikalisches erfuhren eingreifende Veränderungen. Der Theaterdichter Treitschke hatte den Text und die Anordnung der Szenen zweckmäßig verbessert, Beethoven vielfach die Musikstücke revidiert und neue hinzugefügt, unter diesen eine neue Ouvertüre in E-dur. Fidelio ging in dieser Gestalt in der k. k. Hofoper (Kärntnerthorthcater) am 23. Mai 1814 unter der Leitung des Komponisten in Szene. Der Erfolg war diesmal ein vollständiger, der sich auch in häufigen Wiederholungen aussprach. Die Hauptpartien waren durch Frau Milder-Hauptmann (Leonore), welche schon bei den früheren Aufführungen die Rolle inne hatte, Vogel, später Forti (Pizarro), Radichi (Florestan), Weinmüller (Rocco) usw. besetzt. Eine Reihe deutscher Städte nahm die Oper in ihr Repertoire auf, so Prag unter C. M. von Webers Direktion noch in demselben Jahre. Die glänzendste Aufnahme fand Fidelio 1815 in Berlin mit der Milder in der Hauptrolle.

Wiederaufnahme des „Fidelio" 1814.

Die Partitur samt Klavierauszug und sämtlichen Arrangements gingen in das Eigentum der Verlagsfirma Artaria über (Moscheles, damals 20 Jahre alt, hatte den Klavierauszug eingerichtet). Der Komponist konnte daher auch mit der Einnahme, welche ihm die Oper brachte, zufrieden sein.

Beethoven, der den Sommer wieder in Baden zubrachte, wurde durch die im September beginnende Monarchenzusammenkunft nach Wien gerufen. Es warteten seiner reiche Ehrungen. Als erste große Oper wurde in Gegenwart der fremden Fürstlichkeiten und Diplomaten am 26. September Fidelio gegeben. Bei den Festlichkeiten, welche zu Ehren der hohen Gäste veranstaltet wurden, stand Beethoven oft im Vordergrunde des geselligen Interesses, er wurde von illustren Persönlichkeiten förmlich umworben. Erzherzog Rudolph und Graf Rasumowsky versäumten es nie, ihn ihren Gästen als den Stolz des musikalischen Wien vorzustellen. Der Loyalitätstaumel, welcher damals die Residenz des Kaisers erfaßt hatte, ging selbst an dem unabhängig gesinnten Beethoven nicht spurlos vorüber. Er schrieb eine Ouvertüre „zur Namensfeier" des Kaisers Franz am 3. Oktober, ferner eine Kantate „Der glorreiche

Der Wiener Kongreß 1814—1815.

Gelegenheitskompositionen.

- 183 -

Augenblick", eine Gelegenheitskomposition, die einen Bestandteil der großen Akademie Beethovens am 29. November im großen Redoutensaal bildete. Umrahmt war die Kantate von der A-dur-Symphonie und dem unvermeidlichen „Sieg Wellingtons". Am Schlusse eines großen Festes, welches am 30. Dezember bei Graf Rasumowsky stattfand, brach ein verheerender Brand aus, welcher einen Teil des Palais mit der wertvollen Bibliothek und zahlreichen Kunstwerken vernichtete und der Wiener Laufbahn dieses großen Musikfreundes und Gönners Beethovens ein Ziel setzte. Am 25. Jänner 1815 fand in dem Rittersaal der k. k. Hofburg ein Konzert in Gegenwart der Monarchen mit ihren Gemalinnen, sowie der Elite der fremden Gäste statt, in welchem Beethoven sich auf dem Klavier hören ließ und seine „Adelaide" von Wild gesungen wurde. Hofkonzert.

Besondere Gunst erfuhr Beethoven von der Kaiserin von Rußland, welche die Dedikation einer Polonaise mit 50 Dukaten honorierte und als sie hörte, daß der Zar Alexander für die ihm gewidmeten Violinsonaten Op. 30 dem Komponisten kein Geschenk verliehen, noch 100 Dukaten hinzufügte.

Die Wiener Kongreßzeit bildet somit eine Glanzperiode in Beethovens Laufbahn. Um dieselbe Zeit erfolgte auch die Wiederaufnahme der unterbrochenen Subventionen von Seite des Subventionen. Fürsten Lobkowitz und der Erben des Fürsten Kinsky, so daß Beethoven von da an bis zu seinem Lebensende, einschließlich dem Beitrage des Erzherzogs Rudolph ein gesichertes Einkommen von 1360 Gulden in Konv. Münze bezog. Rechnet man noch dazu die für jene Zeit überraschend hohen Verlegerhonorare, zu welchen sich namentlich englische Verleger herbeiließen, dann die reichen Geschenke für Widmungen, so kann man die damalige finanzielle Lage Beethovens nur als eine günstige bezeichnen.

Dafür spricht auch der Ankauf von 10 Stück Bankaktien im Werte von 7000 Gulden, welche er von dieser Zeit an besaß. Dennoch hören wir aus seinen Äußerungen und Briefen immer wieder Klagen über Armut und schlechte Verhältnisse, eine seltsame Schwäche des Meisters!

Verhängnisvoll war für Beethoven der Tod seines Bruders Tod Karl van Beethovens. Karl. Karl van Beethoven starb am 15. November 1815. Sein Testament setzte seine Frau und den minderjährigen Sohn Karl zu Erben seines kleinen Vermögens ein und übertrug die Vor- Vormund-schaft. mundschaft über den neunjährigen Knaben der Mutter gemeinschaftlich mit seinem Bruder Ludwig. Dieser nahm die Pflichten als Vormund sehr ernst. Er war aber zu unpraktisch und zu inkonsequent für diesen Beruf. Die Sorge um die Erziehung seines Neffen, die endlosen Streitigkeiten und Prozesse mit seiner ihm von jeher mißliebigen Schwägerin bildeten fortan eine Quelle von Kummer und Verdruß, welche Beethovens letzte Lebensjahre verbitterten.

Eine seltsame Wandlung vollzog sich in Beethovens Natur mit der Übernahme der Vormundschaft. Der rauhe, vereinsamte und schwermütige Mann wird zum zärtlichen, sorgsamen Onkel, all sein Sinnen und Streben ist nur auf die Erziehung und das Wohl des Knaben gerichtet.

Nachdem er ihn durch einen richterlichen Spruch der Obhut seiner Mutter entzogen hatte, übergab er ihn dem Pensionat eines gewissen Giannatasio als Kostzögling. Die Familie des Inhabers nahm sich des kleinen Karl liebevoll an. Den Aufzeichnungen der reichbegabten und feinfühligen Tochter des Hauses verdanken wir interessante Mitteilungen über die persönlichen Verhältnisse Beethovens.

Tagebuchblätter. Mehr noch sind es die aus dieser Zeit zahlreich erhaltenen Briefe und die Tagebuchblätter Beethovens aus den Jahren 1812—1818, welche uns einen Einblick in das Privatleben und die Stimmungen des Meisters gestatten. Diese Blätter, gleichsam Selbstgespräche enthaltend, zeugen von inneren Kämpfen, Trübsinn und Ergebung, wechselnd mit erneutem Aufschwung und religiösem Vertrauen.

Lebensbild. Es enthüllt sich uns da ein Lebensbild voll origineller, oft bizarrer Züge, voll schroffer Gegensätze, in welchem das ideale Ringen eines Gewaltigen nach den höchsten Zielen mit den kleinlichen Schikanen des Alltagslebens einen tollen Tanz aufführen, Tragisches und Komisches sich nahe berühren. Tiefverstimmt durch sein Gehörsleiden und von schwankender Gesundheit, eine ungestillte Sehnsucht im Herzen, vermag er auch kindlich zu empfinden, überläßt er sich oft einem unbändigen Humor und der Lust zu derben Wortspielen. Die Äußerungen eines tiefen Gemütes, einer edlen Resignation und Seelengröße wechseln mit Zornausbrüchen und Schimpfreden über die Regierung, die Theaterdirektoren, die Kunstgenossen, über alle Welt; täglich erneuert sich nicht bloß der Kampf mit dem Schicksal, sondern auch mit Verlegern, Kopisten, Dienstboten, Kellnern.

Einen Schatten auf das Charakterbild des alternden Beethoven wirft sein fast unheimlicher Geldhunger. Zerfloß ihm das Geld durch Unwirtschaftlichkeit unter den Händen, wollte er für sein Alter gesichert sein, wollte er für die Zukunft des geliebten Neffen sorgen? In dem Verkehr mit den Verlegern ließ er es an Noblesse fehlen; wenn wir auch heute die Werke Beethovens mit dem Ewigkeitswerte bemessen, so hindert uns das nicht, manche Honoraransprüche desselben für die damalige Zeit überspannt zu finden. Die zahlreichen Verhandlungen mit den heimischen, deutschen und englischen Verlegern haben einen krämerischen Beigeschmack und hinterlassen keinen erquicklichen Eindruck.

Freundeskreis. Aus dem Kreise von Beethovens Freunden verschwinden einige derselben, während andere neu auftauchen. Sein frühester Gönner und Freund, Fürst Lichnowsky, war 1814 gestorben, seine vertraute Freundin Gräfin Erdödy hatte sich mit ihrer Familie nach Kroatien zurückgezogen. Ries ging nach London, auch andere Freunde hatten Wien verlassen. Dagegen blieb ihm in dem Erzherzog Rudolph ein treuer Anhänger. Allerdings nahm er den Lehrer so sehr in Anspruch, daß Beethoven, der ohnehin jedem Zwang abhold war, zuweilen das Drückende seiner Pflichten empfand. Bleibend waren auch die Beziehungen zu Zmeskall, zur Familie Streicher u. a. m. Von neu hinzutretenden Persönlichkeiten ist der damals 18jährige Student Anton Schindler, der einstige Biograph Beethovens, zu nennen.

Anton Schindler, geb. 1796 in Mähren, machte während seiner Universitätsstudien in Wien 1814 die Bekanntschaft Beethovens. Schindler, musikalisch gebildet und ein guter Violinspieler, gab bald die Studien auf und widmete sich einer allerdings bescheidenen musikalischen Berufstätigkeit. Er brachte es später bis zum Orchesterdirektor im Josefstädter Theater. Vor allem aber widmete er sich dem Dienste des von ihm verehrten Beethoven, dessen Faktotum er in musikalischen wie in häuslichen Dingen ward. Beethoven nützte seine Ergebenheit und Dienstwilligkeit in vollem Maße aus, lohnte sie aber nicht immer durch dankbare Anerkennung; es fehlte im Gegenteil nicht an Momenten der Rücksichtslosigkeit, des Mißtrauens und an beleidigenden Worten. Die persönlichen Beziehungen zogen sich bis 1824 hin, zu welcher Zeit eine Spannung eintrat, doch stellte sich Schindler während der ernsten Krankheit des Meisters 1826 wieder zur Verfügung. Nach dem Ableben Beethovens übernahm Schindler dessen gesamten schriftlichen Nachlaß mit Ausnahme der musikalischen Manuskripte. — Im Jahre 1831 übersiedelte Schindler nach Münster, später nach Aachen, an beiden Orten als Kapellmeister wirkend. 1840 veröffentlichte er seine Beethoven-Biographie, welche in zweiter Auflage 1845 und in dritter, sehr vermehrter, 1860 erschien. Er starb 1864 in Frankfurt a. M. Die in seinem Besitze befindlichen Papiere Beethovens hatte er schon 1845 an die k. Bibl. in Berlin gegen eine Jahresrente veräußert.

Zu erwähnen sind hier noch der damals in Wien weilende Kurländer Dr. Karl von Bursy, dessen Mitteilungen über Beethovens Persönlichkeit von Interesse sind, und ein junger englischer Musiker, Charles Neate, der während seines Aufenthalts in Wien und Baden den vertrauten Umgang Beethovens genoß.

Von den verschiedenen Opernprojekten Beethovens stand um diese Zeit eines der Verwirklichung am nächsten. Treitschke hatte einen Operntext „Romulus und Remus" geschrieben und stellte ihn dem Komponisten zur Verfügung, der sich zur Arbeit bereit erklärte. Doch verlief die Angelegenheit im Sande.

Gegen Ende des Jahres 1815 erhielt Beethoven, in Anerkennung seiner Verdienste um öffentliche Wohltätigkeitsanstalten taxfrei das Bürgerrecht von Wien.

Auch aus den Provinzen kamen Ehrungen für den Tonsetzer. So ernannten ihn die philharm. Gesellschaft in Laibach und der Steiermärkische Musikverein in Graz zu ihrem Ehrenmitgliede.

An Aufführungen der großen Werke Beethovens mangelte es von da an nirgends. In Wien machte sich die Gesellschaft der Musikfreunde, welche ihre Konzerte im Dezember 1815 eröffnet hatte, um die Pflege der Beethovenschen Kunst verdient. Die Provinz und das Ausland wetteiferten darin mit Wien. Überall standen die „Eroica", die C-moll- und die A-dur-Symphonie im Vordergrunde, ohne daß die übrigen Symphonien, die Ouvertüren zu Egmont und Coriolan, die Kammermusikwerke, die Klavierkonzerte, Christus am Ölberge und anderes vernachlässigt wurden. In London, wohin sein Ruhm und seine Werke schon längst ge-

Marginalia: Schindler.

Marginalia: Ehrungen.

Marginalia: Aufführungen.

drungen, dachte man nun daran, den Meister persönlich zu gewinnen. Beethoven erhielt durch die Vermittlung von Ries eine
Einladung von der Philharmonischen Gesellschaft in London für
den Winter 1818. Er sollte zwei neue Symphonien für die Gesellschaft schreiben und selbst dirigieren, außerdem volle Freiheit für
selbständige Unternehmungen behalten. Es wurden ihm 300 Guineen
zugesichert. Beethoven nahm zwar den Antrag an, steigerte aber
seine Ansprüche. Die Verhandlungen blieben resultatlos. Es kam
weder zur Komposition der neuen Symphonien, noch zu einer
Londoner Reise.

(Margin: Einladung nach London 1818.)

Von der Verehrung, welche Beethoven in England zu teil ward, zeugt
auch das Geschenk eines Pianofortes von Seite des berühmten Verfertigers
Broadwood. Das Instrument traf im Sommer 1818 in Mödling ein. Schon
seit einigen Jahren besaß Beethoven einen ihm von Seh. Erard in Paris
zum Geschenk gemachten Flügel. Die Mechanik beider Instrumente übertraf
an Vollkommenheit jene der damaligen Wiener Klaviere. Beethoven war
namentlich stolz auf seinen Broadwood, konnte aber leider nicht den vollen
Genuß aus demselben ziehen, da er zu dieser Zeit selbst Musik nur un-
genügend zu hören vermochte.

(Der Flügel von Erard befindet sich im Museum in Linz, jener von
Broadwood ist jetzt im Besitze der Akademie in Budapest.)

(Margin: Erard- und Broadwood-Flügel.)

(Margin: Prozeß.)

Bis zum Jahre 1820 zieht sich der unerquickliche Prozeß
Beethovens gegen seine Schwägerin Johanna um die Vormund-
schaft über den Neffen Karl hin. Es war für den Meister eine Zeit
der Mühen und Aufregungen. Der Prozeß war umständlich, kostspielig und wurde mit Erbitterung geführt. Endlich entschied das
Appellationsgericht zu Gunsten des Onkels. War das Streitobjekt
so vieler Opfer wert?

Karl war nicht unbegabt, aber leichtsinnig und unwahr. Da sich Onkel
und Mutter eifersüchtig um seine Liebe bewarben, mußte sich der Knabe sehr
wichtig vorkommen, wurde eingebildet und hinterlistig. Karl wanderte von
Institut zu Institut, nirgends ging es nach Wunsch, bis endlich der Onkel den
Knaben zu sich nahm, was noch schlimmer ausfiel, da Beethoven weder zum
Erzieher noch zum Haushälter das geringste Talent besaß. Von dem zärtlich
sorgenden, aber auch strengen und launenhaften Onkel zog es den Knaben
oft zur Mutter, die er nur zu festgesetzten Zeiten sehen durfte, aber im Geheimen sah, und stand dann unter einem Einfluß, der kein günstiger gewesen
sein soll.

(Margin: Wohnungen.)

Den Beethoven-Verehrern von heute, welche sich für die Stätten interessieren, an welchen der Meister geweilt und gewirkt hat, ist es nicht leicht,
seiner unausgesetzten Wohnungsflucht zu folgen. Von der „Seilerstätte", wo
Beethoven eine hochgelegene Wohnung mit weiter Aussicht über die damaligen
Glacis innehatte, ging es in die Gärtnergasse auf der „Landstraße", dann in
die Josefstadt, wieder in die Vorstadt Landstraße neben den „Augustinern" usw.
Den Sommer bis tief in den Herbst brachte Beethoven regelmäßig in der Umgebung Wiens zu, in den letzten Jahren mit Vorliebe in Mödling oder in
Baden.

(Margin: Konversations- hefte.)

Um die Feststellung dieser Wohnstätten wie auch anderer aufklärender
Details hat sich der Beethovenforscher Theodor Frimmel verdient gemacht.
Im Jahre 1818 beginnen die sogenannten „Konversationshefte",
welche bei der Schwerhörigkeit Beethovens die Verständigung mit den Personen seines Umganges ermöglichten. So lückenhaft dieselben erscheinen, da

sie die darin vertretenen Personen nicht immer sicher erkennen lassen und die mündlichen Äußerungen des Meisters zu vermissen sind, enthalten sie doch, neben Banalem und Unverständlichem, Fragen und Mitteilungen von großem biographischen Wert. Da Beethoven diese Hefte aufzubewahren pflegte, so fanden sich in seinem Nachlasse mehrere hundert derselben vor. Ein großer Teil wurde verstreut oder vernichtet, 138 dieser Konversationshefte befinden sich gegenwärtig im Besitze der k. Bibl. in Berlin.

Nicht bloß die Taubheit war es, die Beethoven bedrängte, es meldeten sich auch die Symptome eines Leberleidens, verbunden mit Gelbsucht, eine Krankheit, welche einige Jahre später sein Ende herbeiführte. Auch die pekuniären Verlegenheiten schleppen sich in unerfreulicher Weise fort. Er kontrahiert Schulden bei den Verlegern, verlangt von ihnen Vorschüsse, zum Teil auf noch nicht vollendete Werke und nimmt noch andere Personen in Anspruch. Trotzdem bleiben seine ersparten Bankaktien unangetastet, waren sie doch zum Erbe seines geliebten Neffen bestimmt.

1819 tritt Bruder Johann wieder in den Gesichtskreis Beethovens. Nachdem er es in Linz zu einer gewissen Wohlhabenheit gebracht, kaufte er das Gut Gneixendorf in der Nähe von Krems und nahm öfters einen längeren Aufenthalt in Wien. Hier nahm er das Gehaben eines Parvenus an, prahlte mit seiner Eigenschaft als Gutsbesitzer, kleidete sich stutzerhaft, dabei altmodisch, fuhr in seinem Kutschierphaeton vierspännig mit zwei livrierten Bedienten in den Prater, wurde auch so in Baden gesehen usw. So ward er bald eine stadtbekannte komische Figur. Johann van Beethoven war ein beschränkter, eitler, aber kein schlechter Mensch. Seinem Bruder war er in Geschäftsangelegenheiten gern behilflich und wurde von diesem öfters ins Vertrauen gezogen. Das brüderliche Verhältnis erhielt sich, von vorübergehenden Zerwürfnissen abgesehen, bis ans Ende. *Johann van Beethoven.*

Wenden wir uns zu den großen Arbeiten, welche Beethoven zumeist in den Jahren 1818—1822 beschäftigten, so werden diese durch die große „Hammerklavier"-Sonate Op. 106 eröffnet. Während des erwähnten Zeitraumes von fünf Jahren arbeitete er an der D-dur-Messe, welche erst im März 1823 dem Erzherzog Rudolph überreicht werden konnte. Gleichzeitig beschäftigte sich Beethoven mit Entwürfen zur neunten Symphonie. In die Zeit von 1821 und 1822 gehören auch die Klaviersonaten Op. 109, 110 und 111. Erwähnenswert ist, daß Beethoven damals die Metronomisierung seiner acht Symphonien und anderer Werke vornahm. *Arbeiten.*

1822 wurde nach mehrjähriger Pause im Operntheater Fidelio wieder aufgenommen und erzielte mit Wilhelmine Schröder in der Titelpartie einen glänzenden Erfolg.

In das Jahr 1822 gehört eine Komposition, welche zu ihrer Veranlassung und Bestimmung einen grotesken Gegensatz bildet, die große, im Händelschen Stile gehaltene Ouvertüre Op. 124 zur Eröffnung des Josefstädter Theaters. Das neuerbaute Theater wurde am 3. Oktober 1822 unter der Direktion von Karl Friedrich Hensler mit den Festspielen „Die Weihe des Hauses" und „Das Bild des Fürsten" eröffnet, zu welchem ersteren Beethoven sich bereit gefunden, die Musik beizusteuern. Diese war zum größten *Ouvertüre „Zur Weihe des Hauses" 1822.*

Teile dem Pester Festspiele „Die Ruinen von Athen" entnommen,
n e u waren nur ein Chor und die Ouvertüre. Die Aufführung wurde
noch dreimal wiederholt.

Begegnungen. In dasselbe Jahr fallen flüchtige Begegnungen mit dem
Schriftsteller Friedrich R o c h l i t z, welcher über diese und Beethovens
Persönlichkeit ausführlich berichtet, mit R o s s i n i, der damals
wegen der Aufführung einiger seiner Opern in Wien weilte, endlich
Schubert. mit Franz S c h u b e r t. Schubert, der ein begeisterter Verehrer
Beethovens war, hielt sich zeitlebens in scheuer Entfernung von
dem Meister. Doch soll er den Mut gefunden haben, seine
Beethoven gewidmeten vierhändigen Variationen Op. 10 diesem per-
sönlich zu überreichen.

Von da an beschäftigten Beethoven jene großen Werke, welche
Die letzten als die Schlußsteine seines Schaffens zu betrachten sind: Die
großen Werke.
Missa solem- M i s s a s o l e m n i s, die N e u n t e S y m p h o n i e und die l e t z t e n
nis. 1823. S t r e i c h q u a r t e t t e.

Keines seiner Werke hielt Beethoven so hoch als seine
g r o ß e M e s s e in D-dur (Missa solemnis). Man kann es dem
Schöpfer dieses großartigen Werkes, der Frucht mehrjähriger hin-
gebender Arbeit, nicht verdenken, daß er auch den größtmöglichen
materiellen Gewinn aus derselben ziehen wollte, um so mehr als
seine Lage durch Krankheiten, Sorge um den Neffen, häusliche
Schwierigkeiten eine bedrängte geworden. Da die Messe noch nicht
veröffentlicht war, kam Beethoven auf die Idee, das Manuskript
derselben den regierenden Häuptern und anderen Großen in ganz
Europa anzubieten, und zwar um den Preis von 50 Dukaten für
Subskription. das Exemplar. Die E i n l a d u n g e n begannen schon Anfang 1823.
In den gleichlautenden Einladungsschreiben nennt Beethoven die
Messe sein „vollendetstes Werk" („Oeuvre le plus accompli").
Überall wird bemerkt, daß das Werk auch als „Oratorium", nämlich
außerhalb der Kirche, aufgeführt werden könne. Von allen Sou-
veränen und Großen, an die sich Beethoven gewendet, wurden nur
zehn Exemplare subskribiert.

Den Anfang machte der König von Preußen, ließ aber durch die Gesandtschaft bei Beethoven anfragen, ob er nicht einen Orden vorziehen würde.
„50 Dukaten!" lautete die lakonische Antwort des Komponisten. Es nahmen
ferner die Einladung auf Subskription an: Der König von Sachsen, der Groß-
herzog von Hessen-Darmstadt, der Großherzog von Toskana, der König von
Dänemark, der Kaiser von Rußland. Es subskribierten ferner die Fürsten
Radziwill und Gallitzin, der Cäcilienverein in Frankfurt a. M. Von dem König
Louis XVIII. von Frankreich wurde Beethoven eine besondere Ehrung, die
Übersendung einer goldenen Medaille mit dem Bilde des Königs und der
Widmung an den Meister, zu teil.

Lange bevor die Partitur fertiggestellt war begannen schon
die Verhandlungen wegen der Veröffentlichung der Messe; es ist
mindestens sonderbar zu nennen, daß Beethoven das Werk v i e r
verschiedenen Verlegern zusagte und dann einem f ü n f t e n über-

gab. Dieser war Schott. In seinem Verlag kam die Messe erst 1827 im Stich heraus.

Die erste bekannte Aufführung der „Missa solemnis" veranstaltete Aufführungen. Fürst Gallitzin in Petersburg am 6. April 1824 zu wohltätigem Zwecke. Als die nächste wird uns eine 1830 zu Warnsdorf in Böhmen von dem Schullehrer J. V. Richter geleitete Aufführung bezeichnet. Zu Weihnachten 1832 wurde die Messe in London in einem Privatkonzert, von Moscheles dirigiert, vorgeführt. Es folgen später die Aufführungen am rheinischen Musikfest 1844, in Leipzig 1845, denen sich seit 1868 viele andere im Konzertsaale anschließen. Von den seltenen gottesdienstlichen Aufführungen sind nur die im Dom zu Preßburg stattgefundenen anzuführen.

Die Arbeit an der neunten Symphonie begann im Jahre 1822, wurde im folgenden Jahre, namentlich während des Sommeraufenthaltes in Hetzendorf und Baden, energisch fortgesetzt und anfangs 1824 vollendet. Neunte Symphonie. 1824.

Beethoven entschloß sich, dieses umfangreiche, von einem Chorfinale gekrönte Werk in einer eigenen großen Akademie vorzuführen. Es waren nicht geringe Hindernisse zu überwinden, um diesen Plan zu verwirklichen. Die Lokalfrage, die großen Kosten, die Wahl des Dirigenten, alles verursachte Schwierigkeiten und Ärger. Die Verhandlungen führten Graf Lichnowsky, Schindler, Bruder Johann, selbst der Neffe Karl mischte sich altklug ein. Der ungeduldige, schwankende und mißtrauische Beethoven war eine Beute von Aufregungen und machte sich oft durch Zornausbrüche Luft. Einen Moment wollte er das Projekt ganz aufgeben. Endlich kamen die Vorbereitungen in Gang. Ein Riesenprogramm wurde festgesetzt: die Ouvertüre „Zur Weihe des Hauses", Kyrie, Gloria und Credo aus der großen Messe („Drei Hymnen" mußte es aus Zensurrücksichten heißen), endlich die Neunte Symphonie mit dem Chorfinale. Die mitwirkenden Musiker hatten sich zum Teil uneigennützig zur Verfügung gestellt. Die Solostimmen für den letzten Satz waren in der vorzüglichsten Weise besetzt: Henriette Sonntag (Sopran), Karoline Unger (Alt), Haizinger (Tenor), Seipelt (Baß).

Bei den Proben erbaten sich die beiden berühmten Sängerinnen von dem Komponisten Erleichterungen für manche fast unsangbare Stellen in ihren Partien; vergebens, Beethoven blieb unerbittlich.

Die Aufführung fand am 7. Mai 1824 im k. k. Hoftheater „nächst dem Kärntnerthor" 7 Uhr abends statt. Das Theater war gedrängt voll, nur die kaiserliche Loge blieb leer. Unter den Mitwirkenden sah man die Violinisten Mayseder, Böhm, Jansa, den Cellisten Linke. Beethoven stand persönlich an der Spitze, war aber, wie bei seinem Leiden leicht begreiflich, nicht der wirkliche Dirigent; Leiter waren Umlauf als Taktgeber am Pult und Schuppanzigh an der ersten Violine. Bei den für ein so schwieriges Werk ungenügenden Proben fehlte der Ausführung die feinere Durcharbeitung und die vollendete Präzision. Trotzdem Aufführung 7. Mai 1824.

war die Aufnahme eine enthusiastische. Beethoven, der dem Publikum den Rücken zukehrte, hörte das Beifallklatschen nicht, und als die Sängerin Unger den tauben Meister gegen das Auditorium umwendete, brach erst ein wahrer Beifallsturm los, in den sich auch die Rührung mischte. Die Einnahme der Akademie war für Beethoven eine große Enttäuschung, sie belief sich nach Abzug der allerdings erheblichen Kosten auf 420 Gulden. Am 23. Mai

Zweite Aufführung.

mittags folgte eine Wiederholung der Akademie mit etwas verändertem Programm im großen Redoutensaal. Man gab die Ouvertüre Op. 124, darauf das Terzett „Tremate empi", von italienischen Opernsängern vorgetragen, das Kyrie der großen Messe, dann kam die Arie „Di tanti palpiti" von Rossini, gesungen von David, endlich die Neunte Symphonie. Besuch und Beifall scheinen etwas schwächer gewesen zu sein. Beethoven erhielt als garantiertes Honorar 500 fl. — So endete dieses denkwürdige Ereignis in Beethovens Leben mit einem Triumph seiner Kunst bei allen fortgeschrittenen Kennern und einem demütigenden Mißerfolg für die persönlichen Interessen des Meisters.

Geplante Werke.

Zweier geplanten, aber unausgeführt gebliebenen Werke, muß hier gedacht werden. Das erste ist eine neue Oper. Es war kein Geringerer als Franz Grillparzer, der sich mit seiner poetischen Kunst Beethoven zur Verfügung stellte. Grillparzer brachte zwei Stoffe für eine Oper in Vorschlag, eine „Drahomira" und eine „Melusine". Der letztere, das Märchen von der „schönen Melusine" behandelnd, lag fertig ausgearbeitet vor. Trotzdem die Dichtung Beethoven zusagte, auch Grillparzer in mehreren Besprechungen mit dem Tonsetzer sich zu den gewünschten Änderungen herbeiließ, ja sogar schon Verhandlungen wegen der Aufführung stattfanden, wurde nichts aus der Sache. Das zweite unausgeführte Werk war das durch Jahre sich hinziehende projektierte Oratorium für die Gesellschaft der Musikfreunde. Der „Sieg des Kreuzes", Text von J. C. Bernard, blieb ungeschrieben.

Franz Liszt.

Von interessanten Episoden aus dieser Zeit mögen folgende erwähnt werden. Der zwölfjährige Franz Liszt, der damals bei Czerny in Wien Unterricht nahm, gab sein erstes Konzert am 13. April 1823 im kleinen Redoutensaale: Beethoven soll demselben beigewohnt und den Knaben liebreich aufgemuntert haben.

Erfreulich war für Beethoven die erfolgreiche Aufführung seines Fidelio in Dresden unter Webers befeuernder Leitung und mit der Schröder in der Titelrolle. Im Herbst 1823 besuchte C. M. von Weber, der zur Aufführung seiner „Euryanthe" nach Wien gekommen, Beethoven in Baden und es soll zwischen ihnen ein vertraulicher und gemütlicher Verkehr stattgefunden haben.

Die Wiener Freunde ziehen sich mehr und mehr von dem launischen Meister zurück. Nur Schindler harrt aus, bis er endlich im Jahre 1824 gänzlich in Ungnade fiel. Bald trat ein Anderer an seine Stelle, dem Beethoven sein ganzes Vertrauen

schenkte und dessen Persönlichkeit ihm mehr zusagte als jene
seines Vorgängers — Karl Holz.

Karl Holz, geb. 1798, war Kassenbeamter bei den niederösterreichischen Landständen und nebstbei ein tüchtiger, musikalisch gebildeter Violinspieler, der im Quartett gut verwendbar war. Als solcher wirkte er in Böhms
und Schuppanzighs Quartetten bei der zweiten Violine mit. Zuweilen betätigte
er sich auch als Dirigent in den neu gegründeten „Spirituelkonzerten".
Beethoven lernte ihn 1825 kennen und trat in ein freundschaftliches Verhältnis zu ihm. Holz, der auch in Geldsachen bewandert war, machte sich
durch seine Gewandtheit dem unpraktischen Beethoven unentbehrlich. In
musikalischer Beziehung erwies er sich durch seine Mitwirkung bei den Unternehmungen des Meisters, durch Überwachung der Kopiaturen u. dgl. nützlich.
Auch auf die Lebensführung des alten Freundes war er nicht ohne Einfluß.
Daß zwischen Schindler und Holz eine gewisse Eifersucht entstand, ist
begreiflich. Die gegenseitige Abneigung machte sich noch nach Beethovens
Tode durch Verdächtigungen Luft. In Wirklichkeit kann man weder dem
einen noch dem anderen Unehrenhaftes nachweisen. Holz starb in geachteter
gesellschaftlicher Stellung 1858.

Karl Holz.

Nach Vollendung seiner großen Werke wendet sich Beethovens
Schaffen ganz dem Streichquartett zu. Seit der Komposition des F-moll-Quartetts Op. 95 waren Jahre vergangen.
Beethoven kehrte nun zu dieser Gattung wie zu einer alten Liebe
zurück. Der äußere Antrieb war die Bestellung von drei neuen
Quartetten durch den Fürsten Nicolaus Gallitzin. Der bedungene
Preis war 50 Dukaten für jedes Werk. Das erste dieser Quartette, Es-dur Op. 127, war anfangs 1825 vollendet. Am 6. März
führte es · Schuppanzigh mit seinen Quartettgenossen zum
erstenmal auf. Andere vier Streichquartette, die in A-moll, B-dur,
Cis-moll, F-dur, folgten bis 1826. In ihrer Eigenart, freien Formgestaltung und Polyphonie, in ihren zahlreichen tiefsinnig-grübelnden,
überraschenden, zum Teil eigensinnigen und barocken Zügen bilden
diese Werke eine gesonderte Gruppe in Beethovens Schaffen. Die
Subjektivität des Meisters in ihrer letzten Phase kommt hier am
entschiedensten zum Ausdruck. Ungeachtet dieser gemeinsamen
Züge, besitzt jedes der fünf Quartette seinen scharf unterschiedenen
Charakter. Eine große Summe von Arbeit ist auch in diesen
Werken angesammelt und zeugt von der peinlichen Sorgfalt, dem
vertieften Studium, welche ihnen der Meister gewidmet. Die Polyphonie, welcher sich Beethoven in seiner letzten Schaffensperiode
mit Vorliebe hingab, spielt auch hier eine große Rolle. Es ist begreiflich, daß diese letzten Produkte des Meisters, welche nur von
auserwählten Künstlern nach sorgfältigem Studium zu bewältigen
waren, von allen seinen Werken dem großen musikalischen Publikum
am schwersten zugänglich waren und es noch für lange blieben.
So fand schon das Quartett in Es-dur bei der ersten Aufführung
durch Schuppanzigh weder Verständnis noch Sympathie. Das
A-moll-Quartett, dessen zweiter Satz die „Danksagung nach der
Genesung" zum Vorwurf hat, wurde am 6. November 1825 in

Die letzten
Streichquar-
tette.

Es-dur-

A-moll-

B-dur-

einem Konzert des Violoncellisten Linke im alten Musikvereinssaale (unter den „Tuchlauben") von Schuppanzigh, Holz, Weiß und Linke zum erstenmal öffentlich gespielt und erfuhr eine beifälligere Aufnahme. Dem A-moll-Quartett folgte auf dem Fuße das in B-dur; es war das dritte für Fürst Gallitzin bestimmte. Bei dessen erster Aufführung durch Schuppanzigh und Genossen am 21. März 1826 hatte dieses Quartett einen überraschenden Erfolg, der zweite und vierte Satz mußten sogar wiederholt werden. Dagegen erregte der letzte, überlange Satz, eine Fuge, Befremden und Abspannung. Beethoven entschloß sich ein anderes Finale für dieses Quartett zu schreiben, die Fuge aber einzeln herauszugeben. Das B-dur-Quartett, welches früher als das in A-moll veröffentlicht wurde, erhielt die Opuszahl 130, die Fuge, als „tantôt, libre, tantôt récherchée" bezeichnet, kam in doppelter Gestalt, in Partitur und in vierhändiger Bearbeitung als Op. 133 und 134 heraus. Die beiden

Cis-moll-,
F-dur-Quartett.

letzten Quartette in Cis-moll und F-dur wurden erst nach Beethovens Tode öffentlich gehört; das erstgenannte war im Sommer, das letzte im Herbst 1826 vollendet worden. Das Cis-moll-Quartett erschien als Op. 131 im April 1827. Das F-dur-Quartett, das kürzeste dieser Gruppe, widmete Beethoven seinem Freunde Wolfmayer, einem reichen Tuchhändler und großen Verehrer seiner Kunst; es erschien als Op. 135. Der letzte Satz trägt die Überschrift „Der schwer gefaßte Entschluß" und enthält zwei Grundmotive, ein fragendes „Muß es sein?" und ein energisch antwortendes „Es muß sein!"

Die Anekdote, welche die Entstehung dieser Motive mit einer Forderung der Haushälterin Beethovens in Beziehung bringt, kann man wohl als wenig glaubwürdig bezeichnen.

Der Meister hat diese seine letzten Werke nicht mehr mit seinen leiblichen Ohren vernommen, er wohnte zwar den Proben bei, konnte aber das Spiel nur mit den Augen verfolgen. Um so staunenswerter ist die Leistung, welche Geist und Phantasie hier vollbrachten. Die fünf letzten Streichquartette bilden den hochbedeutsamen Abschluß von Beethovens Schaffen. Die Entwürfe zu einer zehnten Symphonie blieben unausgeführt, ebenso der Plan zu einer Ouvertüre über den Namen „Bach".

Ein Bruchstück aus einem für Diabelli bestimmten Quintett wurde von diesem im Klavierarrangement als „Beethovens letzter musikalischer Gedanke" veröffentlicht.

Trübe Zeiten.

Betrachten wir die Lebensschicksale Beethovens in seiner letzten Zeit, so bieten sich uns nur trübe Bilder, selten von einem Sonnenblick flüchtig erhellt. Seine Taubheit entfremdete ihn den Menschen, das Hörrohr tat nicht mehr seine Schuldigkeit, das Konversationsheft trat in Permanenz. Auch das Unterleibsleiden machte bedrohliche Fortschritte. Es spricht für die kraftvolle, trotzig widerstrebende Natur Beethovens, daß ihn bei alledem sein urwüchsiger Humor nicht verließ, der inmitten von verzweifelnden Stimmungen immer wieder auftauchte. Fortgesetzt bildet das Verhältnis zu dem Neffen eine Quelle neuer Sorgen und Unruhen. Die Liebe und Zärtlichkeit Beethovens für den Neffen Karl kann Der Neffe Karl. man ohneweiters eine krankhafte nennen.

Karl, der von der Universität zu der Polytechnik überging, studierte auch hier nachlässig, ergab sich dem Vergnügen, kam in schlechte Gesellschaft und führte ein unordentliches Leben. Den Onkel wußte er durch Heuchelei zu täuschen, erwies sich auch demselben durch Besorgung zahlreicher Aufträge dienstwillig. Sein leichtsinniges Naturell und Selbstgefühl sträubten sich jedoch immer mehr gegen die stete Bevormundung und die strenge Zucht des Onkels, der den Jüngling immer noch als unmündiges Kind behandelte und es kam zu unerquicklichen Szenen. Endlich trat eine Katastrophe ein, die das Gemüt Beethovens auf das tiefste erschütterte. Karl, der jeden inneren Halt verloren hatte, der vielleicht die bevorstehenden Prüfungen fürchtete oder in Schulden steckte, machte im August 1826 einen Selbstmordversuch. In Baden am Rauhenstein feuerte er zwei Schüsse gegen seine Schläfe ab, verwundete sich aber nur leicht. Von einem Fuhrmann aufgefunden, wurde er nach Wien in das Allgemeine Krankenhaus gebracht, welches er nach kaum zwei Monaten geheilt verlassen konnte. Noch war die Langmut Beethovens nicht erschöpft. Karl durfte den Onkel nach Gneixendorf, dem Gute Johann v. Beethovens, begleiten, kam nach der Rückkehr zum Militär, und zwar als Kadett in das Regiment des Feldmarschallleutnant Stutterheim in Iglau. Von dort, wo er noch die Unterstützung des Onkels genoß, schrieb er ihm noch einigemal. Dann verlieren wir seine Spur.

Beethovens häusliche Verhältnisse gestalteten sich in den letzten Jahren nicht geordneter. Im Sommer 1824 hatte Beethoven wieder einmal drei Wohnungen gleichzeitig zu bezahlen, in Penzing, in Baden und die Stadtwohnung. Nach einem Umweg durch die Johannesgasse und Krugerstraße landete er endlich im Herbst 1825 in dem „Schwarzspanierhause", Schwarz- seinem letzten Heim, wo er im zweiten Stock eine Wohnung von vier Zim- spanierhaus. mern bezog. Nebenan im „Roten Hause" wohnte sein alter Freund Stephan von Breuning, nun k. k. Hofrat, und Familie. Der damals zwölfjährige Sohn Gerhard kam oft zu Beethoven herüber und leistete ihm Gesellschaft. (Seine Erinnerungen in der Schrift „Aus dem Schwarzspanierhause" sind für die letzte Lebensgeschichte Beethovens wertvoll.)

Beethovens Sommeraufenthalt blieb in den letzten Jahren Baden, wo Baden. er am liebsten weilte, schöpferisch tätig und für Besuche am zugänglichsten war. (Das Haus in der Rathausgasse Nr. 10, welches Beethoven wiederholt bewohnte, ist mit einer Gedenktafel versehen.) Kompositionspläne beschäftigten ihn mehrere, keiner kam zur Ausführung. Von interessanteren Besuchen Besuche und erwähnen wir den von Stumpff aus London, eines dort als Harfenfabri- Ehrungen. kanten ansässigen Deutschen, eines großen Verehrers Beethovens, der ihm später durch das Geschenk der Arnoldschen Gesamtausgabe von Händels Werken eine Freude bereitete. Auch die Besuche des Schriftstellers Rellstab aus Berlin, mit dem er viel über Operntexte sprach, dann des bekannten Musikpädagogen Friedrich Wieck aus Leipzig sollen nicht übergangen werden. — Anfang 1825 erhielt Beethoven eine erneute Einladung von der Philharmonischen Gesellschaft in London, welcher er auch diesmal nicht Folge leistete. Zu Pfingsten desselben Jahres wurde die neunte Symphonie bei dem Niederrheinischen Musikfest in Aachen unter der Leitung von Ferd. Ries aufgeführt. — 1826 wurde Beethoven, zusammen mit mehreren anderen Komponisten, zum Ehrenmitglied der Ges. der Musikfr. in Wien ernannt, eine sehr verspätete Ehrung.

— 194 —

Wir nähern uns dem Ende. Im Herbst 1826 nach seinem Badener Aufenthalte ließ sich Beethoven bestimmen, der Einladung seines Bruders Johann nach seinem Gute **Gneixendorf** bei Krems zu folgen. Dort arbeitete er noch fleißig an den Quartetten. Eine besondere Genugtuung konnte ihm weder der Verkehr mit seinem prosaischen Bruder, noch mit seiner ihm unsympathischen Schwägerin bereiten, so daß er gern Ende November nach Wien zurückkehrte. Die Rückreise gestaltete sich zu einer Katastrophe. Bei naßkaltem Wetter trat er die Fahrt auf einem elenden Fuhrwerk an, mußte unterwegs in einem Dorfe übernachten und kam mit Fiebererscheinungen und Husten in Wien an. Er mußte sofort das Bett aufsuchen und ärztliche Hilfe in Anspruch nehmen. Professor **Wawruch** aus dem Allgemeinen Krankenhaus übernahm die Behandlung. Es zeigten sich die ersten Symptome der Wassersucht und sofort mußte eine Operation (die „Punktation") vorgenommen werden. Doch durfte Beethoven nach einigen Tagen wieder das Bett verlassen.

<small>Bei aller gebotenen Diät konnte er den Wein am schwersten entbehren. Als echter Rheinländer liebte er den Wein, ohne daß man ihn einen Trinker nennen konnte. Während seiner Krankheit wurde seine Weinsehnsucht von mehreren Seiten gestillt; Schott versah ihn mit einer ganzen Sendung alten Rheinweins, auch andere stellten sich mit solchen Gaben ein. Die Ärzte, neben Prof. Wawruch war es auch Dr. Malfatti, erlaubten schließlich alles.</small>

In den nächsten Wochen stellten sich Rückfälle ein, die Operation mußte noch dreimal wiederholt werden. In seiner zum Teil eingebildeten finanziellen Bedrängnis wendete er sich durch Vermittlung von Stumpff und Moscheles an die Philharmonische Gesellschaft in **London** mit der Bitte, ein Benefizkonzert für ihn zu veranstalten. Die Gesellschaft sendete ihm unverzüglich ein Geschenk von 100 Pfd. Sterl.

<small>Auf seinem Siechenbette lernte er erst die Lieder von **Schubert** kennen, die er mit warmer Anerkennung begrüßte, nachdem er ihrem Autor im Leben fern gestanden. — In seinen letzten Tagen besuchten ihn der treue Freund **Breuning**, Karl **Holz**, diese beiden am häufigsten, auch **Schindler** nahte sich ihm wieder nach längerer Pause, es erschienen ferner am Krankenbette sein Bruder **Johann**, Graf **Lichnowsky**, **Hummel**, Ferd. **Hiller**, **Diabelli**, Anselm **Hüttenbrenner**, **Schuppanzigh**, **Gleichenstein**, **Doležalek** u. a.</small>

Am 23. März machte Beethoven sein Testament zu Gunsten seines Neffen Karl, am 24. empfing er die Sterbesakramente. Nach schwerem Todeskampfe verschied der große Meister am 26. **März** 1827 um 5$\frac{3}{4}$ Uhr nachmittags während eines heftigen Gewitters.

<small>Die Obduktion ergab als Todesursache Leberverhärtung, von welcher die Wassersucht eine Folgeerscheinung war. Der Maler **Danhauser** nahm am 28. die Totenmaske ab, viel zu spät, um die Züge Beethovens unentstellt wiederzugeben.</small>

Das Leichenbegängnis, welches am 29. März, 3 Uhr nachmittags stattfand, gestaltete sich zu einer imposanten Kundgebung zu Ehren des verstorbenen Meisters. Etwa 20.000 Personen sollen daran teilgenommen haben.

202

In langem Zuge bewegte sich, in Reihen geordnet, die fast endlose Menschenmasse vom Sterbehause nach der Kirche in der Alserstraße. Die Kunstwelt war reichlich vertreten. Die Zipfel des Bahrtuches hielten auf dem Wege zur Kirche Eybler, Weigl, Hummel, Seyfried, Konr. Kreutzer, Gyrowetz, Würfel, Gänsbacher. Auf beiden Seiten mit blumenbekränzten Fackeln schritten Franz Schubert, Grillparzer, Czerny, Schuppanzigh, Böhm, Mayseder, Linke, Holz, Castelli, Haslinger, Streicher und viele andere. In der Kirche wurde das „Libera me", von Seyfried komponiert, gesungen. Der vierspännige Leichenwagen, gefolgt von großer Begleitung, fuhr nun zum Währinger Ortsfriedhof, vor dessen Eingang der Hofschauspieler Anschütz eine von Grillparzer verfaßte Trauerrede vortrug, dann folgte die Bestattung. Bald darauf erhob sich über dem Grabe ein Obelisk mit dem einzigen Worte als Inschrift „Beethoven". (Die sterblichen Überreste Beethovens und Schuberts wurden im Jahre 1863 auf dem Währinger Friedhofe exhumiert und wieder bestattet, dann 1888 auf den Zentralfriedhof übertragen). Am 3. April fand eine Seelenmesse für den Verstorbenen in der Augustinerkirche statt, bei welcher Mozarts Requiem zur Aufführung kam und Lablache sang, am 5. April folgte eine andere in der Karlskirche mit Cherubinis Requiem

Der Nachlaß Beethovens bestand aus sieben Bankaktien, die nach dem damaligen Kurs einen Gesamtwert von 7441 Gulden Konv.-M. besaßen; ferner fand sich die aus England gesandte 100 Pfund-Note noch unberührt vor. Mit den sehr niedrig geschätzten Pretiosen, Einrichtungsgegenständen, Kleidungsstücken, Instrumenten (Pianoforte von Broadwood 100 fl., das Streichquartett 78 fl.), Musikalien und Manuskripte (480 fl.) belief sich die gesamte Verlassenschaft auf 9885 fl. Konv.-M. und 600 fl. Wiener Währung. Die Autographe, Skizzenbücher, Briefe, Konversationshefte und ähnliches wurden bei der Auktion am 5. November zu Spottpreisen erstanden und in alle Welt verschleppt. — Nachlaß.

Die Ersteher von Tagebuchblättern, Skizzenbüchern u. dgl. von Beethovens Hand hatten zugleich Kuriosa einer an sich merkwürdigen Handschrift erworben. Diese, in seiner Jugendzeit ziemlich klar und regelmäßig, wird später nachlässiger und entartet förmlich in seiner letzten Zeit. Die Schriftzüge in den Briefen und Aufzeichnungen jagen wirr und entstellt dahin, die Worte oft unvollendet, die Zeilen auf und nieder schwankend, das Ganze ein Bild energischer Rücksichtslosigkeit. Nicht viel besser steht es um die Notenschrift. Die Notenfiguren in den Skizzenbüchern sind häufig nur von dem Kennerauge zu entziffern. — Beethovens Handschrift.

Porträte Beethovens sind viele vorhanden, mehr oder minder gelungene, idealisierte, karikierte. Das früheste Originalölbild vom Jahre 1804 bis 1805 rührt von dem Hofsekretär Mähler, einem geschickten und fleißigen Maler her, der noch ein zweites Bild des Meisters 1815 geliefert hat. (Im Besitze der Ges. der Musikfr. in Wien.) Ein Stich, zum Teil nach der Natur, wurde 1814 von Höfel ausgeführt. Häkel aus Mannheim fertigte 1817 ein Ölbild. Im nächsten Jahre, während Beethovens Landaufenthalt in Mödling, malte ihn Klöber aus Breslau; das Bild stellt den Meister im Freien dar, während im Hintergrunde der zwölfjährige Neffe lagert. Durch Reproduktionen bekannt ist das Bild von Schimon, jetzt in Berlin. Zu nennen ist auch das Bild von Stieler. Eine Zeichnung von J. P. Lyser stellt Beethovens Haltung etwas karikiert dar. — Porträte.

Eine originelle Idee Andreas Streichers war es, von dem lebenden Meister eine Gesichtsmaske anfertigen zu lassen. Prof. Klein führte diese Arbeit (unter großem Widerstreben des Opfers) tadellos aus. Die nach dem Gipsabguß modellierte Büste bildete jahrelang eine Zierde des Streicherschen Konzertsaals. (Die Büste ist jetzt im Besitze des Herrn Emil Streicher.)

Das erste Beethoven-Monument wurde 1845 in Bonn errichtet. Das Standbild ist von Hähnel ausgeführt. Die Enthüllung begleitete ein — Monumente.

großes Musikfest. Um das Zustandekommen des Monuments hat sich Franz Liszt in großherziger Weise verdient gemacht, wie er auch den Glanz des Musikfestes durch seine Mitwirkung erhöhte. Selbst jenseits des Ozeans, zuerst in Boston, 1860, hat man den Meister durch Denkmale geehrt. Als ein wohlgelungenes Werk, was Ähnlichkeit und Auffassung betrifft, kann man das von Zumbusch ausgeführte, in Wien 1880 errichtete Beethovendenkmal erklären. Von lokalem Interesse sind die Büste (von Fernkorn), 1863 bei Heiligenstadt aufgestellt, und das genrehafte Standbild im Parke daselbst, Beethoven als Spaziergänger darstellend. In neuester Zeit hat Max Klingers „Beethoven", in antiker Auffassung, in Marmor und dekorativem Farbenglanz ausgeführt, Aufsehen gemacht. (Jetzt im Besitz des Leipziger Museums.)

Im Jahre 1870 fanden zur 100jährigen Geburtsfeier Beethovens in allen Musikstädten der zivilisierten Welt Musikfeste statt. — Feiern wir nicht in den Aufführungen der Symphonien, des Fidelio, der Missa solemnis stets sich erneuernde Musikfeste?

Nachkommen.

Über die Nachkommen Beethovens mögen hier einige Notizen hinzugefügt werden. Der Neffe Karl, den wir als Kadeten in Iglau verlassen haben, brachte es bald zum Offizier, verließ aber schon 1832 den Militärdienst. Er heiratete Karoline Naske, eine Iglauerin, übernahm eine landwirtschaftliche Pachtung, scheiterte aber in diesem Beruf und zog sich schon 1834 nach Wien zurück, wo er noch jahrelang in beschränkten Verhältnissen lebte. Karl van Beethoven starb 1858 an Leberkrebs, 51 Jahre alt. Seine Mutter, die ofterwähnte Schwägerin Ludwig van Beethovens, überlebte den Sohn noch um 10 Jahre, sie starb 1868 in Baden, im 82. Lebensjahre. Die Witwe Karls, Karoline, konnte noch 1880 der Enthüllung des Beethoven-Monuments in Wien beiwohnen; sie starb 1891. Von ihren vier Töchtern heirateten drei Bankbeamte, der einzige Sohn Ludwig ist verschollen. — Stephan von Breuning, der intimste Freund Beethovens, überlebte ihn nur um einige Monate. Sein Sohn Gerhard wurde Arzt und wirkte auch als Direktionsmitglied der Gesellschaft der Musikfreunde.

Werke.

Eine summarische Übersicht der Werke Beethovens stellt sich in folgender Liste dar:

Übersicht.

Orchestermusik: 9 Symphonien, 11 Ouvertüren, die Schlachtsymphonie, einzelne Stücke; Kammermusik: Septett, 2 Streichquintette, 16 Streichquartette (nebst einer großen Fuge), 4 Streichtrios (nebst einer Serenade); ein Konzert und zwei Romanzen für Violine mit Begleitung des Orchesters; Klaviermusik: 5 Konzerte mit Orchester, Phantasie mit Orchester und Chor, Konzert für Klavier, Violine und Cello mit Orchester, Quintett mit Blasinstrumenten, 7 Trios, 10 Sonaten mit Violine, 5 Sonaten mit Violoncell, eine Sonate mit Horn, eine Sonate und zwei Hefte Variationen zu vier Händen, 29 Solosonaten (nebst 9 kleineren), Variationen, Rondos, Bagatellen, eine Phantasie, verschiedene minderbedeutende Klavierkompositionen; Kirchenwerke: 2 Messen, ein Oratorium; die Oper Fidelio (Leonore); andere Bühnenwerke: Prometheus, Egmont, Ruinen von Athen; Lieder: Adelaide, ein Liederkreis, schottische Lieder usw.

Ein thematisches Verzeichnis der Werke Beethovens erschien 1851 bei Breitkopf & Härtel, vervollständigt von G. Nottebohm 1868.

— 197 —

Die Gesamtausgabe, 1864—1867 bei Br. & H. erschienen, enthält in
24 Serien und einem Supplement geordnet sämtliche Werke Beethovens.

Die Symphonien Beethovens stehen nicht bloß an der
Spitze seiner Werke, sie sind auch die unübertroffenen Meisterwerke der klassischen Instrumentalmusik überhaupt. Musikalischer
Reichtum, vor allem ein ununterbrochener Strom von Melodie,
zwingende Logik der Gedanken, eine bis dahin nicht erreichte Energie
und Vielseitigkeit des seelischen Ausdruckes durchdringen diese
Tongebilde ; sie bauen sich in edlen, großangelegten Formen mit
einem bis ins Kleinste durchdachten meisterlichen Tonsatz auf, sind
zugleich mit zauberhafter Klangschönheit und treffender Charakteristik der Instrumentation ausgestattet. Phantasie und Kunstverstand feiern in diesen Werken einen gemeinsamen Triumph.

Es genügt nicht, sich die Bedeutung der Symphonien Beethovens im allgemeinen zum Bewußtsein zu bringen, jede einzelne
derselben nimmt ihre Sonderstellung in diesem Kreise von Meisterwerken ein, jede ist eine Individualität, bildet eine Welt für sich.

Wir haben uns an dieser Stelle bei der Betrachtung der einzelnen
Symphonien nur auf Notizen, Umrisse und Andeutungen zu beschränken; eine
ausgeführte technische und ästhetische Analyse liegt außerhalb der Bestimmung
dieses Buches.

Die Reihenfolge der neun Symphonien ist die folgende:
1. C-dur, 2. D-dur, 3. Es-dur (Eroica), 4. B-dur, 5. C-moll, 6. F-dur
(Pastorale), 7. A-dur, 8. F-dur, 9. D-moll (Chorsymphonie).

Die erste Symphonie in C-dur, Op. 21, zum erstenmal aufgeführt
am 2. April 1800; sie erschien 1801 bei Hoffmeister un l Kühnel in Leipzig
mit der Widmung an Baron Swieten. Die Symphonie besteht aus vier
Sätzen. Dem ersten Satz geht eine kurze Adagio-Einleitung voran, ihr
folgt das Allegro con brio C-dur mit einem energischen Hauptthema, dem
ein lieblich-einschmeichelnder Mittelsatz entgegentritt. In dem heiteren Grundcharakter, der durchsichtigen Klarheit, der schönen Behandlung der Blasinstrumente lebt Mozartscher Geist. Doch an einer Stelle, dem in die Tiefe
schleichenden Baßgang, weht es uns wie eine Vorahnung von Beethovens Art
an. Der zweite Satz, ein Andante con moto F-dur $^3{}_8$, breitet sich in
idyllischer Ruhe aus und hat etwas von Haydnscher Naivität. Das Thema erscheint zu Anfang in fugierter Form. Originell ist die leise, punktierte Pauken-
begleitung bei der Schlußfigur. Das kühn und feurig aufstrebende Menuetto
C-dur ist echt Beethovensch und trägt schon den Charakter des Scherzo. In
dem kontrastierenden Trio ist die Bläsergruppe von schöner Wirkung. In dem
Finale, Allegro molto $^2{}_4$, welches von einer neckisch-spielenden Figur eingeleitet wird, einem Rondo voll ungetrübter Heiterkeit, ist das Vorbild Haydn
erkennbar. Die Symphonie steht neben jenen der großen Vorgänger Haydn
und Mozart ebenbürtig da.

Zweite Symphonie in D-dur, Op. 36. Erste Aufführung am 5. April
1803. Erschienen 1804 im „Bureau des Arts et d'Industrie" in Wien mit der
Widmung an Fürst Karl Lichnowsky. Diese Symphonie ist breiter angelegt
und subjektiver gefärbt als die erste. Die Form ist erweitert, das Orchester
reicher und in der Instrumentationstechnik freier behandelt. Eine prächtig
stolze Einleitung, Adagio ^{3}, geht dem ersten Satz voran, einem Allegro
con brio $^4{}_4$, dessen frei und weit geschwungenes Hauptthema von einem hellen,
marschartigen zweiten Thema abgelöst wird. Meisterhaft ist die konsequente, dabei
frei gestaltete Durchführung. Über den zweiten Satz, Larghetto A-dur $^5{}_8$,

Die Sym-
phonien.

Erste Sym-
phonie C-dur.

Zweite D-dur.

205

ist Ruhe und Seligkeit ausgegossen, er erfüllt auch den Hörer mit dieser Stimmung. Ein anmutvoller Gesang entströmt diesem friedlichen Glücksgefühl; im Mittelsatz gesellt sich ihm ein naiv graziöses Thema zu, gefolgt von einem tanzartig hüpfenden Nachsatz. Das Scherzo ist energisch, fest gefügt in seinem motivischen Bau und den ineinandergreifenden Instrumenten. Den letzten Satz, Allegro molto, eröffnet ein keck dreinfahrendes Hauptthema, dessen mehrmalige Wiederkehr durch reizvolle episodische Zwischensätze ausgefüllt wird, um in übermütigem Humor auszuklingen. Ein heller, festlicher Zug geht durch die ganze Symphonie. Wenn man sagt, auch diese Symphonie stehe auf Haydn-Mozartschem Boden, so ist damit nur etwas Selbstverständliches ausgesprochen; ist es aber möglich, in diesem Werke die Stimme des vorwärts stürmenden Genies zu überhören?

Dritte (Eroica) Es-dur.

Dritte Symphonie Es-dur (Sinfonia eroica), Op. 55. Erste öffentliche Aufführung 7. April 1805. Erschien im „Bureau des Arts et d'Industrie" mit der Widmung an den Fürsten Lobkowitz. Über die Entstehung dieses Werkes und die daran geknüpfte Legende ist schon an früherer Stelle berichtet worden. Eine Kluft trennt die „Eroica" von den beiden vorangegangenen Symphonien. Hier tritt der echte Beethoven vor uns, in seiner Großheit und Energie, wie in seiner aus dem tiefsten Innern quellenden Tonsprache, in seiner schöpferischen Formentwicklung, in dem subjektiven Walten der Phantasie, dem Eigenwillen und Eigensinn. Ein bestimmtes Programm in der Gesamtanlage des Werkes ist nicht erkennbar. „Heroisch" im eigentlichen Sinne ist nur der Trauermarsch. Der erste Satz, Allegro con brio Es-dur ³/₄, läßt nach zwei ankündigenden Akkordschlägen ein ernst-pathetisches Hauptthema erklingen, welches sich in weitem Bogen ausspannt und in seiner Durchführung, wie in jener der kontrastierenden Nebenthemen und dem Figurenspiel eine imponierende Meisterschaft entfaltet. Es fehlt nicht an überraschenden Zügen, wie der grelle Aufschrei eines hartnäckig wiederholten dissonierenden Akkords, der befremdende Rücktritt zum ersten Thema. Der Abschluß mit seiner fast ausgelassenen Lustigkeit verläuft äußerlich glänzend. Der zweite Satz, Marcia funebre C-moll ²/₄, mit seinem ergreifenden, schmerzdurchbebten Thema weitet sich zu einem mehrteiligen Tongemälde aus. Neue Themen, tröstend mild, freundlichere Stimmungen, von der resignierten Trauer bis zur energischen Erhebung ziehen an uns vorüber. Ein fugierter Teil bringt Abwechslung in die gesanglichen Partien. Das immer wiederkehrende Hauptthema, zuweilen dramatisch bewegt, löst sich endlich in einen versöhnenden Schluß auf und verschwindet mit einem wie traumhaften Stammeln des Hauptmotivs, dem ein heller Stoß der Bläser ein Ende macht. Das Scherzo Es-dur ist ein höchst originelles, keck hingeworfenes Stück. Aus der wimmelnden Anfangsfigur steigt der energisch-stramme Hauptsatz auf. Das jagdartige Trio mit den drei Hörnern ist von packender Wirkung. Das Finale, Allegro molto ²/₄, steht nicht auf gleicher Höhe mit den übrigen Sätzen. Das Hauptmotiv, aus wenigen abgestoßenen Tönen bestehend, wird kontrapunktiert und zweimal variiert; es gesellt sich eine gemächlich sich wiegende Melodie als Gegenthema hinzu. Die Durchführung bringt ein Fugato, die Transposition des zweiten Themas nach D-dur, einen rhythmisch belebten Zwischensatz in G-moll. Den beiden Hauptthemen begegnen wir hier zum drittenmal, zuerst in der Musik zu Prometheus, zum zweitenmal in den Variationen Op. 35.

Vierte B-dur.

Die vierte Symphonie B-dur, Op. 60, etwa 1806 entstanden und 1807 aufgeführt, wurde in dem vorgenannten Verlag 1809 veröffentlicht; sie ist dem Grafen von Oppersdorf gewidmet. Ein in sonnige Stimmung und frische Laune getauchtes Werk. Feierlich erwartungsvoll zieht das einleitende Adagio an uns vorüber, welches in den sprudelnd lebensfreudigen ersten Satz, Allegro vivace, mündet, ein Stück, das Leichtigkeit und Reichtum der Erfindung mit großer Originalität in der Durchführung verbindet. Das Adagio Es-dur ³/₄ bringt einen breiten, edlen Gesang auf einer konsequent festgehaltenen punktierten Begleitungsfigur, würdevolle, erhabene Ruhe atmend. In kecker Laune, mit dem synkopierten Rhythmus spielend, eilt das Menu-

etto (Scherzo) vorüber, dem ein reizender Gegensatz in dem idyllischen Trio
erblüht. Von hinreißender Lebendigkeit ist das Finale mit seinem reichen
Figurenspiel, in dem man manchmal an Mozart erinnert wird, stellenweise
eine Vorahnung Mendelssohns empfindet. Die ganze Symphonie zeichnet sich
zudem durch meisterhafte und originelle Behandlung des Orchesters aus.

Fünfte Symphonie C-moll, Op. 67. Die erste Aufführung fand in Fünfte C-moll.
der früher beschriebenen denkwürdigen Akademie am 22. Dezember 1808
statt. Sie ist 1809 bei Breitkopf & Härtel erschienen und trägt eine Doppel-
widmung an den Fürsten Lobkowitz und den Grafen Rasumowsky. Die C-moll-
Symphonie bezeichnet den Höhepunkt in Beethovens Schaffen. In ihrer gewaltigen, elementaren Kraft und Wirkung steht sie unvergleichlich in der
gesamten musikalischen Literatur da; widerstandslos nimmt diese Musik den
Hörer, den Musiker wie den Laien, gefangen und zwingt ihn in ihren Bann.
„So klopft das Schicksal an die Pforte," soll Beethoven das Anfangsmotiv interpretiert haben. Aus diesem Motiv entwickelt sich mit konsequenter
Festhaltung der rhythmischen Figur, in hinreißendem Schwunge und gedrungener Form der erste Satz (Allegro con brio ²/₄). Wie ein Naturereignis
geht er an uns vorüber. Es folgt im zweiten Satz, Andante con moto As-
dur ³/₈, ein so natürlicher, zum Herzen dringender Gesang, wie er nur selten
erdacht worden ist. Zuerst in edler Einfachheit von den Bratschen und Celli
vorgetragen, schwingt er sich mit dem überraschenden Übergang nach C-dur
zu nachdrücklicher Kraft auf; das Thema kehrt zweimal in variierter Um-
formung zurück, träumerische Bläsergänge und spielerische Figurationen
leiten nach dem trüben As-moll; einer kurzen episodischen Zwischen-
periode folgt der in sich befriedigt zurückkehrende Schluß. Das Scherzo
C-moll, mit einer bangen Frage beginnend, hat einen durchaus leidenschaftlichen Charakter. Das Trio in C-dur eröffnen die Bässe mit einer grotesk wirkenden Figur, welche die oberen Stimmen fugierend aufnehmen. Der
wiederkehrende Hauptsatz mündet nach einem Trugschluß in leise Paukenschläge mit darübergelegtem Motivenspiel, welche mächtig anwachsend in den
letzten Satz Allegro C-dur ⁴/₄ hinüber leiten. Ein heldenhafter Triumphmarsch schreitet stolz und festlich einher, der gegen den Schluß zu derber
Lustigkeit ausartet und den Satz jubelnd zu Ende führt.

Die sechste Symphonie F-dur (Pastorale), Op. 68, wurde in der- Sechste (Pa-
selben Akademie, wie die in C-moll, zum erstenmal aufgeführt. Erschienen storale) F-dur.
ist sie 1809 ebenfalls bei Breitkopf & Härtel mit den gleichen Widmungen.
Die Pastoralsymphonie hat eine darstellende Tendenz. Szenen aus dem
Landleben mit den sie begleitenden Empfindungen werden von dem Ton-
dichter vorgeführt. Die einzelnen Sätze tragen folgende Überschriften: „Er-
wachen heiterer Empfindungen bei der Ankunft auf dem Lande", „Szene am Bache",
„Lustiges Zusammensein der Landleute", „Gewitter", „Sturm"), „Hirtengesang"
(„Frohe und dankbare Gefühle nach dem Sturme"). Es ist in beschränktem
Sinne „Programmusik", doch nach dem eigenen Ausspruche des Komponisten
„Mehr Ausdruck der Empfindung als Malerei. An musikalischer Bedeutung
ist die Pastoralsymphonie die schwächste unter ihren Schwestern. Der erste
Satz, Allegro ma non troppo ²/₄, ist aus kleinen Motiven gebildet, welche
durch zahlreiche Wiederholungen, nicht durch den einförmigen Rhythmus ermüden, doch breitet sich ein unbeschreiblicher Hauch der Anmut über das
leichtgefügte Tonspiel. Ein unschuldvoll friedliches Bild enthüllt die darauffolgende „Szene am Bache" B-dur ²/₄, mit ihrem gleichmäßig hinträumenden
Gange, aus dem sich einzelne melodische Motive erheben. Der sich in zahlreichen Wiederholungen ergehende Satz erhält am Schlusse einen realistischen
Zug durch die Nachahmung von Vogelstimmen. Nachtigall, Wachtel, Kuckuck
veranstalten da ein kleines Konzert. Prächtig gefaßt ist das „Lustige Zusammensein der Landleute" in seinem echt populären Ton. Das scherzo-
artige Tonstück, F-dur ³/₄, ist in seinem bäurisch plumpen Trio, F-dur ²/₄,
besonders drollig. Den Tanz unterbricht ein Gewitter mit den Begleit-

— 200 —

erscheinungen von Sturmwind, Regen, Donner und Blitz. Die gelungene Tonmalerei bewegt sich in bescheidenen Grenzen. Den beruhigenden und heiteren Abschluß bildet der „Hirtengesang" C-dur $^6/_8$ mit seinem pastoralen Charakter, der durch Variationen und Zwischensätze fast nur allzu reich ausgestattet ist.

Siebente A-dur. Die siebente Symphonie A-dur, Op. 92. Die erste Aufführung fand am 8. Dezember 1813, zusammen mit der Schlachtsymphonie statt. Erschienen ist sie 1814 bei Steiner in Wien; sie trägt die Widmung an den Grafen Fries, während der Klavierauszug der Kaiserin von Rußland zugeeignet ist. Eine berauschende Festesstimmung durchzieht dieses Werk, dessen Klangzauber und rhythmisches Leben hinreißend wirken. Die A-dur-Symphonie erlangte sofort eine große Popularität, welche ihr auch stets treu geblieben ist. In großen Zügen breitet sich die ausgedehnte Introduktion aus, erwartungsvoll, in träumerisch sinnendem Charakter. Der erste Satz in seinem festgehaltenen daktylischen Rhythmus zieht in frohgemuter Stimmung, jagdartig, an uns vorüber, zuweilen von übermütigen, eigensinnigen Einfällen durchbrochen. Der „Basso ostinato" am Schlusse ist echt Beethovensch. In Schwermut getaucht, doch in gewinnender Grazie nimmt uns der zweite Satz, Allegretto A-moll $^2/_4$ gefangen. Auch hier bildet der Rhythmus das grundlegende Element. Dem trauermarschartigen Hauptthema tritt in dem Mittelsatz A-dur eine lieblich tröstende Melodie entgegen. Überraschend ist der Schluß des Satzes. Voll unbändiger Heiterkeit ist das darauffolgende Presto (Scherzo) in F-dur, dem sich ein Trio D-dur in idyllischer Ruhe und wohligem Klangreiz gesellt. Ein bacchantisch lustiges Finale, auch mit ungarischen Anklängen gemischt, schließt die Symphonie schwungvoll ab. — Die Phantasie der ästhetischen Schriftsteller war an Auslegungen dieser Symphonie besonders fruchtbar. So erblickt Marx in derselben das Bild des „Maurischen Ritterlebens", Ambros eine „Hochzeit", Oulibicheff einen „Maskenball", Bischoff ein Gegenstück zur Pastoralsymphonie, diese als „Frühling", die A-dur-Symphonie als „Herbst" gedacht.

Achte F-dur. Die achte Symphonie in F-dur, Op. 93, zum erstenmal aufgeführt am 27. Februar 1814 und bei Steiner in Wien 1816 erschienen, gehört wie die vorhergegangene den sonnig heiteren Werken des Meisters an. Nicht so blendend wie die A-dur-Symphonie, behauptet sie ihren Platz unter den Meisterschöpfungen ihrer Gattung. Die Energie und der sprechende Ausdruck der Themen des ersten Satzes (Allegro $^3/_4$), die logische Durchführung, wie auch manche barocke Stellen sind ganz Beethoven. Ein Kabinettstück eigener Art ist das hüpfende, mit zarten Arabesken durchflochtene Allegretto scherzando in B-dur, welches an den Stil der damaligen Italiener anklingt. Gravitätisch schreitet das Mennetto einher, eine liebenswürdige Erinnerung aus der Zopfzeit. In genialem Zuge stürmt das Finale vorüber, voll ungezügelten Humors und überraschenden Einfällen.

Neunte (mit Schlußchor) D-moll. Neunte Symphonie D-moll mit dem Schlußchor über Schillers Ode „An die Freude". Für Orchester, Solostimmen und Chor, Op. 125. Erste Aufführung am 7. Mai 1824. Erschien 1826 bei Schott, mit der Widmung an den König von Preußen. Dieses in seiner Ausdehnung, Größe und innerer Bedeutung unvergleichliche Werk unterscheidet sich von den anderen Symphonien schon äußerlich durch die Aufnahme eines vokalen Schlußsatzes.

Man hat aus diesem Umstande schließen wollen, daß Beethoven die reine Instrumentalmusik als abgeschlossen betrachtete und nur in der Vereinigung mit dem Worte ihre Berechtigung für die Zukunft anerkennen wollte. Diese Annahme widerlegt sich schon dadurch, daß der Meister erst während der Arbeit, nach der Vollendung der ersten drei Sätze, auf die Idee eines so ungewöhnlichen Abschlusses kam, mehr noch, daß die vorhandenen Skizzen zu einer zehnten Symphonie wieder auf ein rein instrumentales Werk hindeuten. Abgesehen von Beethovens eigener Anschauung wird das Prinzip von der „Erfüllung" der reinen Instrumentalmusik auch objektiv hinfällig, indem

208

nach Beethoven noch so manche rein symphonische Meisterwerke geschaffen wurden.

Ein unbestimmtes Flimmern, abgerissene kleine Motive leiten in das titanenhafte Hauptthema des ersten Satzes über. Das Thema tritt im Unisono aller Instrumente auf. Dem starren, finsteren Charakter dieses Themas stellen sich weiche und sehnsüchtige Gedanken entgegen; doch die mildere Stimmung weicht, und immer wieder in den Kampf zurückgeworfen setzt das erste Thema ein, stets gewaltiger und anders fortgeführt. In einem festgehaltenen chromatischen Baßgang klingt das Stück gegen den Schluß tragisch aus. Ein großer Gedankenreichtum in kunstvoller, weitgestreckter Ausführung durchzieht den ganzen Satz, ein großartiges Seelengemälde, bald in düsteren, bald in freundlicheren Farben, enthüllt sich in ihm. Das geist- und humorsprühende Scherzo in D-moll (Molto vivace $^{3}/_{4}$) mit seinem beflügelten Rhythmus hebt mit einem Fugato an. Magische Harmoniefolgen, wechselnde Taktgruppen, originelle Züge, wie das herrische Paukensolo, beleben den Hauptsatz. Ihm folgt ein lieblich naives Trio pastoralen Charakters als wirksamer Gegensatz, worauf das Scherzo in seiner ganzen Ausdehnung wiederkehrt — ein blendend hinreißendes Tonstück ist an uns vorübergerauscht. Das Adagio B dur $^{4}/_{4}$ ist eines der größten und tiefempfundensten des Meisters. Ahnungsvolle Stimmung durchweht den edlen Gesang des Themas, eine mildere und zärtlichere den Andanteteil; das erste Thema kehrt dann variiert zurück, der Ausdruck wird schwärmerisch und sinnend — da ertönen Fanfaren und rufen zu neuen Taten. Der Beginn des letzten Satzes oder vielmehr der Übergang zu demselben ist dramatisch gestaltet und setzt sich aus kurzen Bruchstücken zusammen. Zuerst ein stürmisches Getümmel der Instrumente im Unisono, rasch abbrechend, dann ein wortloses Rezitativ der Bässe, wieder der Aufschrei der Instrumente. Nun lassen sich nacheinander die Anklänge der vorangegangenen Sätze vernehmen, wie eine flüchtige Erinnerung rasch verschwindend. Nach einem Übergange ertönt nun das Thema des Freudenhymnus zuerst in den Bässen, leise, dann immer höher und anwachsend, mit Gegenstimmen ausgestattet, bis zur vollen Kraft. Nach einem letzten Ansturm der Instrumente erhebt sich jetzt eine Menschenstimme: „O Freunde, nicht diese Töne, sondern laßt uns angenehmere anstimmen, und freudenvollere". Ein Solobaß singt die erste Strophe der Schillerschen Ode: „Freude, schöner Götterfunken", welche der Chor fortsetzt. Die Melodie ist einfach und volkstümlich gehalten. Beethoven hat zur musikalischen Bearbeitung nur einige Strophen des Gedichtes ausgewählt, sie sind in der Verwendung von Solostimmen und Chor, in dem instrumentalen Anteil, wie in der Charakteristik verschieden behandelt. Weihevolles, Freudetrunkenes, auch Kriegerisches finden in den Strophen „Seid umschlungen, Millionen", „Ihr stürzt nieder", „Froh, wie seine Sonnen fliegen" ihren Ausdruck. Letztere Chorstrophe tritt wie ein aus der Ferne sich nähernder kriegerischer Marsch mit Trommel, Becken usw. auf. Als Refrain kehrt der Ruf „Freude!" und die Anfangsstrophe wieder. Begeisternd und erhebend wirkt „Alle Menschen werden Brüder". Noch ist einer Doppelfuge mit zwei verschiedenen Texten zu erwähnen. Ein jubelndes Presto mit der Diminution des Hauptthemas beschließt das Ganze. — Bedeutendes, Befremdendes, Gewaltsames finden sich in diesem Schlußsatz beisammen. Auch erfuhr er stets und erfährt er noch jetzt in der Musikwelt widersprechende Urteile. Die Melodie zu „Freude, schöner Götterfunken" soll dem Schwunge der Worte nicht ebenbürtig sein, die Behandlung der Singstimmen, namentlich des Soprans, welchem durch die hohe Lage und die instrumentalen Figuren viel zugemutet wird, ruft gerechte Bedenken hervor, die übergroße Länge des Satzes wirkt ermüdend.

Die neun Symphonien Beethovens stellen jede für sich eine so gesonderte Erscheinung dar, daß sie kaum einen Vergleich untereinander zulassen. Will man durchaus eine Rangordnung Rangordnung.

— 202 —

derselben aufstellen, so werden unstreitig die Eroica, die fünfte Symphonie in C-moll und die neunte die vorderste Reihe einnehmen. Doch, wer wird sich der hinreißenden Wirkung, der festlichen Pracht der A-dur-Symphonie, der warmpulsierenden Symphonie in D-dur mit dem bezaubernden Allegretto, der lebensfrohen B-dur-, dem überschäumenden Humor der F-dur-Symphonie entziehen können, und haben nicht auch die jugendfrische C-dur-Symphonie und die anheimelnden Tonbilder der Pastoralsymphonie ihre Reize?

Ouvertüren. Den Symphonien schließen sich als Orchesterwerke die Ouvertüren an. Sie waren fast sämtlich für Bühnenstücke bestimmt, sind aber mit Ausnahme der Leonoren-(Fidelio-)Ouvertüren weit öfter als selbständige Tonwerke betrachtet und aufgeführt worden. Die Reihe wird eröffnet durch die Ouvertüre zu dem Ballett

Prometheus. Prometheus in C-dur, 1801 aufgeführt, einem leichtgefügten, lebendig hinströmenden Tonstück ohne besondere Tiefe und mehr an Mozarts Art erinnernd. Ungleich bedeutender und in echt Beet-

Coriolan. hovenschem Geiste ist die Coriolan-Ouvertüre, C-moll. Diese war einem Drama des österreichischen Dichters Collin zugedacht, kam aber unabhängig von diesem 1807 bei Fürst Lobkowitz zur ersten Aufführung. Ein wahrhaft tragischer Geist herrscht in diesem ergreifenden Tonwerk. Die stramme, originelle Rhythmik, die treffende Charakteristik, welche den harten, unbeugsamen Sinn des Römers und das Flehen der Mutter zum Ausdruck bringt, der einheitliche Fluß des Ganzen, der versinkende Schluß drücken diesem Werk den Stempel des großen Meisters auf. Auf gleicher Höhe steht die

Egmont. Ouvertüre zu Goethes Egmont, welche mit der gesamten Musik zu diesem Drama 1810 aufgeführt wurde. Reicher und abwechselnder gegliedert als jene zu Coriolan, ist sie auch populärer geworden. Die düstere Einleitung in F-moll, in gewichtigem Rhythmus beginnend, von sanfter Klage gefolgt, geht in ein leidenschaftliches Allegro über; in drängendem Zuge dahinstürmend, bricht es plötzlich ab — der Todesstreich fällt. Einige feierliche Akkorde als Zwischenspiel —, dann erhebt sich der verklärende, triumphierende Schlußsatz, F-dur, der heldenhaft das Werk krönt. An Bedeutung werden diese beiden Meisterstücke noch überhöht durch die große Leonoren-

Leonoren-Ouvertüre Nr. 3. Ouvertüre in C-dur Nr. 3. Ein tief ergreifendes Tongemälde voll innerer Wahrheit in farbenreicher Darstellung zieht an uns vorüber, das Genie des Meisters in seiner ganzen Größe und Originalität offenbarend. Eine breitangelegte, tiefsinnige Einleitung führt zu dem Hauptsatz, dessen glänzende thematische Durchführung und reiche Modulation den Hörer in fortwährender Spannung erhalten. Die Steigerung gegen den Schluß hin wirkt mächtig, überraschend die Unterbrechung durch die Fanfare, welche die Ankunft des Ministers ankündigt.

Beethoven hat zu seiner Oper Leonore drei Ouvertüren in C-dur geschrieben: Die erste wurde niemals zu Lebzeiten des Komponisten gehört, die zweite war die bei der ersten Aufführung 1805 verwendete, die dritte, welche die Erweiterung der vorhergehenden ist, wurde bei der Wiederaufnahme der Oper 1806 zur Aufführung gebracht. Für die 1814 erneuerte Oper schrieb Beethoven eine vierte, die sogenannte Fidelio-Ouvertüre in E-dur. Diese, mehr in dem üblichen Opernstil gehalten, obwohl feurig und gut gearbeitet, steht nicht auf der Höbe der zweiten und dritten Leonoren-Ouvertüren. — *Fidelio.*

1840 ließ Mendelssohn alle vier Leonoren-Ouvertüren nacheinander in einem Gewandhauskonzert in Leipzig spielen.

Leichteren Gehalts sind die Ouvertüren zu den „Ruinen von Athen", zu „König Stephan" und die „Zur Namensfeier". Es sind sämtlich Gelegenheitswerke. Die Ouvertüre zu den „Ruinen von Athen" enthält einen ansprechenden Marsch in G-dur, jene zu „König Stephan" ungarische Anklänge. Die für das Konzert bestimmte Ouvertüre „Zur Namensfeier" (des Kaisers) in C-dur, Op. 115, ist unbedeutend. Dagegen ist die letzte von Beethoven komponierte Ouvertüre „Weihe des Hauses" C-dur, Op. 124, ein Werk ersten Ranges. Einer festlich-feierlichen Einleitung folgt der fugierte Hauptsatz im Händelschen Stile, der bald strenger, bald freier kontrapunktisch geführt, eine große Mannigfaltigkeit und überraschende harmonische Züge entfaltet, ein Stück von imponierender Größe und Energie. — *Ruinen von Athen. König Stephan. Namensfeier. Weihe des Hauses.*

Ein Orchesterstück, welches des großen Meisters kaum würdig erscheint, ist die sogenannte „Schlachtsymphonie" mit dem ausführlichen Titel „Wellingtons Sieg oder die Schlacht bei Vittoria", eine Tonmalerei von derber Realistik. — *Schlacht-symphonie.*

Das Orchester ist in zwei Chöre geteilt, welche die feindlichen Lager der Engländer und Franzosen vorstellen. Trommelwirbel und Trompetenfanfaren eröffnen den Kampf; die Engländer lassen ihr „Rule Britannia" ertönen, die Franzosen antworten mit dem „Marlborough s'en ra-t-en guerre". Es folgt die Schlacht; die Skalen der Violinen rasen auf und nieder, das Geprassel des Gewehrfeuers wird durch eine Anzahl von „Ratschen", die Kanonade durch Paukenschläge wiedergegeben. Nach einem Sturmmarsch folgt die ausgedehnte „Siegessymphonie", bestehend aus einer Einleitung, einem Marschthema, endlich dem „God save the King", welches zum Schluß in der Stretta ³„ fugiert wird. Die musikalische Erfindung des ganzen Werkes ist arm, alles nur auf äußerliche Wirkung berechnet. Man kann den Erfolg der Schlachtsymphonie, welche sich eine Zeitlang neben einer A-dur-Symphonie behaupten konnte, nur durch die damalige politische Stimmung und den oberflächlichen Geschmack der Menge begreifen.

Die Kammermusik Beethovens, quantitativ jener Haydns und Mozarts nachstehend, ist reich an schönen und eigenartigen Kunstwerken, welche den Stil des Komponisten in seinen verschiedenen Phasen abspiegeln. Ein weiter Bogen spannt sich zwischen den Streichtrios und dem Septett bis zu seinen letzten Quartetten. — *Kammermusik.*

Von den vier Streichtrios für Violine, Bratsche und Violoncell steht das erste in Es, welches 1797 als Op. 3 erschien auf Mozartschem Boden und ist dessen Serenaden nachgebildet. Es besteht aus sechs Sätzen, darunter zwei — *Streichtrios.*

Menuetten. Das Werk, mit sicherer Technik aufgebaut, ist klar und anmutend. Bedeutender und eigentümlicher sind die in Op. 9 zusammengefaßten drei Trios in G-dur, D-dur, C-moll, von denen das erste einen heiteren Charakter aufweist, ein inniges Adagio und ein humoristisches Finale mit reicher Kontrapunktik besitzt. Wärmer und mannigfaltiger ist das zweite, mit seinem tiefsinnigen Andante und energischen Finale; ganz auf der Höhe des Meisters steht aber das dritte Trio in C-moll, welches neben dem gedrungenen Tonsatz die größte Innerlichkeit des Ausdruckes offenbart; es ist in allen seinen vier Sätzen interessant. Ein Streichtrio ist auch die als Op. 8 erschienene Serenade in D-dur, welche als anspruchslose Unterhaltungsmusik zu betrachten ist.

Septett.

Der Serenadenform gehört auch das Septett an. Mit seiner naiven Anmut, dem reichen Born seiner natürlich fließenden Melodien, dem bezaubernden Wohllaut seiner Klangwirkungen hat dieses Werk eine Popularität in edlerem Sinne erlangt, mit der nur wenige Erscheinungen der Musikliteratur sich messen können. Das Septett für Violine, Bratsche, Horn, Klarinette, Fagott, Violoncell und Kontrabaß, Es-dur, Op. 20, besteht aus folgenden Sätzen: Adagio (Einleitung), Allegro con brio, Adagio cantabile, Tempo di Menuetto, Tema con Variazioni, Scherzo, Andante und Finale (Presto).

Der allgemeine Charakter der Musik ist mehr sinnig und fein als tief oder leidenschaftlich, doch atmet das Adagio As-dur $^9/_8$, in welchem die Klarinette die Führung übernimmt, innige Empfindung, die kurze Molleinleitung zum letzten Satz ist wie mit einem Trauerflor bedeckt. In ihrer einfachen Fassung meisterhaft sind die Variationen in B-dur, ein kecker Humor belebt das von dem Horn beherrschte Scherzo; konventioneller sind das einleitende Adagio und der erste Satz, gemütlich das Menuett, welches man in einfacherer Gestalt in der kleinen Klaviersonate G-dur, Op. 49, Nr. 2 wiederfindet, kunstreich durchgeführt ist das Schlußpresto. In dem ganzen Werk ist der Mozartsche Einfluß unverkennbar.

Das Septett, in zahllosen Arrangements verbreitet, ward vom Beginn des vorigen Jahrhunderts an zur beliebten Hausmusik; es durfte bei der musikalischen Erziehung der Jugend nicht fehlen, und bis in unsere Tage erfüllen die Aufführungen dieses Werkes die Musikfreunde mit wohligem Behagen.

Streichquartette.

Die 16 Streichquartette Beethovens verteilen sich in folgende Gruppen: Die ersten sechs Quartette, die sogenannten „Lobkowitzschen" Op. 18 in F-dur, G-dur, D-dur, C-moll, A-dur, B-dur, die drei „Rasumowskyschen", Op. 59, in F-dur, E-moll, C-dur, dann die einzelnen in Es-dur („Harfenquartett"), Op. 74, in F-moll, Op. 95, endlich die letzten fünf, Es-dur, Op. 127, B-dur, Op. 130, Cis-moll, Op. 131, A-moll, Op. 132, F-dur, Op. 135. Dazu kommt noch die große Fuge, welche ursprünglich den letzten Satz des B-dur-Quartetts bildete, als Op. 133 erschienen. Die Streichquartette erstrecken sich fast über die ganze Schaffenszeit des Meisters, von

Sechs Quartette Op. 18.

1800 bis 1826. Den ersten sechs Quartetten waren sorgfältige Studien in dieser Kunstgattung vorangegangen; sie traten als ausgereifte Werke in das Leben. In der Form gedrungen und den großen Vorgängern nachgebildet, in der Selbständigkeit der Stimmenführung und dem kunstvollen Tonsatz an sie hinanreichend, verraten sie zugleich in der Erfindung und in der inneren Beseelung die vollentwickelte Eigenart Beethovens.

Meisterhaft in der motivischen Arbeit ist der erste Satz des F-dur-Quartetts, welches ferner ein pathetisches Adagio, ein humoristisches Scherzo und ein brillantes Finale aufweist. Fein und graziös ist das zweite Quartett in G-dur, in seinem heiter spielenden Charakter. Ernster und origineller ist das dritte in D-dur, freier auch in der Durchführung. Tiefe der Empfindung, Energie und Mannigfaltigkeit herrschen in dem C-moll-Quartett, dem vierten der Sammlung, dessen erster elegisch gestimmter Satz ein zierliches Andante scherzoso, ein fest schreitendes Menuett und ein hinreißendes Finale im Gefolge hat. Lieblich und frohsinnig ist wieder das fünfte in A-dur, welches sich an Mozart lehnt. An Haydn erinnert vielfach das sechste Quartett in B-dur, mit dem originellen Scherzo und dem „La Malinconia" betitelten Adagio. Als das bedeutendste Quartett der Sammlung kann man wohl das in C-moll bezeichnen.

Groß ist der Schritt, den der Meister von diesen sechs Quartetten zu den drei „Rasumowskyschen", Op. 59, gemacht hat. Hier tritt uns Beethoven in seinem ausgeprägten Stil entgegen. Die Form ist erweitert und mit Freiheit gehandhabt, die Erfindung großzügig, die thematische Arbeit bewundernswert. Drei Quartette
Op. 59.

Imponierend durch Kunst und ernste Hoheit wirkt der erste Satz des F-dur-Quartetts, dessen Hauptthema vom Violoncell angestimmt in langatmiger Steigerung zur Höhe geführt wird, dessen herbe Strenge durch biegsamere Motive und Figuren gemildert wird. Originell und voll witziger Einfälle ist das Allegretto vivace, edel die breite Kantilene des Adagio, worauf als letzter Satz ein »Thème russe" in kunstvoller Verarbeitung folgt. Freundlicher hebt das E-moll-Quartett in seinem fein geschwungenen Thema an, liebenswürdig, auch warm bis zur Leidenschaft ist seine Entwicklung, reizvoll in ihren rhythmischen Gestaltungen. Es folgen ein hochgestimmtes Adagio in E-dur, dann ein Allegretto E-moll ³/₄, welches in seinem eigenartigen Rhythmus die Sensation des Werkes bildet, endlich das stramme, derblustige, meisterhaft gearbeitete Finale, dessen Wirkung sich nur durch die häufige Wiederholung des Hauptthemas abstumpft. Ernst und gemessen setzt das C-dur-Quartett ein, erhebt sich im ersten Satz zu heller Lebensfreude, stimmt in dem bestrickenden Andante, A-moll ⁶/₈, ein sanftes Klagelied an, worauf ein idyllisch sinniges Menuett folgt und dann die Krönung des Werkes, das genial fugierte, atemlos dahineilende Finale.

Die beiden einzelnen Quartette Es-dur, Op. 74, und F-moll, Op. 95, kann man als fast gegensätzlich bezeichnen, das erstere weich und anmutig, das zweite energisch und aufgeregt in seiner Grundstimmung. Es-dur Op. 74.
F-moll Op. 95.

Das Es-dur-Quartett wird wegen der Pizzicatostelle im ersten Satze das „Harfenquartett" genannt. Einen Gegensatz bildet der wild leidenschaftliche dritte Satz (Scherzo) C-moll. Friedlich schließt der Meister mit einem Allegretto con variazioni. Das Quartett in F-moll (seinem Freunde Zmeskall gewidmet) behält seinen trüben, trotzigen Charakter durch alle seine Sätze.

Über die fünf letzten Quartette ist im allgemeinen schon (S. 191) gesprochen worden, es erübrigt uns über die einzelnen derselben hier einige Bemerkungen hinzuzufügen. Die letzten
Quartette.

Das Es-dur-Quartett, Op. 127, ist viersätzig, beginnt mit einem Maestoso als Einleitung zum ersten Satz, dessen Hauptthema sanft und singend ist, in der Durchführung aber durch Kontraste überrascht. Darauf folgt ein weihevolles, tiefempfundenes Adagio in As-dur ¹²/₈ mit Variationen. Voll genialer Originalität Es-dur Op. 127.

ist das Scherzando mit seiner hüpfenden Hauptfigur, die in schillernder Abwechslung entwickelt wird. Das Finale ist durchsichtig heiteren Charakters und zeichnet sich, wie das ganze Werk durch reiche thematische Arbeit aus. Das Quartett ist klar und verständlich gestaltet, musikalisch lebhaft anregend und tritt im wesentlichen nicht aus der altbewährten Form heraus. Freier

B-dur Op. 130. und phantastischer ist das B-dur-Quartett, Op. 130. Es ist von großer Ausdehnung und enthält sechs Sätze. Die Adagio-Einleitung und das Allegro des ersten Satzes sind zusammenhängend und kehren wechselnd wieder, ein Tonstück reichster Erfindung und spannender Entwicklung. Der zweite Satz, ein Presto in B-moll, unheimlichen Humors, rasch vorübereilend, zugleich ein Meisterstück des Quartettsatzes, ist sieghaft in seiner Wirkung. Das Andante Des-dur weckt anmutigere Empfindungen. Es folgt eine „Danza alla tedesca" G-dur $^3/_8$, ein gemütlich volkstümliches Stück. Tiefsinnig ist die Cavatine Es-dur. Das Rondo, welches Beethoven später an Stelle der Fuge zum Finale bestimmte, gibt sich einer lustigen, von Humor gewürzten Stimmung hin. Die tiefsinnigsten und relativ schwer verständlichsten Quartette sind die in Cis-moll, Op. 131, und A-moll, Op. 132. Hier findet man jene charakteristischen Merkmale der letzten Periode Beethovens, grüblerisches Versenken, eine Polyphonie, welche auch über Härten hinwegschreitet, jene Subjektivität, welche

Cis-moll
Op. 131.
den innersten Kern der Seele enthüllt. Das Cis-moll-Quartett entfaltet sich breit und vielgestaltig; fugiertes, frei melodisches, ein kunstvoll variiertes Thema folgen einander. Das Presto in E-dur ist eine der blitzartig verblüffenden Entladungen des Beethovenschen Genies. Ein düster klagendes Adagio Gis-moll und ein trotzig energisches Allegro sind die beiden letzten Sätze dieses wundervollen Werkes. Ebenso frei ist die Gestaltung des

A-moll Op. 132. A-moll-Quartetts. Kontrastierendes findet sich hier zusammen, Geheimnisvolles neben sonniger Klarheit. Am wechselndsten in der Form ist der erste Satz, auch am stimmungsreichsten; gemütlich und pastoral anklingend folgt ein Allegro ma non tanto. Der nächste Satz ist betitelt: „Canzona di ringraziamento in modo lidico, offerta alla dicinità da un guarito" (Danksagung an die Gottheit nach der Genesung, in lydischer Tonart), ein choralartig kontrapunktisches Stück, feierlich-innigen Charakters, durch Zwischensätze ausgesponnen. Die „lydische Tonart" ist nur durch die erhöhte Quart gekennzeichnet. Darauf folgen ein graziöser marschartiger Satz mit angehängtem Rezitativ der ersten Violine und ein leidenschaftlich bewegtes Finale. Das letzte

F-dur Op. 135. Quartett in F-dur, Op. 135, ist an Umfang das kürzeste und auch inhaltlich nicht so gewichtig als die vorangegangenen. Doch enthält es schöne Gedanken und diese sind in feiner thematischer Arbeit entwickelt. Der zweite Satz, Vivace $^3/_4$, ist voll übermütigen Humors, der am Schlusse durch endlose eigensinnige Wiederholung derselben Figur und unschöne Klangwirkung der weit auseinander gehaltenen äußeren Stimmen in Bizarrerie ausartet. Es folgt ein einfach edles Lento, ein Thema mit Variationen voll tiefen Ausdruckes. Der letzte Satz mit dem legendären „Muß es sein?" und der Antwort „Es muß sein" führt seine drolligen Hauptgedanken mit Energie

Große Fuge.
Op. 133.
durch. Die große Fuge in B-dur („tantôt libre, tantôt ré-herchée"), welche als Op. 133 erschien, wirkt in ihrer übergroßen Länge ermüdend, erscheint mit ihren kontrapunktischen Künsten als bloße Verstandesarbeit. Es ist ein mehr gefürchtetes als geliebtes Werk.

Urteile.
Es ist schon lange Jahre her, wo es üblich war, die letzten Quartette Beethovens als die exzentrischen Produkte des „tauben" Meisters abzulehnen, doch gehen noch bis heute die Meinungen über dieselben vielfach auseinander. Während die einen sie als die tiefsten Offenbarungen des Genies erklären, ja sie als den Ausgangspunkt der zukünftigen Entwicklung verkünden, halten die anderen an ihren Bedenken fest und lassen diese Werke nur zum

Teil gelten. Man kann aber den verschlungenen Wegen der letzten Beethovenschen Quartette mit Verständnis folgen, ihre Stimmungen nachempfinden, ihre Kunst bewundern, ohne der Überzeugung zu entsagen, daß die vorangegangenen Meisterquartette dem Ideal klassischer Vollendung und Schönheit in höherem Maße entsprechen.

Von den beiden Streichquintetten in Es-dur, Op. 4, und C-dur, Op. 29, ist das erstere das naivere, an Mozart anklingende, das zweite, das ernstere und ganz Beethoven angehörige. Das Es-dur-Quintett zeichnet sich durch prickelnd rhythmisches Leben aus, das in C-dur ergeht sich in breitem Gesang und ist reich an warm empfundenen und reizvollen Gedanken. *Streich-quintette.*

Beethoven hat als ausübender und schaffender Künstler seinen Ausgang vom Klavier genommen. Das Klavier begleitete ihn durchs Leben; ihm vertraute er seine tiefsten Empfindungen, die Geheimnisse seiner Seele, die Eingebungen seiner Phantasie an, an ihm entfaltete sich seine Kunst in herrlichen und mannigfaltigen Blüten. Beethovens Klaviersonaten stehen gleichwertig neben seinen Symphonien. Wie diese, bezeichnen auch sie den Höhepunkt ihrer Gattung. Beethovens Klaviersonaten sind Gemeingut aller Nationen geworden, sie bilden den vornehmsten Besitzstand unserer Hausmusik, wie die edelste Zierde der Virtuosenkonzerte. *Klavier-musik.* *Sonaten.*

Wir lassen das Verzeichnis der Sonaten, deren Zahl (mit Ausschluß der Jugendwerke und Sonatinen) 29 beträgt, folgen und beschränken uns bei ihrer Betrachtung auf die wesentlichsten Angaben und flüchtige Streiflichter. *Verzeichnis.*

Die Reihenfolge der Sonaten lautet: 3 Sonaten Op. 2 (F-moll, A-dur, C-dur), Sonate Es-dur Op. 7, 3 Op. 10 (C-moll, F-dur, D-dur), C-moll Op. 13 (pathétique), 2 Op. 14 (E-dur, G-dur), B-dur Op. 22, As-dur Op. 26 (mit den Variationen), 2 Sonaten „quasi una fantasia" Op. 27 (Es-dur, Cis-moll), D-dur Op. 28 (pastorale), 3 Op. 31 (G-dur, D-moll, Es-dur), C-dur Op. 53 („Waldsteinsche"), F-dur Op. 54, F-moll Op. 57 („appassionata"), Fis-dur Op. 78, Es-dur Op. 81a („les Adieux, l'Absence et le Retour"), E-moll Op. 90, A-dur Op. 101, B-dur Op. 116 („Hammerklavier"-Son.), E-dur Op. 109, As-dur Op. 110, C-moll Op. 111.

Die ersten drei Sonaten (Haydn gewidmet) zeigen schon Beethoven in seiner vollen Selbständigkeit. Die erste F-moll ist in ihren Ecksätzen leidenschaftlich, in dem Adagio friedlich und gesangvoll, die zweite, A-dur hat einen humoristisch gefärbten, rhythmisch originellen ersten Satz, ein feierlich gemessenes Largo, ein munteres Scherzo und ein graziös ausgeführtes Rondo, welches an Clementis Manier erinnert. Energischen Charakters und technisch glänzend ist die dritte in C-dur, deren Adagio in E-dur steht und deren bravouröses Finale C-dur ", wieder an Clementi gemahnt. Größer in der Anlage ist die nächstfolgende Sonate in Es-dur Op. 7 (der Gräfin Keglevich gewidmet), mit einem kraftvoll entschlossenen ersten Satz, einem spannenden, stimmungsvollen Largo in C-dur, einem menuettartigen dritten Satz, im Trio stürmisch bewegt; das Schlußrondo, gesangvoll in seinem Thema, ist in dem Mittelsatz mit Figurenspiel überladen. Ganz verschiedenen Charakters sind *Op. 2.* *Op. 7.*

Op. 10. untereinander die drei Sonaten Op. 10. Die erste, dreisätzige in C-moll beginnt mit einem scharf rhythmisierten, gedrungen gestalteten Allegro, ihm folgt in breitströmendem Gesang das Adagio, den Beschluß macht das kühn anstürmende Finale, welches dem Geist der C-moll-Symphonie verwandt ist. Voll Feinheit und Grazie ist der erste Satz der F-dur-Sonate; echt Beethovenisch das Allegretto in F-moll, neckisch und von dem Humor Haydns angehaucht das fugiert behandelte Finale. Die dritte Sonate in D-dur ist die weitaus bedeutendste der Trias. Der erste Satz ist schwungvoll und kühn, thematisch geistreich durchgeführt, der zweite, Largo e mesto D-moll ⁶/₈, wie eine persönliche Gefühlsaussprache, tief und ergreifend, in wechselnden Stimmungen; es folgen ein zierliches Menuetto, endlich ein rhapsodisch hingeworfenes Rondo, welches stellenweise an den letzten Stil des Meisters streift.

Op. 13 Die Sonate pathetique Op. 13 in C-moll, welche sich einer beispiellosen (pathetique). Beliebtheit erfreut, ist bloß in den ersten beiden Sätzen „pathetisch". Hochpathetisch ist das einleitende Grave, ihm folgt das feurige Allegro molto, welches einen kühnen Flug nimmt, aber die Grazie nicht ausschließt; das einfache, gemütvoll singende Adagio atmet feierliche Ruhe. Das zierliche Schlußrondo erscheint im Vergleiche zu den vorangegangenen Sätzen harmlos. Einen

Op. 14. Gegensatz bilden untereinander die beiden Sonaten Op. 14, die erste in E-dur stramm und entschieden, die andere in G-dur weich und anmutig. Die letztere, bedeutendere, zeichnet sich durch das schlanke, biegsame Thema und die Leichtigkeit der Durchführung im ersten Satze, die feingegliederten Variationen in C-dur und ein neckisch spielendes Scherzo als Schlußsatz aus.

Op. 22. Die große Sonate B-dur, Op. 22, ist in allen ihren Sätzen glänzend und vollendet in der thematischen Arbeit. Der erste Satz hat einen virtuosen Zug, der zweite ist träumerisch, das Menuetto kernig und stolz, das Rondo ähnlichen Charakters wie jenes in Op. 7, nur gediegener in der Ausführung. Die

Op. 26. As-dur-Sonate, Op. 26, wird durch Variationen eröffnet. Das Thema in seiner edlen Einfachheit nimmt Ohr und Herz gefangen, von den Variationen ist jede ein meisterliches Charakterbild. Aus den Klängen des ergreifend schönen Trauermarsches, As-moll, „sulla morte d'un Eroe" hören wir deutlich den in ihm verborgenen Bläserchor. Das Finale nähert sich der Etudenform.

Op. 27 Wie dieses Werk, weichen auch die beiden Sonaten „quasi una fantasia" in („quasi una E-dur und Cis-moll von der regelmäßigen Form ab. Die erstere beginnt fantasia"). mit einem aus kleineren kontrastierenden Absätzen bestehenden Stück, dem noch drei Sätze, am ausgeführtesten das feurige Schlußrondo, folgen. Die ernste, tiefsinnige Es-dur-Sonate wird durch ihre blendende, berühmtere Gefährtin sehr in den Schatten gestellt. Die Cis-moll-Sonate („Mondscheinsonate") wird mit einem Herzensroman in Verbindung gebracht, welchen die Widmung an die Gräfin Giullietta Guicciardi zu verraten scheint, eine Deutung, welche mehr der Dichtung als der Wahrheit angehört. Ob nun die Seufzer des Adagio sostenuto der Liebe oder dem Gebet gelten, jedenfalls zwingt uns die weihevolle Stimmung dieses inspirierten Tonstückes in ihren Bann. Als Intermezzo erscheint darauf ein kurzes, anspruchloses Allegretto in Des-dur. Glühende, stürmische Leidenschaft durchströmt das Finale, Presto agitato, den Hörer unwiderstehlich mit sich fortreißend. Die folgende Sonate, D-dur,

Op. 28 Op. 28, ist von dem Verleger „pastorale" zubenannt und entspricht dieser („pastorale"). Bezeichnung vollkommen. Eine ruhige, leidenschaftslose Haltung herrscht durch das ganze Werk. Der lange festgehaltene Orgelpunkt auf D und das darauffolgende schalmeienartige Motiv im ersten Satz, der beschauliche Charakter des zweiten Satzes, das kindliche Spiel des Scherzos, der Dudelsackbaß des Finale prägen die pastorale Stimmung aus. Köstliche Schätze an musi-

Op. 31. kalischer Schönheit und Charakteristik bergen die drei Sonaten Op. 31 (G-dur, D-moll, Es-dur). Die erstere beginnt mit einem frisch zugreifenden, rhythmisch originellen Allegro; es folgt ein langatmiges, reich ausgeziertes Adagio C-dur, welches in seinem Hauptteil die Manier der italienischen Arie abspiegelt. Ein weit ausgeführtes Rondo, auch technisch wohl ausgestattet, macht den Schluß. Dramatisch bewegt und tiefer gefaßt ist die D-moll-Sonate, im ersten Satz leidenschaftlich, auch von ausdrucksvollen Rezitativen unterbrochen, im zweiten von würdevoller Ruhe erfüllt; das Schlußrondo ist ein in bezaubernder Grazie hingleitendes Stück. Energisch fragend setzt die dritte Sonate in Es-dur ein, kraftvoll ist die Entwicklung; fast unheimlich, wie ein geisterhafter Ritt, eilt rastlos das Allegretto vivace As-dur $^2/_4$ dahin, behäbig ist das Menuetto mit seinem prägnanten Trio, einem Jagdstück gleicht das toll-übermütige Schlußpresto. — Nun folgt eine längere Pause. Nach den beiden kleinen instruktiven Sonaten Op. 49 (G-moll, G-dur) ist erst Op. 53 wieder eine große Sonate. Es ist die dem Grafen Waldstein gewidmete in C-dur in zwei Sätzen, mit einer kurzen Einleitung zu dem Rondo. Die feurige Sonate ist technisch glänzend, man könnte sie ein Virtuosenstück nennen, wenn nicht bei Beethoven auch das Passagenwerk sich organisch dem Gesamtbau einfügen würde. Die kurze zweisätzige Sonate in F-dur, Op. 54, ist die inhaltlich ärmste in dieser Reihe. Ein tiefernstes Pathos durchweht die große Sonata „appassionata" in F-moll, Op. 57. Der bahnbrechende Fortschritt der Klaviertechnik und der Klavierdynamik, welchen Beethoven schon in seinen früheren Sonaten bewirkte, gipfelt in den beiden Werken, Op. 53 und 57. Letzteres überragt das vorhergehende durch die Gewalt des Ausdruckes und das glühende Kolorit. Dem kraftstrotzenden ersten Satz folgt ein gemütstiefes variiertes Andante in Des-dur, endlich ein ruhelos dahinstürmendes Finale. Interessant und von individueller Eigentümlichkeit ist die fast skizzenhafte zweisätzige Sonate Fis-dur, Op. 78. Wir übergehen die Sonatine G-dur, Op. 79, als bedeutungslos. Eine besondere Stellung durch ihre darstellende Tendenz nimmt die „Charakteristische Sonate" les Adieux, l'Absence et le Retour in Es-dur, Op. 81a ein. Unter dem Anfangsmotiv der Adagio-Einleitung hat Beethoven selbst das Wort Le-be-wohl gesetzt. Alle drei Sätze sind von der leitenden Grundidee durchzogen und von hervorragender, höchst origineller musikalischer Erfindung. Eines der anziehendsten Werke des Meisters ist die Sonate in E-moll, Op. 90. Ein hochgestimmter, gedrungener erster Satz, darauf das weitausgeführte Rondo in E-dur mit einem einfachen, herzgewinnenden Thema, welches nur allzuoft wiederkehrt, aber von sinnigen Zwischensätzen durchbrochen wird. Die folgenden fünf Sonaten von Op. 101 angefangen, werden unter der Bezeichnung der „letzten Sonaten" Beethovens zusammengefaßt. Wie sehr unterscheiden sich aber auch diese nach Form und Inhalt voneinander! Die A-dur-Sonate, Op. 101, enthält drei Hauptsätze nebst einer kurzen Einleitung zum letzten. Der erste, „Etwas lebhaft, und mit der innigsten Empfindung" überschrieben, gleicht einer Improvisation und wird nur durch einen freien, fein phrasierten Vortrag zur vollen Geltung gelangen. Der marschartige zweite Satz in F-dur mit seinen kühnen weitgeschwungenen Linien mutet wie eine symphonische Skizze an; im Trio kann man geradezu die Instrumentation hindurchhören. Ein zartes, schwärmerisches Adagio führt in den Schlußsatz, einem schwungvollen, energisch rhythmisierten Stück von glänzender Wirkung; die als Mittelsatz eingeschaltete Fuge hat den Schulstaub abgestreift und fügt sich kongenial dem Ganzen ein. (Die Sonate ist der Baronin Dorothea Ertmann, einer Lieblingsschülerin des Meisters, gewidmet, welche als die beste Beethovenspielerin Wiens galt.) Die größten Dimensionen besitzt die Sonate in B-dur, Op. 106. Die Bezeichnung „für das Hammerklavier" bedeutet nichts anderes, als daß diese Sonate, wie auch die vorhergehende, ausschließlich auf dem Pianoforte, nicht mehr auf dem „Klavier" auszuführen ist. Die Sonate steht vollständig auf dem Boden des „letzten" Beethoven. Ein herrisches Thema leitet den ersten Satz ein, welcher im reichen Wechsel neue Gedanken, überraschende Modulationen, polyphone Gestaltungen an uns vorüberführt, alles einheitlich aufgebaut. Der Satz, welcher auch große technische Schwierigkeiten bietet, erschließt sich nur nach sorgfältigem Studium dem vollen Verständnis. Wie ein Intermezzo huscht das Scherzo vorüber, um einem der erhabensten, zugleich ausgedehntesten Adagios

Op. 53.

Op. 57 („appassionata").

Op. 78.

Op. 81a (les Adieux).

Op. 90.

Op. 101.

Op. 106. („Hammerklavier-Son.")

Platz zu machen. Andachtsvolle Stimmung beherrscht den ganzen Satz, großzügig und spannend ist die Entwicklung des thematischen Gehalts. Die große Fuge als Schlußsatz dehnt sich zu übermäßiger Länge aus und wirkt, mit Ausnahme einiger Oasen, durch die angehäuften Künsteleien, klanglichen Härten und gehäuften Triller unerquicklich. Dem monumentalen Op. 106

Op. 109. gegenüber trägt die Sonate Op. 109 in E - d u r einen intimeren Charakter. Ein phantasieartiger Satz mit festgehaltener wiegender Figur und episodischen Unterbrechungen eröffnet die Sonate, worauf ein geniales, leicht hingeworfenes Prestissimo E-moll folgt. Den anmutendsten Teil des Werkes bilden die Variationen in E-dur mit einem edlen Thema an der Spitze und einer Reihe geistvoll und mannigfaltig erfundener Variationen ausgestattet. In ruhiger Ge-

Op. 110. lassenheit und Klarheit beginnt der erste Satz der A s - d u r-Sonate, Op. 110, entwickelt sich aber in fesselnder, freier Gestaltung zu lebendig wechselndem Ausdruck. Hastig, fast bizarr, eilt das knappe Allegro molto in F-moll $^2/_4$ dahin. Das bedeutendste Stück der Sonate ist wieder das letzte. Es ist mehrfach gegliedert. Einige einleitende Takte in B-moll führen zu einem ausdrucksvollen Rezitativ. Das folgende Arioso dolente hat einen deklamatorisch freien Gesang voll tiefer Empfindung. Die anschließende Fuge in As-dur $^6/_8$ ist im Gegensatz zu jener der A-dur-Sonate ruhiger und gebundener gehalten; sie geht in eine nach G-moll versetzte Wiederholung des Arioso über, welches am Schlusse versinkt, um „nach und nach wieder auflebend" die Fuge, nach G-dur versetzt, in der Umkehrung wieder aufzunehmen und nach Vergrößerung, Verkleinerung und Verkürzung, mit einer lebhaften Figuration in steter Stei-

Op. 111. gerung zum Ende zu führen. Die letzte Sonate C - m o l l, Op. 111, hat eine Maestoso-Einleitung von tragischer Größe, dem sich wie in wilden Trotz ausbrechend das gewaltige Thema des ersten Satzes anschließt, dessen Grundcharakter in der auch technisch glänzenden Durchführung festgehalten wird. Den Schlußsatz dieses nur zweisätzigen Werkes bildet eine Arietta C-dur mit einer Reihe von Veränderungen. Das friedlich hinträumende Thema versetzt uns nach den Stürmen des ersten Satzes in eine idyllische Stimmung. Die Variationen erscheinen wie ein innerliches Versenken, mit dem die Außenwelt schwindet, sinnend, grübelnd, eigensinnig, verküstelt. — In den l e t z t e n S o n a t e n spricht sich die Subjektivität Beethovens am schrankenlosesten aus. Die Klaviertechnik entfernt sich weit von der gewohnten, grenzt oft an das Orchestrale, wird rücksichtslos in bezug auf die Handlichkeit der Ausführung. Von einer Schwerverständlichkeit in dem Grade wie bei den letzten Streichquartetten kann hier kaum die Rede sein, wohl aber erfordert die Darstellung dieser Klaviersonaten ein nicht gewöhnliches technisches Können und eine durchgeistigte Auffassung, um sie auch dem Hörer klar und wirksam zu vermitteln.

Variationen.   Den Sonaten zunächst stehen die V a r i a t i o n e n, von denen 21 Partien zu verzeichnen sind. Die hervorragendsten sind die in F - d u r, Op. 34, die „Eroica"-Variationen in E s - d u r, Op. 35, die 32 Variationen in C - m o l l, die 33 Veränderungen über einen Walzer von D i a b e l l i in C-dur, Op. 120.

F-dur Op. 34.   Die F - d u r-Variationen über ein Originalthema von klassischer Schönheit fallen zunächst dadurch auf, daß jede der sechs Variationen in einer anderen Tonart steht (D-dur, B-dur, G-dur, Es-dur, C-moll, F-dur); es sind kleine Charakterbilder von großer Mannigfaltigkeit und fesselndem Reiz.

Es-dur Op. 35   Den 15 Variationen und Fuge in E s - d u r, Op. 35, liegt ein Thema zu
(Eroica).   Grunde, welches Beethoven in der Prometheus-Musik und in dem Finale der Eroica verwendet hat. Ein bedeutendes Werk, in dem sich Edles, Virtuoses, Kunstvolles und Altmodisches zusammenfinden, ein Glanzstück für Technik und Vortrag. Vorwiegend technisch entwickelt, in den Figuren kaleidoskopisch

32 Var. C-moll. wechselnd sind die 32 Variationen über ein kurzes prägnantes Thema in

C-moll. Eigenartig sind die der letzten Periode Beethovens angehörigen Diabelli-Variationen. Das Werk verdankt einer äußeren Veranlassung sein Dasein. Der Verleger Anton Diabelli forderte alle namhaften österreichischen Tonsetzer auf, je eine Variation über einen von ihm komponierten Walzer zu einem Sammelwerk beizusteuern. 50 Tonsetzer folgten dem Ruf, Beethoven aber trennte sich von dem Chor und trat mit einem ausgiebigen Solo von „33 Veränderungen" in die Schranken. Diese erschienen 1823 als erster der beiden Teile der Sammlung „Vaterländischer Künstlerverein". Das ausgedehnte Werk ist von bunten Gestalten bevölkert, welche geistreich und humoristisch, tief und grübelnd, anmutig und tändelnd, modern und veraltet an uns vorüberziehen. *(Diabelli-Variationen.)*

Bülow hat es sogar unternommen, in seinen Konzertprogrammen die einzelnen Variationen mit charakteristischen Überschriften zu versehen, wie „Waffentänze", „Betrachtungen", „Geschäftigkeit", „Widerhall", „Prozession" usw.

In zweiter Reihe sind zu nennen: 6 Variationen D-dur (Marsch aus den „Ruinen von Athen"), 9 Variationen A-dur (Thema aus „la Molinara" von Paisiello), 12 Variationen (russischer Tanz aus dem „Waldmädchen" von Wranitzky), 8 Variationen F-dur („Tändeln und Scherzen" von Süßmayr), 8 Variationen C-dur (über „une fièvre brûlante" von Grétry), 24 Variationen D-dur (über „Vieni amore" von Righini).

Der Klavier-Solomusik gehört noch eine Anzahl kleinerer Stücke, wie Bagatellen, Rondos und andere an. *(Kleinere Stücke.)*

Die Bagatellen stammen teils aus seiner frühesten, teils aus seiner Reifezeit. Neben kindlich harmlosen, ist auch manches ernste Stückchen darunter. Bedeutend ist Nr. 4 in H-moll aus Op. 126, ein echt romantisches Phantasiebild. In zierlicher Eleganz prangt das Rondo in G-dur, Op. 51, Nr. 2. Derber gibt sich das lustig-humoristische Rondo G-dur, Op. 129, mit dem Beinamen „Die Wut über den verlorenen Groschen", dessen Thema eine ausgedehnte Wanderung durch eine Reihe von Tonarten zurücklegt. Echt Beethovensche Züge besitzt die Phantasie Op. 77. Von G-moll ausgehend, anfangs mosaikartig, setzt sie sich dann in einem Thema mit Variationen in H-dur fest, ohne zu einer Gesamtwirkung zu gelangen. Das „Andante favori" F-dur hat seine Schicksale. In einfacher Fassung war es zum zweiten Satz der Sonate Op. 53 bestimmt, dann wurde es für Streichquartett gesetzt, endlich als selbständiges Klavierstück bearbeitet. Das Thema ist anspruchslos gemütlich, die Wendung nach Des-dur hat Beethovensche Färbung, das Ganze gestaltet sich zu einem abgerundeten, gefälligen Klavierstück. Auf ein Allegretto, C-moll ³/₄ (in dem Supplementband, Br. & H.) darf noch aufmerksam gemacht werden. Die übrigen kleinen Stücke, wie Menuette und andere Tänze usw. können als unbedeutend übergangen werden.

Nur Weniges hat Beethoven zur vierhändigen Klaviermusik beigesteuert: Eine kleine Sonate in D-dur, Op. 6. wahrscheinlich für Unterrichtszwecke, drei Märsche, 2 Hefte Variationen, von denen die über „Ich denke Dein" anmutend sind. *(Vierhändiges.)*

Die Kammermusik mit Klavier ist durch eine Anzahl von Meisterwerken vertreten. Sie umfaßt zehn Sonaten mit Violine (3 Op. 12 in D-dur, A-dur, Es-dur, A-moll Op. 23, F-dur Op. 24, 3 Op. 30 in A-dur, C-moll, G-dur, A-dur Op. 47, G-dur Op. 96), fünf Sonaten mit Violoncell (2 Op. 5 in F-dur, G-moll, A-dur Op. 69, 2 Op. 102 in C-dur, D-dur), Sonate mit Horn in F-dur Op. 17. Die Anzahl der Trios mit Violine und Violoncell beträgt sieben (3 Op. 1 in Es-dur, G-dur, C-moll, B-dur, Op. 11 mit Klarinette oder Violine, 2 Op. 70 in D-dur, Es-dur, B-dur Op. 97), *(Kammermusik mit Klavier.)*

14*

dazu ein kleines Trio in einem Satze in B-du*, ein Trio in Es-dur aus dem Nachlasse, drei Klavierquartette aus der Jugendzeit. Das Quintett mit Oboe, Klarinette, Horn und Fagott in Es-dur, Op. 16 ist auch als Quartett mit Streichinstrumenten bearbeitet.

Violinsonaten. Die ersten drei Violinsonaten Op. 12, Anton Salieri gewidmet, sind von ansteigendem Werte: Die erste D-dur 'noch etwas steif und altväterisch, die zweite A-dur geschmeidig und pikant; die dritte Es-dur kernig und brillant, mit einem bezaubernden Adagio in C-dur, die bedeutendste des Werkes. Matter ist die Sonate in A-moll Op. 23. Die nächstfolgende in F-dur Op. 24 gehört zu den populärsten Kompositionen des Meisters, und hat als solche sich auch den Beinamen „Frühlingssonate" erworben; sie ist im ersten und letzten Satze von einschmeichelnden und zartinnigen Melodien erfüllt, schließt auch ein kleines, rhythmisch witziges Scherzo ein. Von den drei dem Kaiser Alexander von Rußland gewidmeten Sonaten Op. 30 ist jene in C-moll nicht bloß die bedeutendste unter ihnen, sondern der Violinsonaten Beethovens überhaupt; ein gewaltiges Pathos und große Originalität zeichnet sie in allen Sätzen aus. Schwächer ist die erste in A-dur, von großer, heiterer Beweglichkeit die dritte in G-dur. Die als „Kreutzer-Sonate" berühmte große Sonate in A-dur Op. 47 (dem Violinisten Rudolph Kreutzer gewidmet) ist kühn in den Gedanken, glänzend in der Technik (der Komponist bezeichnet sie selbst als konzertmäßig). Dem feurig hinströmenden Presto A-moll folgt ein Andante con Variazioni in F-dur, mit einem warm empfundenen Thema und virtuosen Variationen; ein atemlos dahineilendes, polyphon gestaltetes Presto bildet den Abschluß der Sonate. Einem Blumengarten von exotischer Schönheit gleicht die letzte Sonate in G-dur, Op. 96. Alles ist vornehm und eigentümlich an diesem Werke. Dem zart hingehauchten Triller am Beginn des ersten Satzes verdankt es den Beinamen der „Nachtigallen-Sonate".

Violoncell-Sonaten. Von den zwei Violoncell-Sonaten Op. 5 (dem König Friedrich Wilhelm II. gewidmet) ist die zweite in G-moll die genialere. Nach einer pathetischen Einleitung stürzt sich der aufgeregte erste Satz in rasche Triolenfiguren, um sie nicht wieder aufzugeben; das Rondo G-dur gefällt sich in einer Art grotesker Fröhlichkeit. Die der Zeit nach weit abstehende A-dur-Sonate Op. 69 ist die formell gerundetste und zugleich inhaltlich anziehendste dieser Gruppe. Die Cellostimme im ersten Satze ist gesangvoll und wirksam gehalten. Das Scherzo in A-moll mit seinem merkwürdigen Rhythmus hat einen kühn herausfordernden Zug. Die beiden Cellosonaten in C-dur und D-dur, Op. 102 tragen ganz die eigentümlichen Züge der letzten Epoche; vorherrschend reflektiert, enthalten sie hochstrebende Gedanken neben barocken Stellen, langgestreckten Durchführungen mit einer zuweilen harten Stimmführung. Die technischen Anforderungen, namentlich für das Violoncell, sind hochgespannte.

Hornsonate. Die Hornsonate F-dur, Op. 17, ist ein klargeformtes, ansprechendes Stück, welches in der Übertragung für das Violoncell beträchtlich verliert.

Trios. Die drei Trios, welche Beethoven als sein Op. 1 veröffentlichte, bewegen sich in den ersten zweien in dem herkömmlichen Stile, schreiten aber in dem dritten, C-moll, zu selbständiger, den Meister ankündigender Bedeutung an. Klein, aber nicht unbedeutend ist das Trio B-dur mit Klarinette Op. 11, ein frisch und heiter gestimmtes Werk. Tiefer gefaßt ist das Adagio. Die interessanten Variationen, welche den Schlußsatz bilden, sind über ein Thema aus Weigls „Korsar" gesetzt. Weit eigentümlicher und ausgeführter sind die beiden Trios Op. 70 in D-dur und Es-dur. Das erstere (sogenannte „Geistertrio") in D-dur hat einen herben Grundzug. Der erste Satz mit seinem ausstürmenden Einsatz ist gedrungen und von meisterhafter thematischer Durchführung. Das Adagio D-moll ist hochromantisch und stellenweise „geisterhaft" in der Klangwirkung. Voll männlich-kräftigen Humors ist das eigenartige Finale. Weicher und freundlicher erscheint das zweite Trio,

Es-dur, dessen Themen in hellere Farben getaucht sind, doch auch nicht der Energie entbehren. Gravitätisch schreitet das Allegretto C-dur, dann C-moll einher, unvergleichlich in seinem echt Beethovenschen Humor. Eine anheimelnde Stimmung herrscht in dem gesangvollen Allegretto in As-dur, einem Stück, welches stellenweise an Schubert erinnert. Ein übermütig lustiges Allegro beschließt das Werk. Einzig in seiner Art steht das große B-dur-Trio Op. 97 da. Eine besondere Weihe und Noblesse ist über dieses Werk gebreitet, welches trotz seiner großen Länge den Hörer in seine Zauberkreise bannt. In dem stolzen Hauptthema drückt sich zugleich naive Empfindung aus, welche in dem helleren Zwischenthema sich fortpflanzt; meisterlich ist die thematische Arbeit, neuartig die Technik dieses Satzes. Einfach und naiv bei aller Vornehmheit ist das Scherzo gehalten. Erhabener Ausdruck durchdringt das weit ausgeführte und mit Figurationen reichlich ausgestattete Andante in D-dur, welches in das geistvoll-launige Finale übergeht. In dem in Triolenfiguren dahineilenden Presto findet der Satz einen glänzenden Abschluß.

Aus einer früheren Zeit stammt das Quintett mit Blasinstrumenten in Es-dur, Op. 16. Hier ist unzweifelhaft Mozarts Quintett in derselben Tonart und Besetzung das Vorbild gewesen. Nicht bloß die Form, auch die Themen sind Mozartisch, am deutlichsten in dem B-dur-Andante. Das Quintett ist noch heute eines der gefälligsten, wenn auch etwas verblaßten Kammermusikwerke. Es ist vom Komponisten selbst als Klavierquartett mit Violine, Viola und Violoncell bearbeitet worden. — Der Klavierquartette aus der Knabenzeit ist schon vorher Erwähnung geschehen.

Quintett.

Einige Klavierstücke mit Begleitung können hier nur genannt werden. Es sind: Trio-Variationen über „Ich bin der Schneider Kakadu" aus dem Singspiel „Die Schwestern von Prag", Op. 121a, Variationen über ein Thema aus „Judas Maccabaeus" von Händel mit Violine, über „Ein Mädchen oder Weibchen", Op. 66 mit Violoncell. Noch andere, teils Originalstücke, teils Arrangements wären hinzuzufügen.

In der Gattung des Klavierkonzerts war Mozart bahnbrechend und schöpferisch fruchtbar vorangegangen. Ungeschwächt glänzen seine Konzerte noch in unseren Tagen durch ihren melodischen Reiz und den Zauber ihres Orchesters. Beethoven war es aber vorbehalten, auch hier eine ungeahnte Höhe zu erreichen. Er hat fünf Klavierkonzerte geschrieben: C-dur Op. 15, B-dur Op. 19, C-moll Op. 37, G-dur Op. 58, Es-dur Op. 73.

Klavierkonzerte.

Die beiden Konzerte in C-dur und B-dur lehnen sich noch an Mozart, doch sind die Themen energischer, die Modulationen überraschender und manche Einfälle verraten schon die Eigenart des Meisters. Das selbständige Orchester, das Eingreifen desselben in die Solopartie und die feinsinnige Verwendung einzelner Instrumente hat er von seinem großen Vorgänger geerbt. Das C-dur-Konzert ist das bedeutendere, auch technisch dankbarere. Klarheit in dem Aufbau des ersten Satzes, warmer Ausdruck in dem Andante As-dur, Humor und Grazie in dem Finale zeichnen es aus. Bescheidener, doch nicht reizlos ist das zweite (jedoch früher komponierte) in B-dur, mit seinen kindlichen Themen im ersten Satz, dem arabeskenreichen Mozartschen Adagio, dem derb-lustigen Rondo. Ernster und hochstrebender ist das Konzert in C-moll. Ein stolz-pathetisches Thema steht an der Spitze des ersten Satzes, ein freundliches zweites Thema folgt ihm, Orchester und Solostimme teilen sich in die logische, geistvolle Durchführung, die Klavierpassagen sind elegant und wirksam, das Ganze schließt sich zu einer imponierenden Einheitlichkeit zusammen. Das reichfigurierte, sinnige Largo steht in E-dur. Hinreißend durch kecke Laune, Reichtum und Lebendigkeit der Erfindung.

C-dur Op. 15.
B-dur Op. 19.

C-moll Op. 37.

dem Glanz des Klaviersatzes, wie durch überraschende Einfälle wirkt das weit ausgeführte, in ein Presto C-dur ausgehende Rondo.

Die großen Meisterwerke unter den Klavierkonzerten Beethovens sind die in G-dur und Es-dur. Beide, als Kunstwerke gleich vollkommen, sind ihrem Grundcharakter nach so verschieden, daß es schwer fällt, sich für den Vorzug des einen oder des anderen zu entscheiden und daß man beiden den Lorbeer reicht. Das G-dur-Konzert ist weicher, zierlicher, das in Es-dur energischer, großzügiger, das erstere ist klavieristischer, letzteres orchestraler.

G-dur Op. 58. Das G-dur-Konzert Op. 58 beginnt mit einem kurzen, anspruchslosen Klaviersolo; das darauf folgende Tutti erhebt sich zu voller Wucht. Der Reichtum an Melodien, wie an den sie umrankenden Figuren und Passagen in diesem weitausgedehnten Satze ist erstaunlich. Die Klaviertechnik ist eine eigenartige und schwierige. Ein Andante, wie es einzig in der Musikliteratur dasteht, bildet den mittleren Satz des Konzerts. Es gleicht einem ergreifenden Dialog zwischen Klavier und Orchester, das Klavier schüchtern, flehend, das Orchester finster, abweisend. Nach einem versöhnenden Schluß geht der rasch vorüberziehende Satz in ein Schlußrondo voll Grazie und Bewegung, voll reizender Gedanken, prachtvoller Orchesterwirkungen und glänzender Klavier-

Es-dur Op. 73. figuren über, einem Satz von durchschlagender Wirkung. Das Es-dur-Konzert Op. 73 wird durch einen Akkord des Orchesters eröffnet, dem sich eine Klavierkadenz anschließt, welche dem majestätischen Hauptthema vorangeht. Die Grundstimmung desselben beherrscht auch den ganzen ersten Satz mit seiner Orchesterpracht und seiner vielgestaltigen Klavierpartie, in welcher einschmeichelnde Gedanken mit brillanten, zum Teil herben Passagen wechseln. Orchester und Klavier greifen lebhaft ineinander, ein Wettstreit zwischen zwei Rivalen. Zart und andächtig erklingt das Thema des Adagio II-dur in dem gedämpften Orchester, das Klavier folgt wie in freier Phantasie mit einer empfindungsvollen Kantilene, endlich begleitet dasselbe das vom Orchester aufgenommene Thema wie vor sich hinträumend mit einer festgehaltenen Figur. Energisch und voll Lebensfreude setzt das Rondo mit einem scharf rhythmisierten Thema ein, welches dann in der Durchführung in verschiedenen Tonarten, wie in wechselnder Farbenbeleuchtung wiederkehrt. Das Klavier entwickelt eine glanzvolle Technik; plötzlich stockt die Bewegung, leise Paukenschläge machen sich vernehmbar, endlich rafft sich das Klavier auf, um im raschen Siegeslauf die Höhe zu erstürmen.

Kadenzen. Beethoven gibt in den ersten vier Konzerten dem Vortragenden Gelegenheit an den üblichen Stellen Kadenzen fremder oder eigener Erfindung einzulegen, nur bei dem Es-dur-Konzert gestattet er ihm diese Freiheit nicht.

Den Klavierkonzerten gesellen sich noch hinzu: Die Chorphantasie (für Pianoforte, Chor und Orchester) Op. 80 und das Tripelkonzert (für Pianoforte, Violine und Violoncell mit Orchester) in C-dur Op. 56.

Chorphantasie Op. 80. Die Chorphantasie beginnt mit einem langen Klaviersolo, vorwiegend aus Figurationen und Passagen von nicht geringer Schwierigkeit bestehend, dann fällt das Orchester mit einem marschartigen Motiv ein, auf welches das Klavier wiederholt rezitativisch antwortet. Dem kurzen Zwischensatz folgt nun in C-dur der eigentliche Hauptsatz, dessen naiv-liebliches Thema an das Finale der neunten Symphonie erinnert. Die variierte Durchführung dieser Melodie durch das Klavier und das Orchester gleicht einem heiteren Spiel. Von da an nimmt das Werk einen rhapsodischen Charakter an, bald wild, bald schmeichelnd, der Klavierpart teils im Wettstreit mit dem Orchester, teils begleitend, bis endlich der Chor mit einer einfachen Weise hinzutritt; in der Wiederkehr des Hauptthemas und glänzenden Gängen des Klaviers findet die Phantasie ihren Abschluß. Im ganzen ist die Chorphantasie ein hochinteressantes, eigentümliches Werk, in dem große und seltsame Züge aneinander gereiht sind. Ein minderbedeutendes, mehr gefälliges als tiefes Werk ist das Tripelkonzert. Es ist für die Soloinstrumente konzertant ge- *Tripelkonzert.* halten mit Bevorzugung der beiden Streichinstrumente. Am wirksamsten ist der Schlußsatz, das „Rondo alla Polacca".

Ebenbürtig dem Klavierkonzert in Es-dur steht Beethovens Violinkonzert in D-dur Op. 61 da. Der große Stil dieser Kom- *Violinkonzert* position, die edlen Gedanken, die zwingende Logik in ihrer Durch- *Op. 61.* führung erheben das Werk hoch über das Niveau der Virtuosenkonzerte. Es ist zugleich ein Prüfstein für die gediegene Technik und geistige Reife der Violinspieler geworden.

Der erste Satz hat den stolzen, pathetischen Zug, wie er nur Beethoven zu eigen ist; schwärmerisch und zart fließt das Larghetto, G-dur, dahin, zu etwas derber Popularität steigt das Rondo-Finale herab. — Zwei Romanzen *Romanzen für* für Violine mit Begleitung des Orchesters in G-dur Op. 40 und in F-dur *Violine.* Op. 50 sind in ihrer schönen gesanglichen Führung und bescheidenen technischen Ausschmückung ansprechende Vortragsstücke.

Das Fragment eines Allegros zu einem Violinkonzert in C-dur hat sich autographisch in dem Archiv der Ges. d. Musikfr. in Wien vorgefunden (Es wurde von Jos. Hellmesberger frei vervollständigt.)

Als gefällige Unterhaltungsmusik kann man die wenigen Werke für *Werke für* Blasinstrumente allein, welche Beethoven teils in seiner Frühzeit, teils *Blasinstru-* später geschrieben, betrachten. Ein Sextett für 2 Klarinetten, 2 Hörner und *mente.* 2 Fagotte Es-dur, welches als Op. 71 veröffentlicht wurde und ein Trio für zwei Oboen und Englischhorn Op. 87 in C-dur zeichnen sich durch schöne Klangwirkung aus.

Beethoven ist als dramatischer Komponist nur durch eine einzige Oper vertreten. Doch diese eine reicht hin, ihm, dem großen Instrumentalmeister, auch in der Geschichte der Oper einen *Die Oper* hervorragenden und besonderen Platz einzuräumen. Wir haben der *Leonore* Schicksale und Umwandlungen der Oper Leonore (Fidelio) in *(Fidelio).* den vorangegangenen Blättern gedacht, es erübrigt uns nur, ihren dramatischen und musikalischen Inhalt etwas näher zu betrachten.

Der Text ist nach einem französischen Original J. N. Bouillys *Textbuch.* *Leonore, ou l'amour conjugal* von Josef Sonnleithner, dem Regisseur der Oper, verfaßt. Der französische Text mit der Musik von Gaveaux wurde schon 1798 in Paris aufgeführt. In italienischer Übersetzung, von Paer komponiert, wurde die Oper in Dresden 1805, später auch in Wien gegeben. Die späteren Textbearbeitungen zu Beethovens Oper rühren von Stephan von Breuning (1806) und Treitschke (1814) her. Die Oper, abwechselnd „Leonore" und „Fidelio" genannt, war bei ihrer Erstaufführung dreiaktig und wurde dann in zwei Akte zusammengezogen. Zugleich wurde die Szenenfolge mehrfach geändert. Auch in neuester Zeit sind Versuche mit Abänderungen der Szenierung gemacht worden.

Die Handlung, welche sich in einem spanischen Staatsgefängnis voll- *Handlung.* zieht, ist in kurzem folgende: Florestan, ein spanischer Edelmann, wird von seinem persönlichen Feinde Don Pizarro, dem Gouverneur des Staatsgefängnisses, widerrechtlich eingekerkert; seine Gattin Leonore, welche die Spur des ihr Entrissenen gefunden, tritt in Männerkleidung als Gehilfe in die Dienste des Kerkermeisters Rocco, um sich so ihrem Gatten nähern zu können. Die Tochter Roccos, Marzelline, welche die Verlobte des Pförtners

— 216 —

Jaquino ist, findet Gefallen an dem neuen schmucken Gehilfen und hofft
auf eine Verbindung mit ihm, welche auch der Vater begünstigt. Dieses Verhältnis ist episodisch in die Handlung eingeschaltet. Plötzlich erscheint Pizarro
und stellt Rocco den Antrag, den Gefangenen in seinem Kerker zu ermorden,
da er fürchtet, daß der zur Inspektion der Gefängnisse angemeldete Minister
sein Verbrechen entdecke. Rocco weigert sich und Pizarro will selbst die Tat
vollbringen. Schon wird das Grab bereitet, um das Opfer darin verschwinden
zu lassen. Leonore, welche das Vertrauen des Kerkermeisters gewonnen, hilft
bei der Arbeit, bleibt dann mit dem Gefangenen allein, den sie zu retten ent-
schlossen ist. Als Pizarro den Kerker betritt, stellt sich ihm heldenmütig
Leonore mit einer bereit gehaltenen Pistole entgegen — plötzlich ertönt das
Signal, welches die Ankunft des Ministers ankündigt, Florestan ist gerettet,
die zärtlich liebenden Gatten sind vereint, während Pizarro seine Strafe ereilt. — Die Handlung ist, wie man sieht, spannend, namentlich gegen den
Schluß hin hochdramatisch. Das Hauptinteresse des Textbuches liegt in den
Situationen, während die Charakterzeichnung der einzelnen Personen, mit
Ausnahme der Leonore, mehr schablonenmäßig erscheint. Um die liebende
und mutige Gattin bewegt sich die ganze Handlung; der halbverhungerte
Florestan ist eine leidende Gestalt, der wilde Pizarro, der schlaue, doch ehr-
liche Rocco, das kleinbürgerliche Paar Marzelline und Jaquino, der gerechte
Minister, sind fertig hingestellte Typen ohne innere Motivierung. Die Chöre der
Gefangenen, so wirksam sie an sich sind, greifen nicht in die Handlung ein.

Die Musik. Beethoven hat diesen Text mit treuer Hingebung an die ihm
gestellte Aufgabe erfaßt, er hat sein volles Können an die Komposition eingesetzt und eine Musik geschaffen, welche das Innerste
bewegt, welche, um alles zu sagen, Beethovenisch ist. In der Musik,
dem edlen, tiefempfundenen, mit charakteristischen Zügen reich
ausgestatteten Gesang, mehr noch in dem herrlichen Orchester liegt
der Schwerpunkt der Oper. Nicht so vollendet erscheint die dramatische Gestaltung des Werkes. Beethoven besaß nicht die
leichte Beweglichkeit eines Mozarts und der Italiener, seine Erfindung vertieft sich zu sehr in den musikalischen Ausdruck, um
der Szene immer gerecht zu werden. An den Höhepunkten aber
fehlt es ihm nicht an dramatischer Treffsicherheit.

Details. Wollte man allen Schönheiten der Musik, welche diese Oper entfaltet,
nachgehen, so müßte man sich ins Weite verlieren. Nur einzelne derselben
mögen hier hervorgehoben werden. Wir folgen darin der letzten, zweiaktigen
Bearbeitung. Im ersten Akt, der sich anfangs in der bescheidenen häuslichen Sphäre des Kerkermeisters bewegt, wird die einfach gemütliche Arie
der Marzelline „O wär' ich schon mit dir vereint" durch die Orchesterbegleitung belebt, reizend ist das darauffolgende Quartett in G-dur „Mir ist
so wunderbar", welches imitatorisch durchgeführt ist. Roccos Arie in B-dur
ist unbedeutend. Das Interesse an den folgenden Nummern, dem Terzett „Gut
Söhnchen", der Rachearie Pizarros ist vorzugsweise dem malerischen Orchester
zugewendet. Wirkungsvoll und charakteristisch ist das Duett zwischen Pizarro
und Rocco, der dramatische Ausdruck wird hier treffend; bei der Stelle:
„Ein Stoß! — und er verstummt", werden wir von Schauer erfaßt. Das nun
folgende Rezitativ Leonorens „Abscheulicher, wo eilst du hin?" und die Arie
bilden einen Höhepunkt der Oper. Der Chor der Gefangenen am Schlusse
des ersten Aktes beginnt ruhig und weich, schwingt sich bei den Worten
„O Freiheit" zu begeisterter Energie auf, um dann, in die gedrückte Stimmung zurückweichend, die Worte „Wir sind belauscht" zu flüstern. — Der
zweite Akt spielt mit Ausnahme der Schlußszene ganz im Kerker. Nach
einer kurzen Einleitung in F-moll, in welcher die Stimmung der Pauken in

der verminderten Quint a-es auffällt, folgt das Rezitativ und die Arie des Florestan, anfangs klagend und gedrückt (mit der As-dur-Melodie, welche auch in der Ouvertüre erscheint), dann sich zur Ekstase aufschwingend — eine bewunderungswürdige Gesangszene. Interessant ist das Melodram bei dem Abstieg Roccos mit Leonore in den Kerker, dann das Duett, während das Grab für Florestan bereitet wird. Mit dem Eintritt Pizarros steigert sich die dramatische Situation, welcher die Musik in scharfen Konturen des Gesanges und in leidenschaftlicher Bewegung der Orchesterbegleitung folgt, bis zu Leonorens ergreifendem „Töte erst sein Weib", bis zu dem entscheidenden Trompetensignal, welches die Ankunft des Ministers ankündigt. (In der Ouvertüre ertönt dieses Signal von der Bühne herab.) Das jubelnde Duett von Florestan und Leonore in G-dur ist musikalisch von glänzender Wirkung. Die Szene verwandelt sich nun in einen großen freien Platz. Das weitausgedehnte Finale ist opernhaft gestaltet, beginnt mit einem heiteren marschartigen Satz, läßt Chöre und Dialoge folgen und schließt mit einem effektvollen Ensemble.

Der Gattung nach ist Fidelio zu den Singspielen zu zählen. *Bedeutung.* Der häufige und ausgedehnte Dialog drückt auf die Musik und wirft den Hörer allzuoft aus der Stimmung. Der Bedeutung nach ist aber Fidelio, kraft des hohen Ernstes, welcher das Werk durchdringt, der reichen musikalischen Erfindung und kunstvollen Arbeit, eine Oper ersten Ranges, zugleich ausgesprochenen deutschen Charakters. Die Musik trägt die Züge des Meisters, wenn auch der Einfluß Mozarts im allgemeinen, vielleicht auch jener Cherubinis in den ersten Szenen der Oper nicht zu verkennen ist. In der Literatur der deutschen Oper nimmt Fidelio zwischen der Zauberflöte und der romantischen Oper Webers und Spohrs eine Mittel- und Ausnahmsstellung ein.

Von Ausgaben in verschiedenen Fassungen sind der Klavierauszug von Otto Jahn, 1851 bei Br. & H. und ein neuester von Prieger hervorzuheben.

Die sonstigen Bühnenwerke Beethovens bestehen aus der *Andere Bühnenwerke.* Musik zu dem Ballett Prometheus, zu Goethes Egmont, zu den Festspielen „Die Ruinen von Athen", „König Stephan" und „Die Weihe des Hauses". Die Ouvertüren zu diesen Bühnenstücken sind schon (S. 202) erwähnt worden.

Die Musik zu Prometheus umfaßt außer der Ouvertüre eine Intro- *Prometheus.* duktion „La Tempesta" und 16 Nummern. Es sind teils charakteristische Stücke zur Begleitung der Pantomime und Tänze, teils auch selbständige. Die einfache, im ganzen nicht bedeutende Musik enthält viele Anklänge an Mozart. Anziehende Stücke sind: Nr. 5 im zweiten Akt, durch melodischen Reiz hervorragend, bemerkenswert auch durch die Verwendung der Harfe, ferner der Tanz Nr. 8, die Pantomimenbegleitung in Nr. 9, das Thema des Finales, welches in der Eroica wieder auftaucht. Das Werk ist im Klavierauszug 1801 erschienen. Auf der Bühne verschollen, in den Konzertsaal verwiesen, hört man auch da nur selten eine vollständige Aufführung, welche stets mit einem verbindenden Text versehen wird, während die Ouvertüre sich einer großen Beliebtheit erfreut. — Die Egmontmusik besteht nebst der Ouvertüre aus *Egmont.* vier Entreactes, zwei Liedern Klärchens: „Die Trommel gerührt" und „Freudvoll und leidvoll", einem Instrumentalsatz zu Klärchens Tod, dem Melodram zu Egmonts „Süßer Schlaf!" endlich der Siegessymphonie. Die Instrumentalstücke sind kurz und bezeichnend, von den Liedern das erste

energisch, das zweite innig. — Die drei letztgenannten Gelegenheitskompositionen enthalten manches gelungene Stück, so die „Ruinen von Athen" den
charakteristischen C h o r der D e r w i s c h e, den türkischen M a r s c h in B-dur,
den Marsch mit Chor „Schmückt die Altäre" in Es-dur. „König Stephan"
hat einen Triumphmarsch und einige ungarische Nummern aufzuweisen, „Die
Weihe des Hauses" ist bis auf die großartige O u v e r t ü r e eine Reproduktion
der „Ruinen von Athen".

Oratorium
Christus am
Ölberge.

Das Oratorium „C h r i s t u s a m Ö l b e r g e" behandelt einen
Teil der Passionsgeschichte, die Gefangennahme Christi. Hinzu-
gefügt ist die Gestalt des „Seraphs" und der Engelchor. Der Text
ist von Beethoven selbst mit Hilfe des Operndichters Huber zusammengestellt. Die Komposition steht nicht auf der Höhe ihrer
Aufgabe. Der Stil ist meist opernhaft, die Behandlung der Partie
Christus' zu äußerlich aufgefaßt. Das Werk enthält Rezitative, Arien,
Duette, ein Terzett, ferner Chöre der Engel, der Jünger und der
Krieger. Am gelungensten sind nebst dem bedeutenden Instru-
mentalvorspiel die Engelchöre und der fugierte Schlußchor; wirksam
ist auch der Marsch der römischen Krieger. An interessanten Einzelzügen fehlt es dem Werke nicht.

Messen.

Von den beiden M e s s e n Beethovens stammt die erste in
C - d u r aus seiner mittleren, die zweite in D - d u r aus seiner

C-dur

letzten Zeit. Die C - d u r-Messe, für den Fürsten E s t e r h a z y geschrieben und 1807 in Eisenstadt aufgeführt, steht zwar nicht auf
der Höhe des erhabenen Kirchenstils, ist aber ein an musikalischer
Erfindung nicht armes, von Klangschönheit verklärtes, in mancher
Beziehung bedeutsames Werk. Die Form entfernt sich von der
herkömmlichen Haydn-Mozartschen. Vorherrschend ist der Vokal-
satz, doch werden auch die Instrumente charakterisierend verwendet. Die Solo- und Chorstimmen treten oft zur Achtstimmigkeit
zusammen. Der Ausdruck ist meist ein milder; stimmungsvolle
Züge enthalten das Kyrie und das Credo. Dem Meßtext wird Beethoven gerecht, ohne seinen tieferen Sinn voll auszuschöpfen.

Die Messe wurde mit d e u t s c h e m T e x t versehen, als „Drei H y m-
n e n" 1808 aufgeführt und später, mit Op. 86 bezeichnet, veröffentlicht. Kyrie
und Gloria bilden die erste Hymne, das Credo die zweite, Sanctus, Benedictus
und Agnus schließen sich zur dritten Hymne zusammen.

Missa solemnis
D-dur.

Ein monumentales, zugleich einzig geartetes Werk der kirchlichen Tonkunst ist Beethovens „M i s s a s o l e m n i s" in D-dur
Op. 123. In ihren Dimensionen ist sie nur der H-moll-Messe von
Seb. B a c h an die Seite zu stellen. Der Entstehungsgeschichte der
D-dur-Messe und ihrer weiteren Schicksale haben wir schon (S. 188)
gedacht. Wir wissen auch, welchen Wert der Komponist selbst auf
dieses Werk legte. Er wendete an die Arbeit sein ganzes Können,
erschloß in ihr die tiefsten Quellen seines Innern. Kirchlich, im
eigentlichen Sinne ist die Messe nicht, doch ermangelt sie nicht
tiefandächtiger und weihevoller Stimmungen. Das Kunstwerk läßt
oft seinen Zweck vergessen. Das Genie Beethovens leuchtet in der

reichen thematischen Erfindung, seine geistige Kraft und Beharrlichkeit spricht sich in der kunstreichen Ausgestaltung aus. Das Werk trägt alle die Merkmale des „letzten" Beethoven, in denen sich Erfühltes und Ersonnenes, Natürliches und Gewaltsames zusammenfinden. Ähnlich der Neunten Symphonie hat die D - d u r - M e s s e nicht unbedingte Zustimmung gefunden und mußte sich nur allmählich zum Verständnis durchringen. Alle Bedenken schweigen, wenn wir uns den Eindrücken dieser Musik, welche die ganze Stufenleiter von dem Zarten, Lieblichen bis zum Kraftvollen, selbst Grauenhaften durchläuft, hingeben.

Die Anordnung der M e ß s ä t z e ist die regelmäßige; traditionell ist der Eintritt von S c h l u ß f u g e n im Gloria und Credo, nicht minder die üblichen Wortmalereien an manchen Stellen. Vier Solostimmen und der Chor bilden in lebhaftem Wechsel oder gleichzeitig den vokalen Anteil, das Orchester ist reich ausgestattet, namentlich die Blasinstrumente, auch Trompeten und Posaunen, finden häufige Verwendung. Eine Orgelbegleitung ist hinzugefügt.

Das K y r i e ist dreiteilig, der dritte Teil mit dem ersten fast gleichlautend. Der Tonsatz ist durchsichtig und leicht verständlich, die Singstimmen schön behandelt, im „Christe" kontrapunktisch geführt, der Ausdruck feierlich oder bewegt. Kühn und weit ist das G l o r i a aufgebaut; es ist mehrgliedrig. Der erste Absatz mit dem energisch intonierten *„Gloria in excelsis Deo"* wird ganz vom Chor ausgeführt, worauf die Solostimmen mit dem sanft gehaltenen *„Gratias"* einsetzen, in welchen dann der Chor einstimmt. Das *„Qui tollis in peccata mundi"* ist in einem Larghetto mit inniger Empfindung behandelt; der Satz nimmt aber bei *„qui sedes ad dexteram patris"* einen finsteren, fast drohenden Charakter an und steigert sich zur vollen Kraft. Der Solosopran hat mit dem Einsatz des hohen B eine harte Probe zu bestehen. Nach einem gedämpften Paukenwirbel folgt das *„Quoniam"* in energischem Rhythmus und voller Pracht des Orchesters. Die ausgedehnte Fuge im letzten Teil mit ihrem figurierten Thema, ihrer kunstreichen, dabei freien Durchführung, dem gewaltigen Orgelpunkt, der schwungvollen Steigerung, an welcher Soli und Chor teilnehmen, ist von hinreißender Wirkung. Der Schluß des Gloria bringt die Wiederkehr des Anfangssatzes im Prestotempo und kühner Gestaltung. Das C r e d o wetteifert an Länge, Schwierigkeit und innerer Bedeutung mit dem Gloria, übertrifft es aber infolge des reichlicheren textlichen Inhalts an Mannigfaltigkeit. Das Grundmotiv ist prägnant, fast altertümlich gefärbt, wie denn auch sonst an manchen Stellen des Satzes die Kirchentöne anklingen. Sanft und innig ist das *„qui propter nos homines"* wiedergegeben. Von dem geheimnisvollen *„Et incarnatus"* an vertieft sich der Meister ganz in den Sinn und Ausdruck der Worte, schafft Tonbilder von treffender Wahrheit und tiefer Empfindung, stattet sie mit reichem instrumentalen Kolorit aus, verschmäht auch nicht, die Vorgänge durch symbolische Tongänge anzudeuten. Von großer Wirkung sind: Das *Crucifixus*, ergreifend bei den Worten *„passus et sepultus est"*, das *„Et resurrexit"* mit der feierlichen Verkündigung durch den a capella-Chor, wobei bei *„ascendit"* die aufsteigende Figur illustrierend verwendet wird, ferner das gewaltige, mit Posaunen ausgestattete *„Judicare"*. Flüchtiger sind die folgenden Glaubensartikel behandelt. Eine imponierende Kunst entfaltet die S c h l u ß f u g e, welche jedoch durch übergroße Ausdehnung und Überladung zu große Ansprüche an die Aufnahmsfähigkeit des Hörers stellt. Mehr noch als im Gloria, wird hier der Sopranstimme an Höhe und Ausdauer fast Unmögliches zugemutet. Das

Sanctus ist sehr kurz gehalten und durch ein Orgelpräludium mit dem Benedictus verbunden. Letzteres ist weit ausgeführt und wird von einem durchgehenden Violinsolo mit einer ebenso einfachen als ausdrucksvollen Melodie begleitet. Das fast dramatisch gefärbte Agnus Dei und noch mehr das Dona nobis pacem entfernen sich erheblich von der herkömmlichen Auffassung. Eine Stelle in diesem Satze wirkt geradezu überraschend. Mitten in der innigen Bitte um Frieden mischen sich kriegerische Klänge ein, Trompetensignale ertönen, die Menge wird von Angst ergriffen. Rasch geht der Tumult vorüber, der Friede kehrt zurück. Wahrscheinlich wollte der Meister durch diesen Gegensatz die Segnungen des Friedens anschaulich darstellen. Es folgen noch eine kraftvolle Fuge, weiter ein die Friedensstimmung wieder unterbrechendes Orchesterintermezzo, endlich der versöhnende, energische Schlußchor.

Nicht bloß durch ihre übergroße Ausdehnung, sondern auch durch ihren dramatisch leidenschaftlichen Charakter erscheint die „Missa solemnis" für die kirchliche Verwendung wenig geeignet, sie ist in dem Konzertsaal längst heimisch geworden und findet, gleich der Neunten Symphonie, stets eine festlich gestimmte Hörerschaft.

Von Vokalwerken Beethovens besitzen wir noch einige Kantaten, Arien und eine Anzahl Lieder.

Kantaten.

„Meeresstille und glückliche Fahrt", Dichtung von Goethe, für Chor mit Orchesterbegleitung komponiert, ist ein klar geformtes, sehr wirksames Tonstück. Eine ausgedehntere, doch schwächere Komposition ist die Kantate „Der glorreiche Augenblick", ein Gelegenheitswerk für den Wiener Kongreß 1815. Der Text von Al. Weißenbach ist schwülstig und nichtssagend. Der Musik Beethovens wurde später ein anderer Text von Rochlitz „Preis der Tonkunst" unterlegt. Die Komposition für Solostimmen, Chor und Orchester umfaßt sechs Nummern. Zu verzeichnen sind noch: Das „Bundeslied" von Goethe, das „Opferlied" von Matthison, ein „Elegischer Gesang", endlich eine Anzahl von 19 mehrstimmigen Gesangskanons, zu verschiedenen Gelegenheiten geschrieben. — In italienischer Sprache schrieb Beethoven eine Arie „In questa tomba oscura" von Carpani (als Beitrag zu der Sammlung von 36 Kompositionen über dasselbe Gedicht), eine Scena ed Aria „Ah! perfido" für Sopran mit Orchesterbegleitung, und ein Terzett „Tremate, empi" für Sopran, Tenor und Baß mit Orchester, die beiden letzteren im Opernstil, groß angelegt und von glänzender Wirkung.

Lieder.

Beethoven fühlte sich schon frühzeitig zu dem deutschen Liede hingezogen, ohne jedoch im wesentlichen über den Standpunkt der Oden- und Liederkomposition des 18. Jahrhunderts hinauszukommen. Gleichwohl trägt so manche dieser Lieder die Züge unseres Meisters. Das berühmteste Lied von Beethoven ist

Adelaide.

„Adelaide", Dichtung von Matthison. Es stammt aus seinen Jünglingsjahren und ist dem Dichter gewidmet. Die Form ist die der älteren Kantate oder Arie, aus einem langsamen und einem

— 221 —

schnellen Satz bestehend. Ein edler Ausdruck durchweht den schönen, auch stimmlich dankbaren Gesang. Zunächst sind die sechs Lieder von Gellert religiösen Inhalts hervorzuheben, von denen insbesondere „Die Himmel rühmen des Ewigen Ehre" sich allgemein verbreitete. Aus den sechs Gesängen von Goethe ist der erste „Kennst du das Land" der eindruckvollste. Tief empfunden, doch etwas einförmig sind die sechs Lieder „An die ferne Geliebte", ein Liederkreis, gedichtet von Al. Jeitteles. Leichthumoristisch ist der „Kuß", Gedicht von Weiße. Die meisten übrigen Lieder, deren Zahl nicht gering ist, haben keine tiefere Bedeutung. Nicht zu vergessen sind die Bearbeitungen schottischer Lieder mit Begleitung von Pianoforte, Violine, Violoncell, welche auch mit Vor- und Nachspielen versehen sind. Bei aller Treue in der Wiedergabe der Originalmelodien leuchtet durch diese Bearbeitungen der Beethovensche Geist hindurch. Es sind wahre Perlen darunter, wie „The sweetest lad was Jamie", „Bonny laddie, Highland laddie" u. a. m.

Schottische Lieder.

Außer dieser Sammlung von 25 schottischen Liedern, welche für Thomson in Edinburg komponiert, und als Op. 108 erschienen sind, hat Beethoven für denselben Besteller noch zahlreiche Bearbeitungen mit Klavierbegleitung von irischen und schottischen Liedern geschrieben, welche minder gelungen, den Zwang der Arbeit verraten. Noch andere Volkslieder, namentlich italienische, sind in Bearbeitungen von Beethoven erhalten und neuestens veröffentlicht worden.

Es ist allgemein angenommen, in Beethovens Schaffen drei Perioden (Stile) zu unterscheiden: Die erste von 1795 bis um 1800, von Op. 1 bis 21 (Haydn-Mozartscher Stil), die zweite bis 1812, von Op. 22 bis 95 (der vollendete Stil der Glanzperiode), die dritte bis 1827, Op. 95—135 (der „letzte", subjektivste Stil). Diese Unterscheidung hat ihre Berechtigung, mit dem Vorbehalt, daß die Grenzlinien nicht zu scharf gezogen werden und daß ein Übergreifen und Kreuzen dieser Stilweisen zugegeben wird.

Drei Stile.

Forscht man nach dem Gesamtcharakter Beethovenischer Kunst, so kommt man zunächst zu einer Erkenntnis negativer Natur. Beethoven hat keine „Manier" im eigentlichen Sinne. Er ist stets neu. Und doch ist es ein gemeinsamer Grundzug, der sein ganzes Schaffen durchzieht. Es ist die sittliche Hoheit, welche seiner Musik eine höhere Weihe verleiht, welche unbekümmert um die Gunst der Menge, idealen Zielen zustrebt. Es ist die Energie des Ausdrucks im Starken wie im Zarten, in dem Naturgefühl wie in der seelischen Empfindung.

Gesamtcharakter.

Ein Jahrhundert wird bald verflossen sein, seitdem Beethoven den letzten Federstrich gezogen hat, doch lebt und waltet er noch unter uns. Wo auf dem Erdenrund Verständnis und Empfänglichkeit für edle Musik herrscht, wird Beethoven wie ein Dogma der Kunst verehrt. Tausenden hat er in körperlichen wie

Schluß-betrachtung.

seelischen Leiden in der Einsamkeit ihres Heims Trost und Labsal gespendet. In der Öffentlichkeit üben seine. großen Werke stets eine erhebende und befreiende Wirkung aus, und bei so manchen Aufführungen gehen sie aus dem Wettbewerb mit den farbenreichsten und raffiniertesten Produkten der modernen Richtung siegreich hervor. Und wenn man auch das oft mißbrauchte Wort „Unvergänglich" vermeiden will, so kann man doch getrost sagen: S o wird es noch lange bleiben!

V.

Das deutsche Lied
in der zweiten Hälfte des 18. Jahrhunderts.

Schulz. Reichardt. André. Zumsteeg. Zelter.

Den beiden musikalischen Großmächten des 18. Jahrhunderts, der Instrumentalmusik und der Oper gegenüber, nimmt das gleichzeitige deutsche Lied nur einen bescheidenen Rang ein. Nach langer Stagnation beginnt das deutsche Kunstlied in den Dreißigerjahren des 18. Jahrhunderts sich zu regen. Unbedeutend und unerfreulich sind noch die Produkte auf diesem Gebiete, arm-selig und steif die Melodien, dürftig auch die Begleitung. Die Texte sind nüchtern, schwunglos; ihre musikalische Wiedergabe verrät kaum Spuren von Empfindung oder gar von Charakteristik. Nur wo das Kunstlied das Volkslied in sich aufnimmt oder sich ihm nähert, gewinnt es Leben und Interesse. Der Tonsatz ist höchst einfach, die Singstimme nur mit einem begleitenden be-zifferten oder unbezifferten Baß versehen. Die Notierung beschränkt sich auf zwei Systeme und dient auch als „Klavierlied" der alleinigen Ausführung am Klavier. Die Sing- oder Klavierlieder gehörten der Musikübung und Ergötzung der häuslichen Kreise an. Von ihrer Beschaffenheit geben einige Liedersammlungen aus der ersten Hälfte des 18. Jahrhunderts Kunde.

In der ersten Hälfte des 18. Jahrh.

Das „Augsburger Tafelkonfekt", welches in mehreren Sammlungen 1733—1742 erschien, enthält eine große Zahl von Volksweisen und volkstüm-lichen Liedern, welche zum Teil melodischen Reiz, heitere, ja übermütige Laune besitzen; sie sind jenen der Studenten- und Kommersbücher nicht un-ähnlich. Ganz anders geartet ist die gleichzeitige unter dem Namen Spe-rontes herausgegebene Sammlung „Die singende Muse". Diese erschien in mehreren Lieferungen von 1736 bis 1745. Hier wird eine große Zahl von Klavier- und Gesangstücken geboten, deren Melodien mit untergelegten Texten versehen sind. Die Lieferungen enthalten zusammen 248 Nummern, wahr-scheinlich aus den beliebten Stücken der Zeit zusammengestellt. Man kann die Sammlung ebenso der Klavier- als der Gesangsliteratur zugch rig be-trachten. Es befinden sich in derselben viele Tanzweisen für Klavier, Menuets, Polonaisen. Einen volkstümlichen Charakter besitzt die Sammlung nicht.

„Augsburger Tafelkonfekt".

Sperontes. „Die singende Muse".

Wichtig für die Entwicklung des deutschen Kunstliedes in einer Epoche, wo die italienische Oper den allgemeinen Geschmack beherrschte, war Georg Phil. T e l e m a n n (S. II, 144). Einige seiner Oden und Lieder, teils mit Generalbaß-, teils mit ausgeführter Klavierbegleitung, haben eine fließende und anmutende Melodie und manchen interessanten Zug. Auch von G r a u n sind deutsche Lieder erhalten, welche sich von ihrer Umgebung durch größere Frische unterscheiden.

Um die M i t t e des Jahrhunderts erhebt sich die Liedkomposition, angeregt von der neu aufblühenden d e u t s c h e n L y r i k, zu lebhafterer Produktivität und zu würdigerer Haltung. Die Verse eines K l o p s t o c k, H a g e d o r n, G e l l e r t, H e r d e r, B ü r g e r, G l e i m, C l a u d i u s, H ö l t y, vollends eines G o e t h e boten nun eine lohnende Unterlage für den Musiker. War es den Komponisten auch noch nicht gegeben, diese Dichtungen mit ebenbürtiger Musik auszustatten, so war doch ihr Streben ein ehrliches und nicht ganz erfolgloses. Vorerst klammert sich die Melodie eng an die Worte, deklamiert sie sogar nach akademisch aufgestellten Regeln. In dieser Richtung wird die „Berliner Schule" maßgebend, deren Hauptvertreter M a r p u r g und K i r n b e r g e r die Liedkomposition theoretisch behandelten und mit ihren Prinzipien eine Gruppe gleichzeitiger Tonsetzer beeinflußten. Allmählich befreit sich die Begleitung von dem steifen Generalbaß, wird ausgearbeiteter, womit die Notierung in drei Systemen notwendig wird. Die Mehrzahl der Lieder ist kleinen Umfangs, strophisch, und von philiströsem Ausdruck, selbst jene, welche mit der anspruchsvollen Bezeichnung als „Oden" prunken.

In den l e t z t e n D e z e n n i e n des 18. Jahrhunderts erfährt die Liedproduktion eine rapide Steigerung. Lied und Klavierspiel teilen sich in die Gunst der Musikliebhaber. Außerhalb der Häuslichkeit florieren die Trink-, Studenten- und Freimaurerlieder. Es erscheinen in dichter Folge Liedersammlungen einzelner Tonsetzer, wie auch mancherlei Zusammenstellungen verschiedenen Ursprungs. Noch war in dem deutschen Liede der fremdländische Einfluß nicht überwunden, der sich in arienhaften Formen und in der Aufnahme von Gesangstücken aus französischen Liederspielen aussprach. Einer besonderen Beliebtheit erfreuten sich auch die modischen Verzierungen, welche der Klaviermusik entnommen erscheinen. Als die wichtigsten T o n s e t z e r des deutschen Liedes in der zweiten Hälfte des 18. Jahrhunderts sind zu nennen: Ph. Em. B a c h, J. A. H i l l e r, A. P. S c h u l z, J. Fr. R e i c h a r d t, Joh. A n d r é, Rud. Z u m s t e e g, Friedr. Z e l t e r.

P h i l i p p E m a n u e l B a c h (S. 6), einer der fruchtbarsten Liederkomponisten seiner Zeit, als solcher unfrei und ohne Schwung, ist in seinen geistlichen Liedern sympathischer als in seinen weltlichen. Insbesondere sind es die G e l l e r t schen „Oden und Lieder"

(Marginalien:)
Telemann.
Graun.
Zweite Hälfte des 18. Jahrh.
Tonsetzer.
Ph. Em. Bach.

vom Jahre 1758, welche sehr verbreitet und geschätzt waren. Seine
weltlichen Lieder erscheinen von 1762 an, viele noch in seinen
letzten Jahren. In diesen ist die Singstimme mehr instrumental
gehalten, auch mit Verzierungen verbrämt, richtige „Klavierlieder".
Von der Originalität und Feinheit seiner Klavierwerke ist in den
Liedern wenig zu spüren.

Die Bedeutung Joh. Ad. Hillers (S. 65) als Liederkomponist J. A. Hiller.
liegt in seinen Singspielliedern. Von der Bühne herab fanden
sie Eingang und Verbreitung. Die zahlreichen selbständigen
Lieder von Hiller, deren wir schon an der angegebenen Stelle ge-
dachten, sind musikalisch tüchtig, doch trocken und uninteressant.
Von dem natürlichen Reiz und der Popularität seiner Strophenlieder in den Singspielen „Die Jagd", „Die Liebe auf dem Lande",
„Die verwandelten Weiber" usw. sind sie weit entfernt.

Das volkstümliche Lied erfuhr eine wirksame Förderung durch
A. P. Schulz, einem gründlich gebildeten und denkenden Musiker, A. P. Schulz.
der für diese Gattung eine besondere Begabung und Vorliebe besaß.

Joh. Abraham Peter Schulz, 1747 in Lüneburg geboren, war von 1765
bis 1768 Schüler Kirnbergers in Berlin, verlebte dann fünf Jahre in Polen
als Musiklehrer in aristokratischen Familien, unterbrochen durch ausgedehnte
Reisen nach Österreich, Italien, Frankreich, wo er sich besonders für die
komische Oper interessierte. Nach Berlin zurückgekehrt, wurde er als Musikdirektor an dem französischen Theater angestellt, worauf er in den Jahren
1780—1787 in Rheinsberg als Kapellmeister des Prinzen Heinrich von Preußen
wirkte, endlich zum Hofkapellmeister in Kopenhagen ernannt, in dieser Stadt
bis 1794 weilte. Er starb 1800 in dem Badeorte Schwedt an der Oder.

Schulz war ein vielseitiger und nicht unbedeutender Tonsetzer. Abgesehen von seinen zahlreichen heiteren und ernsten
Liedern, umfaßte sein Schaffen das Singspiel, das Oratorium, die
Klaviermusik. Seiner Singspiele ist schon vorher (S. 71) Erwähnung
geschehen. Zwei Oratorien von ihm „Johannes und Maria" und
„Christi Tod" werden genannt; das erstere hat Schulz selbst in
Tabulaturschrift veröffentlicht. Als Klavierkomponist ist er 1776
mit einer Sammlung, 1782 mit einer Sonate, später noch mit
kleinen heiteren Stücken hervorgetreten. Nicht unwichtig ist Schulz
durch seine schriftstellerischen Arbeiten, in welchen sich Gelehrsamkeit mit Geist und einem gesunden Urteil vereinen. Er war
Mitarbeiter an Sulzers „Theorie der schönen Künste" und, wie er
behauptet, der eigentliche Verfasser von Kirnbergers „Wahre Grundsätze der Harmonie". Schulz, der zu seiner Zeit ein großes Ansehen in der Musikwelt genoß, lebt noch in seinen populären
Liedern fort. Sein Hauptwerk bilden die „Lieder im Volkston",
in drei Sammlungen 1782, 1785 und 1790 erschienen.

Das Werk umfaßt 127 Nummern. Die deutschen Lieder sind auf Texte
von Bürger, Voß, Hölty, Claudius, Gleim u. a. gesetzt. Es sind auch,
in geringer Zahl, italienische und französische Gesangstücke, nebst einigen
Nummern aus seinen eigenen Singspielen aufgenommen. Schulz geht zwar von
den Prinzipien der „Berliner Schule" aus, übertrifft aber diese an musikali-

scher Erfindung, ausdrucksvoller Melodik und lebendigem Rhythmus. In seinem Schaffen verrät sich aber auch der zielbewußte Denker. Die Vorreden zu den Liedern geben in ausführlicher Behandlung seine Grundsätze der Liedkomposition wieder. Ähnlich Gluck, erklärt auch er die Dichtung als Hauptsache; die Melodie habe sich dem Worte in der Betonung und dem Ausdruck anzuschmiegen. Das volkstümliche Lied soll sich durch größte Einfachheit und Leichtfaßlichkeit auszeichnen. In einer Anzahl von Liedern ist es dem Tonsetzer gelungen, diesen Anforderungen maßvoll zu genügen, in anderen aber folgt die Deklamation sklavisch dem Text, oder die Einfachheit sinkt zur Armseligkeit herab. Am glücklichsten ist Schulz im Ausdruck des Heiteren. Nicht auf gleicher Höhe mit den „Liedern im Volkston" stehen seine „Religiösen Gesänge" auf Dichtungen von Uz 1784 und die „Oden und Lieder aus den besten deutschen Dichtern" 1786.

Zahlreich sind die heute noch wirksamen, zum Teil im Volksmunde lebenden Lieder von Schulz. Wir wollen als eine Auslese derselben hier anführen: „Der Mond ist aufgegangen", „Des Jahres letzte Stunde", „Herr Bacchus ist ein braver Mann", „Der Sämann säet den Samen", „Blühe liebes Veilchen", „Ich bin ein deutscher Knabe", „Ich danke Gott und freue mich", „Ich ging im Mondenschein", „Mädel, schau mir ins Gesicht", „Sagt, wo sind die Veilchen hin", „Seht den Himmel wie heiter", „Süße heilige Natur", „Willkommen im Grünen" u. a. m. Sehr beliebt war auch „Je rends des bouquets" aus dem französischen Singspiel „La fée Urgèle".

Reichardt. So vielseitig auch Reichardt als Tonsetzer gewesen, der Kern seines Schaffens liegt im deutschen Liede. In dieser Gattung ist er als der bedeutendste Vorgänger Schuberts zu betrachten. Wichtig ist er aber auch in musikgeschichtlicher Beziehung durch seine schriftstellerischen Arbeiten. Der Lebensgang dieses Mannes erregt ein nicht gewöhnliches biographisches und kunsthistorisches Interesse.

Lebensgeschichte. Joh. Friedrich Reichardt wurde in Königsberg am 25. November 1752, als der Sohn eines Musiklehrers geboren. Talent, Wißbegierde und Unternehmungslust zeigten sich schon frühzeitig bei dem Knaben. Von seinem Vater für den Musikerberuf bestimmt und zu diesem vorbereitet, genoß er auch den Unterricht des angesehenen Königsberger Meisters Hartknoch. Seine musikalische Begabung entwickelte sich nach verschiedenen Richtungen. Im Violinspiel erwarb er schnell eine solche Geschicklichkeit, daß er in den Kammermusikübungen der vornehmen Kreise mitwirken konnte, außerdem brachte er es auf dem Klavier und der Laute, dem Hauptinstrument seines Vaters, zu bedeutender Fertigkeit, zeichnete sich auch bald als Sänger aus. Eine Zeitlang widmete sich Reichardt dem Rechtsstudium. Mehr als dieses sagte ihm aber das Studentenleben in Königsberg, dann in Leipzig zu. Zahlreiche Kompositionen entstanden schon in dieser Studienzeit. Zugleich erfaßte ihn ein unwiderstehlicher Wandertrieb, der bei ihm zugleich ein Bildungstrieb war; er wollte die Welt und ihre berühmten Männer, namentlich die Musiker und Dichter kennen lernen. Die beschränkten Mittel des kaum zwanzigjährigen Jünglings gestatteten ihm meist nur Fußreisen, auf welchen er die Gastfreundschaft von musikliebenden Familien häufig in Anspruch nahm. Zuerst ging es 1771 nach Danzig, wo er sich mit Schulz befreundete, dann nach Berlin. Hier nahm er durch einige Zeit Unterricht bei Kirnberger. Bald darauf wandte er sich nach Leipzig, schloß sich an den von ihm verehrten J. A. Hiller an und schrieb unter dessen Anleitung sein erstes Singspiel „Amors Guckkasten". Rastlos zog er dann von Stadt zu Stadt, fand überall durch seine Talente und gewandte Manieren gute Aufnahme und verstand es, den dortigen Kunstgrößen näher zu treten. In Dresden war es Naumann, in Hamburg Klopstock und Em. Bach, mit welchen er

freundschaftlich verkehrte. Von Dresden aus durchwanderte er Böhmen und
hielt sich einige Zeit in P r a g auf. Nach dreijähriger Abwesenheit kehrte er
in seine Vaterstadt zurück. Schon begann sein Ruf als Tonsetzer durch seine
erste, 1773 erschienene Liedersammlung, als Schriftsteller durch die „Briefe
eines aufmerksamen Reisenden" sich zu verbreiten. Gleichzeitig trat eine glückliche Wendung in Reichardts Laufbahn ein, welche ihn in die Höhe brachte.
Ende 1775 berief ihn F r i e d r i c h II. nach B e r l i n, um als Nachfolger
A g r i c o l a s die Kapellmeisterstelle zu übernehmen (S. 52). In Berlin bot sich
für Reichardt ein ausgedehnter Wirkungskreis als Dirigent und Komponist.
Er hatte die O p e r und die großen K o n z e r t e zu leiten, neue Werke für die
Bühne zu schreiben. Seine italienischen Opern, wie auch seine deutschen
Singspiele hatten Erfolg und bald galt er als eine der musikalischen Größen
Deutschlands. Trotz manchen Hindernissen, namentlich den Intrigen der
noch immer einflußreichen Italiener, gelang es Reichardt die musikalischen
Verhältnisse in Berlin zu verbessern, eine edlere Richtung anzubahnen und
die nationale Kunst zu fördern. Der deutschen Dichtkunst wendete er sein
lebhaftes Interesse zu und so konnte es nicht fehlen, daß er sich schon damals
zu G o e t h e hingezogen fühlte und manche seiner Dichtungen in Musik setzte.
Seit 1780 entspann sich ein Briefwechsel zwischen dem Komponisten und dem
Dichter und einige Jahre später folgte ein persönlicher Verkehr, welcher teils
freundschaftlich, teils auch durch Verstimmungen getrübt, bis in die letzten
Lebensjahre Reichardts andauerte.

Die Tätigkeit Reichardts in Berlin war oft durch R e i s e n unterbrochen,
welche ihm durch ausgedehnte Urlaube ermöglicht wurden. Auf diesen Reisen
erwarb Reichardt jene Kenntnis von Land und Leuten, jene Einsicht in künstlerische und politische Verhältnisse, welche seine S c h r i f t e n auszeichnen; sie
enthalten auch Schilderungen von Begebenheiten und Persönlichkeiten, welche
unser Interesse erregen. Reichardt besuchte I t a l i e n, weilte wiederholt in P a r i s,
dehnte seine Reisen nach London, Kopenhagen, Stockholm aus. Im Jahre 1783
führte ihn sein Weg auch nach W i e n, wo er dem Kaiser J o s e f vorgestellt wurde
und G l u c k in seinem Landhause besuchte. In Paris war es, wo er sich an
Glucks „Iphigenia in Aulis" und „Armide" begeisterte und fortan einer der
eifrigsten Verehrer dieses Meisters ward. Bei dem musikliebenden F r i e d r i c h
W i l h e l m II. stand Reichardt in großer Gunst, bis er später wegen seiner
offenkundigen Sympathien für die französische Revolution mißliebig geworden,
seine Entlassung erhielt. Nach einigen Jahren wieder in Gnaden aufgenommen,
wurde er durch eine Anstellung als S a l i n e n d i r e k t o r in Halle entschädigt,
ein Amt, das ihm fast keine Pflichten auferlegte und ihm reichliche Muße für
seine Kunst und seine Reisen übrig ließ. Reichardt, der sich in Berlin mit
einer Tochter von Franz B e n d a verheiratet hatte, ging 1783 nach dem Tode
derselben eine zweite Ehe mit einer Hamburgerin, der Witwe Hensler ein. In
dem Halle benachbarten G i e b i c h e n s t e i n, wo er ein Landhaus erwarb,
führte Reichardt jahrelang ein behagliches Familienleben. Dort besuchte ihn
1802 G o e t h e und erwähnt die zwei schönen Töchter seines Freundes, von
denen die eine, L u i s e R e i c h a r d t, sich als Liederkomponistin bekannt
machte. Obwohl mittlerweile R i g h i n i, dann H i m m e l sein Nachfolger geworden, behielt Reichardt noch unter Friedr. Wilhelm III. den Titel als
k. preuß. Kapellmeister, kam auch oft nach Berlin, um seine Werke aufzuführen und die von ihm gegründeten „Concerts spirituels" zu leiten. 1808 war
Reichardt durch kurze Zeit Kapellmeister des Königs Jerome in Kassel,
ein Posten, welcher nach ihm B e e t h o v e n angeboten wurde. In demselben
Jahre besuchte Reichardt wieder W i e n, wurde gesellschaftlich sehr gefeiert
und verkehrte auch mit Beethoven. Fortgesetzte Reisen führten ihn nach
Hamburg, nach Italien, wiederholt nach P a r i s, wo er einen ausgedehnten
Bekanntenkreis besaß, mit G r é t r y und M o n s i g n y verkehrte, endlich auch
N a p o l e o n vorgestellt und zum Mitglied des „Institut de France" ernannt
wurde. Bis in seine letzte Zeit war R e i c h a r d t als Tonsetzer und Schrift-

Berlin.

Reisen.

Wien.

Friedrich
Wilhelm II.

Giebichen-
stein.

Letzte Reisen.

15*

steller ununterbrochen tätig und in hohem Ansehen. Seine Energie und Klugheit ließen ihn die persönlichen und politischen Wirren überdauern. — Ein merkwürdiger und wechselvoller Lebenslauf fand in Giebichenstein am 25. Juni 1814 seinen Abschluß.

Tod.

Reichardt
als Lieder-
komponist.

Reichardt gehört zu den fruchtbarsten Liederkomponisten. An 1000 Lieder flossen aus seiner Feder (selbst Schubert hat nur 600). Doch darf dabei nicht vergessen werden, daß die große Mehrzahl derselben kleinen Umfangs ist und auch sonst nicht besonders ins Gewicht fällt. Von dieser Gesamtzahl gehören 128 Goethe an. Nach Goethe sind noch die Dichter Klopstock, Schiller, Herder, Bürger, Claudius, Hölty bevorzugt. Die veröffentlichten Liedersammlungen Reichardts erstrecken sich über den Zeitraum von 1773 bis 1810. In der Aufeinanderfolge der Sammlungen ist eine ansteigende Linie der Entwicklung zu beobachten. Reichardt geht von der doktrinären Berliner Schule aus, um sich später im volkstümlichen Liede Schulz anzuschließen und in seinen größeren „Deklamationen" Gluck nachzustreben. Liegt auch der Schwerpunkt und der überwiegende Anteil seines Schaffens in dem kleinen volkstümlichen Liede, welches er auch mit Erfolg zum Chor erweiterte, so können außerdem einzelne seiner größeren Gesänge, in welchen Rezitative, Ariosi, Melodramatisches und eigentliche Lieder aneinandergereiht sind, Beachtung beanspruchen. In allen diesen ist Einfachheit, knappes Anschmiegen an die Textworte seine Devise. Tiefe Empfindung ist bei Reichardt nicht zu finden, doch erwärmt sich seine verständig-kühle Muse in der Berührung mit Goethes Dichtungen. Die Melodie gewinnt dann an Innerlichkeit, die Klavierbegleitung an Mannigfaltigkeit.

Reichardts Höhepunkt bildet die Gesamtausgabe seiner Goethe-Lieder vom Jahre 1809 (der Königin Luise von Preußen gewidmet), der sich ein Jahr später zwei Hefte in Musik gesetzter Schillerscher Gedichte anreihen. Zu erwähnen sind ferner die Sammlungen: Gesänge für das schöne Geschlecht, 22 Lieder und 3 Kantaten 1775, Oden und Lieder von Klopstock u. a. 1779, Frohe Lieder für deutsche Männer (Melodien im Volkston ohne Begleitung nebst einem vierstimmigen Männerchor) 1781, Lieder für Kinder aus Campes Kinderbibliothek, vier Teile mit zusammen 170 Liedern 1781—1790, Deutsche Gesänge 1788, Cäcilia, Sammlung geistlicher Gesänge (darin auch Duette, Terzette, Chöre) vier Bände 1790—1795, Goethes lyrische Gedichte (30 Lieder) 1794, acht Gesänge aus „Wilhelm Meister" (als Beilage zu dem ersten Druck dieses Romans) 1795 und 1796, Lieder geselliger Freude, in zwei Sammlungen zu 50 Liedern (auch von anderen Komponisten) 1796 und 1797, endlich 20 Wiegenlieder 1798.

Die in den angeführten Sammlungen enthaltenen Lieder sind von sehr ungleichem Wert, die meisten veraltet und uninteressant. Doch aus der fast unübersehbaren Menge zeichnet sich eine Anzahl kleiner Lieder und Chöre durch naiv ansprechende Melodik und volkstümliche Färbung aus, auch manche seiner ausgedehnteren Gesänge, dramatischen Szenen und Balladen sind kraftvoll und erheben sich fast zur Größe.

Beispielsweise lassen sich anführen: Die volkstümlichen Lieder „Jägers Abendlied", „Es steht ein Baum im Odenwalde", „Schlaf, Kindchen, schlaf-, „Täglich zu singen", „Rosen auf den Weg gestreut", „Ein Veilchen auf der Wiese stand" (auch von Mozart komponiert), „Der König in Thule", „Willkommen, lieber Mai", „Mailied", „An den Mond", „Heideröslein" (auch von Schubert komponiert), „Der Fischer", „Kennst du das Land" (aus Willi. Meister), „Freudvoll und leidvoll- (aus Egmont), „Die schöne Nacht-; von größeren Liedern seien nur genannt: „Tränen der Liebe", „Wonne der Wehmut", „An Lida", „Erlkönig" (auch von Schubert), „Prometheus", „Tiefer liegt die Nacht um mich her" (aus Euphrosine), „Johanna Sebus", der vierstimmige Chor „Die Gestirne", ein Chor aus Schillers „Ideale". Die meisten Texte sind von Goethe. Die Liste ließe sich noch sehr erweitern. Nicht alle der genannten Lieder verdienen es, der Vergessenheit anheimzufallen.

Reichardts Tätigkeit als Komponist war eine vielseitige; sie umfaßte Andere Werke. die italienische Oper, das deutsche Singspiel, andere Bühnenwerke, eine Anzahl verschiedener Gesangs- und Instrumentalkompositionen. Nichts davon ist lebendig geblieben. Im literarhistorischen Interesse sind anzuführen: Die italienischen Opern „Le feste galanti- 1775, „Andromeda", „Brenno-, „Olimpiade" (von Metastasio), „Rosamonda". sämtlich für Berlin; die für Paris bestimmte Oper „Tamerlan" wurde 1800 in deutscher Übersetzung gegeben. Von deutschen Singspielen sind namentlich die Goetheschen Stücke „Claudine von Villabella", „Erwine und Elmira-, „Jery und Bätely", dann die Liederspiele „Die Geisterinsel", „Liebe und Treue". „Kunst und Liebe" hervorzuheben. Eines seiner letzten Werke ist die deutsche Oper „Der Taucher" nach Schiller, 1811 in Berlin aufgeführt. Nach Bendas Vorgang hat auch Reichardt Melodramen geschrieben, darunter „Cephalus e Procris" 1778, „Der Tod des Hercules" mit Chören aus Sophokles. Außerdem stattete er mehrere Bühnenstücke mit Musik aus, so Egmont von Goethe (Ouvertüre, Entreactes und Lieder), Macbeth, die „Kreuzfahrer" von Kotzebue, das „Zauberschloß" von demselben. — An kirchlicher Musik hat Reichardt eine italienische Passion, Psalmen, Te Deums, eine Trauerkantate auf den Tod Friedrich II. Von den Vokalwerken ist noch besonders hervorzuheben der „Morgengesang", nach Milton, für vier Stimmen und Orchester. Zahlreich, aber bedeutungslos sind Reichardts Instrumentalkompositionen, Symphonien, Konzerte, Kammermusik, Sonaten und andere Stücke für Klavier; sie sind formell, ohne Originalität und Wärme und lassen auch die thematische Arbeit vermissen.

Was Reichardt als Schriftsteller geleistet, ist von hohem Als Schrift-steller. Wert für die Musikgeschichte seiner Zeit, es ist auch interessant für die damaligen sozialen und politischen Verhältnisse. Dazu kommt eine meisterliche, sprachgewandte Darstellung, eine scharfe Beobachtungsgabe, Aufrichtigkeit. Er ist Erzähler, Kritiker und Lehrer. Seine Selbstbiographie liest sich wie ein Roman, seine Schilderungen sind lebendig und geistreich. In dem Urteil über Künstler und Kunstwerke ist er neidlos, sachlich und überzeugend. Seine Lehren und Ratschläge über Gesang und Gesangskomposition gehen von der „Berliner Schule" aus und enthalten neben Wahrem und Allgemeingültigem auch Paradoxes. Etwas Selbstbewußtsein und Eitelkeit ist seinen Schriften, wenn auch nicht in störendem Maße, beigemengt. In den politischen Ansichten, die er in seinen Briefen ausspricht, ist er schwankend, bald enthusiastisch, bald skeptisch. Alles in allem, ein vielseitiger, hellblickender Kopf.

Die schriftstellerischen Arbeiten Reichardts sind zahlreich und bestehen aus geschlossenen Werken und periodischen Schriften historischen, kritischen, ästhetischen, politischen und belletristischen Inhalts. In erster Linie sind anzuführen: Musikalisches Kunstmagazin (mit Musikbeilagen), zwei Bände 1780 und 1791; Briefe eines aufmerksamen Reisenden, die Musik betreffend, zwei Bände 1774—1776; Vertraute Briefe über Frankreich 1792—1793; Vertraute Briefe aus Paris, drei Bände 1802—1805; Vertraute Briefe über eine Reise nach Wien, zwei Bände 1808—1810. Es folgen die historisch-ästhetischen Schriften: Über die deutsche komische Oper 1774, Händels Jugend 1784, Das Leben des berühmten Tonkünstlers Fiorino (humoristisch). Didaktischen Inhalts sind: Über die Pflichten des Ripienviolinisten 1779, Studien für Tonkünstler 1793, dann die Vorreden zu einigen seiner Liedersammlungen. Die erwähnte Selbstbiographie ist in der „Berlinischen musikalischen Zeitung" vom Jahre 1805 enthalten.

Joh. André.

In der volkstümlichen Richtung des deutschen Liedes reiht sich neben Hiller und Schulz ein begabter, doch minder geschulter Musiker, fast ein Dilettant, an, Johann André. In Offenbach bei Frankfurt a. M. 1741 geboren, aus einer Kaufmannsfamilie stammend, trieb es ihn frühzeitig dem Musikerberuf zu. Sein urwüchsiges Talent, seine reiche melodische Erfindung im leichten, heiteren Genre befähigten ihn vorzüglich für das volkstümliche Lied und das Singspiel. In seinem Schaffen war und blieb er Naturalist; der Tonsatz ist meist kunstlos und dürftig, ein bürgerlich behäbiger Zug waltet in seinen Melodien, welche aber zugleich warmer Herzlichkeit nicht entbehren. 1773 trat er mit dem Singspiel „Der Töpfer" in Frankfurt vor die Öffentlichkeit, 1774 erschien seine erste Liedersammlung „Scherzhafte Lieder". Von seinen folgenden Singspielen hatte „Erwin und Elmira" von Goethe, 1775 in Frankfurt und in Berlin aufgeführt und oft wiederholt, den meisten Erfolg. In den Jahren 1777 bis 1784 wirkte er in Berlin als Kapellmeister am Döbbelinschen Theater und war auch als Komponist fleißig. Darauf zog er sich in seine Vaterstadt zurück, wo er den bekannten Musikverlag gründete und in dessen Betrieb eine unermüdliche Tätigkeit entwickelte. Er starb 1799 in Offenbach. Nach ihm gelangte erst die Verlagsfirma unter der Leitung seines Sohnes

Lieder.

zur vollen Blüte. Joh. André war als Liederkomponist ungemein fruchtbar; in zwölf Sammlungen veröffentlichte er 1774 bis 1790 seine Lieder, Arien und Duette. Die erfolgreichste Sammlung ward der „Musikalische Blumenstrauß", 1776 erschienen, wegen des darin enthaltenen beliebten „Rheinweinliedes".

Mitten in seinen kleinen, anspruchslosen Liedern bildet die Komposition der „Lenore" von Bürger eine geradezu überraschende Erscheinung. Eine durchkomponierte Ballade, an zwei Stellen in einen vierstimmigen Chor übergehend, eine ausgeführte Klavierbegleitung, dazu eine ernste Auffassung der Dichtung und charakteristische Einzelzüge, alles dies erhob das Werk über das gewohnte Niveau. Als Komposition betrachtet ist es mehr eine Zusammenstellung wechselnder Motive, als einheitlich gestaltet. Die Neuheit und Wirksamkeit dieses Gesangstückes verhalf demselben zu einer großen Verbreitung, so daß es fünf Auflagen erlebte. Die „Lenore" von Bürger wurde in der Folge eine der meistkomponierten Balladen, und ist in dieser Beziehung wohl nur durch den „Erlkönig" von Goethe übertroffen worden.

Die Beliebtheit Joh. Andrés beruht aber auf seinen einfachen Strophenliedern, welche teils einstimmig zu singen waren, teils in einem kunstlosen zweistimmigen Satz, als „Klavierlieder" erschienen. Manche von ihnen haben sich bis heute im Volksmund erhalten. Außer dem schon erwähnten Rheinweinlied „Bekränzt mit Laub" sind zu erwähnen: „An die Nachtigall im Bau", „Der Bruder Graurock und die Pilgrime", „Die Geschichte von Goliath und David", das Duett „Unsere Freundschaft zu erneuen". Außerdem rühren von André auch Freimaurerlieder für Chor und Trinklieder her. Von seinen Singspielen sind noch hervorzuheben „Das tatarische Gesetz" 1779 und „Die Entführung aus dem Serail" 1781, dessen Text ein Jahr später durch Mozarts Genie dauerndes Leben gewann.

In der Entwicklungsgeschichte des deutschen Liedes nimmt Zumsteeg, vorzüglich durch seine Balladen, aber auch durch seine einfachen volkstümlichen Lieder einen hervortretenden Platz ein. In der Reihe der Tonsetzer dieser Gruppe repräsentiert er Süddeutschland. Zumsteeg.

Johann Rudolf Zumsteeg (1760—1802), im Württembergischen geboren, war ein Soldatenkind, brachte zehn Jahre in der strengen Zucht der „hohen Karlsschule" in Stuttgart zu und bildete sich dort zum Musiker heran. Zu seinem Mitschüler Friedrich Schiller trat er in ein inniges und dauerndes Verhältnis, auch mit Schubart und dem Bildhauer Dannecker schloß er Freundschaft. Zumsteegs bevorzugtes Instrument war das Violoncell. Früh erwachte sein Kompositionstalent und zugleich eine individuelle Richtung. Angeregt durch Bendas Melodramen, komponierte er noch als Karlsschüler Klopstocks „Friedensfeier" in melodramatischer Form. Bald nachdem er die Schule verlassen, beginnt seine Tätigkeit für die herzogliche Kapelle und das Theater, in dem er es 1792 zum Konzertmeister brachte. Zugleich begründete er einen Hausstand, indem er die Tochter aus einer angesehenen Stuttgarter Bürgerfamilie, Luise Andrae, heimführte. Dieser Ehe entstammten sieben Kinder, von denen vier am Leben blieben, drei Söhne und eine Tochter. Die äußere Lage Zumsteegs war stets eine bedrängte, Sorge und Elend begleiteten ihn bis an sein Ende. Zumsteeg, der ein musterhafter Familienvater und ein vortrefflicher Charakter war, starb schon im 42. Lebensjahre, 1802. Die Witwe errichtete in Stuttgart eine Musikalienhandlung, die älteste dort bestehende, welche ihr Sohn Adolf übernahm. Die Tochter, Emilie, wurde als Musiklehrerin, auch als talentvolle Liederkomponistin sehr geschätzt. — Eine Büste Zumsteegs, von Dannecker nach der Totenmaske modelliert, kam vervielfältigt in den Handel. Leben.

Zumsteeg war als Tonsetzer ungemein produktiv. Außer zahlreichen Liedern und Balladen schrieb er Opern, Kirchenstücke, Instrumentalwerke aller Art. In seinen Liedern ist Zumsteeg volkstümlich, oft banal, dagegen entfaltet er in den Balladen originelle und charakteristische Züge. Die Balladen, welche aus lose zusammengefügten Absätzen bestehen, entbehren der einheitlichen Gestaltung, wie eines festgehaltenen musikalischen Hauptmotivs, ergehen sich häufig in Rezitativen und Detailmalereien, besonders treffend in Naturschilderungen und in dem Ausdruck des Unheimlichen. Wie Zumsteegs Balladen unter dem Einfluß Bendas stehen, so sind sie ihrerseits als Vorbild für den Meister dieser Gattung, Carl Loewe, anzusehen; ihre Nachwirkung läßt sich noch bei Schubert und Schumann beobachten. In seinen Opern und anderen Werken huldigt Zumsteeg dem Zeitgeschmack. In der Als Tonsetzer

— 232 —

Atmosphäre Jomellis aufgewachsen, macht er sich nur allmählich von dem italienischen Einfluß frei.

Balladen.

Zumsteegs **Balladen** erschienen teils einzeln, teils in sieben Sammlungen „Lieder und kleine Balladen" 1790—1805 bei Breitkopf & Härtel und anderen Verlegern. Den meisten Erfolg hatten die Balladen „Des Pfarrers Tochter von Taubenhayn" und „Lenore" (beide von Bürger), sie erschienen in wiederholten Auflagen. Hervorzuheben sind ferner von den Liedern und Balladen: „Die Büßende" (Stolberg), „Hagars Klage", „Ritter Toggenburg" (Schiller), „Colma" (aus Ossian, von Goethe), „Gesänge der Wehmut" (Salis, Matthison), „Entzückung an Laura" (Schiller), „Ritter Karl von Eichenhorst" usw. Sehr populär waren „Die Spinnerin" (Voß) und „Die Rosenknospe" (Matthison). Einzelne Lieder zeichnen sich durch freie, frische Melodik aus. Die Klavierbegleitung ist eine selbständige.

Von anderen Kompositionen Zumsteegs sind anzuführen: Die **Opern** „Der Kalif von Bagdad", „Die Geisterinsel", „Das Pfauenfest", Chöre und Sologesänge zu **Schillers** „Räuber", zwei Melodramen, ferner Messen und Kantaten, Orchesterstücke, fünf Cellokonzerte, Stücke für zwei und drei Celli usw. Die meisten dieser Werke blieben ungedruckt. Einige **Klavierauszüge** seiner Opern erschienen nach seinem Tode. Auch ein **Cellokonzert** und mehrere Cellostücke wurden veröffentlicht.

Zelter.

Eine kraftvolle, kerndeutsche Persönlichkeit tritt uns in **Zelter** entgegen. Sein Wirken fällt schon vorwiegend in das 19. Jahrhundert. Carl Friedrich **Zelter** (1758—1832), in Berlin geboren, betrieb neben dem Maurergewerbe seines Vaters eifrig die Musik, in welcher **Fasch** sein Lehrer ward. Nach dem Tode desselben 1800 übernahm Zelter die Leitung der von Fasch gegründeten Berliner Singakademie. Einige Jahre darauf rief er selbst die Berliner **Liedertafel** ins Leben, die erste ihrer Art in Deutschland, eine gesellige Vereinigung, welche für die Pflege des deutschen Männergesangs bahnbrechend ward. Als Tonsetzer gewann er durch seine volkstümlichen Lieder große Beliebtheit. Mit seinen ungezwungenen Melodien, ob sie nun energischen oder empfindsamen Charakters waren, traf er den Geschmack seiner norddeutschen Landsleute vorzüglich. Er strebte auch nach Höherem und stellte sich edlere Aufgaben, doch diesen war seine Begabung nicht gewachsen. Etwas Bürgerlich-Philiströses haftet auch an seinen

Goethe.

Liedern. Immerhin fand **Goethe** an Zelters Vertonungen seiner Dichterworte großes Gefallen, was auch die Veranlassung zu den persönlichen Beziehungen der beiden Männer bildete. **Zelter** ward **Goethes** Freund und musikalischer Berater. Der freundschaftliche Verkehr derselben, von 1796 beginnend, endete erst mit ihrem Tode, der rasch nacheinander, 1832, erfolgte. Ein ausgedehnter, jahrelanger **Briefwechsel** reichen Inhalts beleuchtet das Verhältnis des Dichters zu dem Musiker. — Neben einer Anzahl seiner volkstümlichen Lieder haben sich einige von Zelters **Männerchören** lange in Gunst erhalten. An melodischer Erfindung und Wärme des Temperaments übertrifft Zelter seinen Vorgänger **Reichardt**, der ihn aber seinerseits als Tonsetzer weit überragt. In seiner treuherzigen, kräftigen Art deutet Zelter auf **Loewe** hin.

Zu den gelungensten Liedern Zelters gehören „Der König in Thule",
„Wer sich der Einsamkeit ergibt" (Goethe), das „Berglied" (Schiller); dagegen
erscheinen seine Kompositionen anderer Goethe scher und Schiller scher Dichtungen, wie „Erlkönig", „Meine Ruh' ist hin" (Goethe), „Die Teilung der
Erde", „Der Handschuh" (Schiller), nüchtern und mittelmäßig. Von volkstümlichen Liedern sind hervorzuheben: „Feldeinwärts flog ein Vöglein" (Tieck),
„Ich wollt', ich wär' ein Fisch" (Goethe), „Paulus war ein Medikus", „Wenn
jemand eine Reise tut" (Claudius), „Zu Klingenberg am Maine" usw. Zelter
beschränkte sich nicht auf das Lied, er hat auch Kirchenwerke, Kantaten und
Opern komponiert. Zu erwähnen ist noch, daß er eine Biographie seines
Lehrers Carl Friedr. Fasch herausgab und eine Selbstbiographie hinterließ.

Lieder.

Zelter, der einstige Maurermeister, brachte es in Berlin zu
einer leitenden musikalischen Stellung; er wurde 1809 zum Professor an der k. Akademie ernannt, ward auch später der Begründer des k. Instituts für Kirchenmusik. Als Tonsetzer heute
vergessen, soll es ihm unvergessen bleiben, daß er die Kunst
Seb. Bachs wieder zu Ehren brachte, indem er im Vereine mit
dem jungen Mendelssohn die Matthäuspassion zu neuem Leben
erweckte.

Den in erster Reihe stehenden Liedmeistern gesellt sich eine Anzahl
fleißiger, begabter, auch als Sammler verdienter Tonsetzer dieser Gattung
hinzu. Nennen wir den Hamburger Görner mit seinen frischen, volkstümlichen Weisen, Neefe, von dessen Liedern mehrere populär geworden sind;
bedeutender ist Kunzen, zuletzt Kapellmeister in Kopenhagen, der sich im
Liede an Schulz lehnte, interessant der Württemberger Schubart (S. 50). Der
Dichter Claudius zeichnet sich durch seine trefflichen Kinderlieder aus,
auch der Schriftsteller Gottl. Spazier war in seinen kleinen Liedern sehr
beliebt. Von den Sammlungen dürfen die „Berlinischen Oden und Lieder",
1756—1763 erschienen, nicht unerwähnt bleiben. Auch Vertreterinnen des
schönen Geschlechts haben zu Ende des 18. und anfangs des 19. Jahrhunderts
zur Liederproduktion beigesteuert, von denen wir Luise Reichardt und
Emilie Zumsteeg schon erwähnt haben; vielleicht die interessantesten unter
ihnen sind die berühmte Sängerin Corona Schröter und die blinde Klavierspielerin Maria Theresia Paradies.

Andere Lieder-
komponisten.

Was die großen Meister Gluck, Haydn, Mozart, Beethoven im Liede geleistet, ist an betreffender Stelle berichtet
worden. In ihrem Ruhmeskranze bildet das Lied nur ein matter
glänzendes Blatt. Nicht ihnen war es beschieden, dem deutschen
Liede neue Bahnen zu eröffnen. Den gottbegnadeten Sänger, den
Schöpfer des modernen deutschen Liedes begrüßen wir in
einem ihnen Ebenbürtigen, in — Franz Schubert.

Um die Erforschung und Darstellung der Geschichte und Literatur des
deutschen Kunstliedes im 18. Jahrhundert hat sich Max Friedländer in hohem Maße verdient gemacht. Die umfassende Bibliographie, die
Behandlung der einzelnen Erscheinungen, das gereifte Urteil und die warme
Empfindung machen Friedläuders „Das deutsche Lied im 18. Jahrhundert",
drei Bände 1902, zu einem Werk von dauernder Bedeutung.

Max
Friedländer.

Von den Liedern der vorgenannten Tonsetzer und den Liedersammlungen ihrer Zeit finden sich zahlreiche Drucke in den Bibliotheken zu
Berlin, Leipzig, Breslau, Wien, Stuttgart, Hamburg, Brüssel, im Privatbesitz,
einzelnes auch noch in Verlagshandlungen. Die Zahl der Neudrucke ist
verschwindend klein; sie sind zumeist in musikhistorischen Spezialwerken als
Musikbeispiele enthalten.

Bibliotheken.

Neudrucke.   **Lindners** „Geschichte des deutschen Liedes im 18. Jahrhundert", herausgegeben von Ludwig **Erk** 1871, bringt das „Augsburger Tafelkonfekt" vollständig, außerdem 80 Lieder aus den Sammlungen von Gräfe, den „Berlinischen Oden und Liedern" usw.

Musikbeispiele aus **Sperontes'**, „Die singende Muse" gibt **Spitta** in seinen Abhandlungen in der Vierteljahrschrift f. Musikw. 1885 und in dessen Musikw. Aufsätzen.

Reißmann und **Schneider** in ihren Werken über das „Deutsche Lied" enthalten nur vereinzelte Beispiele.

Friedländers „Das deutsche Lied im 18. Jahrhundert" (2. Abt. des ersten Bandes) enth. 236 Musikbeispiele.

Von **Zumsteeg** sind Beispiele und zwei vollständige Gesangsstücke in Ludw. **Landshoffs** Abhandlung über diesen Tonsetzer 1902 enthalten. Derselbe Autor gab noch eine Auswahl von Liedern Zumstegs in Berlin heraus. — Drei Lieder von **Zumsteeg** sind auch der Gesamtausgabe der Werke **Schuberts** als Anhang beigefügt.

Der Briefwechsel zwischen **Goethe** und **Zelter** wurde 1833—1834 in sechs Teilen veröffentlicht. Eine von L. **Geiger** redigierte neue Ausgabe erschien 1904. Auch in **Reclams** Universalbibl. ist dieser Briefwechsel aufgenommen.

VI.

Schubert.

Ein genialer Tondichter, dessen Schaffen dem unbegreiflichen und unbewußten Walten einer Naturkraft zu vergleichen ist, dessen Größe von den Mitlebenden kaum geahnt wurde, durcheilte Schubert eine kurz bemessene Lebensbahn, reich an künstlerischen Taten, arm an Erfolgen. Nur zögernd traten seine Werke aus der Verborgenheit ans Licht. Er schuf für sich und seine Freunde. Erst spät erweiterte sich der Kreis seiner Gemeinde, erst an der Neige seines Lebens durfte er sich in den spärlichen Strahlen der Anerkennung sonnen. Als endlich die Nachwelt allmählich das Lebenswerk Schuberts überblicken konnte, da gab es ein Staunen, ein jubelndes Entzücken ohnegleichen. Eine unerschöpfliche Fülle von Melodien erstanden aus diesen sorglos verstreuten Manuskripten, eine neue, kühne Harmonik, eine neue Tonwelt. Als Meister des Liedes längst anerkannt, entdeckte man Schubert den hochbedeutenden Instrumentalkomponisten. So emporgewachsen, wies ihm endlich die Musikwelt seinen Platz neben den Großen der klassischen Epoche an.

Von den fünf großen Wiener Tonmeistern Gluck, Haydn, Mozart, Beethoven, Schubert, ist der letzte der bodenständigste. Gluck war ein Bayer von Geburt, Haydn stammt aus einem niederösterreichischen Dorfe, Mozart war ein Salzburger, Beethoven ein Rheinländer, Schubert ein „Wiener Kind".

Die Lebensgeschichte Schuberts bietet dem Erzähler wenig Stoff. Ein ereignisloses Leben, an der Oberfläche kaum bewegt, in der Tiefe unergründlich. Der Held erscheint vorwiegend passiv, während die aktiven Rollen den Freunden zufallen. Doch, was ist in dem Leben einer Geistesgröße, einer Berühmtheit uninteressant? Folgen wir nicht teilnehmend, neugierig, jeder kleinen Begebenheit, die sich an solch einen Namen knüpft, finden nicht selbst die Legenden, welche die Lebensgeschichte auf Schritt und Tritt begleiten, ein aufmerksames Ohr?

Franz Schubert wurde am 31. Jänner 1797 in Wien auf dem „Himmelpfortgrund" geboren. (Das Geburtshaus, Nußdorferstraße 54, ist mit einer Gedenktafel bezeichnet.) Sein Vater, der einer bäuerlichen Familie in Schlesien entstammte, kam 1784 nach Wien und wurde Lehrer an der Volksschule in der Vorstadt Liechtenthal. Er heiratete die ebenfalls in Schlesien gebürtige, als Köchin in Wien bedienstete Elisabeth Fitz. Von den 14 Kindern aus dieser Ehe blieben fünf am Leben, vier Söhne und eine Tochter. Franz war der jüngste der Söhne. Die Namen der Geschwister sind: Ignaz (geb. 1784), Ferdinand (geb. 1794), Karl (geb. 1795), Therese (geb. 1801). Die Familie lebte, dem Kinderreichtum und dem kärglichen Einkommen entsprechend, in beschränkten Verhältnissen. Franz besuchte seit seinem sechsten Lebensjahre die Schule und lernte brav; zugleich erhielt er Musikunterricht durch den Vater und den Bruder Ignaz, zumeist im Violin-, dann im Klavierspiel. Bald darauf kam der Knabe zu dem Regenschori der Liechtenthaler Pfarrkirche Michael Holzer in die Lehre, der ihn auch auf der Orgel und in der Theorie unterwies. Doch Holzer beschränkte sich zumeist darauf, den Knaben, der ohnehin alles konnte und wußte, zu bewundern. Schon mit acht Jahren betätigte sich Franz in der Kirche als Solosopranist, an der Violine und der Orgel, zu Hause durfte er an den Quartettübungen der Familie (Vater und Brüder waren sämtlich musikalisch) teilnehmen.

Die schöne Stimme und Treffsicherheit des Knaben ermutigten den Vater, sich für ihn um die Aufnahme in das kais. Konvikt zu bewerben. Das Konvikt, auf dem Universitätsplatz gelegen, war eine Lehr- und Pensionsanstalt für die angehenden Sängerknaben der Hofkapelle, mit einem Gymnasium verbunden, welches von den Ordensbrüdern der Piaristen geleitet wurde. Nach vorzüglich bestandener Aufnahmsprüfung in Gegenwart Salieris und Eyblers wurde Franz im elften Lebensjahre in das Konvikt aufgenommen, um neben den Gymnasialstudien in der Musik ausgebildet zu werden. In die Konviktzeit Schuberts, welche sich von 1808 bis 1813 erstreckte, fallen zahlreiche Keime seiner musikalischen Entwicklung, seine ersten Kompositionen, seine ersten Freundschaftsbündnisse. Das Konvikt besaß ein Zöglingsorchester, von dem Hoforganisten Ruciezka geleitet, welches in seinen regelmäßigen Übungen Haydn, Mozart, Kozeluch, Krommer, auch Leichteres von Beethoven kultivierte. Die Empfänglichkeit und das Verständnis des Knaben wurden durch die Werke dieser Meister frühzeitig geweckt. Der kleine Franz spielte bald eine Rolle in diesem Knabenorchester und wurde wegen seiner Musikfestigkeit bewundert. Ruciezka erteilte ihm zeitweise Theorieunterricht. Wann die ersten Kompositionsversuche Schuberts stattgefunden, läßt sich nicht mit Sicherheit bestimmen, man weiß nur, daß er schon im Konvikt große Massen Notenpapier verbrauchte, die dem armen Knaben sein Konvikt-

genosse Josef Spaun aus gutem Herzen lieferte. Eine Klavier-
phantasie zu vier Händen, datiert 8. April bis 1. Mai 1810, gilt
als die erste Komposition Schuberts. Es ist ein weit aus-
gesponnenes Stück, aus vielen kleinen, in Tonart, Tempo und Charakter rasch wechselnden Abschnitten bestehend. 1811 folgt das
erste Lied „Hagars Klage"; es ist offenbar unter dem Einfluß
Zumsteegs, dessen Lieder damals Schubert begeisterten, entstanden und entbehrt wie die Produkte seines Vorbildes der Einheitlichkeit. Den Erstlingswerken des 13jährigen Knaben sind noch
anzureihen Schillers „Des Mädchens Klage" und dessen „Leichen-
phantasie", „Der Vatermörder" (zu Weihnachten 1811 „seinen lieben
Eltern dargebracht"), nebst zwei vierhändigen Phantasien. Im
nächsten Jahre 1812 wendet sich Schubert vorwiegend der Instrumentalmusik zu. Es entstehen eine Ouvertüre in D und einige
Streichquartette.

Erste Kompo-
sitionen
1810—1812.

Der Umstand, daß Schubert schon frühzeitig die Gewohnheit annahm,
seine Werke genau zu datieren, setzt uns in die Lage, die Entstehungszeit der
meisten derselben zu bestimmen,

Man darf bei diesen Erstlingsversuchen nicht nach Spuren
von Selbständigkeit forschen, sie sind lediglich Spiegelbilder des
Gehörten mit etwas jugendlichem Überschwang vermischt. Etwas
reifer sind die 1813 entstandenen vier Streichquartette, namentlich
die in C-dur, B-dur, D-moll. Förderlich war es für den jugendlichen Tonsetzer, daß er diese seine ersten Kammermusikwerke so-
gleich im häuslichen Kreise probieren konnte, wenn er des Sonn-
tags in seiner Konviktsuniform nach Hause kam und sich mit
Vater und Brüdern an den Quartett-Tisch niedersetzte. Franz übernahm dabei die Violapartie. Zwei aus dieser Zeit datierte „Salve
Regina" belehren uns, daß Schubert auch für die Kirche zu
schreiben begann. Es reihen sich noch an eine vierhändige Phantasie, ein teilweise erhaltenes Oktett für Blasinstrumente, einige
Gelegenheitskantaten und Lieder, unter den letzteren „Der Taucher"
von Schiller, ein Gesangstück von ungeheuerlicher Ausdehnung.

1812 trat Schubert in den Schülerkreis des Hofkapellmeisters
Salieri; er wird in die Geheimnisse des strengen Satzes eingeweiht, schreibt unter des Meisters Aufsicht Kanons und italienische Gesangstücke. Ein systematischer und regelmäßiger Unterricht fand nicht statt, Schubert war und blieb auf sich und sein
Genie angewiesen. Das Verhältnis zu Salieri löste sich übrigens
schon 1815, wenn auch Schubert sich noch später „Schüler Salieris"
nennt.

Bei Salieri.

Nach fünfjährigem Aufenthalt verließ Schubert im Jahre 1813
das Konvikt. Seine Stimme hatte inzwischen mutiert und sein
Bleiben war daher zwecklos. Das Gymnasium war nie seine Freude
gewesen, er lebte nur in und für Musik. Mit einigen seiner Kon-
viktgenossen verband ihn treue Freundschaft, welche sich

Austritt aus
dem Konvikt
1813.

jahrelang erhielt, insbesondere mit S p a u n, Stadler, Senn, Kleindl, Holzapfel; ihnen gesellen sich von den Mitschülern bei Salieri noch Anselm H ü t t e n b r e n n e r und R a n d h a r t i n g e r hinzu. Einigen dieser Namen werden wir noch später begegnen.

Es galt nun für den Sechzehnjährigen einen Beruf zu wählen und was lag näher, als dem des Vaters zu folgen? Ein Beweggrund mag auch gewesen sein, daß die Lehrer von dem damals langjährigen Militärdienst befreit waren. So ward Schubert, nachdem er durch ein Jahr die Lehrerbildungsanstalt bei St. Anna be-

Schulgehilfe. sucht und die Prüfung bestanden hatte, 1814 S c h u l g e h i l f e in der Schule seines Vaters. Mittlerweile hatte Vater Schubert nach
Zweite Ehe des Vaters. dem 1812 erfolgten Tode seiner Frau sich zum zweitenmal verheiratet, und zwar mit Anna K l e y e n b ö c k, einer Fabrikantenstochter aus der Vorstadt Gumpendorf. Auch diese Ehe war mit Kindern gesegnet, von denen am Leben blieben : M a r i e (geb. 1814), J o s e p h a (geb. 1815), A n d r e a s (geb. 1823), A n t o n (geb. 1826).

Eindrücke. Mannigfache Eindrücke waren es, die Schubert in dieser Zeit empfing und die ihn zum Schaffen anregten. Von den Symphonien, die er in Konzerten hörte, entzückten ihn vor allem die Mozartschen;
Erste Symphonie. unter ihrem Einflusse schrieb er schon 1813 seine e r s t e S y m- p h o n i e in D-dur. Das Konviktsorchester brachte sie ihm zu Gehör. Mit den Opernvorstellungen, die er um diese Zeit zu besuchen anfing, erwachte ein neues Interesse in ihm. Die Reihe der von ihm gehörten O p e r n beginnt mit W e i g l s „Schweizerfamilie", es folgen „Medea" von C h e r u b i n i, „Die Vestalin" von S p o n t i n i u. a. Eine mächtige Wirkung übte auf ihn G l u c k s „Iphigenia auf Tauris" mit der Milder und Vogl als Darsteller. Wie gewöhnlich regten ihn die empfangenen Eindrücke zu eigenem Schaffen an. Er griff nach einem Text von K o t z e b u e und es entstand 1813
Des Teufels Lustschloß. bis 1814 „D e s T e u f e l s L u s t s c h l o ß", eine „natürliche Zauberoper"; sie kam nie zur Aufführung. Am 16. Oktober 1814 wurde
Erste Messe 1814. in der Liechtenthaler Pfarrkirche Schuberts e r s t e M e s s e in F-dur aufgeführt, dann zehn Tage später in der Augustinerkirche wiederholt. Beidemal stand die Aufführung unter der Leitung des Komponisten und des Regenschori Holzer. Das einfache, kirchlich würdige Werk fand auch das Lob des anwesenden Salieri. Die 16- jährige Therese G r o b, welche die Sopransoli vortrug, war schon damals ein Liebling Schuberts. Zu den L i e d e r n, welche aus dem-
Gretchen am Spinnrade. selben Jahre datieren, gehört Goethes „G r e t c h e n am S p i n n - r a d e". Es ist die erste geniale (echt Schubertsche) Liedkomposition des jungen Meisters und als solche epochemachend. Vergebens hatte ihn Salieri, der seinen Schüler nur an italienischen Texten heranbilden wollte, vor Goethe und Schiller gewarnt. Aber nicht bloß diese Großen, auch geringere Geister unter den Dichtern befruchteten seine nimmerrastende musikalische Erfindung. Einer

derselben war Johann Mayrhofer, mit dem er um diese Zeit bekannt wurde und in dauernder Freundschaft verbunden blieb.

Johann Mayrhofer, 1787 in Stadt Steyr (Oberösterreich) geboren, studierte mehrere Jahre Theologie im Stifte St. Florian, wandte sich aber später in Wien der Rechtswissenschaft zu und gelangte zu der Stelle eines k. k. Bücherzensors. Mit diesem Amte stimmten seine poetischen Neigungen schlecht zusammen. Mayrhofer war eine schwärmerische, etwas exaltierte Natur und hatte nebst seiner dichterischen Begabung eine feine Empfindung für Musik. Schuberts Komposition eines seiner Gedichte („Am See") war die Veranlassung einer persönlichen Annäherung. Es entwickelte sich ein enger Freundschaftsbund zwischen ihnen, sie wohnten sogar einige Jahre zusammen und Schubert setzte viele Dichtungen seines Freundes in Musik. Mayrhofer bewährte sich als treuer und hilfreicher Freund bis ans Ende. Später wurde er gemütskrank und am 5. Februar 1836 endete er durch Selbstmord, indem er sich in seinem Amtsgebäude aus dem Fenster stürzte.

(Marginalie: Joh. Mayrhofer.)

Widmen wir an dieser Stelle jenen Freunden aus der Jugendzeit Schuberts, welche eine Rolle in seinem weiteren Lebenslauf spielen, einige Aufmerksamkeit. Der Vortritt gebührt dem ältesten Freunde und vertrauten Genossen aus der Konviktzeit, Spaun.

Josef Spaun, 1788 in Oberösterreich geboren, kam als Zögling in das k. k. Konvikt, verließ es aber schon ein Jahr nach Schuberts Eintritt. Um neun Jahre älter als dieser, nahm er ihn unter seinen wohlwollenden Schutz und blieb ihm fortan ein treuer Freund. Spaun wendete sich der Beamtenlaufbahn zu, rückte bis zum Lottodirektor in Wien vor und wurde in den Freiherrnstand erhoben. Ein großer Musikfreund und enthusiastischer Verehrer Schuberts, ein durchaus biederer und gutmütiger Charakter, bewahrte er bis an sein Ende, 1865, das Andenken seines genialen Jugendfreundes in Ehren. Er hinterließ seine Erinnerungen an Schubert in den von ihm verfaßten Memoiren.

(Marginalie: Jos. Spaun.)

Anselm Hüttenbrenner (1794—1868), in Graz geboren, war nacheinander Novize in einem Kloster, dann Jurist, endlich ausschließlich Musiker. Während seiner Studienzeit in Wien war er Schuberts Mitschüler bei Salieri. Er widmete sich mit großem Eifer der Komposition, doch gelangte nur weniges davon in die Öffentlichkeit. Er verkehrte auch mit Beethoven. Zuletzt wirkte Hüttenbrenner als Direktor des Grazer Musikvereines. So groß seine Verehrung und Freundschaft für Schubert war, hielt er doch eine Anzahl seiner unveröffentlichten Werke noch lange nach des Meisters Tode zurück.

(Marginalie: Ans. Hüttenbrenner.)

Benedikt Randhartinger (1802—1893), der ebenfalls gleichzeitig mit Schubert bei Salieri studierte, trat 1832 als Tenorist in die kais. Hofkapelle und brachte es 1844 zum Vizehofkapellmeister, worauf er nach dem Tode Aßmayers zum ersten Hofkapellmeister vorrückte. Er war ein äußerst produktiver Komponist von Kirchenstücken; auch Instrumentalwerke und Lieder, von denen manche beliebt wurden, flossen aus seiner Feder. Um Schubert machte er sich durch eine Ausgabe seiner Lieder verdient.

(Marginalie: Ben. Randhartinger.)

Hier darf auch Therese Grob, die wir als Solistin in Schuberts F-dur-Messe erwähnten, nicht übergangen werden. Schubert verkehrte oft und gern in der Familie Grob, wo gute Musik gepflegt wurde und Therese durch mehrere Jahre den Gegenstand seiner Jugendschwärmerei bildete. Sie heiratete 1820 einen Bäckermeister Bergmann.

(Marginalie: Therese Grob.)

Das Jahr 1815 war eines der ergiebigsten in Schuberts Schaffenszeit. Es entstanden zwei Symphonien in B und D, ein Streichquartett G-moll, vier Klaviersonaten und kleinere Klavierstücke, zwei Messen in G-dur und B-dur, andere Kirchenstücke,

(Marginalie: Kompositionen 1815.)

darunter ein Stabat mater in G-moll und ein Salve Regina, mehrere
Singspiele, endlich ungefähr 140 L i e d e r.

Symphonien. Von den beiden S y m p h o n i e n ist die in B-dur die bedeutendere,
Mozartisch in den beiden ersten Sätzen, während das Finale an Haydn erinnert, die zweite in D-dur ist kleiner, harmloser, zeigt jedoch im Menuett schon
Schuberts Züge. Wenig Bemerkenswertes bietet das G-moll-Streichquartett,
noch weniger die Erstlinge der Klaviersonaten, welche unvollendet geblieben.
Die M e s s e in G - d u r gehört zu den anmutendsten Werken des jungen
Meisters und hat sich in ihrer Beliebtheit bis heute erhalten. Eine Hochflut
von d r a m a t i s c h e n Projekten und Arbeiten schlug über Schuberts Haupt
zusammen. Dem vorangegangenen „Teufels Lustschloß" folgten nun rasch
Opern. hintereinander: Das einaktige Singspiel „Der v i e r j ä h r i g e P o s t e n", Text
von Körner, „F e r n a n d o", Text von Albert Stadler (Fragment), „C l a u d i n e
v o n V i l l a b e l l a" von Goethe, Singspiel in drei Akten (nur die Ouvertüre
und der erste Akt erhalten); „Die F r e u n d e v o n S a l a m a n c a", ein Singspiel in zwei Akten, von Mayrhofer verfaßt, gedieh in der Komposition nebst
der Ouvertüre zu 18 Nummern. Als Fragmente kann man noch anführen
„A d r a s t" von Mayrhofer, eine ernste Oper, und den „S p i e g e l r i t t e r" von
Kotzebue. Von allen den genannten dramatischen Werken ist keines zu
Schuberts Lebzeiten über die Bühne gegangen. „Der vierjährige Posten" durfte
jedoch 1897 in W i e n und D r e s d e n (in der Bearbeitung von Rob. Hirschfeld) bei Gelegenheit der 100jährigen Geburtsfeier seine Auferstehung feiern.

Lieder. Am merkwürdigsten ist der L i e d e r r e i c h t u m, welchen das
Jahr zu Tage förderte. Aber nicht die Masse ist es, welche impo-
niert, sondern der Aufschwung, den der Tondichter in seinen
lyrischen Schöpfungen sowohl der Form als dem Gehalt nach
nimmt. Es genügt unter vielem auf die „Ossianischen Gesänge", die
„Mignonlieder", „Meeresstille", „Wanderers Nachtlied", den „Fischer",
„Heidenröslein", „Rastlose Liebe", endlich den „Erlkönig" hinzu-
Der Erlkönig. weisen. Die Ballade der „E r l k ö n i g" war es, welche Schuberts
Ruhm begründete und ihm den Weg zur Öffentlichkeit bahnte.

Zu einer festen Lebensstellung sollte Schubert nie gelangen,
obwohl er es an Bemühungen in dieser Richtung nicht fehlen ließ.
Im Jahre 1816 bewarb er sich um die Stelle eines Musiklehrers
Bewerbung an der Staatsschule in L a i b a c h, mit welcher ein Einkommen von
nach Laibach 450 Gulden verbunden war; seinem Gesuch lag ein ziemlich kühl
1816. gehaltenes Zeugnis Salieris bei. Der Erfolg der Bewerbung war
ein negativer. Um dieselbe Zeit, nach anderer Angabe erst 1818,
gab Schubert seinen Posten als Schulgehilfe auf. Ein Zerwürfnis
mit dem Vater war die Folge dieses Schrittes. Schubert war nun
unabhängig, aber subsistenzlos. Einige Musikstunden boten ihm
einen kürglichen Erwerb, ein Verleger für seine Kompositionen
Bekannt- hatte sich noch nicht gefunden. Es fehlte ihm nicht an Bekanntschaften. schaften in gebildeten und kunstfreundlichen Kreisen, Männer wie
der Intendant Graf Moritz D i e t r i c h s t e i n, der gelehrte Hofrat
K i e s e w e t t e r, die Dichter H a m m e r - P u r g s t a l l, P y r k e r,
C o l l i n, der Schauspieler A n s c h ü t z interessierten sich für ihn,
doch rafften sie sich nicht zu einer kräftigen Förderung des jungen
Genies auf. Mäzene, wie sie Beethoven gewonnen, fand Schubert

auf seinem Lebenswege nicht. Er selbst war zu schüchtern und unbeholfen, um sich Bahn zu brechen. Als werktätige Freunde sind zwei Persönlichkeiten anzuführen, welche um diese Zeit auftauchen. Franz von S c h o b e r, ein junger Mann aus gutem Hause, vielseitig begabt, doch unsteten Charakters, schloß sich in bewundernder Sympathie Schubert an. Wie vorher Mayrhofer, teilte Schober eine Zeitlang sein Heim mit dem gleichalterigen Künstler. Auch S c h o b e r dichtete, und wohl aus Dankbarkeit für ihn setzte Schubert eine Anzahl seiner Gedichte in Musik. Bald nach Schober tritt der Opernsänger V o g l in den Freundeskreis des jungen Meisters. Vogl empfing von Schuberts Liedern einen anfangs matten, dann sich stets steigernden Eindruck. Er war es, der diese Lieder, insbesondere den „Erlkönig", den „Wanderer", „Ganymed" in den musikalischen Kreisen Wiens mit Schubert als unzertrennlichen Begleiter zu Gehör brachte und zu ihrer Verbreitung wesentlich beitrug. Das freundschaftliche Verhältnis Vogls zu dem 20 Jahre jüngeren Schubert, welches mehr dem des Beschützers zum Schützling glich, erhielt sich, vorübergehende Trübungen abgerechnet, bis zu Schuberts Lebensende.

Neue Freunde.

Franz von S c h o b e r wurde als Sohn eines Gutsverwalters 1796 in Schweden geboren, kam im Knabenalter mit seiner Mutter nach Wien, studierte am Gymnasium zu Kremsmünster, dann an der Wiener Universität. Seine Neigungen gehörten der Poesie und der Musik an. Durch Spauns Vermittlung lernte er um 1816 Schubert kennen. Nach einigen Jahren freundschaftlichen und künstlerischen Verkehrs ging Schober auf Reisen, kehrte vorübergehend nach Wien zurück, um bald wieder in die weite Welt zu ziehen, und ließ sich endlich in Weimar nieder, wo er zum Legationsrat befördert wurde. In späteren Jahren betrieb er eine Steindruckerei in Wien, welches Unternehmen mißglückte. Er starb erst 1882.

Franz
v. Schober.

Joh. Michael V o g l, geb. 1768 in Steyr, war ebenfalls ein Zögling des Kremsmünsterstiftes. Auf der kleinen Bühne daselbst machte Vogl seinen ersten Versuch als Sänger. Er wandte sich nach Wien, studierte die Rechte und wurde Beamter. Doch sein großes musikalisches und dramatisches Talent drängte zur Opernbühne. Seine herrliche Stimme und Gesangsmethode, wie seine durch allgemeine Bildung geläuterte Darstellungskunst erhoben ihn bald zum gefeierten Opernsänger. Er wirkte von 1794 bis 1822 an der Wiener Hofoper und glänzte besonders in dramatischen Partien, wie Orestes, Almaviva, Kreon (in Medea). Vogl war Künstler und zugleich Gelehrter, in seiner Lebensweise ein Sonderling. Er heiratete 1826 mit 58 Jahren und verbrachte seine letzten Lebensjahre meist in seinem Heimatsorte Steyr, wo er 1840 starb. Seine Witwe und Tochter lebten dort noch viele Jahre in Zurückgezogenheit.

Joh. Mich.
Vogl.

Auch im Jahre 1816 lag der Schwerpunkt von Schuberts Schaffen im Liede. War die Zahl auch geringer als im Vorjahre, immerhin betrug sie noch die stattliche von hundert; wichtiger ist die fortschreitende Reife und sichere Formbeherrschung. Es sind darunter die Harfnerlieder aus „Wilhelm Meister", „Der König in Thule", „Jägers Abendlied", „Schwager Kronos", alle von G o e t h e. Auch S c h i l l e r s Dichtungen bemeistert er in „Ritter Toggenburg", „Der Flüchtling", „An Laura", „Theklas Gesang" usw. Ein ähnliches Aufsehen wie der Erlkönig erregte „Der W a n d e r e r"

Kompositionen
1816.

(Text von Schmidt von Lübeck). Die zahlreichen schönen Lieder, welche in diesem Jahre auf Dichtungen von Claudius, Salis, Hölty, Klopstock, Mayrhofer und vieler anderer entstanden, können hier nicht angeführt werden. Läßt man den Liedern auch den Vortritt, so sind doch auch andere bedeutende oder anmutende Werke, Früchte desselben Jahres, nicht zu übersehen. Zu diesen gehören die vierte Symphonie in C-moll („tragische") und die in B-dur Nr. 5. Die erstere und bedeutendere stellt einen großen Fortschritt über die vorangegangenen Symphonien dar, ist wärmer, leidenschaftlicher, die Bezeichnung „tragisch" jedoch nicht gerechtfertigt. Die zweite in B-dur ist die gefälligere und erinnert an die Grazie Mozarts; sie ist für kleines Orchester geschrieben, wahrscheinlich für einen Dilettantenverein.

Dilettanten-
orchester.

Die häuslichen Musikübungen hatten allmählich eine Erweiterung erfahren. Es bildeten sich in den Häusern von Musikfreunden Dilettantenorchester, welche leichtere Symphonien und Ouvertüren mit Streich- und Blasinstrumenten ausführten; zu nennen sind vorzüglich als solche Musikasyle die Häuser des Kaufmannes Frischling, des Violinisten Hatwig, des Spediteurs Pettenkofer. Schubert, der an der Viola mitwirkte, ließ auch zuweilen hier seine Kompositionen probieren. Von Instrumentalwerken Schuberts sind aus dieser Zeit noch zu erwähnen: Eine Ouvertüre in B, ein Streichquartett, ein Streichtrio, ein Violinkonzert, drei Sonatinen für Klavier und Violine, eine Klaviersonate und kleinere Klavierstücke, alles von mehr oder minder untergeordnetem Werte.

Stabat mater.

Einen bedeutenderen Rang nimmt das Stabat mater in F-moll, auf einen deutschen Text von Klopstock, für Solostimmen, Chor und Orchester ein. Das interessante Werk wurde 1841 durch eine Aufführung der Gesellschaft der Musikfreunde aus der Verborgenheit gezogen. Ein Salve Regina zu deutschen Worten, ein Tantum ergo, ein Terzett mit Klavierbegleitung auf Klopstocks „großes Halleluja", der Engelchor aus Faust, das Fragment eines Requiem sind noch anzuführen. Auch begann Schubert für Männerchor zu schreiben, eine damals noch wenig kultivierte Gattung, und präludierte damit seinen späteren glanzvollen Leistungen in der Chormusik. Zu der Opernfruchtbarkeit von 1815 kam noch ein Nachzügler, „Die Bürgschaft", auf ein sehr mittelmäßiges, an Schiller sich lehnendes Textbuch eines unbekannten Autors; die Komposition war bis zum dritten Akt gediehen, dann aufgegeben.

Kantate Prometheus.

Eine geheimnisvolle Rolle unter den Kompositionen des Jahres 1816 spielt eine Kantate, Prometheus betitelt. Es war ein Gelegenheitswerk, von den Freunden des Universitätsprofessors Wattroth bestellt und am 24. Juli als Ständchen in Wattroths Garten in der Vorstadt Erdberg aufgeführt. Die Kantate war für Soli, Chor und Orchester komponiert. Daß sie als wertvoll galt und Beifall fand, dafür sprechen die Äußerungen von Zeitgenossen und wiederholten Aufführungen, wie die in dem Hause des Advokaten Ignaz Sonnleithner 1819, dann in Innsbruck unter der Leitung Gänsbachers, endlich im Stifte Göttweih. Um so mehr ist es zu bedauern, daß das Manuskript, welches Schubert noch in seiner letzten Zeit besaß, verschollen ist.

Eine andere Gelegenheitskantate zu Ehren des wegen seines humanen Wirkens
verdienten Dr. Josef Spendon, ein schwächeres Werk, wurde dagegen 1830
veröffentlicht.

Die warme, ja begeisterte Aufnahme, welche Schuberts Goethe-
lieder in Privatkreisen gefunden, veranlaßte den Plan, eine Samm-
lung derselben zu veröffentlichen und das erste Heft mit einer
Widmung an den Dichter zu schmücken. Um die Genehmigung
Goethes zu erlangen, sandte der dienstfertige Freund Spaun im
April 1817 ein Heft dieser Lieder, begleitet von einem ehrfurchtsvollen, fast devoten Schreiben an den Dichterfürsten. Sendung und
Brief blieben unberücksichtigt. Dasselbe Schicksal hatte eine spätere
Sendung im Jahre 1825. War es Mangel an Zeit des durch ähn-
liche Anliegen oft bedrängten Altmeisters oder Unterschätzung der
ihm vorgelegten Lieder? 1817.
Goethe-Lieder.

Goethe hatte kein tieferes Verhältnis zur Musik, obwohl er durch den
Verstand dahin zu gelangen strebte. Die spießbürgerlichen Gesänge Zelters
waren ihm sympathisch. Als ihm einst in späterer Zeit die Schröder den
„Erlkönig" vorsang, erwärmte er sich für Schuberts Komposition.

Von den 1817 entstandenen Werken sind hervorzuheben:
Die sechste Symphonie in C-dur (erst 1818 vollendet), zwei Ouver-
türen im ital. Stil, die Streichquartette Es-dur und E-dur, die
Klaviersonaten in Es-dur Op. 122 und A-moll Op. 164, dann die
Lieder „Gruppe aus dem Tartarus" (Schiller), „Ganymed" (Goethe),
„Lob der Tränen" (Schlegel), „Der Tod und das Mädchen" (Claudius),
„Memnon"; „Der Erlafsee" (Mayrhofer), „An die Musik", „Pax
vobiscum" (Schober), „Die Forelle" (Schubart) usw. Diesen schließen
sich die Männerchöre „Gesang der Geister über den Wassern"
(in der ersten Fassung) und „Das Dörfchen" an.

Spricht man von den um diese Zeit neuerworbenen Freunden,
so dürfen Josef Hüttenbrenner, der Bruder Anselms, Johann
Jenger und Josef Gahy nicht vergessen werden. Der erstere,
einer der treuesten Anhänger des Tondichters, war zugleich sein
Famulus in geschäftlichen Dingen. Johann Jenger, ein tüchtiger
Klavierspieler, stand bis zur letzten Lebenszeit Schuberts in freund-
schaftlichem Verkehr mit ihm. Jenger übersiedelte später nach
Graz, wo er durch mehrere Jahre als Beamter und Sekretär des
Musikvereins wirkte. Mit Josef Gahy, einem Beamten und eifrigen
Pianisten (trotz einiger verkrüppelter Finger), spielte Schubert oft
und gern vierhändig und gewann seit dieser Zeit eine große Vor-
liebe für diese Gattung der Klaviermusik. Jos. Hütten-
brenner.

Joh. Jenger.

Es war ein Ereignis in der bescheidenen Existenz des Ein-
undzwanzigjährigen, als er im Sommer 1818 eine Berufung nach
dem Gute Zelez in Ungarn zu dem Grafen Johann Esterhazy
als Musiklehrer der Familie erhielt. Er hatte die beiden Töchter
Marie und Karoline im Klavierspiel zu unterrichten, außerdem
sämtliche Familienglieder (alle waren musikalisch) zum Gesang zu 1818.
Zelez.

16*

begleiten. Zu ihnen gesellte sich noch als Gast der junge Baron Schönstein, der mit einer wohlgebildeten Stimme einen gefühlvollen Vortrag verband.

Schuberts soziale Stellung im Hause war keine bevorzugte, doch schätzte man sein Talent. Aus seinen Briefen an die Freunde erfahren wir, daß er mit dem Gesinde speiste, sich mit dem Koch und dem „hübschen" Stubenmädchen befreundete und trotz der schönen Gegend und dem ungewohnten Luxus sich zurücksehnte. Es ist bei Schubert selbstverständlich, daß sein Aufenthalt in Zelez musikalisch nicht unproduktiv blieb. Mit Bestimmtheit lassen sich eine Ballade „Einsamkeit" von Mayrhofer, dann die „Litanei auf Allerseelen" und mehrere Walzer angeben. Als gegen Ende des Jahres die Familie Esterhazy und mit ihr Schubert in die Stadt zurückkehrten, wurde der Unterricht fortgesetzt.

Ersteveröffentliche Aufführungen.

In das Jahr 1818 fällt die Vollendung der C-dur-Messe (Michael Holzer gewidmet). Bemerkenswert ist auch die erste öffentliche Aufführung einer Schubertschen Komposition. Am 1. März 1818 wurde in einem Konzert des Geigers Ed. Jaell im Saale zum „Römischen Kaiser" eine Ouvertüre im italienischen Stile von Schubert gespielt. Es war ein Jahr später, als der Tenorist Franz Jäger in einem Konzert „Schäfers Klagelied" sang, der erste öffentliche Vortrag eines Schubertschen Liedes. Eines Verlegers entbehrte Schubert noch immer.

1819.
Steyr.

Im Sommer 1819 unternahmen Schubert und Vogl eine Vergnügungsreise, deren Hauptziel Steyr, die Heimat Vogls war. Es gab da Ausflüge, Gesellschaften und viel Musik. Die wohlbestallten und töchterreichen Familien der Paumgartner, Koller, der einstige Konviktgenosse Albert Stadler und dessen Schwester bilden den geselligen Kreis, in dem sich Schubert vorzugsweise bewegte. Gelegenheitskompositionen schossen auf, aber auch etwas Bleibendes, das „Forellenquintett" für Klavier und Streichinstrumente.

Moriz
Schwind.

Aus derselben Zeit mag auch die Bekanntschaft mit Moriz Schwind, einem jungen vielversprechenden Maler und leidenschaftlichen Musikfreunde datieren. Dem intimen Verkehr, welcher sich zwischen Beiden entwickelte, schloß sich bald der angehende Dichter, damals noch Student, Eduard Bauernfeld als dritter im Bunde an. Alle drei waren von künstlerischem Streben erfüllt, dabei lebenslustig und übermütig, alle drei waren arm. Was von ihrer Lebensführung erzählt wird, der gemeinsamen Wohnung, dem raschen Wechsel von Not und Überfluß, der Gütergemeinschaft, welche sich auch auf die Kleider erstreckte, den Nachtwanderungen in der Umgebung, mutet uns wie eine Art „Bohème" aus der Biedermannszeit an. Schubert verlor sich und sein besseres Selbst keineswegs in diesem Treiben; der ganze Vormittag gehörte der Arbeit, der Nachmittag der Geselligkeit und dem Vergnügen. Da Schubert einer geordneten Häuslichkeit entbehrte, so spielen Gast- und Kaffeehäuser eine große Rolle in seinem Leben.

Ed. Bauernfeld.

Genannt werden viele derselben, darunter die „Eiche", die „Schnecke", die „Schwarze Katze", die „Heurigen" in Währing und Grinzing. Interessant waren die wöchentlichen Zusammenkünfte in der „Ungarischen Krone" (Himmelpfortgasse), an welchen die Maler Schnorr, Kupelwieser, Teltscher, der junge Musiker Franz Lachner, Josef Hüttenbrenner u. a., darunter die intimen Freunde Schwind und Bauernfeld teilnahmen.

Obwohl Schwind und Bauernfeld der Kunst- und Literaturgeschichte vertraute Gestalten sind, soll doch, bei der bedeutenden Rolle, die sie in Schuberts Leben spielen, ihrer mit einigen Notizen gedacht werden.

Moriz von Schwind, geb. 1804, somit sieben Jahre jünger als Schubert, aus ärmlichen Verhältnissen hervorgegangen, bildete sich an der Wiener Akademie unter Schnorr von Carolsfeld zum Maler aus, stand dann unter dem Einfluß von Cornelius in München und gelangte allmählich zu künstlerischem Ruf. Von seinen der romantischen Richtung angehörigen Werken werden die Bilderzyklen „Die sieben Raben" (Weimar) und „Die schöne Melusine" (Wien) am meisten bewundert; auch die 1866 gemalten Fresken im Wiener Hofoperntheater verdienen rühmliche Erwähnung. Schwind starb 1871 in München. Seinem Pinsel verdanken wir die Darstellung mancher ergötzlichen Szenen aus Schuberts Leben.

Eduard von Bauernfeld, geb. 1802 in Wien, ergriff den juridischen Beruf und wurde Beamter, warf aber bald diese Bürde ab, um sich ganz der Literatur zu widmen. Seine große Begabung, Witz und Schärfe der Beobachtung machten sich vorzüglich in seinen Lustspielen geltend, deren er viele mit Erfolg auf die Bühne brachte. Er war auch sehr musikalisch und einer der beliebtesten Gesellschaftsmenschen bis in sein hohes Alter. Er starb erst 1890. Seine veröffentlichten Tagebücher enthalten interessante Mitteilungen über Schubert.

Ernstere Bedeutung für Schubert gewann seine Einführung bei dem Advokaten Ignaz Sonnleithner, der in seinem Hause (im „Gundelhof") Künstler und Kunstfreunde zu anregenden Musikabenden versammelte. In diesem Kreise fanden auch Schubert und seine Musik gastliche Aufnahme und Anerkennung. Wir haben schon der Aufführung der verschollenen Kantate „Prometheus" gedacht. Als eines Abends der vorzügliche Gesangsdilettant Franz Gymnich mit dem Vortrage des „Erlkönig" die Zuhörer enthusiasmierte, ward der Entschluß gefaßt, das Lied zu veröffentlichen. Sofort wurden 100 Exemplare subskribiert und Sonnleithner übernahm die Herausgabe, welche im April 1821 in Kommission bei Cappi & Diabelli erfolgte. — Durch Leopold Sonnleithner, dem ebenso kunstbegeisterten Sohne des Genannten, wurde Schubert in das Haus der vier Schwestern Fröhlich eingeführt. Hier hatten Anmut, Herzensgüte und vor allem die Musik ihr Heim aufgeschlagen. Barbara, eine begabte Malerin, heiratete den Flötisten Bogner, die anderen blieben ledig. Josephine war eine Zeitlang Opernsängerin, Anna wurde Gesangslehrerin am Konservatorium, Kathi, welche die Wirtschaft führte, die „ewige Braut" Grillparzers, ward mit diesem unsterblich. Schubert, dessen Lieder an den erzmusikalischen Schwestern Bewunderinnen fanden, kam oft zu Besuch und traf da mit Grillparzer zusammen, ohne daß es zu einem innigeren Verhältnis gekommen wäre. Durch die Fröhlichs wurden auch einige Gelegenheitskompositionen Schuberts veranlaßt, unter welchen der 23. Psalm

Ign. Sonnleithner.

Die Schwestern Fröhlich.

für zwei Sopran- und zwei Altstimmen mit Pianofortebegleitung wohl als die interessanteste zu nennen ist.

Das Jahr 1820 brachte dem dramatischen Tondichter Schubert endlich die Genugtuung, zwei seiner Werke, allerdings unbedeutende, auf die Bühne zu bringen. Am 14. Juni wurde das einaktige Singspiel „Die Zwillingsbrüder" („Posse mit Gesang" nennt es der Theaterzettel) im Kärntnerthortheater aufgeführt. Die Ouvertüre gefiel so sehr, daß sie wiederholt werden mußte, auch zwei Arien Vogls, der die beiden Zwillingsbrüder darstellte, erhielten Beifall. Doch konnte sich das Stück wegen seiner albernen Handlung nicht lange in der Hofoper halten und wurde nach sechs Vorstellungen abgesetzt. Am 19. August folgte im Theater an der Wien „Die Zauberharfe", Melodram in drei Akten, ein Ausstattungsstück, zu welchem Schubert auf Bestellung in kürzester Zeit eine Ouvertüre und 13 Nummern, teils Chöre, teils Melodramen geschrieben. Das Stück brachte es auf zwölf Wiederholungen. Die Ouvertüre hat sich als die spätere zu „Rosamunde" in Beliebtheit erhalten. Noch war Schuberts Appetit an der Opernkomposition nicht gestillt. Demselben Jahr entstammen noch die Skizzen zu einer größeren Oper, „Sacontala", deren Stoff ein poetischer ist.

Von tieferer Bedeutung als diese Opernprodukte ist ein Werk, welches dieselbe Jahreszahl trägt, die Osterkantate Lazarus in drei Teilen. Es ist eine in Personen gestellte dramatisierende Kantate, einem Oratorium ähnlich. Das hochinteressante und anziehende Werk ist nur im ersten Teil und einem Fragment des zweiten vollendet auf uns gekommen; erst 1861 entdeckt, fand 1863 die Aufführung desselben statt. — Auch ein hervorragendes Klavierwerk ist hier anzureihen, die Phantasie in C-dur Op. 15, die „Wanderer-Phantasie", so genannt, da das Thema des zweiten Satzes dem Lied „Der Wanderer" entnommen ist. Die Technik dieses Stückes ist von ungewöhnlicher Schwierigkeit und es wird erzählt, daß Schubert selbst sie nicht bewältigen konnte. Erschienen ist die „Wanderer-Phantasie" erst 1823. Eine Komposition ersten Ranges ist ein Quartettsatz in C-moll, der 1868 ans Licht gezogen wurde. Aus den 1819—1820 nicht zu zahlreichen Liedern sollen nur Schillers „Hoffnung" und der „Jüngling am Bache", „Frühlingsglaube" (Uhland), „Die zürnende Diana" (Mayrhofer), „Im Walde" (Schlegel) hervorgehoben werden. Das stimmungsvolle Männerquartett „Gesang der Geister über den Wassern", 1817 komponiert, erfuhr eine eigenartige Umarbeitung für achtstimmigen Männerchor mit Begleitung von tieferen Streichinstrumenten.

In einer Akademie am 7. März 1821 im Kärntnerthortheater wurde der „Erlkönig", von Vogl gesungen, mit solchem Beifall aufgenommen, daß er wiederholt werden mußte. (Anselm Hüttenbrenner begleitete am Klavier, Schubert blätterte bloß um.) Außerdem kamen die Männerchöre „Gesang der Geister über den

Margin notes:
1820.
Die Zwillingsbrüder.

Die Zauberharfe.

Lazarus.

Wanderer-Phantasie.

1821.
Akademie
7 März.

Wassern", in der neueren Umarbeitung, und „Das Dörfchen" zur
Aufführung; ersterer fand bei dem Publikum kein Verständnis.
Das Jahr 1821 brachte die ersten Veröffentlichungen
Schubertscher Lieder. Eröffnet werden sie durch den am 1. April
bei Cappi & Diabelli in Kommission erschienenen „Erlkönig" Op. I
(dem Grafen Moriz von Dietrichstein zugeeignet). Am 30. desselben
Monats folgten „Gretchen am Spinnrade" als Op. II und dann noch
bis November fünf andere Liederhefte mit zusammen 19 Nummern,
darunter „Schäfers Klagelied", „Heidenröslein", „Der Wanderer",
„Rastlose Liebe", „Der Fischer", „Memnon", „Am Grabe Anselmos",
„Geheimes", „Sei mir gegrüßt", „Der Tod und das Mädchen" usw.

(margin: Veröffent-lichungen.)

Zwei ländliche Ausflüge bilden die Lebensereignisse des Jahres
1821, beide durch Freund Schober in Szene gesetzt, der eine im
Juli nach Atzenbrugg (bei Tulln an der Donau), wo ein Onkel
Schobers als Verwalter angestellt lebte, der andere im Herbst nach
Schloß Ochsenburg, dem Sommersitz des Bischofs von St. Pölten,
ebenfalls ein Verwandter Schobers. Heitere Geselligkeit in einem großen
Kreise von Künstlern und Bekannten herrschte in Atzenbrugg.
Landpartien, Gesellschaftsspiele sorgten für Abwechslung, besonders
aber war es die Musik, welche ihre belebende Wirkung übte.
Schubert kargte nicht mit seinen Gaben, trug seine neuen Lieder
vor, improvisierte stundenlang zum Tanze. Sein sonst gleichmütiges
Wesen taute in dieser Umgebung auf, er beteiligte sich an den
drolligsten Unterhaltungen und Spielen. Man feierte „Schubertiaden".

(margin: Ausflüge. Atzenbrugg. Ochsenburg.)

„Schubertiaden" nannte man in Wien die Zusammenkünfte, welche
sich um Schubert gruppierten und die er mit seiner Musik und seinem natürlichen Humor belebte. Diese Bezeichnung erhielt sich auch für die Zukunft.

(margin: Schubertiaden.)

Nicht minder lustig ging es in Ochsenburg und St. Pölten
zu, wo Schober und Schubert einen mehrwöchentlichen Aufenthalt
nahmen. Dort arbeiteten auch die beiden Freunde an einer neuen
Oper, „Alfonso und Estrella", welche bis zum dritten Akt
gedieh und im nächsten Winter vollendet wurde.

Im Atzenbrugger Schloßhofe und an der Pforte des Schlosses Ochsenburg sind Gedenktafeln zur Erinnerung an Schuberts Aufenthalt angebracht.
In Atzenbrugg weilte Schubert wiederholt.

Anfangs 1822 kam Weber nach Wien, um seinen Freischütz
zu dirigieren und die Vorbereitungen zur Aufführung der „Euryanthe" zu treffen. Schubert, der seine Bekanntschaft machte, hoffte
durch Webers Einfluß „Alfonso und Estrella" auf die Dresdener
Hofbühne zu bringen. Die Hoffnung erfüllte sich nicht, obwohl die
Primadonna Milder sich lebhaft für die Oper interessierte.

(margin: 1822. Weber in Wien.)

„Alfonso und Estrella" kam zu Schuberts Lebzeiten nicht zur Aufführung. Das Wiener Operntheater unter der Direktion von Duport lehnte
das Werk ab. Ein Versuch in Graz scheiterte bei der ersten Probe. Erst 1854
nahm sich Liszt des vergessenen Werkes an und brachte es auf die Weimarer
Bühne. Spätere Versuche folgten in Wien 1879 (bearb. von J. N. Fuchs), in
Karlsruhe 1881. Nirgends hielt sich die Oper dauernd auf dem Repertoire.

(margin: Alfonso und Estrella.)

Die bedeutendsten Schöpfungen Schuberts im Jahre 1822
waren zwei Sätze der H-moll-Symphonie und die Messe in
As-dur. Die Symphonie sandte Schubert dem Grazer Musikverein als Dankesbezeigung für seine Ernennung zum Ehrenmitglied. Aufgeführt wurde sie nicht, sie ruhte vielmehr jahrelang
bei Anselm Hüttenbrenner in Gewahrsam, aus dem sie, von
Johann Herbeck hervorgezogen, 1865 in einem Gesellschafts-
konzert einem staunenden und entzückten Publikum vorgeführt
wurde. — Die As-dur-Messe, seine fünfte, ein Kirchenwerk in
großem Stile, ist im Gegensatz zu Schuberts sonstiger Gepflogenheit nur langsam entstanden. Die Messe beschäftigte ihn schon
1819, wurde 1822 vollendet, doch änderte er noch in seinen letzten
Lebenstagen daran. Gänzlich verschollen, wurde sie erst 1875 aufgefunden. Erwähnen wir noch zwei „Tantum ergo", das Chorwerk
„Gott in der Natur" (Gleim) für Frauenstimmen, von Liedern „Der
Wachtelschlag", „Die Rose" (Schlegel), „An die Leyer", „Der Musen-
sohn" (ohne daß wir die Liste vervollständigen wollen), so bleibt
uns noch der vierhändigen Variationen Op. 10 wegen ihrer Widmung
zu gedenken. Wir haben schon die seltsame Tatsache berührt, daß
die beiden größten Tonmeister, welche Wien gleichzeitig beherbergte,
Beethoven und Schubert, sich im Leben ferngestanden. Nun
bot sich für Schubert durch die Widmung eines Werkes die Gelegenheit, sich dem von ihm hochverehrten Meister zu nähern. Die
Berichte über eine persönliche Überreichung des Manuskripts gehen
weit auseinander, während Spaun auf das bestimmteste erklärt,
Schubert habe nie mit Beethoven gesprochen. Erst als der große
Meister auf dem Totenbette lag, betrat Schubert verstohlen das
Zimmer, um ihn noch einmal zu sehen.

Im Laufe des Jahres 1822 konnte Schubert, der bisher ein
Nomadenleben geführt, zu dem versöhnten Vater in sein Schul-
haus, damals in der Rossau, zurückkehren. Aus dem Schulgehilfen
war inzwischen ein anerkannter Künstler geworden, der in musikalischen Kreisen gefeiert wurde. Auch die Wiener Verleger fingen
an, seinen kaufmännischen Wert zu erkennen. Der „Erlkönig" und
der „Wanderer" hatten sich als gangbare Artikel bewährt. Der
kommissionsweise Verkauf, bei welchem für Schubert nur ein geringer Anteil entfiel, hörte auf. Das Verlagsrecht für alle bis dahin
erschienenen Werke Schuberts erwarb Diabelli um den Preis
von 800 Gulden Konv. M., mit welchem ungünstigen Abkommen
der sorglose und stets geldbedürftige Komponist sich zufrieden
gab. Die ausländischen Firmen, wie Breitkopf & Härtel,
C. F. Peters, verhielten sich noch ablehnend. Wir verzichten darauf,
den folgenden Veröffentlichungen der Schubertschen Werke nachzugehen; sie sind spärlich, während die meisten erst nach dem
Tode des Meisters erfolgten.

Marginalia:
H-moll-Symphonie.
As-dur-Messe.
Andere Werke.
Beethoven und Schubert.
Heimkehr.
Die Verleger.

Das nächste Jahr war ein von Opern gesegnetes. Nicht weniger als drei Bühnenwerke hat es aufzuweisen: „Die Verschworenen, oder der häusliche Krieg", ein Singspiel in einem Akt, „Fierrabras", eine dreiaktige große Oper, und die Musik zu dem Ausstattungsstück „Rosamunde". „Die Verschworenen", Text von Castelli, haben zwar eine alberne, aber unterhaltende Handlung, dazu eine reizende, melodienreiche Musik. Das Singspiel wurde von dem Wiener Hofoperntheater zurückgewiesen. Aus der Verborgenheit hervorgezogen, fand es in einer Konzertaufführung 1860, von Herbeck geleitet, jubelnde Aufnahme. Rasch folgten die Bühnen in Frankfurt, München, Wien, Salzburg, sogar 1868 in Paris. — „Fierrabras" hat einen spanisch-maurischen Stoff als Grundlage; der Text von Josef Kupelwieser (dem Bruder des Malers) ist einer der unglücklichsten von jenen, welchen der unvorsichtige Komponist zum Opfer fiel. Es ist begreiflich, daß die Hofoper das Werk ablehnte, trotz schöner Einzelheiten, welche die Musik enthält. Spätere Versuche, von denen die Aufführung in Wien 1861 hervorzuheben ist, erwiesen die Bühnenunfähigkeit der Oper. Nur ein Marsch und Chor erhielten sich in dem Repertoire der Männergesangvereine. — Das Schauspiel „Rosamunde, Prinzessin von Cypern" von Wilhelmine von Chezy, der Verfasserin des mißratenen Euryanthe-Textes, war für das Theater an der Wien geschrieben. Schubert soll die bei ihm bestellte Musik in fünf Tagen vollendet haben; sie besteht aus Ouvertüre, 3 Entreactes, 2 Ballettstücken, einer Romanze und 3 Chören. Der Erfolg der ersten Aufführung im Dezember 1823 war für den Komponisten ein sehr schmeichelhafter, doch das Stück war in einem solchen Grade langweilig, daß es nur eine einzige Wiederholung erfuhr. Seit 1867 ist die Rosamundemusik im Konzertsaale heimisch geworden und einzelne Nummern sind erklärte Lieblinge der Musikwelt.

Den bleibendsten Gewinn des Jahres bildet die Komposition des Zyklus der „Müllerlieder", welche in ihren blühenden Melodien und ihrer bezaubernden Natürlichkeit zu den populärsten Schöpfungen des Meistersängers gehören. Es reihen sich noch an die berühmt gewordenen Lieder: „Der Zwerg", „Auf dem Wasser zu singen", „Du bist die Ruh'", „Lachen und Weinen", „Greisengesang" u. a. m. Schuberts Schaffenskraft in dieser Zeit ist um so staunenswerter, als er, von einer schweren Krankheit befallen, sich erst anfangs des Jahres 1823 zu erholen begann.

1824 bezog Schubert eine eigene Wohnung auf der Wieden (im Fruhwirthschen Hause neben der Karlskirche), trotzdem er nur schwer den Mietzins für dieselbe aufbringen konnte. Im Mai folgte er wieder der Einladung des Grafen Esterhazy nach Zelez in Ungarn und setzte den Klavierunterricht bei den Komtessen fort. Auch Baron Schönstein, der inzwischen ein vorzüglicher Schubertsänger geworden, war wieder anwesend. Schubert, der in

Margin notes:
- 1823. Opern.
- Die Verschworenen.
- Fierrabras.
- Rosamunde.
- Die Müllerlieder.
- Zweiter Aufenthalt in Zelez.

letzterer Zeit wieder kränklich gewesen, erholte sich in der guten Luft und durch die geordnete Lebensweise. Eine zarte Neigung zu der damals 17jährigen Komtesse Karoline soll, wie behauptet wird, seinem Landleben einen poetischen Schimmer verliehen und ihn zum Schaffen begeistert haben. Jedenfalls entstand während seines Aufenthalts in Zelez und bald nachher eine Anzahl von **Kompositionen.** Werken, darunter einige gewichtigere. Da sind von **v i e r h ä n d i g e r** Klaviermusik die Sonate in B-dur Op. 30, das „Divertissement à la Hongroise", das Grand Duo (als Op. 140 nach Schuberts Tode erschienen); die ebenfalls nachgelassene F-moll-Phantasie wurde von dem Komponisten mit der Widmung an die Komtesse Karoline versehen. Wahrscheinlich fällt auch die Entstehung des A - m o l l - Q u a r t e t t s in diese Zeit. Von den sonstigen Kompositionen des Jahres 1824 ist das **O k t e t t** für fünf Streich- und drei Blasinstrumente hervorzuheben, ein melodienreiches und klangschönes Werk von überlanger Ausdehnung.

Das **O k t e t t** wurde auf Bestellung des Grafen **T r o y e r,** Obersthofmeister des Erzherzogs Rudolph, geschrieben und zuerst in seinem Hause mit Schuppanzigh an der ersten Violine und dem Grafen selbst als Klarinettisten gespielt, dann kam es 1827 in einer Kammermusikproduktion zur Aufführung, worauf es — vergessen wurde. Das suitenartige Werk, aus acht Sätzen bestehend, erinnert in der Form an Beethovens Septett.

Die „Müllerlieder" erschienen in fünf Heften (dem Baron S c h ö n s t e i n gewidmet) und fanden geringen Anklang. Wie glücklich war Schubert, als ihm **A r t a r i a** die neukomponierten sieben Lieder aus Walter Scotts *„Lady of the Lake"* (Fräulein vom See) für bare 300 Gulden Konv.-M. abkaufte und ihn seine Freunde wieder einmal als „Krösus" ansprechen konnten. Frohgemut unternahm er im Sommer wieder in Gesellschaft Vogls eine Sommerreise nach Oberösterreich und Salzburg. Sänger und Komponist ·wurden überall mit Einladungen überhäuft, Schuberts Lieder feierten Triumphe. Endlich gelangten sie nach G a s t e i n, wo sie von den Naturschönheiten entzückt waren. Dort hatte der Dichter Ladislaus P y r k e r (zuletzt Erzbischof von Erlau) seinen Sommersitz aufgeschlagen und empfing die Reisenden gastlich. Schubert komponierte auch sofort zwei Lieder auf Dichtungen Pyrkers, „Heimweh" und „Die Allmacht".

Mit dem Gasteiner Aufenthalt ist auch das sagenhafte Schicksal einer angeblich dort komponierten oder vollendeten Symphonie verbunden. Die Partitur einer Symphonie wurde 1826 der Gesellschaft der Musikfreunde, welche Schubert in die Direktion gewählt hatte, überreicht und ist seitdem spurlos verschwunden. Nicht einmal ihre Tonart ist festgestellt worden. Daß sie mit der großen Symphonie in C-dur identisch sei, wurde behauptet, ist **Die Gasteiner** jedoch aus mancherlei Gründen nicht anzunehmen. Die Frage der „G a s t e i n e r **Symphonie.** S y m p h o n i e" bleibt bis jetzt noch eine ungelöste.

Nach Wien zurückgekehrt, fand Schubert den alten Freundeskreis und das alte Elend wieder. Von seiner ungeschwächten Pro-

(margin notes: Kompositionen. / Oktett. / 1825. Sommerreise. / Die Gasteiner Symphonie.)

duktionskraft und mehr noch von seiner stets wachsenden geistigen Vertiefung zeugen die in den Jahren 1825 und 1826 entstandenen Werke. Wir führen nur als die bedeutendsten an: Das B-dur-Trio Op. 99, die Klaviersonate in A-moll Op. 42, jene in D-dur Op. 53, eine unvollendete in C-dur (als „Reliquie" bezeichnet), einen vierhändigen Trauermarsch für den Kaiser Alexander von Rußland, von Liedern „Der Einsame", „Der blinde Knabe", „Die junge Nonne", „Normans Sang", die Lieder aus W. Scotts „Fräulein vom See", darunter das weltbekannte „Ave Maria", „Auf der Brücke", „Im Walde" und „Die Allmacht". Aus dem Jahre 1826 sind hervorzuheben das Streichquartett in D-moll, mit dem im zweiten Satz variierten Lied „Der Tod und das Mädchen", das darauffolgende Quartett in G-dur, die „Phantasie-Sonate" in G-dur Op. 78 (Spaun gewidmet), das Rondo für Klavier und Violine Op. 70, dann vierhändige Märsche, die Lieder aus „Wilhelm Meister", „Lied der Mignon", „Sehnsucht", „Lebensmut", „Das Ständchen" von Shakespeare, der „Wanderer an den Mond" u. a. m. Nicht zu vergessen die schönen Männerchöre „Grab und Mond", „Nachthelle". Auch stellten sich wieder Opernprojekte ein. Bauernfeld schrieb einen „Graf von Gleichen", die Musik Schuberts kam aber nicht über bloße Skizzen hinaus. — In dieses Jahr fällt auch Schuberts Bewerbung um die Stelle eines zweiten Hofkapellmeisters; sie war fruchtlos und Weigl wurde ihm vorgezogen.

Am 26. März 1827 betrauerten Wien und die ganze Kulturwelt den Tod Beethovens. In den letzten Wochen seiner Krankheit brachte ihm Schindler Lieder von Schubert zur Durchsicht und, wie schon früher erwähnt, sollen diese das lebhafte Interesse des kranken Meisters erregt haben. Es war wie ein letzter Geistesgruß des ihm im Leben Ferngestandenen. Schubert aber wandelte noch im Sonnenlicht, doch tauchten trübe Stimmungen in ihm auf. Künstlerischen Ausdruck fand sein Gemütszustand in dem Liederkreis „Die Winterreise", welcher diesem Jahre angehört. Auch seine materielle Lage war eine gedrückte. Schubert, der eine unüberwindliche Abneigung gegen das Unterrichtgeben gefaßt, war auf die schmalen Erträgnisse seiner Werke und mehr noch auf die Unterstützung der Freunde angewiesen.

Eine freundliche Episode bildet seine Reise nach Graz in Begleitung seines Freundes Jenger im September 1827. Die Reise galt dem Besuch des dortigen Advokaten Pachler, dessen Frau, geb. Koschat, eine vorzügliche Pianistin, auch auf Beethoven Eindruck machte. Anselm Hüttenbrenner war wieder in Graz, ebenso der Maler Teltscher. Schubert verlebte da eine glückliche Zeit. Musik und Natur boten wechselnde Genüsse. Die Gesellschaft unternahm Ausflüge in die schöne Umgegend, namentlich verbrachte sie einige fröhliche Tage in dem Pachler gehörigen „Hallerschlößchen". (Auch dort wurde aus Pietät im Jahre 1885 eine Erinnerungstafel an Schuberts Aufenthalt angebracht.) In Graz wirkte Schubert in einem Wohltätigkeitskonzert als Begleiter seiner Lieder mit. Die nach Graz mitgenommene Partitur von „Alfonso und Estrella" blieb, da ihrer keine Verwendung harrte, bei

(Marginal notes:)
Werke. 1825, 1826.

1827. Beethovens Tod.

Die „Winterreise".

Reise nach Graz.

Pachler zurück, wo sie 1843 ans Licht gezogen wurde. Nach W i e n zurückgekehrt, quartierte sich Schubert wieder bei seinem Freunde S c h o b e r ein.

Die Wiener Freunde. Der gewohnte Freundeskreis hatte sich zum Teil zerstreut, die geselligen und lustigen Abende hatten ihr Ende erreicht. Spaun, Vogl, Hüttenbrenner waren nun verheiratet, andere hatten Wien verlassen. Dazu kam, daß Schuberts Gesundheit schwankend ge-
Kränklichkeit. worden. Nach seiner ernsten Erkrankung erholte er sich zwar vollständig und war der Lebens- und Arbeitsfreude wiedergegeben, doch stellten sich zeitweise Störungen, namentlich Kongestionen gegen den Kopf ein. Es ist wahrscheinlich, daß die unregelmäßige Lebensweise und manche Exzesse zu diesen Erscheinungen beigetragen haben. Doch darf man sich Schubert, der, wenn es die Umstände gestatteten, sich im Freundeskreise einen guten Tag machte, dabei einen guten Tropfen nicht verschmähte, keineswegs als Trinker, noch als moralisch gesunken denken. Wer so rastlos arbeitet, in seiner Kunst immer höheren Zielen zustrebt, ist über solchen Verdacht erhaben. So sehen wir außer der eigenartigen
Kompositionen. „Winterreise" noch 1827 entstehen: Das E s - d u r - T r i o Op. 100, die d e u t s c h e M e s s e, die M ä n n e r c h ö r e „Schlachtlied" (Klopstock), „Nachtgesang" (Seidl) mit Begleitung von vier Hörnern, das „Ständchen" (von Grillparzer), auch für Frauenchor gesetzt, viele Lieder, darunter „Gesang der Norne" „Altschottische Ballade", „Der Kreuzzug" u. a. m., die Klavierstücke „Moments musicals", die Impromptus Op. 142. Bedenkt man die elende Entlohnung, welche diesen vollendeten Kunstleistungen zu teil ward, so daß beispielsweise der Verleger Probst in Leipzig für das Es-dur-Trio ein Honorar von 20 fl. gewährte, so kann man nur die Schaffensfreude des Tonsetzers wie seine Entsagung bewundern.

Und als ob der Genius des Einunddreißigjährigen vor dem Scheiden noch im vollsten Glanze aufleuchten sollte, gab er
1828. der Welt in seinem Todesjahre 1828 noch drei große Werke: Die C - d u r - S y m p h o n i e, die E s - d u r - M e s s e, das S t r e i c h - q u i n t e t t.

Schubert, der bis dahin mit dem großen Publikum kaum in Berührung gekommen, dessen große Werke fast gar nicht, dessen Lieder nur zuweilen zur Aufführung gelangten, entschloß sich end-
Konzert am 26. März. lich ein öffentliches K o n z e r t zu veranstalten. Es war sein e r s t e s und blieb sein e i n z i g e s. Das Konzert fand am 26. März 1828 (genau ein Jahr nach Beethovens Todestag) um 7 Uhr abends im Musikvereinssaale (Tuchlauben) statt.

Das reichhaltige Programm enthielt den ersten Satz eines neuen Quartetts, vorgetragen von Böhm, Holz, Weiß und Linke, vier Lieder: Der Kreuzzug, die Sterne, der Wanderer an den Mond, Fragment aus dem Aeschylos, gesungen von Vogl, das Ständchen von Grillparzer für Sopransolo mit Chor, vorgetragen von Josefine Fröhlich und den Schülerinnen des Konservatoriums, Trio für Pianoforte, Violine und Cello (Es-dur Op. 100), vorgetragen von Boeklet, Böhm und Linke, „Auf dem Strome", Gesang mit Horn und Klavierbegleitung, vorgetragen von Tietze und dem Hornisten Lewy, das Lied „Die Allmacht", gesungen von Vogl, endlich den „Schlachtgesang" für Männerstimmen. Der Erfolg war glänzend, der Saal vollbesetzt, der Komponist wurde mit Beifall überschüttet. Die Reineinnahme (bei dem Eintrittspreis von 3 fl. W. W.) belief sich auf 800 fl. W. W. Eine Kritik des Konzertes ist nicht aufzufinden. Die Einnahme ermöglichte es Schubert seinen langjährigen Wunsch, ein eigenes Klavier zu besitzen, zu befriedigen. Bald verflüchtigte sich dieser Reichtum, Schubert blieb arm bis an sein Ende, ohne feste Stellung, ohne hohe Mäzene, an engherzige Verleger gefesselt, von der Öffentlichkeit vernachlässigt.

Nebst den früher angeführten großen Werken sind für das Jahr 1828 noch zu verzeichnen: Vor allem die herrlichen Lieder des „Schwanengesangs", die drei letzten Klaviersonaten in C-moll, A-dur und B-dur, die vierhändige Phantasie F-moll, Op. 103, einige Kirchenstücke, „Mirjams Siegesgesang" für Sopransolo und Chor. Sein letztes Lied war „Die Taubenpost". *„Schwanengesang."*

Die große C-dur-Symphonie hat Schubert selbst nicht mehr gehört. Im März 1828 wurde sie der Gesellschaft der Musikfreunde eingereicht, aber als zu schwer abgelehnt. Nach dem Tode Schuberts führte die Gesellschaft, gleichsam als Sühne, seine sechste Symphonie in C-dur auf. Das große Werk war vergessen, bis es zehn Jahre später Schumann während seines Aufenthalts in Wien bei Ferdinand Schubert entdeckte, und von dessen Schönheit entzückt, die Partitur nach Leipzig an Mendelssohn sandte, der sie in einem Gewandhauskonzert am 21. März 1839 zur ersten Aufführung brachte. Nun folgte noch in demselben Jahre die Gesellschaft der Musikfreunde, beschränkte sich jedoch auf die zwei ersten Sätze, zwischen welchen eine Arie aus „Lucia" eingeschoben war. Endlich 1850 unternahm man in Wien das Wagnis, die vollständige Symphonie (unter der Leitung Jos. Hellmesbergers) zur Aufführung zu bringen. — Das Streichquintett in C-dur wurde erst 1850, die Es-dur-Messe noch später ans Licht gezogen. *C-dur-Symphonie.*

Was zu erzählen übrig bleibt, bildet eine trübselige Chronik, aus der wir nur einige Momente herausgreifen wollen. Im September zog Schubert zu seinem Bruder Ferdinand in die Vorstadt Wieden (jetzt Kettenbrückengasse Nr. 6) in ein neues, noch feuchtes Haus, ein ungünstiger Umstand für seine leidende Gesundheit. Er unternahm noch im Oktober in Gesellschaft von Freunden einen Ausflug nach Unterwaltersdorf und Eisenstadt, wo er an Haydns Grab andächtig verweilte. Sogar eine Konzertreise nach Pest wurde geplant, mußte aber wegen des mangelnden Reisegeldes unterbleiben. Am 3. November wohnte er in der Hernalser Kirche der Aufführung eines von seinem Bruder Ferdinand komponierten Requiems bei. Tags darauf begab er sich in Begleitung eines Musikers, namens Lang, zu dem berühmten Theoretiker Simon Sechter, um von ihm einen regelmäßigen Unterricht im Kontrapunkt zu erbitten, da Schubert das Bedürfnis nach einem solchen empfand. Es kam nicht mehr dazu. Am 11. November mußte sich Schubert mit Fiebererscheinungen zu Bette legen, es wurden Ärzte gerufen, welche Typhus befürchteten, der sich auch am 16. einstellte. Es kamen noch Besuche von intimen Freunden, wie Spaun und Bauernfeld; diese trafen ihn bei seiner letzten Arbeit, der Korrektur der „Winterreise". In dem Delirium, welches ihn nun er- *Letzte Lebenszeit.* *Erkrankung.*

griff, sprach er auch von Beethoven und dessen Grab. Man glaubte den Wunsch des Sterbenden zu vernehmen, neben Beethoven seine Ruhestätte zu finden. Am 19. November, 3 Uhr nachmittags, hauchte Schubert seine Seele aus. (Das Sterbehaus ist mit einer Gedenktafel versehen.) Durch Ferdinands Bemühung wurde es ermöglicht, daß Schubert auf dem Währinger Friedhofe neben Beethoven (nur ein Grab war zwischen ihnen) bestattet werden konnte. Das Leichenbegängnis erfolgte am 21. November.

Tod 19. Nov. 1828.

Leichenbegängnis.
Junge Leute trugen den Sarg nach der Margarethner Pfarrkirche, wo unter der Leitung des Domkapellmeisters Gänsbacher eine Trauermotette seiner Komposition und das „Pax vobiscum" von Schubert gesungen wurde. In der Währinger Pfarrkirche fand die zweite Einsegnung statt. Darauf bewegte sich der Zug mit blumengeschmückten brennenden Kerzen nach dem Ortsfriedhof, wo der große Meister des Liedes unfern dem großen Instrumentalmeister zur letzten Ruhe gebettet wurde. — Bei der Trauerfeier in der Kirche St. Ulrich kam Mozarts Requiem, bei einer anderen in der Augustiner Kirche ein Requiem von Anselm Hüttenbrenner zur Aufführung.

Nachlaß.
Schuberts Nachlaß, bestehend aus Kleidungsstücken und alten Musikalien, wurde auf 135 fl. geschätzt.

Grabmal.
Zunächst sollte für ein würdiges Grabmal gesorgt werden. Grillparzer stellte sich an die Spitze einer Sammlung, verfaßte auch die Grabschrift; sie lautet: „Der Tod begrub hier einen reichen Besitz, aber noch schönere Hoffnungen". Anna Fröhlich gab zu diesem Zweck zwei Konzerte, deren Ertrag die erforderlichen Kosten deckte.

Am 13. Oktober 1863 wurden die Überreste Schuberts, zugleich mit jenen Beethovens (S. 195), exhumiert und in einem Metallsarge wiederbestattet Im September 1880 fand die Übertragung auf den Zentralfriedhof statt, wo sich sein Grabdenkmal neben denen der anderen Wiener Tonheroen erhebt.

Äußere Erscheinung.
Schuberts äußere Erscheinung wird von Zeitgenossen ziemlich übereinstimmend in wenig schmeichelhaften Zügen geschildert. Er war von kleiner, doch stämmiger, etwas beleibter Statur, sein volles, rundes Gesicht war von braunem lockigen Haar umrahmt, charakteristisch ist das Grübchen am Kinn, die sanftblickenden Augen erschienen durch die starke Kurzsichtigkeit etwas matt. Schubert bediente sich seit seiner Knabenzeit der Brille; von dieser trennte er sich nicht bis zum Ende. Der Gesichtsausdruck wird als nicht bedeutend erklärt. Wenn Schwind sagt: „Er sah aus wie ein betrunkener Fiaker" und Bauernfeld ihn „einen behaglichen Österreicher" nennt, so ist beiden Scherzworten nicht viel Gewicht beizulegen.

Porträts.
Von den Schubert-Porträts gilt das von Rieder gemalte als das beste. Außerdem figuriert Schubert auf einigen Genrebildern, welche ihn am Klavier sitzend, umgeben von einer zahlreichen gewählten Gesellschaft, oder auf Landpartien darstellen; auch launige Karikaturen sind darunter. Solche Szenen aus Schuberts Leben haben uns Schwind und Kupelwieser durch ihre Kunst überliefert.

Denkmal.
Ein sehr gelungenes Denkmal wurde dem Meister im Wiener Stadtpark errichtet; es ist von dem Bildhauer Kundmann ausgeführt. Die Enthüllungsfeier fand unter Mitwirkung des Wiener Männergesangvereines am 15. Mai 1872 statt.

Folgt man der Darstellung von Schuberts Lebensgang, so ist Lebensweise
es unschwer, sich eine Vorstellung von seiner L e b e n s w e i s e und
seinen Gewohnheiten zu machen. Diese bilden eine seltsame Mischung
von Idealismus und Spießbürgerlichkeit. Sein Geselligkeitstrieb
strebte selten in die Höhe, nur ungern folgte er Einladungen in
vornehmere Kreise, heimisch fühlte er sich nur unter guten Freunden
im Gast- und Kaffeehaus. So oft als möglich entfloh er dem Dunst-
kreis der Stadt ins Freie. Ein schwärmerischer Naturfreund und
rüstiger Fußgeher, durchwanderte er die Umgebung Wiens und
wußte auch die lauschigen Plätze zu finden, wo ein guter Labe-
trunk zu haben war. Seine weitesten R e i s e a u s f l ü g e waren die
nach Oberösterreich und Salzburg, darüber hinaus kam er nicht.
— Schubert war im allgemeinen schüchtern und verlegen im Umgang, eckig und ungeschickt in den Bewegungen, er, der so prächtig
zum Tanze aufzuspielen verstand, tanzte nie und konnte es auch
nicht; ein anderer aber ward er, wenn er sich, umgeben von
guten Freunden, oder in einem gastlichen Hause ans Klavier setzte
und seine neuen Kunstschöpfungen singend und spielend, begeistert
und begeisternd vortrug, oder auch, wenn er angeregt durch zwang-
lose Geselligkeit sich seinem naiven Humor überließ und drollige
Einfälle zum besten gab.

S c h u b e r t, der oft seine Lieder selbst sang, besaß eine angenehme, Schubert als
Sänger und
Klavierspieler.
aber schwache Baritonstimme. Was sein Klavierspiel betifft, so wird der ge-
sangvolle Anschlag und der beseelte Vortrag gerühmt, dagegen die Technik
als mangelhaft erklärt. Es wird versichert, daß er manche seiner Klavierwerke
technisch nicht zu bewältigen vermochte.

Über die A r t, wie Schubert komponierte, waren und sind noch aben- Art zu kom-
ponieren.
teuerliche Vorstellungen verbreitet. Selbst ein so gebildeter Mann, wie der
Sänger V o g l, konnte sich zu der Behauptung versteigen, daß Schubert halb
unbewußt, in einem Zustand von Hellseherei komponiere. Die U n m i t t e l-
b a r k e i t und Raschheit im Schaffen, namentlich seiner Lieder, ist allerdings
fast unbegreiflich. Die Dichtung erfaßt ihn sofort in ihrer Gesamtstimmung,
die Worte wandeln sich in melodische Tonfolgen, umschwebt von der ihnen
angemessenen Begleitung. Die Gedanken strömten ihm in solcher Fülle zu,
daß er sich ihrer durch Niederschrift entledigen mußte. Doch gleichzeitig mit
dieser setzt auch der ungelehrte, aber sichere K u n s t v e r s t a n d ein. Bei der
Formgestaltung, der sinnvoll anzupassenden Klavierbegleitung wird die er-
finderische Phantasie durch die besonnene Kritik gelenkt. Die mehrfachen
Umarbeitungen einzelner Lieder zeugen von dem Walten einer regen Selbstkritik, andere erscheinen unreifer und flüchtiger behandelt.

Bei der fabelhaften Produktivität Schuberts ist es nicht zu
verwundern, daß selbst U n b e d e u t e n d e s mit unterläuft. Mehr
als in den L i e d e r n ist in Schuberts I n s t r u m e n t a l m u s i k,
besonders in den größeren Formen, häufig der Mangel an Feile
und Abrundung zu beobachten. Allerdings läßt der Reichtum
schöner Gedanken ihre zuweilen lose Aneinanderreihung vergessen.

Die N o t e n h a n d s c h r i f t Schuberts war eine sehr deutliche, anfangs Handschrift.
in großen Zügen, später zierlicher. Korrekturen in seinen Manuskripten sind
selten. Skizzen vor der endgültigen Niederschrift sind nur von wenigen
Werken vorhanden.

Die Verwandten.

Beschäftigen wir uns an dieser Stelle mit den Verwandten Schuberts, insofern sie einiges Interesse bieten. Gedenkt man der Freunde Schuberts, so darf nicht vergessen werden, daß er keinen besseren besaß, als seinen Bruder Ferdinand.

Ferdinand Schubert.

Ferdinand Schubert, um drei Jahre älter als Franz, folgte dem Beruf des Vaters, wurde 1809 sein Schulgehilfe, bald darauf Lehrer am k. k. Waisenhause. Neben dem Schulmann geht aber auch der Musiker einher; gründlich ausgebildet, entwickelte er sich bald zu einem tüchtigen, dabei nicht unbegabten Komponisten. Von 1820 bis 1824 wirkte er als Lehrer und Chormeister an der Altlerchenfelder Schule, welche Stellung er bald mit der eines Lehrers an der Normalschule bei St. Anna in der inneren Stadt vertauschte. Nach langjähriger Dienstzeit erfolgte 1851 seine Ernennung zum Direktor dieser Anstalt, als welcher er bis zu seinem Tode 1859 wirkte. — Ferdinand Schubert war zweimal verheiratet und erfreute sich, gleich seinem Vater, einer zahlreichen Nachkommenschaft. Man gibt die Anzahl seiner Kinder mit 17, oder noch mehr, an. Als Schulmann betätigte sich Ferdinand auch durch Herausgabe einer Reihe von Schulbüchern, als Komponist durch zahlreiche Kirchenwerke, von denen einige gedruckt wurden, namentlich ein „Regina Coeli", ein deutsches und ein lateinisches Requiem, zwei „Salve Regina", eine Messe und Waisenlieder. — Ferdinand war seinem Bruder von Kindheit an zärtlich zugetan und verfolgte seine künstlerische Entwicklung mit Teilnahme und Bewunderung. Selbst in sehr beschränkten Verhältnissen, war er nicht in der Lage, seinen Bruder materiell zu unterstützen. Nach dessen Tode ließ er es an Pietät für ihn nicht fehlen. Er veranlaßte die Aufführung und Veröffentlichung mancher seiner Werke, während viele andere in seiner Verwahrung blieben, ohne welche sie vielleicht der Welt verloren gegangen wären.

Von den anderen Brüdern wirkte Ignaz als Schulgehilfe am Himmelpfortgrund, Karl ward ein geschickter Landschaftsmaler und Kalligraph, die Schwester Theresia heiratete den Professor am k. k. Waisenhaus Schneider (sie starb 1878). Von den Stiefbrüdern Schuberts war Andreas k. k. Oberrechnungsrat im Finanzministerium (gest. 1893), der andere, Anton, Schottenpriester unter dem Namen P. Hermann, erfreute sich großer Achtung und Beliebtheit; er starb 1892.

Nachkommen.

Die Nachkommenschaft Franz Schuberts ist durch Kinder und Enkel der Geschwister und durch Verheiratung so zahlreich geworden, daß es unmöglich wird, sie zu überblicken.

Förderer.

Um die Kunst Schuberts und seinen Nachruhm, um die Entdeckung und Wiederbelebung seiner Werke haben sich besonders verdient gemacht: Ferdinand Schubert, der Erbe und treue Bewahrer des musikalischen Nachlasses seines Bruders, Schumann in Leipzig, der Entdecker der großen C-dur-Symphonie, welcher nicht ermüdete, für Schuberts Musik in begeisterten Worten einzutreten, Franz Liszt, der in gleicher Begeisterung erglühte, durch Aufführung von „Alfonso und Estrella" in Weimar, mehr noch durch die Popularisierung zahlreicher Schubertscher Lieder in seinen genialen Transkriptionen, Johann Herbeck in Wien, der Entdecker der unvollendeten H-moll-Symphonie, durch die Erstaufführungen des „Häuslichen Kriegs", des „Lazarus" und anderer Werke. Als hervorragende Interpreten sind zu rühmen: Der Wiener Männergesangverein, welcher viele Schubertsche Chöre ans Licht gezogen, die Sänger Staudigl, Stockhausen, Gust. Walter u. a. für die Lieder, für die Kammermusik

David in Leipzig, Hellmesberger in Wien, Joachim in Berlin. Um die Erforschung und systematische Ordnung der Gesamtproduktion Schuberts hat sich Gust. Nottebohm durch seinen thematischen Katalog ein großes Verdienst erworben.

Die Erhaltung der Schubertschen Werke verdanken wir, nächst dem unmittelbaren Erben seiner Manuskripte, fleißigen Sammlern der Kompositionen dieses Meisters während dessen Lebenszeit. Ein solcher war der Freund Schuberts, der Beamte Karl Pinterics, der eine große Anzahl Lieder und anderer Werke in sauberen Abschriften bewahrte; diese große und wichtige Sammlung kam durch Vererbung zuerst an Hofrat Witteczek, dann an Jos. Spaun, endlich an die Gesellschaft der Musikfreunde. Auch Alb. Stadler ist unter den Sammlern zu nennen. Die überwiegende Masse der Schubertschen Autographe kam aus dem Besitze Ferdinand Schuberts an den Neffen Dr. Eduard Schneider (den Sohn seiner Schwester Theresia) und in der Folge an den vornehmen Kunstfreund Nikolaus Dumba. (Die Sammlung ist in den Besitz der Gemeinde Wien und der Gesellschaft der Musikfreunde übergegangen.) Im Gegensatz zu den Förderern Schubertscher Kunst könnte man jene als Schädlinge bezeichnen, welche aus Eitelkeit oder aus Gewinnsucht Schubertsche Manuskripte lange der Öffentlichkeit vorenthielten. Es sind Verleger und auch manche „Freunde" unter ihnen. Autographe wurden später um teures Geld an Liebhaber und Sammler verkauft.

(Marginalien: Sammler. Schädlinge.)

Auf Grund des gesamten Materials, der Originaldrucke, der zugänglichen Autographe und Abschriften wurde 1885 eine Gesamtausgabe von Schuberts Werken in Angriff genommen, welche seit 1897 vollständig vorliegt; sie umfaßt in 20 Serien und einem Supplement die vorhandenen Vokal- und Instrumentalwerke des Meisters.

(Marginalie: Gesamtausgabe.)

Der Verlag Breitkopf & Härtel in Leipzig, welcher mit finanzieller Unterstützung die Herausgabe unternahm, umgab sich für die kritische Revision mit einem Stab namhafter Künstler, wie Joh. Brahms, Ign. Brüll, Ant. Door, Jul. Epstein, J. N. Fuchs, Jos. Gänsbacher, Jos. Hellmesberger, Eus. Mandyczewski, welche die einzelnen Arbeitsgebiete übernahmen. Für die Redaktion des Ganzen war Eusebius Mandyczewski tätig, der als gediegener und feinfühliger Musiker, wie auch als erfahrener Kenner Schubertscher Autographe diese Aufgabe erfolgreich durchführte.

Die Werke Franz Schuberts umfassen folgende Gattungen: 1. Kirchenmusik (Messen und andere kirchliche Werke), 2. Symphonien und Ouvertüren, 3. Kammermusik (Oktett. Streichquartette, Streichquintett), 4. Klaviermusik (mit Begleitung und Solostücke), 5. Opern und Singspiele, 6. Mehrstimmige Vokalmusik, 7. Lieder.

(Marginalie: Werke.)

Von den sechs Messen Schuberts sind die ersten vier (in F, G, B, C) zwischen 1814—1818 entstanden, die fünfte in As gehört den Jahren 1819—1822, die letzte in Es dem letzten Lebensjahre an. Die älteren Messen waren für die Liechtenthaler Kirche geschrieben. Von diesen hat sich die in G-dur als die lebensfähigste erwiesen.

(Marginalien: Messen. G-dur-)

Das Werk, für vier Singstimmen, Chor und die einfache Begleitung von zwei Violinen, Viola, Orgel und Baß geschrieben, hat einen gemütvoll

zarten Grundcharakter, welcher namentlich im Kyrie, dem kanonischen Benedictus und in dem Agnus vorherrscht, während einzelnes im Gloria und Credo,
und das kurze Sanctus sich zu energischerem Ausdruck aufschwingt. Die
Messe wurde von dem Bruder Ferdinand in der Instrumentation reicher auf-
geputzt.

Weit übertroffen werden diese ersten Messen durch die späteren in As und Es.

As-dur- Ein echt religiöser Sinn spricht sich in der großen As-dur-Messe
aus. Hervorragend ist das Gloria, insbesondere das „Gratias" mit den
schönen Soli und dem leise abschließenden Chor; das „Quoniam" übt eine
mächtig ergreifende Wirkung, auch die Schlußfuge „cum sancto spiritu" ist
kraftvoll gehalten. Das Credo beginnt altertümlich streng, das Orchester beteiligt sich lebhaft an dem Glaubensbekenntnis, kurz und einfach, aber ausdrucksvoll sind das „Incarnatus" und „Crucifixus" behandelt, flüchtiger die
folgenden Glaubenssätze. Auch das Sanctus bietet namentlich in den Chorsätzen manche interessanten und eigentümlichen Einzelheiten, während Benedictus und Agnus in der Wirkung ermatten. — Vielbewegter, vielleicht weniger
Es-dur-Messe. kirchlich, ist die große Es-dur-Messe gestaltet, ein Werk von tiefer Innerlichkeit und echt Schubertschem Gepräge. Die musikalische Erfindung herrscht
hier fast unbeschränkt über die textliche Unterlage, der Ausdruck ist oft
leidenschaftlich belebt und durch eine wirksame Orchestrierung unterstützt.
Großartig ist auch in dieser Messe das Gloria. Dem kräftigen und freudigen
Anfang folgen weiche und trübe Stimmungen im „Adoramus te", im „Gratias",
ein gewichtiger Cantus firmus wird von den Posaunen intoniert, dramatisch
gefärbt ist der Sologesang über ein tremolierendes Orchester. Eine energisch
geführte Fuge bildet den Abschluß. Abwechslungsreich ist das Credo in
seinen ersten Abschnitten, das „Incarnatus" sanft von entzückender Melodik,
schaurig ergreifend das „Crucifixus" mit seinen gewaltigen Harmonien, der
letzte Teil kehrt zu der musikalischen Behandlung des ersten zurück, worauf
die Fuge „Et vitam venturi" den Satz beschließt. Von imponierender Wirkung
ist das Sanctus in seiner Harmonik und der prachtvollen Osanna-Fuge.
Auch das Agnus, verbunden mit dem Dona nobis ist fesselnd in seinem tiefen
Ausdruck und seinen musikalischen Schönheiten.

Deutsche Unter der Bezeichnung „Deutsche Messe" sind die „Ge-
Messe.
sänge zur Feier des heiligen Opfers der Messe", welche Schubert
1827 für das Polytechnikum in Wien geschrieben, bekannt.

Der Text ist eine freie Übersetzung der Meßworte und rührt von Prof.
Neumann her. Die Musik für vier Singstimmen mit Begleitung von Blasinstrumenten oder der Orgel ist in liedmäßigen Formen, gediegen in der Arbeit
und ansprechend im Ausdruck gehalten. Ferdinand Schubert hat den
Gesangsteil für dreistimmigen Knabenchor bearbeitet.

Veröffent- Die erstmalige Veröffentlichung der einzelnen Messen erfolgte in
lichungen.
weit abstehenden Zeiträumen: 1838 die dritte Messe in B bei Haslinger in
Wien, 1846 die zweite in G bei Marco Berra in Prag (fälschlich als eine Komposition von Robert Führich), 1856 die erste in F bei Glöggl in Wien, 1865
die Es-dur-Messe bei Rieter-Biedermann in Leipzig, 1875 die As-dur-Messe bei
Spina (Schreiber) in Wien. Die „Deutsche Messe", welche durch Herbecks
Bearbeitung für Männerchor populär geworden, erschien in dieser Gestalt 1866,
in der ursprünglichen Fassung 1870 bei Gotthard in Wien.

Kleinere kirch- Die kleineren kirchlichen Werke stammen zumeist aus
liche Werke.
der Frühzeit Schuberts, aus den Jahren 1812—1816; sie umfassen
einzelne Kyrie, Offertorien, 4 Salve Regina, 2 Stabat mater, 5 Tantum
ergo, ein Graduale, ein Magnificat.

Hervorzuheben sind ein Offertorium vom Jahre 1815 in F-dur, für Sopran, Orchester und Orgel (1826 als Op. 47 erschienen), das Graduale *„Benedictus es Domine"* aus demselben Jahre, für Chor, Orchester und Orgel (1843 mit deutschem Text als „Hymne" veröffentlicht), ein sehr anmutendes Salve Regina in C-dur, für Sopransolo mit kleinem Orchester (1826 als Op. 46 erschienen). Von den beiden Stabat mater ist das in G-moll italienisch, das bedeutendere in F-moll (S. 242) deutsch. Eine durch naiv ansprechende Erfindung und schöne Klangwirkung beliebte und verbreitete Komposition ist der 23. Psalm für vierstimmigen Frauenchor mit Klavierbegleitung.

Anschließend an diese kirchlichen Werke ist der Osterkantate Lazarus zu gedenken (S. 246), welche uns nur unvollständig erhalten ist.

Lazarus.

Die Kantate besteht aus drei Handlungen, deren Text von Niemayer, Professor in Halle, herrührt und die Jahreszahl 1778 trägt. Der erste Teil ist betitelt „Krankheit und Tod", der zweite „Begräbnis und Klage", der dritte „Die Auferstehung". Es kommen sieben handelnde Personen vor. Von der Musik ist nur der erste Teil und ein Bruchstück des zweiten vorhanden; 1863 zum erstenmal aufgeführt, entzückte das Werk durch seine blühende Erfindung, den tiefen Ausdruck, wie durch dramatische Züge.

Ein biblischer Stoff liegt auch der Kantate „Mirjams Siegesgesang" für Sopransolo, gemischten Chor mit Pianofortebegleitung zu Grunde. Der Stoff, den Durchzug der Israeliten durch das Rote Meer und Pharaos Untergang behandelnd, wurde von Grillparzer zu einer dramatischen Szene gestaltet. Schuberts Musik ist schwungvoll, auf äußerliche Wirkung angelegt, ohne besondere Tiefe.

Mirjams
Siegesgesang.

Die ziemlich umfangreiche Komposition, welche dem letzten Lebensjahre Schuberts angehört, gliedert sich in mehrere Absätze. Solosopran und Chor wechseln miteinander ab. In dem Chor treten teils die Frauen- und Männerstimmen getrennt auf, teils vereinigen sie sich zu polyphonem Satz. Mit einem festlichen, marschartigen Solo und Chor „Rührt die Cymbeln", C-dur, beginnt die Kantate. Friedlich setzt das Allegretto F-dur [6], „Aus Ägypten vor dem Volke" ein, in der Melodie populär gehalten, steigert sich im Mittelsatz, der das Meeresbrausen schildert, und geht in das Allegro agitato C-moll „Doch der Horizont erdunkelt" über, einen dramatisch bewegten Satz mit wechselnden Ausrufen der Singstimmen und charakteristischer Begleitung. Der anschließende Chor ist wild aufgeregt, energisch in der Begleitung. Der edelste Satz ist wohl das Andantino E-moll [3], „Tauchst du auf, Pharao?", auch harmonisch interessant. Der Schlußsatz in C-dur bringt das Da Capo des Eingangs, worauf eine kraftvolle und tüchtig gearbeitete Chorfuge in Händels Stil „Groß ist der Herr zu allen Zeiten" den Schluß bildet. „Mirjams Siegesgesang" wurde 1838 veröffentlicht und mehrfach aufgeführt. Der Größe der Anlage dieses Werkes entspricht die bescheidene Pianofortebegleitung wenig. Diesem Mangel hat Franz Laehner durch eine Orchestrierung derselben abzuhelfen versucht.

Frühzeitig wendet sich Schubert der Orchestermusik zu. Seine Symphonien erstrecken sich über den Zeitraum von 1813 bis zu seinem Lebensende. Man zählt acht Symphonien: 1. D-dur 1813, 2. B-dur, 3. D-dur (beide 1815), 4. C-moll (tragische), 5. B-dur (beide 1816), 6. C-dur 1818, 7. C-dur (große 1828), 8. H-moll (2 Sätze) 1822.

Symphonien.

17*

Die ersten drei Symphonien lehnen sich meist an Mozart, doch ist auch der Einfluß Haydns und der Italiener bemerkbar; nur weniges erinnert an Beethoven. Gemeinsam ist ihnen eine klare Form, eine klangschöne, schon auf der Höhe der Zeit stehende Instrumentation, ein lebensfreudiger Charakter. Die Gedanken sind harmlos, leicht aneinandergefügt, regelmäßig durchgeführt.

1. D-dur. Die erste Symphonie in D-dur hat eine langsame Einleitung, welche fast Beethovenisch anmutet. Der erste Satz, welcher in dem Hauptthema von Mozart beeinflußt ist, überrascht durch häufige Modulationen, das Andante, G-dur ⁶⁄₈, mit einem ansprechenden edlen Gesang ist ebenfalls Mozart nachgefühlt, das Menuett ist steif, das Finale in Rondoform leicht beschwingt, doch zu lange ausgedehnt und mit Tonartenwechsel überladen, die ganze Symphonie gefällig, unbedeutend. Etwas höher steht die folgende Sym-

2. B-dur. phonie in B-dur, wenn auch nicht selbständiger. Die Themen des ersten Satzes sind kerniger, die Durchführung gedrungener, nur stellenweise äußerlich, lärmend. Auch hier ist das innige Thema des Andante Es-dur, dem einige regelrechte Variationen beigefügt sind, hervorzuheben. Das Menuett ist stramm, im Trio neckisch in der Art Haydns, unter dessen Einfluß auch das Presto-

3. D-dur. Finale steht. Die dritte Symphonie, D-dur, enthält nach einem unbedeutenden ersten Satz ein hübsches, liedmäßiges Allegretto, G-dur ²⁄₄, ein Menuett mit ländlerartigem Trio, welches schon Schubertisch anklingt, und ein Finale in der Art einer italienischen Tarantella.

Übertroffen werden diese Erstlingssymphonien von der vierten in
4. C-moll C-moll, deren Bezeichnung als „tragische" dem Inhalt kaum entspricht. Die
(Tragische). Einleitung ist elegisch, feierlich, das Hauptthema des Allegro, leidenschaftlich erregt, erinnert an die G-moll-Symphonie Mozarts; es folgen ein friedlich singendes Andante in As-dur mit einem bewegten Mittelsatz, ein scharf rhythmisiertes Menuett und ein unbedeutendes Finale, welches einer Rossinischen Ouvertüre nicht unähnlich ist.

Ein sehr anmutendes und fein gearbeitetes Werk ist die Symphonie
5. B-dur. Nr. 5 in B-dur für kleines Orchester. Die Motive des ersten Satzes sind graziös, fließend und interessant in der Durchführung, das Andante ist naiv und gemütvoll, eines Haydn würdig, das Menuett in G-moll meisterhaft in der Stimmführung und eigenartig in der Modulation, während das Trio einen lieblichen Ton anschlägt, das Finale lebendig und organisch gestaltet. In allen ihren Sätzen, wenn auch nicht bedeutend, doch gefällig und anregend, wird diese Symphonie stets einer freundlichen Aufnahme begegnen.

Einen wesentlichen Fortschritt kann man der sechsten Symphonie in
6 C-dur. C-dur nicht zuerkennen, wenn man die gediegene Adagio-Einleitung und das geniale Scherzo, welches voll und ganz auf dem Boden Beethovens steht, ausnimmt. Der erste Allegrosatz ist niedlich und gleicht einer Singspiel-Ouvertüre, das Andante in F-dur, eine ansprechende Liedmelodie, wird im Mittelsatz formalistisch ausgesponnen, das Finale, harmlos heiter in den Themen, dehnt sich ins Breite aus.

Die weitaus bedeutendsten und bekanntesten der Schubert-schen Symphonien sind die große in C-dur und die „unvollen-
H-moll- dete" in H-moll. Der Entstehungszeit nach geht die H-moll-
Symphonie
unvollendete). Symphonie voran. Die vorhandenen zwei Sätze gelten mit Recht als unvollendete Symphonie, nachdem die Skizze eines Scherzo gefunden wurde und daher auch auf ein beabsichtigtes Finale zu schließen ist. Was wir an den beiden Symphoniesätzen besitzen, ist ein kostbarer Schatz, ein Werk von idealer Schönheit und von echt Schubertschem Gepräge.

Der **erste Satz**, Allegro moderato, H-moll ³⁄₄, entrollt ein Seelengemälde, von der ergreifenden Klage des ersten Themas, welches auf den Wogen einer geheimnisvollen Begleitungsfigur hinschreitet, zu der bezaubernd innigen Melodie des zweiten Themas, zu dem darauffolgenden gewaltigen Pathos des Schmerzes. Tröstend und unschuldvoll erhebt sich der Gesang des **Andante** con moto in E-dur, um bald den Tönen tiefer Schwermut Platz zu machen. Wir stehen in dem Banne einer unvergleichlichen musikalischen Inspiration. Die Wirkung wird durch das magische Orchesterkolorit noch gehoben. Die „Unvollendete" ist in Wirklichkeit die **vollendetste** der Schubertschen Symphonien.

Imponierend in ihrer Haltung und ihren weiten Dimensionen tritt die **große Symphonie** in **C-dur** vor uns. Gedanken von titanischer Gewalt, von bestrickendem melodischen Reiz, überraschende Harmoniefolgen und Modulationen, originelle, charakteristische Rhythmen sind über das ganze Werk ausgestreut. Doch schwächt sich der Gesamteindruck durch die übermäßige Länge, die zahlreichen Wiederholungen derselben Gedanken und eines oft leeren Figurenspiels ab. Die Themen ziehen an uns vorüber, ihre organische Entwicklung geht nicht in die Tiefe. Mit allen ihren Vorzügen und Schwächen bleibt diese Symphonie ein Monumentalwerk ihrer Gattung.

*Große
Symphonie
C-dur.*

Die **Einleitung** hebt mit einem Hornmotiv an, welches wie ein Ruf hinaustönt; es wird breit und kraftstrotzend ausgeführt und leitet in den **ersten Satz** mit seinem energisch streitbaren Hauptthema. Fast unvermittelt tritt das zweite Thema, E-moll, mit einer reizenden, wiegenden Melodie auf. Die Durchführung zeichnet sich durch frappante Harmoniefolgen und das reiche Kolorit, namentlich in der Verwendung der Holzblasinstrumente aus. Stellenweise macht sich eine äußerliche Nachahmung Beethovens bemerkbar. Am Schlusse kehrt, wie triumphierend, das Hauptmotiv der Einleitung wieder. Das Thema des **Andante**, A-moll ²⁄₄, hat in seiner träumerischen Melancholie und dem originellen Rhythmus eine leichte ungarische Färbung, welche im zweiten Teil noch lebhafter hervortritt. Das kontrastierende Thema des Mittelsatzes in F-dur geht in einen ruhigen, fast andächtigen Ausdruck über. Ungestüm, voll heiterer Lust bricht das **Scherzo** herein; es ist motivisch kunstvoll ausgesponnen und kühn in der Modulation. Ein gemütliches, liedmäßiges Trio ist ihm zugesellt. In dem festlich gestimmten **Finale**, dessen Themen von geringem Gehalt sind und von Arabesken überwuchert werden, treten die Längen, welche auch in den übrigen Sätzen nicht fehlen, am fühlbarsten hervor. Entzückt, wenn auch etwas ermüdet, scheidet man von der großen C-dur-Symphonie.

Die **Ouvertüren**, welche Schubert in den Jahren 1812 bis 1819 geschrieben, waren wohl zunächst für das Konviktorchester und Dilettantenvereine bestimmt. Ihre Zahl beträgt **sechs**, von denen zwei in D und C, die Bezeichnung „im italienischen Stil" tragen. Ihnen reihen sich noch weitere drei für **Klavier** zu **vier Händen** an, welche aber wahrscheinlich auch der Orchestrierung harrten. Auf Bedeutung machen die meist harmlosen Orchesterstücke keinen Anspruch. Unter den Ouvertüren zu Schuberts Bühnenstücken, auch unter jenen für Klavier zu vier Händen befinden sich gelungenere.

Ouvertüren.

Kammer-musik. Die Kammermusik Schuberts hat Werke von großer Schönheit aufzuweisen. In erster Reihe stehen die Streichquartette in A-moll, D-moll und G-dur, das Quintett in C-dur, die Klaviertrios in B-dur und Es-dur, das Klavierquintett („Forellenquintett"). Außerdem sind anzuführen: Das Oktett für Streich- und Blasinstrumente, andere Streichquartette, deren Gesamtzahl 15 beträgt, ein Streichtrio, Duos für Klavier und Violine, nebst mehreren minder wichtigen Kompositionen.

Streich-quartette. Zu der Gattung des Streichquartetts fühlte sich Schubert schon frühzeitig hingezogen. Die nächste Veranlassung boten wohl die Quartettübungen im väterlichen Hause. Schon 1812 entstand der erste Versuch und ihm folgten bis 1820 weitere zehn Quartette, welche, obwohl noch unreif, doch die Züge langsamer Entwicklung verraten.

Einzelne Sätze aus diesen Jugendquartetten sind nicht ohne Interesse, wie die ersten drei Sätze des Quartetts in C-dur (Nr. 4 der Ges.-Ausg.), das Finale des B-dur-Quartetts (Nr. 8 der Ges.-Ausg.), beide aus dem Jahre 1813, und noch andere. Weit höher steht ein Quartettsatz, C-moll, 1820 geschrieben, ergreifend in seiner düsteren Grundstimmung, in der Durchführung der Themen von spannender Wirkung.

Mit den drei letzten Streichquartetten hat Schubert die Meisterschaft in dieser Kunstgattung erreicht. Das A-moll-Quartett ist vorwiegend lyrisch, liedmäßig, jenes in D-moll energisch, leidenschaftlich, das letzte in G-dur kühn, originell bis zur Bizarrerie.

A-moll- In dem A-moll-Quartett versetzt uns das Hauptthema des ersten Satzes in die Stimmung der Müllerlieder; hell und liebenswürdig sind auch die anderen Themen und ihre Durchführung. Das Thema des Andante, C-dur, ist der Rosamundemusik entnommen und mit einem gut gearbeiteten Mittelsatz versehen, worauf die Melodie variiert wiederkehrt und in thematischer Durchführung abschließt. Ein graziöses Menuett, herzlich im Ausdruck, hat den Liedcharakter, während sich das Trio im Ländlerrhythmus wiegt. Reizend spielerisch ist das Finale in A-dur in dem tanzartigen Thema und der leicht hinströmenden Durchführung. — Ernst, fast drohend setzt das Thema des **D-moll-** D-moll-Quartetts ein. Zu dem energischen Grundton des ersten Satzes bildet das gemütlich wienerische Gesangsthema einen anmutigen Gegensatz; meisterhaft ist die thematische Durchführung. Es folgen Variationen über das Lied „Der Tod und das Mädchen", hier nach G-moll versetzt. Die Variationen, langgestreckt und etwas formalistisch, zeichnen sich durch Wohlklang aus. Das Scherzo, D-moll, hat den echt Beethovenschen Zug und bietet im Trio einen graziösen Kontrast. Von hinreißender Wirkung ist das in Triolen atemlos dahineilende, leidenschaftliche Finale, und so lange es auch ausgesponnen ist, wir folgen ihm in ungeschwächter Spannung bis zum Ende. — Der symphonische Charakter, der dem D-moll-Quartett eigen ist, tritt noch mehr in **G-dur-Quartett.** jenem in G-dur hervor. Groß angelegt und pathetisch, bewegt sich der erste Satz in weit ausgreifenden modulatorischen Zügen; merkwürdig ist auch der stete Wechsel von Dur und Moll. Das Hauptthema schreitet in harmonischen Rückungen weiter, ihm schließt sich ein anspruchsloses Miniaturmotiv an, welches in breiter Durchführung an Bedeutung wächst und rhythmisch festgehalten wird. Dem orchestralen ersten Satz folgt ein echt quartettmäßiges Andante in E-moll, schwermütig, bis zum tragischen Ausdruck, der sich zu einem schneidenden Aufschrei steigert. Das Scherzo, H-moll, ist ein hinreißend

— 263 —

wirkendes Stück, im Hauptteil wieder von Beethoven inspiriert, während im Trio die heimatlichen Klänge in Schubertischer Färbung uns begrüßen. Das feurig im $^4_4$-Takt dahinjagende Schlußrondo von übermäßiger Länge erreicht inhaltlich nicht die Schlußsätze der beiden vorangegangenen Quartette.

Das edelste Kammermusikwerk, das wir von Schubert besitzen, ist das Streichquintett für zwei Violinen, Viola und zwei Violoncells, 1850 zum erstenmal aufgeführt und 1854 als Op. 163 erschienen. Nur wenige Tondichtungen können an melodischem Reichtum, an Tiefe der Empfindung mit dieser verglichen werden. Das Werk ist vollends von Schuberts Eigenart durchtränkt; überraschende Harmoniefolgen von ergreifendem Ausdruck, ein ununterbrochener Strom reizvoller Gedanken geben ihm das individuelle Gepräge. Manches erscheint unvermittelt, fast gewaltsam, manches nur lose aneinander gefügt, doch die Gesamtwirkung geht siegreich darüber hinweg. *(margin: Streichquintett.)*

Der meisterhafte erste Satz breitet diesen ganzen Reichtum an Phantasie und Erfindung vor uns aus. Ihm folgt ein tiefempfundenes, träumerisches Andante in E-dur, in dem die begleitende Violoncellfigur charakteristisch wirkt. Das Scherzo, ein orchestral gefärbtes Jagdstück, zieht feurig und lebensfroh an uns vorüber — da ertönt es im Trio wie düsterer Grabesgesang in tief ergreifenden Harmonien, ein Gegensatz, wie er nicht überraschender gedacht werden kann. Das Finale ist voll urwüchsiger Lustigkeit, lokal wienerisch, fast an die „Heurigenmusik" der Wiener Vororte erinnernd. Und diese Lustigkeit will nicht enden.

Die Klaviertrios in B-dur Op. 99 und in Es-dur Op. 100 und das „Forellenquintett", A-dur Op. 114, sind seit Dezennien Lieblinge der Musikwelt. In diesen Werken singt und klingt es unausgesetzt, ein wohliges Gefühl umfängt uns, indem wir uns von diesen Tonwellen tragen lassen, wir überlassen uns dem Eindruck eines zwanglosen, doch gedanken- und gemütreichen Musizierens. Hier ist alles echter Schubert. Es wäre schwer, einem der beiden Trios den Preis zuzuerkennen. Beide sind ausgestattet mit reizvollen Gedanken, geistreichen und überraschenden Wendungen, bezaubernden Klangwirkungen. Das B-dur-Trio ist das lieblichere, klangseligere, jenes in Es-dur das ernstere, tiefere Werk. *(margin: Klaviertrios B-dur und Es-dur.)*

Gediegenen und reichen Inhalts sind die ersten Sätze beider Trios, auch die Form ist meisterhaft gehandhabt. Ergreifender singt das Andante, C-moll, in dem Es-dur-Trio. Entzückend ist der gemütliche Humor beider Scherzi, von denen das in Es-dur im Kanon geführt ist und im Trio durch kühne Energie überrascht. Anmutig sind die Themen, tändelnd das Figurenspiel im Finale des B-dur-Trios, energischer, doch äußerlicher im Es-dur-Finale. Beiden Schlußsätzen ist die weite Ausspinnung der Gedanken, die ermüdende Länge gemeinsam.

Das Quintett (Forellenquintett) für Klavier, Violine, Viola, Violoncell und Kontrabaß ist kein tiefes, doch ein gefälliges, klangschönes Werk. *(margin: Klavierquintett.)*

Melodisch reich ausgestattet und solid gearbeitet, auch technisch glänzend ist der erste Satz, edlere Unterhaltungsmusik. Es folgen ein graziöses

271

und sinniges **Andante** in F-dur, dann ein wenig hervortretendes **Scherzo**, A-dur. Der **vierte Satz** bringt das Schubertsche Lied „Die Forelle", nach D-dur versetzt, in einfacher Harmonisierung zuerst von den Streichinstrumenten vorgetragen, mit fünf Variationen, welche zum Teil sinnig, zum Teil formalistisch ausgeführt und veraltet erscheinen und mit einer Coda schließen. Das **Finale** ist unbedeutend, fast banal.

Oktett.

Eine nicht tiefgreifende, aber liebenswürdige Schöpfung des Meisters ist das serenadenartige **Oktett** für zwei Violinen, Viola, Klarinette, Fagott, Horn, Cello und Kontrabaß. Wir haben über Entstehung und Schicksal dieses Werkes früher (S. 250) berichtet.

Das **Oktett** besteht aus sechs Sätzen. Ein **Adagio** geht dem ersten Satz, **Allegro** F-dur, voran, dessen Hauptthema nicht ohne Größe ist und einen gemütvollen Gegensatz in dem zweiten Thema findet; die Modulation ist, wie in dem ganzen Werke eine reiche und oft überraschende. Es folgt ein stimmungsvolles **Andante** in B-dur, in welchem sich die Klarinette besonders hervortut. Das **Scherzo** mit seinem festgehaltenen daktylischen Rhythmus ist voll Schwung, das genialste Stück des Werkes; **Beethovensche** und **Schubertsche** Züge begegnen sich in demselben. Ein einfaches, harmloses **Thema** mit **Variationen** bildet den weit ausgesponnenen vierten Satz, in welchem die verschiedenen Instrumente konzertierend auftreten. Das folgende **Menuetto** mit seinem behäbigen Charakter klingt ländlerisch an. Pathetisch, fast tragisch erscheint die Adagioeinleitung zum **Finale**, einem feurigen, doch wenig bedeutenden Stück. In dem ganzen Werke werden die konzertierenden Blasinstrumente mit Liebe und feinem Verständnis ihrer Wirkung behandelt; der Gesamtklang ist bezaubernd. Das **Oktett** folgt dem Beethovenschen Septett ein Vierteljahrhundert später nach; wenn es nicht dessen Verbreitung und Beliebtheit erreicht hat, so trägt großenteils dessen übermäßige Ausdehnung die Schuld.

Andere Kammermusik-stücke.

Zu erwähnen sind noch ein gefälliges und wohlklingendes **Notturno** (Klaviertrio), welches 1844 als Op. 148 erschienen ist, und mehrere **Duos** für Klavier und Violine. Unter diesen kann wohl das **Rondo brillant** in H-moll Op. 70, welches besonders für die Violine effektvoll ist, als das anregendste bezeichnet werden. Eine Phantasie Op. 159 und die Sonate Op. 162 sind schwächer und wenig sympathisch. Drei Sonatinen, als Op. 137 erschienen, sind zwar inhaltlich unbedeutend, doch nicht ohne instruktiven Wert.

Eine Sonate für **Klavier** und **Arpeggione** ist 1871 in Gotthards Verlag herausgegeben worden. (Das „Arpeggione", ein von G. Staufer in Wien erfundenes Instrument, bildet eine Vereinigung von Guitarre und Violoncell.) Die Komposition ist matt, mit Ausnahme des gesangvollen Adagios.

Klavier-Solomusik.

In der **Klavier-Solomusik** steht **Schubert** in seiner Eigenart an der Seite der großen Meister dieser Gattung. Seine **Sonaten**, **Phantasien** und **kleineren Stücke** sind voll blühender Erfindung, Schönheit und Poesie. Doch, so reich und mannigfaltig der Inhalt ist, das **Ganze** läßt uns etwas vermissen: Es ist der organische Aufbau, die maßvollen Verhältnisse der Teile, die Kritik in der Auswahl der Themen; an deren Stelle treten ein Nacheinander der musikalischen Gedanken, ein ins Breite gezogenes Verweilen oder überflüssige Wiederholungen, auch hie und da minderwertige Themen. Selten können wir **allen** Sätzen einer Sonate das gleiche Interesse entgegenbringen.

Über 20 Sonaten hat Schubert in den Jahren von 1815 bis 1828 geschrieben, von welchen acht unvollendet geblieben sind. Die vorzüglichsten und bekanntesten zehn Sonaten sind: A-moll Op. 42, D-dur ⁴/₄ Op. 53, A-dur ⁴/₄ Op. 120, Es-dur ³/₄ Op. 122, A-moll ³/₄ Op. 143, H-dur ⁴/₄ Op. 147, A-moll ⁶/₈ Op. 164, C-moll ³/₄, A-dur ⁴/₁₁ B-dur ⁴/₄ (die letzten drei aus dem Nachlaß). Sonaten.

Es wird kaum einem Widerspruch begegnen, wenn man die Sonaten in A-moll Op. 42 und die letzte in B-dur als die schönsten erklärt. Fesselnd in den Gedanken, kühn geschwungen in der Modulation, schreitet der erste Satz der A-moll-Sonate einher, ein selig sich wiegendes Thema umfängt uns in dem Andante C-dur ³/₄, mit seinen reizvoll wechselnden Variationen, es folgt ein keckes Scherzo mit dem pastoralen Trio in F-dur, matter ist der letzte Satz, ein langes Rondo in einförmiger Bewegung. — Eine echte Liedersonate ist die in B-dur, doch auch reich ausgestattet mit kraftvollen und überraschenden Kontrasten. Der erste Satz, voll geistreicher Details in der Durchführung, ist die Krone der Sonate, das hinträumende Andante Cis-moll, edel und harmonisch schön, ist in seinem gleichmäßigen Rhythmus übermäßig ausgesponnen, gemütvoll der Mittelsatz, A-dur, der einem Männerchor ähnelt. Die beiden folgenden Sätze behaupten nicht die Höhe der ersten. Das Scherzo nett, kindlich spielend, mit einem kurzen originellen Trio in B-moll, das Finale graziös, nicht bedeutend in den Themen, ins Breite gezogen, doch alles echt Schubertisch, wie die ganze Sonate. — Über diese beiden Juwele der Sonatenliteratur dürfen wir aber nicht der Schönheiten in den übrigen Sonaten vergessen, der im ersten Satz gewaltigen, symphonischen in D-dur Op. 53, der lyrischen, gesangreichen in Es-dur Op. 122, der lebensfrischen, leicht gefügten in A-moll ⁶/₈, der ernst-pathetischen, nur in den letzten Sätzen abfallenden Sonate in C-moll, der ihr folgenden in A-dur, mit ihrem originellen, in der Durchführung pikanten ersten Satz. Noch bieten die leichter gehaltene Sonate A-dur Op. 120 und die hochstrebende in A-moll Op. 143 interessante Einzelheiten.

A-moll-Son. Op. 42.
B-dur-Son.
Andere Sonaten.

Von den beiden Phantasien ist die „Wandererphantasie" C-dur Op. 15 imposant und glanzvoll, die „Phantasie-Sonate" G-dur Op. 78 anmutig und schwärmerisch. Phantasien.

Die Wandererphantasie ist ein großes dreisätziges Werk, eines der bedeutendsten und technisch schwierigsten der älteren Klavierliteratur, unvergleichlich in dem kühnen Schwung des Gesamtcharakters, mannigfaltig in den Themen und Passagen. Wandererphantasie.

Der erste Satz. Allegro con fuoco, C-dur ⁴/₄, mit dem energisch rhythmisierten Hauptthema durchschreitet mehrere lose und rhapsodisch aneinander gefügte Teile, kraftvollen oder graziösen Inhalts, reich an Modulationen, welche am Schluß in die Tonart des zweiten Satzes, Cis-moll, überleiten. Dieser bringt eine Stelle aus dem Liede „Der Wanderer" als Thema, welches in mannigfaltigen Figuren variiert, frei durchgeführt, in stürmische Passagen ausbricht, endlich mit dem noch von fern grollenden Brausen beruhigt abschließt. Diesem Satz von düsterer Färbung folgt das Presto As-dur ³/₄, keck und voll überströmenden Lebens. Ein buntes Treiben zieht an uns vorüber, tanzartig sich wiegende Motive, energische Rhythmen, eine Tonartenflucht mit manchen gewaltsamen Übergängen, dann, plötzlich abbrechend, tritt das erste Thema in C-dur mit größter Wucht in Baßoktaven auf, gefolgt von einem kurzen Fugato, worauf mit dem Thema als Grundlage ein voll sich auslebendes Passagenwerk den Satz glänzend schließt.

Die „Phantasie-Sonate" in G-dur, richtiger betitelt „Phantasie. Andante, Menuetto et Allegretto" gleicht in ihrem ersten Satz einer traum- Phantasie-Sonate.

haften Improvisation, vorherrschend harmonisch und modulatorisch gestaltet, durchzogen von zierlichen kleinen Motiven. Ein liedmäßiges Andante, D-dur ³/₈, mit kontrastierenden Partien, ein prächtiges Menuetto, H-moll, mit dem anheimelnden Trio in H-dur bilden die mittleren Sätze. Schwächer in der Erfindung und von ermüdender Länge ist der Schlußsatz.

Kleinere
Klavierstücke.

Die kleineren Klavierstücke Schuberts, die Impromptus, die Moments musicals, haben sich in ihrem schlichten, anspruchslosen Reiz über ihre glänzende Nachfolge, die Lieder ohne Worte von Mendelssohn, die Nokturnen von Chopin, die Charakterstücke Schumanns hinaus, in ihrer Beliebtheit ungeschwächt erhalten. Die Zahl der Impromptus in Op. 90 und Op. 142 beträgt acht, jene der Moments musicals Op. 94 sechs Stücke.

Es bedarf nur der Hindeutung auf die empfindungsreichen Impromptus C-moll und G-dur (Original Ges-dur) in Op. 90, das bedeutende in F-moll, die graziösen Variationen, B-dur, in Op. 142, auf die schönsten Nummern der Moments musicals, wie Nr. 2 As-dur (sehnsuchtsvoll träumend), Nr. 3 F-moll (ungarisch), Nr. 4 (eine liebenswürdige Plauderei), um bei den Musikfreunden angenehme Eindrücke zurückzurufen. Auch ihr instruktiver Wert wird geschätzt.

Tänze.

Die Tänze, welche Schubert für das Klavier komponiert hat, Ländler, Walzer, Galopps und die damals beliebten Ecossaisen, tragen sämtlich das Gepräge der heimatlichen Volksmusik. Schubert, der in der Improvisation von Tanzweisen unerschöpflich war, hatte sie nur beliebig auf dem Papier festzuhalten, um sie dutzendweise zu liefern. Die Gesamtzahl der veröffentlichten Tänze beträgt weit über 100. Es ist begreiflich, daß die meisten derselben unbedeutend, daß viele einander ähnlich sind, aber mit Auswahl genossen, entzücken sie durch ihre Naivität und feine musikalische Führung.

Obenan sind die „Deutschen Tänze" Op. 33 zu nennen; ihnen schließen sich die Walzer Op. 9 (unter ihnen der „Trauer- oder Sehnsuchtswalzer"), die „Valses sentimentales" Op. 50, „Valses nobles" Op. 77, die Ländler Op. 171, die Ecossaisen in Op. 18 und vieles andere an.

Vierhändiges.

Eine Gattung, in welcher Schubert bis heute unerreicht geblieben, ist die vierhändige Klaviermusik. In dieser hatte er auch nur einen einzigen bedeutenden Vorgänger, Mozart in seinen Sonaten. Wir besitzen einen reichen Schatz an Schuberts vierhändiger Klaviermusik. Herrliche, anmutige und charakteristische Erfindung ist in ihr aufgespeichert, reizende Klangwirkungen kommen zur Erscheinung. Auch die Setzweise ist, ihrem Zweck entsprechend, musterhaft. Die Gruppe umfaßt größere und kleinere Stücke, Sonaten, eine Phantasie, Ouvertüren, Variationen, viele Märsche, Polonaisen und anderes.

In die vorderste Reihe gehören: Die Phantasie, F-moll Op. 103, die sechs Märsche Op. 40, die beiden „charakteristischen" Märsche Op. 121, das Divertissement à la Hongroise; an diese schließen sich im Wert an: Die Sonate in B-dur Op. 30, das Grand Duo Op. 140 mit seinem orchestralen Charakter (auch wirklich von Jos. Joachim für Orchester bearbeitet), die Märsche Op. 27, 55, 66, die Polonaisen Op. 61, die Variationen Op. 10, die Ouvertüre in F-dur, die Fuge in E-moll, die „Lebensstürme" Op. 144.

Opernschaffen und Opernprojekte begleiten, wie wir gesehen haben, Schubert durchs Leben. Auf diesem Gebiete sollte Schubert keine Lorbeeren pflücken, teils weil seine Texte langweilig oder geschmacklos waren, teils weil ihm dramatische Gestaltungskraft mangelte. Seine Opern waren Gesänge und andere Musikstücke innerhalb eines äußerlichen dramatischen Rahmens. Seine Musik verweilt gern und behäbig bei Situationen und Stimmungen und versagt bei dramatisch bewegten Szenen. Es finden sich in diesen Opern und Singspielen manche anmutige Arien und Duette, kräftige Chöre, glänzende Instrumentalstücke, neben überwiegend Unbedeutendem und Flüchtigem. Die Gesamtzahl der dramatischen Werke Schuberts wird mit 18 angegeben; davon sind zehn vollendete, fünf Fragmente und der Rest Skizzen, oder verloren gegangen. Die Gesamtausgabe enthält nebst den zehn vollendeten Werken vier Fragmente.

Die Liste der vollendeten dramatischen Werke lautet: Des Teufels Lustschloß, Der vierjährige Posten, Fernando, Die Freunde von Salamanca, Die Zwillingsbrüder, Die Verschworenen, Die Zauberharfe, Rosamunde, Alfonso und Estrella, Fierrabras, die der Fragmente: Claudine von Villabella, Die Spiegelritter, Die Bürgschaft, Sacontala.

Von allen diesen Bühnenwerken wurden zu Lebzeiten Schuberts nur drei zur Darstellung gebracht: „Die Zwillingsbrüder", „Die Zauberharfe", „Rosamunde". Später hervorgezogen und aufgeführt wurden: „Alfonso und Estrella", „Die Verschworenen oder der häusliche Krieg", endlich „Der vierjährige Posten". Alle diese Stücke verschwanden wieder rasch von der Bühne. Außerhalb derselben haben sich nur die Musik zu Rosamunde, mehrere Nummern aus dem Häuslichen Krieg und aus Fierrabras am Leben erhalten. Einige Details über die Bühnenwerke Schuberts werden genügen.

„Des Teufels Lustschloß", eine Zauber- und Schauerkomödie in drei Akten, gehört einer veralteten Geschmacksrichtung an. Die dickleibige Partitur umfaßt die Ouvertüre und 23 Nummern, zwischen welchen sich ausgedehnte Dialoge befinden; die Musik besteht aus Arien, Duetten, Melodramatischem, Chören, Instrumentalsätzen, drei Finales. Das Orchester ist reich besetzt. Der Text von Kotzebue war nicht geeignet, den 16jährigen Komponisten zu einer höheren Leistung anzuregen. Anspruchsloser und gefälliger ist das einaktige Singspiel „Der vierjährige Posten" (S. 240), eine kleine Dorfgeschichte, halb Soldaten- halb Bauernstück, dessen Text von Theodor Körner herrührt. Das Singspiel wird von einer feingearbeiteten Ouvertüre eingeleitet, welcher in acht Nummern abwechselnd Ensembles, Chöre, eine Arie, ein Duett und ein Marsch folgen, auch Rezitative und Dialoge sind reichlich vorhanden. „Fernando", ein einaktiges Singspiel, von Albert Stadler verfaßt, wurde von dem Komponisten selbst aufgegeben. Umfangreicher, doch nicht bedeutender ist das komische Singspiel „Die Freunde von Salamanca",

Opern.

Verzeichnis.

Des Teufels Lustschloß.

Der vierjährige Posten.

Fernando.

Die Freunde von Salamanca.

Text von Mayrhofer, dessen Musik aus der Ouvertüre und 18 Nummern, meist Arien und Duette, besteht. Es folgen Goethes vielkomponierte „Claudine von Villabella", ein Singspiel in drei Akten, von denen nur der erste erhalten ist, die Fragmente „Adrast" (von Mayrhofer) und die „Spiegelritter" (von Kotzebue). Einige Jahre später erscheinen „Die Zwillingsbrüder" und „Die Zauberharfe" auf der Bühne (S. 246). Die Zwillingsbrüder, Singspiel in einem Akt, nach dem Französischen von dem Theatersekretär Hofmann verfaßt, spielt in einem Dorfe am Rhein. Die Handlung bewegt sich um zwei Invaliden, Zwillinge, und ist recht possenhaft. Die Musik erhebt sich nicht über das Niveau einer bestellten Arbeit; sie enthält nebst der Ouvertüre zehn Nummern, darunter einen gemischten Chor am Schlusse. Etwas höher steht die Musik zur Zauberharfe von demselben Verfasser. Bemerkenswert sind die melodramatischen Partien, welche die Musik stimmungsvoll begleiten; außerdem kommen nur Männer-, Frauen- und gemischte Chöre vor. Von der Ouvertüre ist schon (S. 246) gesprochen worden.

Über die beiden großen Opern „Alfonso und Estrella" und „Fierrabras" waltet der Genius der Langweile. Trotz der liebevollsten Wiederbelebungsversuche haben sie sich auf der Bühne unwirksam erwiesen. Der altmodische Stoff und die matte Handlung tragen die Hauptschuld. Schubert ließ es in beiden Opern an schöner Musik nicht fehlen. Alfonso und Estrella (S. 247), große Oper in drei Akten, enthält unter seinen 34 Nummern anmutige, auch schwungvolle Arien, wie jene der Estrella „Es schmückt die weiten Säle" und „Herrlich auf des Berges Höhen", wirksame Chöre, namentlich den Jägerchor, den Chor der Verschworenen. Origineller ist noch die Musik zu Fierrabras (S. 249). Diese „heroisch-romantische Oper" in drei Akten mit ihrem maurisch-französischen Stoff gab dem Tonsetzer Gelegenheit zu wechselnder Charakteristik und Schubert nützte dieselbe vortrefflich aus. Die Musik besteht nebst der Ouvertüre aus 23 Nummern, darunter mehrere Melodramen. Hervorzuheben sind die Ouvertüre in F-moll, ein Marsch-Chor in G-dur, der Chor „Der Landestöchter fromme Pflichten", die Romanze im ersten Finale, der Marsch, D-moll, im zweiten Akt, die Arie mit Chor und der Maurenchor im dritten Akt.

Der Handlung des einaktigen Singspiels „Die Verschworenen oder der häusliche Krieg" liegt ein drolliger, etwas gewagter Einfall zu Grunde: Die Verschwörung der Frauen gegen ihre in den Kreuzzug ziehenden Männer, Ehestreit und Versöhnung. Die Wirksamkeit der Handlung leidet sehr durch die Einförmigkeit der Situationen. Schubert hat dieses Stück mit reizenden Tonblüten geschmückt, wie da sind: die Romanze Helenens „Ich schleiche bang und still herum", der Marsch und Chor „Vorüber ist die Zeit" in H-moll, der Chor der Ritter und Frauen „Willkommen, schön willkommen" u. a. m.; alles strotzt von Melodie, Anmut und Laune.

Die Musik zu dem Schauspiel Rosamunde (S. 249) gehört zu dem Schönsten, das Schubert geschrieben hat; Frische der Erfindung, Grazie und Feinheit vereinen sich in derselben. Die Komposition besteht aus der Ouvertüre, zwei Entreactes, zwei Balletten, einer Gesangsromanze, je einem Geister-, Hirtenund Jägerchor, endlich einem kurzen Instrumentalstück „Hirtenmelodien" für Klarinette, Fagotte und Hörner. Soll man von all dem Schönen das Schönste wählen, so werden außer der Ouvertüre die beiden Entreactes und das erste Ballett den Preis davontragen. In dem zweiten Entreacte, B-dur, taucht ein Lieblingsthema Schuberts auf, welches er später in einem Impromptu für Klavier und noch in dem A-moll-Streichquartett verwendete. Ein besonders beliebtes Stück der Musikwelt ist das graziöse Ballett in G-dur. Auch die Romanze „Der Vollmond strahlt" und die Chöre fügen sich ansprechend dem Ganzen ein.

Marginal notes (left column):

Claudine von Villabella.

Die Zwillingsbrüder.

Die Zauberharfe.

Alfonso und Estrella.

Fierrabras.

Die Verschworenen.

Rosamunde.

Männerchöre.

Sind die Opern Schuberts in Vergessenheit geraten, um so lebendiger blieben seine Männerchöre. Bilden sie doch den

Grundstock und die Zierde des Repertoires unserer Gesangvereine. In dieser Gattung war Schubert bahnbrechend. Wie unbedeutend erscheinen seine Vorgänger, ein Nägeli, Zelter, Reichardt, in ihren primitiven Versuchen gegen Schubert und seine reifen und poetischen Meisterleistungen. Die Stimmen bewegen sich frei und ungezwungen und schließen sich zum gesättigten Vollklang zusammen. Der Ausdruck in seinen Chören ist mannigfaltig; Heiteres, Schwärmerisches, Tiefernstes, Düsteres ist hier vertreten. Aus der großen Zahl der Schubertschen Männerchöre sollen hier nur einige der gelungensten und bekanntesten genannt werden: Das Dörfchen, Geist der Liebe (die ersten öffentlich gehörten Männerchöre von Schubert), Die Nachtigall, Der Gondelfahrer, Nachthelle, Grab und Mond, Widerspruch, Im Gegenwärtigen Vergangenes, Nachtgesang im Walde, Hymne an den heiligen Geist, Gesang der Geister über den Wassern.

Die meisten dieser Männerchöre sind vierstimmig und mit Klavierbegleitung. „Nachtgesang im Walde" hat vier Hörner als Begleitung, die „Hymne" ist achtstimmig mit Instrumentalbegleitung. Der „Gesang der Geister über den Wassern" (Goethe), das bedeutendste Werk dieser Gruppe, wurde von Schubert in den Jahren 1812—1820 einer mehrfachen Bearbeitung unterzogen; es erscheint als einstimmiges Lied, als vierstimmiger Männerchor a capella, dann mit Klavierbegleitung, endlich achtstimmig mit Begleitung von zwei Violen, zwei Violoncells und Kontrabaß. Das berühmte und vielgesungene „Ständehen" (Text von Grillparzer), ursprünglich für Männerchor mit Solo gesetzt, wurde von Schubert auf Frauenstimmen übertragen, und zwar für Altsolo, zwei Soprane, zwei Alt mit Klavierbegleitung. Sonstige Frauenchöre sind: der beliebte 23. Psalm, ein an Schönheiten reiches Werk, „Gott in der Natur" (Gleim). Von gemischten Chören sind, abgesehen von jenen in den größeren Werken, wie Lazarus, Mirjams Siegesgesang, enthaltenen, anzuführen: „Glaube, Hoffnung und Liebe", ein 1828 entstandenes Gelegenheitswerk, die bald nach Schuberts Tode erschienenen „Gott im Ungewitter", „Gott der Weltschöpfer" (beide von Uz gedichtet), „Hymne an den Unendlichen" (Schiller), denen sich noch einige hinterlassene Chorwerke anschließen.

Schuberts Lieder! Wer kennt, wer bewundert, liebt sie nicht! Aus den erlesenen Kreisen der musikalischen Intelligenz sind sie ins Volk gedrungen, alle erfreuend, erhebend, ergreifend. Von der österreichischen Heimat aus haben sich Schuberts Lieder, langsam aber siegreich vordringend, ihren Weg gebahnt; sie überwanden die norddeutsche Sprödigkeit, sie fanden Eingang in die national abgeschlossene französische Musikwelt, sie zogen hinüber nach dem für fremde Kunst gastlichen England. Schubert und das deutsche Lied sind fortan ein untrennbarer Begriff.

Das deutsche Lied verdankt Schubert seine abgerundete, einheitliche Form, den echt lyrischen Charakter, den von der Dichtung durchdrungenen Empfindungsgehalt. Nicht sofort ward dieser Höhepunkt von ihm erreicht. Er beginnt im jugendlichen Überschwang mit romantisch-dramatisierenden Balladen, maßlos in der Ausdehnung, zerfahren in der Anordnung. Doch die Klärung und

Details.

Lieder.

Allgemeines.

Entwicklung lassen nicht lange auf sich warten. Inspiriert von der deutschen Dichtung, rastlos versuchend und schaffend, nähert er sich dem Ziele. Ein wahrer Sturm und 'Drang der Liedproduktion erfaßt ihn, in den Jahren 1814—1816 entstehen in dichtgedrängter Folge an dreihundert Lieder, gelungene, unreife, gleichgültige, auch überschwengliche. Schon am Schlusse dieser tastenden und gärenden Schaffensperiode ist die Sicherheit der Gestaltung, die Vertiefung des Inhalts erreicht. Bei den Liedern Schuberts liegt das Schwergewicht in dem Musikalischen. Wenn das Merkmal des musikalischen Genies in der Melodieerfindung zu suchen ist, so hat Schubert ein volles Anrecht auf diesen Titel. Seine Liedermelodien sind voll frischer Natürlichkeit, zart oder kräftig, in Deklamation und Ausdruck der Sprache folgend. Die Klavierbegleitung in ihrer Mannigfaltigkeit und Charakteristik bildet ihrerseits eine glänzende Leistung der instrumentalen Kunst. Die Komposition bewegt sich in einer Gesamtstimmung und verliert sich nicht in Einzelheiten; doch fehlt es nicht an feinen malerischen und psychologischen Zügen. Eine sinnvolle, oft ergreifende Harmonik und Modulation, charakterisierende Rhythmen tragen wesentlich zur Wirkung bei. So stellen sich die Meisterlieder dar. Man muß aber wohl unterscheiden. An vielen Liedern des fruchtbaren Tondichters gehen wir ohne inneren Anteil vorüber, oder sie ermüden durch allzu häufige Wiederholungen; manchen haftet auch etwas Bürgerlich-Behäbiges an, oder sie geraten in die Strömung des Alltäglichen.

Anzahl der Lieder. Der Umfang der Liederproduktion Schuberts hat sich nur allmählich enthüllt. Zu Schuberts Lebzeiten waren erst ungefähr 200 Lieder erschienen; an diese reihen sich die kurz nach seinem Tode und die in einer Sammlung „nachgelassener Werke" 1830—1850 veröffentlichten. Immer wieder wurden Manuskripte entdeckt, Abschriften geprüft, manches davon herausgegeben, so daß die Anzahl der Lieder, welche die Gesamtausgabe bietet, auf 603 angewachsen ist. In dieser Zahl sind aber manche Gesänge inbegriffen, die nicht als eigentliche Lieder zu bezeichnen sind. Die Ausgabe Peters enthält in acht Bänden 443 Lieder.

Dichter Zu diesem Liederreichtum haben nahezu 100 Dichter beigesteuert. Fast alle bedeutenderen deutschen Lyriker von Klopstock bis auf Heine sind darin vertreten, mit der größten Zahl Goethe mit etwa 70 Dichtungen, Schiller mit 40. Es entfallen ferner auf Klopstock 18, Matthison 25, Hölty 22, Kosegarten 21, Salis 15, Claudius 12, Stolberg 7, die beiden Schlegel 30, Körner 13, Jacobi 7, Novalis 6, Rückert 5, Platen 4 usw. Heine kommt erst im „Schwanengesang" mit sechs Gedichten vor. Herder ist nur mit zwei, Uhland, ebenso Grillparzer mit einer Dichtung vertreten. Wilhelm Müller ist der Verfasser der „Müllerlieder" und der „Winterreise". Von den

Freunden Mayrhofer und Schober hat Schubert der Komposition gewürdigt, von ersterem 44, von letzterem 11 Dichtungen. Fremdländischen Ursprungs sind die Ossian-Lieder (9), Walter Scotts „*Lady of the lake*" (7), Shakespeare (3), Craigher 3.

Es wäre ein vergebliches Beginnen, aus der fast unübersehbaren Menge Schubertscher Lieder, in welchen alle Charakterabstufungen von dem Naivpopulären, dem Heiteren, Neckischen, bis zu dem Schwärmerischen, Tiefsinnigen, Tragischen, von dem Reinlyrischen bis zu dem Dramatischen vertreten sind, eine erschöpfende Auswahl zu treffen, welche ihrem absoluten Wert entsprechen wollte. Ist doch in dieser Gattung das Urteil zu sehr vom subjektiven Geschmack und persönlichen Sympathien beeinflußt. Wir müssen uns darauf beschränken, hier das anerkannt Bedeutendste, Interessanteste und Schönste anzuführen. Vor allem die gleichsam historischen Marksteine in Schuberts Liederlaufbahn: Hagars Klage (1811), Gretchen am Spinnrade (1814), Erlkönig (1815), Wanderer (1816), die Müllerlieder (1823), Die junge Nonne (1825), Die Winterreise (1827), Schwanengesang (1828). Auswahl.

Mit „Hagars Klage" schuf er sein erstes Lied, eine Ballade nach Zumsteegs Vorbild. Ein Genieblitz des Siebzehnjährigen war das leidenschaftliche „Gretchen am Spinnrade". Den ersten Erfolg feierte Schubert mit dem „Erlkönig"; trotz mancher kritischer Bedenken über die Auffassung des Komponisten, hat diese dramatische Ballade, welche der dämonischen Grundstimmung so lieblich melodische Weisen entgegenstellt, einen dauernden Sieg errungen. Bald darauf erstand dem „Erlkönig" ein Rivale in dem „Wanderer", dessen edler Gesang und gemütvolle Innerlichkeit alle Welt ergriff. Mit den „Müllerliedern", einem Zyklus von 20 Liedern, sang sich Schubert in das Herz des deutschen Volkes hinein; niemals hatte man einen so natürlichen, sprechenden Ausdruck der Töne, so einfach-reizvolle Melodien vernommen. Ein Lied, welches in düsterer Größe fast Schauer erregt, ist die „Junge Nonne", ein Tonbild von echt dramatischer Kraft. Zu den freundlich anmutenden Müllerliedern bilden die meist schwermutsvoll und trüb gestimmten Lieder der „Winterreise" einen Gegensatz; sie schließen kleine Meisterstücke ein, wie den „Lindenbaum", „Die Post", „Die Krähe", „Die Nebensonnen", den „Leiermann". Im „Schwanengesang" begegnen wir dem entzückenden, sehnsuchtsvollen „Ständchen" D-moll, dem kühnen „Der Aufenthalt", dem gewaltigen „Der Atlas", dem lieblichen „Fischermädchen", dem rührend-ergreifenden „Am Meere", dem gespenstischen „Doppelgänger".

Kein Dichter hat Schubert in so hohem Grade inspiriert, wie Goethe. Seinen Versen begegnen wir vorzugsweise in den Meisterliedern des Tondichters. In erster Linie sind zu nennen: Gretchen am Spinnrade, Der Erlkönig, An Schwager Kronos, Die Mignonlieder und die Lieder des Harfners aus „Wilhelm Meister", Heidenröslein, Geheimes, Rastlose Liebe, Schäfers Klagelied, Wanderers Nachtlied, Meeresstille, Erster Verlust, Der König in Thule. Goethelieder.

Nur eine kurze Liste, als Nachtrag zu den bisher genannten hervorragenden Liedern Schuberts mag hier noch angefügt werden. Sie lautet: Der Geistertanz (Matthison), Du bist die Ruh', Sei mir gegrüßt, Greisengesang, Lachen und Weinen (alle von Rückert', Frühlingsglaube (Uhland), Ave Maria, Normans Gesang, Lied des gefangenen Jägers (Walter Scott), Kolmas Klage Liste.

(aus Ossian), ferner: Alinde (Rochlitz), Die Forelle (Schubart), Lob der Tränen (A. W. v. Schlegel), Der Tod und das Mädchen (Claudius), Ständchen C-dur (Shakespeare), Der Zwerg (Collin), An die Leyer (aus Anacreon), Die Allmacht (Pyrker), Memnon, Der Erlafsee, Auf dem Strom (mit engl. Horn), Der Alpenjäger, Nachtstück (alle von Mayrhofer), Minona (Bertrand), Der Wanderer an den Mond (Seidl), Auf dem Wasser zu singen (Stolberg), Am Grabe Anselmos (Claudius), Die Liebe hat gelogen, Du liebst mich nicht (beide von Platen), Nacht und Träume (Collin), Der Wachtelschlag (Sauter), An die Musik (Schober), Der blinde Knabe (Craigher), Fischerweise (Schlechta), Das Weinen (Leitner), Das Echo (Castelli), Litanei (Jacobi), Gebet während der Schlacht (Körner), Himmelsfunken (Silbert), Im Abendrot (Lappe), Der Blumenbrief (Schreiber), Im Frühling (Schulze), Der Kreuzzug (Leitner).

Soweit das Berühmteste und anerkannt Schönste aus Schuberts Liederschatz. Der echte Liederfreund und Schubertverehrer begnügt sich aber nicht mit dem Anerkannten. Aus ihren bescheidenen Verstecken holt er sich auch die Verschmähten und sie werden oft seine Lieblinge. Auch hier gilt es, manches Aschenbrödel zu befreien.

Schluß-
betrachtun-
gen.

So zahlreich und mannigfaltig die jetzt vor uns ausgebreiteten Werke Schuberts sind, es gibt doch Sanguiniker, welche auf eine Vermehrung derselben durch neue Entdeckungen hoffen. Diese Hoffnungen werden sich kaum erfüllen.

Mag die Lebensgeschichte Schuberts noch manche Klärung und Vervollständigung erfahren, mag noch ein oder das andere verwehte Notenblatt eingefangen werden, das Gesamtbild Schuberts steht lebendig vor uns, um so lebendiger, wenn wir dem Boden, auf dem er wandelte und dichtete, nicht fremd sind.

Von den fünf Wiener großen Tonmeistern war Schubert die kürzeste Lebenszeit beschieden. Sein Dasein, mit dem ihren verglichen, war das bescheidenste von allen. Er war der ärmste an Lebensereignissen, der ärmste an Glücksgütern. Gleich Beethoven blieb er unverheiratet. Gluck und Mozart sah er nicht mehr, Haydn lebte zurückgezogen, Beethoven war unzugänglich.

An schöpferischer Fruchtbarkeit übertrifft Schubert, in Anbetracht seines kurzen Lebens die anderen großen Meister. Wie Haydn ist auch er in höherem Sinne Naturalist und Autodidakt gewesen. Er schöpfte aus seiner unvergleichlich reichen musikalischen Natur, besaß aber auch die volle Empfänglichkeit für alles Große und Schöne außer ihm. Er versuchte seine Kraft nach allen Richtungen, schuf in jeder Gattung Eigenartiges und Schönes; bahnbrechend war er im Liede, im Männerchor, ursprünglich und individuell auch in seiner Instrumentalmusik.

Schubert als
Romantiker.

Ob Schubert den Klassikern beizugesellen, ob er als der erste Romantiker zu begrüßen ist, mag der subjektiven Auffassung des Wesens der beiden Stilgattungen überlassen werden. Fast ist es nur ein Streit um Worte. Nennt man doch Schubert den „Klassiker des Liedes", seine Sonaten, Quartette, Symphonien bewahren die Form der Klassiker Haydn, Mozart, Beethoven. Inhaltlich wird man der schwärmerischen Empfindung, dem Naturgefühl und dem Stimmungskolorit in seinen Liedern, dem Schwelgen im Klangzauber, der subjektiven Aussprache seines Innern in vielen seiner Instrumentalstücke die Bezeichnung „romantisch" beilegen dürfen.

Romantik in der Tonkunst läßt sich weder zeitlich noch begrifflich abgrenzen. Doch ruft das Wort „Romantisch" eine Reihe, oder eine Gesamtheit, von Vorstellungen in uns wach. In diesem Sinne bedienen wir uns der Worte „Romantik", „Romantisch", „Romantische Schule". Wollte man den Begriff Romantik in seine Elemente auflösen, so gelangte man zu dem folgenden bunten Register: Vorherrschaft des Poetischen und Malerischen, subjektiver Ausdruck, Unterordnung der Form bis zu ihrer Auflösung; speziell, das Schwärmerische, Phantastische, Geisterhafte, das Unbegrenzte, im Dämmerlicht Verschwimmende usw. In der Oper bezeichnen wir als „romantisch": die Stoffe aus dem Mittelalter und dem Ritterleben, das Sagenhafte und Gespenstische, das Exotische, Lebensbilder, Abenteuer usw. Kommt man zur Anwendung dieser Merkmale der Romantik auf bestimmte Tonsetzer und Werke, so wird der Boden schwankend. Elemente der Romantik können wir aus der Musik längst vergangener Zeiten, vollends überzeugend aus den Werken der großen klassischen Meister herausfühlen. Ist das Crucifixus der H-moll-Messe von Bach, sind die Harmoniefolgen und Rezitative seiner „Chromatischen Phantasie" nicht romantisch? Hat Haydn in den „Jahreszeiten" nicht genug Romantisches? Sollen wir zahlloser Beispiele in Beethovens Werken, insbesondere seiner Adagios gedenken? Und was die Oper betrifft, sind „Don Juan" mit dem steinernen Gast, „Die Zauberflöte" mit ihren Wundern nicht auch romantisch? Romantik.

Als Liedersänger ist Schubert spezifisch deutsch. Ohne den Aufschwung der deutschen Lyrik wäre er als solcher nicht zu denken. Deutsch ist die schlichte, treue musikalische Wiedergabe der Dichtung, deutsch die innige Empfindung, der gemütvolle Humor. Wenn auch die fremden Nationen das Schubertsche Lied sich aneigneten, echt bleibt es nur mit deutschen Worten. Deutscher Charakter.

Das Schubertsche Lied hat zunächst nur eine schwächliche Nachfolge gefunden, eine sentimentale oder philiströse Liederliteratur. Als Zeitgenosse ragt Weber in seinen populären Liedern hervor. Bald darauf tritt der Balladenkomponist Loewe auf. Eine Fülle schöner, sangbarer Lieder verdanken wir Mendelssohn. Eine neue Richtung und einen poetischen Aufschwung nahm das deutsche Lied mit Schumann und später mit Brahms. Doch neben dieser Nachfolge prangen die Lieder Schuberts in vollem Glanze. Nachfolge.

Das künstlerische Schaffen Schuberts vollzog sich in einer ansteigenden Linie. Der Tod hat diese Linie zu rasch durchschnitten. Wenn Grillparzer in der Grabschrift auf Schubert von „noch schöneren Hoffnungen" spricht, so klingt dies vielleicht zu bescheiden, doch kann man im Hinblick auf die in den letzten Lebensjahren Schuberts entstandenen Werke diesen Worten die Berechtigung nicht absprechen. Ergehen wir uns aber nicht in unfruchtbaren Vermutungen! Ist es doch ein genug reiches Erbe, das uns Schubert in seinen Werken hinterlassen und an welchem noch unsere Nachkommen sich erheben und erfreuen werden.

VII.

Komponisten nächster oder spezieller Bedeutung.

Weber. Cherubini. Rossini. Auber. Spohr. Loewe.

Die musikalische Epoche, welche hier zur Darstellung gelangt, wird fast ausschließlich von den großen Wiener Tonmeistern Gluck, Haydn, Mozart, Beethoven, Schubert beherrscht. Nur Haydn und Mozart haben im eigentlichen Sinne Schule gemacht. Gluck hat mit seinen idealen Bestrebungen die Herrschaft der italienischen Oper nicht zu brechen vermocht und warf nur einen Widerschein auf Mozart und einige italienische und französische Nachfolger. Beethoven, an Haydn und Mozart emporgewachsen, stand in seinem innersten Wesen unerreichbar und unnachahmlich da. Schubert war in seinem Gesamtschaffen noch unbekannt und unerkannt.

Von den Zeitgenossen dieser großen Meister und von jenen Tonsetzern, die ihnen zunächst folgen, erheben sich nur wenige zu größerer oder selbständiger Bedeutung. Weittragenden Einfluß auf die Zukunft der deutschen Oper gewinnt Weber, den Glanz der italienischen Oper vertritt Rossini, jenen der französischen Opéra comique Auber; vornehme künstlerische Individualitäten sind Cherubini und Spohr, das Lied betritt eine neue Bahn in dem Balladenmeister Loewe.

Weber   Eine scharf ausgeprägte Individualität ist die Webers; eine frische, jugendliche Atmosphäre umgibt sie. Abseits von den klassischen Meistern, mit origineller Erfindungsgabe, großer Intelligenz und energischem Wollen ausgerüstet, geht Weber seinen eigenen Weg, der ihn in das Reich der Romantik führt. Mit Webers Namen ist sein „Freischütz" unlöslich verbunden; der Kenner denkt noch an „Euryanthe" und „Oberon", der Klavierspieler an das Konzertstück in F-moll, die As-dur-Sonate, die „Aufforderung zum Tanze" u. a. m.; manches wird auch dem Klarinettvirtuosen und dem Sänger noch wohl anstehen. Das meiste aber tritt in den

282

Schatten, ist verblaßt, veraltet, vergessen. Wie alle jene Meisterwerke, welche im Volkstum wurzeln, bewahrt aber der „Freischütz" noch seine unverwüstliche Kraft. Eine neue dramatische Gattung wird mit diesem Werke eröffnet: Die deutsche romantische Oper. Dem Schöpfer dieser Gattung war nur eine kurze, aber bewegte Lebenszeit beschieden. Seine Knaben- und Jugendjahre   *Leben.* flossen in einem steten Herumziehen der Familie dahin; er entbehrt einer zielbewußten Erziehung, empfängt aber mancherlei fruchtbringende Eindrücke, schwankt in seinem Berufe, bis sich endlich seine natürliche Begabung durchkämpft. Auch die Reifezeit seines Lebens und Wirkens bildete einen fortgesetzten Kampf gegen materielle Sorgen, gegen die Intriguen der Theaterwelt, die Aufregungen des Erfolges und der Enttäuschung, endlich gegen sein körperliches Leiden, dem er auch frühzeitig erlag.

Carl Maria von Weber wurde am 18. Dezember 1786 in   *Geb. 18. Dez. 1786.* dem holsteinischen Städtchen Eutin, wo sein Vater damals den bescheidenen Beruf eines Stadtmusikus ausübte, geboren. Die Familie von Weber, einem alten, einst begüterten österreichischen   *Familie.* Adelsgeschlecht entstammend, war in Franz Anton, dem Vater, bereits herabgekommen und ohne festen Halt. Es scheint, daß der Wandertrieb und eine gewisse Theatermanie in der Familie erblich waren und auf Franz Anton übergingen. Leichtsinnigen und unsteten Charakters, wechselte er oft seinen Beruf, war nacheinander Offizier, Amtmann, Musikdirektor, endlich Theaterunternehmer. Er war zweimal verheiratet; aus erster Ehe besaß er acht Kinder, der zweiten mit Genofeva Brenner aus Bayern entstammt als erstes Kind Carl Maria. Durch die Heirat der Nichte Franz Antons, Constanze Weber, mit Mozart wurden die beiden Familien nahe verwandt. Bald nach der Geburt Carl Marias verließ die Familie Weber Eutin, durchzog einen großen Teil Deutschlands, gab Theatervorstellungen in Meiningen, Nürnberg und anderen Städten, bis sie sich 1797 für einige Zeit in Salzburg niederließ. Daß bei diesem   *Salzburg 1797.* unruhigen Wanderleben und mitten im Bühnengetriebe an eine sorgsame Erziehung und einen systematischen Unterricht des Knaben nicht zu denken war, ist begreiflich; seine musikalische Begabung trat jedoch deutlich hervor und die frühzeitige Berührung mit der Theaterwelt mag schon in ihm den Keim zu seiner künftigen Entwicklung gelegt haben. Den ersten Unter-   *Unterricht.* richt im Klavierspiel erhielt er durch einen älteren Stiefbruder und vorübergehend durch den Kammermusikus Henschkel in Hildburghausen. Den Salzburger Aufenthalt nützte der Vater, um ihn zu Michael Haydn in die Lehre zu geben. Unter den Augen dieses Meisters entstand das Erstlingswerk Carl Maria von Webers, sechs Fughetten für Pianoforte, welches in Salzburg 1798 in Druck erschien. Einen großen Verlust erlitt der nun Zwölfjährige durch den Tod der Mutter. Nun verließ die Familie Salz-

18*

München. burg, um sich nach M ü n c h e n zu begeben, welches damals ein Eldorado der Oper war und wo es für den wißbegierigen Knaben vieles zu beobachten und zu lernen gab. Bei dem Hoforganisten K a l c h e r erhielt er theoretischen Unterricht, bei dem berühmten Gesanglehrer Wallishauser (Valesi) eine gründliche Anleitung zum Gesang. In München entstanden von K o m p o s i t i o n e n Webers eine Messe, Instrumentalstücke, Lieder, endlich ein Opernversuch „Die Macht der Liebe und des Weins". Diese Erstlingswerke wurden durch einen unerklärlichen Zufall in der Wohnung Kalchers ein Raub der Flammen. Nur ein Heft Variationen erschien als Op. 2

Lithographie. in München, bemerkenswert dadurch, daß es l i t h o g r a p h i s c h hergestellt wurde. Angeregt durch den Verkehr mit S e n e f e l d e r, dem Erfinder der Steindruckerei, interessierten sich Vater und Sohn so lebhaft für diese Kunst, daß sie dieselbe erlernten und daran dachten, sie berufsmäßig auszuüben. So kam es, daß Weber sein Werk selbst lithographieren konnte. Bald darauf übersiedelte

Freiberg. die Familie nach F r e i b e r g in Sachsen, in welcher Industriestadt sie den günstigen Boden für den Betrieb der neuen Kunst zu finden hoffte. Doch in dem Sohne erwachten der Drang und Ehrgeiz musikalischen Schaffens. Er schrieb die Oper „Das W a l d -

1800
„Das Wald-
mädchen". m ä d c h e n", welche 1800 in Freiberg und Chemnitz, später auch in Wien und Prag mit Beifall gegeben wurde. Ein neuerlicher Aufenthalt in Salzburg 1801 wird durch die Komposition einer kleinen

„Peter
Schmoll." komischen Oper, „P e t e r S c h m o l l und seine Nachbarn", dann durch die von „Sechs kleinen Stücken zu vier Händen" Op. 3 be-

Wien 1803. zeichnet. Das Jahr 1803—1804 verlebte Weber in W i e n. Er ward der Schüler des damals in Wien weilenden Abbé V o g l e r und erlangte dessen persönliche Gunst. Auf seine Empfehlung wurde

Breslau 1804. Weber 1804 nach B r e s l a u als Musikdirektor an das dortige Theater berufen. Mit dieser seiner ersten Anstellung hatte der nun achtzehnjährige Jüngling eine Laufbahn angetreten, die seiner Begabung und seinen Neigungen entsprach. Weber war der geborene Dirigent und Organisator und seine frühzeitigen Eindrücke und Erfahrungen machten ihn auch zum richtigen Theatermann. Inzwischen hatte er sich auch zum glänzenden K l a v i e r s p i e l e r entwickelt, der sich durch eigenartige Technik und feurigen Vortrag auszeichnete. Als Komponist war er bis dahin mit einer kleinen Anzahl gefälliger Werke hervorgetreten, welchen melodische Frische, doch keine tiefere Bedeutung nachzurühmen ist. Nach zweijährigem Aufenthalt, während dessen Weber das Orchester, das Repertoire und Bühnenwesen wesentlich gehoben, folgte er einem Rufe des Herzogs Eugen von Württemberg nach dessen Besitzung C a r l s r u h e in Oberschlesien. Dort, wohin er sich mit seinem steten Begleiter, dem nun schon alternden und kränklichen Vater, begab, wirkte er von 1806 durch ein Jahr als „Musikintendant" des Herzogs und verlebte eine glückliche, musikalisch angeregte

Zeit. Durch die Auflösung der Kapelle, welche durch die Kriegsereignisse erfolgte, wurde die materielle Lage von Vater und Sohn eine mißliche. Es kam ihnen daher gelegen, als Herzog Eugen seinen nun überflüssigen Musikintendanten als „Geheimsekretär" bei seinem Bruder, dem Prinzen Ludwig in Stuttgart unterbrachte. In dieser Stellung, welcher nur nebenher durch den Unterricht der beiden Töchter des Prinzen etwas Musikalisches beigemischt war, verblieb Weber von 1807 bis 1810, wo seine Tätigkeit einen plötzlichen und unrühmlichen Abschluß fand. Der Prinz, dessen finanzielle Verhältnisse arg zerrüttet waren, geriet auf bedenkliche Wege, um sich Geld zu beschaffen. Weber, der gezwungene Mitwisser und leichtsinnige Mithelfer, erregte den Unwillen des Königs, wurde auf dessen Befehl verhaftet und dann samt seinem Vater landesverwiesen. Musikalisch unproduktiv blieb aber die Stuttgarter Zeit nicht. Es entstanden einige schon individuell ausgeprägte Kompositionen, die Es-dur-Polonaise, das C-dur-Konzert, sechs vierhändige Stücke Op. 10, eine Kantate „Der erste Ton", endlich die Oper „Silvana". Von interessanten persönlichen Beziehungen Webers in Stuttgart sind die zu dem Bildhauer Dannecker und zu dem Kapellmeister der Oper und begabten Komponisten Danzi, dessen Beispiel er vieles verdankte, zu nennen. Spohr, der vorübergehend sich in Stuttgart aufhielt, äußerte sich abfällig über Webers Musik, stand aber persönlich mit ihm auf freundlichem Fuße. Die Zeit von 1810 bis 1813 verbrachte Weber in beständiger Wanderschaft. Mit neuerwachter Energie und ernstem Streben gab er sich nun ganz seiner Kunst hin. Mannheim, Darmstadt, Frankfurt, München bildeten seine nächsten Ziele. In Mannheim fühlte er sich bald heimisch, nach Darmstadt zog ihn sein verehrter und geliebter Lehrer Abbé Vogler, der dort seinen Sitz aufgeschlagen hatte. Gleichzeitig mit Weber genossen dort Meyerbeer und Gänsbacher aus Wien Voglers Unterricht. In Frankfurt kam „Silvana" zur Aufführung. Bald darauf folgte die einaktige komische Oper „Abu Hassan", welche in München unter des Komponisten Leitung in Szene ging. Die Bekanntschaft mit dem in München lebenden ausgezeichneten Klarinettisten Bärmann veranlaßte eine Reihe gelungener Kompositionen für dieses Instrument. 1812 hielt sich Weber durch ein halbes Jahr in Berlin auf, trat in freundschaftliche Beziehungen zu dem berühmten Zoologen Lichtenstein, zu der gastfreien Familie Meyerbeer u. a., brachte auch seine „Silvana" auf die Bühne. In Berlin erhielt Weber die Nachricht von dem Tode seines Vaters. In demselben Jahre wurde er an den Hof von Gotha, später an jenen von Weimar berufen, besuchte auch Leipzig. In allen diesen Städten konzertierte er gemeinschaftlich mit Bärmann. In diese Zeit fällt auch der Beginn der schriftstellerischen Tätigkeit Webers, und zwar mit der unvollendeten

Stuttgart 1807—1810.

Wanderschaft.

Darmstadt.

Frankfurt. „Silvana." München. „Abu Hassan."

Bärmann.

Berlin 1812.

Novelle „Tonkünstlers Leben"; es folgten dann Kritiken und andere Aufsätze.

Prag 1813. Auf der Durchreise in P r a g, im Begriffe sich nach Italien zu begeben, erhielt W e b e r anfangs 1813 den ehrenvollen Antrag, die Direktion der dortigen Oper zu übernehmen. Er ergriff mit Feuereifer diese Gelegenheit, sich auf seinem Lieblingsgebiete zu betätigen. Weber reorganisierte, warb fähige Mitglieder, studierte unermüdlich neue Werke ein und brachte die Oper auf einen höheren Stand. Dank und Anerkennung wurden ihm nur spärlich zu teil, so daß ihm seine Stellung bald verleidet war. Ein Magnet war es, der ihn bis dahin an Prag gefesselt, die Sängerin Karoline B r a n d t, der er sich schon damals verlobte. In dieselbe Zeit fallen „Leyer und Schwert." auch die Liedkompositionen von K ö r n e r s „Leyer und Schwert", welche nebst der Kantate „Kampf und Sieg" in dieser Epoche der Befreiungskriege überall mit patriotischem Enthusiasmus aufgenommen wurden und Weber zuerst populär machten, ferner die Entstehung der As-dur-Sonate und mancher anderen Werke. Webers fast vierjährige Tätigkeit in Prag war häufig von Kunstreisen, auch von Badeaufenthalten unterbrochen. Er weilte in München, Berlin, in Gotha, in dem Badeorte Liebwerda, endlich in Karlsbad. Dort lernte er 1816 den Intendanten der Dresdener Theater Grafen V i t z t h u m kennen, der ihm eine Anstellung als Kapellmeister für die neuzuerrichtende deutsche Oper in Dresden anbot, welchen Antrag Weber mit Freuden annahm.

Dresden 1817. Schon mit dem Anfang 1817 traf er in D r e s d e n ein, welche Stadt nun die bleibende Stätte seines Wirkens werden sollte. Nebst der Leitung der Oper war er auch zu jener der Kirchenmusik in der katholischen Hofkirche berufen. Hatte er es in Prag mit der Teilnahmslosigkeit des Publikums und der Undankbarkeit der leitenden Behörde zu tun, so warteten hier Hindernisse anderer Natur auf ihn. Die i t a l i e n i s c h e O p e r hatte von ihrer alten Beliebtheit nicht viel eingebüßt und stand noch immer hoch in der Gunst des Hofes. Nur um dem Zeitgeist einigermaßen gerecht zu werden, wurde neben ihr der deutschen Oper ein bescheidener Platz eingeräumt. Daß unter diesen Umständen an ein friedliches Zusammenwirken mit dem neben ihm angestellten Kapellmeister der italienischen Oper, M o r t a c c h i, nicht zu denken war, daß es an Intriguen des italienischen Personals nicht fehlte, ist begreiflich. Weber aber blieb, trotz mancher Zurücksetzungen, treu seinen Idealen, standhaft in der Erfüllung seiner Pflichten. Am 4. November 1817 Vermählung. vermählte sich W e b e r in Prag mit seiner geliebten K a r o l i n e und lebte mit ihr fortan in glücklicher Ehe.

Webers Gesundheit war schon damals ernstlich erschüttert; vorübergehende Erholung brachte ihm nur der wiederholte Landaufenthalt in dem benachbarten H o s t e r w i t z. Der literarischen Verbindung mit dem Dichter Friedrich K i n d verdankt Weber das

Textbuch zum „Freischütz". Schon im März 1817. war die Dich- Arbeiten.
tung vollendet, doch nur langsam gedieh die musikalische Arbeit,
sie zog sich bis 1820 hin. In der Zwischenzeit hatte Weber Gelegenheitskompositionen für den Hof zu liefern, unter welchen sich
die „Jubelouvertüre" befindet, schrieb ferner zwei Messen, viele
Lieder, von Klavierstücken die „Aufforderung zum Tanze" die
Polacca in E-dur und anderes. Selbst Bühnenwerke gingen dem
Freischütz voran, die Komposition des Melodrams Preciosa und
die der komischen Oper „Die drei Pintos", welche Fragment
blieb. Auch verschiedene Kunstreisen fallen in diese Jahre. Wie
edel und neidlos Weber aufstrebende Talente förderte, beweist sein
Verhältnis zu Marschner, der 1819 nach Dresden kam, um unter
Webers Direktion seine Oper Heinrich IV. zur Aufführung zu
bringen. Einen Schüler und treuen Freund gewann Weber in
dieser Zeit an Julius Benedict aus Stuttgart, der sich später in
England niederließ. Endlich im Mai 1820 war die Partitur des
Freischütz fertiggestellt. Der Aufführung dieser Oper in Berlin
ging aber jene der Preciosa, einer von Webers Gönner, dem
Intendanten Graf Brühl bestellten Arbeit, voran.

Der 18. Juni 1821, der Tag der Erstaufführung des Frei- Der Freischütz 18. Juni 1821.
schütz, denkwürdig für die Geschichte der Oper, brachte dem
genialen Tondichter einen vollständigen Triumph. Die Oper, welche
zur Eröffnung des neuen Schauspielhauses gegeben wurde, erlebte
zahlreiche Wiederholungen in Berlin und trat sofort ihren Sieges-
zug nach Dresden, Wien, endlich in alle Welt an. In Berlin
spielte Weber das dort vollendete Konzertstück Op. 79 am
25. Juni zum erstenmal öffentlich und erntete enthusiastischen
Beifall.

Noch in demselben Jahre erhielt Weber den ehrenvollen Auftrag,
eine große Oper für Wien zu schreiben. Die Wahl fiel auf einen
mittelalterlichen romantischen Stoff, die Schicksale der Euryanthe
von Savoyen. Dieser Stoff wurde von der Schriftstellerin Wilhelmine Chezy, die damals in Dresden weilte, zu einem Operntext
bearbeitet. Weber ging mit dem ganzen Aufgebot seiner Kräfte
an die Komposition, galt es doch hier auch auf dem Gebiete der
großen Oper einen Erfolg zu erringen. Nachdem er schon 1822 Wien 1822.
einige Wochen in Wien zugebracht, um seinen Freischütz zu dirigieren und Euryanthe vorzubereiten, kam er im September 1823
dahin zurück, um die Proben zu leiten und der Aufführung beizu-
wohnen. Die Aufnahme der Euryanthe bei der Erstauf- Euryanthe. 25. Okt. 1823.
führung am 25. Oktober 1823, welcher man mit großer Span-
nung entgegensah, war für den Komponisten des Freischütz ehrenvoll, doch ohne nachhaltige Wirkung. Nach den drei ersten Vorstellungen, welche Weber dirigierte und in welchen die berühmte
Henriette Sonntag die Titelpartie sang, übernahm Conradin
Kreutzer die Leitung und nach 20 Wiederholungen wurde die

Oper abgesetzt. Der strenge Ernst der Musik, dazu die matte, kaum verständliche Handlung waren nicht geeignet, das Wiener Publikum zu gewinnen, welches die leichten Reize der Rossinischen Opern und der volkstümlichen Singspiele vorzog. Wohl schloß sich ein erlesener Kreis von Kunstverständigen mit Begeisterung an den Komponisten, doch war ihr Einfluß ein beschränkter. In der Kritik waren die Urteile über die Oper geteilt. Später, nach dem Vorgang anderer Bühnen, wurde „Euryanthe" auch in Wien mehr gewürdigt, ohne jedoch dauernd Wurzel zu fassen. — Von den Begegnungen Webers mit Schubert und Beethoven in Wien ist früher (S. 190, 247) Erwähnung geschehen. Auch eine Audienz bei Kaiser Franz, dem Weber seine „Euryanthe" gewidmet, soll nicht vergessen werden.

Dresden.

Die letzten Lebensjahre.

Erschöpft und verstimmt kehrte Weber nach Dresden zurück. Zudem stellten sich seine körperlichen Leiden in gesteigertem Maße wieder ein und raubten ihm allen Lebensmut. Eine Genugtuung ward ihm durch die glänzende Aufnahme der „Euryanthe" in Dresden zu teil, erfreulich war ihm auch die Aufforderung, die Musikaufführungen bei der Klopstockfeier im Juli 1824 in Quedlinburg zu leiten, endlich die ehrenvolle Einladung, eine Oper für London zu schreiben. Im Sommer weilte Weber zur Kur in Marienbad.

Mit der Arbeit an der für London bestimmten Oper begann er erst anfangs 1825; es war dazu der Märchenstoff „Oberon, König der Elfen", dessen textliche Bearbeitung Planché übernahm, gewählt worden. Da die Oper in englischer Sprache zu komponieren war, mußte Weber zuerst englisch lernen. Dem Komponisten wurde von dem Theaterdirektor Kemble ein Honorar von 1000 Pf. St. zugesichert. Die Badekur in Ems, welcher sich Weber im Sommer 1825 unterzog, brachte ihm keine Erleichterung, die Symptome der tückischen Krankheit traten deutlich hervor. Am 16. Februar 1826 trat Weber in Gesellschaft des Flötenvirtuosen Fürstenau die Reise an. In Paris wurde ein mehrtägiger Aufenthalt genommen und die musikalischen Koryphäen besucht, dann

London.

ging es über Calais nach Dover. Die Ankunft in London erfolgte am 3. März. In dem Hause des Hoforganisten George Smart fand der Ankömmling gastliche Aufnahme. Weber konnte sich auch in London an seiner Freischützpopularität sonnen. Abu Hassan und Preciosa waren dem englischen Publikum ebenfalls schon bekannt. Nach mannigfachen Abänderungen und Zusätzen, der Neu-

Oberon.
12. April 1826.

komposition der Ouvertüre und vielen Proben ging Oberon am 12. April 1826 auf der Bühne des Coventgarden-Theaters in Szene und wurde mit großem Beifall aufgenommen. Der gleiche Erfolg blieb den zwölf Aufführungen, welche der Komponist dirigierte, treu. Auch sonst wurde Webers Mitwirkung als ausübender Künstler und Tonsetzer öfters in Anspruch genommen, bis er am

26. Mai ein eigenes Konzert veranstaltete, welches ihm eine bittere Enttäuschung brachte, indem es vor halbleerem Hause stattfand. Weber, der seine schwindenden Kräfte nur mühsam aufrechthielt, war bloß von dem einen Wunsch beseelt, die Heimat und die Seinen wiederzusehen — er sollte ihm nicht erfüllt werden. In der Nacht vom 4. zum 5. Juni hauchte er seine Seele aus. Er starb an der Lungenschwindsucht. Unter großen Trauerfeierlichkeiten, bei welchen auch Mozarts Requiem aufgeführt wurde, fand die Beisetzung der Leiche in *Moorfields Chapel* statt.

Tod
5. Juni 1826.

Im Dezember 1844 wurden Webers Überreste nach Dresden überführt und auf dem katholischen Friedhofe zur Ruhe gebettet. Am Grabe hielt Richard Wagner, sein Nachfolger im Amte, eine ergreifende Rede. Eine Erzstatue Webers, von Rietschel ausgeführt, erhebt sich seit 1860 auf dem Platze vor dem Dresdener Hoftheater. Ein schönes Denkmal wurde ihm auch in seinem Geburtsort Eutin errichtet.

Die Witwe Carl Maria von Webers starb erst 1852. Von den drei Nachkommen. Söhnen war der älteste frühzeitig, der zweite Alexander, welcher Maler geworden, 1844 in seinem 19. Lebensjahre gestorben, der dritte, Max Maria, 1822 geboren, ward ein hervorragender Eisenbahnfachmann und wirkte als solcher in Dresden, dann von 1870 in Wien als k. k. Hofrat im Handelsministerium. Max Maria v. Weber gab eine Biographie seines Vaters in drei Bänden 1864—1866 heraus. Er starb in Berlin 1881.

Webers äußere Erscheinung wird als edel und sympathisch ge- Persönlichkeit schildert. Der Gesichtsausdruck, im allgemeinen sanft und etwas leidend, konnte zuweilen Energie verraten. Sein Gang war infolge eines Gelenkleidens in seinen Kinderjahren zeitlebens ein hinkender. — Webers Charakter in seinem Privatleben erscheint durchaus achtungswert, in seinem Beruf war er unermüdlich und frei von engherzigem Egoismus. Während seines Wirkens in Prag und Dresden brachte er eine große Zahl der zeitgenössischen Opern, darunter die bedeutendsten, wie „Fidelio", Méhuls „Josef und seine Brüder", Spontinis „Cortez" u. a. zur ersten Aufführung, während er seinen eigenen Werken nur einen bescheidenen Raum gönnte.

Weber erscheint als Komponist ungemein vielseitig und das Verzeichnis seiner Werke weist fast alle Kunstgattungen auf. Im Vordergrunde stehen die Opern. Die Gesamtzahl derselben beträgt neun. Es sind: Das Waldmädchen, Peter Schmoll und seine Nachbarn, Rübezahl, Silvana, Abu Hassan, Die drei Pintos, Der Freischütz, Euryanthe, Oberon. Zunächst ist das Melodram „Preciosa" zu nennen. Eine ganze Reihe von für die Bühne bestimmten Kompositionen von größerer oder geringerer Ausdehnung und Bedeutung schließt sich an. Hervorzuheben wären: Die melodramatische Musik zu Schillers „Turandot", zu Müllners „König Yugurd", zu Gehes „Heinrich IV.", dann von den zahlreichen Einlagen in Dramen und Opern ein Chor mit Blasinstrumenten zu Grillparzers „Sappho". An Kirchenmusik sind zwei Messen in Es und G und zwei Offertorien vorhanden. Größere weltliche Kantaten sind: „Der erste Ton" (von Rochlitz) für Deklamation, Chor und Orchester, die Hymne „In seiner Ordnung schafft der Herr" (ebenfalls von Rochlitz), die Kantate „Kampf und Sieg" für

Werke.
Verzeichnis.

Soli, Chor und Orchester und einige Gelegenheitswerke, unter welchen sich die Jubelkantate für das Erinnerungsfest der Thronbesteigung Friedrich August I. befindet. Von Orchestermusik sind zwei Symphonien, die Ouvertüre zum „Beherrscher der Geister" und die „Jubelouvertüre" zu nennen. Für Klarinette mit Orchesterbegleitung schrieb Weber zwei Konzerte und ein Concertino, ferner ein Quintett mit Begleitung des Streichquartetts, für Fagott und für Horn je ein Konzert mit Orchester und noch andere Stücke für Instrumente. Stark vertreten ist die Klaviermusik; sie zählt: Die Konzerte in C-dur und-Es-dur, das Konzertstück in F-moll mit Orchester, vier Sonaten in C-dur, As-dur, D-moll und E-moll, viele Partien Variationen, von kleineren Stücken Momento capriccioso, Polonaise in Es-dur, Polacca brillante E-dur, Rondo brillant Es-dur, die „Aufforderung zum Tanze", einige Allemanden, Ecossaisen, Walzer, außerdem drei Hefte vierhändiger Stücke, sechs Sonaten mit Violine, Duetten mit Violine, Klarinette, Guitarre, endlich ein Trio und ein Quartett. Die Anzahl der einzelnen Gesangsstücke (Lieder, Romanzen, Balladen, Arien, Männerchöre und anderen Gesänge) beträgt etwa 130. Darunter befinden sich drei Hefte Lieder und Chöre aus Körners „Leyer und Schwert", einige Hefte Volkslieder usw.

Die vollständige Sammlung der Werke Webers besitzt die k. Bibl. in Berlin.

Die drei Meisteropern.

Der Freischütz.

Handlung.

Die Höhepunkte in Webers Schaffen bilden die drei Meisteropern: Freischütz, Euryanthe, Oberon. Die genialste und ursprünglichste unter ihnen ist der Freischütz.

Der Freischütz, dessen Text nach einer Novelle in Apels „Gespensterbuch" von Friedrich Kind verfaßt wurde, hat eine bilderreiche Handlung, deren Schauplatz Dorf und Wald, das trauliche Heim des Forsthauses, die unheimliche Wolfsschlucht bilden. Im Mittelpunkt derselben steht das treuliebende Paar Max, der Jägerbursch, und Agathe, die Tochter des Försters Kuno. Ihre Vereinigung hängt von dem Gelingen des „Probeschusses" ab. Max, sonst ein guter Schütze, wird nutlos, da er in letzter Zeit stets Fehlschüsse getan. Da schleicht sich die Verführung in Gestalt seines mit dem Bösen verbundenen Genossen und Nebenbuhlers Kaspar an ihn heran. Dieser verspricht ihm sicher treffende „Freikugeln" zu verschaffen, wenn er sich um Mitternacht in der Wolfsschlucht einfinde. Max erscheint an dem grauenhaften Ort, es werden von Kaspar unter schreckenerregenden Vorgängen und gespenstischen Erscheinungen sieben Kugeln gegossen, von denen „sechse treffen, sieben äffen". Damit hat Samiel, der schwarze Jäger, über Max Gewalt bekommen und dieser ist dem bösen Geist verfallen. Bei dem Probeschuß in Gegenwart des regierenden Fürsten trifft Max mit der siebenten Kugel die unversehens erschienene Braut, aber zugleich auch seinen Feind Kaspar. Agathe erholt sich bald, Kaspar ist zu Tode getroffen. Ein frommer Eremit tritt vor und löst durch seine heilige Kraft den bösen Zauber. Allgemeine Versöhnung und jubelnder Ausgang. In die Handlung sind auch zwei episodische Gestalten, die des Ännchen, einer jungen Verwandten Agathens, und die des Bauers Kilian eingewoben. Bauern und Jäger bilden den bewegten Hintergrund. Alle Elemente deutscher Romantik finden sich in der Handlung vertreten: Wald- und Jagdleben, reine hingebende Liebe, Geisterspuk, religiöse Stimmung.

Der Form nach gehört der Freischütz dem deutschen Sing- spiel an. Die einzelnen Musikstücke werden durch Dialoge ver- bunden, deren Sprache schlicht und kräftig ist. Die Musik ist edel und volkstümlich zugleich, sie prägt den Weberschen Stil in vollster Deutlichkeit aus.

Musik.

Die Oper teilt sich in drei Akte. Eine genial erfundene, feurig hin- strömende Ouvertüre, in welcher sich die Stimmungen und Hauptmotive der Oper wie Wandelbilder abspiegeln und die Farbenpracht des Orchesters wahrhaft berauschend wirkt, geht der Oper voran. Der erste Akt beginnt mit der Szene vor der Waldschenke, dem Triumph des Bauern Kilian als Schützenkönig und dem Mißgeschick des stets fehlenden Max; die Szene enthält einen wahrscheinlich originalen Bauernmarsch in G-dur und den zündenden Spottchor. Ahnungsvoll trüb setzt die nächste Szene zwischen Max und dem Förster ein, als das Dazwischentreten Kaspars einen dämonischen Zug in die Musik bringt, während ein tröstender Chor in sanften Harmonien den Hinter- grund bildet. Ein lustiger Jägerchor, in den der Chor der Landleute einfällt, be- schließt die Szene. Nach einem rasch sich abspielenden echten Bauernwalzer folgt die durch ein Rezitativ eingeleitete Arie des Max „Durch die Wälder, durch die Auen", deren leichtfaßliche Melodie und inniger Ausdruck sofort ins Volk drangen. Eine dramatisch und musikalisch trefflich gestaltete Szene schließt sich an. Das Trinklied Kaspars in H-moll ist in seiner charakte- ristischen Melodik und witzigen Instrumentation eine Glanznummer des Werkes. Mit der gewaltigen Rachearie des Kaspar in D-moll schließt der Akt. Den zweiten Akt eröffnet das reizende Duett zwischen Agathe und Änn- chen in A-dur $^6/_8$, in welchem die kontrastierende Charakteristik der edel klagenden Agathe und der schelmischen Lustigkeit Ännchens trefflich ge- zeichnet ist. Das heiter-übermütige Liedchen Ännchens „Kommt ein schlanker Bursch gegangen", C-dur $^3/_4$, bildet eine wirksame Einlage. Nun folgt die große Szene und Arie der Agathe in E-dur. Sie beginnt mit dem schön dekla- mierten Rezitativ „Wie nahte mir der Schlummer", geht dann in das von innig- stem Ausdruck durchwehte Gebet „Leise, leise, fromme Weise" über; trefflich ist die leidenschaftliche Unruhe der Erwartung wiedergegeben, hinreißend der Aus- bruch der Freude bei dem Nahen des Geliebten, worauf die Arie in hellem Jubel mit dem Aufwand bravouröser Gesangstechnik wirkungsvoll schließt. Das fol- gende herrliche Terzett (Agathe, Ännchen, Max) ist von musikalischer Schön- heit, Wohlklang und melodischem Reiz erfüllt, bewundernswert ist aber auch die in der dramatischen Bewegung festgehaltene Charakterzeichnung der han- delnden Personen. — Es ist nahe Mitternacht, Max eilt zur Wolfsschlucht. Die große Szene in der Wolfsschlucht, welche das Finale des zweiten Aktes bildet, wurde von jeher vorzugsweise als ein Schaustück für die Masse betrachtet, in welchem die Kunst des Maschinisten sich auszuzeichnen hatte; übertroffen wird sie aber durch die Kunst des Tonsetzers, welcher hier Ton- bilder von packender Realistik schuf. Charakteristische Motive begleiten die bunte Folge der unheimlichen Vorgänge, Motive und Figuren aus früheren Szenen tauchen bedeutungsvoll auf. Die Komposition zerfällt jedoch in musi- kalische Einzelmomente, welche sich nicht zu einer größeren einheitlichen Ge- staltung zusammenschließen. Die Instrumentation ist farbenreich und wirksam, doch nicht unkünstlerisch überladen und den Situationen meisterlich angepaßt. Der dritte Akt breitet einen blühenden Flor volkstümlicher Melodien vor uns aus. Zuerst die edle, andachtsvolle Cavatine der Agathe „Und ob die Wolke sich verhülle" in As-dur, dann die Romanze und Arie Ännchens (mit obligater Viola), letztere fast trivial. Der Chor der Brautjungfern „Wir winden dir den Jungfernkranz" hat wohl seinesgleichen nicht an Welt-

Details.

Die Wolfs- schlucht.

popularität. Nicht minder schallt der Jägerchor in D-dur wie unmittelbar aus dem Volksmunde heraus. Das Finale ist von großer Ausdehnung und mosaikartig zusammengefügt. Ausdrucksvolle Rezitative, prächtige Chöre, Instrumentalsätze ziehen an uns vorüber, die Hauptmotive der Oper kehren wieder. Mit dem Couplet in H-dur schlägt die edle Stimmung in das Italienisch-banale um, worauf die jubelnden Figuren der großen Agathen-Arie die Oper beschließen.

Bedeutung. Was dem Freischütz seine einzigartige Stellung in der Opernliteratur verleiht, ist die Fülle volkstümlicher Melodien. Kein deutscher Komponist hat so glücklich die musikalische Volksseele belauscht wie Weber. In der gelungenen musikalischen Charakterzeichnung seiner Operngestalten ist er Mozart ähnlich. Wie treffend sind Agathe und Ännchen, Max und Kaspar auseinandergehalten! Weiter ist es das Naturgefühl, der Ausdruck des Schwärmerischen, des Heiteren wie des Dämonischen, welche der Oper den Stempel echter Romantik aufdrücken. Auch dem religiösen Sinn des Volkes wird der Freischütz gerecht; das Gottvertrauen durchzieht das ganze Werk als deutlich vernehmbarer Grundton. Weber glänzt auch in seiner Oper durch meisterliche Beherrschung der Darstellungsmittel. Er verstand es vortrefflich, für die Stimme zu schreiben, verschmähte auch die gesanglichen Auszierungen nicht, sein Chorsatz ist durchsichtig und kräftig, vor allem aber zeichnet sich sein Orchester durch Klangfülle und blendende Detaileffekte aus. Weber wurde bahnbrechend für das moderne Opernorchester.

Euryanthe. In der Euryanthe wendet sich Weber der großen Oper zu, mit hochstrebendem Wollen, aber nicht mit dem gleichen Gelingen wie im Freischütz.

Stoff und Handlung. Die Handlung versetzt uns in das mittelalterliche Ritterleben am Hofe Ludwig VI. Ein edles Brautpaar, Adolar und Euryanthe, geht eben seiner glücklichen Vereinigung entgegen, als der feindlich gesinnte Lysiart es versucht, die Treue der Braut zu verdächtigen. Im Bunde mit der rachsüchtigen Eglantine gelingt es ihm auch, einen scheinbaren Beweis der Untreue Euryanthes herzustellen. Diese wird von dem tiefgekränkten Adolar in eine Einöde geführt, um dort verlassen zu enden. Auf einer königlichen Jagd wird sie entdeckt, ihre Unschuld erwiesen, die Liebenden wieder vereint. Das verbrecherische Paar aber, im Begriffe sich zu vermählen und sich den Besitz ihres Opfers anzueignen, endet in Schmach und Verzweiflung. In diese Hauptmomente der Handlung ist eine geheimnisvolle Geistergeschichte verwoben. Es wäre ein überflüssiges Beginnen, auf die näheren Umstände einer Handlung einzugehen, welche an Unklarheit und Unwahrscheinlichkeit kaum zu übertreffen ist. Die Plattheiten des Textes sind auch nicht geeignet, den Mangel an logischem Zusammenhang zu verdecken. Es ist aber ersichtlich, daß diese Handlung der farbenreichen Bilder und dramatischen Situationen nicht entbehrte.

Die Komposition. Weber ging an die Komposition mit dem Aufwand seines ganzen Könnens und seiner hohen künstlerischen Intelligenz. Er strebte nach dem Ideal des echten musikalisch-dramatischen Kunstwerkes. Der gesprochene Dialog ist aufgegeben. Der Gesangsstil der Oper ist vorwiegend deklamatorisch. Auf den dramatischen

Ausdruck der Rezitative, von einem lebhaft teilnehmenden Orchester unterstützt, wie auch auf den dramatischen Fortgang der großen Szenen wird die größte Sorgfalt verwendet. Dennoch ist es keine „durchkomponierte" Oper, es finden sich genug geschlossene, selbständige Musikstücke darin, schöne Melodien, die an die frische Erfindung des Freischütz erinnern; auch der Chor ist gut bedacht. — Der Kern der Oper ruht in den vier Charaktertypen: Adolar und Euryanthe, Lysiart und Eglantine. Charaktere. Die ersten beiden sind vorherrschend lyrisch, die letzteren dramatisch gehalten. Als die interessanteste und am gelungensten ausgeführte Gestalt ragt die tief leidenschaftliche Eglantine hervor, prägnant im Ausdruck ist auch Lysiart, matter, nur zuweilen sich aufraffend erscheint Adolar, verschwommen in ihrer leidenden Sanftmut Euryanthe. Jede dieser Hauptpersonen findet ihre charakteristische Behandlung im Gesang und Orchester, zuweilen durch bestimmte Leitmotive, wie wir ihnen schon im Freischütz begegnen, gekennzeichnet.

Die Oper Euryanthe, vorerst in vier, später in drei Akte geteilt, um- Details. faßt die Ouvertüre und 25 Nummern. Die Ouvertüre ist eines der glänzendsten Orchesterstücke, die jemals geschrieben wurden; sie ist in ihrem hinreißenden Schwung von unvergleichlicher Wirkung. Mit den übrigen Ouvertüren Webers teilt sie die mosaikartige Zusammensetzung. Die dramatischen Höhepunkte der Oper bietet der zweite Akt, wie Lysiarts große Szene und Arie „So weih' ich mich den Rachgewalten", das Duett mit Eglantine, das leidenschaftdurchglühte Finale. Bedeutende dramatische Momente enthalten auch die beiden anderen Akte, wie die große Szene vor dem König, Eglantines Rezitativ „Betörte, die an meine Liebe glaubt" im ersten Akt, Euryanthes Arie mit Chor „Zu ihm, o weilet nicht" und die Hochzeitsszene im dritten Akt. Aus den lyrischen Gesängen der Oper sind besonders hervorzuheben: Adolars Cavatine „Unter blühenden Mandelbäumen", Euryanthes „Glöcklein im Tale", vielleicht die beliebtesten Nummern der Oper, beide im ersten Akt, die Arie Adolars „Wehen mir Lüfte Ruh'" mit dem anschließenden Duett im zweiten Akt. Sonstige Glanzpunkte sind der Reigen in der Introduktion, das erste Finale mit seiner ländlichen Fröhlichkeit, der prächtige Jägerchor und der Tauzchor im dritten Akt.

Trotz aller dieser Vorzüge und Schönheiten hat Euryanthe nirgends einen bleibenden Platz im Opernrepertoire errungen, hat sich auch nicht, gleich dem Freischütz, im Herzen des Volkes eingebürgert. Hochachtung, Bewunderung, aber wenig Sympathie war ihr Los. Die Gründe dieser Erscheinung liegen nicht allein in der unklaren und uninteressanten Handlung, sie liegen auch zum Teil in der Komposition. Diese ist fast ununterbrochen pathetisch gehalten und wirkt dadurch ermüdend. Das Ersonnene, künstlich Gefügte tritt oft zu deutlich hervor. Rückfälle in die ältere Opernform stören zuweilen die Einheitlichkeit des Stils. Daß die Oper große Anforderungen an die Ausführenden stellt, kann ihr nicht zum Vorwurf gereichen, erklärt aber die Scheu vor derselben.

Wagners Lohengrin. Auffallend ist die Verwandtschaft der Hauptgestalten der **Euryanthe** mit jenen in Richard Wagners **Lohengrin**. Adolar-Euryanthe finden ihr Gegenbild in **Lohengrin-Elsa**, Lysiart-Eglantine in **Telramund-Ortrud**. Damit sind aber die Berührungen **Webers** mit **Wagner** nicht erschöpft. Auch Weber strebt nach dem engen Anschluß der Musik an das Drama, in dem sich auch die anderen Künste zu einem **Gesamtkunstwerk** vereinen. Auch der **musikalische** Einfluß Webers auf Wagner ist in vielen Einzelzügen deutlich wahrnehmbar.

Oberon. **Oberon**, die dritte der Hauptopern Webers, steht ihren beiden Vorgängerinnen an dramatischer Bedeutung nach; in ihrer Gesamtform mehr einer Szenenreihe, als einem einheitlich gestalteten Drama ähnlich, ist sie zumeist auf äußerliche Wirkung angelegt, auf Ergötzung von Auge und Ohr. Ein ausgedehnter Dialog umgibt die einzelnen Musikstücke, welche in dem Rahmen einer glänzenden Ausstattung vorgeführt werden.

Das Textbuch. Das Textbuch ist nach **Wielands** Dichtung „Oberon", mit stellenweiser Benützung von Motiven aus Shakespeares „Sturm" und „Sommernachtstraum", von **Planché** verfaßt. — **Oberon**, König der Elfen, hat sich mit **Titania**, seiner Gemahlin, entzweit; sie geloben sich erst dann Versöhnung, wenn ein liebendes Paar, durch alle Gefahren hindurch schreitend, sich treu bewährt. **Huon**, ein französischer Ritter, und **Rezia**, die Tochter des Kalifen von Bagdad, sind die zu Prüfenden. Ein Zauberhorn, welches Huon von Oberon zum Geschenk erhalten, soll die Liebenden aus drohenden Gefahren retten. Eine fliegende Reiseroute zieht an dem Zuschauer vorüber, aus dem Elfenreich geht es nach Bagdad, nach Tunis, endlich an Karl des Großen Hof, wo der glückliche Ausgang besiegelt wird. Oberon und Titania sind wieder vereint. Als kontrastierende Nebenfiguren dieser angeblichen Handlung sind **Puck**, die Elfe, **Scherasmin**, der Knappe Huons, **Fatime**, Rezias Sklavin, eingeführt. Elfen, Meermädchen, Haremswächter, Seeräuber, Tänzer und Tänzerinnen usw. füllen die bunten Szenenbilder der Oper.

Die Musik. Je weniger die Handlung dem Tondichter dramatische Entwicklungen gestattete, desto häufiger bot sie ihm Gelegenheit zu Situationsbildern, märchenhaften oder fremdländischen Kolorits. Darin lag aber Webers Stärke. So kommt es, daß die Elfen-, Geister- und Naturszenen und die orientalisch gefärbten Musiknummern die gelungensten Partien des Werkes bilden. Duftig und bezaubernd sind die **Elfenchöre** in der Introduktion, wild und ungestüm der **Geisterchor** in der Beschwörungsszene Pucks mit der treffenden Naturschilderung des Sturms, von unnachahmlichem Reiz der sich wiegende Gesang der **Meermädchen** und Nymphen im Finale des zweiten Aktes. **Chöre.** Charakteristisch orientalisch sind der Chor der **Haremswächter** im ersten Finale, dem ein echt arabisches Motiv zu Grunde liegt, ferner der **Türkenchor** mit nachfolgendem Tanz zu Beginn des zweiten Aktes, der **Sklavenchor**, **Einzelgesänge.** ebenfalls nach einer Originalmelodie, im Finale des dritten Aktes. Die **Einzelgesänge** der Oper sind vorwiegend konzertmäßig, auch mit Bravourpassagen ausgestattet; sie entbehren zumeist der tieferen Empfindung und individueller Charakteristik. Die Glanznummer der Sologesänge ist **Rezias** große Szene **„Ozean, du Ungeheuer."** am Meeresufer, Rezitativ und Arie „Ozean, du Ungeheuer", ein mächtig wirkendes Gesangstück, welches von Sängerinnen großen Stils mit Vorliebe zum Konzertvortrag gewählt wird. Gehoben wird die Wirkung durch die meisterliche Naturschilderung des Orchesters. Von sonstigen Einzelgesängen sind bemerkenswert: **Oberons** Eingangsarie in C-moll in ihrem warmen Ausdruck, die beiden Romanzen der **Fatime** „Arabiens einsam Kind" und das elegische „Arabien, mein Heimatland", Rezias Cavatine „Traure, mein Herz", die ansprechende Preghiera Huons, während dessen große Arie steif und konventionell ist. Hervorzuheben sind noch der Reihe nach: Das ausdrucksvolle Melodram (Nr. 9), das klangschöne, gesanglich dankbare Quartett (Nr. 10), das humoristische Duett Fatimes und Scherasmins (Nr. 16), das warm empfundene Terzett (Nr. 17), der heiter-gefällige Chor (in Nr. 20), der prächtige Marsch der Ritter, dessen Hauptmotiv schon in der Ouvertüre erscheint, in der Schlußszene. Der Schlußchor ist Webers Jugendoper „Peter Schmoll" entnommen. Der Oper geht eine **Ouvertüre** voran, deren Lob und Ruhm nicht erst zu verkünden ist, denn sie bildet eines der glänzendsten und populärsten Orchesterstücke der Neuzeit. Eingeleitet durch das dreitönige Leitmotiv aus Oberons Zauberhorn, schwelgt die Ouvertüre zuerst in traumhaften Klängen, strömt dann in lebensprühendem, feurigem Schwung bis ans Ende. Ouvertüre.

Trotz der zahlreichen und eigenartigen Schönheiten der Musik blieb die Gesamtwirkung der Oper stets eine unbefriedigende, fast matte. Der Grund lag, abgesehen von den einzelnen Schwächen der Komposition, in dem fremdartigen Stoff, der abgeschmackten Prosa und der undramatischen Anlage. Es wurden daher Versuche unternommen, dem Werke durch Umarbeitungen zu Hilfe zu kommen; die eine, von Jul. Benedict aus dem Jahre 1860, schaltet bloß Rezitative und Arien aus anderen Weberschen Opern ein, die andere, neuere, von Franz Müllner ist weit eingreifender und erstreckt sich auf Text und Musik. Umarbeitungen.

Den drei Hauptopern reiht sich an Bedeutung das Melodram Preciosa an. Das Schauspiel ist nach einer Novelle des Cervantes von Pius Alex. Wolff verfaßt. Ein spanischer Edelmann, der zu dem schönen Zigeunermädchen Preciosa in Liebe entbrennt, diese, trotz mancherlei Fährlichkeiten und nachdem sie sich als ein geraubtes Edelfräulein entpuppt, heimführt, das ist der Kern der romantisch sentimentalen Handlung. Es war ein sehr dankbarer Stoff für Webers Eigenart, der charakteristischen Verwendung nationaler Weisen und Rhythmen. Die melodramatische Form, so zweifelhaft ihm selbst die Berechtigung der Gattung erschien, war ihm bereits geläufig; Preciosa war das gelungene Resultat vorhergegangener Versuche. Es ist ein durchaus volkstümliches Werk, fesselnd durch das exotische Kolorit und zugleich gemütvoll anheimelnd. Preciosa.

Die Musik zu Preciosa besteht aus der Ouvertüre, welche die Hauptmotive des Werkes voranstellt, und aus elf Nummern, teils melodramatischer Form, teils Einzelgesängen, Chören und Tänzen. Schön ist das Melodram „Lächelnd sinkst du, Abend, nieder", gefühlvoll das Lied der Preciosa „Einsam bin ich, nicht alleine", prächtig die Chöre: „Im Wald", „Die Sonne erwacht", der beliebte Zigeunerchor „Es blinken so lustig die Sterne", echt national die spanischen Tänze. Der rhythmisch originelle Zigeunermarsch, schon in der Ouvertüre enthalten, kehrt noch zweimal wieder. Weber hat in Preciosa auch spanische Volksmelodien benützt. Als Schauspiel ist Preciosa verschollen, einige Nummern der Weberschen Musik haben es jedoch überlebt.

Nur wenige flüchtige Bemerkungen können wir den Jugendopern Webers widmen: Jugendopern.

Das Wald-
mädchen.

Von dem „W a l d m ä d c h e n" (1800) ist fast nichts erhalten. Obwohl dieses Singspiel wiederholt und an mehreren Orten aufgeführt wurde, hat sich keine Spur der Partitur entdecken lassen. Der Stoff und einzelne Musiknummern sind für die spätere „Silvana" benützt worden.

Peter Schmoll.

„Peter Schmoll und seine Nachbarn" (1801), ein komisches Singspiel in zwei Akten, dessen Handlung einem Roman von C. G. Cramer nachgebildet ist, verrät zwar das Talent des vierzehnjährigen Komponisten, aber auch dessen Ungeschick in der Formgestaltung. In den meist liedmäßigen Gesängen ist der zierliche Charakter vorherrschend. Die Orchesterbegleitung ist schwach, enthält jedoch hie und da malende Züge. Nur die Ouvertüre wurde im Klavierauszuge veröffentlicht.

Rübezahl.

Das Singspiel „Rübezahl" (1804—1805) blieb unvollendet. Die Ouvertüre hat sich als selbständiges Orchesterstück unter dem Titel „Zum Beherrscher der Geister" erhalten. Von den wenigen sonst vorhandenen Nummern ist ein Quintett für vier Soprane und Baß im Klavierauszuge bei Schlesinger in Berlin herausgegeben worden.

Silvana.

Einer reiferen Zeit gehören „Silvana" (1810) und „Abu Hassan" (1811) an. Silvana, das von einem Ritter im Walde aufgefundene stumme Mädchen, ist das wiedererstandene „Waldmädchen" in vervollkommneter Gestalt. Der Text rührt von dem Stuttgarter Dichter Hiemer her. Ein Hauch der Romantik des Waldes und jener des Rittertums umweht schon dieses dramatische Werk. Die Musik dieser dreiaktigen Oper bewegt sich großenteils in den Bahnen des damals beliebten Singspiels mit seiner Mischung von Liedern und Koloraturarien, erhebt sich aber in den Finales zu dramatischer Wirkung. Frische Erfindung herrscht in den Chören und Tänzen, ausdrucksvoll sind die pantomimischen Szenen illustriert, das Orchester ist reicher entwickelt. — Der vollständige Klavierauszug der Oper, von dem Komponisten selbst angefertigt, wurde bei Schlesinger in Berlin gedruckt. In einer Umarbeitung, textlich von Pasqué, musikalisch von Ferd. Langer, wurde „Silvana" an mehreren Bühnen gegeben, jedoch ohne nachhaltigen Erfolg.

Abu Hassan.

„Abu Hassan", komisches Singspiel in einem Akt, Text nach einem arabischen Feenmärchen und mit stellenweiser Benützung von Weißes „Dorfbarbier", verfaßt von Hiemer, besteht aus der Ouvertüre und neun Nummern. Dramatisch wirksam ist der Chor der Gläubiger. Auch Zartes und geistreich Erfundenes findet sich in der Musik. Mehrfache Versuche mit Bühnenaufführungen boten nur ein vorübergehendes Interesse. Klavierauszüge von „Abu Hassan" sind bei Simrock und Peters erschienen.

Die drei
Pintos.

Es erübrigt noch der Skizzen zu dem komischen Singspiel „Die drei Pintos" (1821) zu gedenken. Die äußerst drollige Handlung, welche in Spanien spielt, ist von Th. Hell (Winkler) mit Benützung einer Novelle bearbeitet. Die Skizzen machen einen bedeutenden Eindruck, die geplanten 17 Nummern deuten auf die Absicht, ein größeres Werk zu schaffen. Die Oper beginnt mit einer Introduktion, in der ein sehr gelungener Chor der Diener enthalten ist. Die Skizzen wurden in neuester Zeit einer weitgehenden Vervollständigung und Bearbeitung unterzogen, der Text durch Carl v. Weber, dem Enkel des Tondichters, die Musik durch Gustav Mahler, damals Kapellmeister in Leipzig. In dieser Gestalt wurden „Die drei Pintos" in Leipzig 1888 aufgeführt.

Klaviermusik.

An Neuheit und fortschrittlicher Bedeutung reiht sich den Opern Webers seine Klaviermusik an. Weber war ein glänzender Klavierspieler, der sich seine eigene Technik und Vortragsweise schuf. Beides prägt sich in seinen Kompositionen aus. Die Technik ist kühn, bravourös, oft orchestral, demzufolge weitspannig, die musikalische Erfindung feurig, zuweilen opernhaft. Dem individuellen

Stil Webers, seiner unverkennbaren Physiognomie begegnen wir auch in seiner Klaviermusik.

Die Zahl der Klavierkompositionen Webers ist keine allzugroße, auch treten nur wenige derselben in den Vordergrund; doch diese wenigen genügen, um Weber einen besonderen und hervorragenden Platz in der Klavierliteratur zuzuweisen. Webers Sonaten darf man nicht etwa an Schubert oder gar an Beethoven messen. Schubert führt uns in das Zauberland seiner Phantasie und ladet zum Verweilen ein, Weber streut im feurigen Ritt seine festlichen Gaben aus, blendend, zerflatternd. Der Hauptreiz der Weberschen Sonaten ruht in der Frische und Ursprünglichkeit der Erfindung; die logische Verbindung der Gedanken und ihre erschöpfende Durchführung bilden nicht ihre Stärke. Nicht selten vermissen wir auch die Gewandtheit im Tonsatz und manche Härte wirkt verletzend. *Sonaten.*

Von den vier Sonaten ist die erste, C-dur Op. 24, jugendfrisch, *C-dur Op. 24.* spielfreudig, oberflächlich in der formellen Gestaltung und ohne tieferen Gehalt. Der erste Satz, virtuosen Charakters, ist energisch, vollgriffig, das Adagio, F-dur ³/₄, ansprechend gesangvoll, in dem rhythmisch bewegten Mittelsatz dramatisch gefärbt, das Menuetto in E-moll ist keck anspringend und wird von einem gefälligen Trio E-dur abgelöst. Das Rondo in C-dur, aus einer langen Kette ununterbrochen laufender Sechzehntelfiguren bestehend, als „Perpetuum mobile" bekannt und beliebt, ist ein brillantes und gefälliges Virtuosenstück.

Ein Prachtwerk, frisch und kraftstrotzend, bunt schillernd, ist die As- *As-dur Op. 39.* dur-Sonate Op. 39. Das Meisterstück derselben ist der erste Satz, ein stolzes, breitausgelegtes Tongemälde. Ungewöhnlich ernst und tief ist das Andante C-moll, hinreißend in seiner überschäumenden Lebendigkeit wirkt das Presto (Menuetto capriccioso) in As-dur, während der Schlußsatz, ein Rondo, As-dur ² ₄, das Werk in graziöser Ruhe, stellenweise etwas trivial abschließt.

An Wert reiht sich die As-dur-Sonate zunächst die in D-moll Op. 49 *D-moll Op. 49.* an. Militärisch stramm beginnt das erste Allegro, eine süße Kantilene stellt sich als Mittelsatz ein, die Form ist regelrecht durchgebildet. Das Thema des Andante con moto, B-dur ² ₄, klingt wie eine zierliche Arietta, ähnlichenhaft; die anschließenden Variationen mit ihren Zwischensätzen sind etwas überladen. Einer kühnen technischen Studie gleicht die Eingangsfigur des Finale, D-dur ³/₈, abgelöst wird sie von einem einschmeichelnden Gesangsmotiv in der Tenorlage, welches sich dann durch die liebliche herabschwebende Gegenstimme erweitert.

Die vierte Sonate in E-moll Op. 70 läßt sich als die matteste, in *E-moll Op. 70.* ihrem Stil fast veraltete, bezeichnen. Auszunehmen ist das naiv-graziöse Andante, C-dur ²/₄, welches reizende Stellen aufweist. Das vorhergehende Menuetto (Presto) fesselt durch seinen originellen Rhythmus, wird aber durch das einförmige Trio abgeschwächt.

Nebst den Sonaten hat Weber acht Partien Variationen *Variationen.* und eine Anzahl kleinere Stücke geschrieben. Die Variationen gehören im allgemeinen der älteren Richtung an, welche im Figurenspiel ihre Aufgabe erblickt; sie sind äußerlich und technisch anspruchsvoll, es befinden sich aber auch erfreulichere darunter.

Voranzustellen sind die Variationen über „Schöne Minka", C-moll Op. 40, die sich durch Abwechslung und Originalität auszeichnen. Anregend und gefällig erscheinen noch die Variationen über ein Thema aus Voglers „Samori",

Prosniz, Compendium der Musikgeschichte. 19

Kleinere Stücke. „Aufforderung zum Tanze."

B-dur Op. 6, über eine Arie aus Méhuls „Joseph", C-dur Op. 28, über ein Zigeunerlied, C-dur Op. 55. — Aus den kleineren Stücken glänzt besonders die „Aufforderung zum Tanze" hervor, eine Komposition, welche sich nun fast durch ein Jahrhundert in ungeschwächter Beliebtheit erhalten hat. Eine lebensvolle Ballszene zieht in reizvoller Abwechslung an uns vorüber; der sprechend anmutigen Einleitung folgt ein feurig hinstürmendes Walzertempo, dann eine wiegend zärtliche Melodie, reiches Passagenwerk, ein wild bacchantischer Mittelsatz, Rückkehr zu ungetrübter Lust, freundlicher Abschied. In der musikalisch-poetischen Erfindung dieses Stückes herrscht jene Unmittelbarkeit, welche dessen populären Erfolg erklärt. Auch wirkt es am besten in seiner ursprünglichen Gestalt, weniger in dem Raffinement von Orchesterübertragungen, wie sie von Berlioz und anderen unternommen wurden. Diesem Glanzstück ist zunächst die Polacca brillante in E-dur Op. 72 anzureihen, deren zündender Rhythmus, ritterliche Haltung und glanzvolles Figurenspiel eine imponierende Wirkung üben. Hier erscheint die Orchestration (von Liszt) motivierter und erfolgreicher. — Das Momento capriccioso, B-dur Op. 12, ist eine reizvolle technische Studie. Banaler, zum Teil leiermäßig erscheinen die äußerlich dankbaren Vortragsstücke Grande Polonaise, Es-dur Op. 21, und Rondo brillant Op. 62.

Vierhändiges. — Zu der Literatur der vierhändigen Klaviermusik hat Weber drei Werke beigetragen: 6 leichte Stücke Op. 3, 6 Stücke Op. 10, 8 Stücke Op. 60. Die erstere Sammlung ist unbedeutend, die zweite (für die beiden württembergischen Prinzessinnen 1809 geschrieben) umfaßt anmutige Gaben; weitaus am bedeutendsten erscheint die dritte Op. 60, welche Mannigfaltigkeit, charakteristische Erfindung mit schöner Klangwirkung vereint.

Kammermusik. Ein Klavierquartett und ein späteres Trio sind beide keine echte Kammermusik, auch erscheint das Klavier meist nebensächlich behandelt. Leicht und gefällig sind die sechs Sonates progressives mit Violine, insbesondere die drei ersten. Die Variationen über ein norwegisches Lied für Klavier und Violine Op. 22 sind anregend. Das Duo mit Klarinette Es-dur Op. 48 ist gefällige Unterhaltungsmusik.

Konzerte. Es erübrigt uns nur der drei Klavierkonzerte mit Orchester zu gedenken.

Das erste Konzert in C-dur Op. 11 ist im Klaviersatz brillant, vollgriffig, in den Themen altmodisch und ohne tieferen Gehalt. An Gediegenheit und edler Haltung steht es Hummel nach. Energischer und pomphaft gibt sich das zweite Konzert Es-dur Op. 32, dessen erster Satz ansehnliche technische Schwierigkeiten, insbesondere viele Terzen- und Oktavengänge bietet, inhaltlich aber ziemlich trocken ist. Dagegen ist das kurze, stimmungsvolle Adagio in H-dur von bestrickendem Reiz, namentlich in der Orchesterbegleitung. Das Rondo Es-dur 6/8 ist ein genial und urwüchsig hingeworfenes Stück, für das Klavier glänzend, mit reizenden Details, auch im Orchester, ausgestattet. Dem derbhlustigen Hauptthema steht ein graziös sich wiegender Mittelsatz gegenüber, der etwa an die „Aufforderung zum Tanze" erinnert. Der Satz in seinem Weberschen Feuer wirkt siegreich. — Das Meisterwerk unter den dreien ist das Konzertstück in F-moll Op. 79, zur Zeit des „Freischütz" entstanden. Durch die Freiheit der Form wird es für die Gattung epochemachend. Das edel pathetische Larghetto mit einer ausdrucksvollen Kantilene, geschmackvoll verziert, und einer dramatisch ergreifenden Schlußwendung geht in ein leidenschaftliches Allegro, dessen kühner Grundzug sich mit Grazie paart, über. Es folgt als Intermezzo ein einfacher, durch seine melodische und rhythmische Prägnanz hinreißend wirkender Marsch in C-dur für das Orchester, dem sich nach einem kurzen Übergang das figurenreiche, glanzvolle Schlußpresto in F-dur 6/8 anschließt. Das Konzertstück, noch wenig veraltet, behauptet auch heute einen Ehrenplatz in dem Repertoire der Virtuosen.

Noch einem anderen Instrument hat Weber seine Vorliebe zugewendet: der Klarinette. Er bewährte hier wieder seine Gabe der Individualisierung der Orchesterinstrumente. Im Jahre 1811 schrieb er ein Concertino Op. 26 und zwei Konzerte in F-moll und Es-dur Op. 73 und 74 für Klarinette mit Orchesterbegleitung. Als das beliebteste erscheint das Concertino, am bedeutendsten das Konzert in Es-dur. 1815 folgte noch ein Quintett für Klarinette und Streichquartett in B-dur Op. 34. Zahlreich sind auch seine Kompositionen für andere Soloinstrumente, für Horn, Fagott, Flöte, Guitarre usw., von geringem Belang zwei Symphonien, während seines Aufenthalts in Carlsruhe für das dortige Orchester geschrieben, in welchen sich einzelne Instrumente konzertierend hervortun. `Klarinette.`

Einen großen Umfang und eine wichtige Stellung in dem Schaffen Webers nimmt die Lied- und Chorkomposition ein. Die Zahl der Lieder und Gesänge für eine, zwei und drei Stimmen mit Pianoforte- oder Guitarrebegleitung reicht an 100, die der Männerchöre an 20. `Lieder und Chöre.`

Weber war selbst ein guter Sänger, der seine Lieder zur Guitarre vortrug. Guitarrelieder sind heute veraltet, auch die meisten Weberschen, in ihrer naiven, sentimentalen oder neckischen Ausdrucksweise, sind es. Von den anderen Weberschen Liedern haben sich manche durch ihren herzlichen, volkstümlichen Ton frisch erhalten. Zu diesen gehört in erster Linie das Wiegenlied „Schlaf, Herzenssöhnchen“, dem sich noch anschließen „Damon und Chloe“, „Er an Sie“, „Klage“, „Meine Farben“, „Meine Lieder, meine Sänge“, „Mädl, schau mir ins Gesicht“ usw. Vom volkstümlichen Strophenlied stieg Weber zum dramatisch gefärbten, auch durchkomponierten Lied empor, wie „Sind es Schmerzen, sind es Freuden“, „Unbefangenheit“, „Reigen“, „Der Holdseligen“.

Da kam die Zeit der nationalen Begeisterung nach den Befreiungskriegen, welche auch Weber patriotisch und künstlerisch ergriff. Dieser beschwingten Stimmung haben wir die Gesänge aus Theodor Körners „Leyer und Schwert“ zu verdanken, welche 1814 entstanden; sie bestehen aus vier Liedern mit Klavierbegleitung und sechs Männerchören ohne Begleitung. Namentlich waren es die letzteren, welche überall zündeten und Weber mit einem Schlag populär machten. `„Leyer und Schwert.“`

Der Chor „Lützows wilde Jagd“ bietet in seiner gedrungenen Kürze ein naturwahres Charakterbild, kräftig wirkt das „Schwertlied“, andächtig erhebend das „Gebet vor der Schlacht“; auch die anderen Chöre der Sammlung sind meisterhaft. Von den Liedern ist das dramatisierende „Gebet während der Schlacht“ hervorzuheben. Der Zeit des patriotischen Hochgefühls gehört auch Webers Kantate „Kampf und Sieg“ 1815 an, ein Gelegenheitswerk ohne bleibenden Wert. — Unter den Männerchören Webers gibt es auch sonst manche Perle, wie „Das Turnierbankett“ für zwei Chöre und Soli, das Unisono-Kriegslied, das populäre „Schmückt das Haus mit grünen Reisern“, das „Freiheitslied“.

Daß Weber auch später das volkstümliche Lied nicht vernachlässigte, davon zeugen „Wenn ich ein Vöglein wär’“, „Mein Schatz ist auf der Wanderschaft“ u. a. m. Zu den letzten Liedern gehören „Das Mädchen an das erste Schneeglöckchen“ und „Elfenlied“, beide von besonderem Reiz. — `Das volkstümliche Lied.`

19*

Die von Weber gewählten Texte stammen nur zum Teil von besseren Dichtern her. Goethe ist gar nicht berücksichtigt.

Von Gesangstücken wären noch zu erwähnen: Italienische Arien mit Orchesterbegleitung, Canzonetten, Bearbeitungen schottischer Melodien, endlich eine große Zahl mehrstimmiger Gesänge.

Messen. In seiner Stellung am Dresdener Hof hat Weber auch zwei Messen in Es und G geschrieben, von denen die erstere die bedeutendere ist.

Weber als Schriftsteller. Webers Wirken griff auch auf das literarische Gebiet über. Er veröffentlichte in Musikzeitschriften eine Reihe von Aufsätzen, kritischen und allgemein musikästhetischen Inhalts, welche von der ungewöhnlichen künstlerischen Intelligenz ihres Verfassers zeugen und des historischen Interesses nicht entbehren.

Wir finden darin Rezensionen über Neuaufführungen von Opern (wie Cherubinis „Wasserträger", Méhuls „Joseph in Ägypten", Isouards „Cendrillon"), Konzertberichte (wie über das Musikfest in Frankenhausen 1815, über Hummel, die Konzertsaison in Prag 1816), Beurteilungen neuerschienener Kompositionen, Beschreibungen mechanischer Musikwerke, ästhetische Kommentare zu Opernaufführungen in Prag und Dresden, auch Polemisches und Humoristisches. Ein edles Streben nach Wahrheit spricht sich in allen diesen Aufsätzen aus, die Urteile sind auch im Tadel wohlwollend. Es ist begreiflich, daß uns vieles, ja das meiste heute veraltet erscheint. Zu bedauern ist, daß der Roman „Tonkünstlers Leben", eine Art Selbstbiographie Webers, 1809 begonnen, Fragment geblieben ist; nur der Anfang und ein Plan des Ganzen sind vorhanden. Als schriftstellender Musiker ist Weber der Vorgänger Robert Schumanns.

Schlußbetrachtungen. Fassen wir den Gesamteindruck von Webers künstlerischer Individualität zusammen, so erscheint uns als ihr Grundzug die Originalität. Ein lebhafter, feuriger Geist, ein leichtbewegliches Temperament, waren ihm zu teil geworden; sie prägen sich in seiner reichen melodischen Erfindung, in den Eingebungen seiner Phantasie aus. Frühzeitig auf die Wirkung gegen außen aufmerksam geworden, läßt er diese nicht außer acht. Seine künstlerische Natur drängte ihn vorzugsweise zum Dramatischen hin. Dabei besaß er ein feines Ohr für das, was aus dem Volke klingt, und einen richtigen Instinkt für das, was dem Volke gefällt. Der Freischütz, in dem Dramatisches und Volkstümliches eng verschmolzen sind, war daher Webers gelungenstes Werk. Euryanthe war ein Produkt hochsinnigen Strebens, doch nicht seiner eigensten Natur. In Webers Musik geht die Empfindung selten in die Tiefe, sie taucht nicht in die Geheimnisse der Menschenseele. Auch die Kunst des Tonsatzes, die Polyphonie, kommt wenig zur Geltung. Harmonie und Stimmführung sind nicht immer korrekt. Weber ist der ausgesprochenste Romantiker seiner Epoche und der Herold einer neuen nationalen Richtung.

Cherubini. Ein Meister, der Bedeutung nach nicht allzuweit von den Klassikern entfernt, doch in seiner Eigenart keinem derselben eng verwandt, ist Cherubini. Eine vornehme Künstlernatur, wieder nur von vornehmeren Geistern ganz verstanden und gewürdigt, war es Cherubini nicht beschieden, mit seiner Kunst ins Volk zu dringen. Seine musikalische Erfindung und Empfindung strömten nicht voll und üppig genug, um unmittelbar zu wirken.

Cherubinis musikalische Entwicklung, von einer strengen kontrapunktischen Schulung und dem Studium der Alten ausgehend, dann in das Fahrwasser der zeitgenössischen italienischen Oper einlenkend, nimmt bald einen selbständigen Charakter an; ein Zug nach dem Großen macht sich geltend, romantische, ja phantastische Lichter blitzen zuweilen auf. So kann man vielleicht sagen, Cherubinis Schaffen berührt als äußerste Pole Palestrina-Berlioz.

Die Lebensgeschichte Cherubinis ist die eines hoch- Lebens-
geschichte. begabten, ernst strebenden, pflichttreuen und ordnungsliebenden Mannes, der durch Erfolge und Enttäuschungen, durch Kämpfe und Siege hindurch zur Anerkennung und Berühmtheit empor- schreitet. Von romanhaften Erlebnissen und dramatischen Höhe- punkten weiß sie nichts zu erzählen. Wie bei allen Tondichtern, die zu seiner Zeit in Frankreich wirkten, füllen die Reflexe, welche die große Revolution und die Kaiserzeit auf ihre Schicksale warfen, auch bei ihm das interessanteste Kapitel.

Zwei Perioden lassen sich in Cherubinis Leben unter- scheiden: Die erste gehört seinem Vaterlande Italien an, die zweite und längere dem Adoptivlande Frankreich.

Luigi Cherubini ist in Florenz am 14. September 1760 Kindheit.
Florenz. geboren. Sein Vater war „Maestro al Cembalo" am Pergolatheater in Florenz, somit ein gewandter Musiker. Luigi war das zehnte von zwölf Kindern. Frühzeitig begann der Musikunterricht bei dem be- gabten Knaben und, was für seine Zukunft am entscheidendsten war, das theoretische Studium. Die beiden Felici, Bizzarri und Castrucci waren seine Lehrer, die ersteren im Kontrapunkt, die letzteren im Gesang, Klavier und Orgel. Das Violinspiel betrieb er ohne Unterweisung. Mit 13 Jahren konnte er schon eine Messe und ein Intermezzo für das Theater schreiben. Der Großherzog von Toskana (später Kaiser Leopold II.), auf das Talent des Knaben aufmerksam gemacht, gewährte ihm die Mittel zu seiner ferneren Ausbildung bei Sarti in Bologna. Unter der Leitung Bologna. dieses Meisters machte Cherubini die strenge Schule des Kontra- punkts durch, lernte die großen Tonsetzer des 16. Jahrhunderts, insbesondere Palestrina, kennen und schrieb auch nebenbei Ge- sangseinlagen für Sartis Opern. In den Jahren von 1777 bis 1779 hielt sich Cherubini in Bologna auf, und als Sarti nach Mai- land übersiedelte, folgte ihm sein Schüler auch dahin. Die Früh- Frühwerke.
Erste Opern
1780 1784. werke Cherubinis, welche meist der Kirche angehören (auch ein in Florenz aufgeführtes Oratorium wird genannt), sind verloren gegangen. Als Opernkomponist taucht er zuerst 1780 mit „Quinto Fabio" auf der Bühne zu Alessandria auf, 1782 folgen „Armida" in Florenz, „Adriano in Siria" in Livorno, „Masenzio" wieder in Florenz, lauter dreiaktige ernste Opern, von denen die letztere den größten Erfolg davontrug. Bis 1784 kamen noch andere Opern von ihm in Rom, Venedig, Florenz und Mantua zur Aufführung. Außerdem hat Cherubini in dieser Zeit eine große Zahl Gesangstücke aller Art, Duette, Canons (wie das fünfstimmige „Ninfa crudele"), Einlagsarien u. dgl. geschrieben.

London. Ein Zeichen seines steigenden Ruhmes war es, daß er 1784 nach London berufen wurde, wo er sich von Seite des Hofes eines guten Empfangs und einer großen Beliebtheit bei dem englischen Publikum erfreute. In den nächsten beiden Jahren brachte er in London zwei Opern auf die Bühne, eine Opera buffa „La finta principessa" und die Opera seria „Il Giulio Sabino", von denen jedoch nur die erstere gefiel. Nun wendete sich Cherubini nach

Paris. Paris, welches ihm eine zweite Heimat und die bleibende Stätte seines Wirkens werden sollte. Noch strahlte ein heiterer Himmel über den Hof von Versailles, doch grollte der Donner schon von ferne. Durch seinen Freund Viotti der Königin Marie Antoinette vorgestellt, war er rasch in die große Welt eingeführt. Nach einem vorübergehenden Aufenthalt in London gab er 1788 in Turin seine „Ifigenia in Aulide", ein bedeutendes Werk, mit welchem er von Italien Abschied nahm.

Démophon.
1788.
Fortan hatte sich Cherubini dem französischen Geschmack anzupassen. Mit seiner Pariser Erstlingsoper „Démophon", Libretto von Marmontel, welche am 2. Dezember 1788 in der „Académie" (Großen Oper) zur Aufführung kam, gelang es ihm nicht, die Sympathien der Franzosen zu gewinnen. Eine kurze Zeit widmete sich Cherubini der Leitung einer italienischen Operngesellschaft, welche ihre Vorstellungen im Th. italien gab. Mit „Lodoiska", welche 1791 im „Th. Feydeau" erschien, feierte Cherubini seinen ersten Opernerfolg auf französischem Boden. Die aufregende, szenisch effektvolle Handlung, vereint mit einer anziehenden, auch dramatisch belebten Musik, machten das Glück der Oper.

Lodoiska.
1791.
Lodoiska erlebte 200 Aufführungen in einem Jahre und bahnte sich bald ihren Weg nach Deutschland. Diesem gelungenen Bühnenwerke folgte eine Pause, welche sich über die Schreckenszeit 1793 erstreckte. Die 1794 in demselben Theater gegebene „Elisa" sprach nicht an.

Ungeachtet des großen Rufes, dessen sich Cherubini schon damals erfreute, waren seine persönlichen Verhältnisse sehr bescheidene. Daß er einer staatlichen Förderung entbehrte, wird auf die Mißgunst des ersten Konsuls, nachmals Kaisers Napoleon, zurückgeführt. Eine ehrenvolle Genugtuung ward ihm jedoch zu

Pariser Konservatorium. 1795.
teil: Als im Jahre 1795 das Pariser Konservatorium gegründet

wurde, erhielt C h e r u b i n i die Berufung als einer der Inspektoren
der Anstalt und übernahm neben G o s s e c und M é h u l den Unterricht im Kontrapunkt. Er widmete sich mit großem Eifer und Erfolg den Aufgaben der Schule und aus seiner Unterrichtsklasse
gingen künftige Berühmtheiten, wie B o i e l d i e u, A u b e r, H a l é v y,
C a r a f a hervor.

1795 verheiratete sich Cherubini mit Cécile Tourette, der Tochter eines
Musikers, mit der er in langjähriger glücklicher Ehe lebte; ihre Nachkommenschaft bestand aus einem Sohne und zwei Töchtern.

Am 13. März 1797 ging Cherubinis dramatisches Meisterwerk
„M e d é e" (Medea) über die Bühne. Der Eindruck war überwältigend, *Medea. 1797.*
doch nicht dauernd. Die ungemilderte Tragik des Werkes, die
Schwierigkeiten der Aufführung, insbesondere der Darstellung der
überlebensgroßen Gestalt der Medea waren der Einbürgerung dieser
Oper in Paris nicht günstig. Auch in Deutschland, wo die Größe
des an Gluck mahnenden Stils volles Verständnis fand, blieb Medea
ein seltener Gast auf den Bühnen. Drei Jahre später gelang es
dem Meister mit einem weit anspruchsloseren, volkstümlichen Werke
einen Welterfolg zu erringen. „L e s d e u x J o u r n é e s" (in Deutsch- *Les deux Journées (Der Wasserträger). 1800.*
land „Der W a s s e r t r ä g e r" genannt) wurde am 16. Jänner 1800
zum erstenmal in dem Th. Feydeau aufgeführt und enthusiastisch
aufgenommen. Die Hauptdarsteller waren : G a v a u d (Graf Armand),
Mad. S c i o (Constance), J u l i e t (Micheli, der Wasserträger), Mlle
R o s e t t i (Marcelline). Die Oper, unzähligemal wiederholt, ward
zum Liebling des Pariser Publikums, wie sie auch in Deutschland
die Opernfreunde entzückte und die Bewunderung der Kenner gewann. Der „Wasserträger" ist die einzige Oper Cherubinis, welche
sich dauernd auf dem Repertoire erhielt. Von den minder bedeutenden dramatischen Werken ist *„L'hotellerie portugaise"* zu erwähnen, ein einaktiges Singspiel, welches als „Portugiesischer Gast-
hof" in Deutschland mehr Beifall fand als in Paris, dann das
Opéra-Ballett „A n a c r é o n", 1803 in der Großen Oper aufgeführt. *Anacréon.*

Einen der interessantesten Abschnitte in Cherubinis Leben
bildet der Aufenthalt in W i e n vom Juli 1805 bis zum März 1806. *Wien 1805—1806.*
Cherubini folgte einer ehrenvollen Berufung, eine Oper für Wien
zu schreiben. Wir haben schon (S. 172) der Beliebtheit gedacht,
welche der Komponist schon damals in Wien genoß. Cherubini,
der mit Frau und Tochter gekommen war, wurde mit Auszeichnung
empfangen. Er ging sofort an die Vollendung und Einstudierung der
neuen Oper „F a n i s k a", deren deutschen Text Jos. S o n n l e i t h n e r *Faniska.*
zum Verfasser hatte. Inzwischen hatte der in Schönbrunn resi-
dierende Franzosenkaiser die Dienste Cherubinis für die Leitung
einiger Hofsoireen in Anspruch genommen. Mit den Wiener Musikern
unterhielt Cherubini einen freundschaftlichen Verkehr, vor allem
war es der Altmeister H a y d n, dem er seine Ehrerbietung be-
zeigte, dann B e e t h o v e n, den er bewunderte und der seinerseits

den Komponisten des „Wasserträger" hochschätzte. Drei Monate nach der Erstaufführung des „Fidelio", am 25. Februar 1806, ging die Oper „Faniska" über die Bühne des Kärntnerthortheaters. Kaiser Franz und der Hofstaat waren anwesend. Auch Haydn und Beethoven wohnten der Vorstellung bei. Es war ein Achtungserfolg; der Komponist wurde gefeiert, die Oper aber verschwand bald wieder aus dem Repertoire. Vierzehn Tage nach der Erstaufführung verließ Cherubini Wien, um nach Paris zurückzukehren.

Bei dem Abschiedsbesuche, den Cherubini Haydn abstattete, schenkte ihm dieser das Manuskript einer Symphonie als Andenken. — Lange Jahre nachher, es war 1827, erfuhr Cherubini die Auszeichnung zum Ehrenmitglied der Gesellschaft der Musikfreunde in Wien ernannt zu werden.

In Paris.   In Paris wurde Cherubini auch weiter von dem ihm nicht geneigten Kaiser zurückgesetzt. Sein begründeter Anspruch auf die Stelle eines Hofkapellmeisters fand keine Berücksichtigung. Nach Paisiello, den der Kaiser sehr begünstigte, gelangten Lesueur, dann Paër zu dieser Würde. Cherubini zog sich verstimmt in die Einsamkeit zurück.

Cherubini besaß zwei Lieblingspassionen: Die eine war seine Blumenzucht, die er mit dem Ernst eines Studiums betrieb, die andere, sonderbarer Art, bestand in dem Bemalen von Spielkarten. Der Botanik blieb er bis in seine letzten Lebenstage treu.

Erste Messe 1808.   Nach einer zweijährigen Pause schrieb Cherubini seine erste Messe; sie entstand während eines Besuches bei dem Fürsten von Chimay in Belgien im Jahre 1808. Es ist die F-dur-Messe, eines der schönsten Werke des Komponisten. Von da an wendet sich Cherubini immer entschiedener der Kirchenmusik zu. Teils war es der Drang tiefer Religiosität, teils waren es äußere Veranlassungen, welche ihn dieser Richtung zuführten. Mehrere große und zahlreiche kleinere Kirchenwerke folgen einander zunächst bis 1816, die Messen in D-moll und C-dur, die Litanei „Della Vergine" für den Fürsten Esterhazy geschrieben, die Messensätze für die kön. Kapelle, endlich das Requiem in C-moll. Der Ernennung zum „Surintendanten" der kön. Kapelle neben Lesueur, welche 1816 erfolgte, verdanken kleinere Kirchenkompositionen und die Messe in C-dur ihr Dasein.

Abencerages. 1813.   Inzwischen war Cherubini mit der Opernbühne wieder in Berührung gekommen. 1813 wurde in der Großen Oper sein neues Werk „Les Abencerages" aufgeführt und kühl aufgenommen. Zwanzig Jahre später trat er noch ein letztes Mal mit einem Bühnenwerk vor die Öffentlichkeit.

Allmählich fing man in Frankreich an, sich auf Cherubini und seine Bedeutung zu besinnen. Schon in den „100 Tagen" wurde er zum Ritter der Ehrenlegion und zum Mitglied der „Académie de France" ernannt, die Restauration suchte vollends das Direktor des an Cherubini begangene Unrecht gutzumachen. An dem 1821 neu-Konservatoriums. 1821. errichteten Konservatorium („École royale de musique") erhielt Cherubini die Anstellung als Direktor. Nun erst, in seinem 61. Lebensjahre durfte der Meister mit seiner Familie sich eines sorgenfreieren Daseins erfreuen. Cherubini ging in seinem Amte förmlich auf. Seine Direktion wird als energisch, rücksichtslos streng und pedantisch geschildert. Er verstand es, sich mit vorzüglichen Lehrkräften zu umgeben, welche dem Institut zu einem glänzenden Aufschwung und zu einem europäischen Ruf verhalfen. Als Lehrer in der Komposition wirkten neben Cherubini selbst, Lesueur, Berton, Boieldieu, Reicha, Fétis; für den Gesang sind Plantade und Bordogni, für die Violine Rud. Kreutzer, Baillot und Habeneck die berühmtesten Namen.

Cherubinis einflußreiche Stellung und sein festbegründetes An- _Letzte Lebens-_
sehen bilden den glänzenden Hintergrund seiner letzten Lebens- _zeit._
zeit. Als Opernkomponist war er schon von Boieldieu, Auber und Meyerbeer überflügelt, für Italien war seine Rivalität längst ausgeschaltet, — geblieben war der Kirchenkomponist und der gelehrte Theoretiker. Noch ein letztes Mal kehrte er in dem Opernhause ein, 1833 mit „Ali Baba, ou les qua- _Ali Baba._
rante voleurs", große Oper auf ein Libretto von Scribe und Meles- _1833._
ville, einem trotz der aufgebotenen starken äußeren Mittel schwachen Werk, welches auch nach fünf Vorstellungen verschwand.

Daß die Pariser Musiker mit Ehrfurcht zu dem Altmeister emporblickten, ist selbstverständlich, ebenso, daß die nach Paris kommenden fremden _Fremde_
Künstler es nicht unterließen, sich Cherubini zu nähern. Es geschah dies _Künstler._
allerdings mit einer gewissen Scheu, da seine persönliche Liebenswürdigkeit nicht eben gerühmt ward. Doch fand Spohr, wie er erzählt, bei seinem Besuche 1820 eine freundliche Aufnahme. Dagegen hatte der zwölfjährige Franz Liszt, der 1823 dem Direktor des Konservatoriums vorgestellt wurde, eine kühle Ablehnung erfahren. Besser erging es dem jungen Mendelssohn, der 1825 vor Cherubini eine Talentprobe ablegte und von ihm ermuntert wurde. In der Reihe der Besucher erschienen auch Hiller, Moscheles und viele andere.

Von den Ereignissen am Konservatorium ist die Einrichtung der Konkurse (Preisbewerbungen) und die Gründung der Société des Concerts du Conservatoire durch Habeneck zu erwähnen. Die Eröffnung dieser weltberühmten Konzerte fand am 9. März 1828 mit Beethovens „Eroica" unter der Leitung Habenecks statt.

Die Julirevolution 1830 brachte Cherubini zwar um sein Amt an der kön. Kapelle, beließ ihn aber in seiner Stellung am Konservatorium. Nach seiner letzten Oper schrieb er nur wenig mehr, doch faßte er seine Kraft noch in einem Meisterwerk zusammen, dem zweiten Requiem in D-moll, 1836 komponiert. Als seine Kräfte für die Ausübung seiner amtlichen Funktionen vollständig versagten, nahm er endlich 1842 seine Entlassung, welche er _Demission._
nicht lange überlebte. Cherubini starb am 15. März 1842, _Tod_ _15. März 1842._
82 Jahre alt.

Das Leichenbegängnis war imposant. Ein langer Zug bewegte sich über die Boulevards nach der Kirche St. Roch, wo das zweite Requiem Cherubinis aufgeführt wurde, und von da auf den Friedhof „Père la Chaise". Lafont und Halévy sprachen am Grabe. In Paris wurde eine Gedächtnisaufführung der „Deux Journées" veranstaltet und eine Straße nach ihm benannt. In

Ehrungen. Florenz fand eine Trauerfeier statt, eine Gedenktafel wurde an Cherubinis Geburtshause angebracht, ein Theater nach ihm benannt, später ihm auch ein Denkmal errichtet.

Die Witwe Cherubinis starb 1864 in Neuilly bei Paris. Der Sohn, der sich der Malerkunst gewidmet, wirkte als Inspektor des „Institut des beaux arts", die jüngere Tochter war in Florenz an den Professor der Mineralogie, Rosellini, verheiratet.

Persönlichkeit. Cherubini war von hoher Gestalt, in der Haltung etwas vorgebeugt, seine Züge, im Alter verwittert, hatten meist einen ernsten Ausdruck. Charakteristisch war seine große gebogene Nase, eine Locke seines schwarzen Haares, die ihm stets über die Stirne herabfiel, seine heisere Stimme. Von zurückhaltendem Wesen, wenig liebenswürdig und leicht reizbar im Umgang, war er seiner innersten Natur nach edel und gutmütig. Seinen Schülern, besonders Halévy, war er ein guter Freund. Um die Einführung bedeutender Werke in Paris, wie Mozarts Requiem, die ersten Symphonien Beethovens, machte er sich verdient. Seine peinliche Ordnungs- und Reinlichkeitsliebe war oft Gegenstand des Spottes und der Satire. Als das beste Porträt von Cherubini gilt das in der Galerie des Luxembourg befindliche von Ingres, welches den Meister in einer Art von Apotheose darstellt.

Werke.
Übersicht. Cherubini hat selbst ein Verzeichnis seiner Werke angelegt, welches nach seinem Tode von dem Bibliothekar des Konservatoriums Bottée de Toulmon herausgegeben wurde. Es umfaßt 305 Nummern, und zwar in summarischer Übersicht: 11 Messen, 2 Requiem, eine große Anzahl einzelner Messenteile und andere Kirchenstücke, 13 italienische Opern, 16 französische (darunter 4 in Gemeinschaft mit anderen Komponisten), zahlreiche Kantaten mit Orchester und Gelegenheitswerke, Einlagen für Opern, unzählige italienische Gesänge, Canons, Solfeggien usw.; von Instrumentalstücken 6 Streichquartette, 1 Quintett, 6 Klaviersonaten und eine Phantasie, eine Symphonie und anderes. Nur ein Teil dieser Gesamtmasse wurde veröffentlicht. Die größte Sammlung der Autographe Cherubinis besitzt die k. Bibliothek in Berlin.

Messen. Von den Messen Cherubinis sind sechs durch Veröffentlichung bekannt geworden : F-dur (komp. 1808), D-moll (1811), C-dur (1816), G-dur (zur Krönung Louis XVIII. 1819), B-dur (kurze Messe 1821, im Nachlaß gedruckt), A-dur („Krönungsmesse" 1825 für die Krönung Karl X.). Mehrere derselben, wie namentlich jene in D-moll, C-dur, A-dur stehen noch in der kirchlichen Praxis hoch in Ehren. Die großartige D-moll-Messe wetteifert an Länge mit Beethovens Missa solemnis. Verbreiteter sind

Requiems. die beiden Requiems in C-moll und D-moll, das erste 1816, das zweite 1836 geschrieben. Das C-moll-Requiem, das bedeutendere, für vier Singstimmen mit Orchester, ist eine der stimmungsvollsten Kompositionen dieser kirchlichen Gattung, bei aller Einfachheit reich an interessanten Zügen und charakteristisch für Cherubinis Eigenart. Das D-moll-Requiem, nur für Männerstimmen und Orchester geschrieben, enthält in dem „Lacrimosa" und dem „Pie

— 299 —

Jesu" wirksame Sätze. — Man hat der Kirchenmusik Cherubinis oft den Vorwurf gemacht, sie sei zu dramatisch, theatralisch gefärbt. Diesem Tadel, der vielleicht bei einzelnen, dekorativ wirkenden Sätzen zutrifft, stehen zahlreiche Beispiele weihevoller Erhebung, zarter Empfindung und charakteristischen Ausdrucks gegenüber, wie in dem düsteren Kyrie der D-moll-Messe, dem Dies irae des C-moll-Requiems und anderem. Einzelne malende Züge, wie die tiefe Toulage in den Requiems, grenzen an die moderne Realistik. Daß Cherubini auch den strengen Stil beherrschte, beweisen manche tüchtige Fugensätze in den Messen. — Ein Meisterstück kontrapunktischer Kunst stellt das achtstimmige Credo Achtst. Credo. a capella, aus einer früheren Zeit stammend, dar; es wurde als Musterbeispiel in den Lehrbüchern des Kontrapunkts von Fétis und Cherubini selbst aufgenommen. — Aus den zahllosen kleineren Kirchenstücken seien nur die „Litanie della Vergine" und das beliebte „Ave Maria" für Sopransolo erwähnt.

Die italienischen Opern Cherubinis sind uns unbekannt Opern. geblieben; geschätzt wurde seine letzte, 1788 für Turin komponierte „Ifigenia in Aulide". Aus den französischen Opern ragen drei als die berühmtesten hervor: Lodoiska 1791, Médée 1797, Les deux Journées 1800. Diese Opern hatten gesprochenen Dialog und gehörten daher, nach französischer Auffassung, der Gattung der „Opéra comique" an; gegeben wurden sie sämtlich in dem Theatre Feydeau. In der Großen Oper (Académie) kamen zur Aufführung: Démophon 1788, Les Abencérages 1813, Ali Baba 1833, die Ballettoper Anacréon 1803. Weniger hervortretend sind noch andere Opern beider Gattungen, wie „Elisa", „L'Hotellerie portugaise", „La Prisonnière" (mit Boieldieu), „Epicure" (mit Méhul), „Faniska" (Wien 1806).

Lodoiska ist ein Schauerdrama mit einem Massenaufgebot von Per- Lodoiska. sonen und Bildern, Räuberszenen u. dgl. Die Handlung spielt in Polen und bewegt sich um eine romantische Entführungsgeschichte. Die Musik ist ernst und effektvoll, der französische Opernstil entschieden ausgesprochen. Hervorragend sind die kraftvollen Männerchöre, zarte Empfindung atmen die Arien Lodoiskas, auch den Humor kann die Musik vorübergehend streifen, wie in dem Finale des zweiten Aktes, des besten der Oper. Ein Meisterstück bildet die Ouvertüre, welche, wie das ganze Werk, glänzend instrumentiert ist.

Medea ist eines der gewaltigsten dramatischen Werke der gesamten Medea. Opernliteratur. Die Mythe der von Jason auf der Insel Kolchis verlassenen Medea, welche leidenschaftlich und rachsüchtig, auch mit Zauberkraft begabt, ihre Nebenbuhlerin Dirce vergiftet und ihre Kinder tötet, bildet den Stoff der Handlung. Die Komposition Cherubinis ist von großer dramatischer Kraft im leidenschaftlichen Affekt, doch ungleich in ihrem Stil. Die dramatisch-musikalischen Höhepunkte der Oper gruppieren sich um die Szenen der Medea, ihr erstes Auftreten, ihr Duett mit Jason im ersten Akt, ihre große Szene mit Ensemble am Anfang des zweiten, ihr Rezitativ und Arie im dritten Akt. Die Gestalt der Medea ist vom Komponisten in glühenden Farben, in ihrer Leidenschaft, Rachsucht, Heuchelei dargestellt. Ergreifend ist das Arioso Kreons mit Chor, szenisch und musikalisch reich ausgestattet das Finale des zweiten Aktes, in welchem die anmutigen Frauenchöre eine freundliche Abwechslung bieten. Prächtige Instrumentalstücke sind die Ouvertüre und die Einleitung zum dritten Akt.

Ein so hochstrebendes dramatisches Werk, wie Medea, mußte durch den gesprochenen Dialog geradezu entstellt werden. In Deutschland fühlte man diesen Übelstand lebhafter als in Frankreich und es war ein verdienstliches Unternehmen des Münchener Kapellmeisters Franz Lachner, den Dialog durch Rezitative zu ersetzen.

Der
Wasserträger. Die bei weitem erfolgreichste und ansprechendste Oper Cherubinis, diejenige, welche seinen Namen auf der Bühne noch lebendig erhält, ist der Wasserträger. Erfolg und Sympathie verdankt diese Oper zum Teil dem gelungenen Libretto mit seiner spannenden und rührenden Handlung.

Graf Armand, von seinem politischen Gegner Mazarin verfolgt, wird von dem alten Wasserträger Micheli, in seinem Fasse versteckt, über die Pariser Barriere geschmuggelt. Auf dem Lande, wohin sich Graf Armand mit seiner Gemahlin Constanze geflüchtet, enden die Verfolgungen nicht; das Ehepaar wird aber dort zum zweitenmal durch den braven Wasserträger gerettet. Der politische Hintergrund, wie auch das Motiv der ehelichen Liebe und die Rettung deuten auf den Stoff des Fidelio hin.

Eine Wärme der Empfindung, wie wir ihr bei Cherubini nicht zu häufig begegnen, eine anheimelnde Stimmung durchziehen die Gesänge der Oper. Der Schwerpunkt der Musik ruht in den dramatisch gestalteten Ensembles und in den Instrumentalsätzen. Der Tonsatz ist voll Feinheit, Harmonie und Instrumentation sind reich an fesselnden Zügen.

Von den lyrischen Gesängen treten das Savoyardenlied Antons und die Arie Michelis (beide später als Leitmotive verwendet) hervor; als die bedeutendsten Nummern sind zu bezeichnen das Terzett (Armand, Constanze, Micheli) und das wirkungsvolle Finale des ersten Aktes, die Chöre der Soldaten und der ländliche Mädchenchor im zweiten und dritten Akt, endlich die Ouvertüre und die Instrumentaleinleitungen.

Die Ouver-
türen. Während die Opern Cherubinis in der Folgezeit von den Bühnen vernachlässigt wurden, haben sich ihre Ouvertüren in den Konzertsaal verpflanzt. Diese Meister- und Musterstücke der Instrumentalmusik wirken in ihrer Natürlichkeit und Frische erquickend, wie ein Gesundheitstrank. Die Ouvertüren zu Lodoiska, Medea, Wasserträger, Anacreon, Abenceragen haben sich namentlich in Deutschland eingebürgert.

Streichquar-
tette. Neuerlich hat man auch Geschmack an den Streichquartetten Cherubinis gefunden (drei derselben waren 1835 mit der Widmung an Baillot erschienen), besonders das in Es wird gern gespielt. — Eine Klaviersonate und eine Fuge sind in Neudruck erschienen. — Unbekannt geblieben ist die für die Philharmonische Gesellschaft in London 1815 geschriebene Symphonie.

Solfeggien. Zahlreich sind die Solfeggien, welche Cherubini während seiner vieljährigen Direktionstätigkeit für die Schüler des Konservatoriums schrieb; eine Reihe derselben wurde auch veröffentlicht. Duette, Canons, auch größere Gesangswerke flossen aus seiner Feder.

Cours de
Contrepoint. Nicht zu vergessen ist das theoretische Werk „Cours de Contrepoint", bestehend aus einer Anzahl von Aufgaben, welche von Cherubinis

Schüler Halévy zusammengestellt wurden. Das Buch erschien 1835, ins
Deutsche übersetzt von Stöhr (N. Auflage von G. Jensen 1896).

Die Bedeutung Cherubinis als Tonsetzer ist heute fast zu
einer bloß historischen geworden. Seine Kunst erschließt sich nur
voll dem feingebildeten Kenner, sie hat etwas vornehm Zurück-
haltendes, zuweilen fremd Anmutendes. Cherubinis Musik ist von
durchsichtiger Klarheit, geschult und sicher im Tonsatz, knapp im
Aufbau, maßvoll im Ausdruck. Seine melodische Erfindung ist
nicht reich, doch anmutsvoll; seine Motive treten bescheiden, fast
schüchtern auf, sind aber sinnig und kunstvoll durchgeführt.
Harmonie und Modulation sind kraftvoll und originell. Hervorragend ist Cherubini als Meister der Instrumentation; eine
unvergleichlich reine Klangschönheit, individuelle Verwendung der
Instrumente, überraschende Wirkungen mit den einfachsten Mitteln
zeichnen sie aus. Zu äußerlichen Effekten und Massenaufgebot
kommt es selten und nur dann, wenn es die Gelegenheit erfordert. Man kann Cherubini als Muster in der Kunst der
Instrumentation zwischen Mozart und Mendelssohn stellen.

Für die Bedeutung Cherubinis spricht auch die Wertschätzung und Bewunderung, welche ihm Größen der Tonkunst,
wie Beethoven, Weber, Mendelssohn, Spohr, darbrachten. Auch ist
der deutliche Einfluß Cherubinis auf Beethovens Fidelio und
Mendelssohns Ouvertüren nicht zu übersehen.

Die Frage nach der nationalen Zugehörigkeit des Tonsetzers Cherubini ist schwer zu lösen. Cherubini, Italiener
von Geburt, in seiner besten Zeit in Frankreich wirkend, seinem
Schaffen nach deutschem Geist verwandt, hat wohl nationale
Elemente auf sich wirken lassen, ist aber in keinem derselben aufgegangen, sein Stil ist sein eigener, ist „Cherubinisch".

Bedeutung.

Italien hatte mit dem neuen Jahrhundert seine Rolle auf der
musikalischen Weltbühne noch nicht ausgespielt. Während die
Führung auf dem Gebiete der Instrumentalmusik seit Haydn
den Deutschen zugefallen, feierte die Oper Italiens immer
neue Triumphe. Der Glanz Cimarosas und Paisiellos war im
Verbleichen, als sich ein neuer Stern am italienischen Opernhimmel
erhob, der alles Vorhergegangene überstrahlte — Rossini. Leicht
und leichtfertig war seine Art, rasch seine Hand, frisch und
sprudelnd seine Gedanken. Er warf alles über Bord, was nicht
sinngefällig war, die gediegene Arbeit, die dramatische Wahrheit;
er streifte die beengenden Fesseln der Tradition ab, ging frank
und frei seinen eigenen Weg. Es war im Todesjahre Paisiellos,
als Rossini in Rom mit seinem „Barbiere" den alten Liebling der
Italiener besiegte und an dessen Stelle trat.

Rossini

Leben. Rossinis Leben läßt sich in zwei Perioden teilen, die der großen Produktivität und die der — Untätigkeit. Das Jahr 1830 bildet die Grenzlinie zwischen beiden.

Geburt und Familie. Gioachino (Joachim) Rossini ist geboren am 29. Februar 1792 zu Pesaro, einem kleinen Städtchen im ehemaligen Kirchenstaat, in der Nähe von Ancona am Adriatischen Meer. Der Vater, welcher Stadthornist war, durchzog mit einer wandernden Operntruppe das benachbarte Land, wobei die Mutter als Sängerin zweiten Ranges mitwirkte.

Knabenjahre. Der Knabe erhielt nur eine mangelhafte Erziehung, zeigte aber ein aufgewecktes Wesen und musikalische Begabung. Mit zehn Jahren konnte er schon das Horn blasen und seine schöne Stimme entwickelte sich so rasch, daß er bald in den Kirchen als Sopransänger verwendet wurde. Geregelteren Unterricht erhielt er erst von seinem zwölften Lebensjahre an in Bologna, wo sich die Familie niedergelassen hatte.

Bologna. Dort unterwies ihn zuerst Angelo Tesci im Gesang und im Klavierspiel. Seine Fortschritte waren so groß, daß er schon 1806 bei der umherziehenden Operngesellschaft als „Maestro al cembalo" die Vorstellungen leiten konnte. Um sich gründlich auszubilden, trat er 1807 als Schüler in das Liceo musicale in Bologna ein, wo er von P. Mattei in die Geheimnisse des Kontrapunkts eingeweiht wurde, ohne diesem Studium besonderen Geschmack abzugewinnen. Sein Streben war sofort auf das Praktische gerichtet, auf das Quartettspiel, in welchem er das Violoncell übernahm, auf das Studium der Partituren von Haydn und Mozart, endlich auf das Selbstschaffen. Schon 1808 entstanden eine „Sinfonia", Streichquartette und eine Kantate

Erste Kompositionen. 1808—1812. „Il Pianto d' Armonia", welche letztere im Liceo preisgekrönt wurde. Seine Laufbahn als Opernkomponist eröffnete Rossini 1810 mit La Cambiale di Matrimonio, einer einaktigen „Farsa", im Teatro S. Mosè in Venedig; im nächsten Jahre folgte L'Equivoco stravagante in Bologna. Besseren Erfolg als diese erreichte eine Opera seria, Demetrio e Polibio, für das Valle-Theater in Rom geschrieben. Nicht weniger als fünf Opern und ein Oratorium brachte das Jahr 1812, von denen die Buffooper La pietra di paragone in Mailand Glück machte.

Tancred. 1813. Rossinis Melodienreichtum und seine Manier offenbaren sich zuerst in Tancred, einer Opera seria, welche 1813 im Fenice-Theater in Venedig in Szene ging. Es war der erste große Erfolg des jungen Maestro. Die Arie „Di tanti palpiti" machte die Runde um die Welt. Dieser Oper folgte auf dem Fuße die Opera buffa

L' Italiana in Algeri. L'Italiana in Algeri, welche nicht weniger durchschlug. Rossinis prickelnde Beweglichkeit und Witz treten hier schon hervor. Das Terzett „Papataci, papataci" belustigte bald ganz Europa. Mit diesen beiden Werken war schon der Opernstil Rossinis deutlich ausgesprochen, die absolute Herrschaft der Kantilene, die Vernachlässigung der dramatischen Wahrheit, die Sucht nach äußer-

lichen Effekten. Üppig blüht die Koloratur in Rossinis Arien, die
Gesangskunst feiert hier ihre Triumphe. Die Opernfruchtbarkeit,
welche Rossini von da an entfaltete, erklärt sich aus der Leichtigkeit der Erfindung, der Oberflächlichkeit der Arbeit, der unbedenk-
lichen Benützung von fremden und eigenen Gedanken aus früheren
Werken. — Nach dem drolligen „Turco in Italia“, 1814 in Mailand
gegeben, verlegte Rossini seine Wirksamkeit nach Neapel und Rom.
Für Neapel schrieb er 1815 die Opera seria „Elisabetta“, in welcher
er zuerst das begleitete Rezitativ anwendete.

Das Jahr 1816 brachte das ewigjunge Meisterwerk der komischen Oper, Il Barbiere di Seviglia, einen Markstein in
Rossinis Schaffen. Zum erstenmal am 20. Februar im „Teatro
Argentina“ in Rom aufgeführt, am ersten Abend durch Parteiintriguen zu Falle gebracht, steigerte sich dann der Erfolg bis zum
Enthusiasmus. Die Darsteller waren: Signa. Giorgi (Rosina),
Sign. Garcia (Almaviva), Zamboni (Figaro), Botticelli (Bartolo). Bald widerhallte ganz Italien von den Melodien des „Barbiere“
und rasch setzte sich das Ausland in den Besitz der Oper. Nun
schloß Rossini einen Vertrag mit dem Impresario und Spiel-
pächter Barbaja in Neapel, der ihn für längere Zeit verpflichtete. Dieser rührige Unternehmer brachte es zu stande, gleichzeitig vier Operntheater, „S. Carlo“ und „Fondo“ in Neapel, die
„Scala“ in Mailand und das Kärntnerthortheater in Wien, zu leiten.
Im Jahre 1820 litt Barbaja durch die Revolution in Neapel Schiff-
bruch. Rossini aber blieb ihm treu und begleitete ihn und seine
Operntruppe 1822 nach Wien.

In die Zeit von 1816 bis 1820 fallen einige der berühmtesten
Opern Rossinis, und zwar Otello 1816, Cenerentola, La gazza
ladra (beide 1817), Armida, Mosè in Egitto, La Donna
del Lago, Maometto II. (alle 1818—1820).

Otello, Opera seria, zuerst in Neapel aufgeführt, machte
durch seine feurige, leidenschaftliche Musik Glück. Gerühmt werden
das Duett „Non m'inganno“, die ausdrucksvoll begleiteten Rezitative, der dritte Akt, als der bedeutendste der Oper. Als Kuriosum
sei erwähnt, daß Desdemona von Otello nicht ermordet wird,
sondern daß sich die beiden am Schlusse versöhnen und mit einem
bravourösen Duett abtreten. La Cenerentola (Aschenbrödel),
Opera buffa, ein von glänzender Gesangskunst und Humor
erfülltes Werk, für Rom geschrieben, kam erst später in der
Pariser italienischen Oper zur vollen Geltung. La gazza ladra
(Die diebische Elster) ist eine flüchtig hingeworfene Arbeit. Die
folgenden ernsten Opern, sämtlich für Neapel geschrieben, erheben
sich zum Teil über die gewohnte Opernschablone und enthalten
neben edleren Melodien auch dramatisch Empfundenes. Besonders
ernst und würdevoll ist Mosè (Moses) gehalten, dessen Stil fast
an den des Oratoriums grenzt. (Das Gebet des Moses mit Chor

Il Barbiere di
Seviglia.
1816.

1816—1820.

Otello.

Cenerentola.

Mosè.

ist weltbekannt.) Die Oper machte später in der Pariser Um-
Donna del Lago. arbeitung Aufsehen. Aus La Donna del Lago (nach Walter
Scotts *Lady of the lake*) werden besonders ein Marsch für Blasinstrumente und die Cavatina „*O mattatini albori*" hervorgehoben,
Maometto. auch wird der Musik ein lokales Kolorit nachgerühmt. Maometto
feierte in seiner Umwandlung zum französischen „*Siège de Corinthe*"
in der Pariser Großen Oper Triumphe.

Wien 1822. Die italienische Opernstagione in Wien im Frühjahr 1822
war überaus glänzend. Barbaja mit Rossini als Komponisten
und einer erlesenen Sängerschar hielten ihren Einzug und schritten
von Erfolg zu Erfolg. Mit Cenerentola debütierten die Italiener,
dann kam eine neue Oper Rossinis, Zelmira, an die Reihe, mit
welcher der Enthusiasmus des Publikums seinen Höhepunkt erreichte, worauf noch Matilda von Chabran und andere für
Wien neue Werke folgten. Ein wahrer Rossinitaumel hatte die
Wiener erfaßt, die vornehmen Kreise, wie die große Masse; die
ernsten Musikfreunde schüttelten die Köpfe, vergebens.

Der Stern des Opernpersonals war die Primadonna Isabella
Isabella Colbrand. Colbrand, welche Rossini kurz vorher in Italien geheiratet
hatte; sie war sieben Jahre älter als er und damals schon nicht
mehr im Vollbesitz ihrer Stimmittel. In den meisten Opern Rossinis
sang sie die Hauptpartie.

Über die persönlichen Beziehungen Rossinis in Wien ist wenig bekannt. Am meisten verkehrte er in dem Hause der berühmten Sängerin
Fodor-Mainville. Von Besuchen werden die bei Salieri und auch bei
Beethoven erwähnt. Im allgemeinen gewann sich Rossini durch Liebenswürdigkeit, Witz und Humor viele Freunde.

Die nächsten zwei Jahre gehörten der Heimat und den beiden
Paris und London. Weltstädten Paris und London. Rossini besuchte, als treuer Sohn,
bei seinem jedesmaligen Aufenthalt in Italien seine alten Eltern.
Nachdem er 1823 in Venedig die „Semiramide", eines seiner bedeutendsten Werke, auf die Bühne gebracht, reiste er zu kurzem
Aufenthalt nach Paris, wo er durch seinen „Barbiere" schon
populär geworden, und verkehrte daselbst mit Cherubini und den
anderen musikalischen Größen. Länger verweilte er in London,
welche Stadt ihm zum goldenen Boden ward. Nach einem mehr-
monatlichen Aufenthalt, während dessen er Konzerte veranstaltete
und in Soireen mitwirkte, konnte er, wie es heißt, mit einer klingenden Ernte von 7000 Pfd. St. das Land verlassen. Inzwischen
hatte der französische Hof sein Augenmerk auf Rossini gerichtet,
den man für Paris zu gewinnen suchte. Er wurde 1824 zum
Anstellung. Direktor der italienischen Oper mit einem Gehalt von
20.000 Francs ernannt, behauptete sich aber nicht lange in dieser
Stellung. Als Entschädigung verlieh man ihm einen ebenso gut
dotierten Ehrenposten als Hofkomponist und „*Inspecteur général
du chant*". Die gesicherte Lebensstellung veranlaßte Rossini, von da

an seinen bleibenden Wohnsitz in Paris aufzuschlagen. Dahin kehrte er auch nach manchen, oft langen Unterbrechungen immer wieder zurück. Vorerst brachte er mehrere seiner älteren Opern zur Aufführung, schrieb zur Krönung Carl X. auf einen Text von Scribe „Il viaggio à Reims", bis er 1826 in der Großen Oper mit „Le Siège de Corinthe" einen entschiedenen Erfolg davontrug. An Rivalen fehlte es ihm damals nicht. Da war der Italiener Paër, der sich mit Rossini maß, es florierten schon die Franzosen Herold, Boieldieu, Auber, Carafa, auch Meyerbeer erschien mit seiner Erstlingsoper „Il Crociato". Die Neubearbeitung des „Moses" und die komische Oper „Le comte d'Ory" waren Rossinis Bühnenleistungen 1827 und 1828; sie gingen dem großen Opernereignis voran, der Aufführung von Guillaume Tell in der Guillaume Tell. „Académie" am 3. August 1829. Alle Welt war erstaunt; ein neuer Rossini hieß es, ein ernster, hochdramatischer — ein Klassiker! Von den Kennern gewürdigt, drang die Oper als Ganzes bei dem Pariser Publikum nicht sofort durch, nur einzelne Nummern erlangten allgemeine Beliebtheit. Die ursprüngliche Besetzung war: Nourrit (Arnold), Levasseur (Walther Fürst), Debadie (Tell), Damoreau-Cinti (Mathilde) usw. Die Rolle des Arnold wurde später durch den berühmten Tenoristen Duprez zu großer Wirkung erhoben. Der nicht durchgreifende Erfolg seines „Tell" verstimmte den Tonsetzer so, daß er Paris für einige Zeit den Rücken kehrte.

Da brach die Revolution von 1830 los; Rossini, der seine 1830. Pariser Anstellung verloren, mußte dann in einem jahrelangen Prozeß gegen die französische Regierung seine Pension von 6000 Francs erkämpfen. Die Jahre bis 1836 verlebte Rossini wieder in Paris. Seine Produktivität war versiegt, er schrieb keine Oper mehr, nur wenige Kompositionen unterbrechen die Muße, der sich Rossini nun hingab: Ein Stabat mater, im Jahre 1832 begonnen, eine Stabat mater. Serie von ein- und zweistimmigen Gesängen unter dem Titel „Soirées musicales" 1834. Rossini zog sich 1836, in welchem Jahre die Große Oper Meyerbeers „Hugenotten" aufführte, in seine Heimat 1836. Italien zurück und ließ sich in Bologna nieder. Es schien, als Bologna. ob er die Musik aufgegeben habe, als ob er sich an der erworbenen Berühmtheit und dem gesammelten Reichtum genügen lassen wollte. Er verlor seine gute Laune, kränkelte und magerte ab. Was ihn in dieser Zeit am lebhaftesten beschäftigte, war — die Fischerei, die er nicht bloß als Liebhaberei, sondern auch als Geschäft betrieb. Als er später wieder, namentlich durch den Erfolg seines „Stabat" bei der Erstaufführung in Paris 1842, Interesse für die Kunst gewann, trat er als Direktor an die Spitze des Liceo in Bologna und gab Gesangsunterricht. Die nachmals berühmte Alboni war eine seiner Schülerinnen. 1847 ging Rossini, nach dem Tode seiner Gattin, eine zweite Ehe ein. Olympia Pelissier, Zweite Ehe.

eine reiche Dame in Bologna, ward seine Frau, die ihm bis an sein Ende zur Seite stand und ihn um zehn Jahre überlebte. Die Revolution von 1848 vertrieb Rossini aus Bologna, er zog sich nach **Florenz** zurück, überließ sich jahrelang einem behaglichen Wohlleben und seinen glorreichen künstlerischen Erinnerungen. Endlich erfaßte ihn wieder die Sehnsucht nach Paris, wo man ihn nicht vergessen hatte.

Florenz.

Paris 1855.

Seit 1855 blieb **Paris** sein ständiger Wohnsitz; er ward zum halben Franzosen, führte ein müßiges Genußleben, fand seinen alten Humor wie sein Embonpoint wieder und ließ Arbeit und Ehrgeiz ruhen. In Rossinis gastlichem Hause in Paris und seinem Landhause in Passy verkehrte eine erlesene Gesellschaft, die sich aus den vornehmen Kreisen wie aus der geistigen und künstlerischen Elite zusammensetzte; dort empfing er auch häufig den Besuch ausgezeichneter Fremder, welche die Verehrung oder die Neugierde anzog.

1860 besuchte ihn auch Richard Wagner, der in seinen Ges. Schriften darüber berichtet.

Letzte Kompositionen.

Was noch an Kompositionen nach dem „Stabat mater" entstand, ist bald aufgezählt und größtenteils kaum dieser Mühe wert.

Es sind: Drei Frauenchöre (*l'Esperance, la Foi, la Charité*), welche ihren Erfolg nur dem Namen des Komponisten verdanken, eine Reihe von Gelegenheitskompositionen, u. a. *Inno popolare a Pio IX., Chant des Titans* für vier Baßstimmen, eine Hymne für die Weltausstellung 1867. Eine *petite Messe solennelle*, 1864 komponiert, erregte bei ihrer Pariser Aufführung 1869 Aufsehen. Erwähnen wir noch einer Reihe kleiner Klavierstücke, welche aus seinem Nachlaß veröffentlicht wurden, mit ironisch gemeinten Titeln, wie *Valse antidansante, Fausse couche de Polka-Mazurka, Etude asthmatique.*

Krankheit

Rossini, der im allgemeinen eine gesunde, kräftige Natur besaß, wurde steinleidend. Schon 1843 wurde er in Paris mit Erfolg operiert, in seinen letzten Jahren wiederholte sich der Anfall, die Behandlung durch Dr. Nelaton (der auch der Arzt Napoleons III. war) und eine neuerliche Operation blieben erfolglos.

Tod
14. Nov. 1868.

Rossini starb am 14. November 1868 in Passy bei Paris.

Eine musikalisch reich ausgestattete Leichenfeier fand am 21. November statt. Verschiedene Tonstücke aus Rossinis Werken, der Gelegenheit angepaßt, aus dem Stabat mater von Pergolesi und das „Lacrimosa" aus Mozarts Requiem wurden von den Sängerinnen Alboni, Patti, Nilson, Krauß, den Sängern Tamburini, Faure, Nicolini u. a. zum Vortrag gebracht. Die Bestattung erfolgte auf dem „Père Lachaise". — Im Jahre 1887 wurden die sterblichen Überreste des Meisters nach Florenz überführt und

Testament.

im Pantheon beigesetzt. — Rossinis Testament zeugt von großmütiger und kunstfreundlicher Gesinnung. Er hinterließ eine große Summe zur Gründung eines Konservatoriums in Pesaro, dessen erster Direktor Bazzini ward, er stiftete ferner einen jährlichen Preis an der Pariser Académie für zwei der gelungensten Werke. Den größten Teil seines Vermögens, welches mit drei Millionen Francs beziffert wird, erbte seine Witwe, welche auch seine nicht bedeutende musikalische Hinterlassenschaft veräußerte.

Persönlichkeit.

Rossini war von großer und beleibter Gestalt; der Ausdruck seiner Züge wird als gutmütig, bisweilen schalkhaft geschildert. Er war immer voll Witz und heiterer Laune. Zu seiner italienischen Lebhaftigkeit gesellte sich der französische Esprit in liebenswürdiger Weise. Manches heitere Scherzwort, auch manche scharfe, sarkastische Äußerung wird von ihm erzählt. Rossini war ein Lebenskünstler; die „Gourmandise" betrieb er mit dem Ernst und der Gründlichkeit einer Wissenschaft und wie so viele Italiener war er in der Kochkunst bewandert. Interessant ist es, daß Rossini, ein Gegner von Neuerungen, bei seinen Reisen zeitlebens nie die Eisenbahn benützte, sondern der Postkutsche treu blieb. Daß er .in seinen letzten Jahren nicht nur schöpferisch untätig war, sondern sogar das Interesse für Musik verloren zu haben schien, ist eine fast unglaubliche Tatsache.

Von den zahlreichen existierenden Porträts Rossinis werden eines **Porträts.** von Mayer in Wien aus dem Jahre 1820 und jenes von Ary Scheffer 1843 besonders hervorgehoben, auch eine Karikatur von Dantan wird erwähnt. Die vielen Ehrungen, welche Rossini, „Der Schwan von Pesaro", schon bei Lebzeiten erfahren, Ordensverleihungen, Ehrenmitglieds-Ernennungen u. dgl. gipfeln in den Denkmalen, die ihm zu Paris in der „Académie" 1846 und **Denkmale.** in seiner Vaterstadt Pesaro 1864 errichtet wurden. In Paris wurde eine Straße „Rue Rossini" benannt und manches andere zeugte von der Popularität, welche der italienische Meister auch in Frankreich genoß.

Die Zahl der Opern Rossinis beträgt (einschließlich der Um- **Werke.** arbeitungen) 39, teils ernster, teils komischer Gattung; sie sind fast sämtlich italienisch. Ursprünglich französisch sind nur „Le Comte d'Ory" und „Guillaume Tell", in französischer Bearbeitung „Moïse" und „Le Siège de Corinthe". Die erfolgreichsten Opern sind im vorhergehenden genannt worden. Von den sonstigen zahlreichen Gesangs- und Instrumentalkompositionen Rossinis, Kirchenstücken, Kantaten, verschiedenen Stücken für einzelne und mehrere Instrumente, italienischen und französischen Gesängen haben nur wenige das Licht der Öffentlichkeit erblickt. Berühmt wurde das Stabat mater. Der Jugend- und einiger Spätwerke ist schon Erwähnung geschehen.

Nur zwei Opern Rossinis haben sich in voller Lebenskraft **Der Barbier** erhalten: Der Barbier von Sevilla und Wilhelm Tell. Der **von Sevilla.** „Barbier", der Stolz der italienischen Opera buffa, ist oft mit dem „Figaro" Mozarts in Parallele gezogen worden; übertrifft Rossinis Werk das Mozartsche vielleicht an prickelnder Laune und witzigen Einfällen, so steht es um so sicherer an musikalischer Gediegenheit, Gefühlswärme und treffender Charakterzeichnung hinter diesem zurück.

Das Libretto des „Barbier von Sevilla" ist nach dem alten Lustspiel Beaumarchais' „Le mariage de Figaro", welches schon Paisiello und Mozart als Unterlage gedient, von Cesare Sterbini verfaßt.

Die Musik strahlt von Leben und Heiterkeit; sie ist eine un- **Die Musik.** unterbrochene Folge reizender und natürlicher Melodien, gewürzt von feinen, echt komischen, unwiderstehlich wirkenden Zügen. Die reichlich angebrachten Gesangsverzierungen fügen sich geschmackvoll den Melodien ein. Die Gesamtstimmung bleibt eine in ihrer übermütigen Laune ungetrübte; tiefere Gemütstöne finden sich, auch bei empfindsamen Stellen, nicht ein, ebensowenig tritt eine schärfere Charakteristik der einzelnen Personen hervor.

20*

Details.

Einschmeichelnd ist Almavivas Cavatina „*Ecco ridente il cielo*", burlesk Figaros „*Largo al factotum della città*", meisterlich das Duett zwischen Figaro und Almaviva „*All' idea di quel metallo*", reizend die berühmte gewordene Arie Rosinas „*Una voce poco fa*", gelungen in ihrer grotesken Zeichnung die Arie Bartolos „*A un dottor della mia sorte*", die Krone des Ganzen wohl das erste Finale, in welchem der Humor wie Champagner schäumt. — Im zweiten Akt seien noch das Duett „*Pace e gioja con voi!*", das große Quintett mit dem drastisch wirkenden „*Buona sera!*", das gesanglich glänzende Terzett „*Ah! qual colpo*", welches in die populäre Weise „*Zitti, zitti*" (letztere mit dem Anfang der Arie Simons „Schon eilet froh der Ackersmann" aus Haydns „Jahreszeiten" gleichlautend) hervorgehoben. — Zwei Nummern des „Barbiers" sind verloren gegangen: Die Ouvertüre, statt welcher jene zu „Elisabetta" an die Stelle trat, und das Terzett bei der Singlektion, für welches eine Einlage der Rosina eingeschoben wird.

Wilhelm Tell.

Tell, die imponierende Schlußleistung in Rossinis reichem Schaffen, darf man nicht als ein im Stil einheitliches Werk bewerten. Neben dramatisch schwungvollen und echt empfundenen Partien enthält es zuviel Konzertmäßiges und Äußerliches. Das Libretto von Jouy und Bis, welches eine nüchterne Bearbeitung des Schillerschen Dramas ist, läßt die wirksamsten Situationen desselben unangetastet. — Der Kern der Musik liegt in den Chören, deren Zahl, mit den Nebensätzen, über zwanzig beträgt. Die Oper ist in vier Akte geteilt, von denen die ersten beiden die bedeutenderen sind.

Details.

Im ersten Akt ragen hervor: Der Chor der Landleute „Mild erglüht die Maiensonne" mit dem eingeflochtenen Lied des Fischers „zur Harfe, das große Duett zwischen Tell und Arnold, der Chor mit Tanz „Tag der Wonne, Maiensonne", wie auch andere Chorsätze. Der zweite Akt beginnt mit dem festlichen Jägerchor „Lasset die Hörner erschallen", es folgen Mathildens Romanze „Du stiller Wald" und ihr feuriges Liebesduett mit Arnold, das Terzett (Tell, Arnold, Walther Fürst), endlich die großartige Rütliszene. Meisterhaft, voll Wärme und Schwung ist auch die Behandlung der Rezitative, malerisch das Orchester. Einen dramatischen Höhepunkt bildet noch das Finale des vierten Aktes. Die geniale Ouvertüre entrollt eine Reihe von lebensfrischen Bildern in der romantischen Einleitung, dem Sturm, dem Kuhreigen, dem festlich lustigen Schlußsatz.

Andere Opern.

Die anderen Opern Rossinis, auch die zu ihrer Zeit berühmtesten, sind in Vergessenheit geraten. Tancred, die Italienerin in Algier, Otello, Moses, Die Belagerung von Korinth u. a. m. wären als Ganzes heute unmöglich. Ihre Melodien würden uns verblaßt, ihr Pathos äußerlich, ihre dramatische Haltung unwahr oder lächerlich erscheinen. Doch könnte manche einschmeichelnde Melodie, manche heitere Buffoszene, ja sogar Einzelnes aus den ernsten Opern noch unser Gefallen oder Interesse erregen. In Wirklichkeit haben sich nur einige dankbare Gesangsnummern und leichtgeschürzte Ouvertüren, wie zur „Diebischen Elster" oder zur „Belagerung von Korinth" usw. in die Gegenwart hinüber gerettet.

Kein Werk Rossinis hat sich neben den vorangestellten beiden Opern so dauerhaft erwiesen als sein Stabat mater. Teilweise

Stabat mater.

schon 1832 komponiert, später vervollständigt, gelangte es 1842 an die Öffentlichkeit. In Paris oft aufgeführt, gewann es eine weite Verbreitung, wurde teils über Gebühr geschätzt, teils scharf getadelt. Das Werk ist für vier Solostimmen, Chor und Orchester geschrieben. Der Stil ist im ganzen opernhaft und dem Text wenig entsprechend. Weihevoller ist das Quartett a capella „Sancta Mater", schön sind noch der Chor „Eja mater", die Tenorarie „Cujus animam", die Sopranarie mit Chor „Inflammatus", das Duett „Quis est homo".

Rossinis Wirken fällt in eine Blütezeit der Gesangskunst, die uns fast märchenhaft anmutet. Seine Erfolge sind von den glänzenden Leistungen ihrer Vertreter nicht zu trennen. Anderseits hat Rossini Stimmbehandlung zu dieser Blüte wesentlich beigetragen und weithin Schule gemacht. Überblicken wir die Liste der Sänger und Sängerinnen aus Rossinis Zeit, so finden wir unter ihnen Namen, deren Ruhm noch in dem Gedächtnis der Nachwelt fortlebt. Solche sind die Sänger Garcia, Mario, Tamburini, Lablache, Botticelli, Zuccelli, Donzelli, die Franzosen Nourrit, Duprez, die Sängerinnen Catalani, Pasta, Colbrand, Alboni, Grisi und viele andere. *(Gesangskunst.)*

In der Geschichte der Oper ist Rossini epochemachend. Er begründete die moderne italienische Oper mit ihrer größeren Freiheit, ihrer stärkeren Sinnlichkeit, dem lebhafteren Ausdruck, zugleich ihrem Übergang zum internationalen Charakter. Rossinis geniale Begabung gipfelte vorzugsweise in der Melodieerfindung; ihr opfert er unbedenklich die dramatische Wahrheit. Sein Ehrgeiz ist die sinnfällige Wirkung, der äußere Erfolg, nicht zuletzt die praktische Verwertung seiner Arbeit. Daß er auch eines edleren Aufschwungs fähig war, beweisen einzelne Beispiele in seinen ernsten Opern, wie im Otello, Moses, vollends im Tell. In seinem eigensten Element bewegt er sich aber in der Buffooper, der Italienerin, dem Barbier. *(Bedeutung.)*

Rossini trat das Erbe Cimarosas und Paisiellos an. Der bedeutendere Cimarosa und der gefälligere Paisiello dienten ihm nicht bloß als Muster, sie lieferten ihm auch manches musikalische Material. Nicht zu verkennen ist der Einfluß seines großen Vorgängers, Mozart, auf ihn. Rossinis Verehrung für Mozart glich einem Kultus, dem er bis zu seinem Lebensende treu blieb; in seinem Barbier hat er dem 30 Jahre älteren Figaro ein fast ebenbürtiges Werk an die Seite gestellt. Wie er die Steifheit der neapolitanischen Opera seria lockerte, so übertraf er auch seine Vorgänger in der Opera buffa durch Eleganz, Feinheit und reichere musikalische Bewegung. Rossini war unternehmender in der Harmonie, in der Instrumentation, verschmähte auch starke Effekte nicht; nie durfte aber der Gesang darunter leiden, der ihm stets die Hauptsache blieb. Die rasche und flüchtige Produktionsweise Rossinis brachte es mit sich, daß er sich oft *(Vorgänger und Entwicklung.)*

Urteile.

wiederholte, daß er in Manier verfiel. Ein billiges Effektmittel, welches er häufig verwendete, war ein langgestrecktes Crescendo als rein äußerliche Steigerung.

Selten ward ein Komponist, selbst einer von tieferer Bedeutung, so hart umstritten, als Rossini mit seiner leichtlebigen Kunst. Gerade in Deutschland, wo das große Publikum in seinen Melodien schwelgte, erstanden ihm die heftigsten Gegner. Dem zünftigen Musiker galt es als Glaubensartikel, die „welsche" Musik zu verachten, die „Gesinnungstüchtigkeit" warf sich in die Brust, die Kritik schoß ihre schärfsten Pfeile ab. Wenn auch erlesene Geister zu den Gegnern Rossinis gehörten, so gab es auch solche, welche seiner Musik freundlicher und vorurteilsloser gegenüberstanden, wie Schubert, der an Rossini manches zu loben fand, ihn auch in seinen Jugendwerken direkt nachahmte, wie Schumann, der ihn in seinen Schriften gelten läßt. Hat nicht selbst Beethoven in dem Allegretto der achten Symphonie ein an Rossini anklingendes Stück geschaffen? Die musikhistorische Anschauung der Neuzeit hat in der Flucht der Erscheinungen auch dem italienischen Meister den ihm gebührenden Platz zugewiesen. Rossini erlebte und überlebte zum Teil seine unmittelbaren Nachfolger Bellini, Donizetti, Verdi. Diese, obwohl von Rossini ausgehend, erscheinen vielfach fortgeschritten und besitzen ihr individuelles Gepräge. Ihr Schaffen gehört vorwiegend der Zeit nach 1830 an.

Auber.

Wie Rossini der italienischen, hat Auber der französischen Oper neues Leben eingeflößt. Rossinis leichte Beweglichkeit, unerschöpfliche melodische Erfindung und sprudelnde Laune ließen Cimarosa und Paisiello vergessen, wie Auber mit seinen eleganten, musikalisch geistreichen und szenisch mannigfaltigen Schöpfungen die steifen Chansonopern Grétrys und Monsignys in den Schatten stellte.

Lebenszeit.

Aubers Lebenszeit schließt jene Rossinis in sich ein. (Auber 1782—1871, Rossini 1792—1868.) Dabei ist die merkwürdige Tatsache zu verzeichnen, daß Rossini auf der Höhe seines Ruhmes mit 37 Jahren aufhörte zu schaffen, während Auber erst in seinem 38. Lebensjahr anfing berühmt zu werden. Die erfolgreichsten seiner Werke gehören der Zeit von 1823 bis 1830 an: La Neige 1823, Le Maçon 1825, La Muette de Portici 1828, Fra Diavolo 1830. Von den späteren Opern sind hervorzuheben: „Gustave III." 1833, „Le Cheval de bronze" 1835, „Le Domino noir" 1837, „Le lac des fées" 1839, „Les Diamants de la Couronne" 1841, „La part du diable" 1843, „Haydée" 1847. Auber arbeitete aber bis in seine letzten Jahre unermüdlich fort, obwohl die Frische seiner Erfindung merklich nachließ und sich nur selten wieder ein-

stellte. Er brachte es auf mehr als 40 Opern, von denen einige
in Gemeinschaft mit anderen Komponisten geschrieben sind. Nur
fünf Werke gehören der „Großen Oper", die anderen der „Opéra
comique" an.

Unter Opéra comique verstehen die Franzosen jene Gattung von Opéra comique.
Opern, in denen auch gesprochen wird, wenn auch ihr Inhalt nicht ein
komischer ist. Auch das dieser Gattung gewidmete Theater führt den Namen
„Opéra comique", während die „Große Oper" die Bezeichnung „Académie",
„Opéra" trägt.

Der Lebenslauf Aubers spielt sich von Anfang bis zum
Ende in Paris ab; in der Atmosphäre dieser Stadt, in den Salons
der vornehmen und geistreichen Gesellschaft, im Umgange mit
Dichtern und Musikern, unter dem Einfluß des Theaters, entwickelte sich sein Talent. Vom Amateur rückte er zum Berufs-
musiker vor, widmete sich der Opernkomposition, trat in die Öffentlichkeit, erlebte Mißerfolge, Achtungserfolge und endlich Siege, welche
seinen Namen über die Welt trugen. Dem Ruhm gesellten sich
auch die Wohlhabenheit und äußere Ehrungen aller Art bei.

Nicht viele Begebenheiten seines Lebens sind des Erzählens
wert, den Rest bilden alltägliche Dinge und — Anekdoten.

Daniel François Esprit Auber ist am 29. Jänner 1782 in
Caën geboren, als Sohn eines kön. Jagdoffiziers, späteren Gemälde-
händlers, der in Paris ansässig war. Die Familie stammte aus
der Normandie. Der Knabe wuchs unter günstigen äußeren Ver-
hältnissen· heran, verriet musikalisches Talent, wurde im Klavier
von Ladurner (einem Tiroler von Geburt) unterrichtet, komponierte schon mit elf Jahren kleine Romanzen, welche in den Salons
beifällig aufgenommen wurden. Der Vater war aber keineswegs ge-
sonnen, seinen Sohn dem Musikerberuf zuzuführen und bestimmte
ihn für die kaufmännische Laufbahn. Zu diesem Zweck schickte
er den Zwanzigjährigen nach London, um sich dort auszubilden.
Der junge Auber hielt es aber nicht lange aus und kehrte
bald nach Paris, in die gewohnten geselligen Kreise und zu seiner
Lieblingsleidenschaft, der Musik, zurück. Er komponierte, immer
noch als Amateur, ein Trio, Violoncellkonzerte für den berühmten
Cellisten Lamarre, auch ein Violinkonzert. Nun drängte es ihn
zur Oper hin. Sein erster Versuch, ein komisches Singspiel „Julie",
wurde 1811 auf einem Liebhabertheater aufgeführt, ein zweiter im
Hause des Prinzen von Chimay. Diese privaten Erfolge konnten
dem Ehrgeiz Aubers nicht genügen, ebensowenig durfte er sich
den Mangel an gründlichem theoretischen Wissen verhehlen. Er
unterzog sich unter der Leitung Cherubinis ernsten Studien,
deren Frucht zunächst die Komposition einer vierstimmigen Messe
war. Das Th. Feydeau (Opéra comique) ward der Schauplatz seines
öffentlichen Debüts als Opernkomponist. Am 27. Februar 1813
wurde daselbst seine einaktige komische Oper „Le séjour militaire"

Leben.

Jugendzeit.

Erste Kompo-
sitionen.

Opern.
1813. 1819.

(Libretto von Bouilly) gegeben. Der Erfolg war nicht aufmunternd. Es trat eine Pause von sechs Jahren ein, bis Auber sich mit einem zweiten Werke hervorwagte. In der Zwischenzeit war er gezwungen, seinen Lebensunterhalt durch Klavierunterricht zu gewinnen, da sein Vater vermögenslos gestorben war. Auch „Le Testament ou les billets doux", 1819 aufgeführt, gefiel nicht, dagegen erlangte einige Monate später „La bergère chatelaine" einen vollen und nachhaltigen Erfolg, der ihm auch bei seiner nächsten Oper „Emma" treu blieb. Die Texte waren sämtlich von Planard. Nun beginnt Aubers Verbindung mit dem geistreichen und fruchtbaren Bühnenschriftsteller Scribe, eine Verbindung, welche sich durch 40 Jahre erhielt und für die Richtung des Komponisten entscheidend ward.

Scribe. Eugène Scribes Libretti, die er teils allein, teils in Gemeinschaft mit Delavigne, Melesville, Legouvé u. a. verfaßte, zeichnen sich durch originelle Erfindung, die vor keiner Unwahrscheinlichkeit zurückschreckt, durch feine Intrigue in der Handlung und szenische Wirksamkeit aus. Seine Textbücher geleiteten nicht bloß Auber, sondern auch Meyerbeer und Halévy zum Siege.

La Neige. 1823. Die erste gemeinsame Arbeit war „Leicester", die zweite „La Neige" (Der Schnee), beide 1823. In diesen Opern macht sich der Einfluß Rossinis deutlich bemerkbar. Als Rossini bald darauf nach Paris kam, trat Auber zu ihm in eine enge freundschaftliche Beziehung, welche sich bis ans Ende erhielt. Die komische Oper „La Neige" war der erste Welterfolg Aubers; auch die folgende „Le concert à la cour" erlangte Verbreitung. Mit dem liebenswürdigen

Le Maçon. 1825. und gemütvollen „Le Maçon" („Maurer und Schlosser") gewann er alle Herzen. Diese Meisteroper, 1825 (in demselben Jahre mit Boieldieus „Dame blanche") im Th. Feydeau aufgeführt, entzückte bald ganz Europa. Auber hatte mit diesem Werk seinen eigenen leichtanmutigen, zugleich echt französischen Stil gefunden.

La Muette de Portici. 1828. Auber hatte bereits 14 komische Opern geschrieben, als er die Welt mit einer großen Oper überraschte: La Muette de Portici (Die Stumme von Portici) erschien am 29. Februar 1828 auf der Bühne der „Académie". Der französischen großen Oper wurde damit eine neue Aera eröffnet. Auf diesem Boden hatte Auber nur wenige unmittelbare Vorgänger. Glucks antike Opern waren schon in Paris verblaßt. In dem neuen Jahrhundert waren Spontinis Vestalin 1807 und Cortez 1809 über die französische Nationalbühne geschritten, Rossinis „Le Siège de Corinthe" und „Moïse" machten in ihrer französischen Bearbeitung 1826 und 1827 Glück. Diesen bedeutenden, aber halb fremdländischen Erscheinungen folgte die „Stumme" als erste moderne französische Oper. Die mächtige Wirkung, welche dieses Werk hervorbrachte, war eine doppelte, eine musikalisch-dramatische und eine politische. Die Musik, welche Schwung und Anmut der Erfindung vereint, war der ergreifenden dramatischen Handlung treffend angepaßt. Zudem fiel die „Stumme" in die politisch aufgeregte Zeit vor der Juli-

revolution und die in dieser Oper lebhaft ausgedrückten Freiheits-
ideen riefen ein starkes Echo hervor. Mehr noch als in Paris
war dies in Brüssel 1830, später in Frankfurt, Kassel, Braunschweig der Fall. Bei der Erstaufführung in Paris 1828 gab
Nourrit den Masaniello, Mad. Damorau-Cinti die Elvira, die
Tänzerin Mlle. Noblet die stumme Fenella. Sehr rasch erfolgte
die Aufnahme der Oper in Deutschland, in Berlin, Wien, Hamburg
und anderen Städten. Überall bürgerte sich die Oper dauernd ein.

— Ein Jahr nach der „Stummen" erschien Rossinis „Wilhelm Tell"
auf der Bühne der Großen Oper, 1831 folgte „Robert der Teufel"
von Meyerbeer, 1835 „Die Jüdin" von Halévy.

Auber kehrte nun zur komischen Oper zurück. Rasch hintereinander folgten „La fiancée" (Die Braut), eine der feinsten Arbeiten
des Komponisten, und seine populärste Oper „Fra Diavolo", am
28. Jänner 1830 im Th. Feydeau zum erstenmal aufgeführt. Mit
„Fra Diavolo" hatte Auber den Gipfel der Beliebtheit erreicht;
noch in demselben Jahre wurde die Oper in Berlin, Wien, Dresden
gegeben und glänzend aufgenommen. Eine Reihe gelungener, meist
erfolgreicher Opern füllt den Zeitraum von 1830 bis 1837. Mit
dem „Domino noir" (Der schwarze Domino) hat Auber 1837 der
Opernbühne eines seiner glänzendsten Werke geschenkt. Noch
einmal vereinigte er darin seine Vorzüge, Leichtigkeit und Grazie,
Frische der Erfindung, Pikanterie und Witz zu voller Wirkung.
Die amüsante Oper machte überall Glück. Der Schaffenstrieb des
alternden Meisters war noch nicht gestillt. Oper um Oper geht aus
seiner Werkstatt hervor. Wird ihr Gehalt auch immer schwächer,
beschränkt sich auch die Arbeit des Komponisten mehr und mehr
auf die Einflechtung von Musikstücken in den vorherrschenden
Dialog, so leuchtet doch in einzelnen Werken, wie in „Les Diamants
de la Couronne" (Die Krondiamanten), La part du diable (Des Teufels
Anteil), Haydée, der Geist und das Talent seiner besten Zeit auf.
Was er noch für die Große Oper schrieb, zuletzt 1850 „L'Enfant
prodigue" (Der verlorene Sohn), bleibt weit hinter der „Stummen"
zurück.

Neben seiner rastlosen Schaffenstätigkeit fand Auber Zeit, sich
dem gesellschaftlichen Leben und seinen Privatpassionen zu widmen.
Auch durfte er sich mit einem gewissen Luxus umgeben. Auber
bewohnte sein eigenes kleines, aber elegantes Hotel in der Rue
St. Georges, hielt sich eine große Dienerschaft und mehrere Reit-
pferde. Jeden Morgen sah man ihn den gewohnten Spazierritt in
das Bois de Boulogne unternehmen und jeden Abend im Theater.
Paris war seine Welt, die Boulevards zog er der reizendsten Landschaft vor. — Auber war und blieb unverheiratet.

Im Jahre 1842 trat Auber an die Stelle Cherubinis als Direktor des Konservatoriums; er bekleidete diesen Posten
durch 28 Jahre. Über seine Wirksamkeit ist nicht viel mehr be-

Fra Diavolo.
1830.

Le Domino
noir.
1837.

Privatleben.

Direktor des
Konserva-
toriums.
1842.

— 314 —

kannt, als daß er seine Pflichten erfülfte, den Vorsitz bei den „Konkursen" führte und seine Umgebung durch manches gelungene Bonmot erheiterte. Schon 1829 war er zum Mitglied der Akademie gewählt worden, hatte die „Ehrenlegion" erhalten, Orden reihten sich an Orden und noch Napoleon III. verlieh ihm 1857 den Titel eines kais. Hofkapellmeisters.

Spätwerke.
1868—1869.

Im Greisenalter verblüffte Auber noch die Welt durch zwei neue Opern: *„Le premier jour d'amour"* 1868 und *„Rêves d'amour"* 1869, welche allerdings das Versiegen der Erfindung offenbaren.

Letzte Zeit.

Die letzten Lebenstage Aubers fielen in eine der denkwürdigsten, zugleich traurigsten Zeiten, welche die französische Hauptstadt je gesehen, in die Zeit der Schreckensherrschaft der Kommune 1871. Auber hatte nicht, wie so viele seiner Freunde, Paris verlassen, er unterzog sich den Aufregungen und Entbehrungen, welche diese Tage mit sich brachten. Eine Krankheit, welche den Meister schon zwei Jahre vorher heimgesucht, trat nun heftig auf und warf ihn auf das Lager. Von seinem Schüler Ambroise T h o m a s und dem Konservatoriums-Bibliothekar W e c k e r l i n in den letzten

Tod
13. Mai 1871.

Tagen gepflegt, verschied A u b e r am 13. Mai 1871, 89 Jahre alt.

Wegen der in Paris herrschenden Verwirrung fand die eigentliche L e i c h e n f e i e r erst am 15. Juli statt. In der Trinité-Kirche wurde eine Musikaufführung, bestehend aus Kompositionen von Cherubini, Beethoven und Auber veranstaltet. Auber ruht auf dem Friedhof „Montmartre". 1883 wurde in Caën, dem Geburtsorte des berühmten Komponisten, seine Statue aufgerichtet.

A u b e r gehört zu den wenigen Opernkomponisten, deren Werke ihre Urheber lange überlebt haben. Die größte Lebenskraft erwiesen die S t u m m e von P o r t i c i und F r a D i a v o l o; diese, wie der M a u r e r u n d S c h l o s s e r und der S c h w a r z e D o m i n o können noch heute als Repertoireopern bezeichnet werden.

Die Stumme
von Portici.
Handlung.

Die S t u m m e v o n P o r t i c i spielt in Neapel und hat einen historischen Vorgang zur Grundlage. Das Volk, empört über die Tyrannei der spanischen Herrschaft, greift zu den Waffen. Der Fischer M a s a n i e l l o wird der Anführer und Held des Volksaufstandes. Er hat auch den Schimpf, den A l f o n s o, der Sohn des Vizekönigs, seiner stummen Schwester F e n e l l a angetan, zu rächen. Das Volk siegt, Masaniello wird Regent von Neapel. Von seinen Genossen des Verrats geziehen, vergiftet, wirft er sich den zurückkehrenden spanischen Truppen entgegen und fällt. Fenella stürzt sich aus Verzweiflung ins Meer. Eine große Oper mit tragischem Ausgang war damals eine Neuerung. Der T e x t dieser effektreichen Handlung ist von S c r i b e und D e l a v i g n e verfaßt.

Die Musik.

Auber hat in seiner M u s i k echt dramatischen Ausdruck mit anmutiger lyrischer Empfindung zu durchflechten vermocht; sie zeichnet sich ebenso durch treffende C h a r a k t e r i s t i k der Situationen und szenischen Bilder, als durch v o l k s t ü m l i c h e M e l o d i e n aus. Die Gesamtwirkung wird durch das lebenswahre lokale Kolorit erhöht, was um so erstaunlicher erscheint, als A u b e r ebensowenig N e a p e l gesehen, wie der Schöpfer des „Tell" jemals in der Schweiz geweilt hat. F e n e l l a, die s t u m m e Hauptperson, erhält durch die ausdrucksvolle melodramatische Begleitung den tonmalerischen Hintergrund ihrer Gedanken und Gefühle. Groß gefaßt, doch nicht ganz ohne hohles Pathos, ist die Gestalt des M a s a n i e l l o, eine der anstrengendsten, aber auch dankbarsten Opernpartien. Auch Masaniellos Freund P i e t r o hat einige ansprechende Nummern zu singen. Die Prinzessin E l v i r a, die V e r l o b t e, dann die Gemahlin A l f o n s o s, ist überwiegend Koloratursängerin. Die Oper enthält mehrere vortreffliche Chöre und echt nationale Tänze. Die Rezitative sind lebendig und feurig. Meisterhaft und voll charakteristischer Züge ist die Instrumentation.

Obwohl die Musik dieser Oper wie aus einem Guß erscheint, heben sich doch einzelne Nummern aus dem Ganzen heraus. Darunter sind einige als die markantesten zu nennen. M a s a n i e l l o s Barcarole „O seht, wie herrlich strahlt der Morgen" im zweiten Akt hat eine beispiellose Popularität erlangt, nicht minder ward das darauffolgende D u e t t zwischen Masaniello und Pietro „Das Vaterland zu retten" überall mit patriotischer Begeisterung aufgenommen; von Einzelgesängen sind noch die liebliche S c h l u m m e r a r i e Masaniellos im vierten Akt und die düstere B a r c a r o l e des Pietro im fünften Akt hervorzuheben. Die C h ö r e greifen dramatisch in die Handlung ein. Besonders gelungen sind der K i r c h e n c h o r im ersten Akt, in welchem der Komponist das A g n u s D e i seiner unveröffentlichten Messe aufgenommen hat, und der drastische M a r k t c h o r mit dem ihn umgebenden Marktspektakel im dritten Akt, dessen Entstehung mit einem Ritt Aubers durch den Markt in Zusammenhang gebracht wird, endlich das darauffolgende G e b e t a Capella. Von glücklichster Erfindung sind die nationalen B a l l e t t s t ü c k e, „Guerache" und „Bolero" im ersten Akt und die hinreißende T a r a n t e l l a im dritten Akt. Eine O u v e r t ü r e, eine der lebendigsten und anmutendsten, die je geschrieben, leitet die Oper ein.

F r a D i a v o l o, dessen Textbuch von S c r i b e herrührt, ist eine Räubergeschichte voll drastischer Komik, mit sentimentalen Episoden durchflochten. A u b e r hat mit der Musik sein Meisterwerk in der Gattung der komischen Oper geschaffen. Nicht bloß, daß die Partitur von gefälligen, fein empfundenen Melodien strotzt, auch die Charakterzeichnung der einzelnen Personen ist trefflich gelungen. Der schlaue, gewandte Räuberhauptmann F r a D i a v o l o, der als Marquis San Marco auftritt, die derbkomischen beiden Banditen, Lorenzo, der sentimentale römische Offizier, die naive, ländliche Schöne Z e r l i n e, das ergötzliche englische Ehepaar Lord K o c k b u r n und seine Gemahlin P a m é l a, sie alle sind zu einem bunten Lebensbild, dramatisch und musikalisch reich ausgestattet, zusammengefaßt. Das Ganze ist voll Witz und Laune, leicht gefügt, und läßt das Interesse des Zuhörers nicht erlahmen. Trotzdem Manches an Karikatur, anderes an Frivolität grenzt, ist alles maßvoll und in eleganter Form gehalten. Auch in „Fra Diavolo" hat der Komponist den italienischen Lokalton mit Glück angeschlagen.

Die Zahl der ansprechenden Musikstücke in dieser Spieloper ist so groß, daß es zu umständlich wäre, sie alle anzuführen. Schon die O u v e r t ü r e in ihrer frischen Erfindung und glänzenden Instrumentierung ist populär geworden. Im e r s t e n A k t wirkt das D u e t t des englischen Ehepaares sehr amüsant, die Romanze der Z e r l i n e „Seht hoch auf steilen Höhen" in ihrem treffenden Ausdruck bildet eine Lieblingsnummer der Oper; graziös und launig ist das T e r z e t t Zerlines mit den Engländern, gefühlvoll die Barcarole Fra Diavolo's „Dorina, jene Kleine", meisterlich im Ausdruck die darauffolgende A u s k l e i d e s z e n e im zweiten Akt; im d r i t t e n sind das reizende E n s e m b l e „Tanzet dem Frühling fröhlich entgegen" und die Romanze Lorenzos hervorzuheben. Die Chöre sind meist unbedeutend. Die Instrumentation steht auf der Höhe der Aubersehen Kunst.

Mit der Lebendigkeit und sprühenden Laune des „Fra Diavolo" kann die komische Oper „M a u r e r u n d S c h l o s s e r" nicht verglichen werden, und doch steht diese bescheidenere Vorgängerin in e i n e r Eigenschaft über ihre glänzendere Nachfolgerin, in dem

F r a D i a v o l o

Details.

Maurer und Schlosser.

Gemütsausdruck. Man kann sie in dieser Beziehung Cherubinis „Wasserträger" an die Seite stellen.

Die romantische Handlung hat eine Rettungsgeschichte zum Mittelpunkt, in welcher zwei brave Handwerker eine edle Rolle spielen. Ein Liebespaar, bestehend aus einem französischen Edelmann und einer Sklavin in dem Harem des türkischen Gesandten in Paris, wird auf Befehl des Letzteren grausam eingemauert. Maurer und Schlosser werden gezwungen, diese Arbeit zu verrichten, doch gelingt es ihnen mit Hilfe der Behörde, die Liebenden zu befreien. Das Textbuch ist von Scribe und Delavigne verfaßt und schließt auch drollige Episoden ein. Die einfache, volkstümliche Musik ist melodienreich und spricht zum Herzen; der echt französische Charakter verleugnet sich nicht in der leichten Grazie der Erfindung und den feinen komischen Zügen. Als Musterbeispiele dieser Vorzüge können die beiden Duette angeführt werden, das eine zwischen Roger (dem Maurer) und Henriette, seiner Braut „Ich muß fort" im ersten Akt, das andere, das berühmte Zankduett der Nachbarinnen Henriette und Mad. Bertrand „Verzeihung, Madame, beleidigen wollt' ich nicht" im dritten Akt. An volkstümlichen Gesängen ist kein Mangel, von dem Schlage des die Oper durchziehenden Refrains „Nicht verzage, treue Freunde sind stets nah'".

Der schwarze Domino. Im Gegensatz zu diesem gemütlich ansprechenden Werke bildet der Schwarze Domino eine glänzendere Leistung der französischen Konversationsoper. Text und Musik halten sich darin die Wage. Die Handlung, mit der einen Hofball heimlich besuchenden, in einen schwarzen Domino gehüllten Nonne Angela im Mittelpunkt, mit ihren Intrigen und Leichtfertigkeiten, ist unterhaltend, aber voll Unwahrscheinlichkeiten. Witz und Laune sind in Text und Musik reichlich vorhanden, tiefere Empfindung nur vorübergehend gestreift.

Scribes Textbuch ist voll spannender Szenen, pikant, zuweilen frivol. Die Musik Aubers ist graziös, kokett und sprüht von Humor. Wie in der Spieloper überhaupt, besteht der musikalische Anteil aus einer Reihe eingeflochtener Gesangstücke; hier wird aber oft der dramatische Zusammenhang durch ein meisterhaft geführtes Orchester hergestellt, während die Stimme sich auf ein Parlando beschränkt. Die Melodien zeigen die leichte, französische Eleganz, sie gehen auch den Tanzrhythmen nicht aus dem Wege. Von den drei Akten der Oper ist der zweite der gelungenste. Da ist Angelas „Arragonisches Lied", die köstliche Szene mit den Couplets des Gil-Perez (des scheinheiligen Klosterverwalters) und das ganze, vortrefflich gebaute zweite Finale. Hervorzuheben sind noch aus dem dritten Akt die naiven Couplets der Brigitta (einer zweiten Nonne), die große Arie der Angela und ihre darauffolgende Cavatine, der Nonnenchor, endlich die Szene Massarenas und Angelas mit dem Gebet des Chors hinter der Szene.

Andere Opern. Über die vorangestellten vier Werke dürfen aber nicht mancher anderer Opern Aubers und ihrer Vorzüge vergessen werden. Ihr innerer Gehalt ist nicht tief; ihre Wirkung hängt wesentlich von der Darstellung ab. Schauspielerische Gewandtheit und völliges Aufgehen in den Auberschen Gesangstil sind ihre Bedingungen.

Der Koloraturoper „Der Schnee" kam die Glanzleistung der berühmten Henriette Sonntag zu statten, beliebt war auch eine Zeitlang das einaktige „Konzert am Hofe"; die anspruchslose, aber anmutige „Braut" verdankte ihr Glück im Theatre Feydeau hauptsächlich der Darstellung durch die aus-

gezeichnete Sängerin Mad. Pradher. Bedeutender und nachhaltiger wirkte *Die Ballnacht.*
die „Ballnacht", für die „Große Oper" geschrieben. Die Ermordung des
schwedischen Königs Gustav III. auf einer Maskerade bildet den Stoff derselben. Die Musik ist gefällig, aber flach; die dankbarste Partie ist die des
Pagen. Verdis „Maskenball", der den gleichen Stoff behandelt, ist ungleich
wärmer im Dramatischen, wertvoller im Musikalischen. Die dreiaktige komische
Oper „Die Krondiamanten" reiht sich den glänzendsten Produkten der *Die Kron-*
Auberschen Muse an. Unterstützt von einer originellen Handlung, in deren *diamanten.*
Mitte eine Falschmünzerbande steht, entfaltet die Musik ihre Anmut und Grazie,
zeichnet sich aber auch durch geschickte Arbeit und eine geistvolle Instru-
mentation aus. Der Bravourgesang ist durch die beiden dankbaren Sopran-
partien vertreten. „Des Teufels Anteil", dessen Held der Sänger Carlo *Des Teufels*
Broschi (Farinelli) ist, gehört zwar schon der matteren Schaffensperiode *Anteil.*
Aubers an, enthält jedoch einige gelungene Nummern, wie das Gebet an die
Madonna, von Carlo gesungen, in welches König und Königin einstimmen,
die burleske Szene zu Beginn des zweiten Aktes, dann das Duett zwischen
Casilda und Rafael. Auch die dreiaktige komische Oper „Haydée", ein
Spätwerk, hat in Frankreich und in Deutschland ihre Verehrer gefunden.
Von den wenigen für die Große Oper geschriebenen Werken, mit der
„Stummen" beginnend, kamen daselbst noch zur Aufführung: „Le Dieu et
la Bayadère" (Gott und die Bajadere) nach Goethes Ballade, ein Opernballett
mit einer Tänzerin als Hauptperson (damals die berühmte Taglioni), „Le
Lac des fées" (Der Feensee) in fünf Akten, ein Ausstattungsstück, welches auch
in Berlin oft gegeben wurde, „Le cheval de Bronze" (Das eherne Pferd) zum
Ballett umgewandelt. „L'Enfant prodigue" (Der verlorene Sohn), die letzte
große Oper, konnte trotz des Aufwandes äußerer Effekte die Schwäche der
Erfindung nicht verleugnen.

Nur wenige Kompositionen Aubers sind außerhalb seiner Opern-
sphäre zu nennen: Ein als Op. I veröffentlichtes Trio, die erwähnte unver-
öffentlichte Messe, mehrere Gelegenheitskantaten, Romances, ein Violinkonzert,
Cellostücke. Noch in seinen letzten Lebenstagen versuchte es Auber, Streichquartette zu schreiben, mußte aber davon abstehen, da ihm die Form zu
fremd war.

Der Einfluß des Auberschen Stils ist nicht gering: er *Einfluß*
äußert sich nicht bloß in Halévys und Adams Werken, wie in *Aubers.*
fast allen modernen französischen komischen Opern und Operetten,
von Offenbach angefangen, er greift auch nach Deutschland
über und zeigt deutliche Spuren in Lortzing, Nicolai, Flotow.

Ein echt deutscher Meister, der noch in die Zeit Beethovens
zurückreicht, doch schon den Romantikern nahe steht, ist Spohr. *Spohr.*
Als ausübender und schaffender Künstler, als Lehrer und
Dirigent war sein Wirken von hervorragender Bedeutung.
In erster Linie sind es das Violinspiel und die Violin-
musik, welche ihm einen wesentlichen Fortschritt und eine wert-
volle Bereicherung verdanken. Spohrs großzügige Behandlung des
Instruments ward der Ausgangspunkt einer deutschen Violinschule.
In seinen Streichquartetten und Violinkonzerten hat er Muster ihrer
Gattungen geschaffen, von denen einige sich neben ihre größten
Vorgänger stellen dürfen. In dieser Wirkungssphäre reicht Spohr
noch lebendig in die Gegenwart hinein.

Als Komponist ist Spohr im allgemeinen ernst und gediegen, formgewandt, vielseitig in seinem Schaffen. Ein edler, warmer Ausdruck beseelt seine Musik, doch entbehrt sie der frischen Unmittelbarkeit und Farbe. Etwas Unfreies, Grübelndes haftet ihr an. Eine elegisch weiche Grundstimmung, genährt durch die verschwenderisch angebrachte Chromatik und Enharmonik ist in Spohrs Werken die herrschende. Diese, nebst gewissen melodischharmonischen Lieblingswendungen verleihen seiner Musik eine bestimmt ausgeprägte Physiognomie, welche jedem Musiker sofort den Ausruf entlockt: „Das ist Spohr!"

Selbst-Biographie. Die Erzählung von Spohrs Lebensschicksalen kann großenteils seiner Selbstbiographie folgen, welche die Zeit bis 1838 umfaßt und später nach den Erinnerungen seiner Angehörigen zu Ende geführt, 1861 bis 1862 veröffentlicht wurde. Die Darstellung Spohrs in ihrer einfachen, aber lebhaft schildernden Art macht den Eindruck voller Wahrhaftigkeit, wenn auch mit etwas Selbstgefälligkeit und Eitelkeit vermischt, und ist reich an interessanten Bemerkungen über zeitgenössische Kunst und Künstler. Auch manches Ergötzliche weiß sie uns zu erzählen. Mit den Urteilen über mitlebende Tondichter und ihre Werke darf man nicht zu streng ins Gericht gehen; so beschränkt und ungerecht sie uns auch heute erscheinen, sie waren doch ehrlich gemeint. Seine Ansichten über Beethovens größte Schöpfungen erscheinen uns unbegreiflich, doch stand er mit diesen unter den damaligen Musikern nicht allein. Dagegen stellt er manche mittelmäßige Tonsetzer, über deren Werke die Zeit längst hinweggegangen, ungebührlich hoch.

Familie. Ludwig Spohr, geboren am 5. April 1784 in Braunschweig, stammt von väterlicher und mütterlicher Seite aus einer evangelischen Predigerfamilie. Sein Vater war Arzt und siedelte, als Ludwig zwei Jahre alt war, nach dem Orte Seesen über. Dort vermehrte sich der Hausstand noch um fünf Kinder, vier Knabenjahre. Söhne und eine Tochter. In Seesen verlebte Ludwig seine Knabenjahre, dort fand sein früherwachtes musikalisches Talent die erste Pflege. Eine wahre Leidenschaft erfaßte ihn für das Violinspiel und mit sechs Jahren konnte er schon an den häuslichen Musikübungen teilnehmen. Da an einen besseren Unterricht in dem kleinen Städtchen nicht zu denken war, wurde der Knabe nach Braunschweig. schweig geschickt, wo er bei dem Kammermusiker Kunisch, Violinunterricht. dann später bei dem besten Geiger Braunschweigs, Maucourt, seine weitere Ausbildung fand. In der Theorie war der Organist Hartung sein Lehrer, doch suchte der Knabe schon damals sich durch das Studium von Partituren selbst zu belehren. Auch an eigenen Kompositionsversuchen, namentlich Violinduetten, fehlte es nicht. Ludwig machte rapide Fortschritte und ward durch Begabung und unermüdlichen Fleiß bald ein guter Violinist. Dabei mußte er sich unter sehr knappen Verhältnissen in Braunschweig Mit 14 Jahren. durchbringen. Als der Knabe 14 Jahre alt war, kam der Vater auf die abenteuerliche Idee, ihn allein auf Kunstreisen zu schicken. Mit einer winzigen Barschaft und einigen Empfehlungsbriefen versehen, traf er in Hamburg ein, war aber von dem ersten Besuche, den er dort abstattete, so entmutigt, daß er sofort die Flucht ergriff und zu Fuße nach Braunschweig zurückkehrte. Da raffte er sich zu dem Entschlusse auf, sich direkt an den Herzog mit einer Bittschrift um Anstellung in seiner Kapelle zu wenden. Es gelang ihm, den Herzog von seinen Fähigkeiten zu überzeugen und als Kammermusikus mit 100 Taler jährlichen Gehalts angestellt zu werden. Opernvorstellungen reisender Gesellschaften, welche Braunschweig berührten, gaben ihm Gelegenheit, seinen Horizont zu erweitern; Figaro, Don Juan, Zauberflöte entzückten ihn. Mozart ward sein Ideal und blieb es durchs Leben. Auch fand er in Braunschweig Gelegenheit, sich im Quartettspiel zu üben und die Meisterwerke der Kammermusik kennen zu lernen.

Kammer-
musikus.

Nun galt es für den 18jährigen, strebsamen Jüngling, eine Berühmtheit als Lehrer des höheren Violinspiels zu gewinnen. Der Herzog erbot sich zu einer Unterstützung für diesen Zweck. Nachdem Viotti und Ferdinand Eck abgelehnt hatten, wurde des Letzteren Bruder Franz Eck, ein ausgezeichneter Geiger französischer Schule, der eben in Braunschweig konzertierte, gewählt. Mit diesem trat Spohr im April 1802 eine Reise an, deren Ziel Petersburg war. Auf dem Wege sollte Lehre und Beispiel den Schüler fördern. Die Reise ging nur langsam von statten, da in mehreren Städten Aufenthalt genommen wurde. Eck konzertierte, Spohr übte mit ausdauerndem Fleiß unter Anleitung des Lehrers, beschäftigte sich auch in den Mußestunden mit Porträtmalen, zu welchem er Talent und Neigung besaß. Zuerst besuchten sie Hamburg, dann nahmen sie im Sommer längeren Aufenthalt in Strelitz, setzten die Reise über Stettin, Danzig, Königsberg fort, überall kürzere oder längere Zeit verweilend, um endlich Ende Dezember in Petersburg anzulangen. Nicht unerwähnt darf bleiben, daß Spohr in Strelitz sein erstes Violinkonzert in A-moll (als Op. I bei Br. & H. erschienen) komponierte, ferner, daß es allerorten nicht an geselligem Musizieren und interessanten Bekanntschaften mangelte. Der Aufenthalt in Petersburg, welcher sich über fünf Monate ausdehnte, war für Spohr reich an mannigfaltigen Eindrücken.

Franz Eck.

Reise nach
Petersburg
1802.

Petersburg.

Musik hört er viel und manches Ungewöhnliche. Die „Jahreszeiten" von Haydn werden mit einer Massenbesetzung aufgeführt. Einzig in ihrer Art sind die 40 Hornisten, von denen jeder nur einen Ton bläst und die mit einer unbegreiflichen Präzision und im schnellen Tempo eine Glucksche Ouvertüre zum Vortrag bringen. Von interessanten Künstlerbekanntschaften sind Clementi, Field, die Violinisten Remi, Tietz, Fränzl, Bärwald zu nennen. Remi, Spohrs intimster Freund, schenkte ihm beim Abschied seine eigene vortreffliche Guarneriogeige. Eck blieb in Petersburg.

Am 2. Juni 1803 erfolgte die Abreise und nach einer langen stürmischen Seefahrt die Landung in Travemünde am 28. Juni. Einige Tage darauf traf Spohr nach 1¼jähriger Abwesenheit in Braunschweig ein und trat wieder seinen Posten an. Sein

Gehalt wurde auf 300 Taler erhöht, und einige Nebenverdienste hinzugerechnet, durfte er als ein unabhängig gestellter Jüngling seinen Eltern in Seesen gegenübertreten. Einen entscheidenden Einfluß auf Spohrs Violinspiel übte das Auftreten Rodes in Braunschweig. Dieser wurde fortan Spohrs Vorbild, dessen Spielweise nachzuahmen sein eifrigstes Bestreben.

Kunstreise 1804. Eine Kunstreise, welche Spohr gemeinschaftlich mit dem Cellisten Beneke 1804 unternahm, führte über Halberstadt, Magdeburg, Halle nach Leipzig. Überall erntete Spohr in seinen öffentlichen Konzerten, wie durch sein privates Quartettspiel die reichste Anerkennung. In seinem neuen D-moll-Konzert hatte er schon ein vollwichtiges Werk geschaffen, mit welchem er überall Erfolg hatte.

Sein sonstiges Konzertrepertoire war stereotyp; Rodes A-moll-Konzert und dessen G-dur-Variationen waren unvermeidliche Bestandteile desselben, auch Rodes Es-dur-Quartett begegnen wir zum Überdruß in seinen gesellschaftlichen Produktionen. In Leipzig gelang es ihm, die von ihm bewunderten Streichquartette Op. 18 von Beethoven einzuführen und zur Geltung zu bringen.

Berlin. Nach einem kurzen Aufenthalt in Dresden begab sich Spohr nach Berlin, wo er ein gut besuchtes Konzert gab, in welchem nebst der Sängerin Rosa Alberghi der damals 13jährige Meyerbeer als Klaviervirtuose mitwirkte. Gesellschaften bei Fürst Radziwill, Prinz Louis Ferdinand, Bankier Beer, Begegnungen mit dem Cellisten Bernhard Romberg, dem Klavierkomponisten Dussek bilden interessante Erlebnisse des Berliner Aufenthalts.

Konzertmeister in Gotha. 1805. Bald nach seiner Rückkunft in die Heimat erhielt Spohr einen Ruf als Konzertmeister nach Gotha, dem er Folge leistete. Hiemit gelangte Spohr endlich zu einem stabilen Wirkungskreis, der ihn durch sieben Jahre festhalten sollte. Allerdings gab es innerhalb dieser Zeit kürzere und längere Urlaubsunterbrechungen. Gotha besaß keine Oper; Spohrs Tätigkeit bestand nur in der Vorbereitung und Leitung der Hofkonzerte. Ein wichtiger Lebensabschnitt begann für Spohr durch seine Verheiratung im Jahre Heirat 1806. 1806. Er hatte in Dorette Scheidler, der Tochter einer Hofsängerin, ein liebenswertes Mädchen kennen gelernt, welches auch seine Gefährtin in der Kunst ward. Dorette war eine vorzügliche Harfenspielerin, musikalisch begabt, auch sonst fein gebildet. Spohr wandte sich mit Vorliebe dem Studium dieses Instruments zu und schrieb eine große Zahl von Duetten für Violine und Harfe, eine Gattung, welcher ein tieferer Kunstwert nicht zuzuerkennen ist, die auch bald wieder außer Kurs kam. Dauernder waren seine Leistungen als Komponist auf anderen Gebieten. Es entstanden Kompositionen und Violinspiel. neue Violinkonzerte, die ersten seiner Streichquartette, ein Klarinettkonzert (für den berühmten Klarinettvirtuosen Hermstedt in Sondershausen geschrieben). Als Violinspieler stand Spohr schon im Zenith seines Könnens, er hatte die Nachahmung Rodes aufgegeben und seinen eigenen Stil gefunden.

Seine staunenswerte Technik wurde auch durch einen kräftigen Körperbau begünstigt. Spohr war von ungewöhnlich hoher Statur, welche sich in der Folge zu einer Kolossalgestalt entwickelte.

Durch die Gründung eines Hausstandes und den Familienzuwachs von zwei Töchtern mußte Spohr auf den Gelderwerb bedacht sein und suchte diesen Zweck, verbunden mit dem des künstlerischen Ehrgeizes, durch Kunstreisen zu erreichen.

Die Reise wurde im Oktober 1807 angetreten. In Weimar fand das Künstlerpaar in einem Hofkonzert, dem auch Goethe und Wieland beiwohnten, reichlichen Beifall, das kunstsinnige Prag, in welchem namentlich das Quartettspiel eifrig betrieben wurde, schwärmte schon damals für Spohrsche Musik, in München und Stuttgart wurden Spohr und Gattin zu Hofkonzerten geladen.

In diese Epoche fallen auch die ersten Opernversuche Spohrs. Der erste war ein einaktiges Singspiel „Die Prüfung", von dem acht Nummern und die Ouvertüre in einem Gothaer Hofkonzert aufgeführt wurden, der zweite eine Oper „Alruna" in drei Akten, für Weimar bestimmt, doch nicht zur Darstellung gelangt, deren Ouvertüre, eine Nachahmung jener zu Mozarts „Zauberflöte", sich dauernd erhalten hat. Zwei Jahre später wurde die für Hamburg geschriebene Oper „Der Zweikampf mit der Geliebten" dort mit Beifall gegeben. Diese seine dramatischen Erstlingsarbeiten empfand selbst der Komponist als unzulänglich.

Im Juni 1810 leitete Spohr das erste deutsche Musikfest zu Frankenhausen in Thüringen, dem sich dann in langjähriger Folge die „rheinischen" und andere Musikfeste anschlossen.

Die Aufführungen umfaßten Haydns „Schöpfung", Beethovens erste Symphonie u. a. m. — Im Jahre 1811 fand das zweite Musikfest in Frankenhausen wieder unter der Leitung Spohrs statt, wobei er seine erste Symphonie in Es zur Aufführung brachte. — Im nächsten Jahre trat Spohr in Erfurt mit seinem ersten Oratorium „Das jüngste Gericht" vor die Öffentlichkeit.

Im Herbst 1812 begab sich das Ehepaar Spohr nach Wien. Wie alle fremden Musiker, welche Wien besuchten, stand auch Spohr unter dem ehrfurchtsvollen Banne der großen Meister, welche diesen Boden geweiht haben. Kaum angekommen, beeilte sich Spohr ein Konzert zu veranstalten, um damit seinem berühmten Rivalen Rode zuvorzukommen, und fand nebst seiner harfenspielenden Frau eine glänzende Aufnahme; auch ein zweites Konzert erzielte ein günstiges Resultat. Rodes Violinspiel, welches nicht mehr auf der früheren Höhe zu stehen schien, ließ dagegen kühl und Spohr konnte sich als Sieger betrachten. Die „Witwen- und Waisensozietät" führte im Jänner 1813 das neue Oratorium Spohrs auf, ohne damit einen tieferen Eindruck hervorzurufen. Mit besserem Erfolg war das Werk schon in Leipzig und Prag vorgeführt worden. Im Begriffe, Wien zu verlassen, erhielt Spohr von dem Eigentümer des Theaters an der Wien, Grafen Palffy, den Antrag, den Posten eines Kapellmeisters an diesem Theater

Seitentitel (marginal notes):
Kunstreise mit Dorette. 1807.
Opernversuche.
Musikfest in Frankenhausen 1810, 1811.
Wien 1812.
Konzerte.
Kapellmeister am Theater a. d. Wien.

zu übernehmen. Es eröffnete sich dadurch ein ausgedehnteres Feld des Wirkens, die Bedingungen waren günstig, und so nahm er den Antrag an. Im Frühjahr 1813 verabschiedete sich Spohr von Gotha und übersiedelte mit seiner Familie nach Wien. Er bezog eine Wohnung in der Nähe des Theaters, engagierte ein neues, vorzügliches Orchester und fand neben seiner Berufstätigkeit noch Zeit zu fleißigem Schaffen. Eine Anzahl von Kammermusikwerken verdankt der Bestellung des reichen Musikliebhabers T o s t (aus Haydns Lebensgeschichte bekannt) ihr Dasein; es sind Quartette, Quintette, das Nonett mit Blasinstrumenten u. a. m. Wichtig ist die Kompo-

Oper „Faust". sition der Oper „F a u s t", welche, in vier Monaten vollendet, von der Direktion zur Aufführung angenommen, doch für spätere Zeiten zurückgelegt ward. Auch eine Kantate zur Feier der Leipziger

Kongreßzeit 1814. Völkerschlacht erfuhr dasselbe Schicksal. Die Kongreßzeit 1814 brachte eine Flut von Festaufführungen, auch musikalischer Art. Konzertgeber aus ganz Europa stellten sich ein. Auch Spohr gab mit seiner Frau ein gutbesuchtes Konzert, in welchem u. a. seine Ouvertüre zu „Faust" gespielt wurde. Bei einer großen Musikproduktion vor dem kais. Hofe, die auf dem inneren Burgplatze stattfand, ließ sich Spohr mit einem Violinkonzert hören.

Persönliche Beziehungen. Die persönlichen Beziehungen Spohrs zu Künstlern und Kunstfreunden in W i e n sind nicht ohne Interesse. Wir begegnen den Namen Hummel, Weber, Fesca, Moscheles, Meyerbeer, Theodor Körner u. a. Zahlreich waren die geselligen Zirkel mit ihren „Musikpartien". Das persönliche Verhältnis

Beethoven. Spohrs zu B e e t h o v e n war ein eigenartiges. Nach einer zufälligen Begegnung im Gasthause verkehrten sie freundschaftlich miteinander. Beethoven besuchte öfters das Haus Spohrs, ignorierte aber völlig dessen Kompositionen und sprach mit ihm kaum über Musik. In dem großen Wohltätigkeitskonzert Beethovens 1813 (S. 181) wirkten auch Spohr und sein Orchester mit. Trotz seiner Bewunderung für die früheren Werke des Meisters, konnte sich Spohr mit den späteren nicht befreunden. Hatte er schon an der C - m o l l - Symphonie, die er wiederholt in Wien gehört, vieles auszusetzen, so kann man es begreifen, daß er später die N e u n t e als ganz verfehlt erklärte.

Ein Zerwürfnis mit dem Grafen Palffy führte zur Auflösung des Kontrakts und S p o h r wollte die nun erlangte Freiheit zu der von ihm langersehnten Reise nach Italien benützen. Da kam eine

Bei Fürst Carolath. Einladung des Fürsten C a r o l a t h nach dessen Besitzung in Schlesien, welche Spohr annahm. Nach einem im Februar veranstalteten Abschiedskonzert verließ die Familie Spohr am 8. März 1815 W i e n. Vorerst wurde noch ein eigens konstruierter Reisewagen, welcher das Ehepaar, die beiden Kinder, die Pedalharfe und den Geigenkasten aufnehmen konnte, angeschafft. In angenehmer Lebensweise und anregendem Verkehr brachten sie drei Monate auf dem fürstlichen Landsitze zu. Es folgten ein längerer Aufenthalt in G o t h a, ein Besuch bei den Eltern, dann noch im Herbst wieder ein Musikfest in F r a n k e n h a u s e n, welches Spohr dirigierte und dabei seine Kantate „Das befreite Deutschland" zur Aufführung brachte. Den darauffolgenden Winter benützte Spohr zu

einer Konzertreise durch Süddeutschland, Elsaß und die Schweiz. Reise in die Schweiz und nach Italien.
In einem malerisch gelegenen Landhause am Thuner See verlebte
dann die Familie in behaglicher Ruhe einige glückliche Wochen
und bereitete sich für die lange geplante italienische Reise
vor, welche im August angetreten wurde. Zuerst ging es nach
Mailand. Im Scalatheater spielte Spohr sein Violinkonzert „in Mailand Sept. 1815.
Form einer Gesangsszene" mit großem Beifall. Dann wurden Venedig,
Florenz, Rom, Neapel besucht. Die Reiseeindrücke sind teils enthusiastisch, teils mit scharfer Kritik versetzt. Vollends hatte aber
Spohr Ursache, mit den Resultaten seiner künstlerischen Tätigkeit
unzufrieden zu sein. Bei der Veranstaltung seiner Konzerte hatte
er überall mit Schwierigkeiten zu kämpfen, es fehlte nicht an Ehren,
aber die Einnahmen waren spärlich und deckten kaum die Kosten.
Genußreich war der zweimonatliche Aufenthalt in Neapel, wo die Neapel.
großartigen Naturschönheiten die Reisenden entzückten, das eigenartige Volksleben sie fesselte und die Opernvorstellungen sie lebhaft interessierten. Nachdem sie noch die Osterwoche in Rom zugebracht, traten sie im März die Rückreise an, verweilten in Genf Rückreise.
und gaben dann eine Reihe erfolgloser Konzerte in den badischen
Städten, zuletzt in Aachen. Die Harfe, welche in Italien pausiert
hatte, trat wieder in Wirksamkeit. Glänzend fiel eine kurze Konzertreise durch Holland aus, welche eine reiche Ruhmes- und Geld-
ernte einbrachte.

Eine neue feste Stellung bot sich für Spohr als Opern- Operndirektor in Frankfurt a. M. 1818—1819.
direktor in. Frankfurt a. M.; doch hielt es ihn dort kaum durch
zwei Jahre, 1818—1819. Während dieser Zeit brachte er seinen
„Faust" und eine neue Oper „Zemire und Azor" auf die „Zemire und Azor."
Bühne. Letztere verriet deutlich den Einfluß Rossinis, der damals
auch in Frankfurt mit seinem „Tancred" wie überall Enthusiasmus
erregte. Spohr veranstaltete auch regelmäßige Quartettproduktionen,
in welchen Haydns, Mozarts, Beethovens und seine eigenen Werke
vorgeführt wurden.

1820 folgte Spohr einer Einladung der philharmonischen Ge- London 1820.
sellschaft nach London. Der Aufenthalt gestaltete sich für ihn
ehrenvoll und lohnend. Er trat als Violinvirtuose, Komponist und
Dirigent auf. Die „Gesangsszene" machte Furore, seine Symphonie
in D-moll wurde beifällig aufgenommen, auch brachte er ein Solo-
quartett und das Nonett zu Gehör. Spohr wurde auch vielfach zur
Mitwirkung in anderen Konzerten herangezogen, gab überdies gut
bezahlte Privatlektionen. Nach einem glänzend besuchten eigenen
Konzerte verließ Spohr England, welches er noch fünfmal in
späterer Zeit wiedersehen sollte.

Er verlebte nun einige Monate im traulichen Kreise seiner
Familie bei den Eltern in ihrem neuen Aufenthaltsorte Ganders- Gandersheim.
heim. Von Ruhe konnte bei Spohr nicht die Rede sein; er schrieb
ein neues Violinkonzert und das Klavierquintett mit Blasinstru-

21*

menten, dessen Klavierpart für seine Frau, welche aus Gesundheitsrücksichten das Harfenspiel ganz aufgeben mußte, bestimmt war.

Neue Reisen. Der rastlose Wandertrieb ließ Spohr nicht lange bei den Seinen verweilen, und nachdem er noch im Oktober 1820 ein Musikfest in Q u e d l i n b u r g geleitet, strebte er dem neuen Reiseziel, P a r i s, zu. Die kurzen Aufenthalte in den Zwischenstationen Frankfurt, Heidelberg, Karlsruhe, Straßburg wurden, wie gewöhnlich, zu Kon

Paris. zerten benützt. Im Dezember traf das Ehepaar Spohr in P a r i s ein. Hier scheint Spohr nicht die Anerkennung gefunden zu haben, die ihm London entgegenbrachte und an welche er in Deutschland in so reichem Maße gewöhnt war. Die Franzosen waren zu stolz auf ihre Geiger Viotti, Kreutzer, Baillot, Lafont, Habeneck, um einem fremden, dort noch wenig bekannten Künstler gerecht zu werden. Spohrs musikalische Erlebnisse in Paris waren daher mehr passive. Er besuchte oft die Oper, hörte die Aufführungen der Hofkapelle und wohnte musikalischen Privatproduktionen bei. Daß ihm der seichte französische Geschmack nicht sympathisch war, ist selbstverständlich. Das am 10. Jänner 1821 von Spohr im Opernhause gegebene einzige Konzert hatte einen guten Erfolg, wurde aber von der Kritik ziemlich ungünstig beurteilt. Im Februar verließ Spohr Paris, um sich wieder in die Heimat zu begeben.

Dresden 1821. Während eines längeren Aufenthalts in D r e s d e n im Herbst desselben Jahres beschäftigte sich Spohr mit den Entwürfen zu einer neuen O p e r, deren Text ihm der Schriftsteller G e h e verfaßte, „J e s s o n d a". W e b e r hatte eben mit dem „Freischütz" in Berlin und Wien Triumphe gefeiert und war im Begriffe, seine Oper in Dresden einzustudieren; Spohr, der sie in den Proben kennen lernte, fand die Musik für den „großen Haufen" berechnet und ging, nicht entmutigt, an die Arbeit. Da kam unerwartet, durch Webers Vermittlung, eine Berufung als Hofkapellmeister nach

Berufung nach Kassel 1822. K a s s e l, welche so verlockend war, daß sie Spohr annahm und schon im Jänner 1822 seinen Posten antrat. K a s s e l sollte nun der Schauplatz von Spohrs langjähriger Wirksamkeit werden, die letzte Station auf seiner Lebensreise.

Nur die Hauptereignisse dieser K a s s e l e r Z e i t können hier verzeichnet werden. Spohrs Tätigkeit in Kassel war eine mannigfaltige und teilte sich in die Leitung der Oper, der Konzerte und eines von ihm gegründeten Gesangvereines. Dazu gesellte sich ein unausgesetztes tondichterisches Schaffen in verschiedenen Kunstgattungen; Opern, Oratorien, zahlreiche Streichquartette, auch seine Doppelquartette, viele andere Vokal- und Instrumentalkompositionen

„Jessonda" 1823. entstanden in rascher Folge. Die Oper „Jessonda" wurde im Laufe des Jahres vollendet und am 28. Juli 1823 zur ersten Aufführung gebracht. Keine der Opern Spohrs hat einen solchen großen Erfolg errungen und eine so weite Verbreitung gefunden, als diese. Zunächst waren es Leipzig, Frankfurt, Berlin, in welchen

Städten „Jessonda" schon 1824 aufgeführt wurde und eine glänzende Aufnahme fand. Im nächsten Jahre beschäftigte sich Spohr mit der Komposition eines neuen Oratoriums „Die letzten Dinge", dessen Text von Rochlitz herrührte; es wurde im März 1826 in der lutherischen Kirche in Kassel aufgeführt und machte einen tiefen Eindruck. Besonders fruchtbar war Spohr in der Quartettmusik. Er besaß sein stabiles Quartettpersonal und hatte sogar für die Produktionen in seinem Gartenhaus einen eigenen Musiksaal bauen lassen. Eine neue Gattung schuf er in den Doppelquartetten, deren er vier geschrieben. Die Oper „Der Berggeist", welche in Kassel zur Vermählungsfeier der Tochter des Kurfürsten am 23. März 1825 aufgeführt wurde, fand zwar Beifall und wurde bald darauf in Leipzig und später in Prag aufgenommen, hielt sich aber nicht lange. Zu Pfingsten fand das „Rheinische Musikfest" in Düsseldorf statt, bei welchem Spohr sein Oratorium „Die letzten Dinge" dirigierte. Eine neue große Oper „Pietro von Albano" wurde bei ihrer Erstaufführung in Kassel im Oktober 1827 glänzend aufgenommen, aber wegen kirchlicher Bedenken von den anderen Bühnen abgelehnt. Ein ähnliches Schicksal hatte „Der Alchymist", welcher im Juli 1830 in Kassel in Szene ging, dann aber nur in Prag Aufnahme fand. Ein originelles Werk, eine Art Programmusik, die Symphonie „Die Weihe der Töne" entstand im Herbst 1832 und machte in den Aufführungen zu Kassel, Leipzig und anderen Orten wahre Sensation. Im Juni 1833 war wieder ein großes Musikfest in Halberstadt, bei welchem Friedrich Schneider aus Dessau und Spohr sich in die Direktion teilten.

Spohr war genötigt, wegen des leidenden Zustandes seiner Frau mit ihr zur Kur nach Marienbad zu reisen; eine Besserung wurde nicht erzielt. Das Leiden verschlimmerte sich im Winter, die Marienbader Kur wurde im Sommer 1834 wiederholt, ohne ein günstigeres Resultat zu ergeben. Trotz aller Bemühungen der Ärzte und der sorgfältigen Pflege von Seite der Familienmitglieder erlag Dorette, die geliebte Gattin Spohrs, am 20. November 1834 ihren Leiden. — Von den drei Töchtern waren die beiden älteren bereits in Kassel verheiratet, Emilie an den Professor Wolff, Ida an den Fabrikanten Zahn, die jüngste, Therese, wuchs heran. Den Bruder Spohrs, Ferdinand, der in Kassel im Orchester angestellt war, hatte der Tod schon 1831 ereilt; er hatte die goldene Hochzeit der Eltern, welche 1832 in Gandersheim festlich begangen wurde, nicht mehr erlebt.

Spohr war nun 50 Jahre alt. Sein Ansehen als erste musikalische Autorität Deutschlands stand fest. Als Komponist hatte er schon den Höhepunkt überschritten. Seine besten Werke lagen hinter ihm, sein Stil war in Manier übergegangen. Zudem betrat er in seinen letzten Symphonien die abschüssige Bahn der „Programmusik", eine Richtung, in der sein künstlerisches Naturell versagen mußte. Bedeutendes leistete er nur noch im Oratorium. Doch bald sollte auch in dieser Gattung mit Mendelssohns „Paulus" ein glänzenderes Gestirn aufsteigen.

(Marginalien:)
Oratorium „Die letzten Dinge".
Quartette und Doppelquartette.
Düsseldorf.
„Die Weihe der Töne."
Marienbad. 1833, 1834.
Tod Dorettes.
Spohrs 50. Geburtstag.

Am Karfreitag 1835 kam Spohrs Passionsoratorium „Des Heilands letzte Stunden", eines seiner gelungensten Werke, zur Aufführung. Im Sommer desselben Jahres verweilte er auf der Reise nach dem Seebad Zandford einige Tage in Düsseldorf in Gesellschaft Mendelssohns und Immermanns. Am 6. Jänner 1836 vermählte sich Spohr zum zweitenmal mit der um 20 Jahre jüngeren Marianne Pfeiffer, der Tochter eines Ober-Appellationsrates, einem wohlerzogenen und sehr musikalischen Mädchen, und fand von neuem ein häusliches Glück. Ein empfindlicher Schlag war es für ihn, als seine jüngste Tochter Therese in ihrem 19. Lebensjahre einer Krankheit erlag. — Seit 1838 mußte Spohr wegen seines Leberleidens wiederholt Karlsbad besuchen, wo er übrigens in anregender Geselligkeit angenehme Wochen verlebte.

Zweite Ehe 1836.

Karlsbad.

Musikfest in Norwich 1839.

Ein Ereignis in Spohrs Leben bildet das Musikfest zu Norwich im Herbst 1839, welches für den Tonmeister einen glänzenden Verlauf nahm. Nirgends wurde Spohr so gefeiert wie in England; man erklärte ihn für den Nachfolger Händels. Schon im nächsten Jahre schrieb Spohr ein neues Oratorium „Der Fall Babylons", welches, für das nächste Musikfest in Norwich bestimmt, dort 1842 in seiner Abwesenheit zur Aufführung kam. Inzwischen entstanden die „Historische Symphonie", in welcher in vier Sätzen die verschiedenen Zeitstile von Bach bis auf die Neuzeit dargestellt werden sollen, und die Doppelsymphonie für zwei Orchester „Irdisches und Göttliches im Menschenleben". Auch der Opernkomposition wendete er sich noch einmal zu; er wählte als Stoff „Die Kreuzfahrer" von Kotzebue. Diese Oper, seine letzte, wurde 1843 in Kassel, dann das Jahr darauf in Berlin gegeben, verschwand aber bald.

Der Kurfürst.

Ungeschwächt blieb Spohrs Reiselust, welche nur in der Schwierigkeit, Urlaub zu erhalten, einen Damm fand. Der Kurfürst war ein strenger, despotischer Herr und hielt pedantisch auf Disziplin. Seine Bigotterie bereitete dem Kapellmeister bei der Auswahl von Opern und Oratorien oft Hindernisse, anderer Mißhelligkeiten nicht zu gedenken. Das Verhältnis Spohrs zu dem Kurfürsten war nie ein angenehmes und trübte sich in seiner letzten Dienstzeit immer mehr.

Wagners „Fliegender Holländer".

Von interessanten Vorgängen seien erwähnt das Erscheinen Liszts in Kassel 1841, die Aufführung von Wagners „Fliegenden Holländer" 1843 durch Spohr. Dieser anerkannte die dramatische Begabung und die ernste Richtung Wagners, fand das Ganze jedoch überladen. Einige Jahre später erfolgte erst in Leipzig eine persönliche Begegnung, welche sich sehr freundlich gestaltete. Auch Mendelssohns Bemühungen um Spohrs Werke, wie sein geistreicher Umgang machten den damaligen Leipziger Aufenthalt zu einem erfreulichen.

Letzte Lebenszeit.

Die letzte Lebenszeit Spohrs bildet eine ununterbrochene Kette von Ovationen, Reisen zu Musikfesten, Erholungsreisen, neuen Kompositionen. Hervorzuheben sind das Musikfest in Luzern

1841, der Aufenthalt in London mit der Aufführung von „Der Fall Babylons" 1843, eine Spohrfeier in Oldenburg, das Beethovenfest in Bonn 1845, an dessen Leitung neben Liszt auch Spohr teilnahm. Bei Gelegenheit des 25jährigen Jubiläums Spohrs in Kassel 1847 wurde er vom Kurfürsten zum Generalmusik- direktor ernannt. Spohr General musikdirektor 1847.

Die Stürme des Jahres 1848 gingen an Kurhessen nicht ohne politische Krisen vorüber, in welchen sich Spohr, wie auch in späterer Zeit, standhaft zur liberalen Gesinnung bekannte. Bei aller Teilnahme an den äußeren Geschehnissen flüchtete sich Spohr doch immer in seine Kunst, er komponierte rastlos Werk um Werk, kam zu seinem 15. Violinkonzert, zu seinem 30. Streichquartett, schrieb als Kuriosum ein Quartettkonzert mit Begleitung des Orchesters und wieder eine Programmsymphonie „Die Jahreszeiten". Ereignisse. Kompositionen.

Im Juli 1852 wohnte Spohr in London der Aufführung seines „Faust" in der italienischen Oper mit glänzender Besetzung (Mad. Castellan, Ronconi, Formes, Tamberlick) bei. London 1852.

In demselben Jahre brachte Spohr den „Tannhäuser" Wagners in Kassel auf die Bühne. So sehr sich Spohr durch Jahre um die Aufführung bemühte, auch einzelnes Schöne und Neue in dem Werke anerkannte, das Ganze war ihm antipathisch, formlos, mißklingend, lärmend. Doch milderte sich später sein Urteil und er gesteht: „Es ist merkwürdig, woran sich das menschliche Ohr nach und nach gewöhnt!" Wagners „Tannhäuser".

Die Theaterferien benützte Spohr gewöhnlich zu Erholungsreisen, am liebsten in die Schweiz, einmal mit seiner Frau nach Paris, zuletzt noch nach Holland. 1853 besuchte er zum sechsten und letztenmal England. 1857 erfolgte seine Pensionierung. Durch einen unglücklichen Fall zog er sich einen Armbruch zu und mußte auf sein Violinspiel verzichten. 1858 wohnte er noch dem 50jährigen Jubiläum des Konservatoriums in Prag bei. Seine Kräfte nahmen zusehends ab und am 22. Oktober 1859 verschied er ohne Todeskampf. Seine treue Frau überlebte ihn noch lange, sie starb erst 1892 in Kassel. Pensionierung 1857. Tod 22. Okt. 1859

1883 wurde dem Meister in Kassel ein Denkmal errichtet. Daß es ihm während seiner Lebenszeit an zahlreichen äußeren Ehrungen nicht fehlte, ist selbstverständlich. Spohr besaß mehrere hohe Orden, darunter den preußischen „pour le mérite", ferner zahllose Diplome als Ehrenmitglied musikalischer Vereine. Ehrungen.

Die Gesamtübersicht der Werke Spohrs ergibt: 9 Symphonien, 3 Konzertouvertüren, 33 Streichquartette, 4 Doppelquartette, 8 Quintette, 2 Sextette, 1 Oktett, 1 Nonett (für Streich- und Blasinstrumente), 17 Violinkonzerte und Concertinos, 15 Violinduette, 1 Violinschule, 5 Klaviertrios, 2 Klavierquintette, viele Duos für Violine und Harfe, 1 Septett für Klavier und Instrumente, 4 Klarinettkonzerte und noch viele Instrumentalstücke; ferner zehn Opern, 4 Oratorien, 1 Messe, Psalmen, Kantaten, Lieder usw. Die gedruckten Werke erstrecken sich bis zu 154 Opuszahlen; sie Werke.

sind bei verschiedenen Verlegern, insbesondere bei Breitkopf & Härtel, Peters, Simrock, André, Haslinger, Mechetti, Luckhardt erschienen.

Symphonien. 3. u. 5. Symphonie. Von den Symphonien sind die dritte und fünfte, beide in C-moll, als die besten zu nennen. In beiden sind die langsamen Sätze am anmutendsten. Das Vorbild Mozart ist in diesen Werken zu erkennen, dabei tritt der Grundzug Spohrscher Musik, elegische Schwärmerei deutlich hervor.

Schön ist die Einleitung der dritten Symphonie mit dem später wiederkehrenden Grundmotiv. In dem lieblichen Larghetto F-dur bildet ein mächtiger Unisonogesang der Streichinstrumente einen wirkungsvollen Gegensatz. Frische Jugendlichkeit herrscht im Scherzo und Finale. Ernst und bedeutend ist auch die fünfte, mit dem prachtvollen Larghetto. Weniger hervortretend sind die Symphonien Nr. 1 in Es-dur (vom Jahre 1811), Nr. 2 in D-moll (1820 für London), Nr. 8 G-moll (Op. 137), obwohl sie zu ihrer Zeit geschätzt wurden. Die 4., 6., 7. und 9. sind Programmsymphonien.

Die Weihe der Töne. Eröffnet werden dieselben durch „Die Weihe der Töne", ein Tongemälde auf Grund einer Dichtung, welche die Musik in ihrem elementaren Werden und ihrer Anwendung schildert. Die Komposition hält sich vorherrschend äußerlich an das Programm, ist musikalisch gedankenarm, doch nicht ohne wirksame Momente. Kindisch ist die Nachahmung des Vogelgezwitschers im ersten Satz, effektvoll der Aufruhr der Elemente. Im zweiten Satz macht sich ein Wiegenlied mit gleichzeitiger Begleitung von Tanz und Ständchen angenehm bemerkbar, der dritte Satz beginnt mit einem Marsch, der Rückkehr der Sieger, und endet mit dem Te Deum, von Violinfiguren umspielt. Das Finale bringt eine Begräbnismusik, ein Larghetto, einen Choral, von dumpfem Paukenwirbel unterbrochen, ein freundliches Allegretto.

Historische Symphonie. Die „Historische Symphonie", welche sich die Aufgabe stellt, die Stile der verschiedenen Musikepochen zu charakterisieren, zerfällt in die vier Hauptteile: 1. Händel und Bach. 2. Haydn, Mozart. 3. Beethoven. 4. Die allerneueste Periode. Man kann die Lösung dieser Aufgabe als mißlungen erklären. Spohr war schon in seiner Manier zu sehr eingesponnen, um sich in den Stil anderer Meister versetzen zu können. So fällt Händel-Bach viel zu trocken aus, besser Haydn-Mozart in dem Andante, ein barockes Scherzo will Beethoven darstellen, im letzten Satz soll durch ein wüstes Charivari die moderne Musik parodiert werden.

Irdisches und Göttliches im Menschenleben. Die nachfolgende Symphonie ist betitelt: „Irdisches und Göttliches im Menschenleben". Es ist eine Doppelsymphonie für zwei Orchester, einem großen für das „Irdische" und einem kleineren für das „Göttliche", welche teils miteinander abwechseln, teils zusammenwirken. Die einzelnen Teile stellen hier „Die Kinderwelt", „Die Zeit der Leidenschaften", den „Endlichen Sieg des Göttlichen" vor. Das Werk ist ehrlich und innig empfunden, in der Kombination der beiden Orchester originell, doch ohne Frische in der Erfindung. Am wirksamsten ist der zweite Teil.

Die Jahreszeiten. Den Beschluß dieser Serie machen „Die Jahreszeiten". Sie kommen paarweise zur Darstellung: Winter und Frühling in der ersten Abteilung, Sommer und Herbst in der zweiten. Das Werk, 1850 entstanden, verrät schon die ermüdeten Züge von Spohrs letzter Schaffenszeit.

Streichquartette. Die Streichquartette Spohrs sind vorwiegend Soloquartette; sie sind es auch dann, wenn sie nicht ausdrücklich als solche bezeichnet werden. Spohr spricht auch bei seinem eigenen Quartettspiel stets von einer Begleitung. Die erste Violine erscheint nicht nur als die Führerin des Gesangs, sie ist auch reichlich mit Passagenwerk ausgestattet. Die edelste Quartettmusik entfaltet sich in den langsamen Sätzen.

Hervorzuheben sind: Das Quartett G-moll Op. 27 (Graf Rasumofsky gewidmet), die drei Quartette in Es-dur, C-dur und F-dur Op. 29 (Andreas Romberg gewidmet).

Eine neue von ihm eingeführte Gattung ist die der Doppel- *Doppel-quartette.* quartette. Die beiden Quartette sind einander konzertierend gegenübergestellt und unterscheiden sich daher von der Gestaltung des geschlossenen Oktetts, wie wir eines von Mendelssohn besitzen. Die Doppelquartette D-moll und E-moll sind die anerkannt schönsten. — Das Nonett für vier Streich- und fünf *Nonett.* Blasinstrumente Op. 31 in Serenadenform gehört zu den beliebtesten Werken des Meisters.

Den vornehmsten Platz unter den Instrumentalwerken Spohrs behaupten seine Violinkonzerte; ihr innerer Wert, wie ihre *Violinkonzerte.* instruktiven Vorzüge werden sie auch der Zukunft erhalten. Das populärste unter den zwölf veröffentlichten Violinkonzerten ist jenes in A-dur Nr. 8 („in Form einer Gesangszene"), gediegen ist das D-moll-Konzert Nr. 9; neben diesen ragen noch hervor: Nr. 7 E-moll, Nr. 10 A-moll, Nr. 11 G-dur, Nr. 12 (15) E-moll.

Die Violinduette sind als Unterrichtsmaterial anerkannt. Sehr geschätzt ist auch Spohrs Violinschule, welche nament- *Violinschule.* lich für vorgerückte Schüler geeignet ist. Die Kammermusikwerke mit Klavier haben nur wenige von Bedeutung aufzuweisen. Vor allem ist es das Quintett in C-moll mit Blasinstrumenten, welches *Klavier-quintett.* eine große Verbreitung gefunden hat; die Themen sind voll Energie, der Klavierpart glänzend, dabei technisch schwierig, das Ganze von schöner Klangwirkung. Neben diesem wäre noch das Klaviertrio in A-moll Op. 124 als ein liebenswürdig anregendes Werk zu bezeichnen. Die übrigen Trios sind schwächer, wenn auch in *Trios.* ihnen Spohr sich als gediegener und eigentümlicher Tonsetzer erweist. Der Klaviersatz verrät stets die fremdartige Sphäre, in der er sich darin bewegt.

Als Unterhaltungsmusik ist das Septett Op. 117 zu betrachten, reizlos das Quintett D-dur Op. 130. Nicht ohne Interesse ist die einzige Solosonate für Klavier, As-dur Op. 125 (Mendelssohn gewidmet), namentlich in den beiden mittleren Sätzen.

Spohrs Opern, in chronologischer Ordnung verzeichnet, sind *Opern.* die folgenden: „Die Prüfung", „Alruna" (beide nicht aufgeführt), „Der Zweikampf mit der Geliebten", „Faust", „Zemire und Azor", „Jessonda", „Der Berggeist", „Pietro von Albano", „Der Alchymist", „Die Kreuzfahrer". Nur Faust, Zemire und Azor und Jessonda kommen in Betracht.

Faust, 1813 in Wien komponiert, kam zuerst in Prag 1816 *Faust.* zur Aufführung. Die Oper steht zeitlich zwischen Fidelio und Freischütz; sie präludiert gewissermaßen der deutschen romantischen Oper.

Der Text von Bernard gibt eine lose Szenenreihe, welche sich nur entfernt an Goethe lehnt. Die Musik ist mit Wärme und jugendlicher Begeisterung geschrieben. Die Oper, ursprünglich in zwei Akte geteilt und mit dem üblichen Dialog versehen, wurde später für England umgearbeitet, erhielt drei Akte und Rezitative; es fehlt wohl die einheitliche dramatische Gestaltung, doch nicht die Charakteristik der einzelnen Personen. Eine kraftvolle Ouvertüre mit echt Spohrschen Motiven leitet die Oper ein. Gerühmt werden vorzugsweise die Hexenszene, die großen Arien Fausts und Mephistos.

Zemire und Azor.

Ganz anders geartet ist die 1818 für Frankfurt komponierte Oper Zemire und Azor. Die Handlung ist einem französischen Märchen, *„La belle et la bête"* entnommen und von Ihlée zu einem Operntext bearbeitet worden. Die Musik strebt das Gefällig-Melodiöse an und verrät den Einfluß Rossinis. Der Gesang ermangelt daher auch nicht des Aufputzes von Koloraturen. Die Oper, obwohl seinerzeit sehr beliebt, hatte keine lange Lebensdauer, nur ein Lied daraus „Rose, wie bist du lieblich und mild" wird noch heute gern gehört.

Jessonda.

Spohrs Meisteroper ist Jessonda. Ein indischer Stoff, in dessen Mittelpunkt eine Witwenverbrennung, umrankt von Liebesbeziehungen steht, bildet die Handlung. Der Text ist von Ed. Gehe verfaßt. Die Musik ist von der edlen Schwärmerei der Romantik erfüllt und spiegelt die Eigenart des Tonsetzers in ihren weichen, ausdrucksvollen Zügen treu wieder. Blühende melodische Erfindung, interessante Harmonik und hochdramatische Züge zeichnen das Werk vor vielen anderen aus, doch kann es trotz der musikalischen Schönheiten, wegen der durchgängig elegischen Stimmung einer gewissen Monotonie nicht entgehen.

Meisterhaft sind die Ouvertüre und die Introduktion mit Chor, klassisch die Todesankündigung Nadoris am Schlusse des ersten Akts, wild der Portugiesenchor im zweiten, schaurig die Gewitterszene des dritten Akts. Weitere Glanzstücke der Oper sind das „Blumenduett" und das warm pulsierende Duett zwischen Amazili und Nadori „Schönes Mädchen, du wirst mich hassen", dessen Beliebtheit auch im Konzert und Haus beispiellos war. — Die Oper, zuerst in Kassel 1823 gegeben, hatte sich der größten Verbreitung zu erfreuen und ist auch heute noch nicht ganz vom Repertoire verschwunden.

Die Oratorien.

Von den vier Oratorien Spohrs ist das erste, „Das jüngste Gericht", 1812 für Erfurt geschrieben, verschollen. Das zweite,

„Die letzten Dinge."

„Die letzten Dinge", Text von Rochlitz, 1826 zuerst in Kassel aufgeführt, ist reifer und weihevoll in der Stimmung, besonders in den Chorsätzen. Am bedeutendsten ist das Passionsoratorium „Des

„Des Heilands letzte Stunden."

Heilands letzte Stunden" (in England *„Calvary"* genannt), welches zuerst in Kassel 1835, dann bei dem Musikfest in Norwich 1839 aufgeführt wurde. Der Textverfasser ist ebenfalls Rochlitz. Die Komposition enthält zart empfundene und auch tiefergreifende Sätze. Gerühmt werden: die Chöre der „Freunde Jesu", die Ariosi der Maria, die Rezitative des Johannes, der vierstimmige Canon „In seiner Todesnot", das Oktett „Wir sinken in den Staub", die Schilderung des Erdbebens. — „Der Fall

„Der Fall Babylons."

Babylons", Spohrs letztes Oratorium, fällt schon fast ganz aus dem Charakter dieser Kunstgattung und enthält viel Äußerliches. Es kommen zwar auch fugierte Chöre vor, doch neben ihnen Instrumentalstücke, wie Polonaisen, Märsche. Der englische Originaltext ist von Taylor. Aufgeführt wurde das Werk 1841 in Kassel, 1842 in Norwich, dann 1843 unter der Leitung des Komponisten in London.

Man kann einzelnen Teilen der Spohrschen Oratorien Anerkennung, ja Bewunderung nicht versagen, ohne im allgemeinen die Musik als dem Oratorienstil entsprechend zu finden; sie verharrt zu sehr in elegisch weichen Stimmungen und entfernt sich oft von dem kirchlichen Charakter. Von der Kraft und Objektivität der Händelschen Oratorien sind sie weit entfernt, auch in vieler Hinsicht von Mendelssohns „Paulus" und „Elias" übertroffen.

— Noch muß die geistliche Kantate das „Vater unser" als eines der geschätztesten Werke Spohrs erwähnt werden. **Das „Vater unser".**

Spohr war ein ernster, gediegener, doch kein gelehrter Tonsetzer. Sein Kontrapunkt hat nicht die Sicherheit und Leichtigkeit anderer großer Meister. Die Fugen erscheinen meist trocken. Seine eminent musikalische Natur, sein angeborener Formsinn bieten jedoch reichlichen Ersatz. Die Harmonie, wie die Stimmführung sind tadellos korrekt, die thematische Arbeit meisterlich. Eine große und vielseitige Gestaltungskraft war ihm eigen, welche ihn befähigte, in den verschiedensten Kunstgattungen sich gewandt zu bewegen. Seinem großen Vorbild Mozart getreu, waren seine Formen stets rein und regelmäßig. **Allgemeines.**

Spohrs Erfindung ist edel, aber nicht frei und mannigfaltig genug. Obwohl es ihm stellenweise nicht an Kraft und Energie fehlt, so ist doch das Elegische vorherrschend. Merkwürdig genug: Wenn Spohr einmal naiv oder gar lustig sein will, gerät er in das Banale und dann taucht stets die unvermeidliche Polonaise auf. Am bedeutendsten erscheint er in den langsamen Sätzen, das Gesangvolle war sein eigenstes Gebiet, sowohl als Violinspieler wie auch als Komponist. **Erfindung.**

Chromatik ist das Wahrzeichen Spohrscher Musik. Melodie und Mittelstimmen bewegen sich am liebsten in den engsten Tonintervallen. Enharmonische Übergänge schließen den Kreis noch enger zusammen. Diese Spohrsche Stileigentümlichkeit mit ihrem besonderen Reiz hat ihre Anziehungskraft auch auf so manche der folgenden Tonsetzer geübt; wir begegnen ihr in den Meisterwerken Richard Wagners, insbesondere im „Tristan", ihre Reflexe blitzen auch noch bei den modernen nordländischen Komponisten auf. **Chromatik und Enharmonik.**

Wenn auch Spohr im wesentlichen auf Mozartschem Boden steht, so kann man ihn in mancher Hinsicht auch als Romantiker betrachten. Die Formen sind die althewährten klassischen, die subjektiv schwärmerische Empfindung romantisch. **Romantik.**

Als Violin-
spieler.

Der Romantik gehört auch die darstellende und malerische Tendenz seiner letzten, wenig gelungenen, Symphonien an. Spohr war einer der ersten Violinspieler seiner Zeit, der bedeutendste in Deutschland. Von der französischen Schule Viotti-Rode ausgegangen, schuf er sich bald seinen eigenen Stil. Eine solide Technik, fernab von jeder Charlatanerie, großer Ton, Sicherheit in Doppelgriffen, Weitgriffigkeit, ein glänzendes Stakkato zeichneten ihn aus. Am meisten gerühmt wird aber sein gesangvoller Vortrag im Adagio. Methode und Stil haben sich durch seine zahlreichen Schüler fortgepflanzt, von denen wir nur nennen: St. Lubin, Ferdinand David, Kömpel, Bott, Bargheer, Moritz Hauptmann.

Als Dirigent. Hervorragend war Spohr auch als Dirigent. In der Oper wie im Konzert zeigte er sich stets auf der Höhe seiner Aufgabe. Beim Einstudieren neuer Werke setzte er alle seine Kräfte für das Gelingen ein. Welches Ansehen er als Dirigent genoß, wird durch seine häufige Berufung zum Leiter von Musikfesten bewiesen, wo er große Massen mit Sicherheit beherrschte.

Spohr-gemeinde. Spohrs Werke, vielfach veraltet, werden heute zum Teil mit Unrecht vernachlässigt. Einst hatte Spohr eine zahlreiche Gemeinde von Anhängern um sich versammelt; sie ist seither sehr zusammengeschmolzen, doch bleibt sie ihm treu.

Loewe. Obwohl die Lebenszeit Carl Loewes die Grenze unserer Epoche weit überschreitet, ist doch der Höhepunkt seines Schaffens schon um 1830 und in dem anschließenden Dezennium erreicht. Zudem deutet Loewe als Balladen- und Liederkomponist auf Zumsteeg und Schubert zurück und ist aus dem Zusammenhange mit diesen nicht zu lösen.

Ballade. So vielseitig Loewe als Komponist war, so ist er doch nur als Meister der Ballade auf die Nachwelt gekommen. Tiefe und echte Empfindung, romantische Stimmungen, innige Herzenstöne, dramatische Züge, aber auch Naives und Schalkhaftes finden wechselnd Ausdruck in diesen Gesängen, welche überdies meist einer wertvollen Poesie zugesellt sind.

Das Leben Loewes ist das eines aufrechten, ideal gesinnten, echt deutschen Mannes.

Leben. Geb. 30. Nov. 1796. In dem kleinen Orte Löbejun, zwischen Halle und Köthen gelegen, wurde am 30. November 1796 Johann Gottfried Carl Loewe als das zwölfte Kind der Eheleute Andreas und Maria Loewe geboren. Die Abstammung des Vaters aus einer Pastorenfamilie erklärt die vorherrschend religiös-kirchliche Erziehung des Kindes. Wißbegierde und musikalische Begabung zeichneten schon den Knaben aus. Schule und Kirche nährten diese Anlagen. Der

Vater, welcher Kantor der dortigen Kirche war, hielt ihn zum
Singen im Chor an und unterrichtete ihn auch im Klavier. Die
„60 Handstücke" von Türk und ein diekes Choralbuch bildeten
seine erste musikalische Nahrung. Mit zehn Jahren kam er nach
Köthen, wo er als Sopranist in einen Chorverein, mit freier Ver-   Köthen.
pflegung, Schule und Gesangsunterricht, aufgenommen wurde. Nicht
lange behagte es ihm dort; bald darauf wurde er von dem Vater
in der Frankeschen Stiftung in Halle untergebracht. Der zehn-   Halle,
jährige Aufenthalt in Halle war entscheidend für seine Entwicklung
und Zukunft. Die alte Universitätsstadt war auch in der Musikpflege nicht ohne Bedeutung. Es gab hier einen Chor- und einen
Orchesterverein, zuweilen Opernvorstellungen der Weimarer Theatergesellschaft; hier wirkte Daniel Gottlob Türk als Lehrer, Organist   Türk.
und Dirigent, A. B. Marx, damals Assessor in Halle, leitete einen
Chorverein für alte Musik. Der mehrjährige Unterricht bei Türk
förderte Loewe in der Musiktheorie, dem Orgel- und Klavierspiel.
Mit 17 Jahren wandte sich Loewe den wissenschaftlichen Studien
zu, absolvierte das Gymnasium und hörte dann Theologie an der   Gymnasium
Universität. Er vernachlässigte dabei nicht seine musikalische Fort-   u. Universität.
bildung, lernte die Werke der großen Meister kennen, pflegte den
Gesang und nahm an Chorübungen teil. Loewe, der eine schöne
Tenorstimme besaß, fing schon damals an, seine eigenen Lieder in
gesellschaftlichen Kreisen vorzutragen. Durch seine Kunst und sein
sympathisches Wesen war der blonde Jüngling überall wohlgelitten.
In dem Hause des Professors Jacob fand er in der Tochter
Julie sein weibliches Ideal und wußte es zu gewinnen. Der Verlobung folgte erst zwei Jahre später, im Jahre 1821, die Heirat.   Heirat.
  Entscheidend für Loewes Zukunft war seine Berufung nach
Stettin, welche 1820 erfolgte. 46 Jahre seines Lebens brachte er   Stettin 1820.
in dieser Stadt zu. Hier begründete er seinen Hausstand, wirkte in
seinem Berufe und schuf unermüdlich in seiner Kunst. Loewes
amtliche Funktionen waren von Anfang an mehrfache, als Musik-   Wirksamkeit.
direktor am königl. Seminar, als Organist der Jakobskirche, endlich
als Lehrer am Gymnasium. Loewe war ein eifriger Pädagoge und
als solcher von seinen Vorgesetzten und Kollegen geschätzt, bei
seinen Schülern beliebt. Der Heranbildung derselben zum kirchlichen Chorgesang widmete er sein Hauptaugenmerk. An hohen
Festtagen leitete er auch die Aufführung in der Kirche. — Loewes
häusliches Glück währte nicht lange; schon nach zwei Jahren der
Ehe starb seine junge Frau, nachdem sie ihm einen Sohn geschenkt. In der trüben Stimmung dieser Zeit entstanden die Balladen
„Geisterleben", „Totenklage", „Der Wirtin Töchterlein" und andere.
Loewes Verkehr in den gelehrten, literarischen und musikalischen   Verkehr.
Kreisen Stettins war ein lebhafter; sein Interesse für die Wissen-
schaften, wie seine eigene produktive Tätigkeit wurden dadurch
mächtig angeregt. Namentlich war der Dichter und Gelehrte Ludwig

Giesebrecht von großem Einfluß auf sein Schaffen. Auch der Freimaurerorden, dem er angehörte, veranlaßte manche musikalische Gaben. Einige Jahre nach dem Tode seiner Frau vermählte *Zweite Ehe.* sich Loewe aufs neue mit Auguste Lange, einer Stettinerin von hervorragenden Eigenschaften des Geistes und Herzens. Es war eine glückliche und harmonische Ehe, welcher vier Töchter entsprossen. Auguste überlebte ihren Mann noch viele Jahre, sie starb erst 1895, 90 Jahre alt, in Stettin.

Der langjährige Aufenthalt Loewes in Stettin wurde durch *Reisen.* oftmalige Reisen unterbrochen, die ebenso seiner Kunst als seiner Welterfahrung zu statten kamen. Zu wiederholten Malen weilte er in Berlin, wo er neben dem ihm wohlgesinnten A. B. Marx neue Freunde gewann, wie Spontini, den jungen Mendelssohn. Selbstverständlich sang er dort häufig seine Balladen, darunter die neuentstandenen „Goldschmieds Töchterlein", „Oluf"; in einem eigenen Konzert führte er seinen „Gang nach dem Eisenhammer" mit Orchesterbegleitung vor und spielte sein Klavierkonzert in A-dur. *Aufführungen.* In Berlin kamen auch seine ersten Oratorien „Die Zerstörung Jerusalems" 1832, „Die Siebenschläfer" 1833 und eine Oper „Die drei Wünsche" 1834 zur Aufführung. Eine Reise, die er im Sommer des nächsten Jahres unternahm, brachte ihn in Leipzig mit Robert Schumann zusammen, der sich lebhaft für ihn interessierte. In Dresden, Leipzig und Bonn veranstaltete Loewe Balladenabende und fand überall Beifall. Einen großen Erfolg feierte er auf dem Musikfest in Mainz mit seinem Vokaloratorium „Die eherne Schlange", welchem bald darauf ein zweites ähnliches Werk „Die Apostel von Philippi" in Jena folgte. Auch 1837 benützte Loewe seine Urlaubszeit zu Streifzügen durch die nord- und mitteldeutschen Städte; er berührte die Universitätsstadt Greifswalde, dann Stralsund, Hamburg, Lübeck, Bremen, entzückte überall durch den Vortrag seiner Balladen, namentlich des „Erlkönig", des „Schatzgräber", des düsteren „Edward". Dann wandte er sich nach Münster, Düsseldorf, Mainz. In letzterer Stadt wurde am 14. August 1837 zur Enthüllung des Gutenberg-Denkmals sein neues Oratorium „Gutenberg" mit großer Wirkung aufgeführt. Sehr sympathisch wurde Loewe 1839 in Breslau aufgenommen, wo damals ein reges musikalisches Leben herrschte. Noch besser erging es ihm *Wien 1844.* in Wien bei seinem Aufenthalt im Jahre 1844. Mit dem Vortrage seiner Balladen in kunstsinnigen Kreisen gewann er alle Herzen; man nannte ihn den „norddeutschen Schubert". Loewe war entzückt von der Liebenswürdigkeit der Wiener, wie er in fast allen musikalischen Größen seiner Heimat, welche Wien kennen gelernt, wie in Schumann bis auf Brahms, regte sich auch in ihm *Andere Reisen.* der Wunsch, in Wien bleiben zu können. Andere Reisen führten ihn nach Hannover, nach Thüringen, nach der Weltstadt London zu einem flüchtigen Aufenthalt, um dort sich vor dem Hofe hören zu lassen. Einen sehr interessanten Ausflug nach Norwegen mit seinen großartigen Naturschönheiten unternahm Loewe 1851 in Gesellschaft des Stettiner Stadtrats Moritz. Endlich besuchte er 1857 seine älteste Tochter Julie, welche an den Kapitän Bothwell verheiratet war, in Havre und hielt sich auf der Hinreise drei Tage in Paris auf. Sein Stettiner Leben bewegte sich während der ganzen Zeit in gewohntem Geleise. Zu seinen bisherigen Berufszweigen übernahm er noch 1850 die Kantorstelle und gründete einen neuen Gesangverein in großem Stil. Bis in seine letzte Lebenszeit war er unermüdlich im Komponieren. Am *Letzte Lebenszeit.* 23. Februar 1864 erlitt Loewe einen Schlaganfall, der ihn wochenlang auf dem Krankenlager festhielt. Nur langsam erholte er sich, *Krankheit.* doch mußte er auf seine Tätigkeit verzichten. Im Frühjahr 1866 übersiedelte er mit den Seinen nach Kiel, wo seine Tochter Julie *Kiel.* lebte. Dort ereilte ihn nach einem neuerlichen Schlaganfall am *Tod* 20. April 1869 der Tod. Er wurde in Kiel begraben, sein Herz *20. April 1869.* aber in der Jakobskirche zu Stettin beigesetzt.

Denkmäler Loewes erheben sich in seinem Geburtsort Löbejun, in Kiel und Stettin. Gelungene Porträts Loewes schufen Most, Hildebrandt und Grün.

Loewe war mittelgroß, kräftig gebaut, mit einem glattrasierten Napoleon- *Persönlichkeit* kopf, aber weichen Gesichtszügen. Auch die Ähnlichkeit mit Spohr wurde bemerkt. Er besaß volles, mähnenartig abfallendes, dunkelblondes Haar. Loewe war ein lauterer Charakter, ein zärtlicher Familienvater, liebevoll gegen seine Schüler, für Freundschaft sehr empfänglich. Wie alle gut gearteten Menschen, war er ein großer Naturfreund; das Meer zog ihn mächtig an, gern durchstreifte er Wald und Feld und lauschte dabei aufmerksam auf die Vogelstimmen. Auch den Leibesübungen war er zugetan, er war ein guter Fechter, ein ausgezeichneter Schwimmer.

Durch Erziehung und innere Anlage religiös, war Loewe doch kein *Religiosität* Pietist, was sich auch schwer mit seiner Eigenschaft als Freimaurer vereinen *u. Patriotismus.* ließe. Einen großen Reiz übte auf ihn die Feierlichkeit und Pracht des katholischen Gottesdienstes, welcher seiner schwärmerischen Phantasie mehr zusagte, als die nüchternen Formen seiner eigenen Kirche. Neben der Religiosität bildet der deutsche Patriotismus, verbunden mit streng monarchischer Gesinnung einen Hauptzug in Loewes Charakterbild. Er war durch und durch Preuße und diente auch mit seiner Kunst aus vollem Herzen seinem angestammten König, Friedrich Wilhelm IV. war sein Gönner. Loewe war der „Hohenzollern-Komponist".

Nicht leicht wird man unter den neueren Tonmeistern einen nennen *Wissenschaft* können, der sich mit solchem Interesse wissenschaftlichen Dingen widmete, wie Loewe. Geschichte, alte Sprachen, Mathematik, Astronomie zog er in den Kreis seiner Studien. Akustische Untersuchungen bildeten eine seiner Lieblingsbeschäftigungen, wobei ihn sein außergewöhnlich feines Gehör unterstützte.

In seinem musikalischen Urteil war Loewe voll Verehrung für die *Urteil.* Alten und anerkennend für das ihm wertvoll erscheinende Neuere. Beethoven kannte und bewunderte er auch in dessen letzten Werken, das Schaffen Schuberts ward ihm erst allmählich erschlossen, mit Weber verband ihn ebenso künstlerische Sympathie als persönliche Freundschaft, Spohrs Werke pflegte er eifrig in Stettin, dagegen gestaltete sich das Verhältnis zu Mendelssohn unfreundlich. Den neueren Meistern, Schumann, Liszt, Wagner stand Loewe fern.

Werke.
Übersicht.

Die Liste der Werke Loewes umfaßt in 145 Opus-Zahlen: Mehr als 100 Balladen, über 200 andere Lieder und Gesänge mit Klavierbegleitung, einige Duette, gegen 30 Männer- und gemischte Chöre, 9 Oratorien, 1 Te Deum, 3 Psalmen, 1 Kantate, 1 Singspiel; ferner von Instrumentalmusik: 3 Streichquartette, 1 „geistliches" Quartett, „Schottische Bilder" für Klarinette mit Klavier, 1 Klaviertrio, 1 Duo zu vier Händen, 4 Klaviersonaten, 7 andere Klavierwerke. Dazu kommen eine Anzahl von Werken ohne Opuszahlen (Lieder und mehrstimmige Gesänge), endlich viele handschriftliche Kompositionen (in der k. Bibl. in Berlin), von denen ein Teil in neuester Zeit veröffentlicht wurde, so daß die obigen Zahlen sich ansehnlich vermehren.

Runze.

Eine Gesamtausgabe der Werke Loewes ist noch nicht unternommen worden. Dagegen ist eine große Ausgabe sämtlicher Balladen, Legenden, Lieder und Gesänge von dem höchst verdienstvollen Loewe-Forscher Dr. Max Runze, bis jetzt 17 Bände umfassend, bei Breitkopf & Härtel erschienen. Jeder Band ist überdies mit einer längeren Einleitung, welche neben einem Motivenbericht auch interessante geschichtliche Details in sich schließt, versehen.

Außerdem sind Loewes Balladen und Lieder in reicher Auswahl in den Ausgaben bei Breitkopf & Härtel, Peters, Univ. Ed. usw. erschienen.

Balladen.

Die musikalische Ballade hat Loewe von Zumsteeg überkommen, gestaltete sie aber zu einer bedeutenden und charakteristischen Kunstform aus. Die Ballade vereinigt den erzählenden Stoff mit dem lyrischen und dramatischen Element zu einem einheitlich geschlossenen Kunstganzen. Loewe war es gegeben in naiver, ungesuchter Treffsicherheit die Dichtung in Tönen vor uns

Dichtungen.

aufleben zu lassen. Die Wahl seiner Dichtungen bekundet tiefe Einsicht und Geschmack; er griff nach dem Besten. Herder, Goethe, Uhland standen ihm am nächsten; wir begegnen weiter Matthison, Schiller, Novalis, Byron, Heine, Rückert, Platen, Alexis, Tieck, Gerstenberg, Zedlitz, Giesebrecht, Mickiewicz und vielen anderen. Loewe holte gern seine Dichtungen aus der nationalen, besonders der nordischen ernst-düsteren Stoffwelt, er begeisterte sich auch an solchen historischen, vorzüglich deutsch-patriotischen Inhalts; hie und da taucht auch vorübergehend das bürgerlich Genrehafte auf.

Bau.

Der Bau der Loeweschen Balladen ist vorherrschend strophenmäßig. Der musikalische Inhalt gruppiert sich um wenige Themen oder Leitmotive edlen und charakteristischen Ausdrucks, ausgeführten Melodien begegnet man selten, und dann etwas italienisierend oder gar banal. Dem Gesang steht die Klavierbegleitung als gleichberechtigter Faktor zur Seite, sie tritt zuweilen sogar in den Vordergrund. Die prägnanten Motive, getragen von einer kräftigen, oft ergreifenden Harmonie, belebt durch mannigfaltiges Figurenspiel, vereinigen sich mit diesen zu einer Gesamtwirkung unvergleichlicher Eigenart und zu naturwahren Stimmungsbildern. Daß die konse-

quente Festhaltung der Hauptmotive (in mancher Ballade ist es nur
ein einziges) auch die Gefahr der Monotonie in sich birgt, daß ferner
die Klavierbegleitung hie und da altmodisch oder naturalistisch erscheint, darf nicht verschwiegen werden.

Die Blütezeit Loewes als Balladenkomponist beginnt schon
mit 1818 („Edward", „Erlkönig"), setzt sich bis tief in die Dreißigerjahre („Herr Oluf" 1821, „Der Wirtin Töchterlein" 1824, „Belsazar"
1825, „Die Braut von Korinth" 1830, „Der Pilgrim von St. Just"
1832, „Harald" 1835, „Heinrich der Vogler" 1836, „Fredericus Rex",
„Die Glocken zu Speier" 1837, nebst vielen anderen) fort, doch
bringt seine mittlere und letztere Zeit noch Meisterballaden in Fülle
(„Prinz Eugen", „Der Mohrenfürst", „Der Graf von Habsburg",
„Die Reigerbeize", „Hueska", „Blumenballade", „Der Mönch von
Pisa", „Der Papagei", „Die verfallene Mühle", „Der Mummelsee"
sämtlich 1840—1850, „Archibald Douglas" 1857, „Thomas der Reimer"
1860). *(Blütezeit.)*

Wir müssen darauf verzichten, diese Liste zu vervollständigen oder auf
einzelne Balladen näher einzugehen und beschränken uns darauf, noch einige
der vorzüglichsten und bekanntesten derselben in annähernd chronologischer
Ordnung nachzutragen. Es sind: „Wallheide", „Der späte Gast", „Graf Eber-
stein", „Der Gang nach dem Eisenhammer" (mit Soli, Chor und Orchester),
„Der Fischer", „Der Zauberlehrling", „Die Hohenzollern-Balladen", „Die Wal-
purgisnacht" (mit Chor), „Das nußbraune Mädchen", „Hochzeitslied", „Der
Schatzgräber", „Karl der Große und Wittekind", „Der Blumen Rache", „Vom
kleinen Haushalt", die polnischen Balladen, der Zyklus „Der letzte Ritter" von
Grün, „Die Uhr", „Der Nöck". *(Liste.)*

Verhältnismäßig nur wenige der Loeweschen Balladen gelangen zum
öffentlichen Vortrag. Der Grund ist vielleicht in ihrer großen Ausdehnung, in
dem meist düsteren Charakter derselben, wie in den hohen Anforderungen, die
sie an den Sänger stellen, zu suchen. Nur ein Sänger, der Kraft und Ausdauer der Stimme mit tiefem Ausdruck und geistreicher Gestaltungsgabe verbindet, wird sie zur vollen Geltung bringen. Zu den meistgesungenen gehören: „Edward", „Herr Oluf", „Heinrich der Vogler", „Archibald Douglas".

Den Balladen verwandt ist die ebenfalls von Loewe ge-
schaffene Gattung der Legenden; sie ist in einer großen Anzahl *(Legenden.)*
vertreten. Hervorragend sind Goethes „Mahadö" und „Paria", dann
der Zyklus „Gregor von Stein". Zahlreich sind auch die Lieder.
Nicht immer läßt sich eine scharfe Grenzlinie zwischen diesen
Gattungen ziehen.

Form und Stil der Ballade sind es, in welchen Loewe auch
das Oratorium behandelt. Die Zahl der Oratorien, einschließlich *(Oratorien.)*
der unveröffentlichten, beläuft sich auf 15.

Die vollständige Liste lautet: Die Festzeiten (kirchlich), Die Zerstörung Jerusalems (das bedeutendste von Loewes Oratorien), Die Siebenschläfer, Die eherne Schlange, Die Apostel von Philippi (die beiden letzten für
Männerstimmen a capella), Gutenberg, Joh. Huß (beide balladenartig), Palestrina, Der Meister von Avis, Polus von Atella, Das Sühnopfer (Passionsoratorium), Hiob, die letzten Oratorien: Die Heilung des Blindgeborenen 1860,
Johannes der Täufer 1862, Die Auferweckung des Lazarus 1863 (sämtlich nur
mit Orgelbegleitung).

Die Oratorien Loewes sind nur für **Männerstimmen**, zwei darunter a capella geschrieben. Dem echten, großen Oratorienstil entsprechen diese Werke nicht, sie zerfallen meist in kleinere Bilder und Szenen, die zwischen geistlichem und opernhaftem Wesen schwanken. Das Malerische überwiegt, während das innere Leben matter wiedergegeben ist. Einzelne Schönheiten, wie namentlich in den Choralbearbeitungen sind zu rühmen. Loewes Oratorien, von denen zu seiner Zeit „Die Zerstörung Jerusalems", „Die Siebenschläfer" und noch einige andere oft aufgeführt wurden, sind heute fast ganz vergessen.

Klaviermusik. Werfen wir noch einen Blick auf seine **Klaviermusik**. Sie besteht aus einem Trio, einem vierhändigen Stück, 4 Sonaten (E-dur Op. 16, Gr. Sonate élégiaque, Son. brillante, „Zigeunersonate"), der „Abendphantasie", „Alpenphantasie", 4 Phantasien Op. 137, den Tondichtungen „Mazeppa", „Der barmherzige Bruder", „Der Frühling", endlich den „Biblischen Bildern". Die meisten dieser Kompositionen gehören der Frühzeit Loewes an und man kann sie als Vorstudien zu den Klavierbegleitungen seiner Balladen betrachten. Auch ihr inneres Wesen ist der Ballade verwandt, sie lehnen sich an äußere Vorgänge, Dichtungen, Naturbilder, sind im weiteren Sinne Programmusik. Die Form ist eine lose, der Klaviersatz ähnelt etwa dem **Weber**schen. Die „Sonate élégiaque" in F-moll, auch das Trio. würden von **Schumann** gerühmt. Am originellsten ist die „Zigeunersonate". Einen dauernden Platz in der Klavierliteratur haben sich diese Werke nicht errungen.

Sonstige Tätigkeit. Wenn wir über die hier nur flüchtig skizzierte **Produktivität** dieses Meisters billig staunen, so darf darüber seiner sonstigen Tätigkeit als **Sänger, Orgelspieler, Dirigent** und **Lehrer** nicht vergessen werden. Daß er der beste Interpret seiner Balladen war, daß er die Orgel meisterlich behandelte, daß er als Chordirigent Hervorragendes leistete, wird von den Zeitgenossen übereinstimmend berichtet. Wie ernst und gründlich er es mit seiner Lehrtätigkeit nahm, erhellt auch daraus, daß er sich gedrängt fühlte, seinen pädagogischen Grundsätzen schriftlichen Ausdruck zu geben. Er gab eine „theoretische und praktische Gesanglehre für Gymnasien", eine „Klavier- und Generalbaßschule", eine „Methodische Anweisung zum Kirchengesang und Orgelspiel" heraus.

Eine von Loewe verfaßte **Selbstbiographie** wurde von K. H. Bitter 1870 herausgegeben.

Bedeutung. Als Tonsetzer hat Loewe auf die Zukunft der deutschen Kunst nicht jenen Einfluß geübt wie **Weber** oder **Spohr**, er ward aber der Schöpfer einer neuen Kunstgattung und blieb ihr bedeutendster Vertreter — der „**Meister der Ballade**"!

VIII

Kirchenmusik. – Oper.   Instrumentalmusik.

Nachlese.   Vorschau.

Was auf diesen Gebieten neben dem Schaffen der großen Meister dieser Epoche geleistet wurde, soll den Gegenstand der folgenden N a c h l e s e bilden und daran eine V o r s c h a u für die anschließende Zeit geknüpft werden.

Die K i r c h e n m u s i k dieser Epoche folgt im allgemeinen dem Kirchenmusik Stil der Zeit. Das melodische Element wird das vorherrschende, die Allgemeines. Harmonie wird beweglicher, der Anteil der Instrumentalmusik ein reicherer. Die Polyphonie, obwohl zurückgedrängt, ist nicht ausgeschlossen, an ihrem Orte darf auch die Fuge nicht fehlen. Der Ausdruck wird subjektiver, weicher, gefühlvoll, zuweilen auch dramatisch bewegt. Stellenweise taucht eine weihevolle Stimmung auf, verschwindet aber unter vielen gefälligen, auch gefallsüchtigen Zügen oder unter äußerlichem Pomp. Die Verweltlichung der Kirchenmusik, von Italien ausgegangen, breitet sich auch über Deutschland aus. Opernhafte und konzertmäßige Arien nehmen überhand. Die große Masse der produzierten Kirchenmusik, der Messen, Requiems, anderer Kirchenstücke ist wenig gehaltvoll und schablonenhaft. Um so mehr muß der besseren Ausnahmen ehrenvoll gedacht werden.

Beherrscht wird der Kirchenstil dieser Epoche durch H a s s e, N a u m a n n, H a y d n, M o z a r t. Einzelne Erscheinungen stehen außerhalb ihrer Einflußsphäre; wir haben sie im Laufe der vorangegangenen Darstellung kennen gelernt. Auch darf eine Strömung nicht unbeachtet bleiben, welche das Zurückgehen der Kirchenmusik auf den A capella-Stil der alten Meister anstrebte, eine Richtung, deren Anhänger später sich „Cäcilianer" nannten.

Eine zusammengefaßte, klare und motivierte Darstellung der geschicht- Hermann lichen Entwicklung der K i r c h e n m u s i k in ihren verschiedenen Gattungen, Kretzschmar. an welche sich eine Galerie ihrer Meister und die beschreibende Analyse und Charakteristik vieler einzelner Werke schließt, verdanken wir dem vortrefflichen „Führer durch den Konzertsaal" von Hermann K r e t z s c h m a r, dessen sicherer Führung, selbständigem Urteil und anregendem Vortrag wir uns gern anvertrauen.

22*

Als eigentliche Kirchenmusik kommt nur die katholische in Betracht, während die protestantische, soweit sie zum Gottesdienst gehört, sich auf den Choral- und Psalmengesang zurückgezogen hat.

Italiener. Von den in diese Epoche fallenden Italienern, welche ihre Messen ebenso zahlreich und leicht produzierten als ihre Opern, ist vielleicht Salieri der gediegenste (S. 46). Auch der Deutsch-italiener Naumann erhebt sich über das Niveau der italienischen Schablone (S. 49). Den Italienern verwandt ist die Kirchenmusik Peter von Winters (S. 80), von dem zahllose Kirchenwerke herrühren, und Jos. Weigls, der Messen und Oratorien schrieb.

Einer der besten Kirchenkomponisten der zweiten Hälfte des 18. Jahrhunderts ist der Bruder Joseph Haydns, der Salzburger

Mich. Haydn. Michael Haydn.

Michael Haydn, geb. 1737 in Rohrau, gest. 1806 in Salzburg, war 1745—1755 im Wiener Kapellhause (S. 11), wo er im Orgelspiel und im Tonsatz große Begabung und Fleiß bekundete. Schon 1754 schrieb er seine ersten Messen, 1757 erhielt er eine Anstellung als Kapellmeister des Bischofs von Großwardein, die er 1762 mit einer solchen beim Erzbischof von Salzburg vertauschte. Er wirkte daselbst gleichzeitig mit Leopold Mozart und sein Einfluß auf dessen Sohn Wolfgang ist zweifellos. Nach 44jähriger Tätigkeit, in seiner letzteren Zeit als Organist der Stiftskirche St. Peter, beschloß er sein Leben in Salzburg.

Sein Kirchenstil ist edel, würdevoll und schließt sich den guten alten Meistern an. Von seinen Kirchenwerken sind 24 lateinische und 4 deutsche Messen, 2 Requiems (davon eines unvollendet), unzählige Meßeinlagen und anderes Kirchliche anzuführen. Berühmt ist die Motette a capella „Tenebrae factae sunt". Mich. Haydn war aber auch Instrumentalkomponist und als solcher nicht ganz unbedeutend. In seiner C-dur-Symphonie läßt sich die Ähnlichkeit mit Mozarts „Jupitersymphonie" nicht verkennen. Nebst Symphonien schrieb er auch Kammermusik.

Sämtliche Werke von Mich. Haydn blieben Manuskript mit Ausnahme von drei Symphonien, welche als Op. I 1793 in Wien erschienen. In Neuausgaben liegen vor: In den Denkmälern der Tonkunst in Österreich, 14. Jahrg. 1907, zwei Symphonien in C und Es, eine andere C-dur-Symphonie, herausgegeben von Otto Schmid, eine Auswahl von Passionsgesängen, endlich ein Album für Pianoforte mit kurzen Transkriptionen (darunter das Finale der C-dur-Symphonie, ein Menuett aus einem Streichquintett) und einer Partie Klaviervariationen.

Zu den ernsten Kirchenkomponisten gehört auch der Berliner

C. F. Fasch. Carl Friedr. Christian Fasch (1736—1800), Sohn von Joh. Friedr. Fasch (S. 3). Er war gleichzeitig mit Em. Bach Cembalist im Dienste Friedrichs II., machte sich als Begründer der Berliner Singakademie verdient und wandte sich in seiner späteren Zeit der Kirchenkomposition zu, in welcher er sich der alten kontrapunktischen Schule anschloß. Angeregt durch die 16stimmige Messe Benevolis (II, 40), schrieb er 1783 ein ähnliches Messenwerk von großer Künstlichkeit. Eine Auswahl seiner hinterlassenen

Kirchenwerke wurde 1839 herausgegeben. Zelter, der Nachfolger von Fasch in der Leitung der Singakademie, veröffentlichte 1801 eine Lebensgeschichte desselben.

Von den Wiener Kirchenkomponisten sind zu erwähnen: Abt Maximilian Stadler (1748—1833), 1786 Abt in Lilienfeld, von dem Messen, Requiems, Psalmen veröffentlicht wurden. Er ist auch als Verteidiger der vollständigen Echtheit des Mozartschen Requiems hervorgetreten; Josef Preindl (1756 bis 1823), Schüler von Albrechtsberger, Kapellmeister bei St. Stephan, ein fruchtbarerKirchenkomponist (bemerkenswert sind seine deutschen Messen), machte sich aber auch durch Klavierwerke bekannt, verfaßte ferner eine Gesanglehre und eine Generalbaß- und Kontrapunktschule (letztere nach seinem Tode von Seyfried herausgegeben); Jos. Eybler (1764—1846), ebenfalls ein Schüler Albrechtsbergers, mit Mozart befreundet, wird als Kirchenkomponist noch heute geschätzt. Mehrere seiner Messen und ein Requiem sind gedruckt worden. Eybler bekleidete mehrere kirchliche Stellungen in Wien, war Musiklehrer in der kaiserlichen Familie und brachte es nach Salieris Tod zum Hofkapellmeister; Jos. Weigl, den wir nur als Komponisten der „Schweizerfamilie" genannt haben (S. 80), ist auch hier anzureihen.

Weigl, geb. 1766 in Eisenstadt als Sohn des Esterhazyschen Cellisten gleichen Namens, studierte bei Albrechtsberger und Salieri, fing frühzeitig an Opern zu schreiben. Von 1790 angefangen wirkte er in verschiedenen Stellungen an der Hofoper und 1827 erfolgte seine Ernennung zum zweiten Hofkapellmeister. Hatte er bis dahin nur eine Reihe von italienischen und deutschen Opern (außer der „Schweizerfamilie", „Das Waisenhaus", „Nachtigall und Rabe", „Der Bergsturz") geschrieben, so wandte er sich nun der Kirchenmusik zu, komponierte Messen, Gradualien, Offertorien; von seinen zwei Oratorien wurde die schon 1804, dann wiederholt aufgeführte „Passione di Gesù Cristo" sehr geschätzt. Weigl starb 1846 in Wien.

Zu erwähnen ist auch Joh. Gänsbacher (1778—1844), Tiroler von Geburt, als Mitschüler C. M. von Webers und Meyerbeers bei Abbé Vogler schon genannt; er ward der Nachfolger Preindls als Kapellmeister der Stephanskirche, schrieb als solcher zahlreiche Messen, Requiems und andere Kirchenstücke, versuchte sich aber auch in anderen Kompositionsgattungen.

J. N. Hummel, den Klavierkomponisten, darf man im Anschluß an die Wiener auch in seinen Messen, welche gefällig, dabei nicht ohne tieferen Gehalt sind, nicht vergessen.

Die Kompositionen der genannten Meister kann man noch oft in den Wiener Kirchen hören, deren Kapellmeister die Tradition und die Pietät gegen die heimischen Tonsetzer bewahren.

Eine Gruppe böhmischer Kirchenkomponisten zeichnet sich durch Ernst und gediegene Arbeit aus. Unter ihnen muß hier auf Franz Tuma (1704—1774) zurückgewiesen werden, dessen Messen und andere Kirchenstücke als bedeutend gerühmt werden; auch Instrumentalwerke schrieb er. (Eine Auswahl seiner Kompo-

(Marginal notes:) Stadler. Preindl. Eybler. Weigl. Gänsbacher. Hummel. Tuma.

sitionen gab Otto **Schmid** in neuester Zeit heraus.) Von den Späteren dürfen Joh. **Wittasek** (1771—1839), Domkapellmeister in Prag, und W. J. **Tomaschek** (1774—1850), ein Komponist von kräftiger Eigenart, zumeist durch seine Klaviermusik bekannt, bedeutender jedoch in seiner Messe und einem großen Requiem, nicht übergangen werden.

Die Bestrebungen zur Wiederbelebung des alten kirchlichen A capella-Stils gingen von Bayern aus. Vorzüglich wirkte in dieser Richtung Kaspar **Ett** (1788—1847), Hoforganist in **München**, durch Aufführung der Meisterwerke des 16. Jahrhunderts, wie auch durch eigene Werke (Messen, Requiems usw.). Später wurde **Regensburg** das Zentrum für die Pflege, Sammlung und Veröffentlichung der alten Kirchenmusik und die Namen Fr. Witt, Karl **Proske**, Franz **Haberl** glänzen als die der tätigsten Förderer dieser Bestrebungen hervor. Ihre Anhänger, die **Cäcilianer**, bleiben treu bei der Fahne, auf welcher die Wiederherstellung des Gregorianischen Gesanges und der A capella-Chormusik als Wahlspruch prangt.

Die **Franzosen** treten als Kirchenkomponisten nicht in demselben Maße wie in der Opernproduktion hervor. Besonders zu erwähnen wäre nur der Zeit- und Amtsgenosse Cherubinis, **Lesueur** (1760—1830), welcher nicht weniger als 33 Messen, nebst Oratorien, Tedeums und andere Kirchenstücke geschrieben, von denen nur wenige veröffentlicht wurden. Lesueur arbeitete auf den äußerlichen Effekt hin; seine Kirchenmusik hat einen dramatischen und koloristischen Zug, oder sie bewegt sich in einer gesuchten Einfachheit, angeblich nach antikem Muster.

Jean François **Lesueur** war 1786 Kapellmeister an **Notre Dame** in Paris und schrieb für diese Kirche große Instrumentalmessen und Motetten, welche durch ihre Originalität Aufsehen erregten. Während der Pariser Schreckenszeit 1793 und 1794 brachte er seine Opern „La Caverne" (S. 64), „Paul et Virginie" und „Télémaque" im Theatre Feydéau zur Aufführung. Bei der Gründung des Konservatoriums 1795 wurde er als einer der Inspektoren angestellt, welchen Posten er 1802 verlor. Die Gunst Napoleons entschädigte ihn durch seine Ernennung zum **Hofkapellmeister** als Nachfolger Paisiellos. Auch während des Königtums stand Lesueur in großem Ansehen als „Surintendant" und Komponist der Hofkapelle und ward Mitglied des „Institut de France". Von den zahlreichen Ehrungen, welche dem alternden Tonmeister zu teil wurden, mag hier nur die Ernennung zum Ehrenmitglied der „Gesellschaft der Musikfreunde" in Wien 1826 erwähnt werden. Lesueur starb im Alter von 74 Jahren in Paris. — Außer den oben angeführten Opern hat Lesueur später noch „Les Bardes" mit großem und „La Mort d'Adam" mit geringem Erfolg auf die Bühne gebracht. Von seinen **kirchlichen** Werken wurden drei „Messes solenelles", drei Te Deums, ein Weihnachtsoratorium und mehrere andere Oratorien veröffentlicht. Außerdem ließ er sich öfters als Schriftsteller in seinen Polemiken und als Verteidiger seiner Prinzipien vernehmen. — Man betrachtet **Lesueur** in seinem eigenartigen, oft befremdenden Stil und seiner beschreibenden Tendenz als den Vorläufer von **Berlioz**.

Die englische „*Cathedral Music*", damals schon im Verfall, Engländer.
fand ihre Sammler in William Boyce 1760 (II, 187) und Samuel
Arnold 1790; sie haben die kirchlichen Werke der englischen
Komponisten des 16.—18. Jahrhunderts der Nachwelt überliefert.
Arnold ist übrigens mit seinem Liederspiel „*The maid of the mill*"
und als Herausgeber der Werke Händels schon genannt worden.

Der Kirchenmusik verwandt ist das geistliche Oratorium. Oratorium.
Auf diesem Gebiete bleibt die Vorherrschaft Händels durch diese Händel.
Epoche bis zur Gegenwart in Kraft. Von England aus wurde
das Händelsche Oratorium in der zweiten Hälfte des 18. Jahrhunderts nach Deutschland verpflanzt, im Norden durch
J. A. Hiller, in Wien durch die Bemühungen van Swietens
und die Bearbeitungen von Mozart. Die Zahl der in dieser Epoche
neuentstandenen Oratorien ist eine sehr große. In der Wiener Neue
und in den süddeutschen Hofkapellen hatte der jeweilige Hof- Oratorien.
kapellmeister zu den Festtagen und namentlich für die Karwoche
Oratorien zu liefern. Die „Witwen- und Waisensozietät" behalf sich
zwar meist mit Haydns „Schöpfung" und „Jahreszeiten", führte
aber auch Oratorien von anderen Komponisten, wie Dittersdorf,
Weigl, Stadler u. a. auf. In allen diesen Werken war der opernhafte Stil des italienischen Oratoriums vorherrschend. Anders in
Norddeutschland. In dem protestantischen Oratorium macht
sich die ernste Auffassung des biblisch-dramatischen Stoffes geltend,
im einzelnen auch der Einfluß Händels. Der Oratorien Spohrs
und Loewes ist schon gedacht worden. In erster Reihe stehen noch
die Namen: Rolle, Homilius, Schicht, Klein, Schneider.

Joh. Heinr. Rolle (1718—1785) war 1746 Organist und seit 1752 Rolle.
städtischer Musikdirektor in Magdeburg. In seinen Oratorien „Der Tod Abels"
1771, „Die Befreiung Jerusalems", „Abraham auf Moria" 1777, „Lazarus"
1779 tritt das dramatische Element in den Vordergrund. Am häufigsten wurde
„Abraham" aufgeführt. In „Lazarus" sind neben dem dramatisch Wirksamen
auch musikalische Schönheiten zu verzeichnen, wie der Chor „Wiedersehen",
die Altarie Marias, der Chor „Preis dem Erwecker". Rolle schrieb auch
Passionskantaten und viele andere Kirchenmusiken, eine Symphonie, Klavierkonzerte und Sonaten.

Gottfried August Homilius (1714—1785), Schüler von Seb. Bach, Homilius.
lebte und wirkte in Dresden als Organist und Kirchenkapellmeister, von
1755 auch als Kantor an der Kreuzschule. Eine große Zahl seiner kirchlichen
Werke, Passionen, Motetten, Kantaten, Choralvorspiele sind handschriftlich erhalten (in der k. Bibl. in Berlin). Gedruckt wurden von ihm ein Weihnachtsoratorium „Die Frende der Hirten" 1777 und eine Passionskantate.

Joh. Gottfried Schicht (1753—1823) wirkte in Leipzig, betätigte sich Schicht.
bei den neuentstehenden Gewandhauskonzerten als Begleiter, dann als Dirigent
und war von 1810 an Kantor an der Thomasschule. Sein Passionsoratorium
„Das Ende des Gerechten", ein bedeutendes Werk von dramatischer Gestaltung
1806 zum erstenmal aufgeführt, war sehr geschätzt. Denselben Text (von
Rochlitz) hat Spohr zu seinem Oratorium „Des Heilands letzte Stunden" benützt. Andere Oratorien von ihm sind „Die Feier der Christen auf Golgatha"
„Moses auf Sinai". Berühmt war Schicht als Motettenkomponist, besonders in seinen großen Psalmen- und Choralmotetten, von denen einige

volkstümlich wurden. Von seinen drei Te Deums ist das letzte vom Jahre 1822 für Männerchor geschrieben. In allen diesen Werken zeigt sich Schicht als eine tiefere und selbständige Natur. Ein hervorragendes Werk ist seine große Sammlung von Choralmelodien, 1819 erschienen. Auch als Theoretiker ist Schicht mit seinen „Grundregeln der Harmonie" hervorgetreten. Endlich ist der vielseitige Mann als Herausgeber von sechs Motetten Seb. Bachs und der Klavierschulen von Pleyel und Clementi, dann noch als Übersetzer der Gesangschule von Pellegrini zu erwähnen.

Die bekanntesten der Oratorienkomponisten dieser Gruppe sind Klein und Schneider.

Klein.

Bernhard Klein (1793—1832) gehört in seiner ersten Lebenshälfte Köln, in seiner zweiten Berlin an. Einige Zeit brachte er in Paris zu, um am Konservatorium zu studieren. Dann wirkte er in Köln als Musikdirektor am Dom, bis er 1818 nach Berlin berufen ward, wo er als Lehrer an der Universität und an dem kön. Institut für Kirchenmusik angestellt wurde. Klein war hervorragend als Kirchenkomponist, speziell bemerkenswert durch seine Werke für Männerchor, Messen, Psalmen, Motetten, Te Deums. Am bedeutendsten ist er in seinen Oratorien „Hiob", „Jephta", „David". Das erstere, 1820 komponiert, wird als das gelungenste Werk Kleins bezeichnet. In seinen Oratorien herrscht Ausdruck und Stimmung bei geringer dramatischer Bewegung. Auch Klein war vielseitig, schrieb Opern, Lieder und Balladen (u. a. auch einen „Erlkönig"), Klaviersonaten (eine zu vier Händen).

Schneider.

Mehr äußeren Erfolg mit seinen Oratorien hatte Schneider; sein „Weltgericht" machte ihn berühmt. Friedrich Schneider (1786—1853) bezog 1798 das Gymnasium in Zittau, 1805 die Universität Leipzig, wirkte in dieser Stadt als Organist und Theaterkapellmeister und wurde 1821 als Hofkapellmeister nach Dessau berufen, wo er seine Haupttätigkeit entfaltete. Seine Stellung in der Musikwelt läßt sich nur mit jener Spohrs vergleichen; wie dieser bildet er als Lehrer, Dirigent und Tonsetzer eine Autorität für Norddeutschland. In Dessau brachte er den Chorgesang auf eine hohe Stufe, versammelte eine Schar von Schülern um sich, die ihm von allen Seiten zuströmten. Als Dirigent hochgeschätzt, wurde er zur Leitung zahlreicher deutscher Musikfeste berufen. Dort führte er seine Oratorien auf und von dort machten sie ihren Weg in alle Welt. Im ganzen hat Schneider 16 Oratorien komponiert, welche sich auf die Jahre 1810—1838 verteilen, davon sind gedruckt worden: „Die Höllenfahrt des Messias", „Das Weltgericht", „Die Sündflut", „Das verlorene Paradies", „Jesu Geburt", „Christus als Kind", „Pharao", „Gideon", „Absalon", das Passionsoratorium „Gethsemane und Golgatha". Nächst dem erfolgreichsten, „Das Weltgericht", haben „Die Sündflut", „Absalon" und „Gethsemane" die weiteste Verbreitung gefunden. In Schneiders Oratorien herrschen Kraft und dramatisches Leben, starke Kontraste und äußerliche Effekte werden aufgeboten; die musikalische Erfindung dagegen ist nicht bedeutend, am anmutendsten in den Chören. Das Schaffen Schneiders beschränkt sich nicht auf die Oratorien, seine Fruchtbarkeit auch in anderen Gattungen ist erstaunlich. Den Kirchenwerken, namentlich Kantaten, Psalmen, viele nur für Männerstimmen, stehen auch Opern gegenüber. Hunderte von Liedern und Männerchören, welche letztere sich lange in Beliebtheit erhielten, reihen sich an. Zahllos sind seine Instrumentalkompositionen, darunter Symphonien, Ouvertüren und Klavierwerke (Konzerte, Kammermusik, viele Sonaten zu zwei und vier Händen, kleinere Stücke). Schneider fand auch noch Muße zu theoretischen und instruktiven Arbeiten. Ein „Elementarbuch der Harmonie und Tonsetzkunst", eine „Vorschule der Musik", das „Handbuch des Organisten" und Elementarübungen im Pianofortespiel sind die Früchte seines Fleißes.

Stadler.

Anzumerken sind hier noch der schon vorerwähnte Abt Stadler mit dem effektvollen Oratorium „Das befreite Jerusalem", zuerst 1813 in der

Wiener Tonkünstlersozietät, dann wiederholt aufgeführt, ferner des sehr begabten Schülers der beiden Haydn, Sigismund Neukomm (1778—1858), Oratorium „Die Grablegung Christi", dem noch einige englische Oratorien folgten, endlich der mehr in die nächste Epoche reichende Wiener Hofkapellmeister Ignaz Aßmayer (1790—1862) mit den Oratorien „Sauls Tod", „David und Saul", denen sich Messen und andere Kirchenstücke anschließen.

Neukomm.

Aßmayer.

So Achtungswertes und Interessantes diese reiche Oratorienproduktion einschließen mag, ihre innere Bedeutung war nicht stark genug, sie vor dem Veralten zu schützen. Es ist diese Epoche des geistlichen Oratoriums wie ein letztes Aufflackern einer verlöschenden Gattung zu betrachten. Noch einmal leuchtet sie in Mendelssohns „Paulus" auf. Einzelne folgen ihm nach. Doch Händels Ursprünglichkeit und gewaltige Kraft überlebt sie alle. Das geistliche Oratorium macht fortan dem weltlichen, der modernen Kantate Platz.

Niedergang.

Als zu Anfang des 19. Jahrhunderts in dem Wiederaufleben der Werke Seb. Bachs sich der Musikliteratur eine neue Welt erschloß, da ward auch der Kirchenmusik ein reicher Gewinn zu teil. Mehr und mehr erweiterte sich die Kenntnis und vertiefte sich das Verständnis einer unvergleichlichen Kunst, wie sie in Bachs Chorälen, Kirchenkantaten, Passionen, Messen, Oratorien, Motetten und in seiner Orgelmusik zu Tage trat. — Der mächtige Einfluß, den Seb. Bach auf die Entwicklung der gesamten musikalischen Kunst zu üben berufen war, zeigte sich nicht sofort; er zog über diese Epoche hinweg und kam erst in der folgenden zur vollen Geltung. Bachs Vergangenheitskunst ward zu einer Kunst der Gegenwart, der Zukunft.

Seb. Bachs Kirchenwerke.

Die ersten Dezennien des 19. Jahrhunderts bieten einen reichhaltigen Stoff für die Geschichte der Oper. Der Weltoper, wie sie Gluck und Mozart geschaffen, folgt eine neue Epoche der nationalen Oper, der Italiener, Franzosen und Deutschen, an ihrer Spitze Rossini, Auber, Weber. Ihre Werke sind nicht mehr die historischen Versteinerungen, als welche die alte nationale Oper der Gegenwart erscheint, wir begegnen unter ihnen noch manchen wohlbekannten, lebendigen Gebilden. Wenn es richtig ist, daß sich die Lebensdauer einer Oper in der Regel nicht über 30—40 Jahre erstreckt, so fehlt es anderseits nicht an Opernwerken, welche (von Gluck und Mozart abgesehen) diese Lebensfrist überdauerten. Es wären ihrer noch mehr, wenn das Opernpublikum auch mit dem historischen Sinn zu hören verstünde, wenn die Ansprüche an Besetzung und Szenierung nicht so hoch gespannt, wenn die Theater weniger groß wären.

Oper.

Nachdem wir den Führern der nationalen Oper eine ausführliche Darstellung gewidmet, würde es unsere Aufgabe überschreiten, die übrigen Erscheinungen, welche sich auf diesem Gebiete drängen, mehr als übersichtlich zu behandeln.

Allmählich macht sich in der italienischen Oper ein internationaler Einschlag bemerkbar. Die reichere Harmonie und Instrumentation war spezifisch „deutsch", hier waren die deutschen Symphoniker von Einfluß. Die in Paris wirkenden Italiener zogen viel von dem französischen Geschmack an. Französisch war auch die häufigere und ausgedehntere Einführung von Ensembles und Chören, von Piccinni angefangen. Eine merkwürdige Tatsache ist es, daß Mozarts Opern auf dem ihnen so verwandten Boden Italiens nicht heimisch wurden, während doch ihr Einfluß auf die italienischen Komponisten, von Cimarosa an, deutlich zu Tage tritt.

In den Opernstoffen und Libretti ist die Alleinherrschaft Metastasios für die Opera seria und jene Goldonis für die Opera buffa gebrochen, an ihre Stelle tritt der fruchtbare Felice Romani, außerdem erscheinen häufig Entlehnungen von französischen Opernstoffen.

Die erstaunliche Fruchtbarkeit der italienischen Opernkomponisten, sowohl in der Opera seria als in der Buffooper, hält an (S. 45); sie erklärt sich durch den Bedarf an neuen Werken, durch die Flüchtigkeit der Arbeit und die geringen Ansprüche des italienischen Publikums. Zwei bis drei Gesangstücke genügten, um das Glück einer Oper zu machen. Der Erfolg hing aber auch von der Darstellung, von den Launen des Auditoriums, Intrigen und Zufälligkeiten ab. Der Komponist arbeitete auf Bestellung für eine festgesetzte Frist; er führt ein wahres Nomadenleben, verfügt sich persönlich an alle Orte, wo seine Werke verlangt werden, um dort im Einvernehmen mit dem Librettisten und den Sängern zu komponieren, einzustudieren, zu dirigieren. — Bemerkenswert ist es, daß fast alle Opernkomponisten, nachdem ihr Bühnenflor vorüber war, sich der Kirchenmusik zuwenden.

In die Zeit vor Rossini gehören die Opernkomponisten Simon Mayr (1763—1845) und Ferdinand Paër (1771—1839); in ihrer bevorzugten Stellung bilden sie gewissermaßen eine Zwischenregierung, die sich von Cimarosa bis zu Rossini erstreckt. Mayr, der Deutsche, der gleich Hasse zum Italiener wird, Paër, der Italiener, der in Deutschland sein Bestes gibt und in Frankreich heimisch wird.

Simon Mayr ist 1768 bei Ingolstadt in Bayern geboren; der Sohn eines Schullehrers und Organisten, zeigte er schon frühzeitig musikalische Anlagen, kam in das Jesuitengymnasium nach Ingolstadt, studierte dann Theologie und war nebenbei als Organist tätig. 1787 reiste er mit einem vornehmen Gönner nach Italien, nahm durch einige Monate in Bergamo Unterricht in der Musiktheorie bei dem Kirchenkapellmeister Lenzi, dann 1789 bei Bertoni in Venedig. Unter dem Einfluß des Musiklebens in Venedig, seiner Opern- und Kirchenmusik entwickelt sich Mayr zum Tonsetzer. Mit seiner Oper „Saffo" debütierte er 1794 im Fenicetheater, mit dem Oratorium „Sisara" trat er schon 1793 hervor. Nun reihen sich Oper an Oper für Venedig und andere Städte Italiens. Seine Werke gefallen, sein Ruhm

verbreitet sich. Da kam 1802 seine Berufung nach Bergamo an die Kirche „S. Maria Maggiore" als Nachfolger Lenzis. In Bergamo und in der Stellung als Kirchenkapellmeister verblieb Mayr bis an sein Ende. Die Einstudierung und

Aufführung seiner Opern veranlaßte aber mehrfache Reisen, so 1802 nach Wien, dann nach Venedig, Mailand, Genua, Rom, Neapel. In seiner späteren Zeit verließ Mayr Bergamo nicht mehr und lehnte Einladungen nach auswärts, selbst ehrenvolle und einträgliche, ab. Er ging ganz in seinem Berufe auf, leitete außer seinem Kirchenchor auch eine große von ihm gegründete Musikschule, war auch schriftstellerisch tätig. Nach seiner Glanzperiode als Opernkomponist schrieb er zumeist Kirchenmusik. — Mayr war zweimal verheiratet (mit Schwestern) und führte ein glückliches Familienleben. 1838 besuchte er noch seine bayrische Heimat. Ein Augenleiden, welches schließlich zur Erblindung führte, verbitterte seine letzten Lebensjahre. Simon Mayr starb in Bergamo am 2. Dezember 1845 und ist in der Kirche S. Maria Maggiore begraben, wo auch sein Schüler Donizetti ruht. Mayr war ein sehr ehrenwerter Charakter, anspruchslos, sehr religiös und mildtätig. Als Komponist, Dirigent und Lehrer hervorragend, besaß er auch eine umfassende allgemeine Bildung.

Die Glanzzeit Simon Mayrs als Opernkomponist ist die von 1796 bis 1815, schwächer sind die Opern von da an bis 1824. Es zeugt von der reichen Produktionskraft dieses Komponisten, daß er in der so befristeten Zeit 61 Opern geschaffen, von denen die Mehrzahl den ersten 20 Jahren angehört. Mayr steht mit seinen Opern innerhalb der späteren Neapolitanischen Schule, deren Formen und Stil er sich aneignete. Worin er aber dieses Vorbild übertraf, das war die ausgedehntere Verwendung von Ensemble und Chor und mehr noch die fortschrittliche Instrumentation. Die Blasinstrumente werden in seinen Partituren zahlreicher und individuell verwendet. Die reichere Orchestrierung kommt nicht nur in der dramatischen Begleitung, sondern auch in selbständigen Instrumentalstücken, Jagd- und Gewittermalereien, Märschen, namentlich in seinen „Sinfonien" (Ouvertüren) zur Geltung. Darin, wie in vielen Anklängen seiner Melodien ist der Einfluß Mozarts unverkennbar. Der dramatische Ausdruck erhebt sich nicht über das Mittelmaß. Unter den Bühnenwerken Mayrs ist die Opera seria, semiseria, die Opera buffa und Farsa vertreten. In der ersteren Gattung liegt seine Stärke. Dieser gehören auch seine Hauptwerke an: „Lodoiska" 1796, „Ginevra di Scozia" 1801, „Adelasia ed Aleramo" 1807, „La Rosa rossa e la rosa bianca" 1813.

(Marginalie: Opern.)

Den größten und allgemeinsten Erfolg trug „Ginevra" davon. Diese Oper, zur Eröffnung des neuen Theaters in Triest geschrieben, 1801 aufgeführt, wurde in demselben Jahre 39mal in Wien gegeben und verbreitete sich bis 1831 über ganz Italien und nach vielen deutschen Städten. Es wäre noch eine Reihe von Opern zu nennen, welche Erfolg und Verbreitung fanden, wie die Opera buffa „Un pazzo ne fa cento", die Farsa „Che Originali", die ernste Oper „Adelaide di Guesclino" u. a. m.

Von 1824 an wandte sich Mayr ganz der Kirchenmusik zu, in welcher er eine enorme Fruchtbarkeit entwickelte, welche Messen und andere Kirchenwerke mit und ohne Orchester in der Gesamtzahl von 550 umfaßte. Außerdem wurden neun Oratorien von ihm in Italien aufgeführt, schrieb er eine Anzahl großer Kantaten für Bergamo; auch einige Instrumentalstücke, namentlich Klavierkonzerte, ein Violintrio und Übungsstücke werden ge-

(Marginalie: Kirchenmusik.)

nannt. Er war auch schriftstellerisch produktiv; die meisten seiner Arbeiten sind aber Manuskript geblieben. Mayr bildete in Bergamo viele Schüler aus, die seinen Ruf über ganz Italien verbreiteten, unter ihnen Donizetti.

Von Mayrs Opern und Kirchenwerken finden sich noch viele Manuskripte in den Bibliotheken Italiens, namentlich in Bergamo, dann in Wien und anderen Städten Deutschlands. Gedruckt wurden seinerzeit nur einige Klavierauszüge, wie von „Ginevra di Scozia", „Adelasia" usw.

Die Verehrung, welche Simon Mayr in Italien genoß, kannte fast keine Grenzen, er galt dort als Autorität, ähnlich wie Spohr in Deutschland. Die Zeit ist aber über seine einst so beliebten Werke hinweggegangen. Nicht leicht ist ein Komponist so gründlich vergessen worden wie Simon Mayr.

Paër. Weniger produktiv und gelehrt als Simon Mayr, doch vielleicht von originellerer Begabung war Paër. In Parma 1771 geboren, wandte er sich schon mit 16 Jahren der dramatischen Komposition zu und debütierte in Parma mit der Opera buffa „La locanda de' vagabondi", welcher rasch mehr als 20 Opern für Venedig, Mailand, Florenz, Rom, Neapel folgten. Seine leichte und gefällige Erfindung im Stil Cimarosas und Paisiellos brachte ihm Erfolge, die seine Berufung nach Wien 1797 veranlaßten. In Wien schrieb er einige komische Opern, dann erschien 1799 „Camilla", eines seiner besten Werke auf der Bühne. In demselben Jahre wurde Paër nach Dresden als Nachfolger Naumanns zur Leitung der Hofkapelle berufen. Dort brachte er 1802 „Ginevra", 1803 „Sargino", seine beliebteste Oper, endlich 1805 „Leonora, ossia l'amore conjugale" zur Aufführung. Letztere Oper behandelt denselben Stoff wie Beethovens „Leonore" (Fidelio). Als Napoleon 1806 in Dresden weilte, gewann er Paër für Paris als kais. Hofkapellmeister, 1812 ernannte er ihn nach dem Abgang Spontinis zum Direktor der italienischen Oper. Unter der Restauration sank Paër zu untergeordneten Stellungen, bis zum Akkompagnateur der Oper herab, erhob sich aber 1832 wieder durch seine Ernennung zum Hofkapellmeister. Die letzten Jahre verbrachte Paër lässig, nur dem Hofdienst hingegeben und mit kleinlichen Intrigen gegen seine Kunstgenossen. Paër starb in Paris am 3. Mai 1839.

Opern. Paërs Produktivität erstreckt sich nur bis 1811 und erreicht ihren Höhepunkt in den für Wien und Dresden geschriebenen Opern, namentlich in Camilla und Sargino. Unter seinen 48 dramatischen Werken sind noch hervorzuheben: „Griselda" 1796, „Le Donne cambiate" und „I fuorusciti di Venezia", beide 1800 in Wien, „Agnese" 1811 in Parma aufgeführt. In Paris schrieb er nur wenig mehr, darunter die komische Oper „Le Maître de chapelle". Von seinen sonstigen Kompositionen sind drei italienische Oratorien, Kirchenstücke, Kantaten, einzelne Gesangstücke, ferner eine Symphonie, drei Klaviertrios usw. zu verzeichnen. Gedruckt wurden die Klavierauszüge von „Sargino", „I fuorusciti" (Die Weglagerer), einzelnes aus „Leonore" (alles bei Br. & H.), mehrere Nummern aus „Camilla" und anderen Opern (bei Ricordi), endlich die Klaviertrios bei Br. & H., andere Klavierstücke in Wien und

Paris. — In Neuausgaben sind erschienen die Klavierauszüge von *Le Donne cambiate* (Die verwandelten Weiber) und *Le Maitre de chapelle* (Der Kapellmeister), übersetzt und bearbeitet von Rich. Kleinmichel bei Senff (jetzt in der Univ.-Edition).

Paërs Ausgangspunkt ist der Stil Cimarosas; dann vollzog sich eine Wandlung in jenen Werken, die er in Wien und Dresden schrieb. Der flüssigen und anmutigen Melodik des Italieners gesellt sich eine lebhaftere dramatische Bewegung hinzu, Ensembles und Chöre, eine reichere Instrumentation kommen häufig in Verwendung. Vielleicht war es die Bekanntschaft mit den Opern Mozarts, gewiß aber der Einfluß der französischen Komponisten, welche diese Stilwandlung bewirkten. In Paërs besten Opern ist die ernste Handlung mit komischen Szenen durchsetzt, sie gehören der Gattung der „semiseria" an. Von der großen Oper der Franzosen hielt er sich vollständig fern.

Einer der fruchtbarsten, angesehensten Opern- und Kirchenkomponisten war der Neu-Neapolitaner Nicolo Zingarelli (1752—1837). Die Mehrzahl seiner Opern, darunter *„Telemacco"*, *„Ifigenia in Aulide"*, war für Mailand geschrieben; seinen Haupterfolg feierte er 1796 mit *„Romeo e Giulietta"*, welche Oper auch in Paris und Wien aufgeführt wurde. Zingarelli komponierte aber auch eine erstaunliche Menge von Kirchenwerken, u. a. über 100 Messen, ferner zahlreiche Kantaten und mehrere Oratorien. Veranlaßt waren sie durch seine Anstellungen an verschiedenen Kirchen Italiens, zuletzt an der Peterskirche in Rom 1804—1811. Vorübergehend wirkte er auch in Paris, wohin er von Napoleon berufen ward und eine große Messe für die Hofkapelle schrieb. 1813 zum Direktor des „Conservatorio S. Stefano" in Neapel ernannt, wird seiner pedantischen und lässigen Leitung kein Lob gezollt. Als Komponist ist er nicht zu hoch zu bewerten. *(Zingarelli.)*

Interessanter ist Valentino Fioravanti (1770—1837), ebenfalls aus der Neu-Neapolitanischen Schule hervorgegangen, der mit seinen *„Cantatrice villane"* (Die Dorfsängerinnen), einer parodistisch lustigen Buffooper, 1806 in Paris gegeben, wie mit den 1807 folgenden *„I virtuosi ambulanti"* Furore machte. Fioravanti hat über 50 komische Opern geschrieben. 1816 ward er Kapellmeister an S. Peter in Rom und wendete sich der Kirchenmusik zu. Die „Dorfsängerinnen" wurden noch in neuerer Zeit wieder hervorgeholt, erschienen auch in Neuausgabe, bearbeitet von R. Kleinmichel bei Senff (Univ. Ed.). *(Fioravanti.)*

Wenden wir uns den italienischen Zeitgenossen und nächsten Nachfolgern Rossinis zu, so gehört nur noch Bellini vollständig unserer Epoche an, während Donizetti überwiegend, Verdi gänzlich in die folgende fallen.

Bellinis Schaffen erreicht erst gegen das Ende seiner kurzen Lebenszeit (1801—1835) den Höhepunkt in den Opern „La Sonnambula", „Norma", „I Puritani". Der Erfolg dieser Opern war kein rasch vergänglicher, er blieb ihnen durch lange Jahre treu. Bellinis edle, ausdrucksvolle Melodie, wenn auch in kunstloser Fassung, rührte alle Welt. Der elegische Charakter seiner Musik, verbunden mit dem Eindruck, den sein frühzeitiges Ende hinterließ, umgaben ihn noch lange mit dem Glorienschein des Märtyrers. *(Bellini.)*

Leben und
Schaffen.

Vincenzo Bellini wurde am 1. November 1801 zu Catania in Sizilien geboren. Großvater, Vater, Brüder waren sämtlich Musiker. In dieser Atmosphäre entwickelte sich das musikalische Talent des Knaben so rasch, daß er schon mit sechs Jahren zu komponieren versuchte. Ohne einen gründlichen Unterricht wuchs er heran, bis er in seinem 18. Lebensjahre durch die Unterstützung der Gemeinde Catania in dem Konserv. S. Sebastiano in Neapel, welches unter der Leitung Zingarellis stand, Aufnahme fand. Bellini war für das ernste Studium wenig empfänglich und ging bald zu eigenem Schaffen über. Eine dramatische Kantate, „Ismène", mit welcher er 1825 im T. San Carlo hervortrat, machte Aufsehen. Der Impresario Barbaja bemächtigte sich des vielversprechenden jungen Maestro und betraute ihn mit der Komposition der Oper „Bianca e Germando", welche, im Mai 1826 in Neapel gegeben, nur einen schwachen Erfolg davontrug. Viel besser gelang es in Mailand, wo Bellini mit seiner zweiten Oper „Il pirata" (Libretto von Felice Romani) am 27. Oktober 1827 glänzend durchdrang. Bald machte die Oper die Runde durch ganz Italien und zog auch in Wien das Publikum in das Theater. Der Erfolg des „Pirata" wurde durch die 1829 auf der Mailänder Bühne erschienene „Straniera" weit übertroffen und Bellini gelangte von da an zur Popularität. Nun drängten sich die Bestellungen der italienischen Opernbühnen und die Anbote glänzender Honorare. Mit „Capuletti ed Montecchi" gewann er 1830 die Sympathien der Venetianer, enthusiastisch

Sonnambula.

wurde in Mailand am 6. März 1831 seine „Sonnambula" mit der berühmten Sängerin Pasta in der Titelpartie aufgenommen. Den

Norma.

Gipfel seines Ruhmes erreichte Bellini mit der „Norma", zum erstenmal im Scalatheater zu Mailand am 26. Dezember 1831 aufgeführt. In dieser Oper erhebt sich der bisher weiche und elegische Tonsetzer zu kräftigem, leidenschaftlichem Ausdruck. Die Cavatina „Casta Diva", von der Pasta gesungen, das Duett der Norma und Adalgisa, der Marsch und Chor der Druiden und noch manches andere bildeten Glanzpunkte des Werkes. Nach einem Besuche, den er Zingarelli in Neapel und seinen Eltern in Catania abstattete, traf er im August 1832 in Venedig ein, um eine neue Oper für das Fenice-Theater zu schreiben; „Beatrice di Tenda" gefiel nicht. Im nächsten Jahre folgte Bellini einer Einladung nach London, wo er sehr gefeiert wurde, und bald darauf lockten ihn die An-

Paris.

erbietungen zweier Theaterdirektoren nach Paris, wohin er sich anfangs 1834 zu dauerndem Aufenthalt verfügte. Trotz der Freude über seinen steigenden Ruhm und seine glänzenden Einnahmen beschlichen ihn schon damals bange Ahnungen, welche seine schwankende Gesundheit nur zu sehr rechtfertigte. Einen neidlosen Förderer seiner Pariser Unternehmungen fand er in Rossini, mit dem ihn schon seit seiner Studienzeit in Neapel innige Freundschaft verband, der ihm auch bei den Vorbereitungen zu seiner neuen Oper die Wege bahnte. Diesmal war es nicht Romani, bisher sein unzertrennlicher Gefährte bei allen seinen Opern, der das Libretto zu schreiben hatte, sondern ein Graf Pepoli. Die Wahl des Stoffes fiel auf die von Walter Scott geschilderten schottischen Puritaner. Bellini, der sich in den Stoff versenkte, zog sich zur ungestörten Arbeit in ein Landhaus zu Puteaux bei Paris zurück und beendigte bis zum Schlusse des Jahres die Partitur; sie war ihm vorzüglich geglückt. Die Aufnahme der Oper „I Puritani" bei ihrer ersten Aufführung am 25. Jänner 1835 im „Theatre italien" war eine enthusiastische. Allerdings war das Quartett Giulietta Grisi, Rubini, Lablache, Tamburini wohl geeignet, das Werk glanzvoll zur Darstellung zu bringen. Nun traten neue Bewerbungen der Großen Oper in Paris und des S. Carlo-Theaters in Neapel an Bellini heran, doch war seiner Laufbahn bald ein Ziel gesetzt. Das innere Leiden, welches ihn schon einst in Mailand auf das Krankenlager geworfen, erneuerte sich und trotz ärztlicher Bemühungen erlag er demselben am 23. September 1835, im Alter von 33 Jahren. Ganz wie bei Mozarts frühzeitigem Tode, tauchte das Gerücht von einer Vergiftung Bellinis auf, es erwies sich auch hier als eine grundlose Verleumdung.

I Puritani.

Die Trauerfeierlichkeit für Bellini fand am 2. Oktober im Invalidendome, begleitet von einer Musikaufführung statt. Ein Grabmonument wurde ihm auf dem Friedhof Père-la-Chaise errichtet, doch wurden seine Überreste 1876 nach seinem Heimatsorte Catania überführt und 1882 ward ihm daselbst ein Denkmal errichtet.

Bellini wird als eine angenehme, gewinnende Erscheinung geschildert mit feinen, vornehmen, elegisch angehauchten Manieren. Der sanfte, blonde Sizilianer war allgemein beliebt, bei den Kunstgenossen, bei der Damenwelt. Bei aller äußerlichen Bescheidenheit besaß er ein großes Selbstbewußtsein und vergaß seinen Vorteil nicht. Er verlangte und erhielt auch so enorme Honorare, wie sie ein Mozart nie erträumt hätte. Demungeachtet hinterließ Bellini nur ein mäßiges Vermögen.

Im ganzen hat Bellini zehn Opern komponiert. Davon kommen sechs in Betracht, die nicht nur in Italien, sondern auch im Ausland, namentlich in Deutschland mit Erfolg gegeben wurden: Il pirata (Der Seeräuber) 1827, La Straniera (Die Fremde) 1829, I Capuletti ed i Montecchi (Romeo und Julie) 1830, La Sonnambula (Die Nachtwandlerin) 1831, Norma 1831, I Puritani (Die Puritaner) 1835. Alle diese gehören der ernsten Gattung an, für die Opera buffa war Bellini nicht geschaffen; ein einziger Versuch mit einer kurzen komischen Episode in der „Nachtwandlerin" mißlang. Die lyrische, süße und gefühlvolle Melodie war sein Gebiet; auf diesem entfaltete er eine reiche und eigenartige Erfindung. Darüber hinaus reichten die Grenzen seines Talents und seines Könnens nicht. Seine Melodien waren selten voll ausgeführt, Harmonie und Instrumentation nicht nur leer und ärmlich, sondern auch inkorrekt und unbeholfen. Wenn auch ·

Opern.
Charakter

seine letzten Opern Norma und Puritaner etwas sorgfältiger gearbeitet sind, im wesentlichen tragen sie denselben Charakter wie die übrigen, und von einem neuen Stil kann nicht die Rede sein. Bellinis Hauptverdienst ist die Wahrheit des Ausdrucks im engen Anschluß an die Worte. In dieser Hinsicht übertrifft er den leichter produzierenden, gewandteren und vielseitigeren Rossini. Den Reiz lebendig gestalteter Ensembles wird man in Bellinis Opern vermissen, ebenso, mit wenigen Ausnahmen, dramatisches Feuer. Seine beste Oper ist Norma, ihr zunächst steht die Sonnambula; sie allein verdienen nicht vergessen zu werden, und sie sind es auch nicht. Gegenüber dem genialeren Rossini und dem feurigeren Donizetti war Bellini ein matterer, aber lieblich leuchtender Stern.

Donizetti.   Donizetti (1797—1848) trat erst im Todesjahre Bellinis 1835 mit seiner „*Lucia di Lammermoor*“ bedeutender hervor und komponierte seine meistverbreiteten Opern „*La fille du Régiment*“ (Die Regimentstochter), „*La favorite*“ 1840, „*Linda di Chamounix*“ 1842, „*Don Pasquale*“ 1843. Von den früheren Opern dieses sehr begabten, aber überfruchtbaren Komponisten sind noch besonders „*Lucrezia Borgia*“ und „*L'Elisir d'amore*“ (Der Liebestrank) hervorzuheben. — Eine eingehende Würdigung Donizettis und jene des hervorragendsten Komponisten der neuesten italienischen
Verdi.   Oper, Giuseppe Verdi (1813—1901), dessen Weltruhm mit *Ernani* 1844 beginnt, muß der Darstellung der nächsten Epoche vorbehalten bleiben.

Mercadante.   Nur zu erwähnen sind hier noch: Mercadante (1795 bis 1870), einer der begabtesten Neapolitaner, der an 60 Opern für alle italienischen Bühnen, aber auch für Wien, Madrid, Paris schrieb, unter welchen „*Il Giuramento*“ (Der Schwur) vom Jahre 1837 viel-
Pacini.   leicht die verbreitetste wurde; Giovanni Pacini (1796—1867), einer der berühmtesten, zugleich seichtesten Vielschreiber, dessen 90 Opern im Stil Rossinis sich von seinem Debüt 1813 bis 1847 erstrecken, von welchen außer der „*Niobe*“ vom Jahre 1826, die letzten als seine besten erklärt werden; endlich die Brüder Luigi
Ricci.   und Federico Ricci (ersterer 1805—1859, letzterer 1809—1877), beide aus dem Konservatorium S. Sebastiano in Neapel hervorgegangen, deren gemeinschaftliche komische Oper „*Crispino e Comare*“ 1850 in Venedig, dann 1866 in Paris eine außerordentliche Beliebtheit erlangte.

Portugal.   Nachzutragen ist im Anschluß an die italienischen Opernkomponisten der Portugiese Marcos Portugal (Portugallo) (1762—1830), der als der bedeutendste Komponist seiner Nation angesehen wird. In Lissabon geboren und ausgebildet, wirkte er von 1782 an in Madrid und wandte sich 1787 nach Italien. Nachdem er daselbst mit einigen Opern Erfolg hatte, wurde er zum kön. Kapellmeister in Lissabon ernannt, kehrte aber nach Italien zurück, um noch eine Reihe von Opern für italienische Bühnen, endlich wieder für Lissabon zu schreiben. Seinen Haupterfolg scheint er mit seinem „*Principe di*

Spazzacamino" in Venedig 1793 gefeiert zu haben. Mehrere seiner Opern wurden auch in Dresden, Wien, Breslau, London und Petersburg gegeben. 1810 folgte er der vertriebenen Königsfamilie nach Rio de Janeiro, wo er seine Tätigkeit für den Hof wieder aufnahm. Dort beschloß er auch sein Dasein. Nebst den Opern, deren Zahl auf 40 angegeben wird, schrieb Portugal auch Messen, Psalmen und andere Kirchenwerke.

Die **französische Oper** verharrt in der strengen Scheidung von **großer** und **komischer** Oper. Die erstere wird überwiegend von **ausländischen** Meistern versorgt, die letztere ist die echt **französische**. Französische Oper.

Die Musik der komischen Oper (Opéra comique) ist auf das Gefällige, Leichtverständliche gerichtet; die Melodie ist kurzatmig, meist auf wirksame Pointen zugespitzt, der Rhythmus, dem französischen Geschmack entsprechend, scharf, tanz- und marschartig. Die Darsteller müssen sich mehr durch Spiel als durch Gesang auszeichnen, geistvolle und charakteristische Auffassung ihrer Rolle ist wichtiger als Stimme und Gesangskunst. Die Opéra comique hatte damals ihre Heimstätten in den Konkurrenztheatern „Favart" und „Feydeau" aufgeschlagen.

Neben den beiden Gattungen der französischen Oper erhob sich mit dem Anfang des Jahrhunderts noch eine dritte, rivalisierende; die **italienische Oper**. Die „Opéra italien", 1801 eröffnet, zählte zu ihren Leitern Spontini, Paër, Rossini, die Sängerin Catalani. Hier wurden die namhaftesten italienischen Opern in der Originalsprache aufgeführt, hier glänzten die Sterne der italienischen Gesangskunst.

In der **Großen Oper** wurden die Gluckschen Werke noch in Ehren gehalten, Sacchini, Piccini, Salieri waren schon verblaßt. Die Kaiserzeit eröffnet eine neue Aera für die Große Oper welche mit Spontinis „Vestalin" einsetzt und über Aubers „Stumme" und Rossinis „Tell" zu Meyerbeer und Halévy führt.

In der **Opéra comique** müssen wir auf einen Meister zurückgehen, welcher vor der durch Boieldieu und Auber vertretenen Blütezeit auf die Opernbühne erscheint, einen Meister, der eine vorherrschend **ernste** Richtung verfolgt — Méhul. Méhul.
Biographisches.

Etienne Nicolas Méhul ist am 22. Juni 1763 in dem Städtchen Givet im Departement *des Ardennes* geboren. Sein Vater war daselbst Weinhändler und Gastwirt. Im Kloster zu Givet erhielt Etienne den ersten Musikunterricht von einem blinden Organisten. Mit zehn Jahren konnte er schon in der Kirche die Orgel spielen. Zwei Jahre später wurde er in die Prämonstratenser-Abtei zu *Laval-Dieu* als Zögling aufgenommen. Dort ward ein deutscher Mönch, namens Michael Hauser, ein tüchtiger Musiker und selbst Komponist, sein Lehrer. Der Knabe hatte drei bis vier Jahre in dem einsamen Kloster zugebracht, als ein Wohltäter sich seiner

annahm und ihn nach Paris brachte. Méhul war kaum 16 Jahre
alt, als er den Boden der Weltstadt betrat. Seine Subsistenz fand
er vorerst durch Klavierstunden. Von Hauser war Méhul an Gluck
empfohlen und näherte sich ihm in schwärmerischer Verehrung.
Die Art der ersten Annäherung wird mit romanhaften Ausschmückungen
erzählt. Méhul soll die Nacht vor der Erstaufführung der „Iphigenia auf
Tauris" in einer Loge des Operntheaters verborgen zugebracht haben, um am
nächsten Abend der Vorstellung beiwohnen zu können, eine Anekdote, von
der man sagen kann, daß sie weder wahr, noch gut erfunden ist.

Sehr gefördert wurde Méhul durch den Unterricht des in
Paris lebenden Straßburgers Friedrich Edelmann, eines sehr
tüchtigen Musikers, Klavierspielers und Komponisten, der 1794 als
Opfer der Revolution am Schafott endete. Méhul konnte schon 1782
sein erstes öffentliches Debüt als Komponist wagen. In einem
„Concert spirituel" wurde eine Ode von Rousseau mit Musik von
ihm aufgeführt, ein Werk ernster Art. Ein Jahr später erschien ein
Heft mit drei Klaviersonaten von seiner Komposition. Schon zog
es ihn zur dramatischen Musik hin, zu welcher Talent und Intelligenz ihn besonders befähigten, und es entstanden drei Opernpartituren, welche jedoch nur als Versuche gelten sollten. Öffentlich ließ er nichts von sich hören, bis man wieder 1788 durch ein
Heft Klaviersonaten mit Violine und ein paar in Konzerten aufgeführte „Szenen" an ihn erinnert wurde. Da wirkte es wie eine
Überraschung, als im September 1790 in der Opéra comique seine
„Euphrosine" aufgeführt wurde. Es war eine neue Gattung,
eine Mischung von Komischem und Pathetischem. Der Erfolg war
so groß, daß er eine Reihe von Wiederholungen zur Folge hatte,
er war aber auch so nachhaltig, daß noch nach 40 Jahren dieses
Stück in der Opéra comique zu hören war. Wenige Monate nach
„Euphrosine" gab man in der Großen Oper Méhuls „Cora", ein
Werk, welches nicht ansprach, dagegen gelangte die einaktige Oper
„Stratonice", welche sowohl die Opéra comique (im Mai 1892) als
auch die Große Oper aufführten, zu großen Ehren. Das Werk war
durchaus ernst, elegisch, musikalisch gut gearbeitet, der Eindruck
ein sympathischer, mit Rührung gemischter. Méhul entfaltete nun
eine fast fieberhafte Tätigkeit für das Theater, ohne jedoch Bedeutenderes zu leisten.

Die politische Bewegung zog auch Méhul in ihre
Kreise; er wird der „Komponist der Republik". Wir haben gesehen,
welche Blüten die Revolution auf dem dramatischen Gebiete trieb
(S. 64), auch Méhul beteiligte sich lebhaft an dieser Produktion.
Eingreifender wirkten aber seine Revolutionshymnen und patrioti-
schen Lieder. Sein „Chant du départ" wurde neben der „Marseillaise"
populär und erschallte bald in ganz Europa. Von anderen ähnlichen
Gesängen, welche Méhul zur Verherrlichung der Republik schuf,
sind zu nennen: „Hymne à la Victoire", „Hymne du 9. Thermidore",
„Chant du retour" u. a. m. Das Kaiserreich ließ sie alle verschwinden.

Glück.

Euphrosine.
1790.

„Komponist
der
Republik".

Das Jahr 1795 brachte Méhul zwei ehrenvolle Ernennungen: Zum Mitglied des Institut de France und zum Inspektor des neugegründeten Konservatoriums; an letzterem wirkte er neben Gossec, Grétry, Lesueur und Cherubini. Später übernahm Méhul auch eine Kompositionsklasse, aus welcher unter anderen auch Hérold hervorging.

Merkwürdig war die erste und einzige Aufführung von Méhuls *Le jeune Henri*, Text von Bouilly, in der Opéra comique am 1. Mai 1797. Das Stück sollte ursprünglich *„La jeunesse de Henri IV"* heißen und behandelte eine Episode aus dem Leben dieses Königs; die republikanische Zensur duldete aber keinen König auf der Bühne und so wurde der Text bis zur Sinnlosigkeit entstellt. Es gab einen Theaterskandal: der Dichter wurde ausgezischt, dem Komponisten wurde zugejubelt. Die Ouvertüre *„La chasse du jeune Henri"*, ein treffendes Jagdbild, wurde beliebt, sie ist noch heute nicht ganz verschollen. Auch *„Adrien"*, für die Große Oper geschrieben, stieß auf Zensurschwierigkeiten, weil darin der Kaiser Hadrian die Republik bezwingt. Nachhaltigen Erfolg hatte *„Ariodant"* im Th. Favart, dessen Stoff aus Ariosts *„Orlando furioso"* geschöpft war.

Das große, von dem ersten Konsul Bonaparte für den 14. Juli 1800 angeordnete Nationalfest, welches auch durch eine Musikaufführung im Invalidendom gefeiert wurde, gab die Veranlassung zu einer Komposition Méhuls im großen Stile, des *„Chant du 25. Messidor"*, einer Hymne für drei Chöre, Solostimmen und drei Orchester. Die Wirkung war eine mächtige.

Bis dahin bewahrten die dramatischen Werke Méhuls alle einen ernsten Charakter, nun unternahm er einen Streifzug auf das heitere Gebiet. Mit der einaktigen Opéra comique *„L'Irato"* ahmte er den Stil der italienischen Buffooper mit Glück nach. Die in den Jahren 1802—1806 entstandenen, teils ernsten, teils komischen Opern erlitten fast ausnahmslos Mißerfolge, nur *„Les deux aveugles de Toledo"* erhielt Beifall. Es schien, als ob Méhuls schöpferische Kraft erschöpft wäre — da erhob sie sich nochmals zur vollen Höhe in seinem Meisterwerk „Joseph".

Joseph, *„Drame lyrique"*, erschien auf der Bühne des Th. Feydeau am 17. Februar 1807. Die Besetzung war die beste, welche dieses Theater zu bieten vermochte: Der beliebte Elleviou (Joseph), Gavaux (Ruben), Gavaudan (Siméon), Solié (Jacob), Mad. Gavaudan (Benjamin). Die Kenner bewunderten die edlen und ergreifenden Schönheiten des Werkes, das große Publikum aber blieb kühl, im ganzen war es ein „Succès d'estime". Der feierliche, fast oratorienhafte Stil war nicht nach dem Geschmack der Pariser, zudem war das ernst-pathetische Werk in diesem Theater nicht am rechten Platze. So verschwand „Joseph" bald vom Schauplatze. Ganz anders kam es in Deutschland. Hier wurde das Werk in seiner vollen Bedeutung gewürdigt und mit wahrer Andacht genossen. Schon 1809 erschien die Oper in Wien, gleichzeitig in München, dann 1817 in Dresden unter Webers Leitung, in

Berlin und fast in allen deutschen Städten, wo sie sich als „Jakob und seine Söhne", „Josef und seine Brüder", „Josef in Ägypten" dauernd erhielt.

Handlung und Musik. Die Handlung ist eine treue Wiedergabe der biblischen Erzählung, sie ermangelt der frei erfundenen Episoden, welche derselben mehr Abwechslung und Farbe verliehen hätten; keine weibliche Rolle, keine Liebesszene. Ernst und Weihe, aber auch eine gewisse Monotonie durchziehen das Werk. Die Musik ist voll warmem Ausdruck, dabei einfach, maßvoll, vornehm. Die einzelnen Personen sind charakteristisch gezeichnet. Hervorzuheben sind: Die beliebte Romanze Josephs „*A peine au sortir de l'enfance*" (Ich war Jüngling noch an Jahren), das Finale des ersten Akts, das rührende Chorgebet „Gott Israels", mit dem der zweite Akt beginnt, Benjamins Romanze „*Ah, lorsque la mort trop cruelle*" (Ach, mußte der Tod ihn uns nehmen) im dritten Akt der Chor der jungen Mädchen, das ausdrucksvolle Duett zwischen Jakob und Benjamin.

In den nächsten Jahren zog sich Méhul vom Theater zurück, widmete sich mit Erfolg der Lehrtätigkeit, schrieb Symphonien, welche in Konzerten aufgeführt wurden, und betrieb — die Tulpenzucht.

Gleich Cherubini hatte auch Méhul eine große Vorliebe für Blumen. In dem Garten seines Landhauses in Pantin kultivierte er seine Tulpen mit großer Sachkenntnis.

Ende. Schon um diese Zeit zeigten sich die Symptome jener Krankheit, welcher er endlich erliegen sollte, der Schwindsucht. Seine Stimmung verdüsterte sich; nur selten fand er in den geselligen Kreisen, in welchen er sich großer Beliebtheit erfreute, seinen geistvollen Humor wieder. Überdies glaubte er sich von allen Seiten zurückgesetzt, angefeindet, es ergriff ihn eine Art von Verfolgungswahn, wie er selbst bei bedeutenden Künstlern, namentlich im Alter nicht selten auftritt. Seine unglückliche Ehe mit Mlle. Gastoldy, der Tochter eines Provinzarztes, welche schon seine beste Zeit getrübt hatte, führte endlich zur Trennung. In einzelnen Werken für die Bühne und politischen Gelegenheitskompositionen kehrte noch seine Arbeitslust wieder. Gegen Ende 1816 trat eine rapide Verschlimmerung in dem Zustand Méhuls ein; er begab sich zu seiner Herstellung nach dem Süden, zuerst nach Montpellier, dann auf die Insel Hyères. Die gehoffte Besserung blieb aus und anfangs Mai 1817 kehrte er in kläglichem Zustand nach Paris zurück. Er überstand noch den Sommer und am 18. Oktober erfolgte sein Ende. Er war nur 54 Jahre alt geworden.

Werke. Die Zahl der dramatischen Werke Méhuls wird mit 34 angegeben, die der Kantaten mit 20; anzuführen sind ferner vier Symphonien, kleinere Gesangstücke, Klaviersonaten, eine neuerlich aufgefundene Messe. Die Opern, sämtlich mit Dialog, wurden fast ausschließlich in der „Opéra comique" aufgeführt, sind aber nur zum geringsten Teil komischen Charakters. Nur wenige dieser Opern erfreuten sich eines nachhaltigen Erfolges. Es sind: „*Euphrosine*", „*Stratonice*", „*L'Irato*", „*Une folie*", „*Le Trésor supposé*", „*Les deux Areugles de Toledo*, endlich „Joseph". Von den Kantaten waren einige von großer Ausdehnung und auf pomphafte Wirkung berechnet. Die Symphonien, von denen zwei bekannt geworden sind, gehen über Haydn nicht hinaus und machen einen akademisch kühlen Eindruck; als gefällig ist die erste in G-moll zu bezeichnen. Die Klaviersonaten, der Jugendzeit angehörig, sind bedeutungslos. Die Messe hat ihre besondere Legende.

Die Messe Méhuls, ein großes Werk, vierstimmig, mit Soli, Orchester und Orgel geschrieben, war für die Kaiserkrönung Napoleons 1804 bestimmt, kam aber nicht zur Aufführung und war seither verschollen. Ein Zufall führte zur Wiederentdeckung des Werkes. Der Lyoner Kapellmeister Abbé Neyrath, auf einer Ferialreise nach Wien und Ungarn begriffen, hörte die Messe in der Kirche zu Preßburg und nahm eine Abschrift derselben. Wie sie an diesen Ort gelangt ist, läßt sich kaum erklären. Später veröffentlichte der Abbé Neyrath die „Krönungsmesse" in einem Arrangement mit Orgelbegleitung bei Lemoine in Paris. (Eine Partiturabschrift befindet sich in dem Arch. d. Ges. der Musikfr. in Wien.) Die Messe.

Viele autographe Partituren Méhuls bewahrt die Bibl. du Conserv. in Paris.

Gedruckt wurden zu ihrer Zeit: Die Klavierauszüge von „Joseph", „Hélène", „Une folie", „Le Trésor supposé", „L'Irato" (Der Tollkopf), ferner die Symphonie in G-moll, die Ouvertüren „La Chasse du jeune Henri", zu „Joseph", zu „Les deux areugles de Toledo", sämtlich bei Br. & H., die Klaviersonaten bei Leduc. Ausgaben.

In Neuausgaben erschienen die Klavierauszüge mit deutscher Übersetzung von den Opern „Joseph" (Josef und seine Brüder), „Une folie" (Je toller, je besser), „Le trésor supposé" (Der Schatzgräber), herausgegeben von R. Kleinmichel bei Senff (jetzt in der Univ.-Edition), — Die Klaviersonate Op. I, Nr. 3, ist in Pauers „Alte Meister" Nr. 5, das Menuett daraus in „Perles musicales" Nr. 79, Br. & H., enthalten.

An musikhistorischer Bedeutung steht Méhul hinter Cherubini zurück, sein Gebiet ist beschränkter, sein Ausdrucksvermögen weniger individuell. Immerhin hob er die komische Oper auf ein höheres Niveau und verlieh ihr einen gediegenen musikalischen Stil. Das Pathetische und Leidenschaftliche entspricht seinem Naturell am besten, hierin zeigt sich auch der Einfluß Glucks. Schon in „Stratonice" wurde dieser bemerkt, vollends deutlich tritt er in „Joseph" hervor. Méhuls Musik haftet eine gewisse Schwere und Einförmigkeit an, sie war daher im eigentlich Komischen und in der flüssigen melodischen Erfindung weniger zureichend. Es herrscht mehr Kraft als Grazie in seiner Musik. Méhuls Opern zeichnen sich durch gut gearbeitete Ensemblesätze und ein wirkungsvolles Orchester aus. Die Instrumentation ist reich an geistvollen und originellen Zügen. Wie Méhul über die dramatische Kunst dachte, kann man aus den „Reflexions", die er als Vorwort seinem Cherubini gewidmeten „Ariodant" mitgab, ersehen. Daß so wenige Opern Méhuls den Meister überlebt haben, liegt großenteils an ihren für unsere Zeit ganz interesselosen Stoffen und ihren unmöglichen Texten. Bedeutung.

Spontini. In demselben Jahre mit Méhuls „Joseph" feierte die Große Oper einen Sensationserfolg mit der „Vestalin" von Spontini. Dieses Werk eröffnet die Reihe jener großen Opern, welche nach Glucks epochemachendem Auftreten von Ausländern auf französischem Boden geschaffen wurden. Ein Italiener, hervorgegangen aus der neu-neapolitanischen Schule, der sich in Frankreich zu einem hochdramatischen, von Gluck beeinflußten Stil erhebt, dann in Übertreibung des äußerlichen Effekts verfällt, zuletzt gänzlich versiegt — so stellen sich die Phasen in Spontinis Schaffen dar. Ein hochbegabter Künstler, ernst strebend, stolz und ehrgeizig, von der Gunst der Mächtigen getragen, selbst ein Mächtiger, endlich durch Reizbarkeit und Eitelkeit seinen Sturz herbeiführend — das sind die Umrisse von Spontinis Lebensbahn.

Lebens-geschichte. Die Lebens- und Schaffensgeschichte dieses merkwürdigen Mannes gliedert sich, ihrem Schauplatz entsprechend, in drei Abschnitte: Italien, Paris, Berlin. In Italien war er einer von Vielen, in Paris gesellt er sich den Großen zu, in Berlin gelangt er zu leitender Stellung.

Gasparo Luigi Spontini, geboren am 14. November 1774 in Majolati, einem Dorfe im ehemaligen Kirchenstaate, war der Sohn einfacher Leute. Er sollte Priester werden, wie seine drei Brüder, wie sein Onkel. Diesem letzteren wurde er mit acht Jahren zur Erziehung und Lehre übergeben. Der Knabe, der Neigung und Talent zur Musik verriet, erhielt nach einigem Widerstreben des Onkels Unterricht in dieser Kunst. Seine weitere Ausbildung fand er in dem „Conservatorio della Pietà" zu Neapel unter der Leitung der Meister Sala und Tritto. Seine Fortschritte waren so glän-

Erste Opern. zend, daß er sich schon 1796, einer Einladung folgend, mit einer komischen Oper hervorwagte, welche im Theater „Argentina" in Rom aufgeführt und günstig aufgenommen wurde. Nach Neapel zurückgekehrt, schrieb er unter der Leitung Piccinnis eine zweite Oper „L'Eroismo ridicolo", welcher nun rasch eine Reihe dramatischer Werke für Florenz, Rom und Neapel folgte. Im Jahre 1799 wurde Spontini von dem aus Neapel geflüchteten Hof nach Palermo berufen, komponierte dort einige Opern und gab auch Gesangunterricht. Ende 1800 verließ er Palermo und begab sich nach Rom und Venedig zu erneuter Tätigkeit für das Theater. Spontini hatte in dem Zeitraum von fünf Jahren ungefähr 15 Opern geschrieben mit jener Flüchtigkeit, welche ihn von seinen italienischen Kunstgenossen nicht unterschied.

Paris. Nun wollte Spontini sein Glück in Paris versuchen. Mit einer befreundeten Familie schiffte er sich in Neapel ein, verweilte einige Zeit in Marseille und traf 1803 in Paris ein. Er war gut empfohlen und fing damit an, Gesangstunden zu geben. Sein dramatisches Debüt fand im Februar 1804 in der italienischen Oper mit „La finta filosofa", einer Opera buffa, statt; der Erfolg war nur mittelmäßig. Einige Monate später erscheint Spontini mit einer französischen Opéra comique „*La petite maison*" auf der Bühne des Th. Feydeau; die dreiaktige Oper, obwohl musikalisch fein gearbeitet, erfuhr wegen ihrer anstößigen Handlung ein derartiges Fiasko, daß sie nicht ausgespielt werden konnte. Nicht entmutigt, ging Spontini an die Komposition einer einaktigen Oper „*Milton*", Text von Etienne Jouy, zum erstenmal im November 1804 in demselben Theater aufgeführt. In diesem kleinen Werke vollzieht sich ein bedeutsamer Fortschritt in der Entwicklung des Italieners. Seine Musik wird edler, tiefer in der Empfindung, reicher in der Harmonie und Instrumentation. Gerühmt werden Miltons „Hymne an die Sonne" und ein Quintett. Nicht bloß in Paris erregte das Stück Aufsehen, es fand auch bald seinen Weg nach Deutschland und wurde in Berlin 1806, in Dresden und in Wien 1811 gegeben. Auch das einaktige Singspiel „*Julie, ou le pot de fleurs*" fand Beifall.

Milton.

Gleichzeitig mit dem Libretto von „Milton" erhielt Spontini von dem Dichter Jouy ein anderes zu einer großen Oper „La Vestale". In dem Tondichter erwachte seine dramatische Kraft und sein Ehrgeiz. War er früher ein Schnellschreiber gewesen, jetzt ging er bedächtig und mit der größten Sorgfalt an die Arbeit, jetzt hing die mangelnde Gewandtheit im Tonsatz wie ein Bleigewicht an der Gestaltung seiner Ideen. Die Vorbereitungen zur Aufführung bildeten einen wahren Leidensweg für den Komponisten. Die Feindseligkeit gegen den Fremdling schuf immer neue Hindernisse. Nur dem Einflusse der Kaiserin Josephine, deren Wohlwollen zu gewinnen ihm gelang, verdankte es Spontini, die Opposition zu besiegen. Nachdem zwei Jahre mit der Komposition, den steten Umänderungen, szenischen Vorbereitungen und Proben hingegangen, konnte endlich die „Vestalin" am 15. Dezember 1807 auf der Bühne der Großen Oper ihren Einzug halten. Die spannende Handlung, die tiefwirkende Musik, die prachtvolle Ausstattung und nicht zuletzt die meisterhafte Darstellung durch Mad. Branchu (Julia), Lainez (Licinius), Lays (Cinna), Derivis (Oberpriester) vereinten sich zu einer glänzenden Gesamtwirkung. Zahlreiche Wiederholungen erwiesen die dauernde Anziehungskraft dieses Werkes. Bald darauf kam die „Vestalin" auf dem S. Carlotheater in Neapel italienisch zur Aufführung. In Deutschland folgten Wien 1810, Berlin 1811.

La Vestale.
(Die Vestalin)
1807.

Der junge Römer Licinius findet, aus dem Kriege zurückgekehrt, seine Geliebte Julia als Vestalin wieder. Das Liebesverhältnis wird entdeckt und Julia wird verurteilt, lebendig begraben zu werden. Licinius und seine Freunde eilen herbei, um das Opfer mit Gewalt zu befreien, da geschieht ein Wunder: Das erloschene Feuer der Vesta entzündet sich durch einen Blitzstrahl, die Vestalin wird begnadigt, das Liebespaar vereint.

Details.

Spontinis Musik zeichnet sich durch melodische Frische wie auch durch dramatische Kraft aus. Ein jugendliches Feuer durchströmt das Werk. Der Italiener ist in dem Charakter der Melodie nicht zu verkennen, im dramatischen Ausdruck aber tritt das Vorbild Glucks hervor. Von einer Nachbildung der Gluckschen Oper kann jedoch in der „Vestalin", ebensowenig als in Cherubinis „Medea", oder in Méhuls „Joseph" die Rede sein. Die Charakteristik der Einzelgestalten und ihrer wechselnden Stimmungen ist meist treffend wiedergegeben. Eine gewisse Unsicherheit im Tonsatz verrät den Mangel an gründlicher Schulung. Die Rezitative sind kurz, gedrungen, dramatisch wirksam. Die Hauptpartie der Vestalin (Julia) ist am reichsten bedacht; in ihr finden lyrische Empfindung, Sehnsucht, innerer Seelenkampf, Empörung, Jubel ihren lebhaften Ausdruck. Gelungen ist die Figur des fanatischen Oberpriesters, schwächer die des Licinius. Die Chöre der Vestalinnen sind einfach, rührend, die des Volkes leidenschaftlich aufgeregt.

Hervorzuheben sind: Die Morgenhymne der Vestalinnen „Fille du ciel", Julias Arie und Szene „Impitoyables Dieux", das Duett Julias und Licinius' „Quel trouble!", das energische zweite Finale, die Arie des Licinius zu Beginn des dritten Aktes, Julias „Adieu, mes tendres soeurs"; noch anderes wäre zu nennen.

Mit der „Vestalin" errang Spontini den zehnjährigen Preis, den Napoleon für die Komposition der besten großen Oper gestiftet hatte. Freilich erhielt er die ausgesetzte Summe von 10.000 Francs ebensowenig als Méhul für seinen „Joseph" den für die beste Opéra comique bestimmten Preis von 5000 Francs.

Ferdinand
Cortez 1809.

Mit seiner nächsten Oper „Ferdinand Cortez" behauptete sich Spontini auf der Höhe seines Schaffens und Ruhmes. Die Handlung, deren Stoff die Eroberung von Mexiko durch die Spanier unter Cortez bildet, ist reich an wirksamen dramatischen Motiven, wie die sehnsüchtigen Klagen der gefangenen Spanier, welche von der fanatischen Wut der mexikanischen Priester unterbrochen werden, Amazilys (der mexikanischen Prinzessin und Geliebten Cortez') Auftreten vor dem König und dem Oberpriester, die Empörung der Spanier, welche die Heimfahrt verlangen, und manches andere. Die Oper, welche am 28. November 1809 in vorzüglicher Darstellung und mit prachtvoller Ausstattung in Szene ging, wurde enthusiastisch aufgenommen. Der kriegerische Charakter der Musik, welcher zu den politischen Tagesereignissen trefflich stimmte, trug wesentlich zu dem Erfolge bei.

Der Vestalin gegenüber ist Cortez vielleicht das abgerundetere, im Tonsatz gewandtere Werk, im lyrischen Ausdruck und in der melodischen Erfindung von der „Vestalin" übertroffen, an dramatischer Kraft und Einheitlichkeit des Stils aber diese überragend. Die nationalen Gegensätze sind charakteristisch wiedergegeben, die Instrumentation durchdacht. Das Massenhafte überwiegt, die wilde Leidenschaft tobt, doch findet sich auch ruhig Würdevolles und Zartes.

Details.

Der Schwerpunkt der Oper ruht in den Chören, Chöre der Mexikaner mit Tanz, der Spanier, der Frauen. Im ersten Akt ist die dreistimmige Hymne ohne Begleitung „Créateurs de ce nouveau monde", ferner

— 361 —

das Duett zwischen Amazily und Telasco „*Daigne m'entendre*", das dramatisch bewegte Finale bemerkenswert, im zweiten Akt die Arie Amazilys „*Hélas, elle n'est plus*", ihr darauffolgendes Duett mit Cortez, der Frauenchor, endlich die gewaltige Empörungsszene, mit dem Chor „*Quittons ces bords*" beginnend; das hochdramatische dritte Finale, mit der Orakelstimme, schließt die Oper. In den Rezitativen offenbart sich der Einfluß Glucks am deutlichsten. Auch die Instrumentalsätze der Oper, die rhythmisch stramme Ouvertüre, die glänzenden Märsche und Tänze sind effektvoll.

Spontini erwarb sich durch diese große Oper einen Ehrenplatz unter den „Komponisten des Kaiserreiches", dessen Geist man in dem großen Pathos, dem pomphaften, heftigen, militärischen Charakter ihrer Werke abgespiegelt finden will.

Im Jahre 1810 übernahm Spontini die Leitung der Pariser italienischen Oper, welche er aber nur bis 1812 fortführte, um sie dann der Sängerin Catalani abzutreten. — In dieselbe Zeit fällt Spontinis Verheiratung mit einer Nichte des Klavierfabrikanten Sebastian Erard, mit der er durch viele Jahre in glücklicher Ehe lebte.

Die Restauration stellte Spontini nicht so hoch als die Kaiserzeit, er mußte sich mit dem bescheidenen Titel eines „Hofkomponisten" und einer geringen Besoldung begnügen. Seine schöpferische Tätigkeit beschränkte sich fast nur auf Gelegenheitswerke. Erst 1819 erschien Spontini wieder mit einer neuen großen Oper vor dem Pariser Publikum, mit „Olympia". Wie bei den früheren Opern Spontinis gingen jahrelange Arbeiten und oft unterbrochene Vorbereitungen der Vollendung der „Olympia" voran. Die erste Aufführung fand am 15. Dezember 1819 statt. Der Erfolg war trotz des großen äußeren Aufwands ein matter.

Olympia 1819.

Das Libretto der „Olympia" lehnt sich eng an die Tragödie Voltaires. Die Handlung, der antiken Zeit angehörig, spielt in Mazedonien; in ihrem Mittelpunkt stehen Statyra, die Witwe des ermordeten Alexander d. Gr., und ihre wiedergefundene Tochter Olympia. An dramatisch wirksamen Situationen herrscht kein Mangel. Die Musik ist bedeutend, doch weniger frisch und ursprünglich als in der „Vestalin" und im „Cortez". Das Schwergewicht ruht auf den Rezitativen, schwächer sind die melodischen Partien geraten; in der Instrumentation herrscht ein Mißverhältnis des großen äußeren Aufgebots zu dem geringen Inhalt. Das Kolorit ist durchwegs dunkel gehalten. Bemerkenswert ist das Ineinandergreifen der Musiknummern.

Details.

Im ersten Akt sind Marsch und Chor der Priester mit der an Gluck mahnenden Hymenfeier und dem bacchantischen Ballett hervorragend, der zweite Akt bringt in dem Duett zwischen Statyra und Olympia, dem Terzett derselben mit Kassander und dem Finale gelungene Nummern, im dritten Akt ist der Triumphaufzug am Schlusse mit einer Bühnenmusik, zu der 40 Trompeter vorgeschrieben sind, von packender Wirkung.

Olympia, die dritte der Pariser großen Opern Spontinis, wurde erst 1826 in Paris wieder aufgeführt, diesmal mit besserem Erfolg. In Berlin erschien sie schon 1821 auf der Bühne; der Ausgang der Handlung wurde von dem tragischen in einen glücklichen umgewandelt, die Ausstattung übertraf an Pracht noch die Pariser. In anderen deutschen Städten hielt sich diese Oper nicht lange, in Wien kam sie nicht zur Aufführung.

Die Oper „Olympia" bezeichnet den Abschluß der Pariser Laufbahn Spontinis. Schon seit mehreren Jahren schwebten Verhandlungen zwischen ihm und Berlin betreffs einer königlichen Anstellung. Friedrich Wilhelm III., der weitgehende Pläne für die Hebung der Kunstzustände in Berlin hegte, hatte bei seinem wiederholten Aufenthalt in Paris Gelegenheit, die Opern Spontinis zu hören und glaubte in ihm den richtigen Mann gefunden zu haben, seiner Oper einen neuen Aufschwung zu verleihen. Durch Vermittlung des Gesandten und nach Überwindung der Gegnerschaft, namentlich des kön. Intendanten Grafen Brühl, kam es zu einer direkten Berufung und dem Abschluß eines Vertrages, nach welchem Spontini zum Generalmusikdirektor, zugleich Kapellmeister der Oper mit einem Jahresgehalt von 4000 Talern und sonstigen Nebeneinkünften ernannt ward. Seine Verpflichtungen bestanden in der Oberaufsicht über das Berliner Musikwesen, in der Komposition von zwei bis drei neuen Opern alle drei Jahre, in der Leitung des Operntheaters nebst beliebigem Dirigieren der Vorstellungen. Im Mai 1820 traf Spontini in Berlin ein. Die Oper war im blühendsten Zustande. Das Repertoire umfaßte die klassischen Meisterwerke, in dem Personal glänzten die Sängerinnen Milder-Hauptmann, Seidler-Wranitzky, die Sänger Bader, Blume, Eduard Devrient, das vorzügliche Orchester besaß einen fähigen Kapellmeister in Bernhard Anselm Weber. Spontini war kein Fremdling mehr in diesem Hause, „Vestalin" und „Cortez" wurden schon seit langem gegeben, nun wurde auch „Olympia" vorbereitet. Der neue Vorgesetzte traf zwar nicht auf allseitige Sympathien, wurde aber von den Hofkreisen gehalten. Sehr bald begannen die Reibungen mit dem Intendanten Graf Brühl, der ein vielseitig gebildeter Mann und fähiger Chef war. Es handelte sich meist um Repertoirefragen. Spontini benahm sich hochmütig und unhöflich, er pochte auf seinen Kontrakt, der ihm eine fast unbeschränkte Macht über das Opernwesen einräumte.

Bevor noch „Olympia" in Szene ging, hatte Spontini die Aufgabe, ein Festspiel zur Feier der Anwesenheit des russischen Thronfolgers und Gemahlin mit Musik zu versehen. Als Stoff wurde „Lalla Rookh" von Thomas Moore gewählt und daraus die hervortretendsten Situationen in lebenden Bildern vorgeführt. Die Musikstücke Spontinis bestehen in sechs Gesangsnummern, unter welchen der Chor der Genien die merkwürdigste ist, einem Marsch und mehreren Tänzen. Die Aufführung, glänzend ausgestattet, fand am 27. Jänner 1821 im kön. Schlosse statt. Interessant ist, daß unter den durchwegs erlauchten Darstellern sich der künftige deutsche Kaiser Wilhelm I. und der Herzog von Cumberland, nachmaliger König von Hannover befanden.

Am 14. Mai 1821 erschien endlich „Olympia" auf der Berliner Bühne. Die deutsche Übersetzung rührt von dem bekannten

Schriftsteller E. T. A. Hoffmann her. Die Wirkung war eine überwältigende, der Triumph Spontinis ein vollständiger. Doch der siegreichen „Olympia" erstand unmittelbar darauf ein mächtiger Rivale, Webers „Freischütz", welcher am 18. Juni seine Erstaufführung erlebte. Es bildeten sich Parteien für Spontini, für Weber. Das volkstümliche Werk verdrängte fast ganz das anspruchsvollere. Spontinis Stern als Komponist begann zu erbleichen, während seine persönliche Machtstellung unangetastet blieb.

„Nurmahal, oder das Rosenfest von Kaschmir" hieß die nächste Oper Spontinis. Am 27. Mai 1822 fand die erste Aufführung statt. Der Text dieser nur zweiaktigen Oper, von Herklotz verfaßt, ist als ein verfehltes Produkt zu bezeichnen. In der Musik, welche im ganzen hinter den früheren Werken zurücksteht, sind gleichwohl einige schöne und charakteristische Stücke zu bemerken, unter welchen das erste Finale und der aus „Lalla Rookh" entnommene Genienchor hervorzuheben sind. „Nurmahal" kam außerhalb Berlins auf keiner Bühne zur Aufführung.

(Marginalie: Nurmahal. 1822.)

Im Sommer desselben Jahres trat Spontini einen Urlaub an, der sich bis Ende Jänner 1823 erstreckte. Er hielt sich in Dresden, Wien, Paris auf, besuchte dann seine Heimat, überarbeitete in Paris seine „Olympia". In Berlin an seine Verpflichtungen gemahnt, machte er sich an die Komposition einer neuen Oper, zu welcher ihm Théauleon in Paris einen französischen Text schrieb, während Herklotz die deutsche Übersetzung besorgte. Die Oper „Alcidor" (Stoff aus Tausend und eine Nacht), 1825 zu einer Vermählungsfeier im Königshause aufgeführt, überbot an Pracht der Ausstattung, wie auch an musikalischen Massenwirkungen fast alles Dagewesene. Als Kuriosum mag erwähnt werden, daß zur Begleitung des „Gnomenchors" im Orchester drei gestimmte Ambosse verwendet wurden. „Alcidor" verschwand sehr bald in Berlin, um nirgends wieder aufzutauchen.

(Marginalie: Alcidor. 1825.)

Im Jahre 1826 beschäftigte sich Spontini mit dem Plane und den Entwürfen zu einer großen Oper „Agnes von Hohenstaufen", welche unter der Regierung Heinrich VI. von Hohenstaufen spielend, hauptsächlich die Kämpfe der Welfen und Waiblinger behandelt. Der Text wurde von Ernst Raupach verfaßt. Spontini betrat mit diesem Werke ein ihm neues Gebiet, das der deutschen Nationaloper. Sehr langsam und oft unterbrochen, gedieh auch diesmal die Arbeit. Der erste Akt wurde für sich im Mai 1827, die ganze dreiaktige Oper erst im Juni 1829 zur Aufführung gebracht; gründlich umgearbeitet erschien das Werk wieder 1837 auf der Bühne. Außerhalb Berlins fand „Agnes" nirgends Aufnahme.

(Marginalie: Agnes von Hohenstaufen 1826—1829.)

Spitta, in seinem wertvollen Aufsatz „Spontini in Berlin", rühmt „Agnes von Hohenstaufen" als eines der bedeutendsten Opernwerke der neueren Zeit. (Handschr. Partitur in der k. Bibl. in Berlin.)

Weitere Tätigkeit. Von da an gab Spontini die Opernkomposition auf und beschränkte sich auf kleinere Arbeiten. Die Leitung des Opernwesens behielt er, mit einiger Abschwächung seiner Machtbefugnisse, in der Hand, dirigierte einzelne Vorstellungen, mit Vorliebe die Opern Glucks, Mozarts, nebst seinen eigenen. In den von ihm geleiteten Konzerten brachte er Beethovens Symphonien und Teile aus dessen Missa solemnis, ferner Werke von Händel, Haydn, Mozart zur Aufführung. Als Orchesterdirigent war Spontini durch Energie, Feuer und Akkuratesse bewundernswert.

Konflikte. Schon 1828 war dem amts- und kampfmüden Grafen Brühl der junge Graf Redern als Intendant gefolgt, doch die Konflikte mit dem immer selbstbewußter auftretenden, reizbaren Generalmusikdirektor hörten darum nicht auf. In der Bevölkerung wurde Spontini immer mißliebiger, zum Teil durch den Einfluß einer ihm feindlich gesinnten Presse.

An der Spitze seiner Gegner stand Ludwig Rellstab, der Kritiker der „Vossischen Zeitung". Spontini verschärfte die Lage, indem er die öffentlichen Angriffe, welche allerdings oft einen verletzenden Ton anschlugen, durch derbe Erwiderungen zu entkräften suchte.

Ein Brief Spontinis, der durch eine Indiskretion veröffentlicht wurde, in welchem er den König eines Wortbruchs zieh, machte das Maß voll. Eine gerichtliche Untersuchung wurde gegen Spontini wegen Hochverrats eingeleitet und endete mit seiner Verurteilung zu neunmonatlicher Haft. Der König erließ ihm die Strafe, aber die Berliner ließen es ihm entgelten.

Als am 2. April 1841 Spontini in das Orchester trat, um den Don Juan zu dirigieren, erhob sich ein von seinen Feinden vorbereiteter Tumult im Zuschauerraum, man pochte, zischte, rief „Hinaus, hinaus!". Spontini versuchte die Situation zu überwinden, mußte aber schließlich weichen. Mit dieser schrillen Dissonanz schloß seine Berliner Opernherrlichkeit.

Pensionierung. 1841. Spontini wurde von dem 1840 zur Regierung gelangten Friedrich Wilhelm IV. im August 1841 in gnädigster Weise mit Titel und vollem Gehalt pensioniert. Im nächsten Jahre nahm er Abschied von Berlin, ein gebrochener Mann. Er begab sich zunächst nach Italien, dann ließ er sich dauernd in Paris nieder. Der Papst, der ihm sehr gewogen war, verlieh ihm 1844 den Titel **Graf von St. Andrea.** eines „Grafen von St. Andrea". Zu wiederholtenmalen besuchte er noch Deutschland und dirigierte 1844 in Dresden eine Aufführung der „Vestalin". Im Mai 1847 folgte er einer Einladung zum Musikfest in Köln, war aber schon zu gebrechlich, um die ihm angebotene Leitung seiner Werke zu übernehmen. Auch in Berlin weilte er vorübergehend und wurde vom König huldvoll empfangen. Zu seiner Kränklichkeit gesellte sich auch Schwerhörigkeit; er verfiel in Trübsinn. Spontini zog sich nun nach **Italien.** Italien zurück und starb in seinem Geburtsort Majolati am **Tod 14. Jänner 1851.** 14. Jänner 1851. — Seine Gattin, die ihn nach Italien begleitet hatte, überlebte ihn. Die Ehe war kinderlos geblieben. Sein Vermögen hinterließ er den Armen von Majolati und Jesi.

Spontini besaß unzählige Orden, war Ehrendoktor der Universität Halle, Mitglied der Pariser Académie und zahlreicher Gesellschaften. Charakter.

Trotz seiner persönlichen Fehler, seines Hochmuts, seiner übergroßen Reizbarkeit, Pedanterie und Rechthaberei war Spontini eine edle, hochstrebende Künstlernatur. Er konnte in seinem Verhältnis zu dem ihm untergeordneten Personal streng, selbst hart erscheinen, doch nur um der Sache willen, auch war er edlen Regungen nicht verschlossen. Er gründete 1826 einen Unterstützungsfonds für die Mitglieder der Oper. Der Witwe Mozarts stand er stets hilfsbereit in ihren Unternehmungen bei.

Von den Opern Spontinis ist zu seiner Zeit wenig veröffentlicht worden, in neuen Ausgaben fast nichts. Man ist daher diesbezüglich auf die Pariser Bibl. du Conservatoire und de l'Opéra, und die k. Bibl. in Berlin angewiesen.

Kehren wir nach Paris und zur Opéra comique zurück, so treten uns zunächst zwei gleichzeitige Tonsetzer, Rivalen um die Gunst des Publikums, entgegen — Isouard und Boieldieu, beide sehr produktiv, der eine von mehr naturalistischer Begabung, der andere von feinerem Schliff, beide in ihrer Zeit über die Grenzen Frankreichs hinaus beliebt. Isouard ist heute verschollen, Boieldieu lebt noch in einem Werke, „La Dame blanche," fort. Isouard und Boieldieu repräsentieren die naivere Art der Opéra comique, während in Auber Pikanterie und Witz hervortreten. Opéra comique.

Nicolò Isouard, auch bloß Nicolò oder Nicolò de Malte genannt, stammt aus französischer Familie und ist am 6. Dezember 1775 auf der Insel Malta geboren. In einem Pariser Pensionat erzogen, kehrte er mit 15 Jahren nach Malta zurück und wurde von seinem Vater für die kaufmännische Laufbahn bestimmt. Er arbeitete in Bankhäusern seiner Heimat, dann in Palermo, sein Sinn war aber auf die Musik gerichtet, in welcher er schon in Malta, dann in Palermo, endlich am gründlichsten in Neapel Unterricht erhielt. Wie alle musikalischen Talente dieser Zeit fühlte sich auch Nicolò besonders zur Oper hingezogen. Sein Ratgeber bei den ersten Versuchen in dieser Gattung war Guglielmi. Mit zwei italienischen Opern, einer Opera buffa „Avviso ai maritati" in Florenz 1795, und einer seria „Artaserse" in Livorno, eröffnete er seine dramatische Laufbahn. Darauf wurde er zum Organisten der Malteser Ordenskirche zu La Valette, später zum Kapellmeister des Ordens ernannt, schrieb auch einige Opern für ein dort von den Franzosen errichtetes Theater. Seit 1799 in Paris lebend, von Rudolf Kreutzer gefördert, fanden seine rasch aufeinander folgenden Singspiele Aufnahme in der „Opéra comique" und schwang er sich bald zum Liebling des Pariser Publikums auf. Er hatte das Geschick, sich die wirksamsten Bühnenstoffe anzueignen, und versah sie mit gefälligen, leichtfaßlichen Melodien. Seine unter dem Namen „Nicolò" in der „Opéra comique" aufgeführten Singspiele, 1800 mit „Le Tonnelier" (Der Faßbinder) beginnend, erfolgreicher mit „Michel Ange" 1802 und „L'Intrigue aux fenêtres" 1805 fortgesetzt, erreichten ihren Höhepunkt in „Cendrillon" (Aschenbrödel), zuerst 1810 aufgeführt und rasch populär geworden. „Aschenbrödel" machte bald ihren Weg durch ganz Europa. Als um diese Zeit Boieldieu aus Petersburg zurückkehrte, entspann sich eine so heftige Rivalität zwischen den Beiden, wie sie selten in Paris erlebt worden. Isouard strengte alle seine Kräfte an, um es dem tüchtigeren Boieldieu gleichzutun, und ward sorgfältiger in der Arbeit. Es entstanden seine reifsten Werke „Joconde" und „Jeannot et Colin", beide 1814, welche auch in Deutschland beliebt wurden. Nennenswert sind noch: „Cimarosa" 1808, „Le billet de loterie" 1811, „La fête au village" 1811, „Lully et Quinault" 1812, das nachgelassene Werk „Aladin, ou la lampe merveilleuse", aufgeführt 1822. Einige Isouard. Cendrillon (Aschenbrödel), 1810.

seiner Opern sind gemeinschaftlich mit Kreutzer, Méhul, Boieldieu komponiert. Im ganzen hat Isouard gegen 40 Opern geschrieben. Seine Musik reicht nicht tief, nimmt aber durch Anmut für sich ein. In seiner naiven Art schließt er sich am nächsten Dalayrac an. Isouard starb in Paris am 23. März 1818, erst 43 Jahre alt.

In Neuer Ausgabe sind im Klavierauszug „Aschenbrödel" und das „Lotterielos" bei Senff (jetzt Universal-Edition), bearbeitet von R. Kleinmichel, erschienen.

Boieldieu. Kaum wird einem Komponisten so übereinstimmend das Beiwort „liebenswürdig" zugesellt, als Boieldieu. Ein seliges Lächeln gleitet über die Mienen der Opernfreunde bei Nennung der „Weißen Dame". Auf dem Boden der Opéra comique war Boieldieu ein Glückskind. Während den anderen ihre ersten Opern, zuweilen auch spätere, durchfielen, durfte er fast keinen Mißerfolg verzeichnen. Hatte sein Rivale Isouard etwas vom Italiener, so war Boieldieu ein Vollblutfranzose.

Lebensgeschichte. François Adrien Boieldieu ist in Rouen am 16. Dezember 1775 geboren. In bürgerlichem Wohlstand erzogen, frühzeitig in der Musik unterrichtet, trieben ihn Ehrgeiz und Unternehmungslust aus dem elterlichen Hause. Er wanderte, ein Knabe von 14 Jahren, zu Fuße nach Paris, einige Franken in der Tasche. Zum Glück fand er dort Aufnahme in einem befreundeten Hause. Während der Schreckenszeit kehrte er nach Rouen zurück, beschäftigte sich auch in diesen aufgeregten Tagen mit der Kunst und es erwachte die Schaffenslust in ihm. Im November 1793 wurde sein Erstlingswerk, eine Opéra comique „La fille coupable", deren Text ihm sein Vater verfaßte, im Theater zu Rouen aufgeführt, 1795 folgte eine zweite. In demselben Jahre kehrte Boieldieu nach Paris zurück. Er knüpfte Verbindungen an, wobei ihm seine einnehmende Persönlichkeit zu statten kam, war in dem Hause Erard wohlgelitten, befreundete sich mit Kunstgenossen, namentlich mit Cherubini. Sein Hauptinstrument war das Klavier, und so lag es nahe, daß er schon 1795 mit Klavierkompositionen hervortrat. Bekannt und beliebt wurde er durch seine zahlreichen Romances, welche in den Salons vorgetragen und auch gedruckt wurden. Besonders verbreitet war die Romance „Le Ménestrel". Sein erstes Debut in der Pariser Opéra comique (Th. Feydeau) am 12. Februar 1797 war die einaktige Operette „La famille suisse". Das kleine Stück wurde beifällig aufgenommen, ebenso „La dot de Suzette", welches im Th. Favart mit Mad. St. Aubin in der Titelrolle 50 Wiederholungen erlebte. Bedeutender war „Zoraime et Zulnare", Oper in drei Akten.

Erste Opern. Paris.

Konservatorium. 1800. Im Jahre 1800 wurde Boieldieu als Professor des Klavierspiels am Konservatorium angestellt; später übernahm er noch eine Kompositionsklasse. Glänzende Erfolge erzielten seine Opern

Le Calife de Bagdad. „Benjowski" und „Le Calife de Bagdad". Das letztere, einaktige Singspiel ward ein Repertoirestück des Th. Favart und überlebte seine Zeit noch lange; bis 1840 zählt man an 800 Wiederholungen dieses Stückes und neuestens wurde es wieder hervorgesucht. Auch „Tante Aurore", eine dreiaktige Oper, fand 1803 eine günstige Aufnahme.

Getrübt wurde das Glück des Komponisten durch seine unglückliche Ehe mit der leichtfertigen Tänzerin Clotilde Mafleurai, von welcher er sich später trennte.

Petersburg. Im Juni 1803 verließ Boieldieu Paris, um einer Berufung nach Petersburg zu folgen, wo sich ihm ein glänzender Wir-

kungskreis eröffnete. Czar Alexander ernannte ihn zu seinem Hofkapellmeister. Während seines siebenjährigen Aufenthalts in Rußland schrieb Boieldieu nebst Militärmärschen für die kaiserliche
Garde eine Reihe von Opern, welche fast sämtlich später in Paris
wieder auftauchten, namentlich „*Aline, reine de Golconde*“, „*Tele-
maque*“ (große Oper in drei Akten), „*Les Voitures versées*“, „*La jeune
Femme colère*“, „*Rien de trop*“, „*Alder-Khan*“, auch Chöre zu Racines „Athalie“. Die Operntexte waren meist schon in Frankreich
von anderen komponiert worden. Das rauhe Klima scheint Boieldieu aus Rußland vertrieben zu haben. 1810 kehrte er nach
Paris zurück. In der nächsten Zeit arbeitete er eifrig und langsam
an einem ihm von St. Just übergebenen Libretto, „Jean de
Paris“.

Mit „*Jean de Paris*“, Opéra comique in zwei Akten, hat
Boieldieu seine volle Reife erreicht, hat mit sicherer Hand und
edlem Geschmack eine Meisterleistung geschaffen. Die Erstaufführung
fand am 4. April 1812 im Th. Feydeau statt, die Aufnahme war
eine enthusiastische. Die Darstellung durch Ellevivu, Martin,
Mad. Gavaudan, Mlle. Regnault, Mad. St. Aubin trug wesentlich zu dem Erfolge bei. Monatelang hielt sich „Jean de Paris“ auf
dem Repertoire. Der Komponist, den man in diesem Werke wie
eine neue Erscheinung begrüßte, wurde allgemein gefeiert. Die
ebenso graziöse als gediegene Oper wurde bald in Deutschland
heimisch. In Wien kam „Johann von Paris“ schon im August
1812, in Berlin 1813 zur Aufführung, Dresden folgte 1817
unter Webers Direktion.

Jean de Paris. 1812.

Ein Inkognito- und scherzhaftes Intrigenspiel bildet den harmlosen
Kern der Handlung. Ein französischer Prinz und die ihm bestimmte Braut,
Prinzessin von Navarra, treffen auf der Reise in einem ländlichen Gasthofe
zusammen. Der Prinz, der unter dem Namen „Jean, Bürger von Paris“ reist,
kennt seine Braut nicht, während die Prinzessin ihn sofort errät. Dies gibt
Anlaß zu drolligen Szenen, Mißverständnissen, Neckereien, endlich Liebes-
geständnissen, worauf das gegenseitige Erkennen und die freudige Vereinigung
folgt. — Der Stoff ist glücklich erfunden, die Sprache dagegen etwas förmlich und kühl. Die Betonung bürgerlicher Gesinnung und der Spott über
aristokratischen Dünkel erscheinen wie ein Nachklang aus der Revolutionszeit.

Handlung.

Die Musik hat in ihrer Einfachheit, der klaren Abrundung
der Formen einen fast klassischen Charakter. Der herzliche Gemütston, der durch das Ganze geht, wirkt überaus sympathisch.
Der Ausdruck der Empfindung ist voll Anmut, die Komik geschmackvoll abgedämpft, der französische Grundzug unverkennbar.
Die melodische Erfindung, so gefällig sie auch ist, steht an Reichtum jener in der „Weißen Dame“ nach, dagegen hat an treffender
Charakteristik der Einzelpersonen Boieldieu nichts Besseres geschaffen. Jean, der Inkognitoprinz, ist in ritterlicher Haltung, doch
warm empfindend gezeichnet, sein Page Olivier (Sopran) wirkt
durch seine kecke Laune und Frohnatur ergötzlich, die Prinzessin (eine Koloraturpartie) zeichnet sich durch feinen, eleganten

Die Musik

Ausdruck, wie durch Mutwillen und Koketterie aus; eine gelungene Figur bildet der Seneschall der Prinzessin in seiner grotesken Grandezza.

Als Glanzpunkte der Oper sind zu bezeichnen: Im ersten Akt Oliviers Arie *„Lorsque mon maitre est en voyage"*, das Duett zwischen Jean und Olivier *„Rester à la gloire fidèle"*, die Eintrittsarie des Seneschall, das prachtvolle Finale mit der eingelegten Arie der Prinzessin *„Ah! quel plaisir d'être en voyage"* (Welche Lust gewährt das Reisen); im zweiten Akt Jeans *„En brave et galant paladin"*, endlich die so beliebte Romanze *„Le troubadour, fier de son doux servage"*. Die Ensembles und Chöre sind gut gearbeitet. Ein reichlich eingeflochtener Dialog verbindet die Musikstücke. Die Oper hat zwei hübsche Ouvertüren, je zum ersten und zum zweiten Akt, welche sich im Charakter voneinander unterscheiden. Die Instrumentation beweist einen Fortschritt des Komponisten; sie ist farbenreicher und klangvoller geworden.

Zwischen „Johann von Paris" und der zweiten Meisteroper Boieldieus, der „Weißen Dame", liegen Jahre der Zurückgezogenheit und flüchtigerer Produktion. Nur zwei Opern heben sich aus dieser Zwischenzeit hervor: *„Le nouveau Seigneur"* 1813 und *„Le petit Chaperon rouge"* 1818.

Le nouveau Seigneur. 1813. „Le nouveau Seigneur" (Der neue Gutsherr), ein einaktiges Singspiel, vereinigt in kleinem Rahmen alle Vorzüge des Tonsetzers und steht auf der Höhe seiner reifen Periode. Es ist ein frisches, melodisch-anmutiges Werk, welches dabei durch seine solide Arbeit auch einer strengeren Kritik standhält. Diese Eigenschaften verschafften dem Singspiel auch in Deutschland Freunde.

Chaperon rouge. „Chaperon rouge" (Rotkäppchen), eine dreiaktige, ernstere, im großen Stile gehaltene Oper, erzielte auf der Bühne der Opéra comique einen großen Erfolg. Die Musik, welche nicht die naive Ursprünglichkeit der früheren Werke besitzt, entschädigt durch ein wärmeres, leidenschaftlicheres Kolorit und durch soliden Tonsatz. Die melodische Erfindung dieser einst beliebten und verbreiteten Oper alterte bald und machte das Werk vergessen. In den Jahren von 1818 bis 1825 brachte Boieldieu kein neues Werk auf die Bühne, wenn man die umgearbeitete, aus der Petersburger Zeit stammende Operette *„Les voitures versées"* und einige Kompagniearbeiten ausnimmt. Seine seit dem Aufenthalt in Rußland erschütterte Gesundheit nötigte ihn viel auf dem Lande zu leben und der Ruhe zu pflegen.

Zerstreuung boten ihm sein Zeichnen- und Malertalent, auch seine Leidenschaft für das Bauen, welche ihn zu steten Veränderungen an seinem Landhause verleitete.

Doch beschäftigte seine Phantasie schon seit langem ein Opernstoff, der sich allmählich musikalisch ausgestaltete und endlich als vollendetes Werk rasch niedergeschrieben wurde — „La Dame La Dame blanche. 1825. blanche" (die „Weiße Dame"). Am 10. Dezember 1825 schritt sie zum erstenmal über die Bühne und erregte sofort eine Sensation, wie sie fast ohne Beispiel dastand und sich zu einem dauernden

Erfolg gestaltete. Die „Weiße Dame" ward zum Lieblingswerk, zum Stolz der französischen komischen Oper. Rasch drangen ihre anmutigen, gemütvollen Weisen nach Deutschland und wurden dort herzlich begrüßt. Auch die Vollendung der Form, die meisterhafte Arbeit, der Geschmack in der Verwendung der instrumentalen Mittel fanden wie in Frankreich auch in Deutschland Bewunderung. Schon im nächsten Jahre wurde die Oper in Wien, Prag, Berlin, München, Stuttgart, Leipzig und vielen anderen Städten gegeben, überall mit zahlreichen Wiederholungen, die sich bis zur neuesten Zeit erstrecken.

Die Handlung spielt in Schottland, in dem verlassenen Schlosse der Handlung.
Grafen Avenel. Die gräflichen Güter sollen versteigert werden, indem der letzte Erbe des Hauses seit langem verschollen ist. Da taucht dieser, ohne seine Abkunft zu kennen, als junger englischer Offizier, namens George Brown, im Schlosse auf. In der Nacht vor der Versteigerung erscheint ihm der Schutzgeist des Hauses Avenel, die „weiße Dame", und trägt ihm auf, am nächsten Tage mitzubieten. Ohne das Geringste zu besitzen, ersteht George Brown das Gut mit dem Anbot von 30.000 Pfund. Da er nicht zahlen kann, soll er ins Schuldgefängnis. Zur rechten Zeit erscheint wieder, diesmal am Tage, die „weiße Dame" und übergibt ihm ein Kästchen, worin sich neben anderen Kostbarkeiten Dokumente befinden, welche die Identität George Browns mit dem rechtmäßigen Erben erweisen. Die weiße Dame wird entschleiert und als Anna, die Pflegetochter des intriganten, nach dem Besitz des Schlosses gierigen Verwalters Gaveston erkannt. Selbstverständlich werden der nunmehrige Edwin Avenel und Anna ein Paar. Ein Lied der schottischen Heimat, welches der neue Gutsherr aus seinen Kindheitstagen kennt und liebt, spielt eine bedeutende Rolle in der Handlung. — Das Textbuch von Scribe, dessen Inhalt aus Romanen von Walter Scott geschöpft ist, besitzt alle Vorzüge dieses erfindungsreichen Bühnenschriftstellers, wie auch seine Unwahrscheinlichkeiten.

Boieldieu verstand es, sowohl den dramatischen Vorgängen Die Musik.
und Bildern, wie der Charakteristik der einzelnen Gestalten musikalisch gerecht zu werden, er schuf ein Werk von echtem Kunstwert, einheitlich in seiner Gestaltung, edel und ausdrucksvoll. Durch die Einflechtung von national-schottischen Weisen gewinnt die Musik eine Bereicherung und ein anziehendes Lokalkolorit. Über die ganze Oper ist eine treuherzige Einfachheit und vornehme Grazie gebreitet; große Wärme oder Leidenschaft wird man darin nicht finden. Die Gesänge sind ansprechend in der Melodie und zart empfunden, sie sind es, die das Glück der Oper machten. Aber auch der Tonsatz zeigt Vollendung und einzelne Meisterzüge; die geistreiche und klangvolle Instrumentation trägt wesentlich zu dem Gesamteindruck bei. Durch alle diese Vorzüge hat sich die „Weiße Dame" vorzugsweise in Deutschland eingebürgert.

Es genügt hier an einige der gelungensten und beliebtesten Nummern Details.
der Oper zu erinnern. Dem Eröffnungschor der schottischen Landleute folgt die berühmte Arie des George „Ach, welche Lust, Soldat zu sein" (_Quel plaisir d'être soldat_"); die Ballade der schelmischen Pächterin Jenny mit Chorrefrain läßt den schottischen Lokalton durchklingen, das Duett zwischen Jenny und George, das sogenannte „Angstduett", ist voll neckischer Anmut, meisterhaft ist das Finalterzett, anfangs kanonartig geführt, voll Stimmung

im Gesang und Instrumentation. Der zweite Akt beginnt mit dem elegisch gestimmten „Spinnlied" der alten Kinderwärterin Margarethe, welches eine charakteristische Instrumentalfigur begleitet; das darauffolgende Terzett (Gaveston, Anna und Margarethe) ist ein prachtvoll gestaltetes und gemütvolles Stück; Georges zarte Cavatine „Komm, holde Dame" („Viens, gentille dame") teilt sich an Beliebtheit mit seiner Arie im ersten Akt, ebenso weich ist das folgende Liebesduett mit Anna. Der Glanzpunkt des zweiten Aktes ist das Finale, die große Auktionsszene, mit ihrer dramatischen Lebendigkeit und der treffenden Charakteristik der dabei verschiedenartig beteiligten Personen. Der dritte Akt bleibt an Interesse hinter den beiden vorangegangenen zurück; er bringt in dem Chor der Landleute „Singt, wie unser Minstrel" („Chantons, joyeux ménestrel") mit der Wiederholung der echt schottischen Melodie seine wirksamste Nummer. — Die Ouvertüre zur „Weißen Dame", ein gefälliges, aber unbedeutendes Stück, welches Motive aus der Oper enthält, wurde nach den Angaben des Komponisten von seinem Schüler Adolphe Adam geschrieben.

Les deux Nuits.

Der „Dame blanche" folgte noch eine Oper „Les deux Nuits", ein Werk, welches Boieldieu fast widerstrebend und von körperlichen Leiden heimgesucht zur Vollendung brachte. Diese dreiaktige Oper, am 20. Mai 1829 zur Aufführung gebracht, gewann nur einen zweifelhaften Erfolg; so schloß seine Bühnenlaufbahn.

Zwei Jahre vorher hatte Boieldieu einen neuen Ehebund mit seiner langjährigen Freundin, der Sängerin Jeanne Philis geschlossen; diese bewährte sich als seine treue Gefährtin und Pflegerin. Ein Sohn aus erster Ehe, Adrien, vervollständigte den Haushalt.

Krankheit und Sorgen.

Die Krankheit Boieldieus war die Kehlkopfschwindsucht, an der er langsam hinsiechte. Ein längerer Aufenthalt im südlichen Frankreich und in Italien brachte keine Besserung seines Zustandes. Zu den körperlichen Leiden gesellten sich die Sorge um die Zukunft und endlich die Not. Durch die Julirevolution ward er seiner Pension vom Konservatorium verlustig, die Opéra comique entzog sich ihren Verpflichtungen gegen den erfolgreichen Tonsetzer, die lange Krankheit hatte die Ersparnisse aufgezehrt. Nur eine kärgliche Unterstützung ward ihm von der „Academie" zu teil. Im Sommer 1834 in sein Landhaus in Jarcy zurückgekehrt, starb er dort am 8. Oktober.

Tod am 8. Oktober 1834.

Die Leichenfeier fand am 14. Oktober im Invalidendom mit der Aufführung eines Requiems von Cherubini statt, die Beerdigung auf dem Friedhof „Père la Chaise", das Herz wurde in Rouen beigesetzt. Sein Standbild erhebt sich seit 1839 in seiner Vaterstadt; in Paris ist seine Büste in der „Academie" aufgestellt, der Platz vor der „Opéra comique" mit seinem Namen bezeichnet worden.

Werke.

Außer den Opern, deren Zahl man einschließlich der Beiträge zu Kompagniearbeiten mit 37 angeben kann, hat Boieldieu eine große Anzahl Romances komponiert, welche in Paris veröffentlicht wurden, ferner Klaviersonaten (3 Op. I und eine große Sonate in G-moll), andere Klavier-, Harfen- und kleine Instrumentalstücke. Sein Sohn Adrien, der erst 1883 in Paris gestorben ist, war Schüler seines Vaters und ein fruchtbarer Komponist von Romances, auch Opern.

Klavierauszüge von „Johann von Paris", „Der neue Gutsherr", „Rotkäppchen", „Weiße Dame" sind in mehrfachen Neuausgaben vorhanden.

Boieldieu ist der Zeit nach als Vorgänger Aubers zu betrachten. Boieldieus „Dame blanche" und Aubers „Maçon" tragen dieselbe Jahreszahl; bezeichnet aber das erstgenannte Werk den Abschluß, so steht das letztere an der Schwelle der besten Schaffensperiode seines Komponisten. Der künstlerische Einfluß Boieldieus auf Auber war ein vorübergehender, Auber ging bald andere Wege.

Eine kräftigere, doch minder ausgeglichene künstlerische Individualität, einer der vornehmsten musikalischen Dramatiker Frankreichs, dessen reizvolle Opern „Zampa" und „Pré aux cleres" die Runde um die Welt machten, war Herold.

Louis Joseph Ferdinand Herold wurde am 28. Jänner 1791 in Paris geboren. Sein Vater stammte aus dem Elsaß und hatte sich in Paris als Klavierlehrer niedergelassen. In der musikalischen Umgebung des Hauses und unter dem Einfluß seines Paten Louis Adam (dem Vater des Opernkomponisten Adolphe Adam) entwickelten sich die Fähigkeiten des Knaben sehr rasch. Mit sechs Jahren fing er an, kleine Klavierstücke zu komponieren. Die Jahre 1802—1806 brachte er in einem Erziehungsinstitut zu, dann wurde er in das Konservatorium aufgenommen, trat zuerst in die Klavierklasse L. Adams, studierte später die Komposition bei Catel und Méhul, dessen Lieblingsschüler er ward. Während dieser Zeit entstanden viele Klavierstücke, sogar ein Klavierkonzert, welches Herold 1812 im Th. italien öffentlich vortrug. In demselben Jahre gewann er den „Prix de Rome" (den Römerpreis) und begab sich nach Italien. In Rom verlebte er ein Jahr, hörte häufig die gangbaren italienischen Opern, sandte die Früchte seines eigenen Fleißes, darunter eine Symphonie und eine kirchliche Hymne an die „Académie", bis er Ende 1813 sich nach Neapel begab. Sein Vater war mittlerweile gestorben und ließ seine Witwe in beschränkten Verhältnissen zurück. Herold hing zärtlich an seiner Mutter, der er von der Freude aus alle seine Erlebnisse berichtete. Der Aufenthalt in Neapel war von glücklichen Erfolgen begleitet, er spielte bei Hofe, wurde auch mit dem Unterricht der Prinzessinnen betraut; endlich gelang es ihm, ein dramatisches Werk auf die Bühne zu bringen, seine Erstlingsoper „La gioventù di Enrico quinto", aufgeführt im Jänner 1815. Im Februar verließ Herold Neapel, reiste über Rom nach Wien, von welcher Stadt er während eines mehrwöchentlichen Aufenthalts die angenehmsten Eindrücke empfing. Er verkehrte viel mit Salieri, hörte viele Opern, die er mit Verständnis in sich aufnahm. Nachdem er noch München berührt, kehrte er nach dreijähriger Abwesenheit im August 1815 nach Paris zurück. Er fand vorläufig seinen Lebensunterhalt bei der italienischen Oper als „Maestro al Cembalo". Nach verschiedenen unbedeutenden Arbeiten für die Opéra comique, erfreute er sich mit seiner Oper „Les Rosières" am 27. Jänner 1817 eines schönen Erfolges, welcher auch dem heiteren Libretto von Théaulon (dem ebenbürtigen Nachfolger Sédaines) zu verdanken war. Der damals 25jährige Komponist hatte seine volle Sicherheit im Tonsatz, welche er in der Schule Méhuls erworben, und seine szenische Gewandtheit erlangt. Noch erfolgreicher war „La Clochette", ein Ausstattungsstück, noch in demselben Jahre. Im Mai 1823 brachte Herold die einaktige Operette „Le Muletier" (Der Maultiertreiber) auf die Bühne der Opéra comique. Das Textbuch war nach Boccaccio und Lafontaine von Paul de Kock geschickt verfaßt, die pikante und gut gearbeitete Musik gefiel ausnehmend. Alles dies waren aber nur mehr oder minder gelungene Präludien zu seinen Meisteropern „Marie", „Zampa" und „Le Pré aux cleres".

„Marie", am 12. August 1826 in der Opéra comique aufgeführt enthielt eine wirksame Mischung von pathetisch-dramatischen

Herold.

Leben.

Rom.

Neapel.

Wien.

„Les Rosières" 1817.

„La Clochette" „Le Muletier" 1823.

„Marie" 1826.

24*

— 372 —

und heiteren Szenen, wie sie das Libretto von Planard bot. Der warme Ausdruck in den Melodien, von denen einige populär wurden, wie die Romanze des Henri „Une robe légère", die des Adolphe „Je pars", die Barkarole „Et vogue ma nacelle", die kleine Arie der Suzette „C'est une amourette", machte das Glück der Oper. Aber auch leidenschaftliche Momente und dramatische Züge, wie namentlich im Duett zwischen Marie und Adolphe im zweiten Akt, endlich gediegene Ensembles, wie das Sextett, treten bedeutend hervor. Der große Erfolg der Oper schloß sich dem der „Dame blanche" an, auch von „Marie" zählte man 100 Wiederholungen im ersten Jahr; allerdings verschwand sie allmählich vom Repertoire.

Zampa
1831.

„Zampa", Oper in drei Akten, Text von Mellesville, fand am 3. Mai 1831 seine erste Aufführung in der Opéra comique.

Zampa ist ein Piratenhäuptling, der die Braut eines anderen geraubt hat. Die Handlung ist dramatisch belebt und mit komischen Episoden durchzogen. Die Schlußkatastrophe, in welcher die Marmorstatue, der Zampa übermütig den Verlobungsring an den Finger gesteckt, mit ihm in den Abgrund versinkt, erinnert an „Don Juan".

Man kann das Werk als „romantische Oper" bezeichnen. Die Musik besitzt große Abwechslung, ist reich an Erfindung, voll Bewegung und Leidenschaft, auch glücklich in der Färbung der komischen Partien. Die meisterliche Arbeit in den Ensembles, wie die glänzende Behandlung des Orchesters sind bemerkenswert.

Details.

Eine feurige Ouvertüre leitet die Oper ein; die sehr ausgedehnte Introduktion enthält einen reizenden Mädchenchor, die rührende Arie der Camille „A ce bonheur suprême", den eigentümlich rhythmisierten Chor der Gefährten Alfons' mit den Couplets des letzteren. Es folgt die schöne Ballade der Camille mit Begleitung von Blasinstrumenten; originell ist das rasch dahineilende „Furchterzett", imposant das Quartett beim Eintritt Zampas. Ein großes Finale mit dem Korsarenchor und der Szene mit der Marmorstatue beschließt den Akt. Reich ausgestattet ist auch der zweite Akt; er beginnt mit dem Gebet für drei Frauenstimmen, es folgen die berühmte Arie des Zampa „Il faut céder à ses lois", ein Buffoduett, endlich das meisterhafte Finale mit einem Festchor und einem populären Lied Zampas. Der dritte Akt ist kurz und enthält eine Barkarole, einen Chor, den tragischen Ausgang.

Es war kein Augenblickserfolg, den „Zampa" davontrug, doch ein steigender, dauerhafter. Die Oper verbreitete sich nach allen Richtungen und erregte überall den Enthusiasmus des großen Publikums. In Wien wurde „Zampa oder die Marmorbraut" 1832 zuerst in der Hofoper, dann im Josefstädter Theater oft gegeben, in London von 1833 an in italienischer, französischer und englischer Sprache. „Zampa" blieb noch durch Jahrzehnte eine Favoritoper.

Le Préaux
clercs
1832.

Am 15. Dezember 1832 fand die Erstaufführung der dreiaktigen Oper „Le Préaux clercs" (Die „Schreiberwiese"), Libretto von Planard, in der Opéra comique statt. Diesmal war der Erfolg ein durchschlagender. Die spannende Handlung, die geschickt angeordneten Situationen, dazu eine gefällige, leichtverständliche Musik von großer Abwechslung vereinten sich zu einer blendenden Ge-

380

samtwirkung, zu welcher auch die vorzügliche Darstellung das
Ihrige beitrug.

Die Zeit der Handlung ist die Charles IX., der Schauplatz der Louvre
und die berüchtigte „Schreiberwiese" bei Paris. Es erscheinen Margarethe
von Valois, ihre Hofdame Isabelle, deren Liebesgeschichte mit ihrem
Landsmann, dem Baron de Mergy, den Kern der Handlung bildet. Ein
Duell auf der „Schreiberwiese", in welchem Mergy seinen Nebenbuhler, den
Höfling Comminges, tötet und die Braut heimführt, macht den Schluß. —
Die Musik der beiden ersten Akte ist vorherrschend elegant, teils edlerer
Art, teils leichtfertig, Rossini mit seinem kolorierten Stil, Auber mit seinem
Konversationston sind zu Gaste. Ein hübsches Duett (Sopran und Baß), die
Arie des Mergy, die Streitszene der Gardisten mit den Wirtsleuten,
die Romanze der Isabella „Rendez-moi ma patrie" in dem großen Finale
des ersten Aktes, im zweiten die Arie der Isabella mit Violinsolo,
„Jours de mon enfance", das drollige Terzett mit dem „Maitre de plaisir"
Cantarelli, die Maskenszene, ein bewegtes Finale sind hervorzuheben.
Der dritte Akt, die Krone des Werkes, ist gedrängt, dabei dramatisch un-
gemein wirksam. Hier erhebt sich Herold zur Größe und musikalischen
Meisterschaft. Der ganze Akt von dem Rondo der Nicette mit Chor bis zu
dem Schlußjubel bildet eine Kette interessanter Nummern.

Der Erfolg der Oper erhielt sich lange auf gleicher Höhe. Bis zu Ende
des Jahres 1833 zählte man 150 Wiederholungen, dann folgten von Zeit zu
Zeit immer wieder Reprisen und 1871 konnte man in der „Opéra comique"
die 1000. Vorstellung feiern. Während die Franzosen „Le Pré aux cleres"
als eines der größten Meisterwerke erklärten, fand die Oper in Deutschland,
wo sie unter dem Titel „Der Zweikampf" gegeben wurde, beiweitem nicht
die gleich günstige Aufnahme wie „Zampa" oder selbst „Marie".

Herold, dessen Gesundheitszustand durch die steten Aufregungen und manche bittere Erfahrungen der letzten Jahre sehr
gelitten, erlag seiner Krankheit, der Lungenschwindsucht, am
19. Jänner 1833. Er starb viel zu früh, um die Erwartungen,
welche man an sein Talent zu knüpfen berechtigt war, in vollem
Maße zu erfüllen. Seine natürliche Begabung und gründliche
Schulung waren auch von großer Intelligenz begleitet. Eine lebhafte Aufnahmsfähigkeit und ihre geschickte Verwertung war ihm
eigen. Von seinen geistreichen Reflexionen über dramatische Kunst
geben die hinterlassenen Tagebuchblätter Kunde.

Herold hat im ganzen, inbegriffen der Kompagniearbeiten und
mehrerer Ballette für die Große Oper, 29 dramatische Werke geschrieben. Ein Fragment zu einer Oper „Ludovic", seine letzte
Arbeit, wurde von Halévy vervollständigt. Die sonstigen Kompositionen Herolds sind nicht gering an Zahl, aber ohne tiefere Bedeutung. Auszunehmen wäre etwa die „Hymne aux morts de Juillet"
(Zur Erinnerung an die in der Juli-Revolution Gefallenen).

In seiner Jugend schrieb Herold vieles für Klavier, Sonaten, Kon-
zerte mit Orchester, kleinere Stücke, Transkriptionen, auch in Symphonien und
Kammermusik versuchte er sich. Vieles davon wurde in Paris gedruckt. Eine
Anzahl hinterlassener Kompositionen wurde von Charles René herausgegeben.

Die Klavierauszüge von „Zampa" und „Der Zweikampf" sind
in neuen Ausgaben in der Ed. Peters und in der Universal-Edition
erschienen.

Details.

Ende
19. Jänner 1833.

Werke.

Nicht zu übergehen ist der fruchtbare Opernkomponist, Zeit-
und Arbeitsgenosse Cherubinis, Méhuls und Boieldieus, Henri
Berton. B e r t o n (1767—1844), Professor und Inspektor am Konservatorium,
Mitglied des Instituts, Direktor der italienischen Oper. Seit seinem
20. Jahre schrieb er Oper um Oper. Als seine gelungensten, zugleich erfolgreichsten werden betrachtet: *„Montano et Stephanie"* in
drei Akten, *„Le Délire"*, einaktig, beide von 1799, *„Aline ou la Reine
de Golconde"*, dreiaktig, 1803. Die späteren Opern werden immer
oberflächlicher. B e r t o n war ein dramatisches Talent, nicht ohne
Originalität, aber ohne Gründlichkeit.

Rud. Kreutzer. Rudolf K r e u t z e r (1766—1831), eine der Koryphäen der
französischen Violinschule, produzierte von 1790 bis 1823, häufig
auch in Gemeinschaft mit anderen Komponisten, eine Reihe von
Opern, welche teils in der Opéra comique, teils in der Großen Oper
zur Aufführung kamen. Es scheint, daß nur *„Paul et Virginie"* sich
länger gehalten hat.

Ein Italiener, der sich der französischen Oper zugesellte, ist
Carafa. Michel C a r a f a, in Neapel 1787 geboren, adeliger Herkunft. Er
ließ sich 1827 in Paris nieder, wo er zu hohen Ehren gelangte,
auch als Professor am Konservatorium jahrelang wirkte. Die Hälfte
seiner Opern gehört Italien an, er schrieb für die Theater in Neapel,
Rom, Venedig, Mailand. Seine französischen Opern für die Opéra
comique und die Große Oper, welche sich von 1821 bis 1838 erstrecken, sollen Talent, aber auch Leichtfertigkeit des Schaffens
verraten. Als sein bestes Werk gilt *„Masaniello"*, 1827 in der Opéra
comique aufgeführt. Carafa starb in hohem Alter erst 1872 in
Paris.

1831 erschien auf der Bühne der Großen Oper in Paris
Meyerbeer. M e y e r b e e r s „Robert le diable", 1836 hielten „Les Huguenots"
Halévy. ihren Einzug, H a l é v y s „La Juive" folgte 1835, im nächsten Jahre
brachte die Opéra comique „Le postillon de Lonjumeau" von
Adam. Adolphe A d a m, Werke, deren Glanz noch nicht verblichen ist.
M e y e r b e e r, H a l é v y, A d a m gehören dem Schwerpunkt ihres
Schaffens nach der folgenden Epoche an.

Mit der üppigen Fruchtbarkeit der italienischen Opera buffa
und der französischen Opéra comique verglichen, ist die Schaffens-
Deutsche tätigkeit auf dem Gebiete der d e u t s c h e n O p e r in den ersten
Oper. Dezennien des 19. Jahrhunderts nur eine geringe. Gleichzeitig erhält sich die Beliebtheit der fremdländischen Oper in ungeschwächter
Kraft. Trotz der Hochachtung vor G l u c k, der Liebe zu M o z a r t,
trotz S p o h r und W e b e r halten die süßen Melodien der Italiener
noch immer die Sinne gefangen, ergötzt man sich an den leichten
Reizen der französischen Spieloper. Mit W e b e r s „Freischütz" war
erst ein echt n a t i o n a l e s Element in die deutsche Oper ein-
getreten, waren der zukünftigen Entwicklung die Wege gewiesen.

Zunächst sind es zwei Namen, an welche sich das Fortleben der deutschen Oper knüpft, M a r s c h n e r und L o r t z i n g; der eine führt uns in das Reich geheimnisvoller Romantik, der andere breitet eine Fülle von Gemüt und Humor vor uns aus.

M a r s c h n e r schließt sich unmittelbar W e b e r an, besitzt aber in seinen reifsten Werken einen eigenartigen Charakterzug. Marschners G l a n z z e i t umfaßt die Jahre 1828 bis 1833, innerhalb welcher seine H a u p t w e r k e „Der Vampyr", „Templer und Jüdin", „Hans Heiling" auf der Bühne erschienen, Werke, die ihn in die erste Reihe der Opernkomponisten stellen. Marschner.

Das L e b e n s b i l d Marschners setzt sich zwar vorwiegend aus kleinen, persönlichen Zügen zusammen, entbehrt aber nicht des intimen Interesses.

Heinrich M a r s c h n e r ist in der sächsischen Stadt Z i t t a u am 16. August 1795 geboren. Sein Vater, ein aus Böhmen eingewanderter Drechsler, beschäftigte sich mehr mit Musik als mit seinem Gewerbe; er blies die Flöte und spielte die Harfe, auf welchem Instrument er auch Unterricht erteilte. Der Knabe wurde zum Studium bestimmt, lernte nebenbei Klavierspielen und machte sich durch seine schöne Stimme bemerkbar. Im Gymnasium beteiligte er sich an dem Chorverein, der unter der Leitung des jungen Friedrich S c h n e i d e r stand. Schon damals erwachte sein Kompositionstalent und es entstanden Lieder, Klavierstücke, sogar ein Ballett für das Zittauer Theater. Nachdem er das Gymnasium absolviert, bezog er 1813 die Universität L e i p z i g, wendete sich aber bald von der Jurisprudenz ab, um auf den Rat des Thomanerkantors S c h i c h t sich ganz der Musik zu widmen. Unter der theoretischen Anleitung dieses tüchtigen Meisters machte der junge Marschner große Fortschritte im Tonsatz. 1815 unternahm Marschner seine erste Reise nach K a r l s b a d. Dort machte er die Bekanntschaft des musikliebenden Grafen A m a d é, der ihn unterstützte und zu einer Reise nach Wien ermunterte. Im Herbst desselben Jahres in W i e n angekommen, war es seine heiße Sehnsucht, sich dem großen B e e t h o v e n vorzustellen. Beethoven, wie gewöhnlich anfangs unzugänglich, soll Marschner bei seinen späteren Besuchen freundlicher empfangen haben. Für Marschners nächste Zukunft war der Wiener Aufenthalt nicht unwichtig; dieser ward die Veranlassung, daß er in den folgenden Jahren seinen Wohnsitz in U n g a r n nahm. Von dem Grafen Johann Nepomuk Z i c h y, der in der Nähe von P r e ß b u r g ein Gut besaß, erhielt Marschner den Antrag, in seiner Familie den Musikunterricht zu übernehmen. Marschner verlebte einige Zeit auf dem Gute, übersiedelte aber 1817 nach P r e ß b u r g. Diese Stadt bot ihm einen anregenden Verkehr, eine Anstellung als Kapellmeister beim Fürsten G r a s s a l k o v i c h, endlich — eine Gattin. Es war die Tochter eines einheimischen Kaufmannes, die er heimführte. Nach kaum halbjähriger Ehe wurde sie ihm durch den Tod entrissen. Auch sein erster O p e r n v e r s u c h sollte in Preßburg entstehen. Ein Freund des Komponisten, Dr. H o r n b o s t e l, hatte ihm den Text geliefert. Am 26. November 1818 ging die „große romantische Oper" in drei Akten „Saidar und Zulima" über die Bühne des Preßburger Schauspielhauses; sie erlebte nur zwei Aufführungen. Marschner, der den Beruf zum dramatischen Komponisten mit Überzeugung in sich fühlte, schritt sofort an die Ausführung einer z w e i t e n O p e r. Es war diesmal ein historischer Stoff, „Heinrich IV. und d'Aubigné", welcher der dreiaktigen Oper zu Grunde lag. Die gegen Ende 1818 vollendete Partitur sandte Marschner an W e b e r nach Dresden, der sich sehr lobend über das Werk äußerte und eine baldige Aufführung in Aussicht stellte. Doch verzögerte sich dieselbe durch mancherlei Hindernisse und erst Ende Juli 1820 konnte Weber dem Komponisten melden, daß seine Oper am 19. Juli mit großem Beifall in Szene ge-

Lebensgeschichte.

Leipzig.

Wien 1815.

Preßburg 1817.
Ehe.

Erste Opern.

Heinrich IV

gangen. Mit „Heinrich IV." hatte der damals 22jährige Marschner sein erstes
bedeutendes Werk geschaffen. Die Preßburger Zeit Marschners, welche sich
noch bis zum Jahre 1821 erstreckt, verfloß in angenehmem geselligen Verkehr
und eifriger Tätigkeit. Eine einaktige Oper „Der Kyffhäuser Berg", welche in
Preßburg entstanden sein soll, erschien 1836 im Klavierauszug. Vergessen darf
Zweite Ehe. endlich nicht werden, daß Marschner noch in Preßburg sich zum zweitenmal
vermählte. Diesmal war es eine Wienerin, Franziska Jäggi, welche, nachdem
sie ihm einen Sohn geboren, schon nach fünfjähriger Ehe 1825 in Dresden starb.

Dresden 1821. Weber übte eine so große Anziehungskraft auf Marschner, daß er
Weber. 1821 auf einer Reise in seine Heimat es nicht unterlassen konnte, Dresden zu
berühren, um Weber wiederzusehen. Dem zart organisierten, vornehm gesinnten Weber war anfangs das derbe, urwüchsige Wesen Marschners nicht
sympathisch, doch dessen großes Talent erkennend und schätzend, förderte er
ihn, wo er nur konnte. Aus dem vorübergehenden Aufenthalt wurde ein blei-
bender. Mit seiner Musik zu Kleists Schauspiel „Der Prinz von Homburg"
hatte Marschner 1821 großen Erfolg, dagegen fielen einige andere Schauspielmusiken in den nächsten Jahren ab. Die zunehmende Kränklichkeit Webers,
welche eine Entlastung von seinen Berufsgeschäften notwendig machte, ver-
Musikdirektor. anlaßte die Ernennung Marschners zum kön. Musikdirektor für die
deutsche und italienische Oper im September 1824. Er bewährte sich als
tüchtiger Dirigent und setzte sich, trotz mancher widerstrebender Elemente
in Respekt. Dresden war von jeher ein Eldorado der italienischen Oper gewesen und blieb es noch jetzt; Marschner versuchte es, das Publikum für das
„Der Holz- deutsche Singspiel zu gewinnen und schrieb selbst ein solches, „Der
dieb" 1825. Holzdieb", welches im Februar 1825 am Dresdener Hoftheater mit Beifall aufgeführt wurde. Bald zog eine neue Liebe in Marschners Herz ein. Es war die
Marianne schöne, damals schon berühmte Sängerin und Darstellerin Marianne Wohl-
Wohlbrück. brück, die ihn fesselte. Ein Halbjahr nach dem Tode seiner zweiten Frau
vermählte sich Marschner mit der Geliebten. Es war die denkbar glücklichste
Ehe, denn Marianne war nicht bloß eine geniale Künstlerin, sondern auch
eine gute Hausfrau, eine treue Gefährtin und Ratgeberin ihres Mannes.
Marschners persönliche Verhältnisse harmonierten damals nicht mit seinem
inneren Glücksgefühl. Er hatte eine übermäßige Last an Berufsgeschäften gegen
kärgliche Entlohnung zu tragen, und als endlich seine Hoffnung, nach dem
Tode Webers dessen Nachfolger zu werden, getäuscht ward, entschloß er
sich seinen Abschied zu nehmen. Nun war Marschner dem freien Schaffen
wiedergegeben. Der Bruder seiner Frau, der Dichter und Schauspieler Wilhelm
August Wohlbrück, damals Regisseur in Magdeburg, entwarf mit ihm den
Plan zu einem für Marschners Eigenart ungemein passenden Opernstoff, den
Leipzig. „Vampyr", nach Byrons „Lord Ruthwen". Die Komposition der Oper verzögerte sich durch Kunstreisen der Ehegatten, bis diese sich 1827 in Leipzig
niederließen, er als Kapellmeister, sie als Sängerin am Stadttheater. Dort ging
Der„Vampyr" am 29. März 1828 der „Vampyr" in Szene und fand, trotz des unheimlichen
1828. Stoffs in wiederholten Aufführungen großen Beifall. Die Meisterleistung Eduard
Genasts in der Titelrolle hatte das Ihrige dazu beigetragen. Die Oper brach
sich nur langsam Bahn. Einige deutsche Theater folgten rasch, andere zögerten,
in Wien wurde der „Vampyr" erst 1884, in Berlin noch später aufgenommen.
In London dagegen machte die Oper schon 1828 großes Glück und wurde im
Coventgarden-Theater über 60mal gegeben. — Bald reifte der Plan zu einer
„Templer und neuen Oper; „Templer und Jüdin", rasch vollendet, konnte schon am
Jüdin" 22. Dezember 1829 auf der Leipziger Bühne in Szene gehen. Sympathischer
1829. als die grausige Sage des „Vampyr" wirkte die ritterliche Romantik dieser
Oper, welche in den nächsten Jahren in ganz Deutschland mit glänzendem
Erfolg aufgeführt wurde. Weniger glückte die folgende Oper „Des Falkners
Braut", welche 1832 in Leipzig ihre Première feierte.

Hannover Schon 1830 hatte Marschner einen Antrag von Hannover erhalten,
1831. an die Spitze des dortigen Operntheaters mit dem Titel eines Hofkapellmeisters

zu treten. Die Aussicht auf eine sichere Stellung war, trotz der bescheidenen Bedingungen, entscheidend für die Annahme des Antrages. Vom April 1831 gehörte nun Marschner Hannover an. Hier lebte und wirkte er durch 30 Jahre bis an sein Ende. Durch unermüdlichen Eifer brachte er Theater und Kapelle zu Glanz und Ruhm. Mit „Don Juan" und seinem „Templer" begann er seine Tätigkeit. Bald kam ihm ein neuer Operntext zu, der ihn lebhaft interessierte. „Hans Heiling", nach einer Volkssage dramatisiert, war ein Stoff, wie für Marschner geschaffen. Rasch und mit Begeisterung ergriffen, gedieh die Arbeit in einem Zuge, so daß schon am 24. Mai 1833 die Erstaufführung in Berlin stattfinden konnte. Die Wirkung war eine zündende und unmittelbar darauf erschien die Oper auf vielen deutschen Bühnen. Überall erklärte man „Hans Heiling" als die Meisteroper Marschners. Die Universität Leipzig ernannte ihn zu ihrem Ehrendoktor. In Kopenhagen wurde er 1836 vom Hofe und dem Publikum sehr ausgezeichnet. Durch seine Erfolge stieg auch sein Ansehen in Hannover, nicht so sein Gehalt. Die Sorge trat an ihn heran, hatte er doch eine zahlreiche Familie (welche sich bis 1841 auf zehn Kinder vermehrte) zu erhalten. Eine neukomponierte Oper „Das Schloß am Ätna" hatte 1836 nur geringen Erfolg, ebenso die spätere „Der Bäbu", Text von Wohlbrück. Dagegen stammen aus dieser Zeit eine Anzahl der gelungensten Lieder, ein größeres Gesangswerk „Bilder aus dem Osten", das große G-moll-Trio.

(Randnotiz: „Hans Heiling" 1833.)

In diesen Jahren ward Marschner in seinem Familienleben von schweren Schicksalsschlägen heimgesucht; von den zehn Kindern starben sieben im blühendsten Jugendalter. Marianne, die edle und geistvolle Gattin, blieb die einzige Stütze des Schwergeprüften — bald sollte er auch diese verlieren. Äußerlich verbesserte sich seine Lage nach dem 1851 erfolgten Regierungsantritt des blinden Königs Georg, der ein großer Musikfreund war und das Verdienst seines Hofkapellmeisters anerkannte. Marschner erlangte endlich die oft erbetene Gehaltserhöhung auf 2000 Taler und die lebenslängliche Anstellung. Zugleich strömte ein wahrer Ordensregen auf ihn nieder; Sachsen, Bayern, Hannover, Dänemark wetteiferten, den Künstler auszuzeichnen.

(Randnotiz: Erfolge und Schicksale.)

Noch lange war Marschners Schaffenslust nicht erloschen, doch auf dem Gebiete der Oper erblühten ihm keine Lorbeeren mehr. „Adolf von Nassau", mit welcher Oper er nach längerer Pause 1845 in Dresden hervorgetreten, hielt sich nicht auf der Bühne. Auch ein neueres Werk „Austin", eine abenteuerliche Mischung von Historischem und Geisterhaftem, 1852 aufgeführt, hatte keinen Erfolg. Das Werk zeigt den Komponisten schon auf absteigender Bahn. — Seine Amtstätigkeit in Hannover wurde ihm durch mancherlei Mißhelligkeiten, an welchen zum Teil sein zufahrendes und unvorsichtiges Benehmen die Schuld trug, verleidet. Nun sollte ihm auch die herbste Prüfung nicht erspart bleiben: Sein geliebtes Weib, seine treue Gefährtin starb nach mehrjähriger Kränklichkeit am 7. Februar 1854. Marschner war jetzt ein einsamer, verbitterter Mann geworden. Zudem ward er auch von einem Augenleiden heimgesucht. Ein einziger Sohn war ihm geblieben, die verheirateten Töchter weilten fern von ihm. Noch sollte es anders werden. Eine neue Liebe schlug den 60jährigen Mann in Fesseln; sie erschien in Gestalt der reichbegabten und schönen Sängerin Therese Janda aus Wien, welche damals in Hannover gastierte. Nach längerem Widerstreben gab sie Marschners Bewerbung nach und am 11. Juni 1855 fand die Vermählung statt. Marschner war wieder jung geworden; üppig sprießten die Lieder aus seiner seligen Stimmung hervor, die neuen Kompositionen drängten sich. Männerchöre, Musik zu Schauspielen, wie zu Mosenthals „Der Goldschmied von Ulm", zu Rodenbergs „Waldmüllers Margaret", endlich eine letzte Oper, „Sangeskönig Hiarne" war sie genannt, ein Werk, in welches wieder die Geisterwelt hineinspielt. Marschner setzte große Hoffnungen in diese Oper, welche sich aber als trügerisch erwiesen. 1857 machte das Ehepaar eine Kunstreise nach London, wo Marschner sehr gefeiert wurde. Vergebens bemühte er sich, seine Oper in Wien zur Annahme zu bringen, ebensowenig gelang ihm dies in Hannover. Verstimmung und

(Randnotiz: Spätere Opern)

(Randnotiz: Tod Mariannes.)

(Randnotiz: Vierte Ehe.)

(Randnotiz: „Hiarne" 1858.)

Kränklichkeit übten einen ungünstigen Einfluß auf seine Arbeitsfreude und Leistungsfähigkeit, so daß endlich im August 1859 seine Pensionierung erfolgte. Durch persönliche Anwesenheit in Paris im Jahre 1860 versuchte Marschner seine Opernangelegenheit zu fördern, doch hatten seine Bemühungen keinen Erfolg. „Iliarne" kam überhaupt bei Lebzeiten des Komponisten nicht zur Aufführung. Erst 1863 erschien die Oper auf der Bühne in Frankfurt und 1883 folgte München nach, beidemal nur vorübergehend. In Zurückgezogenheit, niedergedrückt durch kränkende Vernachlässigung, verbrachte Marschner seine letzten Jahre, bis ihn am 14. Dezember 1861 in seinem 66. Lebensjahr der Tod abrief. Er wurde neben Marianne und in der Mitte seiner heimgegangenen Kinder begraben.

In Hannover vor dem Theater erhebt sich seit 1877 ein stattliches Monument des Meisters. Marschners Witwe übersiedelte noch im Todesjahre ihres Gatten nach Wien, wurde am dortigen Konservatorium als Gesangslehrerin angestellt, heiratete später den Komponisten Otto Bach; sie starb 1884. Im Jahre 1895 wurde in Zittau eine Bronzebüste Marschners aufgestellt und eine Gedenktafel an seinem Geburtshause angebracht.

Marschner war in erster Linie dramatischer Komponist. Von seinen 14 Opern haben sich drei dauernd erhalten, welche einen vornehmen Platz zwischen den Werken Webers und Wagners einnehmen.

Beschränken wir uns auf eine flüchtige Betrachtung dieser drei Meisteropern: Vampyr, Templer und Jüdin, Hans Heiling.

Lord Ruthwen ist ein Vampyr. Er hat sich der Hölle verschrieben und darf zeitweilig aus seinem Grabe emporsteigen, um unter den Lebenden zu weilen; als Gegenleistung hat er harmlose Wesen zu betören und ihnen das Blut auszusaugen. Als letzte Frist wird ihm noch ein Jahr bewilligt unter der Bedingung, daß es ihm gelingt, binnen 24 Stunden drei Opfer in dieser Weise zu gewinnen. Ruthwen wird, bevor er seine Aufgabe gänzlich erfüllt hat, entlarvt und von der Hölle verschlungen.

In diesen dämonischen, widerwärtigen Stoff auch Gemütstöne und Züge warmer Menschlichkeit einzuführen, war ein Verdienst des Dichters und mehr noch des Komponisten. Marschner folgt in seiner Musik der Spur Webers, gelangt aber in der Charakteristik des unheimlich Geisterhaften zu stärkerer Realistik. Freundlichere Farben tragen die Szenen, welche dem heiteren Volksleben gewidmet sind, warmen Ausdruck die Liebesszenen. Die gleichmäßige Vollendung eines Meisterwerkes ist bei alledem der Musik versagt, welche durch unausgesetzte Unruhe in der Modulation und der überladenen Instrumentation ermüdet und ungleich in der Erfindung ist. Doch ist die Gesamtwirkung bei künstlerisch bedeutender Darstellung eine große. Beeinträchtigt wird sie einigermaßen durch den gesprochenen Dialog.

An dramatischen und musikalischen Schönheiten ist kein Mangel. Zu diesen gehören der charakteristische Hexenchor am Anfang, die darauffolgende dämonisch-leidenschaftliche Arie des Ruthwen, die innige Arie der Malvine „Heiter lacht die goldne Frühlingssonne", die volkstümlichen, miteinander wechselnden Chöre der Trinker und der Tänzer; musikalische Perlen sind das Lied der Emmy „Dort an jenem Felsenhang" und ihre anschließende Romanze „Sieh, Mutter, dort den bleichen Mann" (man wird dabei unwill-

kürlich an S e n t a s Ballade im „Fliegenden Holländer" erinnert), ergreifend
ist die Szene zwischen A u b r y und R u t h w e n, lyrisch anmutend die Arie
A u b r y s „Wie ein schöner Frühlingsmorgen", von kräftigem Humor getragen
das Q u a r t e t t „Im Herbst da muß man trinken" mit seinen weiteren Strophen.
Großartig sind die beiden F i n a l e s der ursprünglich zweiaktigen, dann in
vier Akte zerlegten Oper. Der „Vampyr", der in vielen Einzelheiten das Vorbild W e b e r erkennen läßt, steht anderseits zu dem nachfolgenden „Fliegenden
Holländer" von W a g n e r in enger Verwandtschaft.

Der Stoff der Handlung von „T e m p l e r und J ü d i n" ist W a l t e r   Templer
und Jüdin.
Handlung.
S c o t t s Roman „Ivanhoe" entnommen. Der Tempelritter B o i s - G u i l b e r t, in
Leidenschaft zu der schönen Jüdin R e b e k k a entbrannt, bemächtigt sich ihrer
und bringt sie auf sein Schloß, wird aber von ihr verachtet. Die räuberische
Tat des Templers wird verraten, er und Rebekka kommen vor das Gericht des
Templerordens. Rebekka wird der Zauberei beschuldigt und zum Flammentod
verurteilt. Sie fordert ein „Gottesgericht"; es wird zugestanden, wenn sich bis
zum Abend ein Kämpfer für sie findet. Lange zögert er. Schon soll sie zum
Holzstoß geführt werden, da erscheint I v a n h o e, der verstoßene Königssohn,
kämpft mit dem Templer und streckt ihn nieder. Rebekka und ihr Vater verlassen das Land. Den Abschluß der Handlung bildet das Eingreifen des aus
dem Kreuzzug wiedergekehrten Königs R i c h a r d L ö w e n h e r z. Noch andere
Personen sind in die Handlung episodisch eingewebt. Die Szene des G o t t e s -
g e r i c h t s kehrt ähnlich in W a g n e r s „Lohengrin" wieder.

Marschners M u s i k ist hochdramatisch und charakteristisch.   Musik.
Neben ihren kraftvollen und leidenschaftlichen Partien, machen
sich auch Anmut und Humor geltend. Die Einzelgestalten sind
treffend musikalisch gezeichnet, das ganze Werk reich an geistvollen Zügen. Was jedoch die Wirkung abschwächt, ist die Ü b e r -
l a d u n g. Überladen ist die zu weit ausgedehnte, dadurch fast un-
verständliche Handlung, überladen die musikalische Ausführung
mancher Szenen, überladen die Harmonie und die Instrumentation.
Die lange ausgesponnenen Dialoge schädigen auch hier die Einheit des Werkes. Die einzelnen Nummern der Oper enthalten aber
eine solche Fülle an dramatisch wirksamen und musikalisch fesselnden Schönheiten, daß man diese Bedenken überwindet.

Die I n t r o d u k t i o n des ersten Aktes versetzt uns sofort in die echte   Details.
Waldromantik, köstlich ist das darauffolgende Lied des Narren W a m b a „Es
wird besser gehn, die Welt ist rund und muß sich drehn", wild kampflustig
der C h o r der S a c h s e n; eine der originellsten Nummern ist das Lied des
jovialen Barfüßlermönchs T u c k mit seinem Refrain „Ora pro nobis", in
welchem ein volkstümlicher Humor lebt. In dem großen D u e t t zwischen dem
heißblütigen G u i l b e r t und der stolzen Dulderin R e b e k k a herrscht der
kräftigste Ausdruck der Leidenschaft. Der Chor der N o r m a n n e n kontrastiert
im Charakter mit dem vorangegangenen der Sachsen, es folgt das zarte Duett
zwischen R e b e k k a und I v a n h o e, ein dramatisch packendes F i n a l e beschließt den Akt. Aus dem zweiten Akt sollen nur hervorgehoben werden das
J a g d l i e d mit Chor, die edelempfundene Arie I v a n h o e s „Es ist dem König
Ehr' und Ruhm", die große Arie des G u i l b e r t „Mich zu verschmähen" in
ihrem melodischen und dramatischen Schwung. Am Schlusse des Aktes steht die
G e r i c h t s s z e n e. Den Beginn des dritten Aktes bildet die berühmt gewordene
Romanze des I v a n h o e „Wer ist der Ritter hochgeehrt" mit dem Chorrefrain
„Du stolzes England, freue dich", den Schluß das G o t t e s g e r i c h t, ein dra-
matisches Meisterstück.

„H a n s H e i l i n g" ist der Sohn der Königin der Erdgeister, der aus   Hans
Heiling.
Liebe zu der schönen Erdentochter A n n a Reich und Mutter verläßt. Die

Handlung.	Gegenliebe, welche ihm Anna schenkt, verwandelt sich in Argwohn, dann in Grauen, als sie seine Herkunft ahnt, endlich wendet sie sich dem hübschen Jägerburschen Konrad zu. Heiling, dem das Herz gebrochen, kehrt zu den Seinen zurück. Das Textbuch ist nach einer böhmischen Sage von Eduard Devrient in geschickter Weise verfaßt.

Allgemeines. Hans Heiling ist das vollendetste Werk Marschners. Das Dämonische, wie das anmutig Heitere finden darin einen gleich treffenden Ausdruck. Ein echtes Produkt deutscher Romantik, finden wir im „Heiling" schwärmerische Empfindung, Waldespoesie, das unheimliche Weben der Geisterwelt. Im Vergleiche zu den früheren Opern Marschners ist hier alles maßvoller und abgerundeter gehalten, die Kontraste fein abgetönt, die Längen vermieden. Vor allem atmet die Musik natürliche Volkstümlichkeit und nationale Eigenart. Die Charakterisierung der einzelnen Personen ist durchaus gelungen. Heiling ist in seiner glühenden, dämonischen Leidenschaft, gleich dem „Fliegenden Holländer" Wagners, eine scharf umrissene Charaktergestalt, in dem Bauernmädchen Anna vermischen sich anmutige Naivität mit Koketterie und kindlicher Angst, die Figuren des Jägers Konrad und des Schmiedes Stephan mit ihrem derben Humor, sind aus dem Volke hervorgeholt.

Details. Ohne auf alle hervortretenden Nummern der Oper einzugehen, erwähnen wir nur die leidenschaftliche Arie des Heiling „An jenem Tag", den volkstümlichen Bauernchor, das mutwillige Strophenlied Konrads „Ein sprödes, allerliebstes Kind" mit Chorrefrain, die wehmütige Arie Annas „Einst war so tiefer Friede mir im Herzen", den ganzen dramatisch bewegten zweiten Akt, im dritten das derbe Strophenlied Stephans mit Chor. Wirkungsvoll erfunden sind auch die Geisterchöre.

Bedeutung. Mit Weber verglichen, steht ihm Marschner an Ursprünglichkeit und Natürlichkeit der Erfindung wie an edlem Maßhalten nach, übertrifft ihn aber an dramatischem Feuer und Leidenschaft. Das humoristische Element ist in beiden glücklich vertreten. Richard Wagner, der seinen Ausgangspunkt von Weber genommen, hat auch Marschner bedeutende Anregungen zu verdanken.

Andere Werke. Marschners Produktivität war auch außerhalb der Oper eine erstaunlich reiche. Die Opuszahlen seiner veröffentlichten Werke belaufen sich auf 195 und umfassen Vokal- und Instrumental-

Lieder. kompositionen. Von einstimmigen Liedern soll Marschner an 300 in etwa 70 Heften herausgegeben haben. Nicht viele davon haben sich in Übung erhalten; sie sind einfach, melodiös, meist volks-

Männerchöre. tümlicher Art. Höher stehen seine Männerchöre a capella. Natürlichkeit, Kraft und Humor zeichnen sie aus. „Frei, wie des Adlers mächtiges Gefieder", „Wir wollen deutsch und einig sein", das „Zigeunerleben", die „Soldatenlieder" und manche andere gehören zu den Perlen der Chorliteratur. Einen großen Raum nehmen

Klavierwerke. die Klavierwerke ein, die Solostücke aus seiner früheren, die der Kammermusik aus seiner späteren Zeit. Die ersteren, Sonaten und kleinere Stücke, sind meist unbedeutend und veraltet. Besser sind die **Trios**, von welchen die in A-moll Op. 29, G-moll Op. 111, F-dur Op. 167 lebensvoll und interessant sind, und das **Klavierquartett** Op. 36.

Albert **Lortzing** (1801—1854) ist der bedeutendste Vertreter der deutschen komischen Oper zwischen Dittersdorf und Nicolai. Mit seinen besten Opern „Czar und Zimmermann" 1837, „Wildschütz" 1842, „Undine" 1845, „Waffenschmied" 1846 gehört er bereits der nächsten Epoche an.

Ganz in dieser Zeit steht und mit ihr verschwindet Adalbert **Gyrowetz**, dessen Opern, insbesondere „Der Augenarzt", sich einer populären Beliebtheit erfreuten. Gyrowetz spielt aber auch sonst eine nicht unbedeutende Rolle in der damaligen Musikwelt. Er wird neben Haydn genannt, seine Symphonien erklingen in den Konzertsälen des In- und Auslandes, seine Streichquartette werden in den Liebhaberkreisen heimisch, in den Kirchen werden seine Messen aufgeführt, der Musikmarkt wird von seinen Klavierstücken überschwemmt. Ein denkender und welterfahrener Mann, hat **Gyrowetz** seine Erlebnisse und Beobachtungen in einer auch historisch schätzbaren „Selbstbiographie" mitgeteilt.

Gyrowetz, 1763 in Budweis geboren, studierte die Rechte in Prag und brachte dann den größten Teil seines Lebens in Wien zu. Er bildete sich in der Komposition bei Sala in Neapel aus, wandte sich dann nach Paris, wo er mit seinen Symphonien Aufsehen erregte. Ein dreijähriger Aufenthalt in London 1789—1792 brachte ihn in nahe Berührung mit Haydn, neben dessen Symphonien auch die seinigen mit Erfolg aufgeführt wurden. Nach Wien zurückgekehrt, ergriff er zuerst die Beamtenlaufbahn, bis er 1804 das Glück hatte, als Kapellmeister der Hofoper angestellt zu werden, welchen Posten er bis 1831 einnahm. Aus dieser Zeit stammen seine zahlreichen Opern. Mit einer kärglichen Pension mußte er sich zurückziehen und im Alter verarmte er gänzlich. In seinem 84. Lebensjahre schrieb er noch seine letzte Messe. Gyrowetz starb 1850, 87 Jahre alt.

Fast unübersehbar ist die Zahl seiner **Werke**, Opern, Messen, Kantaten, Chöre, Symphonien, Quartette, Klavierstücke. Für die Bühne hat er 30 Opern und Singspiele, italienische und deutsche, Melodramen und an 40 Ballette komponiert, welche meist in Wien zur Aufführung gelangten. Die beliebtesten derselben, welche in die Jahre 1806 bis 1813 fallen, sind: „Agnes Sorel", „Der Augenarzt", „Die Prüfung", die Singspiele „Die Junggesellenwirtschaft", „Der Samtrock", „Aladin", „Das Ständchen", das Melodram „Mirina", das Ballett „Die Hochzeit der Thetis". Am längsten hielt sich „Der Augenarzt". Man zählt ferner 19 Messen. Eine komische Kantate „Die Dorfschule" wurde 1843 zum Besten des Komponisten aufgeführt. Zu erwähnen sind seine zahlreichen Frauen- und Knabenchöre. Bezeichnend für den Stil seiner Symphonien, deren er 60 geschrieben, ist es, daß eine Anzahl derselben unter dem Namen Haydns erscheinen konnte. Von Orchestermusik reihen sich noch Ouvertüren, Märsche, Serenaden, Tänze „für den Re-

(Marginal notes:)
Lortzing.

Gyrowetz (1763—1850).

Leben.

Werke.

doutensaal" an. Die Streichquartette sollen ebenfalls nach dem Muster Haydns geformt sein. Die Klaviermusik, welche namentlich viele Trios umfaßt, ist leicht und gefällig.

Gyrowetz war ein Komponist von großer Begabung, aber ebenso großer Flüchtigkeit. Mühelos in der Erfindung, gewandt im Tonsatz, ist er jedoch ohne Tiefe und Eigenart. Gyrowetz, ein Mann von vielseitiger Bildung, war auch eine achtungswerte Persönlichkeit.

Vertrauter mutet uns der Name Conradin Kreutzer an. Die volkstümlichen Weisen, die er zu Raimunds „Verschwender" fand, klingen uns immer noch im Ohr, und wenn man auch sein „Nachtlager in Granada" nicht mehr gibt, so ist die Erinnerung an diese anmutige Oper noch frisch und manche ihrer Melodien weht es uns ins Haus. Die Liedertafeln haben noch nicht aufgehört, uns mit seinen stimmungsvollen und klangschönen Männerchören „Der Tag des Herrn", „Die Kapelle" usw. zu erfreuen.

Ein Müllerssohn aus dem Schwabenlande, ward Conradin Kreutzer am 22. November 1782 zu Meßkirch im Badischen geboren. Er sollte Mediziner werden, aber die Musik, die er seit seinen Kinderjahren liebte und übte, zog ihn in ihren Bann. Nach einem mehrjährigen Aufenthalt zu Freiburg im Breisgau und Konstanz wandte er sich 1804 nach Wien, um bei Albrechtsberger die Komposition zu studieren und debütierte dort 1808 mit dem Singspiel „Aesop in Phrygien", dem 1810 „Jery und Bätely" folgte, trat auch öffentlich mit einem Klavierkonzert auf. Von da an beginnt seine ausgedehnte Kapellmeisterlaufbahn, welche ihn nacheinander nach Stuttgart 1812, Donaueschingen 1819—1822, Wien (ins Kärntnertortheater zu wiederholten Malen zwischen 1822 und 1840, dazwischen im Josefstädter Theater 1833—1837), Köln 1840—1846, wieder in die Wiener Hofoper, endlich nach Riga führte, in welcher Stadt Kreutzer am 14. Dezember 1849 starb. In Stuttgart gab er 1812 seine große Oper „Konradin von Schwaben", in Prag schrieb er 1818 die Musik zu einem Drama „Orest", in Donaueschingen 1819 „Cordelia", in Wien führte Kreutzer 1822 seine große Oper „Libussa" auf, dann nach einer Reihe von großen und kleinen Opern, welche in Wien, Paris, Prag, Berlin (Grillparzers Melusine 1833) ihre Erstaufführungen fanden, folgte 1834 im Josefstädter Theater seine beliebteste Oper „Das Nachtlager in Granada". Damit war seine Opernproduktion keineswegs abgeschlossen.

Es ist begreiflich, daß Kreutzer durch seine langjährige Tätigkeit als Kapellmeister eine große Routine in der Opernkomposition erwarb. Zu dieser gesellte sich ein natürliches Talent für das Melodische, Bühnenwirksame und Instrumentale. Gemütvoller, weicher Ausdruck, romantische Schwärmerei sind die Merkmale seiner Musik. Individuelle und bedeutende Züge lassen sich ihm nicht zuschreiben.

Ein Oratorium „Die Sendung Moses" wurde 1814 in Stuttgart aufgeführt, auch mehrere Messen und andere Kirchenstücke flossen aus seiner Feder. Eine Anzahl gefälliger Lieder und vor allem die wertvollen Männerquartette dürfen nicht übergangen werden. Sehr fruchtbar war Conradin Kreutzer auch als Instrumentalkomponist. Seine genaue Kenntnis der Instrumente, deren er mehrere selbst spielte, wie sein Sinn für Klangschönheit kamen ihm dabei zu statten. Anzuführen sind ein Septett, ein Quintett, drei Klavierkonzerte mit Orchester und andere Klavierstücke mit und ohne Begleitung.

Verzeichnen wir noch einige der damaligen Opernkompo- Andere Opern-komponisten.
nisten Deutschlands. Da ist der bereits erwähnte Abbé Vogler, Vogler.
dessen „Samori" 1804 in Wien beliebt war, ferner Kuhlau, der Kuhlau.
Flöten- und Klavierkomponist, mit seiner „Räuberburg" 1814, der Reissiger.
brave und fleißige Komponist Reissiger mit dem Singspiel „Die Lindpaintner. Wolfram.
Felsenmühle" um 1820, der Württembergische Hofkapellmeister
Lindpaintner mit 30 Opern, darunter „Der Vampyr", der
Teplitzer Bürgermeister Wolfram mit seiner Oper „Alfred" 1826.

Die deutsche Oper nach Weber und Marschner drohte
zu versiegen oder auf ein tieferes Niveau herabzusinken, als die
epochemachenden Werke Richard Wagners ihr frische Trieb- Rich. Wagner.
kraft einflößten und ihr einen weithin leuchtenden Glanz verliehen.

Die Epoche 1750—1830 ist die Blütezeit der klassischen In- Instrumental-musik.
strumentalmusik, sie ist auch eine Zeit der Massenproduktion
auf diesem Gebiete. Wer zählt die Symphonien, Konzerte, Kammermusikwerke, Klaviersonaten, von denen heute nur mehr die damaligen Verlagskataloge Kunde geben!

Diese Erscheinung erklärt sich durch den Bedarf. Im 18. Jahr- Allgemeines.
hundert mehrten sich die Orchester, namentlich in Deutschland.
Jeder, auch der kleinste Hof hielt sich ein vollbesetztes Orchester
für Kirche, Kammer und Theater. Der musikliebende Adel blieb
nicht zurück. Die Städte folgten nach Kräften. Alle diese Musik-
kapellen verlangten nach Novitäten. Mit Haydn kam das Streichquartett in Mode und in den häuslichen Kreisen bildeten sich
zahlreiche Vereinigungen zur Pflege dieser Kunstgattung; auch
hier war das Bedürfnis nach gefälliger, leicht spielbarer Kammermusik, in welcher auch die Flöte nicht fehlen durfte, ein sehr reges.
Dazu gesellen sich die Virtuosenkonzerte, welche von ihrem
Auftauchen in der zweiten Hälfte des 18. Jahrhunderts an bis in
die ersten Dezennien des 19. zu einem breiten Strome anwachsen;
mit ihnen gediehen die Solokompositionen für die verschiedensten Instrumente. Die Klaviersonate mit und ohne
Begleitung war für die soliden Musikfreunde bestimmt, sie strebte
damals noch nicht in die Öffentlichkeit hinaus. Ihre Zahl ist Legion.

Die überwiegende Masse dieser Instrumentalwerke schließt
sich Haydn und Mozart an, nur bei wenigen Tonsetzern lassen
sich selbständige Züge und in einzelnen speziellen Gattungen eine
eigenartige Entwicklung gewahren.

Wollen wir uns den Wert der Produkte dieser überreichen
Kultur zum Bewußtsein bringen, so haben wir sie nur an den
Werken unserer großen Meister zu messen. Der größte Abstand
herrscht in der Symphonie und in der Kammermusik,
während in der Klaviermusik und der Musik für einzelne
Instrumente manches sich den Großen nähert.

— 384 —

Symphonien. Die **Symphonien**, welche serienweise veröffentlicht wurden, hatten anspruchslosen Forderungen zu genügen; sie sollten klingen, kurz und kurzweilig, leicht ausführbar sein und in dem Charakter der einzelnen Sätze dem Herkommen entsprechen. Schon die Erfindung der **Themen** verrät den Abstand von den Meisterwerken. In diesen besitzt das Thema, so einfach es sein mag, ein ausgesprochenes Gepräge und trägt den Keim der Entwicklung in sich, welche in der formvollendeten, zugleich geistreichen Durchführung zur Erscheinung kommt. In den heute veralteten Modesymphonien dagegen sind die Themen meist bedeutungslos und konventionell, die Durchführung schablonenmäßig. Am besten sind zuweilen die langsamen Sätze geraten. Doch wird eine sorgfältige Auswahl unter diesem Wust von Symphonien ein oder das andere brauchbare Werk hervorziehen, welches noch heute für Orchestervereine Dienste leisten könnte. Nicht minder zahlreich sind die suitenartigen symphonischen Kompositionen, die **Divertimenti, Partien, Serenaden** vertreten. **Konzertouvertüren** gab

Streichquartett. es in dieser Zeit noch wenige. In dem **Streichquartett** und den verschiedenen Kombinationen der Kammermusik sieht sich ein ähnliches Verhältnis zu den klassischen Meistern beobachten, wie

Klaviermusik. bei der Symphonie. Auf dem breiten Raum, den die **Klaviermusik** und die Werke für Soloinstrumente einnehmen, werden wir einigen bedeutenderen Erscheinungen begegnen.

Deutschland geht in der Pflege der Instrumentalmusik voran und wird darin tonangebend für ganz Europa. **Italien** blieb bei der Opernsymphonie stehen und hat wenig von selbständiger Instrumentalmusik aufzuweisen. **Frankreichs** Interesse wandte sich vorzugsweise der Oper zu, doch nahm es, so wie **England**, die Erzeugnisse der deutschen Instrumentalmusik mit Empfänglichkeit auf.

Tonsetzer. Unmöglich ist es, hier allen **Tonsetzern** zweiten und dritten Ranges, welche die **Symphonie- und Kammermusikliteratur** bereicherten, gerecht zu werden und so mögen nur die besten unter ihnen, die fruchtbarsten und zu ihrer Zeit beliebtesten angeführt werden.

Nachzutragen ist einer der **Frühmeister** der neueren Instrumentalmusik, Joh. **Christian Bach** (1735—1782), der „weit

Joh. Christian Bach. vom Stamme" gefallene jüngste Sohn **Seb. Bachs.** Wir haben ihn schon vorübergehend als Opernkomponisten erwähnt (S. 53).

Johann Christian Bach, nach den Orten seines Wirkens der „Mailänder", auch der „Londoner" Bach genannt, war Schüler seines Bruders Em. Bach. Er begann seine Laufbahn in Italien, war in Mailand als Domkapellmeister angestellt, schrieb Kirchenmusik und Opern für Mailand und Neapel. 1762 wandte er sich nach London und machte dort sein Glück. Er ward Musikmeister der Königin und brachte es zu hohem Ansehen in der englischen Hauptstadt. Er versah die Opernbühne mit neuen Werken, glänzte auch als Klavierspieler. 1775 gründete er gemeinschaftlich mit dem Gambisten C. F. Abel ein Konzertunternehmen, die sogenannten Bach-Abel-Konzerte.

Als Komponist war Chr. Bach von großer Vielseitigkeit, besonders fruchtbar in der Instrumentalmusik. Zahlreiche Symphonien, Kammermusikwerke, Konzerte, Klavierstücke mit und ohne Begleitung flossen aus seiner Feder. Wenn auch diese Kompositionen für den Tages- und Modebedarf bestimmt waren, so ermangelten sie doch nicht eines soliden Tonsatzes und abgerundeter Formen; daß sie nicht ohne Einfluß auf die weitere Entwicklung, namentlich auf die Mozarts blieben, läßt sich mit Grund annehmen.

Wenden wir uns zu den Zeitgenossen H a y d n s, so müssen wir einem Italiener den Vortritt lassen. Luigi B o c c h e r i n i (1743 bis 1805) schrieb gleichzeitig mit H a y d n und, wie es scheint, unabhängig von ihm zahlreiche Kammermusikwerke. Vornehmlich sind es seine S t r e i c h q u i n t e t t e, deren er 113 mit zwei Celli und 12 mit zwei Bratschen veröffentlichte, welche sich zu ihrer Zeit großer Verbreitung und Beliebtheit erfreuten und noch jetzt in engerem Kreise nicht ganz vergessen sind. _{Boccherini.}

B o c c h e r i n i, in L u c c a geboren, wo sein Vater als Kontrabassist tätig war, wurde zuerst bei V a n u c c i in seiner Vaterstadt, dann in Rom ausgebildet, unternahm gemeinschaftlich mit seinem Freunde, dem Violinvirtuosen M a n f r e d i, Kunstreisen, auf welchen er sich als Cellist hören ließ, verließ 1768 Italien, um sich nach S p a n i e n zu wenden, wo er seinen bleibenden Wohnsitz aufschlug. Er fand dort nicht das erhoffte Glück, und trotzdem er in dem musikfreundlichen H e r z o g von A s t u r i e n einen Beschützer gewann, endlich auch als Hoforganist angestellt wurde, hatte er bis zu seinem Ende mit Not und Sorgen für sich und seine zahlreiche Familie zu kämpfen. Die Produkte seines Talents und seines Fleißes gingen in alle Welt, doch nur die Verleger und die Nachdrucker hatten den Gewinn davon. Daß sein Ruf in die Ferne drang, beweist auch sein Verhältnis zu F r i e d r i c h W i l h e l m II., in dessen Auftrage er neue Kompositionen zu schreiben hatte und dafür durch ansehnliche Honorare belohnt wurde. _{Leben.}

Die Liste der g e d r u c k t e n W e r k e Boccherinis umfaßt neben seinen Streichquintetten noch 12 Klavierquintette, 91 Streichquartette, Sextette, Trios, Sonaten, Symphonien, ein Cellokonzert und andere Instrumentalstücke. Ein Teil blieb M a n u s k r i p t (in der kön. Privatbibl. in Berlin). Hinzuzufügen sind noch zwei Oratorien, eine Messe, ein Stabat mater. _{Werke.}

B o c c h e r i n i s Kammermusik zeigt den neuen Instrumentalstil in entwickelter Form. Seiner Musik ist eine gewisse Naivität eigen, sie bewegt sich in weichen Linien, besitzt Anmut und Grazie, stellenweise auch Feuer. Die Vielseitigkeit eines H a y d n war ihm versagt. Als seine besten Q u i n t e t t e werden die in Op. 17, 20, 21, 27 betrachtet. Besonders anziehend sind die reizenden Menuette. Die angeführten Quintette stammen aus den Siebzigerjahren, einer Zeit, in welcher Haydn noch nicht seine Meisterquartette geschrieben. In der S y m p h o n i e nimmt Boccherini nur einen untergeordneten Rang ein; von seinen 20 Symphonien sind elf Manuskript. Die Oratorien gehören zu seinen Jugendwerken, dagegen stammt das S t a b a t m a t e r aus seinen letzten Zeit. Dieses Werk, eines seiner besten, hat eine große Verbreitung gefunden.

Einzelnes von B o c c h e r i n i ist in neuester Zeit durch Neuausgaben (meist Bearbeitungen) wiedererweckt worden. Es erschienen sechs C e l l o s o n a t e n (bearbeitet von Grützmacher) bei Senff, dieselben (Piatti) bei Ricordi, vier C e l l o k o n z e r t e bei Leduc in Paris, D u e t t e n für zwei Violinen (Ed. Peters),

Prosniz, Compendium der Musikgeschichte. 25

das Stabat mater (Schletterer) bei Br. & H. — Von den Klavierquintetten (Oeuvres posth. bei Simrock) wären Nr. 4 in D-moll und Nr. 5 in E-dur vielleicht einer Neuausgabe wert.

Pleyel. Ein Instrumentalkomponist von Weltruf war der ungemein fruchtbare Ignaz Pleyel (1757—1831). In seiner Laufbahn verfolgen wir die Wandlungen vom guten Musiker zum Modekomponisten, von diesem zum — Geschäftsmann.

Leben. Ignaz Pleyel entstammt der ungemein kinderreichen Familie eines Dorfschullehrers in Niederösterreich, nahm in Wien Unterricht in Klavier und Violine bei Wanhall und ward 1774 Haydns Schüler und Hausgenosse. Nach einigen Lehrjahren zog er in die Fremde. Durch vier Jahre verweilte er in Italien, bis er 1783 einen Ruf als Domkapellmeister in Straßburg erhielt. Später wurden Paris und London die Schauplätze seiner künstlerischen Tätigkeit. 1792 wirkte Pleyel in London als Dirigent der „Professional Concerts", einem Konkurrenzunternehmen der „Salomon-Konzerte", welche unter der Leitung Haydns standen. Wir haben gesehen (S. 18), in welcher freundschaftlichen Weise die beiden Rivalen miteinander verkehrten. Auch hatte Pleyel mit seinen Symphonien selbst neben dem ihn überragenden Haydn Erfolge aufzuweisen. Bald darauf ließ sich Pleyel in Paris nieder und errichtete eine Musikalienhandlung, welche mit einem ausgedehnten Verlag (namentlich seiner eigenen Werke) verbunden war. Endlich gründete er 1807 die unter seinem Namen berühmt gewordene Pianofortefabrik. Auf seinem Landgut in der Nähe von Paris beschloß er sein tätiges Leben.

Werke. Ein vollständiges Verzeichnis der Werke Pleyels zu geben, wäre ein wenig lohnendes Unternehmen, überdies erschwert durch den Umstand, daß die Originalkompositionen von den zahlreichen Arrangements und den Fälschungen spekulativer und skrupelloser Verleger kaum zu scheiden wären. Summarisch lassen sich anführen: 29 Symphonien (meist bei André erschienen), 5 Sammlungen Streichquintette, 45 Streichquartette (darunter die 12 oft aufgelegten, dem König von Preußen gewidmeten), Streichtrios, viele Duette für zwei Violinen, Violin- und Cellokonzerte, endlich zahlreiche Klaviertrios, Duos mit Violine, Solosonaten usw. Auch Lieder gehören zu seinen Werken.

Pleyel fing gut an. Seine ersten Quartette vom Jahre 1784 fanden die Billigung Haydns und erregten die Bewunderung Mozarts. Bald verflachte sein Talent, und durch den Erfolg verleitet, überließ er sich der Massenproduktion. Pleyel hielt auch in seinen folgenden Quartetten und Symphonien an die Form und den Stil Haydns, aber seine Erfindung war nicht stark, sein Streben nicht ernst genug, um ihnen ein persönliches Gepräge und einen gediegenen Charakter zu verleihen. Er schrieb fortan gefällige und leichte Musik für die „Liebhaber". Seine Symphonien lebten noch lange nach ihrer Glanzzeit in den Dilettantenorchestern fort, auch seine Kammermusik erhielt sich in anspruchslosen häuslichen Kreisen noch über seine Zeit hinaus. Großer Beliebtheit erfreuten sich seine angenehmen und handlichen Klavierstücke, Variationen, Rondos, Tänze. Am nachhaltigsten wirkten aber seine Unterrichtswerke, die Pianoforteschule (in mehrfachen Auflagen und Bearbeitungen erschienen) und die Duette für zwei Violinen. Ein großes Verdienst erwarb sich Pleyel durch die Gesamtausgabe der Haydnschen Quartette, die er in Stimmen, später teilweise in Partitur erscheinen ließ und dem Konsul Bonaparte widmete.

Neuausgaben Pleyelscher Werke sind nur wenige zu verzeichnen: Duette für zwei Violinen (Ed. Peters, Univ.-Ed., Br. & H.), Duette für Klavier und Violine (Bearbeitungen, Peters, Br. & H.), Pianoforteschule (Leuckart), Rondos (Br. & H., Peters, Litolff), Menuetto (André).

Der Wiener Doppelgänger Pleyels ist Johann Wanhall, Wanhall. sein erster Lehrer. An allgemeiner Beliebtheit konnte er es mit ihm aufnehmen, auch an Fruchtbarkeit, doch blieben die meisten seiner Werke ungedruckt. Von seinen angeblich 80—100 Symphonien wurden nur zwölf veröffentlicht, von den ebenso zahlreichen Quartetten ebenfalls nur zwölf. Er lieferte den Klavierdilettanten und der lernenden Jugend reiches Material. So viel man darüber sagen kann, ist, daß seine angenehme melodische Erfindung und fließende Schreibart zu loben sind und daß ihm, gleich manchem anderen, die unverdiente Ehre zu teil ward, neben Haydn genannt zu werden.

Wanhall ist 1739 in Böhmen geboren. Aus armer Familie stammend, fand er einen adeligen Beschützer, der ihn 1760 nach Wien brachte. Anfangs Violinspieler, bildete er sich bei Dittersdorf aus, unternahm eine längere italienische Reise und widmete sich, nach Wien zurückgekehrt, dem Musikunterricht, gleichzeitig einer rastlosen Kompositionstätigkeit. Der Umfang derselben läßt auf ihre Flüchtigkeit schließen. Wanhall starb in Wien 1813.

Der größte Teil der gedruckten Kompositionen Wanhalls fällt der Klaviermusik zu; sie umfaßt Konzerte, Quartette, Trios, Duette mit allen möglichen Instrumenten, Solosonaten, Sonatinen, an 70 Hefte Variationen, Fugen, Kadenzen, Instruktives, auch viele vierhändige Stücke. In bezug auf Vielschreiberei kann man ihn nur mit seinem Nachfolger Czerny vergleichen. Wanhalls Klaviermusik ist technisch leicht, teils für Unterrichtszwecke bestimmt, teils auf den seichten Modegeschmack berechnet. Nicht selten begegnet man Titeln, wie „Die Friedensfeier", „Die Seeschlacht bei Trafalgar" und ähnlichen. Daß Wanhall aber auch Ernstes anstrebte, beweist die große Zahl seiner hinterlassenen Messen und anderer Kirchenstücke. — Einiges von ihm ist bei André und bei Challier in neuer Ausgabe erschienen.

An Haydn schloß sich auch der äußerst beliebte Komponist Antonio Rosetti, richtig Anton Rößler (1750—1792) an. Rosetti.

In Leitmeritz geboren, wandte er sich in Prag dem geistlichen Stande zu, den er jedoch bald verließ. Er wirkte 1779—1781 in der Esterhazyschen Kapelle, dann als Hofkapellmeister in Schwerin.

In Anbetracht seiner kurzen Lebensdauer kann man seine Fruchtbarkeit erstaunlich finden, ebenso seine Vielseitigkeit. Seine Instrumentalwerke umfassen Symphonien, Streichquartette, Partiten für Blasinstrumente, Klaviertrios, Konzerte für Klavier, für Klarinette, Fagott usw. Außerdem hat Rosetti Opern für Italien geschrieben, ferner zwei Oratorien, von denen „Jesus in

25*

Gethsemane" sein letztes Werk ist. Seinen Symphonien, welche namentlich in Paris gern gehört und zum Teil auch dort gedruckt wurden, rühmt man anmutigen, weichen Ausdruck nach.

Krommer. Lange hielt sich Franz Krommer (1760—1831) mit seinen Symphonien und Quartetten in der Gunst der Musikfreunde. Er war der rechte Mann für die Wiener; seine lebhafte, gefällige und leichtverständliche Musik machte ihn populär.

Krommers wechselnder Lebenslauf führte aus seinem Geburtslande Mähren nach Ungarn, endlich nach Wien. Ursprünglich Violinist, wirkte er in seiner Heimat als Organist, trat dann in die Kapelle eines Grafen Styrum in Ungarn, bekleidete die Stelle eines Regenschori in Fünfkirchen, wurde dann Militärkapellmeister, endlich Kapellmeister des Fürsten Grassalkovich, mit dem er nach Wien zog. Hier gewann er einflußreiche Gönner. Er erhielt den Titel eines kais. „Kammerhüters", welcher mit einem mäßigen Einkommen verbunden war, und wurde 1818 als Nachfolger Kozeluchs zum Kammerkompositen ernannt. Dabei widmete er sich einer ausgedehnten Lehrtätigkeit und komponierte unermüdlich.

Am fruchtbarsten war Krommer in der Kammermusik. Seine zahlreichen Streichquartette behaupteten lange ihren Platz in dem Repertoire der Liebhaber neben Haydn, Mozart und Pleyel. Nicht viel geringer ist die Zahl seiner Quintette, Streichtrios, Violinduette. Krommers leicht spielbare, zum Teil nicht uninteressante Symphonien fanden in den Hausmusiken und Orchestervereinen dankbare Aufnahme. Ein besonderes Verdienst erwarb sich Krommer um die Pflege der Bläsermusik, für die er eine Anzahl Ensemblestücke schrieb. Von der Kammermusik mit Klavier scheinen ein Klavierquartett und mehrere Trios (bei Haslinger) beliebt gewesen zu sein. Eine seiner hinterlassenen Messen ist bei André gedruckt worden. Keinesfalls ist Krommer als Komponist zu unterschätzen.

Von Wiener Komponisten, die mit Symphonien und Kammermusikwerken hervortraten, haben wir schon des populären und vielseitigen Wranitzky (S. 79) und des weit bedeutenderen Gyrowetz (S. 381) gedacht. Auch Anton Eberl (1766—1807), der vorzugsweise Klavierkomponist war, ist mit Symphonien und Quartetten, welche in ihrer Zeit geschätzt waren, hier anzureihen.

Ein allseitig begründetes Urteil über Tonsetzer, wie Pleyel, Wanhall, Krommer, Eberl, welche mit ihren unübersehbaren Werken gänzlich verschollen sind, abzugeben, wäre eine unmögliche Zumutung. Schätzbare Andeutungen enthält H. Kretzschmars „Führer durch den Konzertsaal".

Wenden wir uns von den Wiener Symphonien und Quartetten aus der Biedermeierzeit nach Norddeutschland, wo Spohr als Instrumentalkomponist das Zepter schwang, wo die Kapellmeister-Symphonien und die gelehrten Quartette gediehen, Die beiden Romberg. so begegnen wir zuerst den beiden Romberg.

In der Nähe von Hamburg ist ihre Heimat. Sie sind die Söhne zweier Brüder, die ebenfalls Musiker waren. Andreas Romberg (1767—1821), Violinist, war der fruchtbarere und vielseitigere Komponist, Bernhard Romberg (1767—1841), Cellist, als Komponist in erster Linie für sein Instrument produktiv. Die beiden Vettern, in demselben Jahr geboren, blieben durch ihr ganzes Leben in innigem Verkehr. Bernhard überlebte seinen Vetter um 20 Jahre. Will man die Werke nennen, welche sich zunächst an ihren Namen knüpfen, so sind es bei Andreas „Die Glocke", Kantate nach Schiller, bei Bernhard seine Cellokonzerte. Von nachhaltigerer Bedeutung bis zur Gegenwart ist der letztere. Andreas Romberg unternahm schon frühzeitig Konzertreisen, zuweilen gemeinschaftlich mit seinem Vetter. Ihre Wege trennten und vereinigten sich zeitweise. Von 1790 bis 1793 waren beide in der kurfürstlichen Kapelle in Bonn angestellt, in der Zeit, da Beethoven noch dort weilte. Andreas nahm später seinen ständigen Wohnsitz in Hamburg. 1815 wurde er als Nachfolger Spohrs nach Gotha berufen, wo er als Hofkapellmeister bis an sein Ende 1821 wirkte. — Unter seinen zahlreichen Werken nimmt die Instrumentalmusik den größten Raum ein. Von seinen zehn Symphonien, 23 Violinkonzerten wurden mehrere gedruckt, von seinen Streichquartetten die meisten, was schon auf ihre große Verbreitung schließen läßt; dazu kommen Streichquintette, auch solche mit Flöte, eine Konzertante für Violine und Cello mit Orchester, Violinsonaten, ein Klavierquartett u. a. m. Andreas Rombergs Schaffen griff auch nach der Oper, den großen Chorwerken, der Kirchenmusik. Er schrieb acht Opern, das „Lied von der Glocke" (oft aufgeführt), mehrere Sologesänge mit Orchesterbegleitung auf Texte von Schiller, wie „Die Kindesmörderin", Monolog der „Jungfrau von Orleans", „Der Graf von Habsburg", dreistimmige Lieder mit Pianofortebegleitung, Maurerlieder, dann Kirchenstücke, darunter Psalmen, ein „Vaterunser" usw. In seinen Symphonien und Quartetten ist der Einfluß Mozarts vorherrschend. Andreas Romberg gehört zu den vergessenen Tonsetzern, obwohl vieles von ihm veröffentlicht wurde und zu seiner Zeit Erfolg hatte.

Ein besseres Schicksal wurde Bernhard Romberg zu teil. Seine Violoncell-Konzerte und anderen Kompositionen für dieses Instrument erfreuen sich noch heute, trotz ihres etwas altmodischen Zuschnitts, wegen ihres instruktiven Wertes großen Ansehens. Romberg wird als der Begründer der deutschen Celloschule betrachtet und dem Haupt der deutschen Violinschule, Spohr, an die Seite gesetzt. — Bernhard Romberg hat große Kunstreisen gemacht; er war in England, Rußland, Schweden, Spanien.

1796 gab er ein Konzert in Wien, in welchem Beethoven mitwirkte, 1822 war er wieder in Wien, 1825 in Petersburg.

Während seiner Künstlerlaufbahn hat Bernhard Romberg ehrenvolle Stellungen bekleidet. In Paris war sein Auftreten 1800 von solchem Erfolge begleitet, daß er als Professor an das Kon-

Andreas.

Bernhard.

servatorium berufen wurde; 1803 verließ er Paris und wurde bald darauf als Solocellist in der Hofkapelle in B e r l i n angestellt. Später, zwischen 1815—1817, wirkte er als Hofkapellmeister daselbst, worauf er sich nach H a m b u r g zurückzog. Eine letzte Reise führte ihn noch 1839 nach L o n d o n und P a r i s; sein Spiel konnte jedoch nur mehr einen Achtungserfolg erringen.

Romberg hat ein großes Verdienst um die Ausbildung der T e c h n i k, insbesondere des Fingersatzes seines Instruments. Sein Spiel wird als virtuos in der höheren Tonlage geschildert, sein Ton soll nicht groß gewesen sein. Er bereicherte die C e l l o l i t e r a t u r durch zehn Konzerte, andere Cellostücke, mit Vorliebe über fremde Nationallieder, Sonaten, Celloduette; außerdem werden von ihm Streichquartette, Streichtrios und andere Instrumentalwerke aufgezählt. Eine T r a u e r s y m p h o n i e auf den Tod der Königin Luise wird als ein edles Werk gerühmt.

Nicht vergessen darf Rombergs noch beliebte „K i n d e r s y m p h o n i e" werden, welche nach dem Vorbild H a y d n s, doch etwas reicher gehalten ist.

Von der praktischen Brauchbarkeit und Gediegenheit der B e r n h a r d R o m b e r g s c h e n Cellokompositionen zeugen die N e u a u s g a b e n der Konzerte, Sonaten, Nationallieder, Duetten für zwei Celli (Ed. Peters, Breitkopf, Univ.-Ed.).

Onslow.   Näher unserem Interesse steht der eigenartige George O n s l o w (1784—1852). Seine Musik besitzt einen vornehm eleganten, oft geistreichen Zug, selten tiefere Empfindung oder Gediegenheit im Tonsatz. Etwas Verstandesmäßiges, Kühles haftet selbst seinen besten Werken an. Als solche sind seine S t r e i c h q u i n t e t t e zu bezeichnen, Onslows Spezialität, wie einst die B o c c h e r i n i s.

O n s l o w, einer aristokratischen und sehr begüterten englischen Familie entstammend, war zu C l e r m o n t in Frankreich geboren, lernte nur nebenbei Musik, wurde dann in L o n d o n von D u s s e k und C r a m e r im Klavierspiel unterrichtet und widmete sich erst später, durch äußere Umstände veranlaßt, der Komposition von Kammermusik. Auf seinem Landsitz in Clermont verlebte er seine Tage und zerstreute sich mit einigen Freunden durch Quartettspiel, wobei er die Cellostimme übernahm. Hier entstanden seine ersten Versuche, wie auch die nachfolgenden zahlreichen Werke. Einige Wintermonate verbrachte O n s l o w alljährlich in P a r i s, wo er in Berührung mit der Kunstwelt trat und seine Kompositionen hören ließ. Er selbst machte noch einen theoretischen Kurs bei R e i c h a durch. Sein Ruf stieg mit der Veröffentlichung seiner vielen Werke und strahlte von Paris nach dem Auslande aus. Das „Institut de France" erwählte ihn nach Cherubinis Tod 1842 zu seinem Mitglied. O n s l o w starb am 3. Oktober 1852 in Clermont. Der musikalischen Welt hinterließ er, in mehr als 80 Opuszahlen eingereiht, eine große Masse von I n s t r u m e n t a l w e r k e n, darunter 34 Streichquintette (zumeist mit zwei Celli), 36 Streichquartette, 10 Klaviertrios, 1 Klaviersextett mit Streichinstrumenten, 1 Nonett für Streich- und Blasinstrumente, 3 Symphonien für Orchester, 6 Sonaten für Klavier und Violine, Klaviersonaten, darunter zwei zu vier Händen. Onslow hat auch drei O p e r n geschrieben, welche in der Pariser Opéra comique mit schwachem Erfolg aufgeführt wurden. Von der zweiten, „Le Colporteur" (Der Hausierer), erhielt sich die Ouvertüre als beliebtes Stück.

Die Kammermusik Onslows, auf M o z a r t schem Grunde aufgebaut, kann gleichwohl den f r a n z ö s i s c h e n Charakter nicht

verleugnen. Die Quintette, welche allerdings weniger unsere
Phantasie als unseren Geist anregen, verdienen nicht ganz von
den Pulten der Kammermusikfreunde verbannt zu werden. Auch
die Klaviertrios Op. 3, die Violinsonaten D-dur Op. 11 und F-dur
Op. 15 können empfohlen werden. Anregend und originell sind die
beiden vierhändigen Sonaten Op. 7 und Op. 22.

Die Herausgabe der Werke Onslows, mit den ersten Quintetten 1807 beginnend, umfaßt einen Zeitraum von etwa 30 Jahren; die Pariser Ausgaben wurden in Wien, Leipzig, Mainz usw. fleißig nachgedruckt. Die vierhändigen Sonaten sind in Neudruck in die Ed. Peters aufgenommen.

Sehr geschätzt und beliebt waren die Streichquartette und
Quintette von Friedrich Ernst Fesca (1789—1826), einem fein-   Fesca.
sinnigen, lyrisch gestimmten Tonsetzer, der auch Symphonien, Opern
und anderes komponiert hat. In Magdeburg geboren, wirkte er in
Leipzig und zuletzt als Konzertmeister in Karlsruhe. Er starb
im besten Mannesalter. Sein Sohn Alexander ist besonders
durch seine Lieder bekannt geworden.

Eine interessante, rasch vorübergehende Erscheinung war
Norbert Burgmüller (1810—1836), dessen hinterlassene C-moll-   Norbert
Symphonie nebst seinen Klavierwerken von tieferer Begabung   Burgmüller.
zeugen.

Als talentvoller, doch flüchtiger Produzent zahlloser Instrumentalstücke darf aus dieser Zeit F. A. Hoffmeister (1751   Hoffmeister.
bis 1812) nicht vergessen werden. Symphonien, Quartette, Klavierstücke usw. flossen aus seiner nimmermüden Feder; seine Spezialität
waren aber die Flötenwerke, deren er unzählige veröffentlichte.
Seine Kompositionen, für den Markt berechnet, fanden auch reichlichen Absatz. Hoffmeister, im Schwabenlande geboren, lebte
zumeist in Wien, wo er nebst seiner Tätigkeit als Kirchenkapellmeister den Musikhandel betrieb. 1800 gründete er in Leipzig
mit Kühnel das „Bureau de musique", später C. F. Peters.

Anschließen müssen wir hier noch Joh. Wenzel Kalliwoda   Kalliwoda.
(1800—1866), dessen Symphonien schon in die Zeit von 1820
bis in die Dreißigerjahre fallen. In Prag geboren und am dortigen Konservatorium im Violinspiel und in der Komposition ausgebildet, wirkte er 1828—1853 als fürstl. Fürstenbergscher Kapellmeister in Donaueschingen und brachte seine letzten Lebensjahre in Karlsruhe zu. Er machte sich durch sieben Symphonien, Ouvertüren, Violinkonzerte (eines für zwei Violinen), Streichquartette, Violinduette, Klaviertrios, Klaviersolostücke bekannt. Kalliwoda war ein solider, dabei nicht phantasieloser Komponist, im
allgemeinen der Spohrschen Schule angehörig. Seine zu ihrer Zeit
geschätzten Symphonien könnten mit Auswahl noch heute Interesse
erregen. Von ihm rührt auch das populäre Freiheitslied „Was ist
des Deutschen Vaterland?" her.

Eine Anzahl seiner Violinduette und Klavierstücke ist in Neuausgaben erschienen.

<table>
<tr><td>lo-Instrumente.</td><td>In der Literatur der Solo-Orchesterinstrumente ist die Violinmusik am reichsten vertreten.</td></tr>
</table>

lo-Instrumente. In der Literatur der Solo-Orchesterinstrumente ist die Violinmusik am reichsten vertreten.

Violine. Von den italienischen Violinmeistern sind im Anschluß an die der vorigen Epoche (II, 205—210) noch hervorzuheben: Giardini, Nardini, Pugnani.

Giardini. Felice Giardini (1716—1796), geb. in Turin, wurde durch Somis in den edlen Traditionen Corellis herangebildet und entwickelte sich zu einem der gediegensten Violinvirtuosen seiner Zeit; er zeichnete sich vorzüglich durch großen Ton und echt musikalischen Vortrag aus. Sein Wirken gehört fast ausschließlich London an, wo er durch 40 Jahre als Konzertgeber, Dirigent, Gesanglehrer, Theaterunternehmer und Geigenhändler tätig war. Auch als Komponist war er ungemein fleißig und besonders in seiner Kammermusik sehr geschätzt. Vieles davon wurde in London, Paris und Leipzig gedruckt. Seine letzte Theaterunternehmung führte ihn nach Petersburg und Moskau, in welcher letzteren Stadt er in Dürftigkeit, 80 Jahre alt, starb.

Einzelnes von Giardini ist in neueren Sammlungen aufgenommen.

Nardini. Pietro Nardini (1722—1793) studierte bei Tartini in Padua, wirkte in der Hofkapelle zu Stuttgart, dann bis zu seinem Ende als Kapellmeister in Florenz. Er kann den Klassikern des Violinspiels angereiht werden. Seine Kompositionen verraten den Meister der Form, stehen aber an innerer Beseelung gegen Tartini zurück. Er schrieb Violinkonzerte und -Sonaten, Streichquartette usw.

Von den als Op. 2 in Berlin 1765 gedruckten Sonaten veranstaltete Cartier eine neue Ausgabe; einige derselben sind in den Sammlungen von Alard und Ferd. David, auch bei Br. & H. und Peters zu finden.

Pugnani. Gaetano Pugnani (1727—1803) kann durch seine Lehrer Somis und Tartini als einer der bedeutendsten Abkömmlinge der klassischen Violinschule betrachtet werden. Pugnani machte ausgedehnte Reisen, wirkte in London an der italienischen Oper und von 1770 an als Kapellmeister in seiner Vaterstadt Turin. Nebst seinen geschätzten Kammermusikwerken hat er auch ein Oratorium, mehrere Opern und Symphonien geschrieben und zur Aufführung gebracht.

In Neuausgabe ist eine seiner Sonaten bei Br. & H. erschienen.

Fiorillo. Italienischer Abkunft ist Federigo Fiorillo, 1753 in Braunschweig geboren, hauptsächlich durch seine Violinetuden (36 Caprices) bekannt. Seine Lebensbahn führte durch Polen, Rußland, Paris und London. 1823 besuchte er noch Paris, dann verschwindet seine Spur. Zahlreiche seiner Violinstücke, Soli, Duette, Quartette und Quintette wurden veröffentlicht. Keines seiner Werke hat sich so dauernd erhalten als seine technisch und musikalisch wertvollen Caprices. Spohr hat denselben eine zweite Violine hinzugefügt.

Neue Ausgaben der Caprices sind bei Senff (Ferd. David), Br. & H., in der Ed. Peters, Univ.-Ed. (nebst einer Sonata) erschienen.

Von Ende des 18. Jahrhunderts erhebt sich die französi- Französische
Violinschule.
sche Violinschule zur tonangebenden Europas. Als ihr
Begründer gilt Viotti, dessen vornehmste Nachfolger Rode,
Kreutzer, Baillot sind. Als Komponisten stehen Viotti und
Rode obenan.

Giov. Batt. Viotti (1753—1824), Schüler Pugnanis, unter- Viotti.
nahm ausgedehnte Kunstreisen, überall als Violinspieler bewundert
und gefeiert, zog sich aber bald von der Virtuosenlaufbahn zurück.
Er ließ sich 1782 in Paris nieder, um sich neben seiner Kunst
einer geschäftlichen Tätigkeit zu widmen, welche Theaterunter-
nehmungen, die Direktion der Großen Oper, sogar den Weinhandel
umfaßte. Viotti bewahrte in seinem gesangmäßigen Violinspiel das
Erbe der alten italienischen Schule, verband aber damit eine freiere
Methode der Technik und größeren Schwung im Vortrag. Seine
Violinkonzerte, welche die Form des neueren Instrumentalstils
aufweisen und auch in der Orchesterbegleitung trefflich ausgeführt
sind, eröffnen dieser Kunstgattung eine neue Aera. Einige derselben,
welche auch in neuen Ausgaben erschienen sind, besonders das in
A-moll, werden von ernsten Künstlern noch gern gespielt. Viotti
veröffentlichte 29 Violinkonzerte und zwei Konzertanten für zwei
Violinen mit Begleitung. Auch seine Violinduette sind noch in
Übung. Dagegen sind die Streichquartette, Streichtrios und anderes
verschollen. Unter den unmittelbaren Schülern Viottis sind Rode
und Baillot die hervorragendsten.

Rode, Kreutzer und Baillot haben für die Technik des Rode,
Kreutzer,
Baillot.
Violinspiels eine dauernde Bedeutung. Gleichzeitig 1795 in das
neugegründete Pariser Konservatorium berufen, entwickelten sie
daselbst eine pädagogische Tätigkeit, welche den Ruhm der französischen Schule auf Generationen hinaus erhielt. Gemeinschaftlich
gaben sie das Schulwerk „Méthode du violon" heraus, Rode schrieb
24 Caprices und 12 Etuden, welche bei den Violinstudierenden noch
jetzt in Ansehen stehen, Baillot eine Violinschule (L'art du violon),
ein grundlegendes Werk.

Pierre Rode (1774—1830), in Bordeaux geboren, machte Rode.
seinen Weg durch die Theaterorchester von Paris bis zur Pro-
fessur im Konservatorium, durchzog dann als Violinvirtuose halb
Europa, hielt sich durch fünf Jahre in Petersburg auf, ließ sich
in Wien und anderen deutschen Städten hören und verlebte seine
letzten Jahre in seiner Heimat. Durch den Einfluß, den Rode auf
Spohr übte, steht dieser in seiner Entwicklungszeit mit der französischen Schule im Zusammenhang. Rodes Konzerte, deren er
13 geschrieben, nehmen noch immer einen bevorzugten Platz in
der älteren Violinliteratur ein. Eine Anzahl derselben, wie auch
seine Studienwerke sind in Neuausgaben erschienen. Zu erwähnen sind noch Streichquartette, Violinduette, Variationen mit
Orchester.

— 394 —

Rud. Kreutzer. Rudolf Kreutzer (1766—1831), dem wir bereits als französischen Opernkomponisten begegneten, war als Violinist aus der Schule von Stamitz hervorgegangen. In Versailles geboren, begann er seine Laufbahn in der kön. Kapelle, wandte sich 1790 der Opernkomposition zu und brachte es bis 1823 auf fast 40 Opern, welche teils in der Opéra comique, teils in der Großen Oper zur Aufführung kamen, um bald wieder zu verschwinden. Als Violinvirtuose erlangte er durch seine Kunstreisen großen Ruf, als Lehrer durch seine Wirksamkeit am Pariser Konservatorium. 1816 wurde er noch als Kapellmeister an der Großen Oper angestellt. Er starb in Genf. Kreutzer war fruchtbar als Violinkomponist. Nicht weniger als 19 Konzerte, dann Streichquartette und vieles andere stammen von ihm. Seinen Nachruhm verdankt er jedoch nur den *„40 Etudes ou Caprices"*, vielleicht auch ein wenig der ihm von Beethoven gewidmeten Violinsonate (der sogenannten „Kreutzersonate").

Baillot. Mit François Baillot (1771—1842) kehren wir wieder zur Schule Viottis zurück. Er war der große Methodiker dieser Schule. Geboren in Passy bei Paris, erhielt er seine Ausbildung durch italienische und französische Violinmeister in Paris, dann in Rom und schloß sich später Viotti an. Seit 1802 unternahm er Kunstreisen nach Rußland, Holland, Italien, überall als Virtuose und gediegener Quartettspieler bewundert. Sein Spiel zeichnete sich vorzüglich durch die große Bogenführung aus, gefördert von einer neuen Bogenkonstruktion, welche die Erfindung von François Tourte in Paris war. Die Resultate seiner Kunstanschauungen und Erfahrungen legte er in seiner mustergültigen Violinschule (1834 erschienen) nieder. Seine Kompositionen, bestehend aus Konzerten, Quartetten, Violinduetten usw. bieten dem Spieler technische Schwierigkeiten aller Art. Beliebt waren seine Variationswerke für Violine mit Orchesterbegleitung.

Cartier. Dem Schülerkreise Viottis gehört auch J. B. Cartier (1765—1841), ein tüchtiger Violinspieler und unbedeutender Komponist, an. Ein großes Verdienst erwarb er sich durch die Herausgabe von Werken der klassischen italienischen Violinmeister, wie Corelli, Tartini, Nardini, und eines Sammelwerkes *„L'art du violon"* mit einer Auswahl italienischer, französischer und deutscher Violinstücke, 1798 und 1801 erschienen.

Lafont. Der Rode-Kreutzerschen Schule entstammt der berühmte Violinvirtuose Charles Ph. Lafont (1781—1839), der große Konzertreisen unternahm, längere Zeit in Petersburg verweilte, dann in Paris wirkte. Auf einer Reise in Frankreich fand er durch einen Wagensturz den Tod. Seine Kompositionen, welche nebst Konzerten, Etuden, meist „Phantasien", Variationen und Rondos über Opernthemen umfassen, gehören der Modenrichtung an. Sehr beliebt waren seine zahlreichen französischen Romanzen.

Gaviniés. Von den älteren französischen Violinmeistern ist noch Pierre Gaviniés (1728—1800) zu erwähnen, wegen seiner mit gehäuften Schwierigkeiten ausgestatteten technischen Studien unter dem Titel *„Les vingt-quatre matinées"*; sie sind auch in neuen Ausgaben erschienen.

Eine Ausnahmsstellung gegenüber den vorgenannten Violin- Paganini.
meistern nimmt der genialste Virtuose dieser Epoche, Paganini,
ein. Die Kunst jener Meister hatte ihren Ursprung in den klassischen
Vorbildern Corelli, Tartini, Viotti. Nun kam Einer, der seinen eigenen,
selbst gebahnten Weg einschlug, ein Unvergleichlicher. Alles
vereinigte sich in Paganini, um den Eindruck des Ungewöhnlichen und Außerordentlichen zu machen, seine äußere Erscheinung,
die verblüffenden Kunststücke seines Spiels, endlich die phantasti-
schen, romanhaften Erzählungen, welche seine Lebensschicksale
umgaben. Die beispiellose Sensation, welche Paganini während der
Jahre 1828—1840 in ganz Europa erregte, fand mit dem Auftreten
Liszts ihr Seitenstück.

Die Lebensgeschichte Nicoló Paganinis ist für die ersten 40 Jahre in Lebens-geschichte.
ihren Angaben schwankend und hat mehrfache Lücken aufzuweisen. Genua
ist seine Vaterstadt, wo er am 18. Februar 1784 (nach anderen 1782) das Licht
der Welt erblickte. Er war von geringer Herkunft, soll der Sohn eines Hafen-
agenten oder gar eines Hafenarbeiters gewesen sein. Als Kind wurde er im
Mandolinenspiel unterrichtet, ging aber bald zur Violine über. Seine Ausbildung auf diesem Instrument war unbedeutenden Lehrern anvertraut, bis er
1796 in Parma durch einige Monate bei dem Violinmeister Rolla und dem
Komponisten Paer Unterweisung im Violinspiel und in der Theorie erhielt.
Paganini entwickelte sich jedoch mehr als Autodidakt durch seine wunderbare
Begabung und seinen eisernen Fleiß. Schon als Knabe spielte er Konzerte in den
Kirchen Genuas, ließ sich dann in Mailand, Bologna, Florenz öffentlich
hören, und nachdem er eine Guarneri-Geige zum Geschenk bekommen, verließ
er das Elternhaus und durchzog von 1800 an durch eine Reihe von Jahren
Italien, überall angestaunt und reichlich belohnt. Die Zahl seiner Konzerte
steigerte sich allmählich bis auf hundert. Von 1809 war er durch einige Jahre
am Hofe von Florenz angestellt. Er komponierte in dieser Zeit seine Bra-
vourstücke und spielte schon damals auf der G-Saite allein. 1817 maß sich
Paganini in Mailand mit Lafont, bald darauf in Florenz mit dem polnischen
Violinvirtuosen Lipinski. In den Jahren 1820—1822 besuchte er Neapel,
Palermo, zu wiederholten Malen auch Mailand und Venedig. Paganini führte
ein sehr lockeres Leben und war dem Spiele ergeben. Einmal verspielte er
seine ganze Barschaft und seine Geige dazu. Ein Wohltäter schenkte ihm eine
kostbare Guarneri, welche er fortan auf allen seinen Reisen benützte und
die sich noch heute in dem Museum zu Genua befindet. Paganinis Gesundheit
war schon damals, vielleicht durch seine ungezügelte Lebensweise, erschüttert,
so daß er den Winter 1825—1826 zu seiner Herstellung in Palermo zubringen
mußte.

Bisher hatte Paganini mit seiner Wundergeige Italien noch nicht In Wien.
verlassen, doch war der Ruf seiner Kunst schon lange in das Ausland gedrungen. Im Jahre 1828 begann sein Triumphzug durch Europa. Glanzvoll
wurde dieser auf dem musikgeweihten Boden Wiens eröffnet. Im März 1828 traf
Paganini in Begleitung seiner Freundin, der Sängerin Antonia Bianchi,
und seines damals vierjährigen Sohnes Achill in Wien ein. Die Spannung,
mit der man das Erscheinen des großen Geigenkünstlers erwartete, war noch
gesteigert durch die Schilderungen seiner dämonischen Persönlichkeit und die
abenteuerlichen Gerüchte, die ihm vorangingen. Genug, seine Konzerte
waren die glänzendsten, welche die Kaiserstadt je erlebte, der Beifall war
maßlos, die Einnahmen verblüffend. Paganini erhielt den Titel eines kais.
Kammervirtuosen, eine Medaille wurde zu seinen Ehren geprägt. Auch die
Mode, die Begleiterscheinung populärer Erfolge, bemächtigte sich seiner; „à la
Paganini" war das Losungswort für die verschiedensten Gebrauchsartikel. Bis

zum Mai hatte Paganini sechs eigene Konzerte im k. k. Redoutensaal gegeben
und im ganzen 20mal öffentlich gespielt. Interessant ist es, sein damaliges
Repertoire kennen zu lernen, um so mehr, als es sich im wesentlichen auch
später wiederholt. Mit Ausnahme eines Rodeschen Konzerts sind es lauter
eigene Kompositionen: Das II-moll-Konzert mit dem Finale „La Clochette", die Variationen „Le Streghe" (Die Hexen) mit Orchester, eine „Sonate"
auf der G-Saite, Variationen über „Cenerentola", über das Gebet aus „Moses"
von Rossini usw. Im Sommer gebrauchte Paganini auf den Rat eines Wiener
Arztes die Kur in Karlsbad und gab dann in Prag sechs Konzerte mit
fünffach erhöhten Preisen und sonstigen Sensationen. Anfangs 1829 begab er
sich nach Dresden und Berlin, wo er sich zu zwei Wohltätigkeitskonzerten
herbeiließ und neue Variationen über „God save the King" („Heil Dir im
Siegerkranz") vortrug. Einladungen, die ihm aus Rußland zukamen, wagte
er aus Furcht vor dem rauhen Klima nicht Folge zu leisten. Er ging zur Kur
nach Ems und schlug dann sein Hauptquartier in Frankfurt auf, von wo
er allmählich Streifzüge durch ganz Deutschland unternahm. Im Februar 1831
wandte sich Paganini nach Paris und gab bis Ende April in der Großen
Oper elf Konzerte mit glänzendem Erfolg. Das goldene Erntefeld für Paganini

England. ward dann England. In London soll seine Gesamteinnahme in 15 Konzerten
9000 Pfd. Sterl. betragen haben. Aus seinem dortigen Repertoire mögen die
„Sonate militaire" auf der G-Saite, die Variationen „Der Karneval in Venedig",
dann ein Rondo über Kreutzer erwähnt werden. Von London aus besuchte
Paganini auch andere englische Städte und bereiste in Begleitung eines Impresario wieder den Kontinent. Endlich kehrte Paganini im Oktober 1834
nach Italien zurück, im Besitze eines enormen Vermögens, welches auf
7 Millionen bewertet wird, erwarb eine Villa in der Nähe von Parma, gab
aber fortgesetzt in den italienischen Städten Konzerte. Im Jahre 1835 zog es

Paris. ihn wieder nach Paris. Hier ließ sich Paganini in Unternehmungen ein,
welche mit finanziellen Verlusten, Prozessen und Ärgernissen verbunden waren.
Sein körperliches Leiden, eine Kehlkopfaffektion, verschlimmerte sich in dem
Grade, daß er kein lautes Wort hervorbringen konnte und sein Sohn Achille
als Dolmetsch dienen mußte. Von Musik war nicht mehr die Rede. Doch
interessierte sich Paganini in der nächsten Zeit für den nach Anerkennung rin-
genden Berlioz, und es geschah das Unglaubliche, daß nach der Aufführung
der „Harold-Symphonie", 1838, der geizige Paganini dem Komponisten ein
Geschenk von 20.000 Francs als Zeichen seiner Verehrung übermittelte. Oder
war es vielleicht ein anonymer Wohltäter, der sich hinter Paganini verbarg?
Die nächste Zeit brachte der kranke Künstler im Süden Frankreichs und in
verschiedenen Pyrenäenbädern zu, doch gab es für ihn keine Rettung mehr.

Ende. Paganini starb in Nizza am 27. Mai 1840 an der Kehlkopfschwindsucht.
Sein Vermögen, welches sich noch auf 1,700.000 Francs belief, vermachte er,
einige Legate abgerechnet, seinem einzigen Sohne Achille. Paganinis Überreste hatten jahrelang Kreuz- und Querzüge zu erdulden, bis sie endlich 1896
auf dem Friedhof von Parma ihre bleibende Ruhestätte fanden.

sönlichkeit. Die äußere Erscheinung und den Charakter Paganinis müßte man
als abstoßend erklären, wenn man nicht die Übertreibungen und die Spott-
sucht der Zeitgenossen in Rechnung zöge. Paganini war mittelgroßer Statur,
sehr mager, hatte ein langes, bleiches Gesicht, umrahmt von schwarzem, locki-
gem Haar, eine Adlernase, scharfen Blick. Seine Hände waren nicht übermäßig groß, doch die Finger lang, in den Gelenken ungemein dehnbar. Dem
Gesichtsausdruck war besonders während des Spiels etwas Leidendes eigen.
In seinem Wesen begegneten sich manche Widersprüche. Die Ausdauer, durch
die er seine technische Fertigkeit erlangte, die Energie, mit der er seine körperlichen Leiden überwand, um seine Unternehmungen durchzuführen, verdienen
Bewunderung. Von Gewinnsucht und Geiz, Eigenschaften, die man im allgemeinen den Italienern nachzusagen pflegt, war Paganini gewiß nicht frei,
sie sollen ihm sogar in hohem Grade eigen gewesen sein, doch war er auch

edleren Empfindungen nicht unzugänglich. Er spielte in verschiedenen Hauptstädten für die Armen, er begeisterte sich für das Große in der Kunst, wahrhaft rührend war seine Zärtlichkeit für das Kind.

Man wird sich Paganinis Violinspiel nicht als eine bloß technisch hoch ausgebildete Fertigkeit denken dürfen; er vermochte auf seiner Geige zu singen und im leidenschaftlichen Ausdruck brach sein südliches Temperament hervor. Vorwiegend waren es jedoch seine waghalsige Bravour und seine zauberhaften Klangeffekte, welche das größte Aufsehen erregten. Die Art seiner Bogenführung war neuartig, das Staccato vollendet, merkwürdig das Pizzicato mit dem „Col arco" gemischt, erstaunlich sein doppelgriffiges Spiel. Eine unfehlbare Sicherheit besaß er in der Erzeugung der Flageolettöne (harmonische Obertöne) bis in die höchsten Lagen und im schnellsten Tempo. *Technik.*

Paganini bediente sich zur Erreichung seiner virtuosen Zwecke schwacher Saiten, eines flacheren Stegs und einer eigenen Art zu stimmen. Die Saiten wurden zuweilen um einen halben Ton hinaufgestimmt (sein Es-dur-Konzert spielte er in D-dur), die G-Saite bei den Stücken für diese allein wurde auf B erhöht u. a. m.

In seinem unmittelbaren Schüler Camillo Sivori lebte Paganinis Eigenart noch bis in die neueste Zeit fort. — Für die hochentwickelte Violintechnik unserer Tage haben die Paganinischen Wunderkünste ihre Wunder verloren.

Die Kompositionen Paganinis haben ihren Reiz bis heute bewahrt. So wenig sie auf Tiefe oder gediegene Arbeit Anspruch erheben können, sind sie doch voll Leben und Humor, leicht gefügt in der Form und eignen sich durch ihre technischen Kunststücke zur Erprobung virtuosen Könnens. *Kompositionen.*

Wir haben schon eine Anzahl dieser Werke aus dem Repertoire Paganinis genannt. Zur Vervollständigung derselben seien hier angeführt: Das „Perpetuum mobile" (ein Allegro mit Orchester), 12 Sonaten für Violine und Guitarre, sechs Quartette mit Guitarre, „Der Karneval von Venedig" (20 Variationen über ein populäres venetianisches Lied). In vorderster Reihe stehen die beiden Konzerte Es-dur (D-dur) und H-moll, „Le Streghe" (Variationen über ein Thema von Simon Mayr), Variationen über „God save the King", Variationen über „Di tanti palpiti". Zuletzt, aber mit Auszeichnung sind die 24 Caprices Op. I für Violine allein zu nennen, berühmt geworden durch die Bearbeitungen von Schumann (12 Caprices Op. 3 und 10), Liszt (6 Etudes d'après Paganini), Brahms (Variationen über ein Thema von Paganini Op. 35).

Die deutsche Violinmusik dieser Epoche besitzt in Johann Stamitz, dem Begründer der Mannheimer Schule (S. 4), ihren Stammvater. Nicht bloß als einer der Frühmeister des neueren Instrumentalstils, sondern auch als vorzüglicher Violinspieler und Lehrer hat er historische Bedeutung. Ihm schließen sich als unmittelbare Schüler sein Sohn Karl Stamitz, Christian Cannabich (S. 5), Ignaz Fränzl, sämtlich Mannheimer, an. Der Sohn des Letztgenannten, Ferdinand Fränzl (1770—1833), erlangte durch seine Kunstreisen einen großen Ruf als Violinvirtuose und wirkte *Deutsche Violinmusik. Joh. Stamitz.* *Fränzl.*

als Kapellmeister vorzugsweise in München; seine Violinkonzerte, Streichquartette u. a. m. waren geschätzt. Interessant durch seinen Lebenslauf ist Wilhelm Cramer (1745—1799), geboren in Mannheim, Schüler von Joh. Stamitz und Cannabich, der in dem Londoner Musikleben von 1772 an eine große Rolle spielte. Er wirkte als Violinist und Konzertmeister an der Oper und den angesehensten Konzertinstituten, auch als Kapellmeister durch viele Jahre. Zahlreiche Violinkompositionen, Konzerte, Sonaten, Quartette erschienen von ihm in Druck, ein Zeichen ihrer Beliebtheit. Er ist der Vater J. B. Cramers, des berühmten Klaviermeisters.

Wilh. Cramer.

Neuestens ist die Aufmerksamkeit der Violinspieler auf den Dessauer Friedr. Wilh. Rust (1739—1796) gelenkt worden, der ein gediegener Musiker und vielseitiger Komponist war. Als Violinvirtuose stand er unter dem Einfluß der Italiener.

F. W. Rust.

In Neuausgabe erschienen von ihm drei Violinsonaten (Solosonate B-dur, Sonate D-moll, beide bei Peters, H-moll, herausg. von W. Rust, nebst vier Klaviersonaten). Sein Enkel Wilhelm Rust ist der verdienstvolle Bachforscher.

Erst durch das Erscheinen Viottis und Rodes in Deutschland kam neues Leben in die etwas veraltete Mannheimer Spielweise und die deutsche Violinkunst erhob sich zu größerer Freiheit und Bedeutung. Als ihr Gipfel erscheint Spohr, der, von der französischen Schule ausgehend, später selbst Schule machte. — Von den Wiener Violinisten darf der vortreffliche Quartettspieler Schuppanzigh nicht vergessen werden.

Wiener Meister. Schuppanzigh.

Ignaz Schuppanzigh (1776—1830), in Verbindung mit Beethoven oft erwähnt, auch Dirigent, war der Begründer öffentlicher Quartettproduktionen in Wien. Seine späteren Nachfolger waren Mayseder, Böhm, Jansa, Hellmesberger.

Die Wiener Violinschule, an ihrer Spitze Böhm und Mayseder, reicht zu weit in die neueste Zeit hinein, um hier noch ihre Würdigung zu finden.

Das Violoncell als Soloinstrument tritt nach einigen italienischen Vorläufern zuerst mit Boccherini und dem Franzosen Jean Louis Duport (1749—1819) bedeutender hervor. Beide produzierten sich 1768 in den Pariser „Concerts spirituels" mit Solostücken. Duport ist als der Schöpfer der modernen Technik des Violoncellspiels zu betrachten. In seinem *„Essai sur le doigté du Violoncelle et sur la conduite de l'archet"* legte er den Grund zur richtigen Fingersetzung und Bogenführung auf diesem Instrument. Bekannt ist er durch seine längere Wirksamkeit in Berlin als Solocellist und Lehrer Friedrich Wilhelms II., wie auch durch die Widmung von Beethovens zwei Cellosonaten Op. 5. Später nach Paris zurückgekehrt, war er auch als Lehrer am Konservatorium tätig. Seine Werke für das Violoncell sind zahlreich. — Bald darauf konnte sich auch Deutschland eines gediegenen Meisters auf diesem Instrument rühmen, Bernhard Romberg (S. 389). Seine Kunst-

Violoncell.

Duport.

B. Romberg.

reisen machten ihn als Virtuosen berühmt, dauernd ist aber der
musikalische und instruktive Wert seiner Kompositionen, besonders
der Konzerte. Ihm schließt sich Friedrich Dotzauer (1783 bis   Dotzauer.
1860) an, der sich große Verdienste um das Instrument durch
seine Lehrmethode wie durch seine Werke erwarb. Der Engländer
Robert Lindley (1776—1855) ist ebenfalls als Komponist für das   Lindley.
Cello zu nennen.
Die Wiener Schule ist gleichzeitig mit dem Violinisten
Mayseder durch Josef Merk vertreten. Später ragen hervor:
Friedrich August Kummer (1797—1879), ein Schüler von   Kummer.
Dotzauer, fleißiger Komponist und tüchtiger Lehrer, der Pariser
Auguste Franchomme (1808—1884), Professor am Konservato-   Franchomme.
rium, der Freund Chopins, endlich der berühmteste Cellovirtuose
Servais (1807—1866), „der Paganini des Violoncells", auch Kom-   Servais.
ponist, jedoch seichterer Art, für sein Instrument. — Selbst der
Kontrabaß hatte in dieser Epoche einen großen Virtuosen aufzu-   Kontrabaß.
weisen, Domenico Dragonetti (1763—1846), einen Venetianer, der   Dragonetti.
durch 50 Jahre in London tätig war. Seine Geschicklichkeit in der
Behandlung des Rieseninstruments wird als fabelhaft geschildert.
Auch hat er einiges für den Kontrabaß mit Begleitung geschrieben.

Blasinstrumente, als Soloinstrumente verwendet, erfreuten   Blasinstru-
sich zu dieser Zeit einer größeren Beliebtheit als heutzutage. Nicht,   mente.
daß es uns an virtuosen Bläsern mangeln würde, aber diese
glänzen mehr im Orchester und der Kammermusik. Damals fehlte es
weder an Virtuosen noch an Kompositionen für diese Instrumente.
Für die Flöte nennen wir aus dieser Epoche: Joh. Georg   Flöte.
Wunderlich (1755—1819) aus Bayreuth, der in Paris wirkte
und zusammen mit Hugot eine große Flötenschule für das Konservatorium herausgab und auch sonst zahlreiche Kompositionen
für dieses Instrument schrieb; Friedrich Kuhlau (1786—1832)
ist der fruchtbarste Flötenkomponist dieser Zeit; er ist schon in
anderem Zusammenhange erwähnt worden; Berbiguier (1782
bis 1838), Virtuose und Komponist von Flötenkonzerten, Sonaten,
auch Herausgeber einer Flötenschule; J. L. Tulou (1786—1865),
Schüler Wunderlichs, gleich dem Vorigen berühmter Virtuose, hat
vieles für das Instrument geschrieben; A. B. Fürstenau (1792
bis 1852), Kammermusiker in Dresden, ist ebenfalls für die Flöten-
literatur wichtig, namentlich als Verfasser einer Schule, wie auch
sein Sohn Moritz, der zugleich Historiker war; endlich Drouet
(1792—1873). Eine wichtige Verbesserung der Flötenkonstruktion,
nach dem Erfinder die Böhm-Flöte genannt, fällt in die Vier-
zigerjahre des 19. Jahrhunderts.
Auch die Oboe, obwohl weniger leicht zu behandeln als die   Oboe.
Flöte, mit ihrem herberen, aber stärkeren Klang, ist als Soloinstrument vertreten. Von Händel bis auf Schumann bedienten sich

— 400 —

große Meister dieses Instruments konzertierend oder in ihrer Kammermusik mit charakteristischer Wirkung. Die Kompositionen der Oboevirtuosen sind allerdings nicht von Bedeutung, dagegen sind gründliche Schulen für dieses Instrument vorhanden. Alessandro Besozzi (1700—1775), einer der frühesten in dieser Reihe, der hauptsächlich in Turin wirkte, hat mehrere Kammermusikwerke für Violine und Oboe veröffentlicht. Ein berühmter Virtuose war J. Christian Fischer (1730—1800), in Dresden, dann in London tätig, der Konzerte und andere Werke für Oboe herausgab. Ein Menuett von Fischer hatte den Vorzug, von Mozart als Thema zu Variationen benützt zu werden. Eine sehr gute Oboeschule stammt von dem Pariser Fr. Jos. Garnier (1759—1825), ins Deutsche übertragen von Weichhart, auch Konzerte für eine und zwei Oboen rühren von ihm her. Der Oboist Ramm, ein Mannheimer, aus der Lebensgeschichte Mozarts bekannt, ist nur als Virtuose zu verzeichnen. Als Komponist von Oboekonzerten usw. ist noch Gustav Vogt (1781—1870) in Paris zu nennen.

Klarinette.   Die Klarinette, das jüngste der Holzblasinstrumente, wurde von der zweiten Hälfte des 18. Jahrhunderts an in allmählich steigendem Maße im Orchester und in der Kammermusik verwendet, reizte aber auch durch ihren weichen Vollklang und ihre technischen Möglichkeiten zu solistischem Hervortreten. Die charakteristische Wirkung dieses Instruments läßt sich am besten bei Mozart, Beethoven, Weber beobachten und studieren. Koryphäen der Klarinette aus dieser Zeit sind: Jos. Beer (1744—1811), der als der früheste reisende Klarinettvirtuose bezeichnet wird; er verbesserte auch das Instrument und komponierte einiges für dasselbe; Joh. Simon Hermstedt (1778—1846), für den Spohr drei Klarinettkonzerte schrieb; der berühmteste Klarinettvirtuose dieser Epoche Heinr. Jos. Bärmann (1784—1847) machte große, erfolgreiche Kunstreisen, wirkte am längsten in München und inspirierte Weber zu seinen Klarinettkonzerten, schrieb auch selbst Wertvolles für das Instrument; Iwan Müller (1786—1854) war der Erfinder einer neuen Klappenkonstruktion, hielt sich in Paris auf, bereiste dann Rußland und Deutschland, gab neben verschiedenen Kompositionen auch eine Klarinettschule heraus. Andere Schulen stammen von Franz Thad. Blatt (1828) und Karl Bärmann Sohn.

Fagott.   Selbst das Fagott, welches im Orchester der Meister eine bedeutende Rolle spielt, als Soloinstrument aber wenig sympathisch klingt, hat seine Solovirtuosen und seine Sololiteratur. Nebst den Konzerten von Mozart und Weber sind noch Kompositionen für dieses Instrument von den vorerwähnten Oboisten und Klarinettisten vorhanden, ferner von Georg Wenzel Ritter (1748—1808), der Fagott-Konzerte herausgab, später von Kalliwoda, Neukirchner, Kummer, Dotzauer usw.

— 401 —

Das Horn, als Natur- und Ventilhorn so reichlich und be- Horn.
deutungsvoll im Orchester und in der Kammermusik verwendet, hatte
schon damals zahlreicheVirtuosen aufzuweisen, doch ist die Sololiteratur
nur spärlich vertreten. Obenan stehen die Hornkonzerte von
Mozart und Weber, interessant sind die Trios für drei Hörner
von A. Reicha. Von Virtuosennamen seien nur Duvernoy,
Schunke, Punto (Stich), von Hornschulen Domnich (1767 bis
1844), Professor am Konservatorium in Paris, Dauprat (1781 bis
1868), dessen Nachfolger, erwähnt. Die Genannten haben auch Kompositionen für Horn veröffentlicht.

Orgelspiel und Orgelkomposition bewegen sich auf Orgelspiel
der Bahn der Routine, sie huldigen dem Nützlichkeitsprinzip. Eine Orgelkom-
Abzweigung neigt der kontrapunktischen Gelehrsamkeit zu, eine position.
andere mißbraucht das Instrument zu gesuchten Klangwirkungen
und Tonmalereien. Reisende Orgelvirtuosen gab es damals
noch wenige, die meisten waren als ortsgesessene Organisten
irgendwo angestellt. Die evangelische Kirche war die Stätte ihres
Wirkens. Die Orgelkompositionen der Zeit bestehen vorzugsweise aus Chorälen, Choralvorspielen, Präludien und Fugen, zunächst aus Tokkaten, Phantasien usw.

An Seb. Bach anknüpfend, ist sein ältester Sohn Wilh. Friedemann.
Friedemann (1710—1784), Organist in Halle, als Orgelkomponist Bach.
zu erwähnen. Hervorragend ist sein Orgelkonzert in D-moll (in mehrfachen Neuausgaben und Bearbeitungen erschienen). Von seinen
Klavierstücken sind die zwölf Polonaisen die merkwürdigsten und
bekanntesten.

Der Frühzeit gehört der Salzburger Kapellmeister Joh. Ernst
Eberlin (1702—1762) an, der von seinen 40 Tokkaten und Eberlin
Fugen neun in Augsburg 1747 herausgab; sie sind lebendig und
anregend, ohne besondere Tiefe zu besitzen. (In Commers „Musica
sacra" aufgenommen.) Zahlreiche Messen, Oratorien usw. von
Eberlin werden handschriftlich in vielen Bibliotheken bewahrt.

In Seb. Bachs Schülern Joh. Ludwig Krebs (1713—1780) Joh. Ludwi.
und Joh. Christian Kittel (1732—1809) vererbte sich noch der J. Chr. Kitte
Bachsche Geist. Der erstere hat zahlreiche Orgelstücke von Bedeutung, auch Klavierstücke geschrieben, von denen vieles in neuen
Ausgaben und Bearbeitungen wiedergegeben ist, der letztere, Organist in Erfurt, zeichnete sich auch als Theoretiker aus und gab
namentlich Orgelwerke zum Lehrzweck heraus; sein bedeutendster
Schüler war Rinck. Die meisten der folgenden namhaften Organisten werden wir unter den Theoretikern wiederfinden. So Daniel
Gottlob Türk (1750—1813); er war ein Schüler Joh. Ad. Hillers Turk
und Homilius' in Leipzig und wirkte als Organist, Theoretiker und
Lehrer an der Universität Halle (S. 333) von 1776 bis an sein
Ende. Als Komponist war er vielseitig. Er veröffentlichte zahlreiche

Prosniz, Compendium der Musikgeschichte.   26

Klavierstücke, eine sehr geschätzte Klavierschule, auch ein Oratorium. Die Orgelstücke blieben Manuskript. Seiner theoretischen Schriften wird noch gedacht werden. Als sein berühmtester Schüler ist Carl Loewe zu nennen. Gleichfalls als Organist und Theoretiker angesehen war Justin Heinrich Knecht (1752—1817) in Biberach, dann als Hofkapellmeister in Stuttgart wirkend. Gleich dem Vorgenannten war er als Komponist vielseitig, doch nicht bedeutend. Wichtig ist seine Orgelschule in drei Teilen, 1795 bis 1798 erschienen. Wie Türk gab auch er eine Klavierschule und leichte, instruktive Klavierstücke heraus. Messen und andere Kirchenwerke, zwei Choralbücher, daneben Opern und verschiedene Vokal- und Instrumentalkompositionen vervollständigen die Liste seiner Werke, denen sich seine zahlreichen theoretischen Schriften anreihen.

Abbé Vogler war vielleicht der erste reisende Orgelvirtuose und wußte sich durch seine neuen Kombinationen in der Konstruktion des Instruments und dessen Klangwirkungen, auch durch manche Spielereien, wie die Nachahmung des Donners, des Vogelgezwitschers u. dgl. interessant zu machen. Seine Orgelkompositionen sind weder zahlreich noch bedeutend; sie beschränken sich auf ein Orgelkonzert, Orgelpräludien und zwölf variierte Bachsche Choräle. Dem steht eine enorme Fruchtbarkeit in allen Musikgattungen gegenüber. Opern und Singspiele, meist aufgeführt, Messen, Kirchenstücke, auch zahlreiche Kammermusikwerke mit Klavier sind zu verzeichnen; sie alle haben, mit Ausnahme einiger Kirchenkompositionen, keine dauernden Spuren hinterlassen. Originell und interessant sind seine theoretischen Werke.

Leichte und instruktive Orgelstücke verfaßte Johann Gottfried Vierling (1750—1813), Schüler von Em. Bach und Kirnberger, Organist in Schmalkalden (Thüringen). Auch Klavierstücke rühren von ihm her. Der Erfurter Organist Mich. Gottfr. Fischer (1773—1829), Schüler von Kittel, war ein angesehener Meister, dessen Orgelwerke sich einer solchen Verbreitung erfreuten, daß sie noch in späterer Zeit neu gedruckt wurden. Auch Symphonien, Streichquartette, ein Klarinett- und ein Fagottkonzert, ein Klavierquartett, eine Sonate zu vier Händen figurieren unter seinen Kompositionen.

Die größte praktische Geltung besitzt noch heute Joh. Christian Rinck (1770—1846), ein vorzüglicher Orgelspieler, der als solcher Konzertreisen unternahm und in mehreren Städten, zuletzt in Darmstadt, als Organist angestellt war. Zahlreich sind seine Choralvorspiele, Choralbearbeitungen, zum Teil in einer großen Sammlung „Der Choralfreund" enthalten, welche meist instruktiven Zwecken dienen; am wichtigsten ist die große „Orgelschule", noch 1881 von Otto Diemel neu herausgegeben. Von Rinck sind auch Kirchenwerke und Klavierstücke vorhanden.

Mit dem Wiederaufleben der Orgelmusik Seb. Bachs in den Dreißigerjahren des vorigen Jahrhunderts ward dem Orgelspiel und der Orgelliteratur eine unschätzbare Bereicherung geboten. Von

Marginalien: Knecht. Vogler. Rinck.

da an bilden die Orgelfugen, Tokkaten, Phantasien, Choralvorspiele B a c h s den Grundstock des Repertoires der soliden Orgelspieler. Nur eine mittelmäßige Produktion umgab diese Prachtwerke. Würdigere Orgelstücke verdanken wir M e n d e l s s o h n. Als die Orgel anfing, auch im K o n z e r t s a a l heimisch zu werden, war auch der schöpferischen Tätigkeit ein wirksamer Ansporn gegeben, um so mehr, als die großen Fortschritte im O r g e l b a u die Freiheit der Erfindung begünstigten. Es ist eine erfreuliche Erscheinung, daß die Orgelkomposition, in neuester Zeit von bedeutenden Meistern, wie R h e i n b e r g e r, B r a h m s, R e g e r gepflegt, frische Keime der Entwicklung ansetzt.

Das ausgedehnteste und ergiebigste Gebiet in der Literatur der Soloinstrumente nimmt die K l a v i e r m u s i k ein.

Genug der Schätze wären es, besäßen wir nur allein die von den großen klassischen Meistern geschaffenen Klavierwerke; vermehrt werden sie aber noch durch eine gleichzeitige reiche Literatur, welche nicht wenig des Bedeutenden und Eigenartigen bietet. Mit den Namen C l e m e n t i, H u m m e l, C r a m e r, W e b e r, M o s c h e l e s verbinden sich die hervortretendsten Erscheinungen dieser Literatur. Auch andere, wie D u s s e k, F i e l d, C z e r n y, haben ihren verdienstlichen Anteil daran. Die Entwicklung der modernen K l a v i e r t e c h n i k ist vorzugsweise durch C l e m e n t i, C r a m e r, C z e r n y gefördert worden. C l e m e n t i in seinen Sonaten und dem großangelegten „Gradus", H u m m e l in seinen Konzerten, C r a m e r in den berühmten Etuden, W e b e r in der Romantik seiner Sonaten und Konzerte, M o s c h e l e s in seinen geistvollen Etuden, F i e l d als Schöpfer der Nokturne haben Neues und Schönes der Klaviermusik zugeführt, sie haben die Klangwirkungen des Instruments weiter entwickelt, neue Seiten des Klavierstils entfaltet.

Muzio C l e m e n t i (1752 1832) ist vier Jahre vor M o z a r t geboren und überlebte ihn um 40 Jahre. Sein ganzes, langes Leben gehörte dem K l a v i e r, als Virtuose, Komponist, Lehrer, Verleger und Fabrikant. Italiener von Geburt, ward er durch langjährigen Aufenthalt ganz zum Engländer. Clementi, der eine gründliche musikalische Ausbildung genoß, zeichnet sich in seinen Klavierwerken durch gediegenen Tonsatz aus. Er war kein Komponist des Tages, der Mode. Für die weitere Entwicklung des Klavierstils war er von bestimmendem Einfluß.

C l e m e n t i, in Rom geboren, kam schon mit 14 Jahren nach L o n d o n, wo er seinen bleibenden Wohnsitz nahm und es bald als Virtuose, dann als Lehrer zu großem Ansehen brachte. Zeitweilig bereiste er den Kontinent, verweilte 1781 in P a r i s, dann in W i e n, wo sein (S. 120) erwähntes Wettspiel mit M o z a r t vor Kaiser Josef II. stattfand. Spätere Reisen führten ihn nach B e r l i n, L e i p z i g, endlich nach R u ß l a n d. Bald gewann er durch seine erstaunliche Technik und seinen meisterlichen Vortrag europäischen Ruf. In L o n d o n bewarb man sich in der vornehmen Gesellschaft um seinen Unter-

Klavier-
musik.

Clementi.

Leben.

26*

richt und war er stets von einem Kreis von Kunstjüngern umgeben. Seine begabtesten Schüler waren J. B. Cramer, Field, L. Berger und Al. Klengel. Mit Field unternahm Clementi 1802 eine Kunstreise nach Petersburg, eine zweite einige Jahre später in Begleitung von Berger und Klengel. Seine Beteiligung am Musikverlag und an der Klavierfabrikation begann mit 1800; die Firma Clementi & Collard bestand noch in neuester Zeit. Durch diese künstlerische und industrielle Tätigkeit erwarb Clementi allmählich ein großes Vermögen, welches sich auf die Kinder seiner dritten, noch in seiner Spätzeit eingegangenen Ehe vererbte. Clementi starb, 80 Jahre alt, auf seiner Besitzung Evesham am 9. März 1832. Er bewahrte seine Kunstfertigkeit wie seine Geistesfrische bis ans Ende.

Werke. Die Anzahl der Klaviersonaten Clementis wird auf mehr als 100 geschätzt, darunter etwa 40 mit Begleitung. Die ersten Sonaten Op. 2 erschienen 1773 bei André; bis 1803 waren 43 Sonaten bei Br. & H. veröffentlicht. Der „Gradus ad parnassum" trägt die Jahreszahl 1817. Damit ist das Verzeichnis der Klavierwerke Clementis keineswegs erschöpft. Wir führen von diesen nur an: Die 12 Sonatinen, die Toccata in B-dur, die Capricen, 6 Fugen Op. 5, einige Variationenhefte, Tänze; von Studienwerken die „Méthode de Pianoforte", die „Préludes et Exercises" in allen Tonarten, als Curiosum die „Caprices, Préludes et Points d'orgue" im Stil von Haydn, Mozart, Kozeluch, Sterkel, Wanhall und Clementi Op. 19 usw. Ferner sind zu nennen: 7 vierhändige Sonaten und zwei Sonaten für zwei Klaviere in B-dur, Sonaten mit Violine (Flöte), an 40 Trios, endlich das bedeutende Sammelwerk „Practical Harmony", enthaltend Capricen und Fugen von den vorzüglichsten Komponisten.

Sonaten. Clementi als Sonatenkomponist zeigt in seiner ersten Periode eine innere Verwandtschaft mit seinem älteren Landsmann und Vorgänger Domenico Scarlatti, dieselbe Lebendigkeit, Spielfreude, denselben nur leisen Anflug von Empfindung; er unterscheidet sich aber sofort von ihm durch größere Klangfülle, besseren Tonsatz und vor allem durch bedeutendere Entwicklung der Form. Ganz anders erscheint der spätere Clementi. Tritt auch bei diesem der äußere Glanz oft in den Vordergrund, so veredelt sich doch der Inhalt, das Gesangmäßige kommt mehr zur Geltung und es machen sich Züge von Pathos, selbst von Größe bemerkbar. Man kann diese Wandlung dem Einfluß Mozarts zuschreiben. Dabei behalten die Clementischen Sonaten ihre Eigenart, sie sind stramm, frisch und charakteristisch in den Themen, klar und korrekt in der Durchführung; reiche melodische Erfindung, Weichheit oder gar Sentimentalität gehen ihnen ab.

Als die bedeutendsten lassen sich bezeichnen : Die Sonaten C-dur Op. 2, G-moll Op. 7, Es-dur Op. 12 Nr. 3, F-moll Op. 14, A-dur und Fis-moll Op. 26, H-moll Op. 40, D-moll und G-moll (Didone abbandonata) Op. 50 (Cherubini gewidmet).

Gradus ad Parnassum. Ein Werk von unverwüstlicher Lebenskraft ist Clementis „Gradus ad Parnassum", 100 Nummern in drei Teilen enthalten. Es ist ein Etüdenwerk ernsten Charakters und voll schwierigen, ja unbarmherzigen Anforderungen an den Lernenden. Die einzelnen Etüden verfolgen mannigfache Zwecke, wie die Unabhängigkeit und den gleichmäßigen Anschlag der Finger, Gewandtheit und Ausdauer in der Ausführung einer festgehaltenen Figur, Übung im doppelgriffigen und Oktavenspiel, im gebundenen und polyphonen Satz. Besonders reichlich ist das Werk in letzterer Beziehung ausgestattet; man begegnet den Canons, auch recht künstlichen, Fugen und einfacheren kontrapunktischen Stimmführungen an allen Ecken und Enden. Zuweilen sind auch mehrere Nummern zu einem Zyklus vereint. Man würde den „Gradus" unterschätzen, wenn man neben dem instruktiven Zweck nicht auch seinen musikalischen Wert anerkennen wollte. Die Erfindung der Grundmotive, die interessante Harmonie und Modulation, gediegene kontrapunktische Arbeit, Kraft und Energie im Ausdruck sind Vorzüge, die das Werk auszeichnen; dagegen fehlt es auch nicht an trockenen Stücken, darunter so manche Canons.

Die Sonatinen erfüllen noch immer ihren bescheidenen Zweck, wenn sie auch ziemlich veraltet sind. Die Toccata in B-dur ist ein dankbares Stück. Die Préludes et Exercises sind technisch sehr nützlich. Die vierhändigen Sonaten schließen sich Mozart an, sind solid im Satz und gefällig. Reizend sind die beiden Sonaten in B-dur für zwei Klaviere. „Practical Harmony" ist eine Beispielsammlung, eingeleitet durch eine Theorie des Kontrapunkts, vier Bände, in London erschienen. Daß Clementi auch für Orchester geschrieben, wissen wir aus den Londoner Konzertprogrammen der Haydn-Zeit, in welchen auch „Symphonien" von Clementi vorkommen; über ihre Beschaffenheit läßt sich aber nichts sagen, da sie nicht erhalten sind.

Ein Komponist von Bedeutung, den man als Jünger Mozarts betrachten kann, ist Hummel. Einer der hervorragendsten Klavierspieler seiner Zeit, schrieb er nicht bloß für sein Instrument, sondern auch für Kirche und Theater. In seinen besten Klavierwerken vereinigt Hummel schöne und edle Erfindung mit Gediegenheit der Arbeit. Das Gefallsame kommt dabei nicht zu kurz. Brillante Passagen, graziöse Auszierungen der Melodie, neuartige Klangeffekte bilden die glänzende Umhüllung des musikalischen Kerns. Hummels Klavierstil war dem Genius des Instruments abgelauscht. Die Erfolge blieben nicht aus. Die Kenner waren befriedigt, die Eitelkeit der Virtuosen kam auf ihre Rechnung, das Publikum applaudierte.

Joh. Nep. Hummels Leben war arbeitsreich und vom Glück begünstigt. In Preßburg 1778 geboren, kam er mit acht Jahren nach Wien und war 1785—1787 Mozarts Schüler und Hausgenosse. Sein Talent entwickelte sich so rasch, daß der Vater mit dem Wunderknaben auf Kunstreisen ging, die sich bis nach England ausdehnten. Nach Wien zurückgekehrt, studierte Hummel die Komposition bei Albrechtsberger und Salieri. 1804 wurde er nach Eisenstadt berufen, um an Haydns Stelle die fürstlich Esterhazysche Kapelle zu leiten und war daselbst bis 1811 tätig. Nach einem mehrjährigen Aufenthalt in Wien folgte Hummel einer Berufung als Hofkapellmeister nach Stuttgart, kam bald darauf in gleicher Eigenschaft nach Weimar, wo er von 1819 bis zu seinem Tode 1832 verblieb. Von Weimar aus unternahm Hummel Kunstreisen nach Rußland, Frankreich, England, welche von großen Erfolgen begleitet waren. Seinem Klavierspiel wird der schöne, wenn auch nicht große Ton, Rundung und Feinheit in der Ausführung der Passagen nachgerühmt. Sein Vortrag war klar und ausdrucksvoll, entbehrte jedoch der

Hummel.

Leben.

Leidenschaft. Insbesondere war es seine Meisterschaft in der Improvisation, welche überall Bewunderung erregte.

Werke. Die Klavierwerke Hummels bestehen aus: sieben Konzerten und anderen Stücken mit Orchester, an Kammermusik zwei Septetten für Klavier und anderen Instrumenten, einem Quintett, einem Quartett, sieben Trios, einer Anzahl Sonaten mit Violine und mit Violoncell, Sonaten für Klavier allein, vielen Variationen, Rondos, Tänzen und anderen Solostücken, auch vierhändigen, endlich Etuden und einer großen Pianoforteschule. Die Opuszahlen erstrecken sich bis 127, dazu kommen einige nachgelassene Werke.

An der Spitze stehen die beiden Klavierkonzerte in A-moll Op. 85 und H-moll Op. 89, Werke, welche alle Vorzüge des Komponisten offenbaren, denen sich zunächst noch das in As-dur Op. 113 anreiht. Hervorzuheben sind ferner: Das Rondo in A-dur Op. 56, die Phantasie „Oberons Zauberhorn" Op. 116 (beide mit Orchester), das Grand Septuor D-moll Op. 74, das Quintett Es-moll Op. 87, die Trios Es-dur Op. 12 und Es-dur Op. 93, die Cellosonate in A-dur Op. 104, die Solosonaten Es-dur Op. 13 (Haydn gewidmet), F-moll Op. 20, Fis-moll Op. 81, die Phantasie Op. 18, von Solostücken Rondo brillant H-moll Op. 109, Polacca B-dur Op. 55, die Bagatelles Op. 107 (Nr. 3 und 6), die vierhändige Sonate in As-dur Op. 92. Meisterstücke sind insbesondere das Septuor, die Fis-moll-Sonate. Die Mehrzahl der Solostücke ist formalistisch oder gehört der Mode an. Die große Pianoforteschule wird zu den bedeutendsten Werken dieser Art gezählt.

Der Kirchenwerke Hummels ist an anderer Stelle Erwähnung geschehen; es werden auch vier Opern, Singspiele, Ballette, eine Ouvertüre und drei Streichquartette von ihm angeführt.

Mit Clementi verglichen ist Hummel weicher, melodischer, eleganter; doch jene Modernität, welche stets den Keim des Verfalls in sich trägt, machte Hummel frühzeitig veralten, während Clementi, der herbere und kräftigere, fast noch frisch erscheint.

Hummels Klavierstil fand wegen seiner gefälligen Art eine zahlreiche Nachfolge. Als seine unmittelbaren Schüler sind zu nennen: Ferd. Hiller, Henselt, Jul. Benedict, Willmers.

Cramer. Die Bedeutung Cramers beruht auf seinen pädagogischen Werken. Die „Große praktische Pianoforteschule" in fünf Teilen, um 1830 erschienen, schließt die berühmten 84 Etuden ein, welche noch unter uns leben. Nicht nur ihre technische Nützlichkeit und Mannigfaltigkeit, sondern mehr noch die musikalische Erfindung und Gediegenheit verleihen ihnen klassische Geltung. Neben dem „Gradus" von Clementi behaupten sich die Cramerschen Etuden als unentbehrliche Studienwerke bis heute.

Leben. Johann Baptist Cramer ist der Sohn des Violinisten Wilhelm Cramer, eines Mannheimers, der es in London zu einer bedeutenden Stellung brachte (S. 398). Er ist in Mannheim 1771 geboren, kam frühzeitig mit seinem Vater nach London, genoß den Unterricht von Sam. Schröter, später von Clementi, und entwickelte sich zu einem vorzüglichen Klaviervirtuosen, der durch seine Kunstreisen europäischen Ruf erlangte. Seinen bleibenden Aufenthalt nahm er in London, verweilte aber dazwischen einige Jahre in Paris.

Cramer entfaltete eine unermüdliche Tätigkeit als Lehrer und Komponist. Wie Clementi wandte auch er sich in seiner späteren Zeit dem Musikverlag zu. Die Verbreitung der Werke Händels, Haydns und Mozarts fanden durch ihn eifrige Förderung. Von 1845 zog sich Cramer immer mehr zurück. Er starb am 16. April 1858.

Die Liste der Cramerschen Klavierkompositionen weist außer Kompositionen den 84 Etuden noch zahlreiche Unterrichtswerke auf. Auch sonst Etuden war Cramer als Klavierkomponist ungemein fruchtbar. Nicht weniger als 105 Sonaten ohne und mit Begleitung, acht Konzerte mit Orchester, denen sich Kammermusikwerke und zahllose Solostücke, Variationen, Rondos u. dgl. anreihen, können namhaft gemacht werden.

Von den Etuden seien die 100 Übungen (tägliche Studien) Op. 100 als technisch nützlich und gut musikalisch hervorgehoben. In den Sonaten steht Cramer jenen Clementis nach; sie sind weniger gediegen, äußerlicher. Als Ausnahmen können hier angeführt werden die Sonaten B-dur ³/₄ Op. 58, D-moll ²/₄ Op. 63 (Hummel gewidmet), einzelne Sätze der Sonaten in C-moll Op. 6 Nr. 2, F-moll Op. 27 Nr. 1, D-dur Op. 38, G-moll Op. 41 Nr. 3, E-dur (Le Retour à Londres) Op. 62. Die Konzerte wird wohl niemand zu neuem Leben erwecken können. Unter den Solostücken, meist Modeprodukten, befinden sich mehrere von graziöser Erfindung, wie ein Andante F-dur ³/₄, „Le Carillon" D-dur, Scherzando G-dur, Etude As-dur ²/₄.

Wie von Clementis „Gradus", gibt es von den Cramerschen Etuden zahlreiche neue Ausgaben und Bearbeitungen, von denen wir die von Bülow, Knorr, Ruthardt, Riemann besonders hervorheben; interessant ist eine Auswahl mit hinzugefügtem zweiten Klavier von Henselt. Einige der oben angeführten Sonaten und Stücke, nebst noch anderen sind in neuen Ausgaben bei Steingräber und Br. & H. erschienen.

Ein Sonatenkomponist, der sich an Clementi und Hummel Dussek. anschließt, doch dabei einen persönlichen Zug besitzt, ist Dussek. Ebenmaß und Noblesse zeichnen ihn aus. Der Kreis, den er beschreibt, ist klein, aber er füllt ihn mit Kraft und Anmut aus.

Joh. Ludw. Dussek, geb. in Czaslau 1760, unternahm erfolgreiche Kunstreisen als Klaviervirtuose, wurde besonders 1786 in Paris gefeiert und ließ sich 1792 in London nieder. Erwähnenswert ist Dusseks freundschaftliches Verhältnis zu dem Prinzen Louis Ferdinand von Preußen, dessen musikalischer Berater er von 1802 bis zu dem unglücklichen Ende des Prinzen 1806 blieb. 1808 nach Paris zurückgekehrt, starb Dussek daselbst 1812.

Von Dusseks Sonaten sind als frisch und anregend hervorzuheben: Op. 10 Nr. 1 und 2, Op. 23, Op. 35 Nr. 2 und 3, Op. 39 Nr. 3, Op. 44 (Les Adieux de Clementi), Op. 45 Nr. 1, Op. 61 („Elegie harmonique sur la mort du prince Louis Ferdinand"); die bedeutendsten sind Op. 70 in As-dur (Le Retour à Paris) und Op. 77 F-moll (L'Invocation). Beliebt ist die kleine Sonate F-dur (La Chasse). Von den zwölf Konzerten ist das in G-moll Op. 50, von kleineren Stücken sind die Sonatinen Op. 20, La Consolation Op. 62, das Rondo „les Adieux" zu nennen. Das übrige ist meist veraltet.

Dusseks Sonaten und kleinere Stücke sind in vielen neuen Ausgaben vorhanden.

Noch kleiner ist der Kreis, den die Kunst John Fields aus- Field füllt, doch gehen von diesem Kreise die milden Strahlen aus, an denen sich später die Phantasie Chopins zu wärmerem Feuer entzündete. Fields Nokturnen sind die Vorgänger jener Chopins.

John Field, in Dublin 1782 geboren, war in London Clementis Schüler, reiste mit ihm 1802 nach Paris, dann nach Petersburg. Dort trennten sie sich und Field blieb in Rußland, unternahm aber später noch große Kunstreisen, war 1832 wieder in London, besuchte Italien, konzertierte auch in Wien und kehrte nach Rußland zurück. Field, der schwächlicher Konstitution war, erkrankte in Moskau und unterlag dort seinem Leiden im Jänner 1837. — Field glänzte als Klavierspieler zumeist durch seinen singenden Ton und geschmackvollen Vortrag. Welcher Reiz muß seinem Anschlag eigen gewesen sein, wenn dieser selbst in großen Räumen nichts von seiner Wirkung verlor!

Obwohl Field Verschiedenartiges für sein Instrument geschrieben, sind es doch nur seine Nokturnen, denen er seinen Ruhm verdankt. Diese kleinen, einfachen und anmutigen Tonstücke besitzen ihren eigenartigen Charakter. In wohliger Behaglichkeit breitet sich die Melodie aus, durchbrochen von zierlichen Arabesken, ruhig und leidenschaftslos. Die Anzahl der Nokturnen wird mit 18 angegeben, die der Konzerte beträgt sieben; dazu kommen noch mehrere Solokompositionen.

Als die gefälligsten der Nokturnen lassen sich anführen: Nr. 1 Es-dur, Nr. 3 As-dur, Nr. 5 B-dur, Nr. 7 C-dur, Nr. 13 D-moll, Nr. 17 Es-dur. Von den Konzerten ist das in As-dur, namentlich im ersten Satz, das bedeutendste. Die Sonaten und andere Stücke bieten nur wenig Interesse.

Von den zahlreichen neuen Ausgaben der Nokturnen ist die von Liszt, mit einer geistvollen Vorrede versehene, besonders zu nennen.

Den klavierpädagogischen Größen Clementi und Cramer Kalkbrenner. reihen sich Kalkbrenner und Czerny an, die Vertreter der französischen und der Wiener Klavierschule. Frédéric Kalkbrenner (1788—1849) wurde im Pariser Konservatorium durch Louis Adam ausgebildet; ward später ein glänzender Stern am Klavierhimmel, wurde in Wien, Paris und London als Virtuose gefeiert, wirkte als angesehener Lehrer 1814—1823 in London, dann bleibend in Paris. Eine große Klavierschule Op. 108 („allen Konservatorien der Musik in Europa gewidmet") erschien 1830.

Vorzügliche Etudenwerke sind Op. 20, Op. 88 (Préludes), Op. 126 (Etudes „préparatoires"), Op. 43 (25 Etudes „de perfectionnement"), Op. 169. Alle diese sind heute noch als Unterrichtsmaterial brauchbar. Aus seinen sonstigen Klavierwerken können hier nur wenige hervorgehoben werden; aus den Sonaten: F-dur Op. 28 (Cramer gewidmet), Sonate pour la main gauche As-dur Op. 42, die vierhändigen Sonaten; aus den vier Konzerten die in D-moll Op. 61 (lange geschätzt), As-dur Op. 127. Die zahllosen Phantasien (über Motive), Variationen, Rondos usw. sind Modeware. Besonders beliebt waren: Le fou, Le Rêve, La femme du marin, das Rondeau Op. 52, Gage d'amitié Op. 66. Eine Gesamtausgabe der Werke in seinem Verlage veranstaltete Kistner. Zu erwähnen sind noch die Kammermusikstücke, Septuors, Sextette, Quintette, Trios usw. Neuere Auswahlausgaben versuchen Kalkbrenners Werke wieder aufzufrischen.

Czerny. Weit lebendiger ist noch Czerny, dessen „Schule der Geläufigkeit" die pianistische Muttermilch seit Generationen liefert, ein unermüdlich fleißiger, nicht genialer, aber echt musikalischer, verdienstvoller Meister.

Karl Czerny ist 1791 in Wien geboren. Als Knabe hatte er das Glück, Beethoven zugeführt zu werden, der, dessen Begabung erkennend, ihm einige Zeit Unterricht gab. Czerny blieb dann jahrelang im Verkehr mit Beethoven. Eine Virtuosenlaufbahn hat Czerny nicht durchmessen, er spielte selten öffentlich und machte nur wenige Reisen in das Ausland. Czerny war durch viele Jahre einer der gesuchtesten und bestbezahlten Klavierlehrer Wiens. Der zehnjährige Franz Liszt war sein Schüler, weiter zählte er als solche Thalberg, Döhler, Th. Kullak usw. Von 1818 beginnt seine rastlose Tätigkeit als Komponist, in der er es auf 860 Opuszahlen brachte, von denen manche wieder aus einer Anzahl von Nummern bestehen. Seine enorme Produktivität, in stetem Zuge erhalten durch die Bestellungen der Verleger, welche mit Czernys Werken glänzende Geschäfte machten, erlahmte erst kurz vor seinem Ende. Czerny starb 1857. Sein durch Sparsamkeit erworbenes Vermögen hinterließ er großenteils wohltätigen Stiftungen. Czerny war unverheiratet, lebte zurückgezogen nur der Arbeit. Von redlichem Charakter und sanfter, menschenfreundlicher Gemütsart, war er allgemein geachtet und beliebt. *(Leben.)*

Czernys Klavierwerke, deren größter und wichtigster Teil *(Werke.)* pädagogischen Zwecken dient, bestehen aus technischen Studien aller Art, einer Pianoforteschule, einer Unzahl von leichten und brillanten Salonstücken, Vierhändigem, Werken mit Begleitung, endlich zahlreichen Arrangements zu vier Händen der Meisterwerke Mozarts, Beethovens usw. Ein großes Verdienst hat sich Czerny durch seine sorgfältige instruktive Ausgabe von Seb. Bachs „Wohltemperiertem Klavier" erworben. Czernys unermüdlicher Schaffungstrieb beschränkte sich nicht auf die Klaviermusik. Große Werke, Messen, Symphonien, Quartette, Gesangstücke stammten aus seiner Feder, blieben aber unveröffentlicht.

Nur die allerverbreitetsten seiner Studienwerke sollen hier genannt werden; es sind: Op. 261 (125 Passagenübungen), Op. 299 (Schule der Geläufigkeit), Op. 337 (40 tägliche Studien), Op. 365 (Die Schule des Virtuosen). Op. 399 (Die Schule der linken Hand), Op. 740 (Die Kunst der Fingerfertigkeit). Von leichten Übungsstücken sind Op. 139 und Op. 599 hervorzuheben. Wer von Czernys Satzkunst eine zu geringe Vorstellung hat, dem empfehlen wir Op. 856 (48 Präludien und Fugen), eine Art wohlt. Klaviers, zur Kenntnisnahme. Sehr geschätzt war seine „Vollständige theoretisch-praktische Pianoforteschule", welche auch in französischen, englischen, italienischen Übersetzungen erschien. — Die Studienwerke Czernys werden noch heute als nützliche, ja unentbehrliche Behelfe des Klavierunterrichts betrachtet; sie sind technisch mannigfaltig angeordnet, musikalisch korrekt, was man nicht von allen Etüdenwerken sagen kann. Die übrigen Kompositionen Czernys sind nur auf den seichten Geschmack der Menge berechnet, leichtfaßlich und klangselig, gewandt geformt, doch ohne tieferen Gehalt. Mit der Masse des Überlebten, Wertlosen ist auch manches bessere Stück Czernys in Vergessenheit geraten.

Mit Czerny parallel schrieb Anton Diabelli (1781—1858) *(Diabelli.)* leichte und instruktive Klaviermusik, von welcher seine 28 „melodischen Übungsstücke" und Sonatinen zu vier Händen noch immer eine willkommene Gabe für die lernende Jugend bilden. Diabelli ist zugleich als einer der ältesten Musikverleger Wiens, namentlich als Herausgeber Schubertscher Werke bekannt.

Von Ignaz Moscheles (1794—1870), dessen Lebenszeit weit *(Moscheles.)* in die nächste Epoche reicht, können wir hier nur seine gediegenen und reizvollen Etuden Op. 70 und das G-moll-Konzert Op. 58, allerdings seine besten Werke, anführen.

Greifen wir noch einige der interessanteren Gestalten aus diesem reichbevölkerten Gebiete in einer historischen Nachlese heraus.

Eine Gruppe von Wienern, an deren Spitze der Altmeister Wagenseil steht, umschließt die Klavierkomponisten Koželuch, Wanhall, Gelinek, Eberl, Wölfl.

Wagenseil. Georg Christoph Wagenseil (1715—1777), Schüler von J. J. Fux (II 161), Klavierlehrer am Hofe der Kaiserin Maria Theresia und Kammerkomponist, schrieb nebst Opern, Symphonien, Kammermusik und Kirchenwerken zahlreiche Klavierstücke mit und ohne Begleitung, namentlich Divertimenti, Konzerte, Suiten und Sonaten, welche seinerzeit beliebt waren, heute mit Recht vergessen sind. Die meisten seiner Werke blieben Manuskript. — Anmutender, wenn auch ebenfalls dem Zopfstil angehörig, ist Wagenseils Nachfolger als kais. Musiklehrer und nach Mozarts Tode auch Hofkomponist, **Koželuch.** Leopold Koželuch (1748—1818). In Böhmen geboren, machte er seine Studien in Prag und ließ sich 1778 in Wien nieder. Außer seinen zahlreichen Klavierkonzerten, Trios, zwei- und vierhändigen Sonaten, welche durch ihre leichtgefällige Art sehr verbreitet waren, entwickelte er auch eine große Vielseitigkeit als Komponist. Man nennt Opern, Ballette, Symphonien, ein Oratorium, Quartette von ihm. — Wanhall ist in anderem Zusammenhang (S. 387) **Gelinek.** schon erwähnt worden. — Ein Modekomponist, unerschöpflich in der Produktion von Variationen, in welcher Gattung er über 100 Hefte veröffentlichte, ist Abbé Josef Gelinek (1757—1825), ebenfalls ein Böhme, als Hauskaplan und Musikdirektor bei dem Grafen Kinsky, dann bei Fürst Esterhazy in Diensten, **Eberl.** auch als gesuchter Klavierlehrer in Wien wirkend. — Anton Eberl (S. 388), ein sehr beliebter Klavierkomponist seiner Zeit, von dem einige Werke sogar unter Mozarts Namen erschienen, war besonders in der Sonate und der **Wölfl.** Kammermusik sehr fruchtbar, aber seicht. — Jos. Wölfl (1772—1811), zwar kein Wiener, lebte aber lange Zeit in Wien und machte durch seine erstaunliche Technik und seine Improvisationen Aufsehen. Er durfte sich mit Beethoven messen. Wölfl, der in seiner Vaterstadt Salzburg von Leopold Mozart und Michael Haydn Unterricht erhalten, war ein gewandter und vielseitiger Komponist. Einige seiner Klaviersonaten waren wegen ihrer Schwierigkeit berüchtigt. Nebst Klavierkonzerten, Trios, Sonaten mit Violine und zahlreichen Solostücken rühren von Wölfl eine Anzahl Opern und Singspiele her, die in Wien, Paris und London aufgeführt wurden.

Ries. Weit bedeutender und moderner ist Ferdinand Ries (1784 bis 1838), ein Landsmann und später Schüler von Beethoven (S. 172). Ries machte als Klaviervirtuose große Kunstreisen und tat sich als tüchtiger Musiker hervor. So leitete er mehrere „Rheinische Musikfeste", wirkte als Dirigent in Aachen und Frankfurt. Er schrieb Opern, Oratorien, Symphonien, Quartette. Seine Klavierkompositionen verfolgen zum Teil eine ernstere Richtung, doch ist bei seiner großen Produktivität auch viel Flüchtiges und Äußerliches unter ihnen. Von seinen zahlreichen Klavierwerken, Konzerten, Kammermusiken, Solostücken hat sich nur Weniges in die Neuzeit gerettet.

Die Norddeutsche Schule, welche im Zeichen der Theoretiker Marpurg-Kirnberger stand, ist ernster, gelehrter als die Wiener, aber auch trockener. In der Klaviermusik hat sie einige gewichtige Namen aufzuweisen, aber nur wenige lebensfähige Werke.

Prinz Louis Ferdinand von Preußen (1772—1806), der 1806 in der Schlacht bei Saalfeld das Leben verlor, war ein leidenschaftlicher Musiker, vorzüglicher Klavierspieler und als Komponist nicht ohne Begabung. Seine beiden Klavierquintette Op. 1 in C-moll und Op. 6 in F-moll, besonders das letztere, verdienen Beachtung. Noch einige Kammermusikwerke, Variationen und eine Fuge Op. 7 sind von ihm in Druck erschienen (bei Br. & H.). Ein nachgelassenes Oktett gab Dussek bei Hastinger heraus. — Der Berliner Klaviermeister Louis Berger (1777—1839), der mit seinem Lehrer Clementi 1805 in Rußland war und noch andere Kunstreisen machte, wirkte von 1815 an bleibend in Berlin als Lehrer und Komponist. Zu seinen Schülern zählten Mendelssohn, Dorn, Taubert. Seine Klavierwerke, welche großenteils erst nach seinem Tode, sogar in einer Gesamtausgabe bei Hofmeister, erschienen, wurden wohl überschätzt; sie sind bürgerlich solid, mehr gefällig als tief. Die Variationen Op. 32 erklärt Berger selbst (auf dem Titelblatt) als sein bestes Werk. Bekannt sind seine Etuden Op. 12 und 22. Als Liederkomponist erhielt er sich lange in Erinnerung. Bergers Mitschüler bei Clementi, Aug. Alex. Klengel (1784—1852), in Dresden geboren, lebte mehrere Jahre in Petersburg, dann als Hoforganist in Dresden. Sein Hauptwerk 48 Canons und Fugen (ein Seitenstück zu dem „Wohltemp. Klavier") beschäftigte ihn von 1830 an durch viele Jahre und kam erst nach seinem Tode durch M. Hauptmann in die Öffentlichkeit. Meisterhaft in der kontrapunktischen Arbeit, sind diese Stücke auch musikalisch wertvoll und haben sich bis heute in Übung erhalten. Seine anderen, früheren Kompositionen sind vergessen.

Louis Ferdinand

L. Berger

Klengel

Die **technisch-instruktive** Literatur dieser Epoche bietet, abgesehen von den schon früher betrachteten Studienwerken ersten Ranges, noch manch Tüchtiges.

Die „Méthode pour le piano", von Louis Adam für das Pariser Konservatorium zusammengestellt, 1802 erschienen, erfreute sich einer weiten Verbreitung, von der die wiederholten Auflagen in Paris und in Deutschland zeugen. Adams berühmtester Schüler war Kalkbrenner. Der Opernkomponist Adolphe Adam ist sein Sohn. — Die Italiener Asioli (1769 1832) und Pollini (1763—1847), beide am Mailänder Konservatorium angestellt, gaben bedeutende Klavierschulen heraus. Asioli war auch ein vielseitiger, angesehener Komponist von Opern, Kirchen- und Kammermusik und fruchtbarer Musikschriftsteller, der eine Gesangschule, Generalbaßlehre u. a. m. verfaßte. Pollini, der ein Schüler Mozarts gewesen sein soll, war in seiner Technik fortgeschritten, ja erfinderisch; die Umspielungsmanier, später eine Eigentümlichkeit Thalbergs und Liszts, wird ihm zugeschrieben. Von seinen Klavierkompositionen werden die Tokkaten am meisten genannt. — Aug. Eberhard Müller (1767—1817), Kantor der Leipziger Thomasschule, dann Hofkapellmeister in Weimar, als Klavierspieler ein berühmter Interpret der Mozartschen Konzerte, gab eine große „Klavier- und Fortepianoschule" 1804 heraus (8. Auflage, bearb. von Czerny, neueste Ausgabe von Jul. Knorr). Zu erwähnen sind noch von ihm die wertvollen 16 Caprices, ein schwieriges Etudenwerk, die Kadenzen zu acht Klavierkonzerten Mozarts und eine Anleitung zum Vortrage der Mozartschen Klavierkonzerte, 1797 erschienen. — Joh. Bernh. Logier (1777—1846), der Erfinder einer Klavierunterrichtsmethode unter Anwendung eines Handleiters („Chiroplast"), entstammt einer französischen Familie und wirkte teils in England, teils in Berlin. Er veröffentlichte eine „Anleitung zum Pianoforte-spiel" 1827, dann noch eine Anzahl von Studien. Die Logiersche Methode wurde in vielen Klavierlehranstalten eingeführt, ist aber jetzt aufgegeben. — Schon überwiegend in die neueste Zeit hineinreichend sind die vortrefflichen Klavierpädagogen Aloys und Jacob Schmitt. Aloys Schmitt (1789—1866), der in Frankfurt lebte und lehrte, knüpfte an die besten Traditionen Clementis und Cramers an. Seine meistverbreiteten Werke, namentlich die Etuden Op. 16, die Rhapsodien

L. Adam.

Asioli.

Pollini.

A. E. Müller.

Logier.

Aloys u. Jacob Schmitt.

Op. 62 stammen aus der Zeit vor 1830. Diese, wie noch andere seiner Studienwerke sind in zahlreichen neuen Ausgaben erschienen. Nicht so bedeutend, aber noch viel produktiver ist sein Bruder Jacob Schmitt (1796—1853), besonders verdienstvoll durch seine leichten, gefälligen und zweckmäßig instruktiven Etuden, Sonaten und kleineren Stücke und eine Klavierschule. Auch Jac. Schmitts Klavierwerke sind in vielen Ausgaben vorhanden.

Von Interesse sind noch: Der auch als Klavierkomponist äußerst fruchtbare Weimarer Hofkapellmeister Ernst Wilhelm Wolf (1735—1792), dann Joh. Wilh. Häßler (1747—1822), ein Erfurter, der sich unter der Leitung des Bachschülers Kittel zu einem tüchtigen Klavier- und Orgelspieler heranbildete, dann von 1794 an bis zu seinem Ende in Moskau lebte. Von seinen Sonaten und meist leichten Stücken, welche noch heute anmutend erscheinen, hat sich manches durch neue Ausgaben erhalten, wie mehrere Sonaten und Sonatinen, eine Gigue in D-moll. — Einer der berühmtesten Klaviervirtuosen seiner Zeit war Daniel Steibelt (1765—1823), der halb Europa bereiste, ein unstetes Leben führte, bis er endlich in Petersburg einen sicheren Hafen fand. In Wien konkurrierte er 1800 mit Beethoven. Als Komponist nicht ohne Begabung, warf sich Steibelt ganz der Tagesmode in die Arme, produzierte viel, doch ohne Ernst und Innerlichkeit, suchte seine Effekte in Tonmalereien mit gleißenden Titeln, hinter welchen sich ein harmlos leerer Inhalt birgt. Brauchbar sind noch seine Etuden Op. 78, welche teilweise au Cramer erinnern; diese und noch einige Klavierstücke sind neu aufgelegt worden. — Um auf einem solideren Boden zu schließen, erwähnen wir noch den in Berlin einst angesehenen Lehrer und Komponisten Franz Lauska (1761—1825), von dem Sonaten und eine Klavierschule herrühren und Wenzel Johann Tomaschek (1774—1850) in Prag, dessen Eclogen, Rhapsodien und Dithyramben einen kraftvollen, zugleich naiven Charakter besitzen.

Detailliertere Nachweise über das ganze Gebiet findet man in des Verfassers „Handbuch der Klavierliteratur", 1. und 2. Band.

(Randnotizen: E. W. Wolf. Häßler. Steibelt. Lauska. Tomaschek. Wandlung.)

Schon vor 1830 hat die Klaviermusik eine eingreifende Wandlung erfahren. Das Pianoforte (Hammerklavier) hatte das Clavichord und das Cembalo endgültig verdrängt. Für die Anforderungen an die Technik des Klaviersatzes und die Klangwirkung des Instruments war das Clavichord unzulänglich. Das Cembalo, welches seine Rolle als Generalbaßinstrument ausgespielt hatte und allmählich aus dem Orchester verschwand, wird seines starren Klangs wegen auch in der Solomusik aufgegeben. Die Wechselwirkung zwischen Instrument und Spieler offenbart sich in der Vervollkommnung beider. Ebenso tritt eine Wendung in der formalen und geistigen Richtung der Klaviermusik ein. Die Sonate, welche in den großen Meistern ihre volle Ausgestaltung und ihren bedeutendsten Inhalt erreicht hatte, verlor durch Überproduktion ihren inneren Wert, ihre Form sank zur Schablone herab, zu einem Rahmen ohne Bild. Die Sonatenzeit geht zu Ende, die Flut verläuft allmählich, es tauchen kleinere Formen mit ihrem subjektiven Ausdruck, Charakterstücke und Stimmungsbilder, als Lieder ohne Worte, Nokturnen, Phantasiestücke und ähnliches auf. Die Romantik hält ihren Einzug in die Klaviermusik, an ihrer Spitze Mendelssohn, Schumann, Chopin. Die Mode-Literatur anderseits feiert nicht, sie ändert nur ihren Charakter.

IX.

Musikwissenschaft. Musikpflege.

Theorie. Ästhetik. Geschichte.

Vereine. — Konzertwesen. — Gesangvereine. — Musikfeste. — Konservatorien. — Virtuosen. — Instrumentenbau. — Musikhandel.

Inmitten dieser kunstverjüngenden Glanzepoche der Tonkunst bietet die Musikwissenschaft ein Bild erhaltender, doch auch stetig fortschreitender Arbeit.

Musikwissenschaft.

Die Theorie folgt der Praxis langsam nach. Die Lehre von den Zusammenklängen und ihren Verbindungen, die Harmonielehre, steht im Mittelpunkte derselben. Der Generalbaß mit seiner praktischen Ausführung ist die äußere Darstellung des Harmoniewesens. Harmonielehre und Generalbaß, eng verbunden, sind vorwiegend empirisch. Die mathematisch-physikalische Tonlehre bleibt ohne praktischen Wert für den Fortschritt der Musiktheorie. Vielmehr ist es das historisch Gewordene, dem sich der ästhetisch erzogene Gehörsinn zugesellt, welche die Grundlage der Regeln der Theoretiker bilden. Dieselbe Grundlage ist es auch, auf welcher sich die Lehren von der Stimmführung und dem künstlichen Kontrapunkt aufbauen. Es fehlt nicht an Versuchen, den Sinn und die Gesetzmäßigkeit dieser Regeln nachzuweisen, ohne jedoch zu echter Wissenschaftlichkeit vorzudringen. Die Autorität galt hier als oberstes Gesetz, und wenn es hieß „Es ist erlaubt" oder „Es ist verboten", so gab es keinen Widerspruch. Daß diese strenge Beschränkung kein Hemmnis für den schaffenden Künstler bildete, das beweisen die Werke der großen Meister dieser Epoche.

Theorie.

Generalbaß und Kontrapunkt wurden unter der Bezeichnung Kompositionslehre zusammengefaßt; zuweilen schließt sie auch Anweisungen für die Melodie und das Rezitativ ein. Eine auf den neuen Stil bezügliche Formenlehre und die Lehre von der Instrumentation waren erst der neuesten Zeit vorbehalten.

421

— 414 —

Ramoau.
Fux.

Marpurg.

Kirnberger.

Das Harmoniesystem Rameau-d'Alembert, das Lehrbuch des Kontrapunkts und der Komposition von Fux bleiben die beiden Grundpfeiler, auf welche sich die Musiktheorie der Nachfolger im wesentlichen stützt. Marpurg und Kirnberger in Berlin, Albrechtsberger in Wien werden die tonangebenden Theoretiker der nächsten Zeit. Marpurg ist der gläubige Jünger Rameaus, dessen System er in Übersetzung herausgab, hat aber auch seine eigenen Verdienste um Generalbaß und Kontrapunkt. Kirnberger schwört zur Fahne Fux' und verkündet seine Lehren in „Die Kunst des reinen Satzes". Beider ist schon mehrfach Erwähnung geschehen.

**Albrechts-
berger.**

Johann Georg Albrechtsberger, geb. 1736 in Klosterneuburg bei Wien, war jahrelang Organist in Melk, kam dann in dieser Eigenschaft in die Hofkapelle und wurde 1792 zum Kapellmeister an der Stephanskirche ernannt. Schon 1772 beginnt seine ausgedehnte Tätigkeit als Lehrer der Komposition, in dessen Verlaufe er 1792 Beethoven zu seinen Schülern zählte. Ein äußerst fruchtbarer Komponist in allen Gattungen, waren es gerade die Werke auf seinem eigensten Gebiete, der Kirchenmusik, welche unveröffentlicht, doch nicht unbekannt blieben. Dagegen sind seine zahlreichen Orgelstücke sehr verbreitet und geschätzt gewesen. Stark ist auch die instrumentale Kammermusik vertreten. Am wichtigsten ist Albrechtsberger als theoretischer Schriftsteller. Sein Hauptwerk ist die „Gründliche Anweisung zur Komposition" 1790, welches auch in das Französische und Englische übersetzt ward. Nebst diesem ist eine „Generalbaßschule" zu erwähnen. Albrechtsberger starb 1809 in Wien. Der Erbe seines Ruhms als bedeutender Theoretiker und Lehrer war Simon Sechter (1788—1867), dessen Wirken ebenfalls Wien angehört.

Abbé Vogler.

Einer der originellsten und einflußreichsten Theoretiker dieser Epoche war der schon mehrfach angeführte Abbé Vogler, ein Mann von großer Vielseitigkeit und Energie, ein erfinderischer Kopf, dabei nicht ohne Dünkel und Geheimtuerei.

Georg Joseph Vogler (1749—1814), geb. in Würzburg, kam 1771 nach Mannheim, studierte dann bei P. Martini in Bologna und bei Vallotti in Padua und bereitete sich gleichzeitig zum Priesterstande vor, worauf er in Rom die Weihen empfing. Als Ritter des päpstlichen „goldenen Sporns" kehrte er 1775 nach Mannheim zu dem ihm wohlgeneigten Kurfürsten zurück, wurde Hofkaplan und zweiter Kapellmeister. Er gründete eine Musikschule, welche als „Mannheimer Tonschule" eine gewisse Berühmtheit erlangte, an welcher nach seinen Prinzipien unterrichtet wurde. Nachdem er durch mehrere Jahre in Mannheim als Lehrer und Komponist gewirkt hatte, begab er sich 1783 auf Reisen, die ihn nach Paris, Spanien, dem Orient, später nach Schweden zu dauerndem Aufenthalt führten. In Stockholm wurde er zum königl. Hofmusikdirektor ernannt und errichtete eine Tonschule. Nach vielfachen Reisen, auf denen er sich überall als Orgelvirtuose hören und bewundern ließ, auch mit seinem neuerfundenen Instrument „Orchestrion" Aufsehen erregte, nahm er von 1800 einen mehrjährigen Aufenthalt in Prag, führte 1804 in Wien die Oper „Samori", im folgenden Jahre in München „Castor und Pollux" auf und zog sich endlich 1807 nach Darmstadt zurück, wo er die Stelle als Hofkapellmeister erhielt. An seiner Schule daselbst studierten unter seiner Leitung C. M. von Weber, Meyerbeer, Gänsbacher. In Darmstadt beschloß Vogler 1814 sein rastlos tätiges und unruhig bewegtes Leben.

Es geht nicht an, diesen vielseitig begabten und eigenartig strebenden Mann als „Charlatan" zu bezeichnen, wie es oft geschehen ist, wenn auch sein Auftreten nicht frei von Blendwerk war. Von seinem Orgelspiel ist schon gesprochen worden. Seine zahlreichen Werke, mit Ausnahme einiger Kirchenkompositionen, sind verschollen. Als Theoretiker hat sein Harmoniesystem einen starken Anhang, aber auch Gegner gefunden. Vogler versuchte die akustische Erscheinung der „harmonischen Progression", mit ihren Ober- und Kombinationstönen, in der auf das temperierte System gegründeten Harmonielehre zu verwerten, eine Verschmelzung, die praktisch nicht gelingen konnte. Äußerst fruchtbar war er als musikpädagogischer Schriftsteller.

Anzuführen sind u. a.: „Handbuch zur Harmonielehre" 1802 (das wichtigste seiner Lehrbücher), die vorher erschienenen „Tonwissenschaft und Tonsetzkunst" 1776, „Kurpfälzische Tonschule" 1778, ein Choralsystem 1800, später noch „Über die harmonische Akustik" 1807, „Anweisung zum Klavierstimmen" 1807 und vieles andere.

Anschließend an die in Band II (S. 295—298) genannten, teilweise in diese Epoche reichenden Theoretiker und ihre Werke sind die folgenden hervorzuheben: Joh. Friedr. Daube mit seiner Schrift „Generalbaß in drei Akkorden" 1756, Heinrich Christoph Koch, Verfasser eines wertvollen Werkes „Versuch einer Anleitung zur Komposition" in 3 Teilen 1782—1793, ferner eines grundlegenden musikalischen Lexikons 1802 (in Neubearbeitung herausgegeben von Dommer 1863—1865), Justin Heinr. Knecht, als Organist schon erwähnt (S. 402), ein Anhänger Voglers, mit instruktiven Schriften über Generalbaß (4 Teile 1792—1798), Orgelspiel usw. Eine wichtige Rolle spielte Catels „Traité d'Harmonie", das offizielle Lehrbuch des Pariser Konservatoriums, zuerst 1800, dann in neuer Auflage, 1807 auch deutsch, erschienen. Vorwiegend praktischen Wert besitzen die theoretisch-instruktiven Werke von Reicha.

Anton Reicha, 1770 in Prag geboren, war als junger Mann Flötist in der kurf. Kapelle in Bonn und mit Beethoven befreundet, wandte sich dann nach Paris, wo er mit seinen Symphonien Anklang fand, lebte dann 1802—1808 in Wien, worauf er seinen bleibenden Aufenthalt in Paris nahm. Er brachte mehrere Opern auf die Bühne, hatte aber mehr Glück mit seinen Instrumentalkompositionen, namentlich mit seinen zahlreichen Kammermusikwerken. 1818 wurde Reicha zum Professor am Konservatorium ernannt. Er starb 1836 in Paris. Seine beiden theoretischen Hauptwerke: „Cours de Composition" 1818 und „Traité de haute Composition" 1824—1826 (deutsch bearb. von Czerny 1831) sowie „L'art du compositeur dramatique" 1833 scheinen für den Unterricht am Konservatorium bestimmt gewesen zu sein. Einen instruktiven Zweck verfolgen auch seine beiden dickleibigen Klavierwerke „36 fugues d'après un nouveau Système" (in Wien bei Haslinger) und „L'art de varier, ou 57 1 ar.". Produkte der Großmannssucht, eine Mischung von Pedanterie und Bizarrerie.

D. G. Türk, dessen wir schon mehrfach gedacht haben, hat eine vielbenützte „Anweisung zum Generalbaßspiel" 1791 und eine

Daube.

H. Chr. Koch.

J. H. Knecht.

Catel.

Anton Reicha.

Türk.

gelehrte „Anleitung zu Temperaturberechnungen" 1807 herausgegeben.

Ein angesehener theoretischer Schriftsteller war auch **Gott-**
Gottfr. Weber. **fried Weber** (1779—1839), der in hohen richterlichen Stellungen in Mannheim, Mainz, zuletzt in Darmstadt wirkte. Er verfaßte ein großes Werk mit zum Teil reformatorischen Ideen unter dem Titel „Versuch einer geordneten Theorie der Tonsetzkunst" in 3 Bänden, zuerst 1817—1821, dann noch in dritter Auflage 1830—1832 erschienen.

Völlig revolutionär ist der Franzose Jerome Momigny in seinem „*Cours complet d'harmonie et de composition*" 1806, dessen originelles System jedoch wenig Anklang bei der Pariser „Académie" und der sonstigen Gelehrtenwelt fand.

Akustik. Die Wissenschaft der **Akustik** hat in erster Linie Ernst
Chladni. **Chladni** (1756—1827) gefördert. Sein Hauptwerk „Die Akustik" erschien 1802, welchem Fortsetzungen 1817 und 1821 folgten. Ihm schließt sich an Bedeutung Joh. H. **Scheibler** (1778—1838) an (Schriften über Stimmethode u. a.).

Für die Theorie des **Instrumentenbaues** ist der berühmte
Savart. Akustiker **Savart** in Paris mit seinem Werke „*Mémoire sur la construction des instruments à cordes et à archet*" (1819) wichtig. Für die Orgelbaukunst bleibt **Bedos de Celles** der größte Meister; außer ihm ist noch **Adlung** mit seiner „Musica mechanica organoedi" zu verzeichnen.

Eine lichtvolle Darstellung der Entwicklung der **Musiktheorie** ver-
Riemann. danken wir dem hervorragenden Musikgelehrten und Forscher Hugo **Riemann** in seinem grundlegenden Werke „Geschichte der Musiktheorie im 9. bis 19. Jahrhundert" 1898, dem sich noch andere wertvolle Abhandlungen anschließen.

Zu den theoretischen Lehrbüchern gesellten sich die prak-
Schulen. tischen, die **Schulen**, an denen es zu keiner Zeit mangelte. Nächst den schon an ihrer Stelle genannten Hauptwerken von **Tosi**, **J. A. Hiller** (beide über Gesangskunst), **Ph. Em. Bach** (Klavier), **Leop. Mozart** (Violine) und vielen anderen Schulen für alle Instrumente, sind für unsere Epoche noch hinzuzufügen: die oft aufgelegte Klavierschule von **Löhlein** 1765, 1781, **Nägelis** Chorgesangschule, zahlreicher Singsolfeggien nicht zu gedenken.

Ästhetik. Die **Musikästhetik**, heute noch auf schwankendem Boden stehend, war damals noch weit entfernt, ein selbständiges wissenschaftliches Gebiet zu bilden. Kunstphilosophische Erörterungen und Ansichten finden sich in zahlreichen Schriften historischen, biographischen, belletristischen Inhalts, sowie in den damaligen Musikzeitungen. Von hervorragendem Interesse ist Christian Gott-
Chr. G. Krause. fried **Krauses** ideenreiches Buch „Von der musikalischen Poesie"
Sulzer. 1752. Ein angesehenes, vielzitiertes Werk war **Sulzers** „Allgemeine Theorie der schönen Künste", vier Bände 1772 (2. Auflage 1792—94). Großer Autorität genoß durch lange Zeit des Heidel-

berger Professors Friedr. T h i b a u t s Buch „Über Reinheit der
Tonkunst", 1826, wegen seiner strengkonservativen Gesinnung. Der
Philosoph C a r l C h r i s t. Friedr. K r a u s e (1781—1832) hat
Schriften über Ästhetik hinterlassen, welche 1837 und neuestens
noch 1882 herausgegeben wurden.

Von umfassenden, wissenschaftlich wertvollen Werken über
a l l g e m e i n e M u s i k g e s c h i c h t e kann auch in dieser Epoche
nicht die Rede sein. Verdienstvoll und brauchbar durch das darin
enthaltene Material ist B u r n e y s „History of music", 4 Bände,
1776—1789, auch seines Landsmanns H a w k i n s' Geschichte in
5 Bänden, 1776, ist aus dieser Zeit zu begrüßen. Des Franzosen
L a b o r d e *„Essay sur la musique ancienne et moderne"* in 4 Bänden,
1780 erschienen, stellt sich als eine ernste Arbeit über Musikgeschichte dar. Erst die deutschen Forscher G e r b e r t, F o r k e l,
G e r b e r bereiteten den Boden für die künftige Geschichtschreibung,
der Benediktinerabt Martin G e r b e r t durch seine beiden Werke
„De Cantu et musica sacra" 1774 und *„Scriptores ecclesiastici de musica
sacra"* 1784, Joh. Nicolaus F o r k e l durch seine „Allgemeine
Literatur der Musik" 1792, Ernst Ludwig G e r b e r in Sondershausen,
der auf Grund des alten W a l t h e r schen „Musikalischen Lexikon"
vom Jahre 1732 ein großes Werk „Historisch-Biographisches Lexikon der Tonkünstler" 1791—1792 herausgab, welches allmählich
anwachsend, in dem „Neuen hist.-biogr. Lexikon" in 4 Bänden
1812—1814 zu einer unentbehrlichen Quelle der Musikgeschichte ward.

G e r b e r s in langjährigem Sammeleifer entstandene Bibliothek wurde
von der Gesellschaft der Musikfreunde in Wien erworben und bildet den
Grundstock ihres Bücherbesitzes.

Ein gelehrter Wiener Musikfreund, der Hofrat Raphael
K i e s e w e t t e r (1773—1850), ist es, dem wir die erste systematisch
geordnete Musikgeschichte in deutscher Sprache „Geschichte der
europäisch-abendländischen Musik" 1834 verdanken, ein Werk, welches, so wenig es uns heute befriedigt, doch der Ausgangspunkt für die
späteren Historiker wurde. Schon vorher hatte Kiesewetter eine
Preisschrift über „Die Verdienste der Niederländer um die Musik"
veröffentlicht. Von französischen Schriftstellern dieser Zeit seien
erwähnt: V i l l o t e a u, wegen seiner Abhandlungen über ägyptische
Musik (in dem Werk *„Description de l'Egypte"* 1809—1815), Alex.
C h o r o n (1772 1834), einer der ernstesten Musiker Frankreichs,
der auf theoretischem und historischem Gebiete große Verdienste
hat; er gab u. a. ein *„Dictionnaire historique des musiciens"* zusammen
mit F a y o l l e 1810 1811, ferner *„Principes de Composition"* und
andere Unterrichtswerke heraus; C a s t i l - B l a z e (1784—1857)
verfaßte einen *„Dictionnaire de musique moderne"* 1821 und eine Anzahl Schriften über die Geschichte der Oper.

Die **b i o g r a p h i s c h e** Literatur hat einiges Bemerkenswerte
aufzuweisen. Schon B u r n e y s Reisetagebücher (in deutscher Über-

Marginal notes (right column):
Thibaut.
C. Chr. Krause.
Musik-
geschichte.
Burney.
Hawkins.
Laborde.
Gerbert.
Forkel.
Gerber.
Kiesewetter.
Choron.
Biographien.

— 418 —

setzung 1772—1773 erschienen) bieten eine interessante Ausbeute auf diesem Gebiete. — Von Spezialarbeiten ist F o r k e l s „Leben und Werke Seb. B a c h s", 1802, ein mit Liebe geschriebenes Buch, wichtig als die erste ausgeführte Biographie des Meisters. Ein großes geschichtliches Material enthält des Abbé B a i n i in Rom umfangreiche Biographie P a l e s t r i n a s, 1828 (deutsch von Kandler 1834), trotz ihren einseitigen Ansichten eine grundlegende Arbeit. Die Erstlingsbiographien H a y d n s (von Dies, Griesinger, beide 1810), M o z a r t s (Niemtschek 1798, Nissen 1828) haben den frischen Reiz der Ursprünglichkeit. Daß Selbstbiographien, wie die von D i t t e r s d o r f, 1801 herausgegeben, und wie die spätere von G y r o w e t z auch viele Beobachtungen allgemeiner Natur enthalten, verleiht ihnen einen vermehrten historischen Wert.

Eine ergiebige Quelle, zuweilen die einzige, für die Kenntnis der zeitgenössischen Kunsterscheinungen, bilden die damaligen

Zeitschriften. M u s i k z e i t s c h r i f t e n. Leider sind ihre Berichte zu lückenhaft, um unsere Wißbegierde ganz zu befriedigen. Wenn aber Männer wie R e i c h a r d t oder R o c h l i t z zur Feder greifen, dann verbreiten sie ein helles Licht über die Musikzustände ihrer Zeit. Eine Eigentümlichkeit der Musikzeitungen ist ihre Kurzlebigkeit, sie gehen meist durch den Mangel an Teilnahme bald ein. Eine

Leipzig. Ausnahme bildet die L e i p z i g e r „Allgemeine Musikalische Zeitung" 1798—1848 (begründet von Friedr. R o c h l i t z und von ihm bis 1818 redigiert).

Rochlitz. Joh. Friedrich R o c h l i t z (1769—1842) in L e i p z i g, Weimarischer Hofrat, zuerst Romandichter, dann als musikalischer Schriftsteller von großem Einfluß. Sein Hauptwerk „Für Freunde der Tonkunst", 4 Bände 1824—1832, umschließt ein reiches historisches, namentlich biographisches Material, dem sich später eine historische Sammlung vorzüglicher Gesangstücke in 3 Bänden anreiht. Ästhetisch-kritische Schriften vervollständigen die Liste seiner literarischen Arbeiten. Um das Leipziger Musikleben wie um die publizistische Würdigung der großen Meister erwarb sich Rochlitz große Verdienste.

Die frühesten Musikzeitungen gehören D e u t s c h l a n d an. Wir haben sie in der vorigen Epoche (II. S. 297) bereits namhaft

Wien. gemacht. Dem Leipziger Beispiel folgte bald W i e n mit der „Wiener musikalischen Zeitung" 1813, welche es nur auf einen Jahrgang brachte. Etwas glücklicher war die „Allgemeine musikalische Zeitung" von dem Musikverleger S t e i n e r herausgegeben, deren Lebensdauer sich von 1817 bis 1824 erstreckte; ihre Redakteure waren Ign. v. S e y f r i e d und später Fr. Aug. K a n n e. Aus jahrelangem Schlafe erwachte die Zeitung wieder 1842 und wurde bis 1848 unter der Leitung von August S c h m i d t fortgeführt. B e r l i n hatte schon 1792 die kurzlebige Monatsschrift von R e i c h a r d t, darauf 1824—1830 die „Allgemeine musikalische Zeitung" (A. B. M a r x). L e i p z i g durfte sich seit 1834 mit der Gründung der „Neuen Zeitschrift für Musik" durch S c h u m a n n einer fortschrittlichen Richtung rühmen.

Erst als in der nächstfolgenden Zeit durch die umfassende *Biographie universelle des Musiciens* von Fétis, einem Werke, welches von der großen Gelehrsamkeit und dem eisernen Fleiße seines Urhebers Zeugnis gibt, die Wege für die zukünftigen Geschichtschreiber geebnet waren, erst als die Spezialforschung auf verschiedenen Punkten dieses Gebietes ihre Arbeit einsetzte, der sich Männer, wie August Böckh, Friedrich Bellermann, Franz Commer, Karl von Winterfeld, C. F. Becker und noch andere widmeten, beginnt die Wissenschaft der Musikgeschichte festen Boden zu gewinnen.

[margin: Fétis.]

[margin: Spezialforschung.]

In der zweiten Hälfte des 18. Jahrhunderts beginnt ein regeres Leben auf dem Boden der Musikpflege sich zu entfalten. Es ersteht ein gebildeter Dilettantismus, welcher die Verbreitung besserer Musik fördert. Während bisher nur Hof und Adel die Musik und die Musiker „beschützten", tauchen jetzt auch bürgerliche Mäzene auf. Das Standesbewußtsein der Fachmusiker erwacht, ihre materiellen Interessen schließen sie zusammen. Es entstehen Vereine mit künstlerischen und humanitären Zwecken. Dem steigenden Bedürfnis des musikliebenden Publikums kommt die Gründung von Konzertgesellschaften, die Veranstaltung von „Akademien" entgegen. Virtuosen werden flügge und ziehen von Stadt zu Stadt. Endlich wird auch der musikalischen Erziehung vom Staat und von der Gesamtheit größere Beachtung zugewendet. — Alles dies sind Schößlinge, welche in den ersten Dezennien des 19. Jahrhunderts sich zu einer reicheren Vegetation entwickeln. Nur kurze und zerstreute Notizen sind es, welche wir über diese sozialen und kulturellen Musikzustände bieten können.

[margin: Musikpflege.]

Das musikalische Vereinswesen ist in der zweiten Hälfte des 18. Jahrhunderts nur in vereinzelten Erscheinungen zu beobachten. England geht darin voran mit der Gründung der „Madrigal Society" 1741, einer Gesellschaft, welche noch heute in London besteht. Die daselbst 1770 entstandenen „Concerts of ancient Music" hatten hauptsächlich die Pflege Händelscher Werke zum Zwecke. In Frankreich bildeten sich Konzertvereine, die „Concerts spirituels", schon 1725 von A. D. Philidor gegründet und bis zur Revolutionszeit fortgeführt, später die „Concerts des amateurs", 1770 unter der Leitung Gossecs, denen dann die „Société des Concerts du Conservatoire", 1828 unter Habeneck den Rang ablief und ihre Konzerte zu den berühmtesten Europas erhob. In Wien entstand 1772 die „Tonkünstler-Sozietät", ein Pensionsinstitut für die Witwen und Waisen von Tonkünstlern, von dem Hofkapellmeister Gassmann begründet. Diese Gesellschaft veranstaltete jährlich vier, später nur zwei Konzerte, in welchen Oratorien, auch Symphonien und Solovorträge zu Gehör kamen. Die Ausführenden waren Fachmusiker, zuweilen fremde Virtuosen. Die „Tonkünstler-Sozietät" beschränkte sich dann jahrelang auf die beiden Oratorien „Schöpfung" und „Jahreszeiten", denen sie ihre größten Erfolge verdankte, und nahm schließlich den Namen „Haydn" an. — In die zweite Hälfte des 18. Jahrhunderts fallen ferner: Die großen Händelfeste („Handel Commemoration"), in London 1784—1791 in der

[margin: Vereine.]

[margin: Konzertwesen.]

[margin: Paris.]

[margin: Wien.]

[margin: London.]

27*

Westminster-Abtei abgehalten, die ständigen Konzertgesellschaften (aus Haydns
Zeit in London bekannt), denen 1813 die Konzerte der **Philharmonischen
Gesellschaft** folgen. Die Anfänge der **Gewandhauskonzerte** in Leipzig datieren von 1763 (Hiller), 1785 (Schicht), jene der Berliner **Singakademie** von 1790 (Fasch).

Leipzig.

Mit dem Anfang des 19. Jahrhunderts beginnt in Deutschland die Aera
der **Gesangvereine**, mit ihr eine Bewegung, welche mächtig anschwellend
die deutschen Gaue überschwemmte. Sangesfreude und Patriotismus bilden die
vereinte Triebkraft dieser Bewegung. Der **Chorgesang** war es auch, der
die Musikpflege demokratisierte. Die **Schweiz** und **Norddeutschland**
sind die Geburtsstätten der Chorvereine, des Männergesanges, der **Liedertafel**.
Georg **Nägeli** (1773—1836) in **Zürich**, Gesangspädagoge, Musikverleger,
Komponist und Schriftsteller, war der Vorkämpfer des deutschen **Männergesanges**. Er gründete 1805 ein Singinstitut, trat 1810 mit seinem Männerchor hervor, der in der ganzen Schweiz Nachahmung fand. Anders geartet
war die von **Zelter** in **Berlin** 1809 gestiftete **Liedertafel** für Männer.
Während die Schweizer ihren Gesang auf eine volkstümliche Basis stellten,
war der Berliner Verein, dessen Mitgliederzahl auf 24 beschränkt war, aus
gebildeten Musikern und geschulten Sängern zusammengesetzt. Stetig entwickelte sich neben ihm die Berliner **Singakademie** für gemischten Chor,
welche unter der Leitung **Zelters** einen solchen Aufschwung nahm, daß sie
1829 mit der Erstaufführung der **Matthäuspassion** von **Bach** glänzend
hervortreten konnte. Ähnliche Chorvereine mit gemischtem Chor waren u. a.
in **Dresden** die **Dreyßig**sche Singakademie, seit 1807, der **Frankfurter**
„Cäcilienverein", gegründet von **Schelble** 1821, jener in **Kassel** (Spohr)
1823. **Männergesangvereine**: Die Leipziger Liedertafel (Fr. Schneider)
1815, die Magdeburger (Mühling) 1818, Dessau 1821, Hamburg 1823, Königsberg 1824, Stuttgart (Silcher) 1824 usw. Die zu großer Berühmtheit gelangten
Männergesangvereine von **Köln** und **Wien** entstanden erst nach 1840.

*Gesang-
vereine.*

Schweiz.

Nägeli.

*Berlin.
Zelter.*

Das Aufblühen des musikalischen Vereinswesens von Anfang des 19. Jahrhunderts rief den Zusammenschluß großer Musikkörper zu gemeinsamen Aufführungen, die „**Musikfeste**", ins Leben. **England** war damit schon im
18. Jahrhundert mit seinen Händelfesten vorangegangen und setzte sie auch
weiter fort, **Deutschland** folgte diesem Beispiel und bald drängten sich in
allen deutschen Ländern die Musikfeste. Ihre Reihenfolge beginnt mit den
„Thüringer Musikfesten" in **Nordhausen** 1810 und 1811, denen das Händel-
fest in Hamburg 1816 folgte. Zu dauernder Bedeutung gelangten die „**Niederrheinischen Musikfeste**", seit 1817 fast alljährlich abwechselnd in Elber-
feld, Köln, Düsseldorf, Aachen abgehalten. Zu nennen sind ferner die Musikfeste in Helmstädt, Quedlinburg, Magdeburg, Halle, Erfurt, Zerbst, Halberstadt,
Dessau, Braunschweig, die elsässischen in Straßburg, die holländischen, die
englischen. Zur Aufführung kamen vorwiegend **Oratorien**, dann Symphonien
und andere große Werke, auch an Solovorträgen fehlte es nicht.

Musikfeste.

*Nieder-
rheinische.*

Das Bestreben, Gesang und Instrumentenspiel auf ein kunstgerechtes
Niveau zu heben und einen musikalisch gebildeten Nachwuchs zu schaffen,
führte zur Gründung großer Musikschulen oder **Konservatorien**. Die
alten, mit Wohltätigkeitsanstalten verbundenen, italienischen Konservatorien
zu **Neapel** und **Venedig** hatten sich überlebt, die neueren in **Bologna**
seit 1804, **Mailand** 1807, **Neapel** 1808 u. a. m. legten das Hauptgewicht auf
die Ausbildung für die Oper. Von den außeritalienischen Konservatorien ist
das älteste das **Pariser**. Es wurde 1784 als *„Ecole royale du chant et de
declamation"* gegründet, dehnte bald seine Wirksamkeit auf die Instrumente
aus, vertauschte den Namen 1795 in *„Conservatoire de musique"*, als welches
es einen Weltruf erwarb. Die Organisation des Pariser Konservatoriums ward
das Vorbild für ähnliche Institute in anderen Ländern. Zunächst ist das
1811 entstandene Konservatorium in **Prag** zu nennen, welches durch Jahre
unter der Leitung von Dionys **Weber** stand. In **Wien** errichtete die „Gesell-

*Konser-
vatorien.*

Paris.

*Prag.
Wien.*

schaft der Musikfreunde" 1817 eine Singschule (unter der Oberleitung Salieris), welche 1821 zu einem wirklichen Konservatorium erweitert wurde. Berlin besaß ein 1822 gegründetes königl. „Institut für Kirchenmusik" nebst einer Meisterschule für Komposition, welche 1833 nachfolgte. Das berühmte Konservatorium in Brüssel nahm seinen bescheidenen Anfang 1813 als städtische Musikschule und wurde 1832 Staatsinstitut. Sein erster Direktor war Fétis, dessen Nachfolger Gevaert. In London tritt schon 1822 die „Royal Academy of music" als echt nationales Institut ins Leben. Alle anderen Konservatorien von Rang gehören einer späteren Zeit an, wie das Leipziger, von Mendelssohn 1843 gegründet, das Berliner Sternsche Konservatorium 1850, die königl. Hochschule für Musik, das Münchener Konservatorium, die Amsterdamer „Matschappij", die russischen Konservatorien usw. *(Brüssel.)*

Öffentliche Virtuosenkonzerte waren im 18. Jahrhundert noch sehr dünn gesäet. Die reisenden Virtuosen pflegten sich im günstigen Falle an den Höfen und in vornehmen Kreisen hören zu lassen oder in Akademien mitzuwirken. Die Gesangskünstler waren in dieser Zeit häufiger als die Instrumentalisten. Lebhafter wird das Bild von Anfang des 19. Jahrhunderts, wo schon Virtuosenkonzerte in allen europäischen Städten auftauchen und ein dankbares Publikum finden. Nun treten die Instrumentalisten in den Vordergrund. Wir kennen die Namen der hervorragenden Gesangskünstler und Instrumentalvirtuosen aus den vorangegangenen Abschnitten. Zu den Pianisten fügen wir noch den schon damals neben Hummel glänzenden jungen Moscheles, ferner die Wiener Pianistinnen, die blinde Marie Theresia Paradies und Leopoldine Blahetka, endlich die in den Jahren 1820—1830 ihre Virtuosenlaufbahn beginnenden Koryphäen Liszt, Thalberg, Chopin hinzu. Von Violinvirtuosen erwähnen wir noch Alexander Boucher, einen originellen Kauz, der sich einer Ähnlichkeit mit Napoleon berühmte und eine erstaunliche Virtuosität besaß; von Klarinettisten Iwan Müller, der neben Bärmann und Hermstedt zu den Berühmtheiten dieses Instruments gehört. Auch die jetzt vernachlässigte Guitarre hatte ihren großen Meister in Mauro Giuliani (1780—1820) der auch ein ungemein fruchtbarer Komponist für sein Instrument war. — Ein von Benjamin Franklin erfundenes oder verbessertes Instrument, die Glasharmonika, machte damals großes Aufsehen. Die weichen, schwärmerischen Klänge, welche eine geschickte Hand den abgestimmten befeuchteten Glasglocken entlocken konnte, bezauberten alle Welt. Nachdem die Engländerin Miß Davies die Glasharmonika auf dem Kontinent eingeführt, war es vorzüglich die blinde Marianne Kirchgessner, welche das von ihr meisterhaft behandelte Instrument populär machte und 1791 in Wien auch Mozart Interesse abgewann. *(Virtuosen. Pianisten. Violine. Klarinette. Guitarre. Glasharmonika.)*

Im Instrumentenbau dieser Epoche sind wichtige Verbesserungen in den Blasinstrumenten und dem Klavier zu verzeichnen. Der Violinbau hatte schon seine höchste Vollkommenheit bei den italienischen Meistern des 17. und der ersten Hälfte des 18. Jahrhunderts erreicht. Die Flöte wurde von Theobald Böhm etwa 1832 mit einer neuen Konstruktion versehen, die Oboe folgte ihrem Beispiel, ebenso das Fagott, die Klarinette vermehrte ihre Tonlöcher, das Ventilhorn und die Ventiltrompete verdrängten allmählich die Naturblechinstrumente. Eine entschiedene Vervollkommnung erfuhr die Harfe durch die Erfindung der Doppelpedalharfe, welche Sébastien Erard in Paris 1811 einführte. Einen großen Aufschwung nahm auch der Klavierbau, welcher nach dem Vorgang Silbermanns sich ausschließlich dem Hammerklavier (Pianoforte) zuwandte. Die größten Verdienste auf diesem Gebiete haben Andreas Stein in Augsburg, ein Schüler Silbermanns, Andreas Streicher in Wien (der Jugendfreund Schillers), der die Tochter Steins, Nanette, geheiratet, Erard in Paris mit seiner Erfindung der Repetitionsmechanik („double échappement") 1823, Broadwood in London, der die deutsche Mechanik vervollkommnete. Andere berühmte Klaviermacher der Zeit waren Conrad Graf in Wien, Pleyel in Paris, Collard in London. *(Instrumentenbau. Blasinstrumente. Harfe. Klavier.)*

Musik-
handel.

Breitkopf
& Härtel.

Im Musikverlag und Musikhandel herrschten im 18. Jahrhundert noch klägliche Zustände und nur langsam vollzog sich in den ersten Dezennien des 19. Jahrhunderts ein Übergang zu geordneten Verhältnissen. Der Handel mit Abschriften blühte durch die ganze Epoche, Druck und Stich waren kostspielig, zudem so mangelhaft, daß es begreiflich wird, wenn die Käufer schön geschriebene Noten vorzogen. Von einem gesetzlichen Schutz des musikalischen Eigentumrechtes war noch nicht die Rede. Mangel an kaufmännischem Anstand und Unredlichkeit waren in diesem Geschäftszweig an der Tagesordnung; diebische Kopisten brachten oft den Komponisten um seinen verdienten Lohn. Inmitten dieses Wirrsals entstanden in allen Ländern Verlags- und Handelsfirmen, welche vom Kleinbetrieb ausgehend es allmählich zum Flor brachten. Fast zwei Jahrhunderte zählt die Leipziger Firma Breitkopf & Härtel seit ihrer Gründung durch den Buchdrucker Bernh. Christoph Breitkopf 1719. Sein Sohn Gottlieb Emanuel führte den Notendruck mit Typen nach seinem verbesserten Verfahren ein. Zugleich betrieb er den Musikhandel schwunghaft, wovon seine überaus reichhaltigen gedruckten Verlagskataloge 1762—1787 Zeugnis geben. Bald darauf übernahm sein Kompagnon Härtel die alleinige Leitung und seit 1795 wurde die Firma in Breitkopf & Härtel umgewandelt. Alte Verlagsgeschäfte, die, aus dem 18. Jahrhundert stammend, sich bis heute erhalten haben, sind noch Schott in Mainz (seit 1773), Simrock in Bonn (1790), Artaria in Wien (1780), Nägeli in Zürich (1792), André in Offenbach. Dem 19. Jahrh. gehören u. a. an: Hoffmeister & Kühnel, 1800 in Leipzig gegründet, seit 1814 Peters, Richaut in Paris (1805), Ricordi in Mailand (ca. 1810). Novello & Ewer in London (1811), Chapell ebendaselbst (1812), Cappi, später Diabelli in Wien (1824), Mollo, dann Haslinger in Wien (1826), Troupenas in Paris (ca. 1825), Kistner in Leipzig usw.

Der Zeitraum, den wir in diesem Buche durchmessen, wird als die klassische Epoche der Tonkunst bezeichnet. Ihre großen Meister haben Werke von für alle Zeiten mustergültiger Vollendung geschaffen. Das Element der „Romantik" aber, welches sich in zahlreichen Einzelerscheinungen ankündigt, gelangt erst in der nächstfolgenden Epoche zum vollen Durchbruch.

Literatur-Verzeichnis

einschlägiger Werke.

(Auswahl.)

Denkmäler der Tonkuust in Bayern, 3. Jahrg. 1902, 7. Jahrg. 1906, 8. Jahrg. 1908 (Mannheimer Schule, herausg. von H. Riemann).
Denkmäler der Tonkunst in Österreich, 15. Jahrg. 1908 (Wiener Instrumentalmusik, herausg. von Karl Horwitz und K. Riedel).
L. Torchi, La musica istromentale in Italia, 1902.
Karl Mennicke, Hasse und die Brüder Graun als Symphoniker, 1906.
A. Schering, Gesch. des Instrumentalkonzerts bis auf die Gegenwart, 1905 (Kl. Handbücher a. d. Musikgesch., herausg. von H. Kretzschmar).
Wotquenne, Them. Verzeichnis der Werke von Ph. Em. Bach, 1905.
C. F. Pohl, Joseph Haydn, 2 Bände, 1875 u. 1882. — Mozart und Haydn in London, 2 Bände, 1867.
Nicola d'Arienzo, Le origini dell'opera comica (Rivista mus. 1899). Deutsch von Ferd. Lugscheider.
Scherillo, Storia letteraria dell'Opera buffa napolitana, 1883.
A. Pougin, Monsigny et son temps, 1908.
H. Curzon, Grétry (in „Les musiciens célèbres").
Pougin, L'Opera comique pendant la Révolution, 1891.
K. Peiser, J. A. Hiller, 1894.
Fr. Walter, Gesch. d. Musik und des Theaters am kurpfälz. Hofe, 1898.
Dittersdorf, Selbstbiographie, herausg. v. K. Spazier, 1801.
Carl Krebs, Dittersdorfiana, 1900.
Nagel, Gesch. d. Musik in England, 1897.
A. Schmid, Gluck, 1854.
A. B. Marx, Gluck und die Oper, 1863.
Jul. Tiersot, Gluck, 1910.
Wotquenne, Them. Verz. der Werke Glucks, 1904.
Otto Jahn, Mozart, 4 Bände, 1856—1859, in 2 Bänden (Deiters, 1889—1891.
L. v. Köchal, Chron. them. Verzeichnis sämtlicher Werke Mozarts, 1862 (neueste Aufl. 1905).
L. Nohl, Mozarts Leben, 1876. — Mozarts Briefe, 1877.
Nottebohm, Mozartiana, 1880.
Storck, Mozart, 1908.
Ant. Schindler, Beethoven, 1840 (3. Aufl. 1860)
A. B. Marx, Beethoven, 2 Bände, 3. Aufl. 1875.
Ludw. Nohl, Beethovens Leben, 3 Bände, 1864—1877.
A. W. Thayer, Biographie Beethovens, 3 Bände, 1866 1879 (4. Band red. von H. Deiters, 5. Band red. von H. Riemann, 1908).
Nottebohm, Beethoveniana, 1872. Neue do.
Th. Frimmel, Beethoven, 1901 1903.
Kalischer, Sämtl. Briefe Beethovens, 1908.

Max Friedländer, Das deutsche Lied im 18. Jahrh., 3 Bände, 1902.
Schletterer, J. F. Reichardt, 1. Band, 1865.
Walther Paul, Reichardt, 1903.
H. v. Kreißle, Schubert, 1865.
A. Reißmann, Schubert (3. Aufl. 1879).
R. Heuberger, Schubert (in Reimanns „Berühmte Musiker", 1902).
H. Curzon, Les Lieder de Fr. Schubert, 1900.
M. v. Weber, C. M. von Weber, 3 Bände, 1864—1866.
Jähns, Webers Biographie, 1873.
M. E. Wittmann, Cherubini, 1895 (in Reclams Univ.-Bibl.).
Pougin, Rossini (in Musiciens du 19me siècle, 1872). — Auber, 1873.
J. Sittard, Rossini, 1882.
Gumprecht, Auber (in Mus. Charakterbilder, 1869).
Spohr, Selbstbiographie, 2 Bände, 1860 1861.
Loewe, Selbstbiographie, herausg. von K. H. Bitter, 1870.
Max Runze, Loewe, 1884.
F. Kempe, Friedr. Schneider als Mensch und Künstler (2. Aufl.
von A. Lutze, 1864).
Schiedermayer, Simon Mayr (in Beiträge zur Gesch. d. Oper, 1907).
Pougin, Bellini, 1868. — Méhul, 1889. — Boieldieu, 1875. —
Hérold.
G. Münzer, Heinrich Marschner (in Reimanns „Berühmte Musiker",
1901).
Wittmann, Marschner (in Reclams Univ.-Bibl., 1897).
C. F. Weitzmann, Gesch. d. Klavierspiels (2. Aufl. 1879).
A. Prosniz, Handb. d. Klavierliteratur, 1. Band (2. Aufl. 1908),
2. Band, 1907.
H. Riemann, Gesch. der Musiktheorie im 9.—19. Jahrh., 1898.
Ed. Hanslick, Gesch. d. Konzertwesens in Wien, 2 Bände, 1869—1870.
— Aus dem Konzertsaal (2. Aufl. 1897).

Fétis, Biogr. univ. des musiciens. 2. Aufl. 1877—1878.
Grove, Dict. of Music and Musicians. 1879—1885.
Riemann, Musiklexikon (8. Aufl. 1915). — Opernhandbuch, 1884—1893.
H. Kretzschmar, Führer durch den Konzertsaal. 1. Abt. 1887
(3. Aufl. 1905), 2. Abt. 1890.
Riemann, Gesch. d. Musik seit Beethoven (1800—1900), 1901.
Vierteljahrschr. für Musikwissenschaft, 1885—1894.
Sammelbände der Intern. Musikgesellschaft. Seit 1899.
Spitta, Musikgesch Aufsätze, 1894.
Waldersee, Sammlung mus. Vorträge, 1879—1884.
Jahrbücher der Musikbibl. Peters. Seit 1895.

(Die bez. Gesamtausgaben, sowie viele wichtigere Spezialwerke
sind an ihrer Stelle angeführt.)

Namenregister.

Druck:
Customized Business Services GmbH
im Auftrag der KNV-Gruppe
Ferdinand-Jühlke-Str. 7
99095 Erfurt